大连年鉴

DALIAN YEAR BOOK

2001

中共大连市委员会主办

大连市史志办公室编

刊　　名　大连年鉴（2001）
主　　办　中共大连市委员会
编　　纂　大连市史志办公室
地址：大连市中山区育才街39号
邮编：116001
电话：(0411)2709083　2716666－8013
E-mail：dlnj@mail.dlptt.ln.cn
制　　版　大连博远印刷(制版)有限公司
印　　刷　深圳佳信达印务有限公司
开本/规格　889×1194毫米　1／16　108.6 万字
出版时间　2001年12月
刊　　号　ISSN　1671－3001
CN　21－1467／D
定　　价　280.00元

《大连年鉴》(2001)编审人员

主　　审	怀忠民　贺　旻
主　　编	单文俊　王佩平
执行主编	石黎明　孙　颖
执行副主编	周万久　郑　彬
责任编辑校对	石黎明　孙　颖　周万久　郑　彬
彩版设计	迟维斌

《大连年鉴》撰稿单位审稿人员

(按姓氏笔画为序)

丁永安	刁成宝	于文亭	于长敏	于丕鸿	于连生	于　杰	门启鸣	马　沛
马祖铨	方世伟	方学良	王义奎	王太培	王世伟	王本芳	王兴慧	王庆波
王成华	王劲平	王希智	王连英	王学圣	王宝林	王建旭	王忠彦	王　星
王洪俊	王家贵	王泰荣	王道平	王新华	王新宇	王德永	车　民	邓龙春
邓孝文	丛安东	卢　林	叶枝盛	宁振波	田　耕	田允孝	田　平	任　利
刘书超	刘友信	刘玉军	刘忠凯	刘金恒	刘宪茹	刘树臣	刘秋菊	刘恩发
刘福生	刘锡财	刘德成	吕　嘉	吕功政	吕启明	吕咸斌	吕树华	孙广田
孙玉刚	孙吉春	孙吉高	孙佩丽	孙尉冬	孙常强	孙激扬	成　城	曲立峰
曲星光	曲晓飞	朱凤祥	毕世广	米玉国	许贵昌	闫利军	闫承琦	余泽美
吴忠伟	宋光禄	宋有成	张　忠	张仁祥	张风林	张永林	张立功	张　军
张怀礼	张　和	张国安	张洪越	张荣杰	张健胜	李　林	李　锋	李永德
李　扬	李秀岩	李国利	李泊洲	李彦修	李恒瑞	李振荣	李敏也	李　鹏
李德和	李耀东	杜　能	杜连和	杨吉奎	杨成林	杨树明	杨爱民	杨黎颖
汪集刚	沈丽荣	沙均刚	肖海波	苏振瑛	谷大成	谷源德	陈　虹	陈　幸
麦德仲	周作堃	孟庆金	孟庆楠	林宏信	林春财	武玉昌	郑全慈	金　鹏
金日辰	金建利	金　程	侯仁选	姚先林	娄玉华	柏长年	柳振万	洪文成
洪绍兴	洪源栋	胡志民	胡洪年	赵　勇	郝方林	倪季平	徐立新	徐志宽
徐承本	徐雁平	徐德江	秦共鸣	秦绍金	袁　伟	袁义祥	袁福秀	贾振修
贾聚林	郭景芳	钱忠杰	高　峰	崔常发	曹　煦	章承德	惠安成	葛莉菲
董　伟	董瑞国	蒋铭辉	熊国武	熊博力	蔡维藩	谭积斌	赛自威	黎春奇
穆道德	藏玉健	鞠文华	鞠延强	魏　群	魏玉田			

编辑说明

一、《大连年鉴》由中共大连市委员会主办，大连市史志办公室主持编纂，是经国家新闻出版署批准的大型综合性资料年刊，国内外公开发行。《大连年鉴》创刊于1990年，尔后每年出版1卷，旨在连续记述大连市改革开放、经济建设和社会进步的基本面貌和发展情况，所载资料全面、系统、翔实、准确，是国内外各界人士了解大连的权威性工具书。

二、《大连年鉴》(2001)采用分类编辑法。主体内容分为类目、分目和条目3个层次，其中少数内容繁杂的分目下设子分目。全书设类目39个，即专文、特载、概貌、党政机关、民主党派·人民团体、法制、军事、对外开放先导区、农业、工业、乡镇企业·个体私营经济、建筑业·房地产业、城市建设、环境保护、交通·邮电、口岸、对外经济贸易、国内贸易、会展业、旅游业、信息化和信息产业、金融业、财政·税务、经济管理、科学技术、社会科学、教育、文化、新闻出版·广播电视、卫生、体育、社会生活、区市县、人物、大事记、20世纪大连要事录、社会经济统计资料、市委市政府文件、附录。类目下设分目170个、子分目82个，含有条目1653个、表格270个、随文照片250幅。卷首有地图、党和国家领导人视察大连、辉煌的“九五”（图表）等彩页。

三、《大连年鉴》的检索系统包括目录和索引，目录在卷首，索引在卷尾。

四、《大连年鉴》的稿件由市直各部门、各区市县及部分驻连中央、省属单位提供，均经各供稿单位领导审阅。

五、《大连年鉴》所用统计数据均经各供稿单位统计部门审核。因统计时间、口径不同等原因，个别数据在不同稿件中不尽一致，使用时请注意出处。反映全市国民经济和社会发展情况的数据，以大连市统计局提供的“社会经济统计资料”为准。

六、《大连年鉴》的编纂工作得到全市各有关部门、单位以及各区市县的大力支持和协助，在此表示诚挚谢意。

目录 CONTENT

环境保护

概述

工业污染防治

自然生态环境保护

城市环境综合整治

环境监测

环境科研

环保产业

交通·邮电

港口

海运

公路

铁路

民用航空

邮政

社会生活

城乡人民生活

劳动工资

社会保障

计划生育

民政

残疾人事业

老年人生活

区市县

中山区

西岗区

沙河口区

领导人员名单

大事记（2000）

20世纪大连要事录

社会经济统计资料

市委、市政府文件

文件目录

文件选编

附　录

索　引

大连市区中心图
黄
海
大连湾
大连港
大连周水子国际机场
金三角立交桥
香甘立交桥
香炉礁高架立交桥
五惠立交桥
解放路立交桥
桃源立交桥
大连钢集团
大连化学工业公司
大连炼铁厂
工贸联合时装厂
顺发大酒店
大纺医院
红旗机械厂
玻璃制品厂
甘井子区
周水子广场
锦绣小区
春柳北小区
春柳隧道
侯家沟小区
王家沟
大连铸造厂
大连热电集团
大连造船新厂
大连港务公司
香炉礁码头
杂货码头
黑嘴子码头
邮政码头
化工码头
大连造船厂
大连港客运站
大连港务局
大连港汽车运输公司
大连东站
大连北站
沙河口站
大连西站
大连站
民主广场
港湾广场
中山广场
友好广场
三八广场
二七广场
胜利广场
人民广场
五四广场
解放广场
马栏广场
中山区
西岗区
沙河口区
市政府
市委
市政协
劳动公园
儿童公园
植物园
英雄纪念公园
白云山庄公园
大连森林动物园
电视塔
石葵隧道
桃山小区
老虎滩景区
棒棰岛景区
辽宁师范大学
大连铁道学院
大连医科大学
大连理工大学
大连轻工学院
外国语学院
大连水产学院
电机大学
国际会展中心
大连体育馆
星海广场

大连市行政区划图

大连市在辽宁省的位置
大连市
0 6 12 18 千米
辽东湾
渤海
太平湾
复州湾
葫芦山湾
普兰店湾
金州湾
大连湾
小窑湾
黄咀子湾
双岛湾
塔河湾
瓦房店市
普兰店市
金州区
旅顺口区
甘井子区
西岗区
中山区
沙河口区
长兴岛
凤鸣岛
西中岛
三山岛
蛇岛
海猫岛
猪岛
遇岩

庄河市
鞍山市
丹东市
普兰店
碧流河
英那河
庄河
湖里河
碧流河水库
朱隈水库
英那河水库
转角楼水库
永记水库
罗圈背水库
寨家坝水库
刁家坝水库
红旗水库
庄河市
桂云花满族乡
步云山乡
(大姜屯)
三架山满族乡
(张家堡)
塔岭满族镇
(隈子)
仙人洞旅游度假区
(长盛屯)
蓉花山镇
(德兴街)
太平岭满族乡
(太东屯)
长岭镇
(河沿)
荷花山镇
(姜屯)
光明山镇
(财主房屯)
城山镇
(当铺街)
大营镇
青堆镇
鞍子山乡
(小潮沟)
栗子房镇
(前刘屯)
吴炉镇
兰店乡
(兰店)
徐岭镇
观驾山乡
(小寺)
黑岛镇
明阳镇
(坎子)
大郑镇
转湘湖
高峰
太阳
横道河
二道岭
三道岭
小峪
八道岭
崔店
瓦房
五道沟
东瓜川
富贵
红塔
于屯
万亿
石佛
福隆
西李屯
前阳
宫庄
小孤山
光华
石庙
歇马
四家
王沟
张店
孙屯
广文
殿义
沙岭
沙峡
任屯
潮沟沿
金场
黄贵城
楼上
老徐坨子
四砣子
白砣子
蛤蜊岛
打拉腰
市场
姜窑
小营
小郭店
华沟
宏发
刘店
郭屯
大崔
河口
谢屯
永胜
恒利
马庙
高山
河东
菜园
兴隆
朝阳寺
福宁
前赵屯
林场
金山
陈家屯
西北天
东北天
孙炉
山海丰
五块石
大潭
兴隆岗
南尖
三坨子
曲木房
新农乡
(平房)
新立乡
孤山镇
黄土坎乡
喜萨庙乡
洋河镇
(贾家堡)
黑沟乡
沙里寨乡
岭沟乡
杨家堡乡
(老虎洞)
龙潭乡
(石佛崖)
新甸镇
(白旗堡子)
前营子乡
(瓦房店)
梁屯乡
矿洞沟乡
太平庄乡
万福镇
罗屯乡
(洪屯)
什字街乡
(于家屯)
杨屯镇
程家
转山
俭汤乡
戴家
七道房
金店
得胜
双塔镇
(王皮铺)
土城
粟寺
梨树房
福全
初店
中山
墨盘乡
(王山头)
星台镇
(张屯)
郑沟
元岭
苗屯
徐大屯镇
下吴
城子坦镇
大傅屯
赞子河乡
(大滕屯)
崔家窑
东老滩
甘河
皮口镇
沙家
马牙岛
平岛
石城岛
石城乡
前姚沟
于胜
小王家岛
长砣子
王家镇
(东滩)
大王家岛
石城列岛
长岛群岛
长山海峡
黄海
大长山岛
莲花池
四块石
长海县
(大长山岛镇)
吆风嘴
哈仙岛
格仙岛
小长山乡
(郭家庙)
大岭子
塞里岛
小长山岛
巴蛸岛
乌蟒岛
广鹿岛
瓜皮岛
洪子东岛
广鹿乡
(柳条)
南台
长山县
里长山列岛
中长山海峡
长山海峡
外长山列岛
外长山海峡
褡裢岛
小耗子岛
大耗子岛
前马牙滩
獐子镇
獐子岛
东獐子
海洋岛
海洋乡
龙口
西帮
市人民政府驻地
区、县(市)人民政府驻地
镇、乡人民政府、街道、农场驻地
一般居民点
河流、水库
海岸线
地级市界
区、县(市)界
开发区、旅游度假区界
镇、乡界
铁路
公路

党和国家领导人在大连

朱镕基观看文艺演出并与演员合影

朱镕基与副市长李永金亲切握手

2000年4月23～27日，中共中央政治局常委、国务院总理朱镕基在省、市领导闻世震、张国光、薄熙来陪同下视察大连，调查研究国有企业改革和社会保障体系建设问题，考察大连城市建设和环境情况。

朱镕基听取有关大连社区工作和建立社会保障体系的汇报

朱镕基接见居委会干部

朱镕基与著名系统工程专家、大连理工大学教授王众托(左一)交谈

摄影：李居昌　于成福

辉煌的“九五”

国内生产总值

	1990年	1995年	1996年	1997年	1998年	1999年	2000年
国内生产总值(亿元)	191.0	645.1	733.0	820.6	926.3	1003.1	1110.8
第一产业	23.5	69.0	83.0	89.0	101.5	103.3	105.4
第二产业	98.7	305.3	339.4	387.6	430.1	462.5	517.2
第三产业	68.8	270.8	310.6	344.0	404.6	437.3	488.2
三次产业构成比重(%)	12.3:51.7:36.0	10.7:47.3:42.0	11.3:46.3:42.4	10.9:47.2:41.9	10.9:45.4:43.7	10.3:46.1:43.6	9.5:46.5:44.0
人均国内生产总值(元)	3703	12103	13677	15225	17096	18429	20255

三次产业构成比重(%)

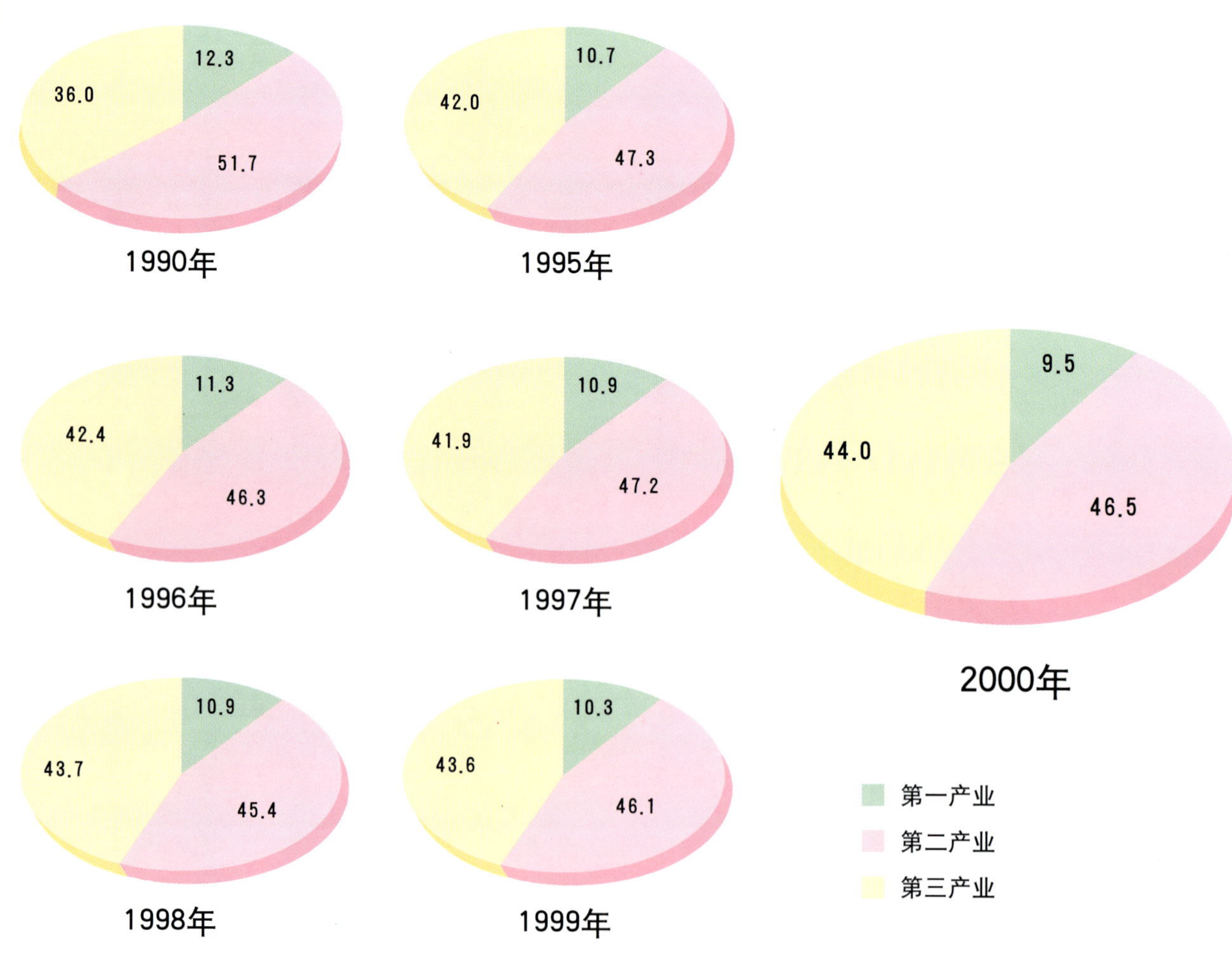

1996—2000

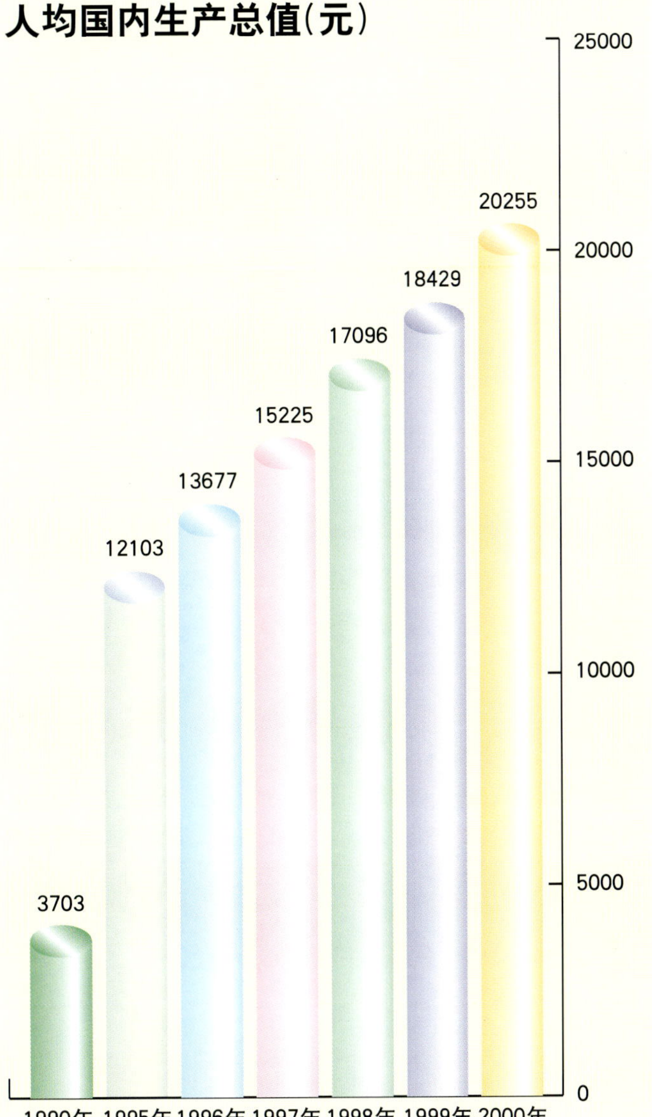
人均国内生产总值(元)
25000
20000
15000
10000
5000
0
3703
12103
13677
15225
17096
18429
20255
1990年
1995年
1996年
1997年
1998年
1999年
2000年

辉煌的"九五"

财政金融

单位：亿元

	1990年	1995年	1996年	1997年	1998年	1999年	2000年
地方预算内财政收入	24.1	42.9	50.4	58.1	64.4	67.9	77.6
地方预算内财政支出	19.5	56.3	64.4	73.2	79.7	84.7	95.1
金融机构年末存款余额	186.8	675.2	902.8	1001.4	1106.0	1224.3	1374.7
其中：城乡居民储蓄余额	93.7	389.2	529.4	549.1	689.0	755.7	777.6
金融机构年末贷款余额	258.8	651.5	777.7	914.4	999.6	1121.5	1162.5
金融机构现金收入	180.8	809.1	1003.0	1290.5	1826.5	2217.6	2568.3
金融机构现金收入	184.0	844.7	1052.1	1341.6	1871.1	2258.4	2600.8

城乡居民储蓄余额（亿元）

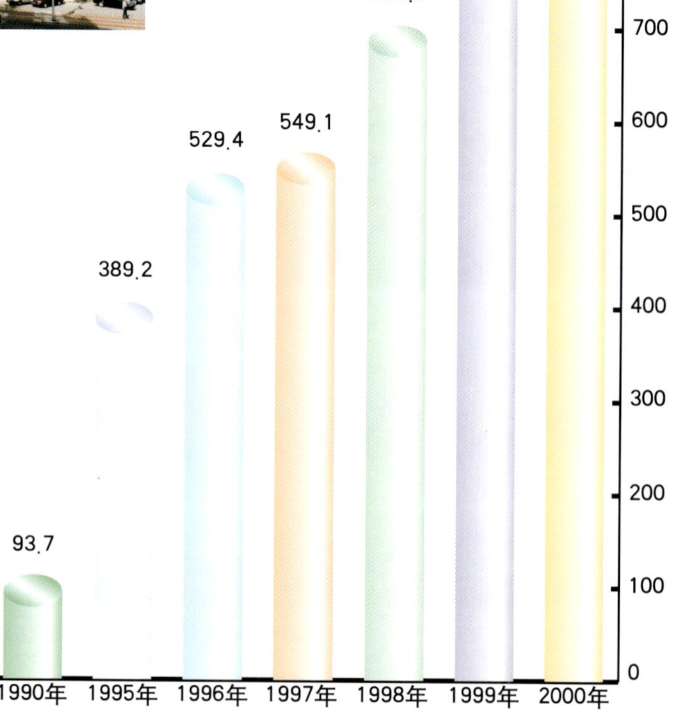

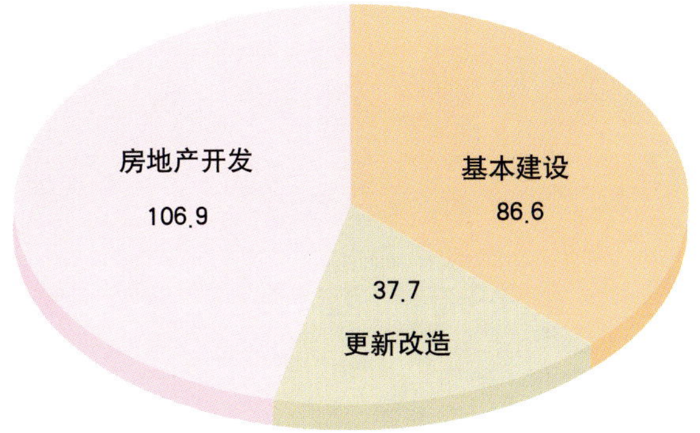

全社会固定资产投资总额（亿元）

房屋竣工面积（万平方米）

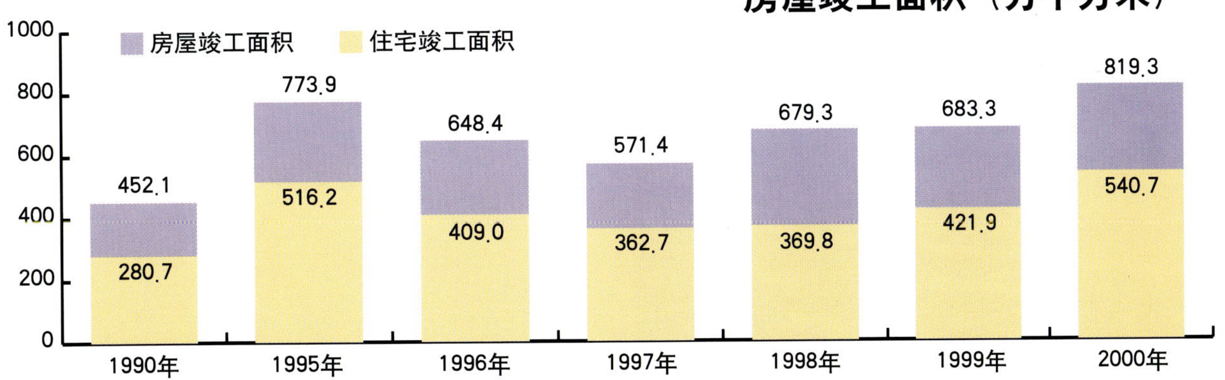

	单位	1990年	1995年	1996年	1997年	1998年	1999年	2000年
全社会固定资产投资总额	亿元	44.5	237.1	237.2	262.2	263.5	222.8	268.5
其中：基本建设	亿元	24.5	97.3	107.2	133.3	123.7	80.5	86.6
更新改造	亿元	10.4	37.1	35.8	35.8	37.7	34.5	37.7
房地产开发	亿元	4.7	73.3	64.2	64.2	62.9	67.6	106.9
房屋施工面积	万平方米	720.3	1618.5	1471.3	1365.2	1430.7	1428.6	1668.0
其中：住宅	万平方米	424.0	842.7	717.6	662.0	722.7	744.5	946.1
房屋竣工面积	万平方米	452.1	773.9	648.4	571.4	679.3	683.3	819.3
基中：住宅	万平方米	280.7	516.2	409.0	362.7	369.8	421.9	540.7
住宅投资完成额	亿元	8.8	48.0	43.1	42.3	51.1	52.5	83.8

辉煌的"九五"

农林牧渔业

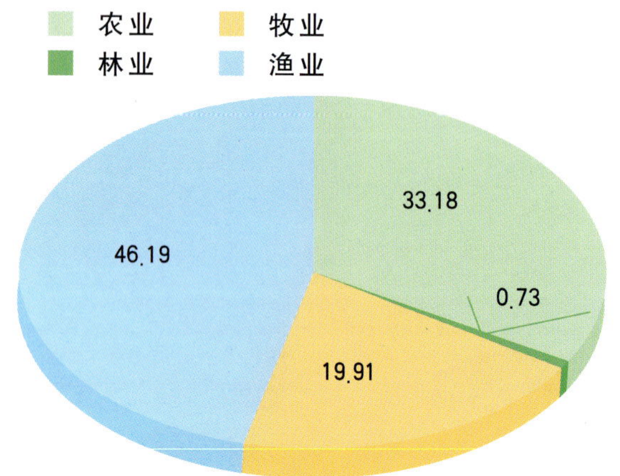

2000年农林牧渔业总产值构成(%)

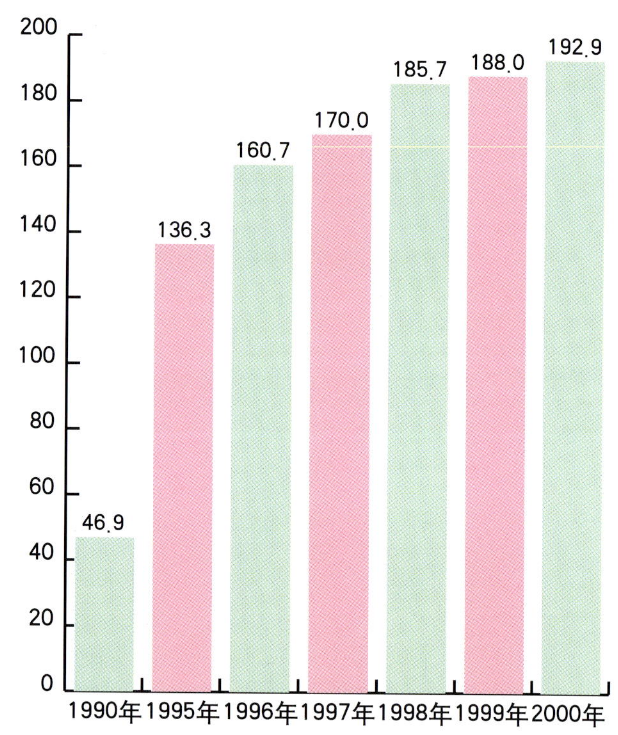

单位：亿元

	1990年	1995年	1996年	1997年	1998年	1999年	2000年
农林牧渔业总产值（当年价）	46.9	136.3	160.7	170.0	185.7	188.0	192.9
农业	18.4	53.1	63.4	58.6	69.0	61.9	64.0
林业	0.5	1.2	1.1	1.2	1.2	1.3	1.4
牧业	11.3	31.4	33.0	36.1	38.3	38.0	38.4
渔业	16.6	50.6	63.2	74.1	77.2	86.6	89.1

单位：亿元

	1990年	1995年	1996年	1997年	1998年	1999年	2000年
工业增加值	88.4	274.5	306.2	355.2	388.7	426.5	473.1
规模以上工业出口交货值	—	203.9	221.4	241.8	264.6	282.5	380.7

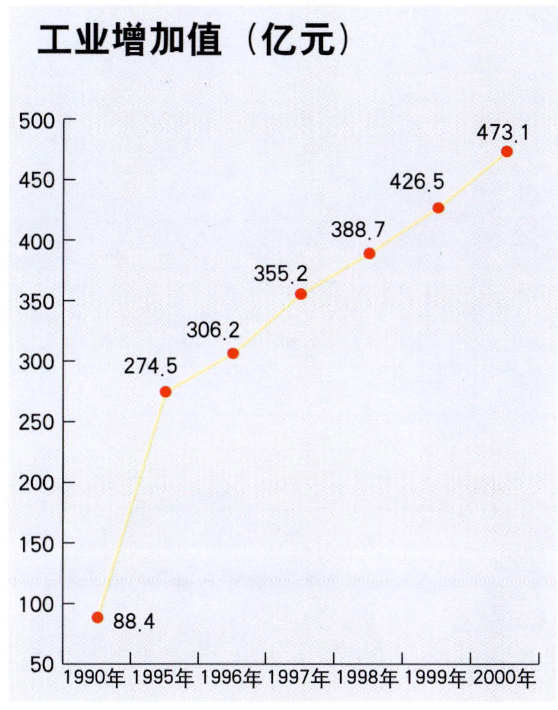

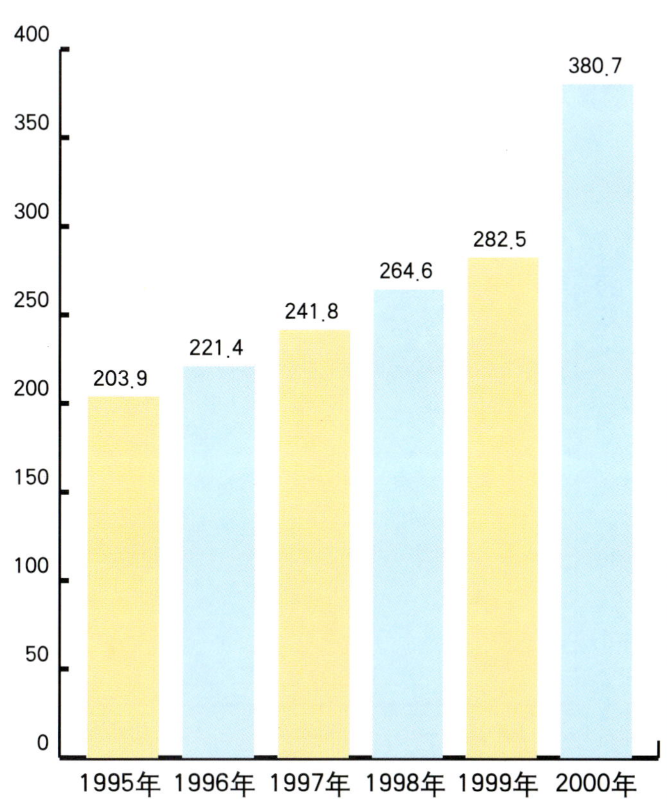

	单 位	1990年	1995年	1996年	1997年	1998年	1999年	2000年
批准利用外资项目数	项	293	1187	1109	1213	1128	1539	706
其中：外商直接投资	项	185	1073	802	812	760	621	697
合同外资金额	亿美元	5.4	25.5	24.7	28.1	25.2	24.8	24.3
其中：外商直接投资	亿美元	3.9	22.0	24.7	25.7	25.2	24.6	23.8
实际使用外资金额	亿美元	5.2	9.1	11.4	14.2	14.1	13.2	13.3
其中：外商直接投资	亿美元	1.8	7.1	10.1	13.2	12.4	11.74	13.06
大连口岸进出口商品总值	亿美元	26.3	139.4	137.7	144.5	130.0	135.7	190.7
其中：出口	亿美元	11.7	77.2	78.0	88.2	75.4	77.7	104.0
大连市自营进出口商品总值	亿美元	9.3	41.4	43.6	51.0	56.7	69.7	102.1
其中：出口	亿美元	6.7	25.3	26.3	30.1	34.5	40.6	52.1
出口商品供货总值	亿元	51.9	250.6	289.3	360.7	348.9	415.7	460.9
接待海外过夜旅游者	万人次	5.2	13.1	16.2	20.5	20.6	26.1	33.8
旅游外汇收入	亿美元	0.40	1.30	1.60	1.70	1.53	1.80	2.34

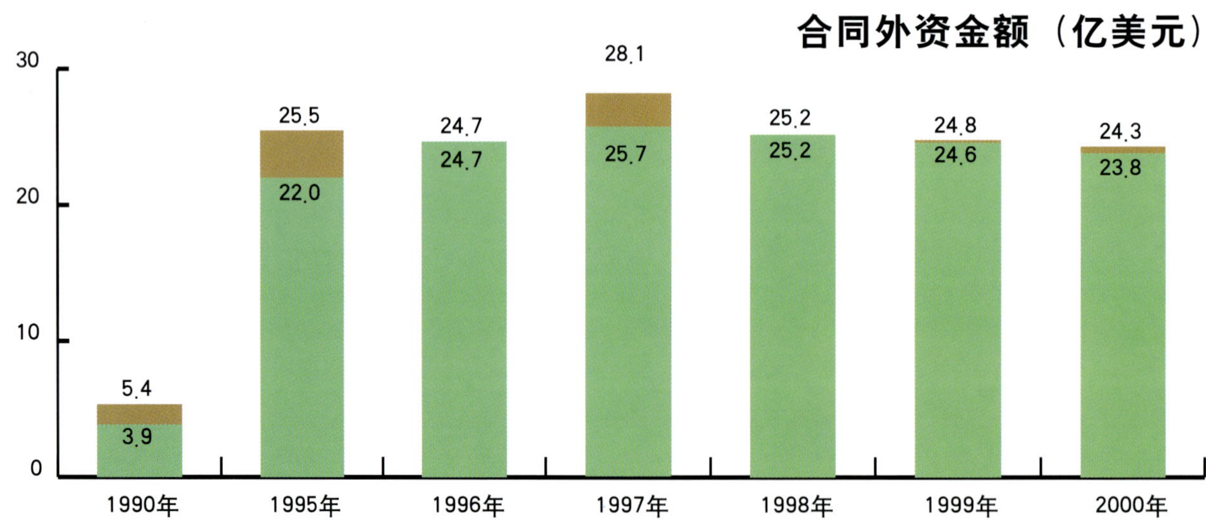

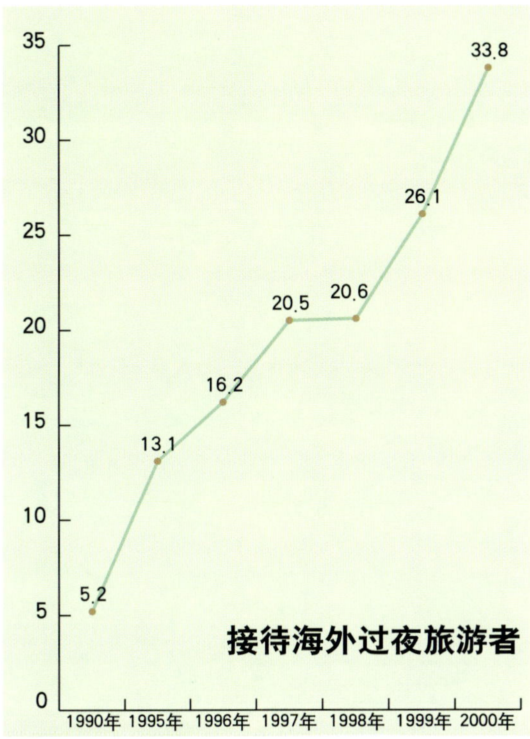
35
30
25
20
15
10
5
0
33.8
26.1
20.5
20.6
16.2
13.1
5.2
接待海外过夜旅游者
1990年
1995年
1996年
1997年
1998年
1999年
2000年

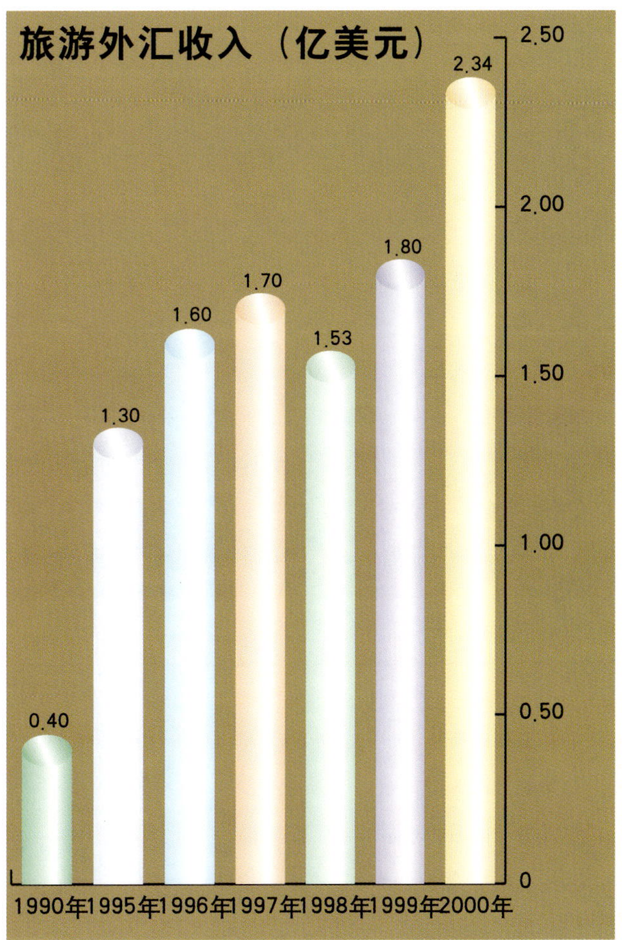
旅游外汇收入（亿美元）
2.50
2.00
1.50
1.00
0.50
0
0.40
1.30
1.60
1.70
1.53
1.80
2.34
1990年
1995年
1996年
1997年
1998年
1999年
2000年

辉煌的“九五”

交通运输

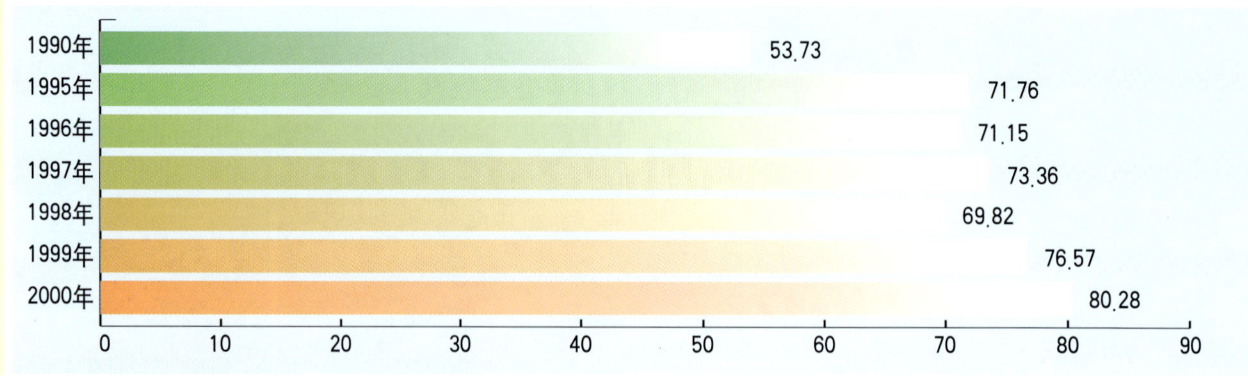

旅客运输周转量（亿人公里）

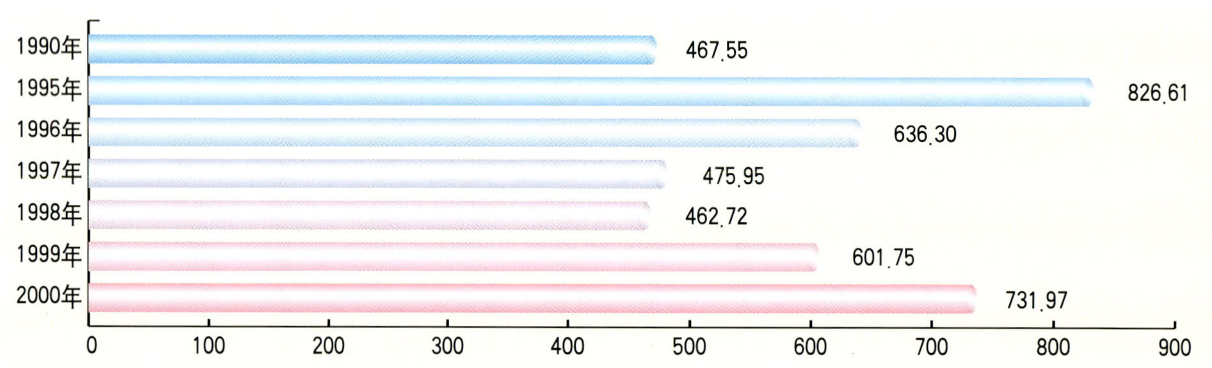

货物运输周转量（亿吨公里）

	单　位	1990年	1995年	1996年	1997年	1998年	1999年	2000年
旅客运输周转量	亿人公里	53.73	71.76	71.15	73.36	69.82	76.57	80.28
货物运输周转量	亿吨公里	467.55	826.61	636.30	475.95	462.72	601.75	731.97
沿海港口旅客吞吐量	万人次	391	646	688	749	789	693	836
沿海港口货物吞吐量	万　吨	5045	6611	6932	7600	8063	9079	9699
航空港旅客吞吐量	万人次	46.7	156.6	175.8	194.0	211.7	236.2	275.2
航空港货邮吞吐量	万　吨	1.2	3.8	4.5	4.7	4.8	6.1	7.6

	单位	1990年	1995年	1996年	1997年	1998年	1999年	2000年
邮电业务总量	亿元	2.2	12.5	15.6	19.3	26.2	36.4	54.1
有线电话交换机总量	万门	9.6	73.0	105.6	122.3	140.8	153.6	192.1
住宅电话普及率	部/百户	4.5	18.0	23.8	30.5	37.2	47.0	55.7

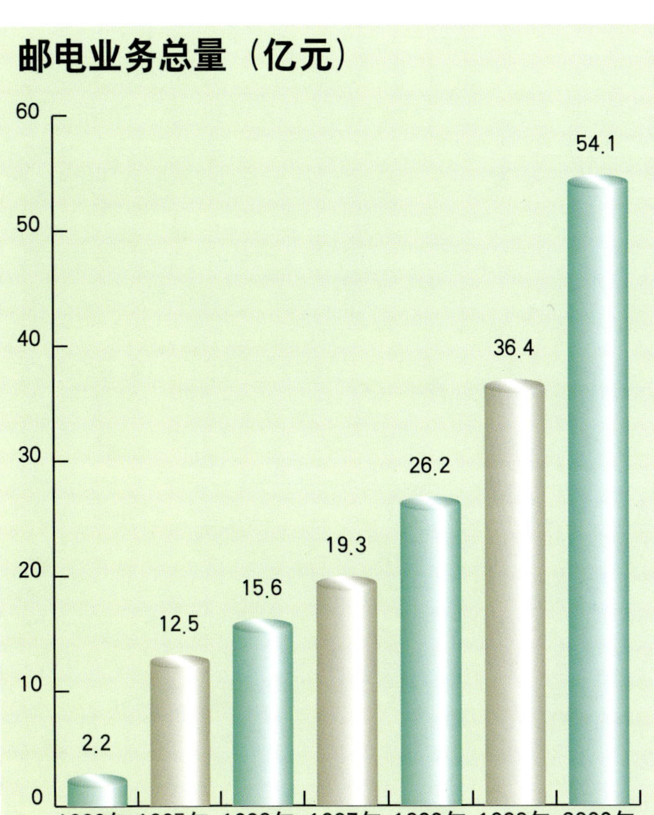

辉煌的“九五”

建筑业

单位：亿元

	1990年	1995年	1996年	1997年	1998年	1999年	2000年
建筑业增加值	10.3	30.8	33.2	32.4	31.4	36.0	44.0
建筑业产值	24.5	105.8	101.1	100.4	96.3	121.9	148.4

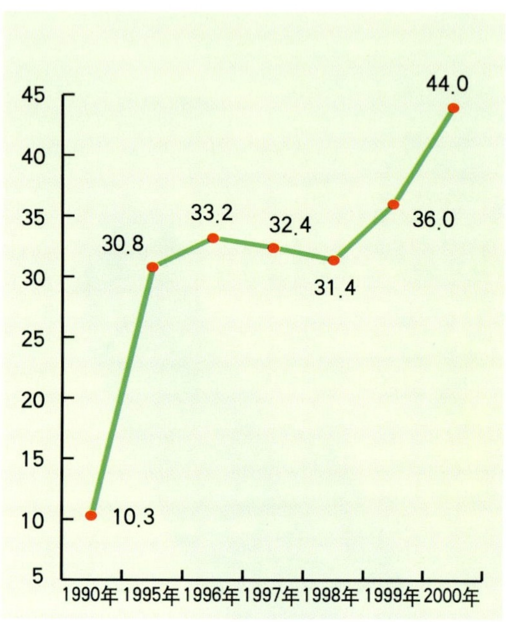

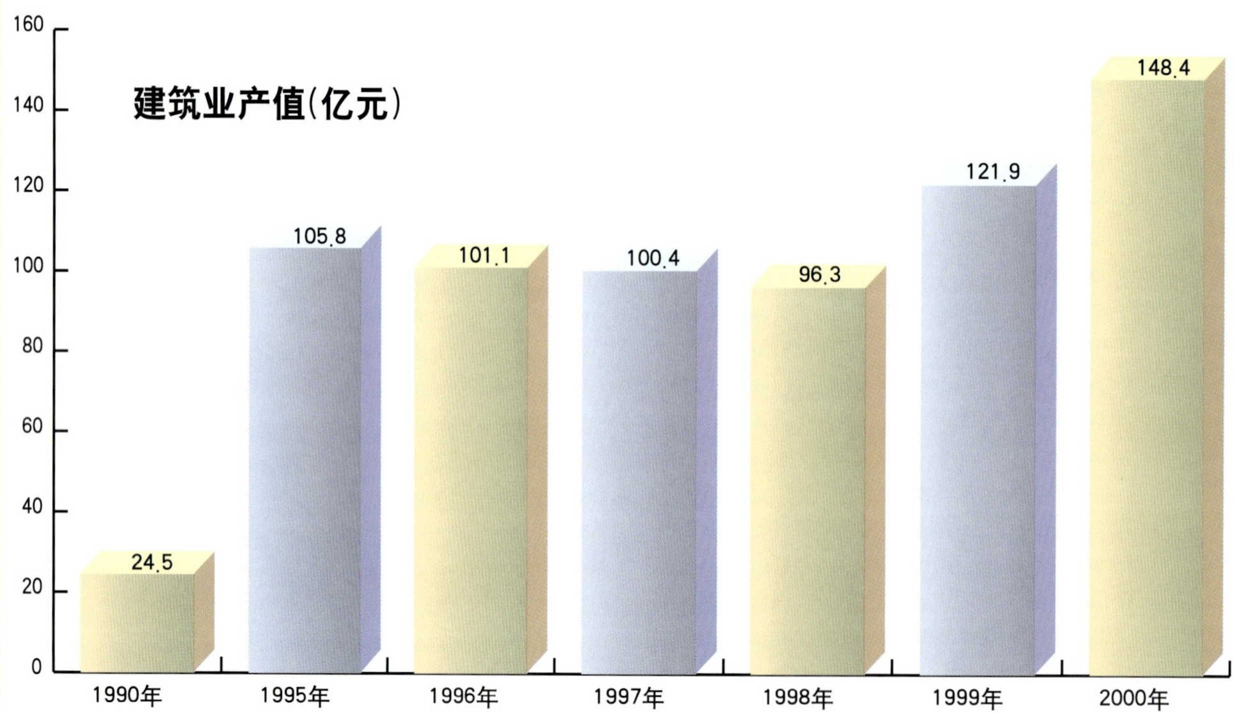

社会消费品零售额（亿元）

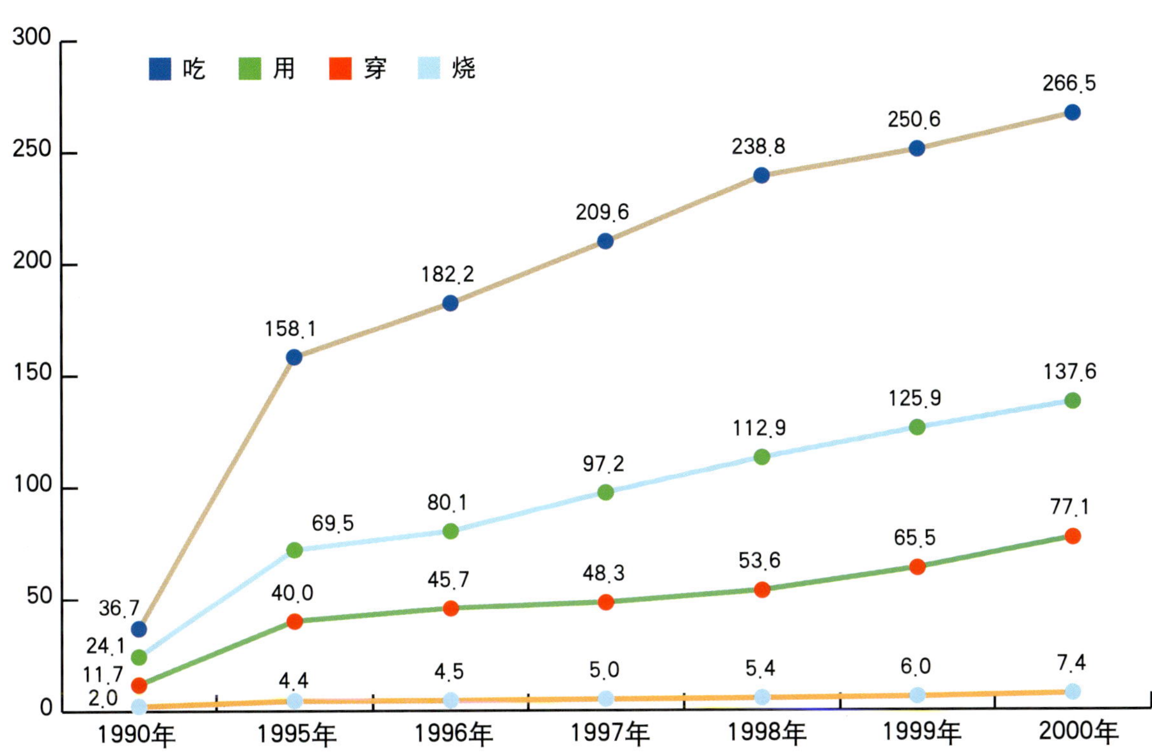

单位：亿元

	1990年	1995年	1996年	1997年	1998年	1999年	2000年
社会消费品零售额	74.5	272.0	312.5	360.1	410.7	448.0	488.7
吃	36.7	158.1	182.2	209.6	238.8	250.6	266.5
穿	11.7	40.0	45.7	48.3	53.6	65.5	77.1
用	24.1	69.5	80.1	97.2	112.9	125.9	137.6
烧	2.0	4.4	4.5	5.0	5.4	6.0	7.4

公用事业

	单　位	1990年	1995年	1996年	1997年	1998年	1999年	2000年
用气普及率	%	—	95.0	96.2	96.8	98.0	98.5	98.5
集中供热面积	万平方米	—	1843	2329	2475	2629	3020	3648
路灯	盏	—	22803	31633	38140	41468	69117	83396
公交车辆	辆	993	1737	2138	2547	2623	2856	3198
出租汽车	辆	453	5541	6749	12497	12048	12048	12048

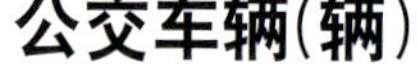

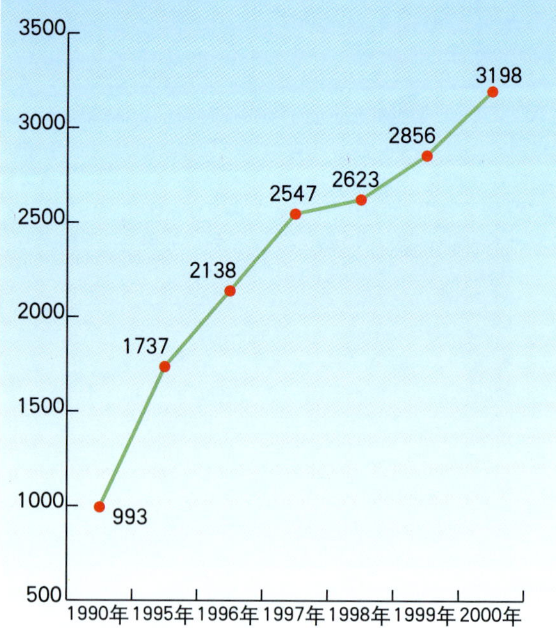

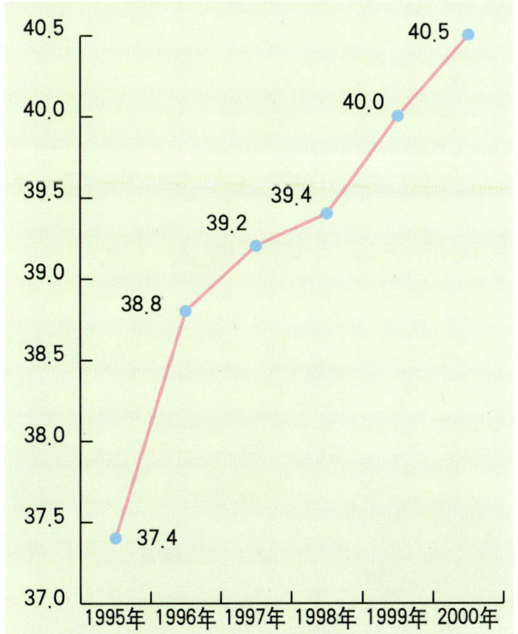

建成区绿化覆盖率(%)

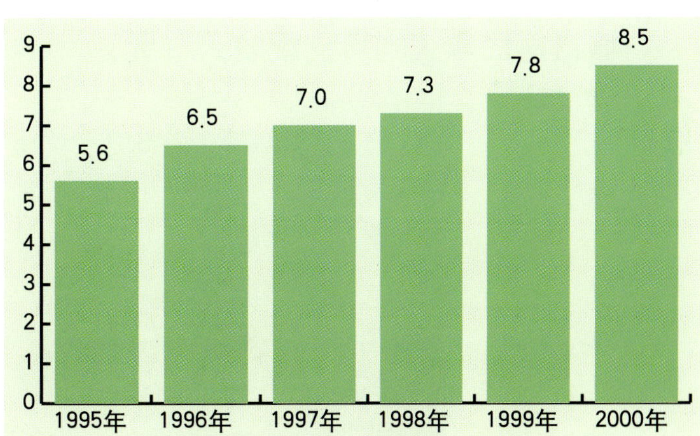

人均公共绿地面积(平方米)

项　　目	单位	1995年	1996年	1997年	1998年	1999年	2000年
园林绿地面积	公顷	7898	9654	9754	10059	10199	10315
公共绿地面积	公顷	1060	1232	1366	1461	1584	1765
建成区绿化覆盖面积	公顷	8135	8815	8906	9220	9360	9477
建成区绿化覆盖率	%	37.4	38.8	39.2	39.4	40.0	40.5
人均公共绿地面积	平方米	5.6	6.5	7.0	7.3	7.8	8.5

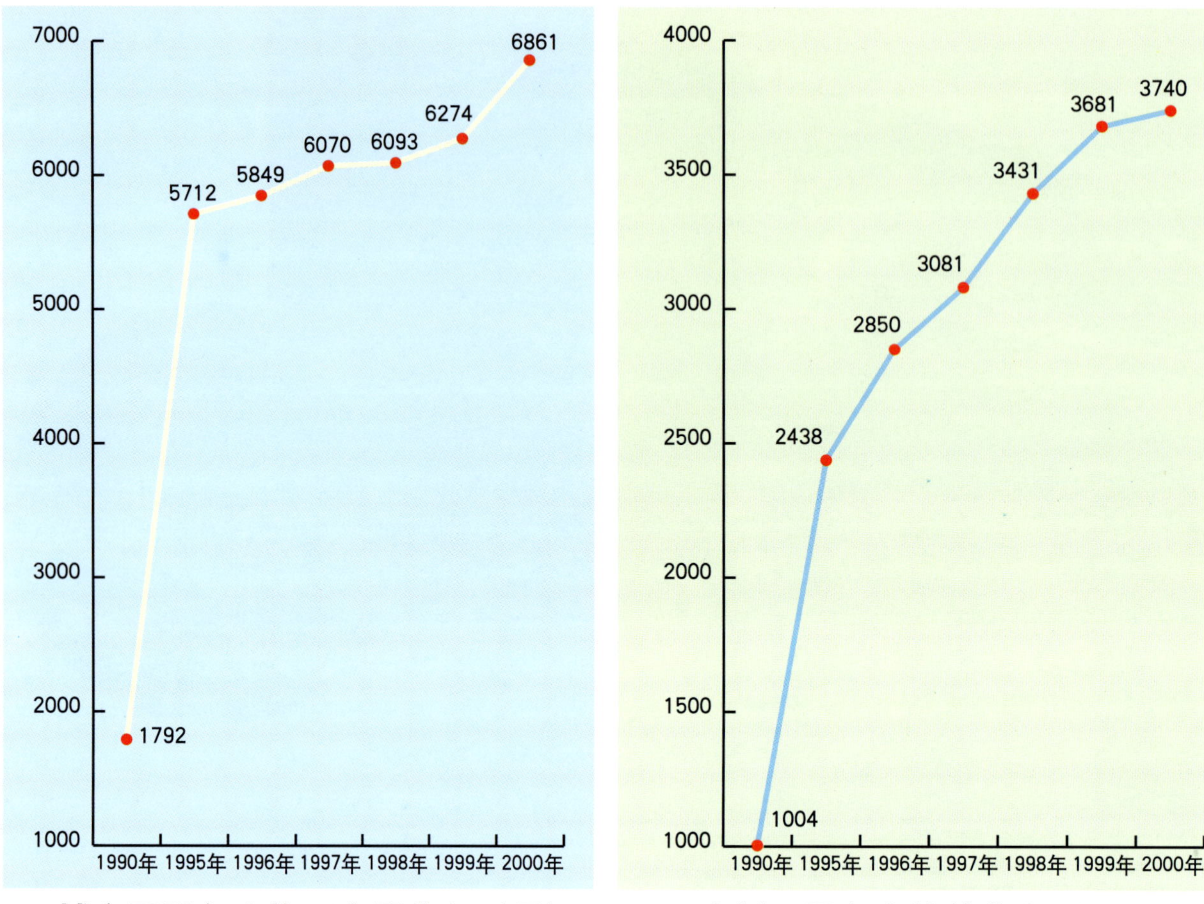

城市居民年人均可支配收入（元）

农村居民年人均纯收入（元）

单位：元

	1990年	1995年	1996年	1997年	1998年	1999年	2000年
城市居民年人均可支配收入	1792	5712	5849	6070	6093	6274	6861
城市居民年人均消费性支出	1620	4619	5266	5550	5521	5530	6073
农村居民年人均纯收入	1004	2438	2850	3081	3431	3681	3740
农村居民年人均生活费支出	789	2005	2202	2238	2643	2584	2418

专　　文

责任编辑　石黎明

发展“双D”产业　迎接“双D”时代

——关于大连“双D港”开发建设的思考

大连市副市长　夏德仁

一、“双D”时代

根据科学家们的预测，随着信息技术和生物技术的快速发展，世界将进入一个数字科学和生命科学的时代，即“双D”时代。实际上，信息时代已经向人们逼近，信息科技前沿的进展，将给21世纪的社会经济和人类的存在发展带来革命性的影响。同样，20世纪50年代DNA双螺旋结构的发现及随后遗传信息传递“中心法则”的确立和DNA重组技术的问世，使人类对生命活动规律的认识发生了质的飞跃，从而将使解决人类面临的人口、粮食、健康、环境等重大难题为目标的生物工程技术在21世纪迅速发展。

更值得重视的是，在新的世纪，DIGITAL技术和DNA技术有相互融合的趋势。美国威斯康星—麦迪逊大学已经研制出可以进行复杂运算的生物计算机，即DNA计算机。据说1克DNA所能存储的信息量，可与1万亿张CD光盘相当。如果这一技术能够成熟运用，那将具有划时代的意义。

二、“双D”产业

“双D”技术的迅速发展，将形成巨大的产业发展空间。在全球自然资源逐渐出现短缺的情况下，如何科学有效地配置资源，以达到消耗最小、收益最大，将成为新世纪产业发展的前提条件。而以数字化为主要特征的信息技术通过信息反馈系统，使得企业、消费者和政府之间的信息沟通更加便捷和准确，将生产、交换、消费等经济过程真正连成有机的整体，解决了传统社会中市场配置资源过程的信息传递难题，这样不仅充分满足了多样性的社会需求，同时更使社会经济过程效率最大化。由于这是一个不可逆转的必然趋势，于是与数字化有关的产业，包括计算机软硬件、通讯设备、网络系统与终端设备，将具有巨大的市场潜力和难以估量的发展前景。

21世纪的人类将更加关注生命质量。DNA技术的发展，特别是水稻等重要农作物基因组计划的成功及基因工程技术的发展，将引发农业上的新的绿色革命，从根本上解决随着世界人口不断增长而越来越严重的粮食短缺问题。而人类及一些重要动物基因组计划的完成，将对危害人类的一些重要疾病进行有效的预防、治疗和控制，人类的衰老过程也将得到延缓，这将促使生物制药等产业快速发展。

·名词解释·

“双D”时代　“双D”是DIGITAL和DNA的缩写，分别代表数字技术和生命技术。Digital是当代信息技术最抽象和最基本的内核，它与人体内的DNA一样，是信息的最小单位。因此人们已简单地用数字技术来表示现代信息技术。DNA是指脱氧核糖核酸，它是细胞生命活动的主要遗传物质，物种的遗传特性靠DNA一代一代传递。由于DNA是生物体生命的最关键物质，人们便近似地用DNA来代表生物技术或生命技术。随着信息技术和生物技术的快速发展，世界将进入一个数字科学和生命科学的时代，即“双D时代”。

三、大连“双D港”

大连是东北地区对外开放的窗口。为了充分利用现有优势，加快发展高新技术产业，从根本上摆脱计划经济条件下形成的传统产业结构的束缚，使本市高新技术产业发展有一个新的载体，市委、市政府多次研究并实地考察，决定在经济技术开发区5号路一带划出20平方公里土地，作为高新技术产业园区的新区。1999年12月10日召开的市委八届十次全会提出，要按照国际标准规划和建设好这一新园区，构建大连市新的产业高地。

为了使5号路高新园区开发具有鲜明的时代特征和明确的产业定位，经专家多次论证，市政府把这一区域的名称确定为“双D港”，这是因为“双D”技术和“双D”产业代表着当今世界科技产业发展的最新潮流。“双D港”的名称将这一区域的产业定位确定为与数字技术和生物技术有关的产业，包括数字通信、微电子、多媒体信息、计算机软硬件、基因工程、生物制药、海洋生物和生物农业等。

另外，“双D港”中的“港”字体现了大连作为一个港口城市的鲜明特色。从地域上看，“双D港”位于大连东北部海滨，毗邻小窑湾和大窑湾港口。“港”，具有开放、辐射、集散等特点，建设“双D港”就是要发挥“港”的优势，对外开放，对内辐射，成为一个高新技术研究开发和生产基地，引进国内外先进技术和优秀人才的国际接口，以及物流、资金流和信息流的交汇点。大连是以港兴市，100年前大连港的建立，确立了大连在北亚地区的重要战略地位；百年后的大连将通过“双D港”的开发创造新的历史机遇，真正发展成为一个技术先进、经济发达、功能完善的国际名城。

四、“双D港”的历史使命

“双D港”的开发建设是新世纪大连经济社会发展战略的重要组成部分。在产业调整过程中，大连一方面要加快改造传统产业，另一方面要培养新的优势产业。建设“双D港”，就是要顺应世界高科技产业发展的潮流，通过“引进外来的、推广自己的、孵化新生的”原则，引进国内外的先进技术和优秀人才，集中发展与数字技术和生物技术有关的产业，使“双D港”及其相邻区域成为新兴产业的聚集地和今后大连市经济新的增长点，并通过“双D港”的辐射作用，带动全市高新技术产业快速发展，最终形成以高新技术为主导产业的现代产业结构体系。

从城市建设的角度看，“双D港”的开发建设将加快大连市城市布局的调整。随着工业企业的搬迁改造和泉水住宅小区的建设，老市区将逐步发展成为以第三产业为主的商务区和旅游区，而居民区和加工工业区将沿着东北路、5号路和正在兴建的轻轨铁路向城区的东北部转移。“双D港”的建设还将填充开发区、保税区和金石滩国家旅游度假区之间的发展空白，使这4个区域有机连接，形成具有创业孵化、研究开发、引进消化、出口加工、旅游度假等功能的新兴产业走廊。同时，“双D港”采纳了最先进的现代化规划方案，从一开始就把握住人、自然和环境的高度和谐，创造优美的生态环境、便利的交通设施和通畅的信息交流，这将使大连“不求最大，但求最佳”的城市建设理念得到进一步的体现。

五、“双D港”的开发建设

市政府将用10年左右的时间，在“双D港”开发建成以数字技术产业群和生命技术产业群两大产业为主体的产业区，具备能与国际接轨的管理体制、适于技术创新和创业投资、机制灵活、观念先进的科技园区，以及设施完善、功能齐全、环境优美、贴近自然、适于优秀人才生活居住的现代化社区。

为了实现这一目标，市政府已做了以下工作：（1）成立“双D港”开发建设领导小组，负责“双D港”基础设施建设的前期工程。（2）第一期工程需要政府投入的2亿资金已经落实。（3）市规划局和高新技术产业园区共同邀请4个国家的设计师对“双D港”进行规划，其初步规划已经完成。（4）初步制定鼓励在“双D港”进行投资的优惠政策，并正在进一步完善。（5）途经“双D港”的城市快轨交通已于2000年8月动工。（6）招商引资工作已经开始，已与3个国外大公司就“双D港”的开发建设进行了洽谈。

关于大连建设国际名城的思考

大连市政府经济研究中心主任、研究员　刁成宝

一、大连建设国际名城的实践探索

改革开放以来，大连市依据自身优势和特点以及国际国内经济形势的变化，一直在对城市发展目标定位进行探索。这一过程大体经历三个阶段：

第一阶段（1980～1984年）为探索时期：1980年5月，市委常委扩大会议决定，尽快把大连建成一个“安定、文明、整洁和繁荣的社会主义现代化城市”，首次对城市发展目标进行定位。1984年大连成为计划单列市后，市委又提出努力把大连建成“进出口贸易基地、引进先进科学技术的基地、引进现代管理经验的基地和培养人才的基地”。

第二阶段（1985～1992年）为确立时期：1985年5月，国务院在关于《大连市总体规划》的批复中指出，把大连建成“经济繁荣、科技文教事业发达、风景优美、生活方便的社会主义现代化港口城市”。1990年5月，市委确立了把大连建设成为“经济中心功能为主，开放度高、吸引力大、辐射力强、功能齐全的社会主义现代化国际性城市”的城市发展总目标。

第三阶段（1992～2000年）为完善时期：1992年10月，市委提出经过20年的努力，使大连基本实现现代化，建设“北方香港”，成为“国际交通枢纽、技术先进的工业基地和东北亚商贸、金融、旅游、信息中心之一”。1997年底，市委、市政府提出把大连建成“经济发达、功能完善、环境优美、社会稳定、文化繁荣、市风良好、人民安居乐业的现代化国际城市”。2000年4月国务院总理朱镕基视察大连后，市委、市政府根据朱总理指示精神，明确提出将大连建成“国际名城”。

二、大连建设国际名城的现实差距

把1997年大连与中等发达国家同期的主要城建指标进行对比研究显示，在综合（人均GDP、城市投资/GDP、城市化水平）、给排水、能源供应、道路交通、邮电通信、园林环卫、防灾、住宅等方面，大连与中等发达国家还有一定差距，城市建设水平经简单平均计算，约为中等发达国家水平的74.3%。

主要差距表现在两个方面：

首先是经济发展水平的差距。中等发达国家的人均GDP平均水平是4260美元，大连只有1861美元，仅为中等发达国家的43.7%。

其次，由于经济发展水平的差距，使得一些城建指标与中等发达国家相差较大。如人均供电量为中等发达国家的71.1%；车均道路面积为中等发达国家的11.2%；轻轨交通出行比为零；污水处理率仅为中等发达国家的9.3%；防洪堤设防标准比为20年：50年；每万人拥有消防车辆数为中等发达国家的44%。

三、大连建设国际名城的着眼点

1. **大力发展高新技术产业**。以高新技术产业为主导的新经

济代表未来城市经济发展方向。发展高新技术产业，首先，要创造良好的创业投资环境。在继续搞好硬环境建设的同时，大力改善投资软环境，增强公务人员的服务意识和业务水平，使管理和服务走上程序化和法制化轨道。第二，要突出重点，突出特色。根据大连的城市规模和科技实力，争取在某一领域和某一技术达到国际领先，如海洋生物、基因营养技术、新型建材、新型照相材料、新型彩印技术、软件开发等。对一些已经出现的优势企业和知名产品，要加快培植，使之尽快产业化。第三，突破瓶颈，加速科研成果转化。要加强政府、企业、学院和科研机构之间的有机联系和结合，形成官、产、学、研一条龙，使科研成果能顺利产业化，转化成现实生产力。第四，积极鼓励兴办民营高新技企业。民营资本具有发展高新技术产业的资金潜力和体制优势，政府应积极引导、挖掘这一潜力，使之成为高新技术产业的开发主体。第五，加强城市智能化建设，创建"数字大连"。要使全市地理、资源、生态环境、人口、经济、社会等系统数字化、网络化，实现虚拟仿真，优化科学决策，从而提高城市规划的科学性、城市建设的时效性、城市管理的有效性，促进城市的可持续发展。

2. 加强城市基础设施建设。大连的城市建设成就为国内外瞩目，是创建国际名城的独特优势和基础。进一步完善城市建设，打造城市形象品牌，是大连建设国际名城的有效途径和必然选择。要构建以港口为主的海陆空网络化综合交通运输体系，大力发展为城市配套的相关基础设施建设。首先，要加快大连的航运中心建设步伐，使大连港尽快加入国际大港的行列。第二，公共交通要率先实现现代化，逐步形成以轻轨电车、现代有轨电车、公共汽车等大运量交通工具为主，多种公共交通方式协调发展，多层次、立体化、综合性的现代化城市公交客运体系。

3. 加快第三产业发展步伐。发达的第三产业是国际名城的共性和重要标志之一。发展第三产业要选择重点发展领域：第一，优先发展会展业和旅游业，建设区域性国际旅游会展中心。要最大限度地把旅游、会展与经贸、科普、文化、体育、教育、民俗活动融为一体，促进人流、信息流、技术流、资金流、商品流的大流通、大融汇，实现旅游业和会展业的质的飞跃，使之成长为大连经济的重要支柱产业。第二，加快发展信息咨询业，提高城市智能化水平。重点加快城域网和信息高速公路主干网的建设，提高国民经济信息化水平，实现信息资源共享，使大连成为全国乃至东北亚地区重要的信息中心之一。第三，大力发展商贸流通业，构筑区域性国际商贸中心。进一步推进商贸流通业的对外开放，加快商贸经营机制、经营方式、营销理念的改革和与世界经济的融合。加快建立和完善开放度高、规范化的生产力要素市场和批发市场体系，增强商贸业向东北、环渤海地区以至内地的辐射能力。加快发展连锁经营、特许经营、代理配送、网上购物等现代营销方式。第四，发展金融保险业，完善金融服务体系。积极推进多门类、多成分、多功能金融机构共同发展。加大货币市场、资本市场和外汇市场的建设，增强市场融资能力。加快实现金融手段电子化、现代化，完善安全快捷的资金结算、划拨、汇兑和支付的网络化服务，发挥区域性金融中心的枢纽作用。

4. 大力发展名牌经济，增强城市经济竞争力。建设国际名城，发展名牌经济是关键，因为名牌经济不仅能对整个城市经济发展起到拉动作用，而且会使城市在国际上扬名。首先，要有名牌产品，包括制造业、服务业的名牌产品。要创名牌，保名牌，壮大名牌，形成发展名牌经济的氛围。第二，必须培育一批名牌企业。要立足知名品牌和优势企业，开展资本运营和资本重组，发展大型企业集团。要做好国有大企业利用外资嫁接改造工作，"引外强大"。第三，必须培育名牌产业。要筛选出能够支撑经济大局的名优产品和支柱产业，实行有重点地集中倾斜式发展，特别是应当把软件、生物、环保产业作为发展重点。

·名词解释·

国际名城　一般是指在劳动分工国际化、国际贸易全球化、世界经济一体化和区域经济集团化过程中形成，具有较高知名度和美誉度，全球性或地区性经济、政治、文化交流的中心城市。首先必须是国际性城市，其次是要有知名度。包括世界城市、洲际城市和部分国际性城市。

其基本特征：(1) 产业结构先进，具有强大的经济实力。(2) 经济外向度高，拥有大量跨国公司总部，国际贸易规模大。(3) 能提供高质量、标准化的国际性服务，第三产业发达。(4) 拥有现代化的基础设施，交通便捷，通讯发达，是国际政治、经济、文化交流中心。(5) 拥有上佳的人居环境，能吸引各种高层次人才。(6) 拥有较高的知名度，被国际社会广泛接受和各国人民普遍认可。

树立现代规划理念　坚持可持续发展之路

大连市城乡规划土地局党委书记　牛连盛

大连三面环海，属山地城市，城市发展空间非常有限。因此，在对大连市的历史、现状、资源条件、发展优势、制约因素以及国内外城市与环境建设的经验教训作了全面的分析比较和研究之后，大连市委、市政府提出了"不求最大，但求最好"的城市发展的指导方针。大连市正是遵循这一指导方针，确立自己的城市可持续发展的系统规划思路。

国际社会对城市的建设与发展所展开的探求始终没有停顿。1933 年的《雅典宪章》提出城市四大功能，对解决工业化初期城市发展的无序、环境恶劣问题起了积极作用。1970 年，《马丘比丘宪章》又从另一个层面批判了机械分区概念，提出努力创造一个综合的、多功能的环境，争取获得生活的基本质量以及与自然环境协调。1995 年第二届联合国人类住区会议则进一步明确提出“城市化可持续人类住区发展”，改善人居环境成为全球城市建设奋斗纲领。可以说，以上三次会议对城市的理解，从“功能观”到“综合观”发展到“可持续发展观”，为规划理论的发展提出一个方向。可持续发展观具有较广的内涵，但从其本质来看，可持续发展观就是要把经济增长与生态平衡结合起来，树立以人为本的发展观点。

优化组团结构，构筑生态特征是提高城市环境质量的首要任务。大连中心城市是由中心市区为核心，旅顺口区、金州区和经济技术开发区为三翼的章鱼形结构体系。在母城——大连中心市区国际商贸、金融、工业、港口、旅游等城市核心职能高速发展的时候，市政府不忘培育其他三翼的优势产业。在加大组团之间的交通、通讯、信息等基础设施的投入，使组团间联系越来越便捷的时候，不忘严格控制母城与副城之间的隔离空间，避免走摊大饼式的城市发展模式。近年来，大连中心城市人口由140万人发展到160万人，这种组团式生态型城市空间始终得到保护。

调整区域布局，完善城市功能是城市环境质量提高的重要工作。大连刚满百年，是伴随港口和工业的发展逐步形成的。很长时间以来，城市工业区和生活区交织混杂，空气污染、交通拥挤。市政府对现有工业区进行了重新评价，确定了扶植布局合理、有发展前景的工业区，取消位于城市中心地带、有污染且没有发展前途的工业区的原则，将原有12个工业区减至6个。下达12批115家企业搬迁计划，使市区环境质量得到明显改善，土地资源得到优化配置，城市的规划布局更加科学合理。

整治居住小区，美化人居环境，是提高城市环境质量的重要内容。自本世纪50年代希腊学者道克迪亚斯（C·A·Doxiadis）提出“人居环境科学（Ekistics）”的概念以来，由于人居环境涉及内容的多层次和广泛性，已日益成为建筑、规划、地理等学科所关注的热点问题。

居住质量的高低直接反映百姓的切身利益，创造一个舒适、方便、安全的居住环境，已成为国际上评价城市的共同标准。近年来，大连开展创建精品居住小区的活动，制定《大连市精品居住小区的详细规划标准》，提高了具体规划原则。全市住宅规划建设水平得到提高，居民生活环境发生质的变化。

重视人文环境与自然环境的有机结合，是提高城市环境质量的重要措施。大连市区山峦环抱，碧海环绕，是其他城市无法类同的天然条件，是创造大连城市特色的物质基础。1993年以来开展的拆墙透绿工程以及造园现代化手法的实施，开阔了人们的视野，拓展了城市空间；将人文景观与自然景观融合，增加了城市的灵气；从“城市花园”到“花园城市”，升华了城市环境建设的观念。

注意城市空间与景观建筑的塑造，是提高城市环境质量的重要方法。广场与道路是城市空间中最明确的两种基本元素。广场是城市的客厅，是城市文化交流和居民休息、娱乐的场所，是城市道路的纽带。大连近年来努力追求的目标，就是努力规划塑造一个广场城市。大连将过去历史遗留的仅以交通功能为主的广场，塑造成为自然美和艺术美结合的空间。同时新建一批更具时代精神与特色的城市广场。广场群体效应的充分发挥，使城市环境变得温馨宜人。外来建筑文化和建筑形式主导着大连的建筑形态，奠定了大连的城市风貌。对于这些文脉建筑，市政府采取积极保护、区域协调的措施，提倡开放、灵活、精巧的建筑文化意识，从而强化了大连自身的建筑风格与城市特色。

大连的实践证明，国有资产的含义应该延伸到城市本身。城市环境建设所引发的经济效益将是十分巨大的。

·资　料·

大连城市规划百年大事

1899～1904年（沙俄租借时期），城市人口由数百人增至4万人，城市占地4.25平方公里，初具城市雏形，规划确定城市性质为“自由贸易港”，规划城市用地6.25平方公里。

1905～1945年（日本占领时期），城市人口增至70万人，城市占地增至45.7平方公里。此时期主要沿用沙俄规划进行市政建设，并在此基础上逐步向西扩张。

1958年，城市建成区人口达80万人，城市占地70.5平方公里。制定建国后大连市第一个城市总体规划，规划确定城市性质为以机械、化工为中心的工业城市。规划城市人口130万人。

1980年，城市建成区人口达107.6万人，城市占地71.7平方公里。编制改革开放后大连市第一个总体规划，规划确定城市性质为港口、工业、旅游城市。

1990年，城市建成区人口达143.6万人，城市占地98.8平方公里。调整城市总体规划，规划城市性质同“八〇规划”，规划城市人口310万人，城市用地490.9平方公里，其中主城区人口170万人，城市用地217平方公里。

2000年，进行新一轮总体规划修编，将城市性质确定为：中国北方沿海重要的中心城市和国际性风景旅游城市，将建设成为文化、体育和现代产业协调发展的国际名城。

（胡献丽）

走环境经济之路　建设生态型大连

大连市环境保护局局长　王忠彦

发展环境经济，走环境经济之路，体现了经济发展不能以牺牲自然环境为代价的基本原则，符合知识经济时代的要求，是大连“不求最大，但求最佳”城市发展思路的具体体现，对本市今后的城市发展具有重要意义。

《联合国人类环境会议宣言》中指出：环境问题不仅是一个技术问题，也是一个重要的经济问题，不能只用自然科学的方法解决污染，还要用一种更完善的方法，在发展过程中去解决环境问题。这说明，环境与经济是密不可分的，二者是一个对立统一体。一方面，环境是经济的基础和制约条件，对经济发展起重要作用；另一方面，经济发展又对环境的变化起主导作用。实践证明，在正确处理两者矛盾的基础上。能够实现两者的协调发展，使经济再生产和环境再生产都步入良性循环的轨道。

发展环境经济、走环境经济之路，首先就是基于环境与经济可以协调发展这一关系，目的就是要实现环境效益、经济效益和社会效益的统一。其基本含义是：以最小的环境投入获取最大的经济产出；以最小的环境代价实现经济的迅速增长；以最小的劳动消耗取得最佳的环境和经济效益。它体现了“生态建市”的思想，是可持续发展战略在大连的具体化。

一、发展环境经济加快了大连现代化生态型城市的建设步伐。进入20世纪90年代，特别是1995年以来，市委、市政府高瞻远瞩，提出“不求最大，但求最佳”的以环境建设为主线的城市发展思路，加大城市环境建设投资力度。紧紧围绕城市环境建设和经济建设，进行企业搬迁改造，开展绿化美化，狠抓烟尘粉尘治理，实施“碧水工程”，加强道桥和其他基础设施建设。1999年，城市燃气普及率达98.5%，城市供热普及率达88.9%，市区新增绿地面积180万平方米（用2000年数）。特别是1996年，对175个居住小区进行了全面整治，拆除违章建筑18万处、160多万平方米，为居民住宅新增绿地125万平方米。居民走出家门如同进了花园。这不仅大大提高了城市的总体功能和整体环境，而且也极大地改善了居民的生活质量，成为全国第一批环境保护模范城，并正向生态型城巿迈进。

二、发展环境经济促进了城市经济的迅速发展，产生了巨大经济效益。一是它促进了城市资产大幅增值。近年来，通过老城区改造和综合整治，大连形成优美、高效、舒适的城市环境，不仅提高了城市的身价和知名度，提高了整个城市的运行效率和商务活动能力，提高了对周边地区性的集聚和辐射能力，形成巨大的无形资产增值，而且还促使整座城市的有形固定资产的大幅增值（如大连市内4区的平均地价1996年比1993年增长4.9倍）；同时也大大提高了城市各个产业和企业的资产价值含量。二是它带来源源不断的投资项目和外资。花园式的城市环境和良好的城市形象已成为大连一幅最大、最有效的“招商广告”，成为大连进入国内外市场的“通行证”。据估算，近年大连在环境建设方面的投入产出比是1：5。截至1998年底，全市外商投资企业已发展到7549家，合同外资159.3亿美元，实际使用外资67.1亿美元。已投产（营业）的3600家外资企业，年内完成产值364.7亿元，主营业收入328.8亿元，上缴税金19.1亿元。分别比上年增长56%、12.6%和43.6%。大连已成为全国外商最集中的几个城市之一。三是它带动了旅游业飞速发展。1998年，仅在国际旅游方面，大连就接待来自168个国家和地区的海外过夜者20.6万人次，创旅游外汇收入1.53亿美元。1999年出现了上升势头，接待国外旅游者达到26万人次，旅游创汇1.8亿美元；接待国内旅游者2000万人次，实现旅游总收入74亿元。大连正向国际旅游城市迈进。四是它带动了环保产业迅猛发展。随着城市环境建设的进一步深入，城市污水、垃圾等处理逐步走向产业化。一批困难企业纷纷转产环保新产品，一批下岗工人从中得到就业机会。1998年全市有198家环保企事业单位，固定资产总额13亿元，环保产值12.6亿元，利润1.3亿元。环保产业发展领域广阔，将成为本市新的经济增长点。另外，走环境经济之路，还孕育出一批新兴行业，诸如会务和展览业、信息服务业、高新技术产业、仓储业等，这些都为大连经济建设增添新的力量。

三、发展环境经济提高了城市的文明程度，产生巨大社会效益。大连在环境建设和环境保护方面的大量投入，使整个城市的文明程度得到日益提高。清新的空气、青青的绿草、顺畅的交通、整洁平坦的公路、优美的居住环境，陶冶了市民的情操，改变了人们的观念，增强了市民的凝聚力和向心力，加大了市民爱家乡的热情。人们充满了自信与骄傲，由被动变主动投身于环境建设，精神境界和行为方式在潜移默化中发生根本变化。这是无价的无形资产和精神财富。

实践充分证明，大连走的是一条小投入大产出，短期投入长期见效的环境经济之路，环境建设已成为大连经济发展的一张名牌。

21世纪将是人类环境的世纪。大连的城市建设要在原来的基础上再上一个新台阶，就要面向新世纪，发展环境经济，走环境经济之路。

1. 在国内外继续打“环境牌”，进一步加大环境建设投入和环境保护的力度。跳出以城市中心区为主的圈子，进行全市整体的环境建设和规划。进行区域性环境影响分析，确定其环境承载力和环境容量。以此为基础，进行城市环境建设，营建“人造森林”，构建“生态走廊”，发展生态农业，使城市环境质量不断提高，城市生态形成良性循环，真正达到人与自然的和谐统一。

2. 进一步完善环境与发展综合决策制度。要对区域、流域的开发和城区的建设、改造，进行统一的环境影响评估，算大账，统一决策。凡是未经过评估的项目，一律不得开工，不经评估和批准擅自开工的要给予处罚，造成环境生态破坏的要追究法律责任。应坚持环保一票否决制，避免综合决策上的失误。

3. 大力发展一切有利于环境建设和环境保护的产业。对传统的产业结构进行调整，大力发展环保型高科技产业，使之成为大连的支柱产业。发展环保产业，不应只局限于开发环保产品，应向环保技术服务、技术咨询、设施运营、资源综合利用和自然生态保护等领域拓展。其次，大力发展展览业、服务业和旅游业，使其成为创造经济效益的主导产业。再次，加快传统工业的改造步伐，发展“精品工业”。另外，大力发展苗木业和花草种植业，逐步把大连建成为全国城市绿化提供花草和苗木的基地。用这些产业的发展来带动整个城市经济的发展。

4. 进一步加强国际间交流与合作。以引进国外先进的环保技术项目为重点，加强与国外在无废、少废、节能、节水等环境保护新技术、新工艺方面的交流与合作。学习国外先进的环境管理方法与经验，加快环境管理体制改革的步伐，使城市环境建设和管理走向产业化和市场化。广开环保资金来源，积极利用国外金融组织和其他机构提供的资金，不断提高环保投资占国内生产总值的比重，使之逐步达到发达国家先进城市水平。

大连构建北方人才高地的比较研究

大连市政府经济研究中心副研究员　刘昌阳

2000年4月，国务院总理朱镕基视察大连时，提出大连要用3~5年时间建成国际名城。为适应这一城市发展的需要，大连市委、市政府明确提出，要在今后5年或10年建设"北方人才高地"的目标。

按照国际上的一般说法，人才高地就是优秀青年人才向往和积聚的地方。它可根据经济区域、国界空间划分为若干层次。国际公认，美国是世界的人才高地，因为它是世界范围内优秀青年人才向往的地方，它也实实在在地积聚了世界上相当一部分科技人才。国内公认，深圳是中国的人才高地，因为深圳已成为全国各地人才向往和积聚的地方。上海不甘其后，也已明确提出要把上海建成"21世纪中国的人才高地"的口号。大连要建设北方人才高地，首先应与上海、深圳进行比较，看到差距，才能明确方向。

一、大连与上海、深圳人才资源的比较。

1. *人才总量和年龄结构*。上海的人口总量为1300余万人，人口中每17人就有1人是专业技术人员，其中企事业单位专业技术人员74.3万人。专业技术人员中，35岁以下的青年人才占总数的39%。深圳人口总量400余万人，人口中每10人就有1人是专业技术人员，其中企事业单位有专业技术人员41万人。专业技术人员中，35岁及以下的占65.1%。大连的人口总量540余万人，人口中每25人有1人是专业技术人员，其中企事业单位的专业技术人员22万人。专业技术人员中，35岁及以下的约占41.7%。可见，大连的人才和优秀青年人才在总量上不足，与上海、深圳的差距较大。

2. *专业技术职务层次*。上海国有企事业单位的专业技术人员中，具有高级职务的6.5万人，占8.8%，其中35岁以下的3362人，占5%。在6301个正高级职务中，35岁以下的127人，占2%。具有中级职务的25.9万人，占总数的34.9%，其中35岁以下的21.1万人，占22%。大连国有企事业单位的专业技术人员中，具有高级职务的1.6万人，约占7.5%，其中35岁以下的约占3.6%。在522个正高级职务中，35岁以下的没有。具有中级职务的74861人，占总数的33.3%，其中35岁以下的约占27.6%。这说明大连的青年科技人才职务层次较低，不利于在工作中承担主要任务和责任。

3. *从专业技术人才行业分布*。上海国有企事业单位专业技术人员中，金融保险业占6%；房地产业占1%；科研及综合服务行业占7%；社会服务业占1%。四者相加，共占专业技术人员总数的15%。大连国有企事业单位专业技术人员中，金融保险业占2.2%；房地产业占0.6%；科研及综合服务业占3.3%；社会服务业占5.7%。四者相加，只占专业技术人才总数的11.8%。由此可见，与大连建设现代国际城市发展目标直接相关的行业和高新技术产业中，人才相对紧缺。

二、大连与上海、深圳人才机制和政策比较

1. *分配机制*。深圳对专业技术人才的分配和奖励按市场经济规律办事，与国际接轨，其市场工资定位是"3、6、9"，即初级职务3000元/月、中级6000元/月、高级9000元/月。上海在分配上也提了三条政策：一是普遍提高知识分子工资待遇，其人才的市场工资定位是"2、3、4"，即初级职务2000元/月、中级4000元/月、高级6000元/月；二是要求优秀人才实行市场工资制度，并在上海交大搞试点，博士生流进去，月工资9000元，硕士生6000元、本科生3000元；三是按要素分配，提出高校、研究院所的科技人才可以入股35%，管理人才可以入股20%~35%，企业开发人才没有限制，由企业自主决定。大连尽管也出台许多政策，但操作起来阻力很大，特别是思想观念的滞后，使办事要有框框，分配要有尺度。大连人才的市场工资定位是初级职务800元/月、中级1000元/月，高级1500元/月，与深圳、上海的差距显而易见，这也导致相当一部分重点高校毕业生在选择去向时首选深圳、上海。

2. *人才市场*。上海重点建设两个市场：一个是企业经营者人才市场，进行一场"经理革命"，实行期权制、年薪制；另一个是国际人才市场，到2010年要引进3万名国外留学生，把在国外的10万名留学生看成是上海的"人才储备库"。而大连则刚刚建立"企业家人才库"，尝试国有企业高级经营者任职资格考试，也建立了人才市场，但规模和调剂能力受管理机制的影响而没有太大作为。

3. *人才使用*。深圳在人才使用上不拘一格，大胆地把中青年专业技术人才放在重要的学术、技术岗位上，担任科研机构、重点试验室、重大课题组的负责人，人才使用已从学历取向转为业绩取向。上海在人才使用上也开始注重业绩取向，并打算在浦东搞一个小特区，试行不讲学历、职称，只看业绩的制度。大连的人才使用在这方面，无论是思想观念还是政策规定，都有着相当的差距。

4. *退休年限政策*。上海、深圳都在试点放宽退休年限，对一些业绩好、身体健康的专家和企业家，如本人自愿，可延长退休年龄。同时完善退休返聘制度，允许对离退休老科技工作者进行二次开发。而大连一直按照《劳动法》规定退休年龄执行，前几年劳动部门还搞了提前退休和不允许离退休人员返聘的政策，这不仅使智力资源得不到充分使用，而且对社会保障的压力也非常大。

三、建设北方人才高地面临的难题

2000年3月，市委、市政府出台《大连市引进优秀人才若干规定》、《大连市引进留学人员来连工作若干规定》、《大连市人才发展资金管理暂行办法》等若干政策，标志着大连拉开了在国内外争夺人才的序幕。但就现阶段来看，大连要构筑人才高地，还有不少难题需要解决：

1. *人才积聚的环境尚未形成*。大连虽然在城市建设、环境保护等领域具有比较优势，但在人的思想观念、社会文化底蕴和人才市场发育等人才环境方面，与深圳、上海等城市存在较大差距，而这些差距构成了大连吸引优秀人才的最大障碍。在人才投资方面，市政府决定自2000年起，由市财政每年拨专款1000万元，设立大连市人才发展基金，用于培养和引进优秀人才、紧缺人才和奖励有突出贡献的优秀人才，但此基金至今没有建立起来。

2. *人才使用政策没有根本转变*。大连在人才使用上受计划经济的影响很深，论资排辈、重文凭轻能力的现象相当突出。人才使用政策的僵化，造成的直接后果就是“有用的人才引进难，拔尖的人才留住难，过剩的人员流走难”。

3. *分配制度的改革有待进一步深化*。人才问题，归根到底是一个分配问题。大连机关事业单位工作人员年人均收入仅为上海的1/2、深圳的1/3。如果从全社会来看，深圳青年平均月工资收入低于1000元的仅占全部青年人数的2.96%，3000元以上的占38.94%。大连青年的工资收入与深圳的差距不言自明。

4. *企事业单位吸引优秀人才的意识淡薄*。要留住和吸引人才，特别是优秀青年人才，有三个主要条件：一是事业留人；二是待遇留人；三是感情留人。其中最根本的动力是事业发展的需求。因此，用人单位作为用人主体，是吸引和造就人才的决定性力量。而大连的企事业单位思想上缺乏人才危机感，行动上吸引人才的力度不够，缺乏吸引优秀青年人才的动力机制。

四、建设北方人才高地需采取的措施

1. *营造奋发创业的人气环境*。人气是否旺盛与整个城市的文化氛围有关，更与创业成本过高有关。有人讲，大连是一座充满浪漫色彩的城市，却少有冒险精神；是一个休闲疗养胜地，却不是淘金者艰苦创业的乐园；是一个赏心悦目的城市，但文化底蕴不足、人文精神不强。吸引优秀青年人才来大连，就要解决人气环境，降低创业成本。一方面，要加大教育投入，调整教育结构，逐步提高市民的素质和城市文化底蕴；另一方面，通过改善投资软环境，转变思想观念，提高窗口部门服务意识，树立全局观念，降低创业初期企业的税费，吸引创业者来大连，让他们既能发现和抓住创业机会，又能获得丰厚的利润。这样的人气环境形成了，大连才有可能成为一个人才集聚的城市。

2. *加快人才培养，提高人才梯次*。要坚持发展基础教育、高等教育和各类职业教育并举，逐步提高城市的文化底蕴，为经济发展提供符合各层次要求的现实和后备人才；建立向国内外开放的教育体系，把国内外优秀学生集中到大连，使学校成为积蓄“青苗”的蓄水池；提升人才学历层次，鼓励和支持已经具有大学文化的中青年人才在职攻读硕士、博士学位，依托国内外知名高校的教育优势对急需人才进行培训；利用国外教育资源，每年有针对性地选送一批中青年拔尖人才赴国（境）外进行培训或研修。

3. *取消对优秀人才的户籍限制*。对事实上已经在连工作或有意来连并有接受单位的优秀人才，其在连生活、工作、创业及由此带来的相关服务需求一律不受户口的限制，完全享受市民待遇。同时，非大连户籍优秀人才在一定期限内（1～2年），也应该享受同等的社会保障。

4. *改革现有的人才职称政策*。在专业技术职务评聘过程中，突出创新意识，坚持重能力、重业绩的原则，突破旧有的论资排辈和缺乏竞争机制的框子。一是在所有系列中全面推行评聘分开，真正实现申报权给个人，评审权给社会，聘用权给单位。二是允许自收自支事业单位自主设岗、自主聘任。

5. *建设人才市场信息需求网络*。加快与国内外人才交流机构的联网，实现与全国乃至国际人才信息库的资源共享，为大连经济社会发展提供充足的优秀人才储备。切实发挥人才市场在人才资源优化配置中的基础性作用，并通过宏观调控和政策引导，盘活现有人才资源，保持人才合理流向和流量，使人才结构调整适用经济结构变化的需要。

大连县域经济转折时期的对策选择

大连市政府经济研究中心农村研究室

2000年初，大连市委、市政府作出《关于加快县域经济发展的决定》，明确指出，要“充分发挥大连中心城市对地区经济发展的带头作用，实施区域共同发展战略，壮大我市县域经济实力”。县域经济和城市经济是大连经济的两大板块，县域经济的发展水平，不仅直接关系到大连经济整体素质，也关系到大连以什么样的经济态势，去迎接21世纪的竞争格局。

一、县域经济在大连经济发展中的地位

1. *县域经济是综合性区域经济类型*。县域经济是依行政区划即以县为单元来界定的区域经济，表现为以县城为中心、集镇为纽带、广大乡村为基础的区域经济网络。大连市县域经济范围是指甘井子区、金州区、旅顺口区、普兰店市、瓦房店市、庄河市和长海县行政区划内所属各种产业门类、各类经济形式和各个经营层次的经济整体。

县域经济具有综合性的经济功能，包括农业，也包括工业、交通、建筑及第三产业部门。这种经济特征，是由县制在我国行政管理体系中的特殊地位决定的。因为县级政府是我国政权组织中职能和体系最完备的基层政府，管辖范围包括政治、经济、社会等各个方面。

2. *县域经济是大连经济的重要组成部分*。大连实行市带县的管理体制，县域经济是大连经济的有机组成部分，其在大连经济发展中的作用日益增长。1998年，县域国内生产总值493.6亿元，占全市国内生产总值的53.3%，超过一半还多，比1986年的39.8%提高13.5个百分点,；工业总产值958.5亿元，占全市工业总产值的56.2%，比1986年的22%提高34.2个百分点。其中，县域乡镇工业总产值为924.3亿元，占全市工业总产值的54.2%，比1986年的14.9%提高39.3个百分点。到2000年，县域国内生产总值和工业总产值已分别达到590.99亿元和1077.83亿元（1990年不变价）。以上数字说明，县域经济特别是乡镇企业已成为直接影响全市经济发展速度和规模的重要力量。

3. 县域经济是大连经济实现空间扩张的重要基地。大连县域土地面积为12274.7平方公里，占全市总面积的97.6%；2000年人口423.3万人，占全市总人口的76.8%。其国土资源和人力资源的巨大潜力，已成为大连经济实现空间扩张的要素。另外，在城市产业结构高级化过程中，有相当一部分城市工业向县域转移。县域经济也从自己的资源优势出发，确立自己新的产业框架，形成新的增长点。

二、大连县域经济的发展现状

1. 经济总量持续扩张，财政收支压力逐渐增大。1986年，全市县域国内生产总值为39.2亿元，到1998年达到493.6亿元，是1986年的12.6倍，年均增长23.5%。到2000年则增至590.99亿元。即使剔除价格因素影响，这种增长速度也是惊人的。经济总量的扩张，是同以工业为代表的第二产业的发展分不开的。1986年县域工业总产值40.7亿元，1998年达到958.5亿元，是1986年的23.6倍，年均增长30%。2000年则增至1077.83亿元。

在经济总量急剧扩张的同时，县域政府财政预算内收支也有明显增长，但是支出增幅高于收入。1978年县域财政收入为3.32亿元，支出2.78亿元，收大于支5439万元。到1998年县域财政收入达到14.71亿元，与1978年相比，年均增长7.7%，财政支出达到16.84亿元，年均增长9.4%，支大于收2.13亿元。2000年，县域财政收入为19.6亿元，财政支出为26.71亿元，支大于收7.11亿元。值得指出的是，经济发展状况相对较好的金州、旅顺口、甘井子区分别从1988、1989、1994年开始出现财政收不抵支的状况。北三市及长海县从1980年以来财政一直是收不抵支，而且缺口逐年扩大，其中庄河、瓦房店、普兰店2000年财政缺口分别达到1.65亿元、1.84亿元和1.15亿元。

2. 县域产业结构已由农业为主向非农业为主转化，但城市化水平明显滞后于工业化水平。1978年，县域（不含甘井子、金州区）一、二、三次产业比重分别为48.7：30.9：20.4，基本是以农业生产为主的产业形态。随着乡镇企业的崛起，到1998年，县域第二产业的比重显著增加，一、二、三次产业的比重演变为18.1：55.9：26，同1978年相比，第一产业下降30.1个百分点。

根据国外城市化发展的一般规律，产业结构的逐步升级必然导致农村城市化水平的提高，加快农业人口向非农人口的转移。但从本市县域情况看，这种变化趋势存在，却与产业结构的变化不同步。1978年，县域农业人口与非农业人口比重为82.6：17.4，农业人口比重高出第一产业占国内生产总值比重33.9个百分点；到1998年，两类人口的比重为67.3：32.7，农业人口比重高于第一产业占国内生产总值的比重49.2个百分点。到2000年，两类人口的比重为65.1：34.9，农业人口占人口的比重仍很高。显然，农业人口减少的速度跟不上产业结构变化的速度，且之间的差距还不断扩大，城市化的发展严重滞后。这种“高度工业化”和“低度城市化”的社会结构，是县域经济发展亟待解决的问题。

3. 国有经济、乡镇（街道）集体经济份额逐年减少，村及村以下和私人经济份额明显提高。县域经济中，国有经济实现工业产值1985年为8.13亿元（1990年不变价，下同），占全部工业总产值的35.2%；1996年达到最高峰，完成19.26亿元，所占比重却只有11.1%，降低24.1个百分点；1998年急剧下降，只完成8.4亿元，所占比重又降低4.9个百分点，为6.2%，已失去往日显赫的“龙头老大”地位。

集体和其他所有制形式工业企业实现产值逐年上升，1986年占县域全部工业总产值的比重分别为52.7%和5.9%；1998年比重继续上升，分别达到56.2%和21.5%，提高3.5个和15.6个百分点。

县（区）直属工业、乡镇（街道）工业、村及村以下工业的比例关系也发生明显变化。1986年这3类工业产值的比重分别为31.6：24.5：38.4；到1998年则变化为3.5：9.6：67，其中县（区）工业和乡镇（街道）工业所占比重分别降低28.1个和14.9个百分点。村及村以下工业和其他所有制形式的工业已成为支撑县域经济发展的重要力量。

4. 国际经济交流与合作领域不断拓宽。到1998年末，县域外商直接投资累计2493项，合同外资金额32.21亿美元，实际使用外资10.92亿美元。2000年，县域新增外商直接投资项目287项，合同外资7.08亿美元，实际使用外资3.56亿美元。

三、大连县域经济发展的对策

目前，大连县域经济面临新的市场环境。短缺经济时代的结束和全面买方市场的初步形成，使县域经济发展受到市场需求的制约；农产品价格持续低迷，使农业发展缺乏动力；乡镇企业由改革初期“放权让利”释放出来的能量逐渐减弱，在市场竞争中相对处于劣势；“入世”对农业生产的影响不容乐观。这些应当成为确定县域经济发展对策的重要的出发点。

发展县域经济的基本对策主要有：

1. 重新界定和转换政府职能，提高驾驭全局经济发展的水平。这是实现县域经济发展的关键。政府应坚决从应由企业和市场占据的位置和职能中退出，放手让市场和企业发挥作用。县级政府机构应进行必要的改革和调整，撤并一些分工过细或为上下机关对口而设置的经济管理机构，或改为公司实行企业化经营，其有关职能交由新设立的综合经济管理部门承担。政府的职能应该是抓好宏观规划，制定和完善各种配套政策，着眼于现代市场体系的建设，为企业创造良好的投资环境和发展机会。

政府的投资方向也要进行调整，应退出一般生产性和竞争性领域，大幅度减少生产性基本建设投资，采取转让、拍卖、股份制等形式，逐步收回县属国有生产性企业的资本，原则上不再保留国有生产性企业。

2. 市场引导和政府扶持相结合，推进县域科技进步。现阶段重点应放在科技推广和应用上。一是提高龙头企业的科技水平，通过他们带动千家万户走上科技兴农之路。二是加快农业科技园、示范园、精品园的建设，通过他们实实在在的成果，引导农民向新品种、新技术靠拢。三是增加科技成果的有效供给，疏通信息渠道，建立科技成果市场，吸引科研院所和大专院校同涉农部门结成利益共同体，加快科技成果产业化的步伐。四是提高农民的文化素质，通过“绿色证书”、科普大集、乡村职校等多种形式，使更多的农民掌握应用科技知识。

3. 乡镇企业要以建设现代企业制度为突破口，促进生产要素的合理流动和重组。各级政府应在合理的产业政策指导下推进企业联合，使生产要素向优势产业和骨干企业聚集，做大优势产业。从大连城乡经济发展战略布局上考虑，一般乡镇企业应成为以劳动密集型为主体的产业群，而一些经济实力雄厚、技术构成较高的企业逐步向技术密集型转化。

实现乡镇企业“二次创业”的关键在于产权制度的创新。从各地实践看，股份合作制是构建乡镇集体企业产权制度的主要形式，应当积极推广，并将其制度化、科学化。

4. 加快农业产业化步伐，促进农业产品结构调整。如何解决家庭承包经营与国内外市场对接，是农产品结构调整的关键。要发展农户与市场中间组织，包括加工、流通企业的合作，如“公司+农户”、“合作组织+农户”、“协会+农户”、“批发市场+农户”、产销一体化公司等，是解决家庭生产与发展商品经济不相适应的有效做法。

农业产业化必须同各地的实际情况相适应，不能追求形式图虚名。在北三市一些贫困地区，要先发展农民自己的合作组织和联合组织，而不是急于办龙头企业发展产业化组织。有条件的地区产业化经营规模和程度也要坚持效益第一，逐步推进，防止大幅度波动。

5. 加大宏观管理和扶持力度，促进小企业健康成长。小企业众多是县域经济的一大特色，应为小企业成长创造良好的发展环境。（1）建立小企业管理机构，改变目前小企业按系统、按所有制分类的管理办法，使小企业不论“出身”如何，均能纳入统一的政策管理渠道。（2）制定实施发展小企业的产业规划和产业政策，把小企业的发展纳入县域及大连市产业发展体系中，改变小企业发展中的低水平重复建设、市场竞争无序等普遍存在的问题。要引导城市一些大企业、大集团将一部分小企业纳入自身产业发展体系中，使小企业在专业化分工和社会化竞争中稳定发展。（3）实行特殊的财政政策，建立符合市场经济要求的小企业财政支持体系。可借鉴外地经验，在财政预算中设立小企业发展基金，对好的项目予以贴息和实行财政返还政策。（4）针对小企业贷款难、融资难的问题，建立“小企业风险担保基金”，以财政牵头，吸收银行、金融公司及企业参加。要积极创造条件，建立小企业直接融资市场，放活居民和其他投资人的投资选择。

6. 加快小城镇建设，形成经济的集聚效益。要发挥小城镇在县域经济中的“集聚”和“纽带”作用，引导县域农村的中小生产企业及服务业向小城镇转移。要彻底改变以居住地来划分城镇人口和农业人口传统的户籍制度。对长期在小城镇工作，有稳定的职业、收入和住所的农民及其家属可以转为城镇户口。要建立土地流转制度，鼓励进城农民将其承包的责任田有偿转让，宅基地则通过出让和置换方式加以解决。

大连市开展社区建设的基本构想

大连市政府经济研究中心农村研究室主任　于连生

一、社区建设基本状况

大连市是开展社区服务较早的城市之一，曾走在全国大中城市的前列。1988年市政府专门下发《大连市社区服务三年发展规划》，同年又下发《关于成立大连市社区服务领导委员会的通知》。1994年由市民政局牵头，会同14个委办局联合制定《大连市发展社区服务业若干规定》。近年来，大连把社区服务与建立社会保障制度紧密结合，促进了社会保障体系的完善；把社区服务与企业转换经营机制、政府转变职能紧密结合，承接企业和政府剥离出来的一些社会福利和社会保障工作；把社区服务与社会主义精神文明建设紧密结合，在城市居民中广泛开展群众性的自我教育、自我服务、自我管理活动。同时，还把社区服务与下岗职工再就业紧密结合，开设一些便民服务项目，吸纳部分职工再就业，仅1998年就安排下岗职工再就业2.3万人次，从而减轻了经济体制和社会结构变革带来的震荡。一些街道已初步形成系列化服务网络。截至2000年末，全市已有区级社区服务中心2个，83个街道中有44个街道建立社区服务中心，居委会建立服务站1046个、社区服务志愿者队伍2300余支，志愿服务者近30万人。2000年4月朱镕基总理在大连视察时，对全市街道和居委会开展社区服务，解决下岗职工再就业和社会保障全面落实工作给予肯定和赞扬。与此同时，借鉴其他城市开展社区建设的经验，于2000年起在西岗区开始社区建设的研究规划试点工作，并取得初步成果。

虽然大连市的社区服务工作取得一定成绩，但这种带有明显计划经济和行政化色彩，基本上是由基层政府出面建立的福利性、便民性的服务行为，同真正意义上的社区建设有着本质区别。“社区”没有明确的区域界定，是一种内涵不确定、外延模糊的全社会概念；“服务”则泛指一些以街道为主体、以居委会为依托开展的福利性、便民性、自助性的服务。因此，施行多年的社区服务并未能从根本上改变条块分割的城市管理模式和效率低下的基层组织形式。而真正意义上的“社区建设”，是要突破原有计划经济体制下形成的街道和居委会建制局限，建立一种新型的聚集在一定地域中的人群的生活共同体，注重科学的区域划定和健全的组织构成，以及基层民主建设和全方位的社会服务。

二、开展社区建设的构想

社区建设是我国在体制转轨、社会转型时期面临的新的重要课题，是一项开创性的工作。笼统地看，我国的街道和居民委员会的规划建设发展也是一种特定政治和经济体制下的城市社区模式，其组织形式和运行机制带有明显的社会主义政治和计划经济色彩。1995年，国家民政部根据社会主义市场经济发展和城市管理体制改革的要求，提出了在社区服务的基础上开展社区建设的工作任务目标。1998年国务院机构改革时，又进一步确定各级民政部门“指导社区服务，推动社区建设”的职能和工作目标。党的十五大决议和九届三次会议政府工作报告中也均提到“社区建设”问题。江泽民总书记曾多次在讲话中对社区建设工作给予充分肯定，特别是在去年10月视察天津时明确指出：加强社区建设，是新形势下坚持党的群众路线，加强基层政权建设的重要内容。由社区服务拓展而成的社区建设已在国内的一些大中城市全面展开。北京、上海、沈阳等城市对社区工作进行了大胆、有益的探索，形成不同的发展思路和具体实施方案，并开始全面铺开。而大连的社区建设同上海、北京等城市相比明显滞后，同沈阳、长春等城市相比，也有一定差距。大连要从建设社会主义现代化国际名城着眼，尽快形成本市社区建设的工作思路。

根据全国社区建设试验区工作座谈会精神，大连社区建设的总体思路应为：扩大基层民主，推进社区建设，实现居民的自我教育、自我服务、自我管理，使街居工作社区化、社区工作社会化，逐步建立与社会主义市场经济体制和基层政权体制相适应的社区建设模式和运行机制，把以居住地域而形成的社会单元建设成为环境优美、治安良好、生活便利、人际关系和谐的文明社区。

按照这个思路，大连的社区建设可从以下方面入手：

1. *适当调整街道、居委会的规模和地域，以调整后的新区域作为社区的主导形式*。大连的社区划定，原则上应以调整后的居委会为基本单元，因为原有的街道、居委会的地域划分和规模，已不符合社区建设的构成要素。居委会的调整，一要坚持以人为本，充分考虑居民的认同感和归属感，基本上与居民小区或居民聚居区相吻合；二要便于开发辖区资源，形成共驻社区、共建社区的氛围；三要尊重传统的人文和地缘关系，培育社区的凝聚力和号召力，形成共同利益，利于居民自治。

2. *加强基层民主建设，建立社区自治组织体系*。建立和完善社区自治组织体系，就要逐步形成民主选举、民主决策、民主管理和民主监督的运行机制。社区要将各种资源和力量动员和组织起来，健全社区居民代表大会或社区成员代表大会制度，行使最高权利，使社区建设具有广泛的参与性。同时按照“社区自治、议行分设”的原则，探索社区的议事层和执行层分开的组织形式。社区议事层由社区居民或成员推举产生，实行兼职制，行使议事和协调职能；社区执行层即社区委员会或社区成员委员会，由社区居民代表大会或社区成员代表大会选举产生，实行专职制，行使社区事务的管理职能。

3. *贴近百姓生活，发展社区建设*。社区建设的项目和内容，应根据群众要求和自身条件来设定，着重应抓好以下工作：一是社区服务。加强社区内服务设施的建设和规划，开展面向社区老年人、残疾人、儿童、优抚对象和社会困难群体社会福利、社会救助性服务，以及社区居民的便民服务和社区单位的社会化服务。二是社区卫生网络。发展社区的医疗、保健、康复和计划生育等事业。三是社区文化。开展群众性文化、体育、娱乐、教育等精神文明活动。四是社区环境。加强社区环境卫生、环境保护和绿化美化。五是社区治安组织。依法加强治安保卫、民事调解和社会治安综合治理。

4. *转变政府职能，理顺各级政府及其派出机构与社区自治组织的关系*。理顺政府行为与社区自治组织的关系，其核心是下放权利，重心下移，赋予社区组织更多的社会职能。这是推进社区建设的首要条件。一方面，需要重新界定市与区、区与街道的管理职能和管理权限；另一方面，需要重新界定区及街道的政府行为与社区组织自治行为的关系。要按照建立“小政府、大社会”的目标和现代企业管理制度的要求，将政府和企业承担的社会职能转移到社区，使社区获得必要的发展空间。同时，本着责、权、利相统一的原则，费随事转，充实社区财力，使社区能办更多的事。

三、推进社区建设的几点建议

1. *加强对社区建设的领导，组建相应的工作机构*。社区建设是一个制度创新、社会重构、城区管理体制全面改革的系统工程。因此，建议市委、市政府主要领导挂帅，吸收有关职能部门参加，成立大连市社区建设指导委员会或领导小组，下设办公室，以加强对社区建设的规划、协调、指导和监督。

2. *立即着手制定大连市社区建设实施方案*。制定方案时，一方面要充分借鉴国内其它城市有益的经验，另一方面也要汲取发达国家的成熟经验，同时必须从大连的实际出发，形成自己的特色。

3. *加大社区建设宣传力度，达成社会共识*。新闻媒介要搞好宣传和报道。各级政府及有关部门要利用各种形式，推进社区建设有关知识的教育和普及，使全体市民充分了解什么是社区，为什么要搞社区建设，形成浓厚的社区氛围，以动员和吸引社会各界和全体市民自觉参与社区建设。

·名词解释·

社区建设 社区是人类文明进步和城市社会经济发展的产物。按《心理学大词典》（朱智贤主编，北京师范大学出版社，1989）中的定义，社区就是“以一定的生产关系和社会关系为基础，形成了一定的行为规范和生活方式，在情感和心理上有地方观念的社会单元。”广义的看，社区有许多种，但一般来说，社区则专指城市中带有明显行政规划界限、具有一定自治组织功能的区域。西方的一些社会学家认为社区这一概念的形成和逐步完善，“标志着十九世纪社会思想最引人注目的发展”。20世纪40年代，在社区规划建设基本成型的基础上，“社区发展”（communitydevelopment）一词开始在国际上流行。1956年联合国对此给予充分肯定并大力提倡。60年代起，英美等国家开始在社会问题集中的社区采取种种措施，发动和鼓励居民参与旨在为当地居民增加福利的社区发展项目，对城市经济社会的稳定发展起到不可估量的作用。到目前为止，全世界已有70多个国家实施规范化的社区规划建设，并把它作为加强城市管理的重要手段。建设良好的社区已成为各国公认的城市经济社会发展的主题之一。

特　　载

责任编辑　石黎明

政府工作报告

——2001年2月12日在大连市第十二届人民代表大会第四次会议上

代市长　李永金

各位代表：

我代表市人民政府向大会报告工作，请予审议，并请各位政协委员和其他列席人员提出意见。

一、2000年和“九五”时期政府工作简要回顾

2000年是大连乘势前进、加快发展的一年。在市委的领导和市人大、市政协的监督、支持下，市政府带领广大干部群众，认真贯彻落实党中央、国务院的各项方针、政策和省委、省政府的部署，按照建设现代化国际城市的宏伟目标，艰苦奋斗，扎实工作，全面完成了市十二届人大三次会议确定的各项任务，国民经济和社会事业都取得了新的成绩。

国民经济快速健康发展。全年完成国内生产总值1110.8亿元，比上年增长11.8%，一、二、三次产业增加值构成比例为9.8：46.2：44，人均国内生产总值2447美元；固定资产投资268.5亿元，增长20.5%；地方预算内财政收入77.6亿元，按可比口径增长14.2%。工业经济继续增长，实现总产值2247亿元，增长11.8%；规模以上工业销售收入突破1000亿元，增长30.3%；预计利税总额突破70亿元，增长22%。在连续两年遭遇严重干旱的情况下，农业增加值仍比上年增长6.5%，粮豆总产量达到106.3万吨；地方水产品总产量205.7万吨，蔬菜总产量223.4万吨，水果总产量72.8万吨，蛋、奶产量创历史最好水平；新建农业精品工程87项，农业产业化水平有了新的提高，乡镇企业增加值增长12%，营业收入超亿元的企业达70家；全市森林覆盖率达到38.2%，农田基本建设成效显著。第三产业整体水平有新的提高，全年实现社会消费品零售总额488.7亿元，增长9.1%；国有商业六大集团继续保持健康发展的态势，引进了国际著名的商业跨国公司和商业先进业态，开始实施了电子商务、信贷消费等现代营销方式，商业的国际化、现代化色彩更加浓厚；便民商业和放心食品工程全面启动。解决了粮食长期压库问题，粮食贸易逐步做大，大型仓储和中转能力进一步提高。供销社系统结束了连续6年亏损局面，实现扭亏为盈。金融机构各项存贷款余额分别达到1374.7亿元和1162.5亿元，比年初增加149.8亿元和176.9亿元。接待海外旅游包机69架，海外大型豪华游船5艘，来连海外游客及旅游创汇均比上年增长30%，旅游总收入90亿元。举办各种展会52个，交易额突破300亿元。全市新增个体工商户3万户、私营企业2855家；培育和建成10处年交易额10亿元以上的大型市场。海港货物吞吐量完成9699万吨，增长6.8%，集装箱吞吐量突破100万标箱，增长37.4%；空港旅客吞吐量275万人次，增长16.5%，货邮吞吐量7.6万吨，增长25.4%。市民收入水平和生活质量有所提高，城镇居民年人均可支配收入达到

6861 元，农村居民年人均纯收入达到 3740 元；人均储蓄达到 1.7 万元。新增住宅竣工配套面积 250 万平方米，归集房改资金 110 亿元，开始实施了住房货币化分配，城市人均住房使用面积达到 13.8 平方米。各项社会事业全面进步。全年实施各类科技计划 210 项，其中 74 项成果通过了技术鉴定；民营科技企业发展到 2300 家，技工贸总收入 70 亿元。人才高地建设开始启动，引进人才 5000 余名，新增市级专业技术人员继续教育基地 4 个，建立市级乡土人才培训基地 11 个，冰山集团等 3 家企业设立了博士后科研工作站。素质教育取得成效，教育整体水平明显提高，全市实现了 6 周岁儿童入学的目标，高中阶段教育普及率突破 70%，高考升学率达到 90%；多元化教育投资体系、办学体制初步形成，吸纳社会资金 2 亿多元，新建寄宿制高中 2 所、民办高中 5 所；农村小学、中等职业教育布局和结构调整全面启动；高校后勤社会化改革开始起步。文化艺术工作水平有了提高，各专业艺术团体获得国家级奖 9 项。完成了微波传输数字化改造和有线电视县区网并购工作，有线电视网络覆盖了全市 1600 多个村。城乡医疗卫生条件进一步改善，城区医疗服务二级格局框架初步建立；远程可视医疗会诊中心通过卫星与 70 多个网点连接并开展了远程会诊；群众健康水平提高，传染病总发病率继续下降。全市人口自然增长率比计划降低了 0.4 个千分点，计划生育率达 99.44%。圆满完成了第五次全国人口普查调查登记工作。全民健身运动广泛开展，体育人口比例达到 46%；大连籍运动员夺得奥运会金牌、铜牌各 1 枚，残奥会金牌 2 枚、银牌 1 枚，实德足球队夺得全国足球甲 A 联赛冠军和超霸杯。建成了人防指挥自动化系统，人防通信和快速反应能力得到提高。地震工作获全省观测质量综合评比第一名。新闻出版、民族、宗教、侨务、对台和残疾人等工作均取得喜人成绩。精神文明和民主法制建设得到进一步加强。精神文明创建活动不断深入，城市文明程度和市民素质明显提高。双拥共建工作成效显著，我市再次被评为全国“双拥模范城”。民兵和预备役工作水平有了新的提高。各级政府自觉接受人大、政协和人民群众的监督，充分发挥各民主党派、工商联、无党派人士参政议政的作用，1008 件市人大代表的建议、批评、意见和政协委员的提案全部办理完毕。全面推行了政务公开、厂务公开和村务公开。全市县以上信访部门受理群众来信来访 5.7 万件次，处结率达 93%。“三五”普法教育成效明显。实行依法治市、依法行政，开展了综合执法。强化了监察、审计工作，全年立案查办违纪违法案件 721 件，处分违反政纪人员 254 人。加强了国家安全工作；加大打击“法轮功”邪教组织斗争的力度，“法轮功”练习者教育转化工作取得成效；在 70 个乡镇和近海养殖区建立了“110”接出警机制，开展了“一打两整”、“打拐”、“扫丑”、“打黑除恶”等专项斗争，维护了全市政治安定和社会稳定。

2000 年，我市各条战线、各方面工作都取得了令人鼓舞的成绩，其中几项重点工作的成效尤为突出。

国有企业改革脱困目标如期实现。去年是中央提出国有企业三年改革脱困目标的最后一年，我市积极推进国有资产重组和企业搬迁改造，落实减员减债、债转股、主辅分离等措施，使一批企业摆脱了困境。国有企业资产负债率由 68% 下降到 55%；国有大中型企业亏损面下降到 15%，比国家要求低 15 个百分点；国有及国有控股企业盈亏相抵实现利润 15 亿元，比上年增长 35.7%。继续推进公司制改造，有 72% 的国有大中型骨干企业初步建立了现代企业制度。同时，坚持既要脱困更要发展的思路，完成了一批重点技术改造和招商引资项目，调整了工业布局和产品结构，推进了大型船舶、电力机车、通信及网络、数字化电子视听、精细化工等一批新产品的开发。坚持抓大促小、扶优扶强，西太平洋炼油、大连石化、大显、冰山年销售额分别达到 130 亿元、123 亿元、55 亿元和 35 亿元。

高新技术产业发展跃上新台阶。去年我市以发展电子信息、生物工程、节能环保、新材料为重点，制定并实施更加优惠的政策措施，促进了高新技术产业快速成长。全市新认定高新技术企业 48 家；实现高新技术产品产值 435.9 亿元，比上年增长 26.2%；高新技术园区技工贸收入 150 亿元，增长 50%。加强了软件园建设，东大诺基亚、中软等 52 家软件企业入园，实现软件产业产值 3.5 亿元，比上年增长 1 倍。培育创新基地，开工建设了双 D 港，进港企业 10 家；建成了海外留学人员创业园，入园企业达 96 家；启动了民营科技企业创业中心建设，已有 20 家企业入驻；建立了炮台生物、中以园艺、科源生物等十大农业高科技基地；引进了以色列蔬菜、荷兰花卉、节水抗旱地被植物等 50 个农业新品种。成立大连科技风险投资公司，促进了高科技多元化融资体系的形成。城市信息化进程加快，推进了政府和行业信息系统建设。经中国人民银行批准建设的区域性支付网关和 RA 认证中心、城域网二期工程及城市“一卡通”项目开始启动；我市被国家批准为全国惟一的电子商务综合示范城市。

对外开放有了新突破。去年我市深入开展了改善投资软环境年活动，为扩大开放、吸引内外资创造了良好环境。调整了出口企业和出口商品结构，辟建了大连出口加工区，实现了外资、国有、乡镇和私营企业出口全面增长。根据海关统计，全市进出口总额首次突破 100 亿美元大关，其中自营出口 52.1 亿美元，比上年增长 28.4%。开发区、保税区、金石滩旅游度假区发挥了开放先导区的带动作用，加强了面向跨国公司的招商工作，全市新批外商投资企业 697 家，实际使用外资 13.3 亿美元，又有 20 家跨国公司来连投资。对外经济技术合作规模进一步扩大，兴办境外企业、对外承包和劳务合作项目均有新的增长。国内经济技术合作取得佳绩，在成都、郑州、哈尔滨、长沙等城市成功地举办了商品展销暨经济技术合作洽谈会，扩大了大连地工产品在国内的市场份额；新希望集团等一批国内知名大企业在我市落户。对外交往进一步扩大，接待了印度、刚果、几内亚等国家元首和政府首脑，有 46 个国家的 112 位驻华使节和国际组织代表来我市参观访问。

城乡建设迈出新步伐。去年我市完成了城市总体规划编制工作，为大连未来发展提供了建设蓝图。启动了市内经开发区至金石滩 46.6 公里的快速轨道交通建设，兴工街至黑石礁轨道交通试验线路一期工程已完成。旅大北路等路段的拓宽改造和海皮路一期等道路工程竣工通车。建成了马栏河、付家庄和开发区等城市污水处理厂，城市生活污水处理率达到 70%。各区市县继续实施了“五个一”工程，全市 128 个乡镇实现了乡乡通柏油路，小城镇面貌发生了较大变化。面对连续两年大旱造成的水荒，为解决大连长远发展问题，在广泛开展压水节水的同时，提前开工英那河水库扩建和引英入连供水应急工程。庄河、普兰店市广大干部群众顾全大局，为工程建设作出了重大贡献。目前工程进展顺利，输水管线一期工程今年5月底前可正式通水。同时，支持瓦房店、普兰店市和长海县兴建了城镇供水应急工程。启动和推进了泉水、华乐、锦绣、泡崖等现代住宅新区建设。新建和改造了海军、绿之梦等14个广场，城市绿化覆盖率达到40.5%，人均公共绿地面积增加到8.5平方米。全面启动了“蓝天碧海”工程，城市综合环境质量位居全国前列，我市被国家批准为环保产业发展及设施运营示范试点城市。长江广场、世界贸易大厦、金石国际会议中心建成投入使用，森林动物园二期工程和市科技馆、图书馆、现代博物馆、旅顺历史博物馆、国际网球中心、友谊医院等一批社会公益性项目完工，新世界广场、王府商厦、新玛特、和平商业广场、越秀广场、百年商城主体封顶，开工建设了虎滩极地馆、渔人码头、星海城堡艺术馆等工程。

社会保障和社区建设取得新进展。去年我市进一步完善了独立于企事业单位之外、资金来源多元化、保险制度规范化、管理服务社会化的社会保障体系。城镇职工基本养老保险覆盖率达98%，离退休养老金全部按时足额发放，社会化发放率达100%。改革城镇职工基本医疗保险制度，市内参保覆盖率达70%。实现了城镇就业和再就业8.5万人。完善了“四位一体”的城市居民最低生活保障模式，共投入资金3800万元。继续开展了扶贫帮困送温暖、敬老认亲等社会互助活动，为下岗、失业职工及其他困难群众发放临时救济金9593万元。加强了社区建设，各级财政投入4500万元用于改善社区办公条件，居委会办公经费和成员补贴得到了提高，街政建设得到进一步加强；开发和利用了社区资源，建立了系列化社区服务网络。我市的社会保障和社区建设工作得到了中央领导同志的充分肯定。

2000年是“九五”时期的最后一年，我市全面完成了“九五”计划的各项指标。过去的5年，是我市经济和社会快速发展的5年，是城市面貌显著变化的5年，也是在海内外的知名度不断提高的5年。经过5年的努力，我市综合经济实力跃上了一个大台阶，5年累计实现国内生产总值4603亿元、固定资产投资1254亿元、地方预算内财政收入321.4亿元，分别比“八五”时期增长89.6%、46%、77%。经济体制改革成效显著，社会主义市场经济体制初步建立，市场在资源配置和结构调整中发挥了重要作用，政府管理经济的方式由直接管理为主开始向间接管理为主转变。经济结构调整取得重大进展，所有制结构、产业结构、就业结构和税收结构都发生了明显变化，区市县经济形成市中心三区、南三区和北三市及长海县各具特色的发展格局。对外开放出现了新局面，5年累计实际使用外资66.2亿美元、自营进出口323亿美元，分别比“八五”时期增长65.9%和1.3倍，其中自营出口183.7亿美元，增长1.2倍；对内招商和国内市场开拓闯出了新路，基本形成了全方位对外开放的新格局。高新技术产业和人才群体形成了一定规模，扩大了高新技术产业发展区域，兴办了一批高新技术企业，高新技术产品产值比“八五”期末翻了两番；通过多渠道引进和培养，大专以上学历人口占全市人口比例由“八五”期末的4.8%提高到6.9%。城市建设取得了巨大成就，完成了引碧三期工程、黄海大道、集装箱码头、北良工程、西太平洋炼油和旅顺南路等一大批基础设施、工交、环境和公建重点项目建设，从市区搬迁了75户企业，进一步完善了人民路商务区、中山广场金融区、青泥洼商业区、星海湾会展区和金石滩旅游度假区，提升了城市整体功能。市民生活质量有了明显提高，建成了锦绣、泡崖等十几个新的居民区，动迁改造了棚户区和低洼区，80万市民迁入新居；健全和完善了社会保障体系，下岗职工、低收入阶层和特困居民的生活得到基本保障。社会事业得到全面发展，新建了一批科技、教育、文化、广播电视、医疗卫生和体育设施；成功地举办了国际服装节等一系列大型文化、经贸活动，塑造了大连城市精神，推进了大连现代文明社会的建设。

5年的实践使我们深切体会到，做好新形势下的政府工作，需要做到“五个坚持”，即：坚持“发展才是硬道理”，积极运用发展的观点、方法，解决前进中遇到的各种困难和矛盾；坚持对外开放，积极引进资金、先进技术和管理经验，实现经济快速发展和城市功能的不断提升；坚持改革创新，遵循国际惯例和市场经济通行规则，为经济发展和社会进步注入新的生机和活力；坚持“不求最大，但求最好”的城市发展思路，按市场经济规律建设城市，努力探索发展城市环境经济和老工业城市进行现代化建设的路子；坚持以人为本，努力为人民办实事、办好事，使城乡居民分享经济发展的成果，增强城市凝聚力。

各位代表，“九五”时期的5年是很不平凡的5年。全市人民团结奋斗，战胜了各种困难，取得了来之不易的成就。在此，我代表市人民政府，向辛勤工作在各条战线、各行各业的全体市民，向给予政府工作积极帮助和支持的市人大代表、政协委员，各民主党派、工商联和无党派人士，驻连部队、武警官兵和中省直单位、外地驻连机构，向关心和支持大连发展的港澳台同胞、海外侨胞和国际友人，表示衷心的感谢！

我市经济和社会发展虽然取得了很大成就，但在发展中仍然存在着一些矛盾和问题。主要是：国有企业虽然实现了脱困目标，但总体盈利水平还不够高，一些企业还缺乏市场竞争力、脱困但没脱险；区市县经济发展还不均衡，北三市综合经济实力与市中心区、南三区相比存在着较大差距；高新技术产业虽然发展速度较快，但具有牵动作用的大项目还不多，吸引人才的政策尚须进一步完善；农民收入增长还不够快，北部山区部分农民生活仍较困难；政府部门在转变职能、提高办事效率、依法行政等方面还存在一定问题；面对我国即将入世的新形势，我们的思想准备和对策研究还不够充分。对于这些问题，我们要在今后的工作中认真研究解决。

二、“十五”时期发展思路和2001年政府工作主要任务

2001年是新世纪的第一年。站在新的历史起点上，我们将承继“九五”辉煌，开创“十五”伟业。当前，我们既面临着新的挑战，更面临着加快发展的有利环境和历史机遇。经济全球化的步伐逐步加快，以信息产业为代表的新经济迅猛发

展，亚洲经济全面回升，我国即将加入世贸组织，将会使大连的区位、口岸和对外开放优势得到更充分的发挥；我国经济发展出现的重要转机，西部大开发的全面实施，国家为保持经济增长、优化经济结构和改善人民生活所采取的一系列政策措施，将为大连的快速发展创造有利条件；改革开放以来，特别是1992年小平同志南巡谈话以来，大连经济和社会的全面进步，区域性经济中心城市的地位初步确立，为今后的发展奠定了坚实基础。

"十五"时期我市经济和社会发展总的要求是：抢抓机遇，加快发展，按照建设社会主义现代化国际城市的长远目标，以提高城市综合竞争力为核心，全面加强现代产业体系和区域性国际航运中心、商贸中心、金融中心、信息中心、旅游中心的建设，尽快提高大连的体制创新和科技创新能力，实现物质文明和精神文明共同进步，人口、经济、社会、环境协调发展。主要目标是：全市国内生产总值年均预期增长10%以上，到2005年，人均国内生产总值突破4000美元；经济结构发生重大变化，三次产业及其内部结构明显优化，高新技术产品产值占全市工业总产值的1/3以上，第三产业的增加值占国内生产总值的48%以上，城市化率达到55%以上；城市功能和环境再上一个新台阶，环境质量达到或接近中等发达国家水平；人民生活水平大幅度提高，城镇居民人均住房使用面积增加到16平方米，城镇和农村居民可支配收入年均增长6%~8%。

今后5年，全市经济工作的基本思路是：全面深化改革和扩大开放，进一步转变政府职能，按照国际规范广泛参与世界经济分工和竞争，促进大连经济的市场化和国际化；全面推进人力资源开发和科技进步，建立和完善科技创新体系，以信息化带动工业化，促进大连的高新技术产业化和传统产业高技术化；全面调整经济结构，放手发展混合经济和非公有制经济，增强国有经济的影响力，提高各次产业的质量和水平，加快农村城镇化进程，促进大连产业结构的高级化和城乡一体化；全面搞好城市建设，加强城市的科学规划和规范管理，进一步提升城市环境质量，提高城市信息化水平，促进大连城市的生态化和智能化；全面提高城乡人民生活质量，完善社会保障制度和社会救济制度，按照效率优先、兼顾公平和按劳分配为主、多种分配方式并存的原则，促进居民收入的多元化和支出的多样化。

2001年是"十五"计划开局之年。今年政府工作的指导思想是：以邓小平理论为指导，按照江总书记"三个代表"重要思想的要求，深入贯彻党的十五届五中全会、中央和省委经济工作会议及市委八届十二次全会精神，坚持体制、科技创新和环境经济理念，以市场为导向，加快经济结构调整，发展高新科技，扶强优势企业，壮大县域经济，提升城市功能，改善人民生活，加强民主法制建设，确保国民经济持续稳定健康增长，为实现大连"十五"时期经济跨越式发展和社会事业全面进步，开好局，起好步。2001年经济发展的预期目标是：国内生产总值增长11%，固定资产投资增长10%，农业增加值增长6%，工业增加值增长11.8%，社会消费品零售额增长9%，自营出口增长11%，地方财政收入增长6%以上。为实现上述任务，今年要做好以下工作：

以市场为导向，加快工业结构优化升级。要坚持不懈地抓好国有企业改革和发展，以提高企业的市场竞争力为中心，积极推进技术改造、产品升级和企业组织结构优化，加快建设现代工业支柱产业体系。要下大力气开拓市场，开发培育具有自主技术产权、有竞争力、有地方特色的名牌产品和驰名商标，全市新产品率要达到20%。加快3000万吨原油加工、300万吨船舶制造、电力机车、城际高速机车、5万台柴油机、50万吨聚氯乙烯、300万台无绳电话等重点项目建设。继续扶强做大，重点扶持石化、交通运输机械、装备机械、电子信息、精细化工、服装等一批优势企业发展，提高产业集中度和产品开发能力。坚持"有所为、有所不为"，加大国有经济战略性改组的力度，探索多种产权运作方式，以发展混合所有制经济为主，进行规范的公司制改造，深化企业各项制度改革，全市85%的国有大中型骨干企业初步建立现代企业制度，基本完成市属中小企业产权制度改革。深化国有资产管理体制改革，健全国有资产管理、监督和营运体系。进一步搞好企业布局调整，完成大连玻璃厂、大连铸造厂等8家企业搬迁改造。鼓励和扶持一批中小企业向"精、专、特、新"的方向发展。积极推进轻纺、食品工业生产，扩大地工产品市场份额。加强企业管理和企业领导班子建设，培养一批懂经济、善管理、创新能力强的企业家和各类拔尖人才。

举全市之力，加速发展高新技术产业。要以创新为动力，坚持"引进外来的，发展自己的，孵化新生的"，推动高新技术产业跨越式发展。要集中优势，形成拳头，大力培育和引进具有当代技术水准，对大连高新技术产业发展有较大影响的大企业和大项目。在电子信息、生物工程、精细化工、新材料和节能环保领域，重点扶持5个重大高新技术产业化项目和10个示范项目。进一步加强高新园区建设，办好国家级创业中心和海外学子创业园。按照国际一流水准规划和建设"双D港"，依靠优惠的政策、灵活的体制和优越的软环境吸引知名高科技企业进港落户。继续大力发展软件产业，大连软件园年内引进软件企业50家、完成软件收入7亿元、出口创汇3000万美元，采取官助民办形式，启动2平方公里的大连软件园教育基地建设；促进东大阿尔派、华信计算机等企业做大，加强与国际知名软件企业的联合和合作；按国际通行方式，逐步建立起软件企业、产品和人才的培训、认证体系，全市完成软件产业产值15亿元，使大连成为国家软件产业国际化示范城市。要加快城市信息化和信息产业的发展，启动高速宽带网络工程，推进"数字城市"的建设。增强大中型企业的技术创新能力，鼓励企业加大技术开发投入，加速企业技术中心建设，通过改制和重组，形成一批新的科技企业。继续增加政府资金投入，引导和带动社会资本，建立和完善科技创业投融资体系。鼓励科技人员以技术、科技成果入股等形式进入或创办企业，促进多元投资主体的形成。积极培育、推荐高科技企业在二板市场上市。

发展区市县经济，大力推进北三市的开发建设。各城区要根据各自的功能定位，大力发展现代服务业、都市工农业和文化产业，努力建设现代化城区。要坚持以市场为导向，以农业增效、农民增收、农村财力增强为目标，加快农业和农村经济结构战略性调整，推进农业的综合开发，按照率先基本实现农业现代化的要求，加快传统农业向现代农业转变步伐。在保护粮食生产能力的基础上，围绕水产、水果、蔬菜、畜牧、林木花卉五大产业，发展创汇农业、观光农业、生态农业，提高农业整体水平和效益，全年实现农业总产值215亿元。积极推进农业科技进步，引进农业新品种260个，推广农业新技术76项，发展10个有一定规模的绿色食品生产基地，建设农业精品工程80项。大搞以水源开发和节水工程为重点的农田基本建设，以退耕还林、沈大高速公路和黄海大道两翼绿化带和千亩苗圃建设为重点，掀起新一轮造林绿化高潮。继续推进"海上大连"建设，发展海洋产业，地方水产品产量要稳定提高。加强海域监督管理，实行海域的依法"有序、有度、有偿"使用。加快乡镇企业结构调整、体制创新和科技进步，强化企业管理，提高经济效益。大力推进农业产业化，积极发展农产品加工业，培育华农油脂、础明企业、大成食品等一批实力强、带动作用大的龙头企业。切实抓好农村税费制度改革，从根本上减轻农民负担。继续实施区域经济共同发展战略，制定切实可行的政策措施，加快北三市经济发展。从今年起的5年内，取消北三市财政的体制上解，适当增加定额补助，以壮大其财政实力；市政府每年通过市本级财力安排、开发区调入等办法筹集5亿元以上资金，重点支持北三市基础设施和生态环境建设、产业结构调整、发展科技教育及人才培养等。要切实帮助庄河市搞好英那河、转角楼、朱隈子水库因保城市供水造成灌区种植业结构的调整，对农民由此受到的损失要给予适当补偿；妥善做好英那河水库扩建工程淹没区移民动迁安置工作，切实保障他们的利益，努力使他们的生产、生活条件有新的改善。大连开发区、保税区、高新园区、市内三区和市有关部门要认真搞好对口帮扶，坚持优势互补、合作开发、共同发展，为北三市经济快速发展作出贡献。北三市广大干部群众一定要振奋精神，抓住机遇，自力更生、艰苦奋斗，依靠改革开放、科技进步和吸引人才，实施大开发，实现大发展。争取"十五"期间北三市经济实力有较大增强，地方面貌有较大变化，城镇居民和农民收入有较大提高。

抓住"入世"机遇，进一步提高对外开放水平。要结合大连实际认真研究世贸组织有关规则和我国的承诺，更加积极主动地参与国际合作和竞争。切实改善投资软环境，创造和形成引商、安商、富商的有利条件和良好氛围。加大招商力度，搞好赴日韩、欧洲和美国三次大型境外招商活动，瞄准跨国公司特别是世界500强企业，重点引进规模大、技术新的项目，鼓励外资投向农业、高新技术、出口创汇和基础产业。抓住国家有步骤开放金融和通讯等服务领域的契机，争取服务业开放的试点。全年实际使用外资13亿美元。更好地实施科技兴贸和市场多元化策略，千方百计扩大机电、软件和高新技术产品的出口规模，办好大连进出口商品交易会，全年完成自营出口58亿美元。鼓励有条件的国有企业和私营企业到境外投资办厂，扶持优势企业组建跨国公司。加快对外开放先导区体制创新和机制创新步伐，充分发挥对外开放的示范、辐射和带动作用。要扩大对外友好交往，巩固和发展同国外友好城市的关系。继续探索对内经济技术合作的新方法、新途径，加强与国内各地的经贸合作，组织好在南昌等城市举办的商品展销和经济技术合作洽谈会，取得实实在在的经济效益和社会效益。优化结构，推动第三产业更快发展。要提高商贸流通业的现代化和国际化水平，国有商业要进一步实现资产重组及优化配置，促进投资主体多元化。依据城市建设西移、北扩和人口迁移的变化，适度调整中心城区商业布局。结合天津街、火车站改造，高标准建设青泥洼、胜利广场、天津街商业区，形成面向国内外游客的现代化商业中心；改造建设黄河路、新开路商业街，与奥林匹克广场共同形成中部商业区；规划建设西安路、和平商业广场等面向大众消费的西部商业中心和以甘井子"金三角"、华北路为主的面向东北的大市场。大力发展新型商业业态，拓展电子商务、信贷消费，促进传统商业向现代商业转变。充分发挥国家粮食储备库、北良码头、商品交易所、大连北方粮食批发市场的组合优势，做大粮食贸易，使大连成为东北亚最大的粮食仓储、中转和贸易基地。凭借大商集团、沃尔玛等国内外大型商业企业的规模优势和保税区的政策优势，发展服务东北乃至北方地区的物流配送中心。继续实施放心食品和早餐工程，发展便民商贸服务业，年内培育4个区域性配送中心，建成3家大型综合购物中心和4家大型超市、50家面向社区的便民连锁店。推进供销、粮食系统经营结构调整和资产优化配置，形成多元化、规模化经营格局。要以发展集装箱运输为重点，搞好同环渤海港口城市和国内外知名船务公司的合作，积极开辟新的国际空中航线和国际集装箱班轮干线。要改善金融服务，加强金融监管，防范和化解金融风险，积极吸引外资金融机构和国内金融机构向大连聚集。要加强旅游市场管理，提高服务质量，搞好旅游促销，办好中国北方旅游交易会、国际服装节、烟花爆竹迎春会、赏槐会和马拉松赛，组织好"四季旅游购物"活动，增加"海上看大连"旅游线路，全年要接待海外旅游者43万人次，实现旅游创汇3亿美元。要以培育名会名展为重点，推动会展业的发展，全年举办各种展会50个，完成交易额300亿元。加快房地产业社会化和规范化的进程，使其成为新的经济增长点。要大力发展个体私营经济，有关部门要解放思想，转变观念，积极创造条件，帮助和引导个体私营经济向集约型、科技型和外向型的方向发展，个体业户、私营企业的户数、从业人员和产值均比去年增长15%。深入开展"打假"活动，整顿和规范市场经济秩序，保护生产经营者和消费者的合法权益。

加快重大基础设施建设步伐，进一步提升城市功能。继续坚持"不求最大、但求最好"的城市发展思路，量入为出，适度超前，多元投资，注重效益，把重点放在提升城市整体功能和环境质量上。要按照城市总体规划的要求，以切实保护和合理利用资源为原则，加快分区规划和水资源、交通等专项规划的编制工作。高标准推进以供水和快速轨道交通为重点的基础设施建设，确保按期完成引英入连供水应急工程，全力抓好英那河水库的扩建，积极推进海水淡化和中水利用工程，完成春柳、马栏河污水处理厂的中水回用项目主体工程；做好海事大学至河口轨道交通线路的前期准备工作，力争完成大连至金石滩快速轨道交通铺轨工程。启动20万吨进口矿石码头、30万吨进口原油码头和老港区改造项目，争取开工建设大窑湾港二期和烟大火车轮渡工程；搞好火车站及站前广场建设，完成周水子国际机场扩建前期工作并做好开工准备，开工建设黄海大道二期工程和友谊街、新生路立交桥，整治、改造城乡结合部和城区二、三级道路。加快在建大型公建项目进程，确保亚太金融中心、联合大厦等项目竣工，开工建设星海会展中心二期工程。加大城市地下管网和农村电网改造力度，完成自来水和煤气管网改造各15公里。加大社区服务设施的投入，开工建设一批公益性与商业性相结合的科技、文化、卫生、体育项目。继续实施“蓝天碧海”工程，启动无燃煤区建设，控制近岸海域污染；下力气搞好甘井子工业区环境整治，对梭鱼湾区域实行雨污分流和清淤改造；完成金州区、旅顺口区污水处理厂的建设，开工建设虎滩污水处理厂，做好泉水污水处理厂前期工作。新建改造石葵路等29个游园绿地，新植大树10万株、花卉1000万株、垂直绿化30万株，城市绿化覆盖率达41%，人均公共绿地达到9平方米。

大力发展教育事业，构筑北方人才高地。继续深化教育改革，全面实施素质教育，推进全市中小学第二轮全员“双聘”工作，搞好农村小学和中等职业学校布局结构的调整，合并60所农村小学，调整中等职业学校20所。鼓励民间办学和利用外资办学，扩大普高办学规模，完成城区3所高中校舍的改扩建。实施教育信息化工程，加快中小学校园网络建设，城区要从小学一年级、农村从小学三年级开始实施外语教学。继续解决城区学校马路操场问题。搞好大连大学和大连职业技术学院改造，推进部、省、市属高校联合共建，加快高校后勤社会化改革步伐。继续按照构筑北方人才高地的战略目标，尊重知识，尊重人才，树立新的招才用人观念，切实完善和落实人才政策，建立灵活的人才引进和激励机制，提高软件人才和高新技术专门人才的待遇；支持高等院校和科研院所培育一批重点学科和重点实验室，吸引更多的各类人才；以能力提高和转换为目标，利用各种渠道，改进培训方式，全年培训高层次人才4000人。

强化财税管理，充分发挥财政的调节功能。要在经济发展的基础上，确保财政收入稳定增长。坚决贯彻党中央、国务院关于各级地方财政“一要吃饭，二要建设”的方针，特别是北三市的财政预算要优先安排好公教人员各项工资性支出；坚决按照国务院的要求，农村公办教师标准工资今年起必须实行县级统筹，解决多年存在的拖欠农村教师工资问题；根据全国社保工作会议的要求，加大社会保障工作的力度，新增加的财力除必需的支出外，主要用于增加社会保障专项资金。要优化支出结构，保证教育、科技等支出按法定比例增长。合理安排建设资金，切实保障引英入连和城市轨道交通等涉及全市生存和发展的重点项目，确保资金及时到位。要深化各项财税体制改革，逐步构建“比例适当，集散有度，收支合理，使用得当”的公共财政框架。扩大政府采购的范围，加强财政监督，切实提高资金的使用效益，确保财政收支平衡。要加强行政事业性收费、政府性基金和罚没收入的“收支两条线”管理，依照国家和省的有关规定，再取消一批收费项目，减轻企业和群众负担。要坚决取缔“小金库”。坚持依法治税，强化税收征管，降低税收成本，打击偷税、抗税、骗税行为，坚决杜绝乱拉税源现象，保证税收稳定增长。

完善社会保障体系，切实改善人民生活。继续抓好再就业工作，积极开辟就业渠道，推行阶段性就业、弹性就业等形式，鼓励新经济组织吸纳下岗失业人员，力争城镇就业和再就业8万人。要完善养老、失业、医疗等基本社会保险制度，积极参与国家在辽宁进行的完善社会保障体系的试点工作。要做好对下岗职工和失业人员两大困难群体的帮困工作，实现下岗职工基本生活保障与失业保险并轨，做到最低生活保障线与最低工资标准、最低离退休费标准有机结合；切实解决企业拖欠职工工资问题。各区市县要建立保障资金运行机制，按比例及时匹配资金，保障低收入群众的基本生活。在城镇继续推行“四位一体”保障模式，扩大保障面，做到应保尽保；在农村逐步建立正常救助、灾害救助、扶持救助、五保供养相配套，国家、集体、个体出资相结合的农村社会救济制度。要加强社区建设，建立与社会保障制度相适应的社会化服务体系，出台社区服务扶持保护政策，兴建一批社区服务中心，逐步实现社区服务的规范化、市场化、网络化。重视老龄工作，为老年人提供更多的服务。要保持城乡居民收入的稳定增长。快速推进泉水新区、锦绣二期国家康居示范工程和民权旧区改造工程，城区住宅配套竣工300万平方米，其中新建经济适用房40万平方米；继续解决住宅小区配套的历史欠账问题；加快住房货币化改革步伐，搞活房地产二、三级市场，实现个人住房贷款2万户、30亿元；不断适应市民对安居乐业的新要求，全面加强物业管理。

发展各项社会事业，加强社会主义精神文明建设。要积极推进文化事业产业化，加强文化市场管理。探索传媒业资本运作的路子，促进广播电视、新闻出版事业的发展，增加有线电视转播频道。深入开展爱国卫生运动和国际健康城市创建活动，发展社区卫生服务和农村合作医疗，提高市民健康水平；加大医疗机构改革力度，实现全行业管理和优质高效卫生服务。搞好计划生育，人口自然增长率控制在1.5‰以内。开展全民健身运动，推进竞技体育发展，开好九届市运会，支持实德足球队和凯飞女足再创佳绩。加快社会福利事业社会化的进程，逐步把农村敬老院建成综合性社会福利中心，推进社会福利和残疾人事业发展。做好民族、宗教、侨务、对台等工作。

深入开展“爱祖国、爱大连、建设新家园”主题教育和“新世纪、新大连、新市民”活动，大力加强思想道德建设，提高市民的整体素质。以提高群众生活质量，增强社区凝聚力为目标，搞好文明社区创建活动。在全市农村开展“三个代表”重要思想的学习教育活动，提高广大基层干部的素质。加强职工思想政治工作，充分调动职工投身改革和建设的积极性。继续开展敬老认亲、扶贫帮困、星期六义务奉献日活动，弘扬中华民族团结友爱、互相帮助和富者知贫、贫者得助的传统美德。以科技拥军、军嫂无待业工程和优抚安置为重点，进一步搞好双拥共建。加强国防教育和人防建设，高标准抓好民兵预备役工作。

推进民主化、法制化进程，建设高效、廉洁的人民政府。各级政府要坚持依法治市，自觉接受人大的法律监督、工作监督和政协的民主监督，认真办理人民代表的建议、批评、意见和政协提案，密切同各民主党派、工商联、无党派人士的联系，提高决策的民主化科学化水平。大力推进政务公开、厂务公开和村务公开，自觉接受人民群众的监督。搞好“四五”普法工作，继续深入开展社区、企业、农村和学校等基层依法治理活动，做好乡镇、街道区划调整，促进基层民主政治建设。要全力维护社会稳定，完善热线电话制度，实施市长接待日，认真处理群众来信来访，及时化解各类矛盾；搞好科普教育，弘扬科学精神，反对封建迷信，继续深入开展同“法轮功”邪教组织的斗争；以“打黑除恶”专项斗争为重点，严厉打击各种犯罪；完善和提高城乡治安防控体系，加强社会治安综合治理；落实消防安全工作责任制，防止重特大火灾事故的发生；认真搞好“三项教育”，提高公安队伍整体素质。

要按照国家和省政府的部署，积极稳妥地推进市县乡政府机构改革，精简机构和人员，理顺政企、政事关系。要适应我国即将“入世”的新形势，按照世贸组织的基本规则，转变政府职能，改革行政审批制度，清理不符合经济发展和国际通行规则要求的地方法规和规章，规范行政行为，严格行政执法，增强政府工作的透明度，切实提高政府办事效率和服务水平。积极推进政府人事制度改革，加强对机关工作人员的科技、金融、外经外贸等知识培训，提高公务员队伍素质。各级政府工作人员特别是领导干部要经得起市场经济和改革开放的考验，牢记全心全意为人民服务的宗旨，时刻把人民群众的冷暖放在心上，深入基层调查研究，虚心听取群众呼声，及时解决群众反映的突出问题。要加强监察、审计工作，尤其要搞好对资金管理、使用部门和重大工程项目的审计。进一步加大从源头上预防和治理腐败的力度，严肃查办违法违纪案件，严厉惩处腐败分子，纠正部门和行业不正之风。要切实转变工作作风，坚持实事求是，重实际、说实话、务实事、求实效，狠煞形式主义和官僚主义这两股歪风，杜绝做表面文章、贪图虚名、弄虚作假、文山会海、空话套话、沽名钓誉及报喜不报忧、掩盖矛盾和问题的恶习。以卓有成效的工作，进一步树立政府的良好形象。

各位代表！

这些年来大连的经济和社会发展取得了巨大的进步，发生了令世人为之赞叹的变化，谱写了大连发展史上光辉的篇章，但还有许多困难和问题，未来发展仍面临着新的竞争和挑战。在新世纪创造一个更加繁荣、文明的大连，是历史赋予我们的神圣使命。全体政府组成人员一定要团结一致，埋头苦干，不辱使命，再创佳绩，同全市550万人民一起，在以江泽民同志为核心的党中央领导下，万众一心，励精图治，为早日把大连建设成为现代化国际城市而奋斗。

（注：报告中所用数字均为初步统计数字。）

大连市国民经济和社会发展第十个五年计划纲要

——2001年2月17日大连市第十二届人民代表大会第四次会议通过

大连市计划委员会

第一章　发展基础

“九五”时期，是大连市国民经济和社会发展历史进程很不平凡的5年，是我们战胜国内外宏观环境变化带来的诸多困难，改革开放和现代化建设取得巨大成就的5年。5年来，我们创造性地走出了一条以改革开放促发展，以城市建设推动经济增长和社会进步，以结构调整、“环境革命”增强城市综合竞争力和发展后劲的成功之路。国民经济持续健康快速发展，较好地完成了“九五”计划主要预期目标，提前实现了社会主义现代化建设第二步发展战略目标，为21世纪大连市在东北地区率先实现现代化奠定了坚实的基础。

一、主要成就

——综合经济实力跃上新台阶。国内生产总值突破千亿元大关，实现了1110.8亿元，年均增长11.7%，高出预期计划0.7个百分点；人均国内生产总值20255元，按现行汇率计算达2447美元，按可比口径计算比“八五”期末增加645美元。“九五”期间，累计完成固定资产投资1254亿元、社会消费品零售额2020亿元、外贸自营出口183.6亿美元，分别是“八五”时期的1.5倍、2.5倍和2.2倍。累计完成地方预算内财政收入321亿元，年均增长12.6%。

——结构调整取得阶段性成果。三次产业增加值比重由“八五”期末的10.7：47.3：42调整为9.5：46.5：44。三次产业的就业比重由“八五”期末的27：38：35调整到1999年的28：31：41。非公有制经济发展迅速，国有、集体、个体私营、股份联营、三资企业实缴税金比重发生了重大变化，分别由“八五”期末的57.6：20.9：4.3：5.3：11.9变化为39.5：7.8：7.9：21：23.7。

——经济体制改革成效显著。社会主义市场经济体制初步建立。政府职能转变，管理经济的方式由直接管理为主开始转向间接管理为主。如期完成了国有企业三年改革与脱困任务，通过以建立现代企业制度、资产重组、减员减债、主辅分离、抓大放小、搬迁改造为突破口的国企改革，初步实现了国有经济布局的战略性调整。12家优势企业改制上市，直接融资40多亿元，增强了产业的集中度和国有经济的控制力。培育了近500个会计、律师、资产评估等中介服务机构。新建了一批要素市场和大型专业批发市场。

——对外开放实现新突破。实现了旅顺局部地区的对外开放，形成了以4个国家级对外开放先导区为龙头，遍布城乡的全方位、宽领域、多层次对外开放新格局。利用外资领域进一步扩大，累计实际使用外资66.2亿美元，是“八五”时期的1.7倍。出口商品结构进一步得到优化，工业制成品占出口总额的3/4以上。国际经济合作稳步发展，到2000年末境外合作范围已增加到51个国家和地区，兴办了99家境外投资企业，其中生产型企业74家；外资企业的从业人员已达21.8万人，出口额和工业产值分别占全市总量的79.5%和25%。“九五”期间，累计外派劳务人员5.7万人次，实现营业收入6.7

亿美元。

——高新技术产业发展迅猛。以电子信息、生物工程、节能环保、新材料为龙头的高新技术产业，正以倍增速度发展。2000年完成高新技术产品产值435.9亿元，占全市工业总产值的19.4%，比“八五”期末提高8.4个百分点。加快了以七贤岭高新技术产业基地、“双D港”、软件园为骨干的30平方公里高新技术产业功能区的建设，引进了东大阿尔派、诺基亚、东大士通、博涵咨询等国内外著名企业，软件产业初具规模化、国际化。

——城市建设成就卓著。紧紧围绕提升城市功能和改善环境，展开了大规模城市建设，城市面貌发生根本改观。“九五”期间，搬迁改造了75家城市工业企业，置换出大量土地，有效地防治了大气、海域污染，改善了居住环境。综合治理了市内41条沟河、排水设施和人民路、中山路、解放路等70条市内交通主干道及路街，新建了星海湾、奥林匹克、海之韵等32个广场和森林动物园等10个公园。“九五”期间，新增城市公共绿地705公顷，人均公共绿地提高到8.5平方米，建成区绿化覆盖率40.5%。1999年大连市被联合国确定为亚太地区人居示范城市和环境治理先导城市，2000年又被国家确定为环保产业发展及设施运营产业化的示范城市。

——口岸优势进一步增强。“九五”期间，基础设施建设实现了由适应经济社会发展，消除“瓶颈”制约向提升城市功能，建设现代化国际城市的重大转变。5年来，共投资500亿元，完成了一大批重点骨干项目建设，显著提高了基础设施的承载力，增强了城市的整体综合服务功能、辐射功能、集散功能，形成了较强的口岸优势。2000年港口货物吞吐量达9699万吨，集装箱吞吐量101.1万标箱。空港运输增长迅速，已开通了82条国际国内航线（境外航线10条），与国内外58个城市（国际10个城市）和地区通航。2000年旅客吞吐量达275.2万人次、货邮吞吐量7.6万吨，分别是“八五”期末的1.8倍和2倍。公路、铁路、管道运输也取得新的发展。

——县域经济发展加快。2000年全市乡镇企业完成工业产值1289.5亿元，占全市工业总产值的57.4%。以华农油脂、大成肉鸡、绿雪蛋粉、础明精肉等龙头企业，有力地促进了农业产业化发展和农民增收。以乡镇企业为主体形成了大连软件、北大科技、实德建材、大宇电子等8个科技、工业园和18个市属工业经济开发小区，区市县的税金、财政收入的70%和农民收入的60%都是来自乡镇企业，乡镇企业已成为农村经济的主体力量，增强了县域经济实力。2000年，南三区与北三市的国内生产总值比值已由1995年1.02：1变化为1：1.06，实际使用外资比值由2.8：1变化为1.1：1，农村居民年人均纯收入比值也由1.9：1变化为1.6：1。

——社会事业全面发展。以现代博物馆、科技馆等一批标志性的现代文化设施建设，不但提高了城市档次，增加了文化底蕴，还树立了新的城市形象。新建了儿童医院、社会福利院、广电中心等一批公共服务设施，有力地支持了医疗卫生、新闻、广播电视、文体事业的迅速发展。国际服装节等大型涉外经贸文化活动，铸就了大连城市品牌，塑造了大连城市精神，提高了大连的知名度，拓宽了对外贸易合作的领域。养老、失业、医疗保险等一系列社会保障制度不断完善，有力地保证了国企改革顺利进行。全市98%的城镇职工参加了基本养老保险，90%的城镇职工参加了失业保险，70%的城市职工参加了医疗保险。

——人民生活质量明显改善。人们的消费结构发生了重大变化，城市和农村居民恩格尔系数分别由1995年的53.4%、59.6%降至2000年的45.1%和48.5%。人民居住条件有了根本性改善，城市人均住宅使用面积13.86平方米，比1995年增加2.66平方米；农村人均实有住房面积25.2平方米，比1995年增加1.8平方米。2000年城市居民年人均可支配收入6861元，年均增长3.7%；农民年人均纯收入3740元，年均增长9.4%。城市居民最低生活保障线标准由1995年的月均140元提高到221元。

二、基本经验

“九五”期间，我们不仅在国民经济与社会发展各方面取得了巨大成就，同时也积累了极其宝贵的实践经验。一是坚持发展才是硬道理，积极运用发展的观点、方法，解决前进中遇到的各种困难和矛盾。二是坚持对外开放，积极引进资金、先进技术和管理经验，实现经济快速发展和城市功能的不断提升。三是坚持改革创新，遵循国际惯例和市场经济通行规则，为经济发展和社会进步注入新的生机和活力；四是坚持“不求最大，但求最好”的城市发展思路，按市场经济规律建设城市，努力探索发展城市环境经济和老工业城市进行现代化建设的路子。五是坚持以人为本，努力为人民办实事，办好事，使城乡居民分享经济发展的成果，增强城市凝聚力。

三、存在问题

“九五”时期，我们取得了令人瞩目的成就，但在发展中仍存在着一些不容忽视的矛盾和问题：一是国有企业虽然实现了三年改革与脱困目标，但总体盈利水平还不高，一些企业尚缺乏市场竞争力，脱困未脱险。二是区市县经济发展还不均衡，北三市综合经济实力与市中心区、南三区仍存在着较大差距。三是高新技术产业虽然发展速度较快，但具有牵动作用的大项目还不多，吸引人才的政策尚须进一步完善。四是农民收入增长还不够快，北部山区部分农民生活仍较困难。

第二章　发展环境

21世纪，大连市国民经济和社会事业将进入一个新的历史发展阶段，宏观环境都会发生诸多深刻变化。全面估量我国加入世贸组织后的新形势，充分体现发展社会主义市场经济的要求，抢抓机遇，迎接挑战，增强综合竞争力，对于大连今后的发展具有十分重要的战略意义。

一、新世纪面临的宏观环境

1. 国际环境：世界范围内的经济全球化，以信息技术和生物科技为核心的高新技术革命，经济结构战略性调整将是21世纪初主导世界经济发展的三大显著特征，并呈日益增强之势。国际政治经济格局继续向多极化发展，进入大变动、大调整、大重组的新阶段，和平与发展仍为主流。

2. 国内环境：“十五”时期，我国现代化建设进入新的发展阶段。加快发展和加快调整、体制创新和科技创新将是这一时期的突出态势。我国加入世贸组织、实施西部大开发、推进信息化和城镇化等重大举措，都将使国内的经济格局发生深刻变化。沿海发达地区在新一轮建设高潮中都在力争率先实现现代化，竞争日趋激烈，并集中表现为城市综合竞争力的较量。

二、抢抓机遇，加快发展

1. 经济全球化和加入世贸组织在即，使我国的对外开放将由有限开放转为全方位开放，由政策性开放转为法律框架下的开放，更有利于大连实施“外向牵动”、“口岸经济”战略，加快与国际经济的融合，充分利用两种资源，面向两个市场，实施“走出去”与“引进来”并举，在更高程度上、更大范围内进一步扩大开放，积极主动参与国际合作与竞争，切实提高经济的整体素质和综合竞争力。

2. 世界新技术革命的迅猛发展和我国科技创新潮流，为我们发展高新技术产业，创造了良好的发展机遇，提出了更严峻的挑战。对此要有清醒的认识，增强紧迫感和忧患意识，积极进取，继续坚持“引进外来的，推广自己的，孵化新生的”发展思路，瞄准世界先进水平，重点突破，大力发展高新技术产业。同时用高新技术改造传统产业，加快产业升级，实现跨跃式发展。

3. 全球经济结构战略性调整和我国“十五”时期以结构调整为主线的发展思路，都将极大地推动大连结构调整。抢抓机遇，选准产业发展方向，构筑现代产业体系，形成市场前景广阔、拥有自主知识产权、具有比较优势和发展潜力的新产业群和产品群，加快发展，增强实力。

第三章　发展目标

一、指导思想

继续高举邓小平理论伟大旗帜，按照江泽民总书记“三个代表”的要求，贯彻党的十五大和十五届五中全会精神，以加快发展为主题，以实施经济结构战略性调整为主线，以改革开放和科技进步为动力，以显著提高人民生活水平、改善生活质量为根本出发点。着眼于建设现代化国际城市和基本实现现代化，深入实施四大经济发展战略，全方位推进改革，多层次扩大开放，切实依靠体制创新、科技创新，把环境优势和口岸优势转化为强大的经济发展优势，实现跨越式发展。坚持物质文明和精神文明共同进步，人口、经济、社会、资源、环境的协调发展，增强综合竞争力。既要强市也要富民，大幅度提高城乡居民生活质量，保障人民安居乐业。

二、发展目标

1. **总体目标：**基本确立起区域性国际航运中心、商贸中心、金融中心、旅游中心、信息中心地位；在高新技术产业、旅游会展业、县域经济、非公有制经济发展和信息化建设等领域实现新突破；在城镇环境和基础设施建设、国有企业改革和发展、扩大开放等方面再上新台阶。通过5至10年的调整与发展，使大连城市综合竞争力和可持续发展能力均居中国北方大城市前列，在东北地区率先实现现代化。

2. **主要目标**

——经济增长目标。国内生产总值年均预期增长10%以上，为提前实现2010年国内生产总值比2000年翻一番奠定坚实基础；人均国内生产总值突破4000美元。地方财政收入年均增长8%以上。全社会固定资产投资年均增长6%，总规模1600亿元以上；外贸自营出口年均增长14%左右；社会消费品零售额年均增长10%左右。

——结构调整目标。初步完成老工业基地经济结构调整任务，服务业增加值占国内生产总值比重提高到48%左右，高新技术产品产值占全市工业总产值1/3以上，城市化率提高到55%左右。

——城市建设目标。进一步加强以供水、快速轨道交通、信息网络化为重点的城市基础设施、公共服务设施、文化设施建设，构造枢纽性城市功能，城市环境达到中等发达国家水平。卫星城市建设实现新突破。

——生态环境目标。进一步防治城市大气和近海海域污染，主城区基本消除工业污染。

2005年，城市污水集中处理率85%，城市、县区垃圾无害化处理率分别提高到95%和80%以上，城区逐步实现集中供热和生活排污处理小区化。建成区绿化覆盖率42%以上，人均公共绿地面积10平方米左右；全市森林覆盖率40%以上，自然保护区面积覆盖率提高到3%以上，把大连建设成为现代化生态型城市，跻身世界500个生态环境最好城市之列。

——社会发展目标。全市人口年均自然增长率为1.18‰，常住人口控制在570万人左右。完善覆盖全社会的社会保障体系。全市的高中阶段教育普及率提高到70%左右，适龄人口高等教育毛入学率提高到30%，全市新增劳动力平均受教育年限延长到12年以上，劳动人口接受继续教育有较大提高。人人享有卫生保健。广播电视人口覆盖率达到99%。社会治安环境良好，精神文明和民主法制建设取得明显进展。

——人民生活目标。以改善住、行条件为重点，加大住宅小区升级改造和“康居房”建设，城镇居民人均住宅使用面积增加到16平方米以上。增加城乡居民收入，城镇居民和农民人均可支配收入年均增长6%—8%。

3. **重点任务**

——推进经济结构战略性调整：进一步优化所有制结构、产业结构、城乡结构。推动北三市大开放，大发展，增强大连整体综合竞争力。

——扶强高新技术产业：加大对高新技术产业发展的扶持，加快用高新技术对传统产业的改造，发挥科技进步对经济的倍增作用，建设国家级高新技术孵化基地和软件出口基地，推进产业整体素质的提高。

——发展开放型经济：进一步扩大利用外资领域，提高招商引资的质量和水平，积极开拓国际市场，实施“走出去”战略，充分发挥先导区的窗口、辐射和带动作用，加快与国际市场全面接轨，进一步完善投资环境。

——推进城镇化建设：强化和完善中心城市对县域经济的服务、带动、辐射功能，推进小城镇建设，形成“市区体现繁荣繁华，郊县体现实力水平”，优势互补、结构协调的经济发展新格局。

——构筑人才高地：全面实施科教兴市战略，积极营造优秀人才特别是青年人才健康成长、脱颖而出的社会环境和氛围；积极营造政策透明、高度开放、吸引人才创业的体制、机制环境。

——提高城乡人民生活水准：突出以人为本，进一步改善城乡居民的生活环境和居住条件，提高居民收入水平和生活质量。

第四章 发展开放型经济

紧紧抓住我国加入世贸组织带来的机遇，充分利用好过渡期，加快经济运行环境、机制与国际规则全面接轨。进一步推进全方位的对内对外开放，形成新的引资高潮。实施“引进来”和“走出去”并举的开放战略，借助口岸优势、环境优势，积极参与国际国内分工合作，加快与国际经济融合的步伐。进一步提升城市功能，提高国际竞争力，强化大连服务东北、服务全国、面向世界的集聚力和辐射力，推动开放型经济向更高层次发展。

一、改善对外开放软环境

适应我国加入世贸组织的新形势，加强培训学习，培养一批通晓世界贸易组织规则的高素质人才，努力增强政府、企业适应世贸组织规则和运用各种政策手段的能力。深化行政管理体制改革，加快政府职能转变，通过政策引导和经济预测指导，有效地运用世贸组织的保障机制，促进幼稚产业成长，增强企业应变能力和国际竞争力。充分做好开放金融、保险、电信、外贸、内贸、旅游、中介咨询等服务领域的准备，制定相应管理办法，趋利避害。进一步改善外商投资的软环境，逐步对外商投资实行国民待遇。进一步理顺体制，规范管理，简化程序，加强监管，减少行政性审批，实施备案制，维护外商投资企业的合法权益，提高工作效率和服务水平。兴办双语学校，开展双语文化宣传教育，切实解决好外商子女入托、上学等实际生活问题，安商富商。

二、提高利用外资的质量

坚持扩大利用外资，结合产业结构调整，积极引导，合理有效地利用外资。重点鼓励外资投向高新技术产业、基础产业、环保产业、农业和出口创汇型产业，参与传统产业的升级改造等。在继续加大引进港台地区和日韩投资的同时，加大对欧洲、北美等发达国家的招商力度，积极吸引资金密集、技术档次较高的大项目和跨国公司，参与国有企业的改组改造和基础设施建设，努力实现服务业领域对外开放的新突破。在投资领域上采用BOT、TOT、项目融资、发行股票、经营权转让等多种形式，拓宽引资领域，开辟融资新渠道。鼓励国有大中型企业采取多种方式利用外资进行资产重组、嫁接改造。抓住有利时机，积极推进大企业集团与跨国公司的战略性合作。鼓励中小型企业对外合资合作。充分利用外国的驻连机构和大连驻外机构，大力发展招商中介组织，加大网上招商力度，降低招商成本，吸引更多的合资合作项目。

三、扩大外贸出口

建立符合国际通行规则的对外贸易促进体系，深入实施科技兴贸、以质取胜、市场多元化、大经贸等战略，努力提高出口产品的科技含量和附加值，进一步优化出口商品结构。继续加大机电产品出口，努力增加软件产品和高技术产品的出口，使之逐步成为出口的主体产品。在巩固现有出口市场前提下，全方位、多渠道地开辟新市场。进一步壮大出口主体力量，积极支持非公有制经济和民营企业增加出口，推进工贸、商贸、科贸、农贸的联合，发挥各自优势，形成合力，不断扩大大连产品在国际市场上的覆盖面。进一步发展服务贸易。深化外贸企业改革，完善经营管理机制，增强扩大国际贸易的能力和国际竞争力。

四、实施“走出去”战略

探索建立符合国际惯例的对外投资经营管理机制，建立提供全方位服务的信息网络和中介服务体系，大力开展各种形式的人才培训，为“走出去”创造环境与条件。进一步拓展国际工程承包和劳务合作范围。积极支持大连的境外企业扩大经营规模，加快产业、技术结构的调整升级。重点选择一批以出口为主、有一定竞争能力的企业到境外办厂办店，降低成本，扩大销售市场。扶持鼓励有条件企业到境外开展有资源、有市场的商品生产、承包工程、投资建厂、设立分支机构、建立营销网络，提高境外投资的整体水平和质量。支持大连的优势企业实行强强联合，组建跨国公司和多种经济成分的跨国经营企业群，增强国际竞争力。

五、发挥对外开放先导区龙头作用

国家级经济技术开发区、保税区、出口加工区、高新技术产业园区、金石滩旅游度假区，尽快从依靠政策优惠转到依靠体制和机制创新、提高素质、优质服务上来。以功能开发开放为突破口，以先进制造业为基础，以高新技术产业为主导，以口岸经济为依托，以现代服务业为支持，优势互补，形成组合开放新优势，舞起“龙头”，带动大连率先构建符合国际惯例的市场运行机制，带动老工业基地建立现代企业制度，促进区域开放型经济发展，在国家同类先导区中争创一流。

经济技术开发区，突出出口加工制造业的聚集、扩散效应，以高开放度、高新技术产业为主导，成为构筑现代工业体系的重要生力军，带动全市工业结构调整、升级，成为现代化的城市工业新区。

保税区和出口加工区，加快与大窑湾港一体化的建设，发挥“境内关外”的特殊功能，强化国际转口贸易、保税仓储、物流分拨和保税加工功能，为大连乃至东北腹地出口加工、现代物流的发展创造良好条件。

高新技术产业园区，依靠良好的软硬环境，吸引国内外高科技领域的知名企业、科研院所、跨国公司汇聚园区，成为大连乃至东北地区高科技产业的研发中心、示范区和高素质人才的成长集聚地，带动区域高科技产业发展。

金石滩旅游度假区，突出国际性、高品位、休闲度假、大型会议的主功能，以独有的自然风貌和优势，承接各类高层次会议和大型国际文化娱乐体育活动，吸引更多的宾朋汇聚大连。

六、积极参与国内经济分工和合作

突破行政区界限和行业垄断，抓住西部大开放的有利时机，主动加强与周边地区的经济协作，努力拓展与兄弟省市的交流合作领域，实现优势互补、共同发展，在东北地区和环渤海经济圈的发展中做出更大贡献。一是强化服务辽宁、服务东北、服务全国的意识，确立为所有投资者服务的宗旨，加强投资软环境建设和政府间的协商对话，通过契约关系和互利互惠的经济手段，统筹规划、协调开发优势资源，相互配合建立区域性大市场，集约发展具有竞争力的产业和产品。二是按照经济联系和经济活动规律的要求，以降低交易成本、降低无序竞争损失为基本原则，加强经济合作，积极发展开放型特色经济。三是推动以企业为主体，开展跨地区、部门、所有制的经济联合和协作，吸引更多的内资通过与大连科技、信息、人才、旅游、环境等优势资源的结合，不断增值；吸引更多的内地产品利用大连已形成的营销网络、会展功能、口岸优势走向世界，增强综合竞争力。四是积极参与西部大开放，努力在参与方式、内容、主体、组织上大胆创新，在发展和服务中实现双赢，强化对内对外开放的枢纽性功能。

第五章　发展高新技术产业

结合老工业基地结构调整，坚持有所为、有所不为，选准领域，局部突破，总体跟进，举全市之力发展高新技术产业。重点支持高新技术的研发和产业化，推进传统产业整体升级。力争把大连建设成为东北地区高新技术的研发、孵化、生产基地和高新技术产业发展的龙头。

一、营造有利于高新技术产业发展的体制环境

加快以知识产权为中心的产权分配制度改革，推动产权多样化和知识资本化，建立符合市场经济运行规则的用人机制。进一步推进建立技术市场和中介服务机构，研究制定推进高新技术企业孵化的管理办法，形成有利于科研成果向生产转换的机制和科学研究面向生产的机制。建立健全以政府投入为引导，企业投入为主体，风险投资为纽带，银行贷款、外资和民间资金等多方式的融资体系和风险投资机制，建成具有一定规模的风险投资公司。推进高新技术企业上市。加强高新技术创业服务中心的建设。

二、建立以企业为主体的创新体系

进一步建立健全以企业为主体的产业技术创新机制，形成研究开发体系、科技市场体系和中介服务体系，增强高新技术产业化能力。通过政府职能转变，制定有关政策，形成外部激励约束机制，强化企业技术创新意识和行为，推动以企业为中心的技术创新体系建设。推动企业增加研发投入。鼓励扶持重点企业、成长型企业和国有大中型企业，建立技术开发中心，促进企业不断提高自主开发能力，形成自主知识产权。促进各类应用研究机构和大专院校的科研力量进入企业，成为企业的技术开发机构，或者直接改制为企业，密切产学研合作，加强新产品的研发、转化，加快产品的升级换代。

三、推进高新技术产业化基地的开发建设

高新技术产业园区，按照国际惯例运行，建立高效灵活的管理机制，加快高新技术产业项目的建设和人才的引进，通过园区的研发、引进、消化、吸收、孵化、扩散作用，带动大连乃至东北地区高新技术产业加快发展。

七贤岭高新技术产业基地、软件园、经济技术开发区、出口加工区和旅顺南路、黄海大道沿线等地是大连高新技术产业发展的重点功能区，要加快开发开放，形成组合优势。尽快把经济技术开发区、保税区和“双 D 港”建成具有创业孵化、研究开发、引进消化、出口加工等功能的新兴产业走廊，增强示范、辐射、带动作用。把大连软件园建设成为全国的软件开发生产出口基地。到 2005 年，上述功能区高新技术产品产值将占全市同类指标的 60% 左右。

四、高新技术产业发展重点

重点支持电子信息、生物工程、节能环保、先进制造、新材料等技术的研究开发和产业化，扶强做大已形成的优势产业规模。优化科技资源配置，推进建设国家、省、市级的工程中心和研发中心，增强传统产业应用高新技术的研究与开发能力。

电子信息业：重点发展代表国际通信技术发展方向的高科技产品，特别是软件、网络、数字化移动通信、数字音像等产品。开发一批有较大市场潜力、具有自主知识产权的电子通信设备产品。

生物工程：以生物基因工程技术为重点，大力引进和培育生物工程产业化项目，努力向生物医药、生态农业、保健品、水系污染生物治理、生物化工技术等领域拓展，形成国内现代生物与制药产业重要的研发中心和产业化基地。

节能环保业：重点发展城市污水处理及回用、生活垃圾处理及运营、洁净燃烧技术应用、固体废物处理、白色污染替代品、海洋环保、环保型消防、节能节水等产业，把大连建成全国节能节水环保产业示范基地。

先进制造业：重点推进精密系列加工、精细化工生产、新型节能建材先进工艺和制造技术的推广应用。大力发展与电子信息技术相融合的高水准、高性能专用机电一体化产品和关键零部件生产。把交通运输机械、装备机械、动力机械作为大连传统产业升级改造的核心产品，力争把大连建成国际一流的柴油机、制冷设备、组合机床、造船、机车生产基地。

新材料：重点加快生物材料、新型高分子材料、航空航天新材料、金属新材料、复合材料等领域的产品开发，积极推进稀土发光材料、分子筛、膜材料、超耐热连续碳化硅纤维、特殊钢、快淬钕铁硼磁粉、纳米材料等产品的规模化生产，争取在纳米材料和纳米技术的应用等领域取得突破。

实施特殊政策，重点扶植一批重大高新技术产业化项目和跨国、跨地区经营的高新技术企业，培育 5 家产值 20 亿元以上的高新技术企业集团，使其成长为全市高新技术产业发展的龙头企业。

第六章　发展服务业

适应我国加入世贸组织的要求，积极推进多种所有制、多层次、多类型的服务业协调发展。重点培育和发展增强城市经济中心功能，支持经济转型，为要素流动服务的信息、金融、保险、商贸、现代物流、交通通信和律师、会计、投资咨询等新兴服务业；大力发展已经形成新经济增长点，支持产业结构调整的旅游、会展业；积极发展吸纳劳动力多的家政、物业、餐饮、娱乐、零售业等；加快发展满足不同消费需求的房地产业等。

一、扶强做大旅游会展业

充分利用大连区位、口岸、资源、环境和基础设施的优势，把旅游与会展、经贸、文化、体育、民俗等活动有机地结合起来，在城乡全面开发有特色的旅游产品，建设具有牵动作用大、群众参与性强、四季皆宜的骨干项目。重点建设好“文化广场”、“主题公园”、“特色旅游”、“海洋旅游”等精品工程和具有时代特征的标志性旅游项目，形成以市内为中心，金石滩、旅顺为两翼，各区市县齐头并进的旅游发展新格局。积极与国内外有特色的旅游城市联手合作，拓展国际国内市场，增大创汇创收能力，壮大产业规模。加强对外联系，充分发挥星海湾会展中心、金石滩旅游度假区的会展功能，积极与国际著名展览公司联合办展，开办多种大型海内外、专业名展和各类高层次会议、大型经贸文化活动，形成品牌会展，成为加速国内外交流的重要窗口。“十五”期末，把大连建设成为有特色、高品位、国际性、大客流、高创汇的中国旅游名城和国际性风景旅游城市。

二、调整优化商贸流通业

围绕建设现代化国际商都目标，商贸业要从以“市内”为主转向“市内市外”并举，按照市场运作规则，加快与国际经济的融合，调整优化产业结构，实现整体提升。

商业：进一步扩大对内对外开放，引进国外跨国公司和国内知名企业集团，使大连成为他们面向东北、面向东亚、面向世界销售网络和服务网络的重要支撑点，沟通国内外市场商品流通的集聚中心、配送中心、交易中心、购物中心。继续推动大连商业向外扩张，实施跨行业、跨地区、跨国经营。以商品批发市场、要素市场和配送中心为骨干，传统商业和连锁经营、特许经营、代理配送、网上购物等现代营销方式为基础，以在连的国内外大型知名商业企业集团为支柱，保税、期货、拍卖等高层次市场组织形式为补充，把大连建设成为现代化、国际性、多业态、具有较强综合服务功能和辐射能力、万商云集的商都。大力开拓农村市场。

城市商业，依据城市功能区调整和人口迁移的变化，进行大的布局调整和建设。进一步完善由港湾广场、人民路、中山广场构成的中央商务区。结合天津街、火车站的改造，高标准地建设以青泥洼桥、胜利广场、天津街为主体的现代商业中心区，把其建成类似上海的南京路、北京的王府井、香港的铜锣湾一样的商业区和“黄金街”，实现商业服务档次和水准的大跨越。改造建设黄河路、新开路、奥林匹克广场共同形成的中部商业区。加快构建涵盖会展、旅游业在内的以星海湾为中心的新型高级商务区，以西安路、和平广场为中心的面向大众消费的西部商业区和以金三角、华南国际商城为中心的北部大型现代化商业区的建设。建成5家大型综合购物中心，20家大型超市（卖场）和仓储式商场，500家面向社区的便民连锁店。

现代物流产业：凭借国家粮食储备库、北良粮食码头、商品交易所、大型粮食批发市场的组合优势，优先发展粮食物流产业。凭借专业码头、空港、快速陆路运输网，积极推进基础原材料、油品、矿石等生产资料分拨中心的建设和物流产业的发展。凭借保税区特殊政策，积极吸引跨国公司来连开办面向东亚的物流集散基地。凭借沃尔玛、家乐福、百盛、大商等大型商业企业集团和批发市场，发展服务东北、服务全国的物流配送中心和仓储基地。健全现代分销网络，强化大连在区域经济发展中的“窗口”、“龙头”地位。

三、稳健发展金融业

及时抓住我国逐步开放金融领域和利率市场化的机遇，积极推进多门类、多成分、多功能的银行、证券、保险业的共同发展，完善支持口岸经济发展的金融服务体系。

认真贯彻国家货币政策，促进货币市场、资本市场和外汇市场的完善与发展，积极探索储蓄转化为资本的渠道，发展壮大地方性金融机构，增强金融对地方建设的支持能力。积极参与创业板的建设，发展风险投资业。继续清理整顿金融秩序，强化金融监管，防范和化解金融风险，提高金融资产的质量，率先将大连建成金融安全区。紧跟国家金融开放步伐，推动外资银行开办人民币业务，不断改善金融服务，实现金融服务电子化、网络化和国际化。重点推动外汇调剂市场、证券市场、期货市场和区域支付清算中心、外汇结算中心的建设，积极争办离岸金融业务，发挥区域性金融中心作用。进一步规范保险业行为，积极开拓新险种，增强偿付能力，提高保险服务水平。

四、培育发展房地产业

房地产业，要适应现代化国际城市建设的要求，最大限度地满足市民日益增长的消费需求，以市场为导向，立足大连，面向国内和境外，向社会化、商品化、规范化发展。房地产开发本着统一规划、合理布局、多样性原则，由解决住房拥挤、建设“解困房”为主转向建设环境优美、设施完善、服务配套、经济适用的“康居房”为主，适当发展高档住宅，满足不同消费层次的需求。在大力进行住宅旧区改造的同时，进一步加快住宅新区的开发建设，重点沿快速轨道交通线向主城区北部和东部郊区延伸，建设大型现代化住宅新区，创建一批国家康居示范小区，进一步改善市民生活质量和居住环境。完善规范房地产交易市场，建立“一级市场统一、二级市场规范、三级市场活跃”的政策体系和服务体系，保护人民群众利益。把房地产业发展成为推动经济发展的骨干产业。

第七章　建立现代工业体系

“十五”期间，初步完成老工业基地经济结构战略性调整任务，实现三个转变：一是由国有及国有控股企业为主体，转变为多种经济成分、多种投资主体的融合；二是由传统工业为主导，转变为以高科技、高开放度、高加工度现代工业为主导；三是由传统经营体制为主、优势产品不突出、集中度不够的企业群，转变为建立了现代企业制度、具有国内外著名品牌和较强国际竞争力的企业群，初步形成现代工业体系。在产业结构调整方面，控制冶金、建材等传统产业和污染工业的规模，大力发展石化、交通运输机械、装备机械业，优先发展电子信息、新材料、精细化工、医药、环保、海洋等高新技术产业和新兴产业，大幅度提升服装、纺织、家具、食品加工业，实现大连工业由原材料、资源性加工为主进一步转向高加工度和资金、知识、技术密集型制造业为主，加快传统产品的升级换代。

一、形成多种所有制经济相互融合的现代企业群

坚持“优化结构，调整布局，有进有退，扶优扶强”原则，努力巩固扩大国企改革与脱困成果，加大股权调整和置换，继续抓大放小，做到进而有为，退而有序，大力度调整国有经济布局，加快国有工业企业战略性改组。通过竞争、国有资产变现和产权转让等多种形式，推进国有资本从一般加工业、竞争性行业以及中小企业中退出来，适当降低国有产权的比重，切实解决国有经济领域战线过宽过长的问题，实现具有规模优势和整体竞争实力的大公司、大企业集团的整合，提高集中度，增强国有经济的整体实力和控制力。打破地区、行业和所有制界限，鼓励企业法人之间共同持股和交叉持股。积极利用境内外资本市场，吸引公众参股。大力推行经营者持股、内部员工持股和股份合作制。到2005年，完成推进国有企业产权主体多元化的任务，全市国有及国有控股大中型企业全部建立现代企业制度，进行规范公司制改造，构建各负其责、协调运转、有效制衡的法人治理结构，建立和完善经营管理者的激励机制和约束机制。全面放开搞活国有中小企业。

切实解决外资企业在发展中遇到的政策环境障碍，促进外资企业的发展。进一步加强与外资企业的合作，围绕其主导产品，开展上下游产品的配套生产，创造条件参与其生产、营销网络，增强综合服务能力和出口创汇能力。

农村工业应发挥低成本的比较优势，加大招商引资和吸纳城市产业转移的能力，结合城市工业的调整搬迁，提高吸纳城市工业的资金、项目、技术、设备和引进外资的能力，继续以"调高、调优、调大、调外"为目标，以高新技术和先进适用技术为先导，调整结构，加快技术产业升级。重点发展劳动密集型加工业、农产品精深加工业和为外资企业、城市工业配套的产品生产，增强企业竞争力。促进全市形成国有、外资、民营、股份制及其它经济成分工业优势互补、共同发展的"多元融合"新局面。

二、调整工业布局

根据建设现代化国际城市和城市功能区划的要求，主城区要以更大的气魄和更长远的眼光进一步调整工业区，加大对城市工业布局特别是临海工业区调整的力度，继续搞好企业搬迁改造。全面完成沙河口工业企业的搬迁改造，调整黑嘴子工业区，重点加快七贤岭高新技术产业基地的开发建设和甘井子工业区的调整，控制城市岸线临海工业规模。搬迁改造的工业企业要按照"宁可少而精，不要多而全"的原则，用高新技术特别是信息技术改造传统工艺，加快产品升级换代，发展拳头产品，淘汰落后工艺、产品以及过剩的生产能力。以政策为导向，鼓励和推动新上的大型加工项目，沿交通干线向北布局，带动县域经济发展。鼓励符合条件的加工企业迁入对外开放先导区，开发建设好新工业区。支持郊区、县域工业小区的建设，推进农村工业向市级经济开发小区和中心城镇集中。

三、改造传统工业

运用高新技术全面改造传统产业。积极支持以数字化电子视像产品、计算机软硬件为主的先导型产业，交通运输设备、装备机械为主的制造型产业，原油深加工为主的基础原料型产业和包装、食品、纺织、服装、家具为主的消费类产业，按照"增加品种、改善质量、提高效益、替代进口"和"扩大出口"的改造方向，运用高技术成果加快升级改造，促进加工业由传统的原材料粗加工向高、精、尖、深加工方向发展，全面提高生产工艺水平和技术装备水平，壮大优势行业、优势企业和名牌产品，增强企业参与国际市场竞争的能力。加快推动以中直企业和上市公司为龙头，以项目和产品为依托，以资产为纽带，具有规模优势和整体竞争实力的石化、机车、造船、大柴、华录、冰山、大显、瓦轴、盛道、大钢、大化、大重、大起、大机床、大药等企业调整改造的步伐，大幅度提高产品性能和质量。国有大中型企业建立和完善技术中心，强化自主开发和创新能力，加快传统产品的升级换代，增强企业发展后劲。积极推进产学研合作，努力提高科技成果转化率和高科技产业化水平。大力开发与应用计算机辅助设计、柔性制造、集成制造等技术，改造传统产业，推动企业逐步向工艺、产品设计无图纸化，生产经营过程自动化，设备、产品智能化和管理现代化的方向迈进。积极推进3000万吨/年原油加工、300万吨/年船舶制造、电力机车、城市间高速机车、5万台大马力发动机，50万吨PVC、40万吨汽车热镀锌板、40万条子午线卡车轮胎、300万部数字化无绳电话、200万台汽车音响整机及零配件等60余项重点项目建设。

四、推动中小企业发展

创造宽松、平等、透明的体制、政策环境，完善多元化中小企业发展的配套措施，积极扶持中小企业，特别要支持那些符合产业政策、有市场前景、技术含量高、有比较优势的中小企业发展壮大。建立以资金融通、信用担保、技术支持、管理咨询、信息服务、市场开拓和人才培训为主要内容的中小企业服务体系。鼓励金融机构支持中小企业，提高贷款比例，逐步扩大中小企业直接融资渠道，引导社会资金投向中小企业。积极探索建立中小企业风险投资的管理模式和撤出机制。加大财税政策的扶植力度，安排一定的资金重点用于中小企业信用担保与创业资助、科技成果转化、技术改造项目贴息等方面。鼓励外商独资或参股创办中小企业。积极完善促进中小企业发展的法律法规，取消对中小企业的摊派，减轻负担，改善经营环境。鼓励中小企业向"精、专、特、新"的方向发展，形成与大企业、大集团相适应的社会化分工、大中小匹配、专业化衔接和技术配套的产业关联群体和产业组织结构。

第八章　推进农业现代化

农业的功能开发要从单一的生产型向生产、生态、生活复合型转变，努力发掘农业资源的生态、文化、旅游等功能。加快社会化生产服务体系的建立，积极扶持以生物技术为重点的种子种苗基地建设，培育名牌产品，加快产品结构调整和农业生产组织方式的转变，发挥区域比较优势，大幅度提高农业的整体素质和效益。围绕高效农业、创汇农业的建设，推动大连农业从数量型向效益质量型转变，初步实现传统农业向生态农业、观光农业和现代精准农业转变，全面推进农业现代化。

一、加快农业现代化进程

采取倾斜政策，特别是支持北三市开发建设的政策和有效措施，继续增加多种渠道对农业和农村的投入，加强农田水利基本建设和以交通、供电、通信为重点的基础设施建设，改善农业产业化、现代化发展的条件。完成主要河道整治、水库除险加固和大型灌区输水配套设施的防渗工程，积极推进应用喷灌、滴灌和输水防渗等技术，发展节水型农业。重点建设优良原种保种基地，加速引进和培育适合本地生产条件、有广阔市场前景、较高经济效益的国内外优良品种，形成产业规模。加强农业病虫害防治，增强抵御病虫害的能力。加强农业生态环境保护与监控，建设市、县、乡三级病害疫情监测与防治体系，利用现代化种养技术，重点建设一批无土栽培、无公害生产和水产立体混合养殖示范基地，提高农产品的商品率，增加附加值，发展高效农业、创汇农业。

二、调整产业结构

面向国际国内两个市场，以消费需求为导向，以优化品种、提高质量、增加效益为中心，以技术进步为依托，以精品工程为载体，加快农业产业结构调整。稳定粮食产量，重点发展水产、水果、蔬菜、畜禽、花卉等优势资源，特别是无公害、反季节的名特优新农产品生产。“十五”期间，全市计划调减6.67万公顷粮田，因地制宜地发展优质经济作物和退耕还林还草，2005年粮食作物与经济作物的种植面积比例将由“九五”期末的75：25调整到50：50。坚持“捕捞、养殖、加工”协调发展的方针，加快实施“海上大连”发展规划，积极发展以优质品种筏养、底播增殖、滩涂精养、陆域渔业、海上网箱养鱼为重点的海洋增养殖业，扩大远洋渔业生产。以黄海大道、沈大高速公路、旅顺北路经济带和甘井子都市农业区为重点，实施农业精品工程，新建500项农业精品工程项目。逐步形成生态良性循环的农林牧渔协调发展的产业结构。

三、优化农业生产布局

以农业自然区域和经济、社会发展水平为基础，充分发挥区域比较优势，形成近郊、远郊、交通沿线、北部农（渔）业主产区点线面相结合、圈层合理的区域布局。城市近郊区，侧重于发展高附加值的经济作物，如蔬菜、水果、花卉、草坪等绿色园艺产业和集文化、教育、旅游于一身的观光农业、休闲农业、创汇农业，适度发展畜禽业；限制城市近海海域的水面养殖，大力发展海底水产增养殖和工厂化养殖。城市远郊区和主要交通沿线，突出种植、养殖、加工多种经营，侧重发展具有特色的优质农产品、畜牧、林果、种子种苗等观光、休闲、精品农业和农产品精深加工、保鲜储运业。以瓦房店、普兰店、庄河三市和长海县为主体的北部地区，将发展成为大连名特珍新优土特农产品、特色农业、生态农业、生态林业、生态渔业的农（渔）业主产区，成为规模经营、农业产业化的重要生产基地。

四、加快农业经营体制改革

遵循市场经济规律，实施扶持政策，在尊重农户和企业主体地位及生产经营自主权的基础上，积极推进生产、加工、销售有机结合为一体的农业产业化经营方式，尽快培育出一大批引导农业和农村经济结构调整的骨干力量。新建、改扩建50个规模大、竞争能力强，产业关联度大，能把市场信息、适用技术、管理经验带给农户，并能有效地解决农户分散经营与国内外市场连接的大型龙头企业和企业集团。鼓励以资本为纽带，实行强强联合，发展规模经济。按照“多元投入，择优扶强，制度创新”的发展思路，引导和支持多种所有制经济参与农业产业化经营。鼓励引导农民以生产要素入股方式，发展股份合作制龙头企业。选择一批“公司+农户”的龙头企业直接上市融资，增强企业成长能力，推进农业产业化迅速发展。建设和完善30个农产品专业批发市场。进一步加强农业服务体系建设，支持和培育民间服务组织，组建和完善各种行业协会，为农民做好产销服务。鼓励发展各类中介组织，发展销售合作社等专业性合作经济组织，发展农民经纪人队伍，促进农产品流通。

五、大力发展乡镇企业

乡镇企业要以机制创新、结构调整、科技进步、强化管理为重点，继续坚持“调大、调高、调优、调外”的思路，加快发展，扩大规模，提高档次。乡镇企业的改革要适应社会主义市场经济的要求，进一步推进资产重组和机制转换，实现体制创新，充分调动投资、经营、生产者的积极性，增强企业活力，提高经济效益。乡镇企业的结构调整要与技术进步紧密结合，突出发展规模经济，实现规模效益；突出发展开放型经济，加快实现经营方式的转变；突出发展高新技术产业，抢占科技制高点；创建“中国·大连高科技农业开发基地”，加快产业化建设步伐。培育10个农业产业化一条龙企业，创造就业机会，加快农业富余劳动力转移，增加农民收入，推进工业化、城镇化建设，壮大县域经济。

六、建立社会化生产服务体系

加快建立健全多形式、多层次、多种经济成分的信息服务、科技服务、农产品标准检测等农业社会化服务体系，鼓励兴办信息、技术、营销、农机、水利、加工、储运等专业服务组织，并引导其向一体化、产业化和企业化方向发展。科技服务，鼓励农业科研机构和科技人员结合生产实际，针对结构调整中的技术难题和病虫害进行联合攻关。同时，加强农业先进适用技术推广体系的建设，扶持农民专业技术协会等服务组织，大力推广先进适用技术。信息服务，加快建立农产品市场信息、食品安全和质量标准体系，加快现代化信息技术的推广和应用，完善信息发布制度，充分发挥大连农业信息网的职能，为农副产品的生产、加工、销售各个环节提供信息服务，引导农民按照市场需求生产优质农产品，实现农产品优质化目标，调动和保护好农民生产优质农产品的积极性和创造性。完善重要农业生产资料和农副产品流通体制，发展农产品销售、储运、保鲜等产业。积极开辟“绿色通道”，坚决清除各种关卡和乱收费、乱罚款，确保农产品特别是鲜活产品运销畅通无阻。鼓励开拓国际国内营销网络，提高鲜活农产品和高附加值经济作物的内销、出口能力，成为向日本、韩国、俄罗斯等国家出口水产、水果、蔬菜、畜禽产品的重要基地，成为东北地区和中国北方重要的优质绿色农副产品生产、供应基地。

第九章　推进信息化

顺应全球信息化和信息技术发展趋势，以宽带多媒体信息传输网络建设为基础，以信息资源综合开发、利用、共享为重点，以计算机和网络技术教育、研发、培训为手段，以信息产业发展为支撑，积极推进国民经济和社会信息化。以信息化带动工业化，通过信息技术的开发利用，促进传统产业的改造和结构调整升级，全面提升城市综合素质，构筑国际性区域信息中心。“十五”期末，大连城市信息化整体水平将达到中等发达国家水平。

一、建设信息化基础设施

加大投资力度，完成覆盖全地区、联通国内外、天地一体化、技术先进、安全可靠的宽带基础传输骨干网和宽带接入网的建设，综合性能接近世界先进水平。实现电信、有线电视、计算机“三网融合”，各类基础运营网络互连互通。改造和提升城域网的服务功能，建设国内领先水平的区域公用信息平台。加快建设数字移动通讯网，不失时机地引入新一代移动通讯系统，扩展各种多媒体业务。积极争取设立国际出口局，开通与国际信息平台接轨的信息高速公路，更好地服务于东北、服务于全国，从根本上改善大连地区通讯环境。

加快以3S技术和网络技术应用为支持的城市建设与管理数字化，初步形成城市综合基础地理、公共资源、公共设施和公共服务等基础数字化环境。建设大连市地理空间数据交换中心和宽带网站，开发大连市地理空间数据库及信息系统，构建三维可视化数字城市基础框架，在全国率先进入数字城市示范行列。

加大投入，加强计算机、信息网络安全保护制度和设施建设。强化信息法制化和知识产权保护，支持发展具有自主知识产权的信息安全关键技术，支持研发急需的信息安全产品，努力增强信息安全防护、应急反应、恢复对抗能力，基本满足国家和市党、政机关及经济等部门对信息渠道畅通和网络安全的需求。加快制定适应信息化建设需要的地方性法规，完善相关的产业政策和投融资政策，设立信息化建设和产业发展专项基金、风险投资基金，形成大连信息化持续健康发展的机制。

二、推动信息资源开发和信息系统建设

围绕增强城市综合服务功能和建设区域信息中心的目标，加快各类信息资源的开发和信息应用系统的建设。以政务部门、社会公共服务部门、企业为重点，加快管理体制改革，打破条块分割，营造益于信息化发展的体制、政策环境。加快推进全社会信息资源数字化、标准化、网络化建设，全面整合地方信息资源，形成社会信息资源综合利用和有效共享的机制。积极开发满足人民群众日益增长的多样化、多层次需求的信息服务。以党政、公安、财税、社会保障、教育、科技、公共服务、口岸、金融、商贸、旅游等信息应用系统建设为重点，建立完善的各类信息应用系统。积极推进企业生产经营的数字化、网络化建设。有步骤地推进社区智能化建设。通过信息资源的开发和信息系统的建设，满足大连城市功能的提升和经济、社会发展的需求，加快推进信息化。

三、发展信息产业

软件产业：力争保持年均60%左右的速度递增。以大连软件园为主要产业基地，扩大和发展与世界知名软件大企业的联系与合作，积极吸引他们来连投资创业。跟踪世界先进水平，高起点切入，通过引进国内外知名企业、高级软件人才，大力发展适应国际市场需求的成套软件产品。重点开发嵌入式软件、大型应用软件和中文信息系统等，形成知识产权和竞争优势，把大连软件园建成国内一流的软件开发、示范、出口、人才培训基地。大力扶持和发展一批覆盖面广、市场竞争能力强的龙头企业和拳头产品，将大连建设成为国际化软件产业示范城市。到2005年，软件销售总额将达100亿元，出口创汇3亿美元。

信息服务业：加快培育多经济成分、多层次、多专业从事信息服务的市场主体，开拓信息服务新领域。在推进传统信息服务业数字化改造的同时，大力发展以电子信息技术为支持的网络增值服务、信息内容服务以及各类专业信息咨询服务。引导和推动各类网络服务企业的发展，扩大网络信息服务覆盖范围，增加用户数量。鼓励和扶持一批为信息系统建设提供技术开发、集成、运行和维护支持的信息技术服务企业，提高大连信息技术的自主服务和对外服务水平。以城市公交“一卡通”项目为切入点，推动IC卡在各行业中的应用。加强信息咨询企业与国内国外重要咨询机构的合作，积极开展跨国、跨地区的信息咨询业务，尽快实现信息服务业的产业化、市场化、网络化、国际化。

信息制造业：立足现实基础，大力发展电子信息设备制造业，不断增强信息设备的自主开发能力和改造传统产业的智能支持能力。重点发展计算机外围设备及其配套产品、通信设备、新一代视频产品和微电子及新型元器件等4个行业。重点建设有牵动效应的龙头项目，提高信息化装备能力。

四、大力发展电子商务

以企业信息化建设为基础，围绕优势产业，发展与国际接轨又具有大连特色的电子商务。优先发展商贸、金融、物流、旅游、展览、政府采购、教育等领域的电子商务，使之成为政府、企业、个人之间经济活动的重要手段。到2005年，建立起比较完善、安全可靠的电子商务运行支持体系，形成比较规范的政策、法制环境，把大连建设成为东北地区乃至全国的重要电子商户汇聚地和物流的集散地，确立大连的电子交易与在线支付的区域性电子商务中心地位。实现大连市CA认证中心与国家及其它地区CA认证中心的交叉认证。全面整合港口、海关和邮电EDI系统，建成海、陆、空物流信息网互连互通的全地区综合物流电子商务网，满足工商企业实现“零库存”的需要，完善物流配送体系，带动现代物流产业及相关产业的发展。到2005年，全市50%的中小企业和大型工商企业基本实现电子商务购销业务，电子商务交易额占商务交易总额的50%以上。

五、普及计算机和网络知识

在全社会实施多层次的信息教育工程，广泛普及计算机和网络知识，提高人们掌握、使用信息技术的能力。2005年，全市中小学及大学在读学生信息教育普及率达到100%。以院校、科研机构和各级培训中心为依托，建立多层次的信息人才培训体系和继续教育体系，加快对高层次信息人才的深造培养和企事业人员计算机、信息网络知识的培训，使大连成为东北地区计算机和软件人才的培训基地。

第十章　基础设施建设

基础设施建设要以增强城市集聚、服务、辐射能力，适应现代化国际城市发展为目标。按照系统化，网络化、现代化标准，建设高效便捷、畅通安全的现代化城市基础设施体系，培育发展枢纽性经济功能、文化功能、服务功能，增强大连对内对外沟通和承载国内外大型活动的能力。

一、加大口岸交通设施建设

“十五”期间，重点建设大连口岸物流枢纽设施，完善集装箱运输、大宗货物运输、城际零担运输、城区商品配送的储存设施和运送渠道，逐步形成规模化、规范化、信息化、国际化的现代物流服务体系。

海港：继续以深水码头、集装箱远洋干线、内陆干港和物资集疏运网络建设为中心。重点推进30万吨级进口原油码头、20万吨级进口矿石码头和大窑湾港二期工程的建设。加快地方港口建设和大连港功能区调整改造，使老港区实现客货分流，建设成为与城区融为一体、具有时代特征的新型滚装客运渔人码头，把大窑湾新港区建成集装箱、散粮、矿石、石油等大宗货种集疏运的专业化货运港区，为确立大连在东北亚的干线港地位奠定基础。

空港：按照国际机场4E类标准和完善区域性国际航运中心综合功能的要求，升级改造周水子国际机场，扩建候机楼、停机坪、停车场和其它配套设施。积极开辟新航线，增加客货运输量，加快大连成为东北地区航空枢纽港的建设。认真做好新机场的前期规划工作。

铁路：重点完成哈大铁路电气化改造（大连段）、大连火车站改造和烟大火车轮渡项目建设，大幅度提高铁路运输通过能力和集散能力，把大连建成东北地区跨海连接华东地区的陆路客货运输的重要枢纽。

公路：重点完成大连主城区北部出口路的拓宽改造与延伸，完善主干线公路网的建设，加快推动农村公路网建设。形成以“三纵三横”（三纵：沈阳——大连、大连——丹东、盖州——亮甲店；三横：皮口——交流岛、城子坦——长兴岛、塔岭——永宁）为骨架的快速公路网和辐射整个市域的“2小时经济活动圈”。

二、加快城市基础设施建设

重点解决大连城市及市县城市供水问题，完成英那河水库扩建、“引英入连”供水、大连城市供水系统改造工程和市县城市供水工程。着手规划研究大连城市远期供水方案。城市供水，坚持开源节流并重，在加强供水设施建设的同时，大力推行节约用水措施，加强中水利用设施规划建设。加快市区老旧地下管网的改造工程，建设安全可靠的供水、排水、供气、供热系统。

加快城市快速轨道交通项目建设，大幅度提高城区之间、城区内的交通输送能力和通行速度。进一步加大城市道路综合整治力度，完善城市道路网络系统，优化城市交通结构，构筑与现代化国际城市相匹配的新型公共交通体系。

能源建设，坚持开发与节约并重，加大使用清洁能源，优化能源结构，提高能源利用效率，加强环境保护。重点加快城乡电网建设，提高城乡供电质量和安全性。继续发展城市集中供热，减少一次能源对环境的污染。

根据现代化国际城市建设标准和市场配置资源的要求，实施市民水、电、气、热、通信入户设施的改造工程，调整标准，实行水、电、气、热单户计量和信息网络服务入户，加快构筑现代化高标准微观基础设施，满足市民多样化需求，进一步改善市民生活质量。在搞好集中供热、中水利用、生活排污的同时，逐步推进供热、中水利用、生活排污处理的小区化、楼宇化，优化环境。

三、加强文教卫体等公共服务设施建设

调整财政支出结构，引导和鼓励社会资本增加对社会公益事业的投入，按照教育、医疗、文化、体育布局调整的要求，优化资源配置，加大对卫生防疫、群众体育、公共文化等基本公共服务设施建设。继续改扩建一批中小学校舍，努力改善办学条件。以创建“国际健康城市”为目标，建设国内一流水准的综合医院、急救中心、康复中心、心理咨询医疗中心和社区医疗保健网络，建立海上救护系统。建设大容量、高水准的现代化体育中心，网球、游泳、足球、自行车、田径等训练基地和开展大型竞技体育赛事的优良场馆，增强承办国内外体育大型赛事的能力。建设国内一流的大剧院、东北最大的电影放映城、新闻大厦等一批具有标志性、时代感的文体设施项目。积极发展社会福利事业，建设一批设施水平较高、管理科学化、服务优质化的社会福利场所。大力度建设环境优雅、管理规范、功能完善、各具特色、设施配套的现代化社区。

第十一章　推进城镇化

按照城乡一体，协调发展的原则，合理调整行政区划，积极稳妥地推进城镇化，促进农村剩余劳动力转移和城市产业、人口的扩散，缩小城乡差距，增强大连整体综合竞争力。进一步完善以主城区为极核，沈大高速公路、黄海大道、渤海沿岸为轴线，区内交通干线为节点，布局合理、功能完善、特色鲜明、优势互补的城镇体系。

一、充实提升中心城市功能

中心城市由大连主城区和新城区、金州区、旅顺口区构成。

主城区由中山、西岗、沙河口、甘井子四个区构成。要继续遵循“不求最大，但求最好”的城市建设方针，加大高新技术产业和吸纳劳动力多的都市产业发展，调整功能分区，优化空间布局，进一步加快现代化、智能化、花园城市的建设，继续经营好城市，使之不断增值，强化、拓展、提升大连对内对外的综合服务功能。

新城区由经济技术开发区、保税区、大窑湾港区构成。要以建设具有鲜明时代特征、国内一流的现代化城区为目标，积极推动高开放度产业、高科技产业及现代物流、港口运输业的迅速发展，带动区域，服务东北，服务全国。新城区的大型公共服务设施、基础设施建设，要与主城区统筹规划、合理分工。

金州、旅顺口区，积极延伸主城区功能，完善特色功能，增强综合竞争力，形成较强的比较优势和促进各种要素流动、聚集的环境条件，增强消化吸收农村剩余劳动力和吸纳城市产业、人口扩散的能力，提高城市基础设施建设档次。

中心城市在加快自身发展的同时，要积极支持发展县域经济。通过政策引导与扶持、人才与要素流动、财政转移支付、增加投入、项目带动、对口帮扶、对口交流、提供“舞台”等多种方式，推动北三市的大开放、大开发，进而实现跨越式大发展。推进大连农业现代化和城镇化进程，帮助贫困农民脱贫致富，努力提高全市综合发展的协调度，缩小城乡差距。

二、重点建设卫星城市

瓦房店市、普兰店市、庄河市的城市建设，要科学规划，夯实基础。继续稳定提高农业，加快发展工业，积极发展服务业。不失时机地抓住进一步扩大开放和城市产业调整扩散的有利机遇，发挥资源丰富、成本低、空间大的比较优势，吸引更多的合资合作大项目发展特色经济，扶强做大产业，壮大综合经济实力，增强带动、辐射能力，成为连接中心城市与小城镇的纽带，沟通城乡联系，把城市的科技、文化和经济能量推向农村，促进城乡要素交流，带动县域经济全面发展。早日把北三市建成充满活力的“卫星城”，进而发展成为中等规模的次级中心城市。同时，加快长海县大长山岛的城市建设，使之发展成为现代化新型海岛小城市。

三、稳步推进小城镇建设

小城镇建设，按照“统筹规划，突出重点、政府引导、市场运作、产业支撑”的原则，加快户籍、经济管理体制、投资体制、土地流转制度的改革，调整相关政策，有序推进。小城镇要强化为农村经济服务、加快工业化发展的功能，吸引乡镇企业合理集聚，完善农村市场体系建设，增强社会化服务能力，为农村剩余劳动力转移拓宽就业渠道。基础设施建设要面向未来，科学规划，与县域经济发展统筹考虑，量力而行，稳步推进。选择一批小城镇在政策、资金、基础设施建设等方面给予支持，把它们建成具有较强辐射力和带动力的功能互补、规模适中、特色鲜明、布局合理、设施配套、环境优美、经济繁荣的新型中心城镇，成为带动农村经济发展，为农村提供有效服务的基地。重点加快中心城镇的规划建设和基础设施的升级改造，培育和支持基础好的中心城镇逐步向小城市过渡。

第十二章　保护资源、生态与环境

“十五”期间，随着工业化、城镇化进程的加快，要坚定不移地坚持可持续发展战略，加大生态建设和环境保护力度，加快“环保示范城”的建设，进一步提高城乡环境质量。

一、有序利用战略性资源

继续坚持“珍惜和合理利用每一寸土地”的基本国策，认真落实基本农田保护制度，采取有效方式强化农地转用的审批，防止可耕地的大量流失，建立健全建设占用耕地的补偿制度，实施耕地总量动态平衡，到2005年全市耕地保有量37.5万公顷。城镇土地开发要与盘活地产存量相结合，通过土地的依法流转，实现土地资源优化配置和土地资产增值。切实保护好林地。

淡水资源匮乏是大连经济、社会发展的主要制约因素。要长期坚持“以水定项目，以水定发展”和“开源节流并重”的原则，在搞好水资源开发利用的同时，加强节水措施的推广，发展节水型产业。改进水资源利用方式，加强节水技术和设备的研发，强制推行节水设备用具的广泛应用，加大中水利用，提高水资源利用率。严格控制金州以南城市区和部分濒海区的地下水开采，在条件具备的地区建设地下水库，改善地下水质，防治海水倒灌，增加蓄水量。加大海水利用规模和范围，稳步推进海水淡化。积极利用科技成果，多渠道开辟水源。改革现行的水资源管理体制，扭转“多头管水”局面，建立蓄水——取水——输水——净水——配水——排水——污水处理——中水利用的“一条龙”管理体制和水价核定体系，增强水资源调度的统一性和有效性。最大限度地保障全市经济、社会持续发展的需要。

二、加大环境综合整治力度

针对大连城市煤烟、机动车尾气混合型的大气污染特点，鼓励和支持电力、燃气的消费，调整能源消费结构，增加使用清洁能源。进一步加大机动车尾气污染的治理力度，普及双燃料转换装置。充分利用国际国内两个市场、两种资源，开拓新的清洁能源。做好俄罗斯天然气的引进工作。

进一步加强城市污水处理设施的建设，完成老虎滩、泉水、凌水、寺儿沟、金石滩及市县等10个城市污水处理厂的建设，努力提高城市污水处理率。研究制定中水利用规划，出台优惠政策，鼓励企事业单位和居民楼充分利用中水。

加强对固体废弃物实行分类收集处理。市区新建垃圾发电厂，市县配套建设无害化垃圾填埋场，初步建立废弃物资源化、减量化的综合利用机制，实现产业化运营。

继续加大城乡绿化美化家园建设。大连城区要加快建成滨海路，人民路——中山路——旅顺南路，港湾广场——疏港路——周水子国际机场，香炉礁立交桥——东北路——振兴路——经济技术开发区的长春路——金石滩旅游度假区的4条高标准“绿色长龙”。新建扩建马栏河、老虎滩、森林动物园等27处公园，进一步提高城市公共绿地覆盖面。

三、防治城乡工业污染

继续实施城市污染工业企业的搬迁改造工程，继续加大对全市锻造、铸造、炼钢、轧钢等行业进行专业化重组，改造污染严重的生产工艺和流程。城市环境保护重点，逐步由工业污染防治转向生活污染防治。农村环境保护重点，将由面上防治转向工业污染防治，统筹做好农村工业小区规划，合理调整布局，强制关闭“五小”企业，鼓励企业加大技术改造力度，改进淘汰落后的生产工艺和流程，提高技术水平，推行清洁生产，降低污染物排放。

三、加强生态建设与保护

重点建设旅顺北路、黄海大道生态经济带和金州生态示范园。积极推广和使用低毒、低残留、易降解农药、生物制剂、有机复合肥、农家肥，推行秸秆还田，减少土壤药物残留，提高土壤肥力。加强水土保持，全面开展石质山造林和封山育林，25度以上坡地全部退耕还林还草。加大对特殊生态功能区，重点资源开发区，生态良好区的保护。加快推进小黑山水源涵养地，老偏岛——玉皇顶、海工九岛等自然保护区，长海、庄河等地国家级生态示范区和生态示范乡镇的建设。

进一步加强对海洋生态环境保护，科学制定大连市海洋功能分区规划和城市岸线利用规划，严格控制临海传统产业规模，加大临海产业的改造、转换、调整力度，切实保护好海洋水体。合理利用城市岸线，还市民以清洁的海域、美好的视觉。加强法治，严格管理近海捕捞和城市近岸海水养殖，大力发展远洋捕捞和海底增养殖、工厂化养殖，保护近海渔业资源生态平衡。建立大连市海洋环境应急机制，及时处理海上突发的污染、病害、灾害等事故。

大连地处丘陵地带，又是地震多发地区，要加强地震的预警预报，防震减灾。在城市建设中要加强地质勘察、科学施工和质量监察，采取必要的工程措施，防治边坡失稳（滑坡）、塌陷等地质灾害，确保工程质量，切实保护广大群众切身利益。

第十三章　构筑人才高地

未来的竞争说到底是人才的竞争。“十五”期间，要着力营造益于人才成长和创业的社会环境，优先发展教育，大力开发人力资源，培养和造就一大批高科技人才、高素质的管理人才和劳动者队伍，积极引进经济建设急需的各类人才，构筑人才高地，为实现大连多方面发展提供充足的人才支持和智力支持。

一、优先发展教育

用10年左右的时间，构建与经济和社会发展水平相适应、接近中等发达国家水平的一流教育。到2005年，基本形成各级各类教育结构和布局合理、相互衔接、开放性的终身教育体系。

城市在普及高中阶段教育的基础上，延长3—4年受教育年限。农村在巩固“普九”成果的基础上，加快推进普及高中阶段教育。推进办学体制改革，增加政府对教育的投入，积极鼓励和支持社会力量以多种形式办学，形成以政府办学为主、公办学校和民办学校共同发展的格局，基本形成包括多元化投资体制和鼓励竞争上岗用人制度在内的教育发展新机制，办好各级各类学校。建设一支结构合理、高素质的教师队伍，全面推进素质教育，努力培养学生的创新精神和实践能力，促进德智体美全面发展。

加快调整农村小学布局，推进城市小学小班制，改善办学条件。努力扩大普通高中办学规模，进一步提高高中阶段教育覆盖面。积极调整中等职业教育与布局，优化配置教育资源。成人中专逐步转向职前教育和在职职工的岗位培训机构。加大投入力度，大力发展包括高等职业教育在内的高等教育，办好各类高等院校。充分利用大连高等院校多、比较集中的优势，合理调整和配置现有教育资源，努力扩大招生规模，加强学科建设，创办国内外知名的一流强校。创造条件吸引国内名牌大学来连开办分校，为社会培养更多、急需的专门技术人才和复合型高级管理人才。

二、实施人才工程

加快建立有利于各类人才脱颖而出、人尽其才的激励机制，更新用人观念，加强青年优秀人才的培养和使用。进一步加快主体性人才市场、专业性人才市场、企业经营管理者人才市场和区域性人才市场的建设步伐，建立国内外高层次人才信息库，实现人才市场管理信息化，完善服务体系。在充分开发现有人才资源的基础上，实施积极的人才引进政策，淡化户籍、行业、地域等限制，促进人才柔性流动，优化人才配置。重点引进具有管理才能和科技创新能力的高层次、复合型拔尖人才，发现和扶持拥有技术知识产权、核心技术与产品、具有组织实施和配套能力的风险投资人才，经营人才。建立特聘专家制度，积极引进国内外智力，形成一批世界前沿、国内领先的科技精英人才。继续执行“支持留学、鼓励回国、来去自由”的方针，鼓励留学人员来连创业。扩大人才国际化培训交流。进一步拓展继续教育领域，逐步推进终身教育，通过多种形式，培养社会急需的应用型人才和复合型人才。整体推行职业资格证书制度，加强培训，不断提高职工专业技术水平。以科技开发为龙头，以科技服务为先导，以实用技术为基础，加强农村科普教育，不断提高农民的文化素质和科技知识应用能力。

第十四章　发展社会事业

进一步完善人口调控机制，积极扩大就业，完善社会保障体系，提高公共服务水平，全面推进文化、卫生、体育等事业发展，强化社区建设与管理，建立社会、生态、经济效益相统一，与现代化国际城市相适应的社会事业体系和发展环境。

一、健全城镇人口调控机制

探索建立适应社会主义市场经济和扩大开放的人口调控机制，完善户籍人口迁移政策，鼓励引进国内外高层次专业人才和优秀青年人才，预期今后5年具有大专以上文化程度入连工作的人口占同期入市净增总人口的50%左右，借以改善人口年龄结构和知识结构，提高人口素质。以人为本，兼顾公共服务能力、空间布局的合理性，进一步调整人口分布。有步骤地放开城镇户籍管理和农转非控制计划，推动城镇化发展。稳定现行计划生育政策，严格控制人口自然增长，进一步加强对农村人口、外来流动人口和市区人户分离人员的计划生育管理，保证计划生育率稳定在99.5%以上，巩固低生育水平。

二、扩大就业

预测表明，全市每年提供8万个左右的就业岗位，才有可能将城镇登记失业率控制在4%左右，就业形势不容乐观。“十五”期间，要一如既往地把改革力度、发展速度和社会可承受程度很好地协调起来，建立多层次职业介绍网络，鼓励劳动密集型企业、中小企业发展，形成较完善的以市场为导向的就业制度，高效的就业服务体系，努力增加就业岗位。建立和完善机制健全、运行规则、信息共享、服务周到、指导监督有力的劳动力市场，为求职者提供更多的机会。城市，以社区服务为主要领域，因地制宜地发展劳动密集型都市产业、中小企业和非公有制经济，提倡实行多种灵活的就业方式，安排劳动人口。农村，大力发展非农产业，推进工业化和城镇化，最大限度地消化吸收农业剩余劳动力，千方百计地扩大就业。加强立法与监督，打击非法职业介绍活动，完善劳动监察和劳动争议仲裁制度，维护就业秩序。加强职业培训，建立健全职工岗位技术技能培训制度，坚持劳动预备制度，调节就业高峰，缓解就业压力。

三、增加城乡居民收入

建立效率优先、兼顾公平的社会分配制度。在发展经济的基础上，持续增加城乡居民收入，特别是低收入者的收入和农民的现金收入，建立最低工资保障制度。构建完善有效的激励约束机制，逐步形成企业依据劳动力市场价格自主确定工资标准和职工根据职责“以岗定薪”的新机制。进一步完善以按劳分配为主体、多种分配方式并存的分配制度，鼓励按资（本）、智（力）、技（术）、能（力）等生产要素投入，参与收益分配。修订和完善现有经营者年薪制，稳步推进经营者期权期股制度。进一步完善收入分配监督体系和个人收入申报、所得税等制度，规范分配秩序，保护合法收入。

四、提高公共服务水平

积极发展医疗卫生事业，深化卫生体制改革，加大医疗和预防监督体系的调整力度，优化配置医疗卫生资源。建立适应城市功能的新型卫生体系，全面推进市区、社区医疗服务网络建设。积极引进国外先进技术、先进设备和管理经验、服务手段，创办具有国际先进水平、服务一流的综合医疗中心。建立健全农村医疗服务体系，努力改善区市县农村医疗卫生条件，提高农村居民防病治病的医疗保健水平。

积极发展群众性体育运动，全市体育人口比例将达到46%，创建体育名城。各区市县普遍建立全民健身中心，推动全民健身运动。加强足球特区建设和管理，全方位开拓足球市场，推进体育产业化建设。积极培养优秀后备体育人才。

积极发展面向新世纪的文化事业，建设文化名城。深化文化体制改革，完善文化经济政策，按照“双百方针”，营造规范、完善、宽松的文化市场。根据人口分布，优化文化资源配置，建立以市图书馆为龙头，各区市县图书馆为骨干，乡镇、街道图书室为分支的图书服务网络。建设富有大连特色的广场文化、社区文化、企业文化、村镇文化和校园文化。发展文学艺术、文化娱乐、新闻出版、影视音像等产业。加快广播电视的企业化、规模化经营。特别是加强农村广播电视网络的建设，拓宽科普知识和信息传播的渠道，提高传播的速率和实效。实施精品战略，发展网络文化，繁荣文艺创作，使大连公共文化达到国际先进水平。加强档案管理的标准化、现代化建设，为社会和经济建设做好信息服务。

五、完善社会保障体系

依法推行覆盖全社会的社会保障制度，加快形成独立于企事业单位之外、资金来源多元化、保障制度规范化、管理服务社会化的城乡社会保障体系。进一步推进城镇职工基本养老、失业、基本医疗等社会保障制度，努力扩大社会保险覆盖面，提高基金收缴率，合理调整财政支出结构，增加社会保障资金。鼓励开展补充保险，发展多层次社会保险，到2005年，城镇从业人员参保率将达到全覆盖。进一步完善城乡居民最低生活保障制度，适时调整最低生活保障标准，特别要保障低收入者分享社会经济发展的成果，做到应保尽保。继续做好城乡扶贫帮困、敬老认亲和救灾救助，重点保障社会特殊群体与特困家庭，力争农村贫困户全部脱贫。继续发展社会慈善事业。

大连已经进入老龄社会。预计到2005年，60岁及其以上人口和65岁及其以上人口占总人口的比重将分别提高到15.4%和11.1%，人口老龄化问题日益突出。要坚持政府主导、社会兴办、群众参与、有序发展的方针，建立以家庭养老为基础、社区服务为依托、社会福利机构为补充的养老保障机制，逐步形成以老年福利、生活照料、医疗保健、体育健身、文化娱乐、法律服务为主要内容的老年服务体系，全面启动“老年人安乐工程”，创造保障老年人权益的良好社会环境，使其老有所养、老有所医、老有所教、老有所学、老有所为、老有所乐。

支持残疾人事业发展，提供可靠的社会保障，创造非歧视环境，解决残疾人平等参与学习、工作、社会活动等问题。认真落实妇女、儿童发展纲要，维护妇女、儿童及青少年基本权益。

六、全面推进城市社区建设

适应居民生活质量不断提高的要求，以创建文明社区为目标，在政府投入、政策扶持、共驻共建、居民互助的基础上，吸引多元投资，建设和维护社区各种配套设施和教育阵地设施。初步建立起与社会主义市场经济体制相适应、符合现代化国际城市要求、各方参与、有机协调的社区工作管理体制和运行机制，完善扶贫帮困、助残育幼、卫生保健、文化娱乐、敬老养老、便民利民等社区综合服务体系和安全联防网络，促进社区福利事业和公益事业发展。力争用5年时间，把城市社区基本建成管理有序、服务完善、环境优美、治安良好、生活便利、人际关系和谐的新型现代化社区，形成团结互助、扶正祛邪、积极向上的社区道德风尚，实现居民素质、群众生活质量和文明程度的显著提高，增强社区的凝聚力。

七、加强社会主义精神文明建设

加强社会主义精神文明建设，全面提高市民素质和城市文明程度，为改革开放和现代化建设提供强大的思想保证、精神动力和智力支持。继续坚持进行党的基本理论和基本路线教育，弘扬爱国主义、集体主义和社会主义精神，形成共同理想和精神支柱。在全社会建立适应社会主义市场经济发展的思想道德体系，继续进行社会公德、职业道德和家庭美德教育，强化全社会的信用意识，振奋城市精神，大力弘扬正气，形成奋发向上的社会风尚，提高城市的吸引力、凝聚力和知名度。加强对新闻舆论、全民教育、社会文化、休闲娱乐等各种思想文化阵地尤其是新闻网站的建设和管理，巩固和拓展社会主义文化阵地，形成健康向上的舆论环境、文明和谐的社会氛围和丰富多彩的文化生活。加强科普宣传教育，反对封建迷信活动和陈腐观念。大力开展群众性精神文明建设创建活动。深入开展国防教育，提高全民国防意识，深入开展双拥共建活动，进一步密切军政军民关系，落实各项优扶安置政策，继续争创“全国双拥模范城”。

八、强化社会主义民主法制建设

积极推进民主政治建设，发展社会主义民主。加快政府机构改革，切实转变政府职能，改进作风，密切联系人民群众，依靠人民群众，建立完善了解民情、反映民意、集中民智的决策机制，推进决策的民主化、科学化，对人民负责，接受人民监督。推进城乡基层政权机关和群众性自治组织建设，完善居（村）民自治制度，进一步扩大基层民主，实行政务、厂务、村务公开，引导人民群众依法管理自己的事情，实行民主选举、民主决策、民主管理，强化民主监督，保证人民群众依法享有广泛的权利和自由，尊重和保障人权，鼓励人民群众积极参政议政，建立和完善社会舆论监督机制。

加强社会主义法制建设，加大依法治市力度。重点建立和完善适应社会主义市场经济体制的法律体系，规范市场经济条件下的财产关系、信用关系和契约关系，维护市场秩序，保护公平竞争。完善公务员制度和反腐倡廉机制，推行执法责任制、评议考核制和竞争上岗，提高行政执法水平，从严治政，依法行政。加快建立依法行使权力的制约机制，加强对权力运行的监督，使勤政廉政建设法制化。加强地方立法，抓紧制定创建文明城市的地方性法规，完善地方性法规体系。推进司法改革，完善司法保障，强化司法监督。加强司法、执法队伍建设，坚决遏制腐败现象，严格执法，公正司法。深入开展社会主义法制教育，提高全民特别是各级领导干部的法制观念，推进政府工作的法制化。

加强社会治安综合治理，确保社会稳定。认真研究社会稳定面临的新情况、新问题，正确处理新时期人民内部矛盾，积极有效地化解矛盾。建立健全社会治安综合治理的基层组织，全面落实社会治安综合治理领导责任制和目标管理责任制，切实把治理措施落实到基层，严厉打击危害社会治安的刑事犯罪和各种恶习势力，扫除黄赌毒等社会丑恶现象，努力消除不安定因素，保持良好的社会秩序。进一步落实党的民族宗教政策，积极引导宗教与社会主义社会相适应，依法打击民族分裂活动和利用宗教进行非法活动，取缔邪教，维护民族团结，保障社会长治久安。

要　事

【朱镕基总理视察大连】　2000年4月23～27日，中共中央政治局常委、国务院总理朱镕基在省、市领导闻世震、张国光、薄熙来的陪同下视察大连，调查研究国有企业改革和社会保障体系建设问题，考察大连城市建设和环境情况。

朱总理考察中山区桂林街道社区服务中心和桂林街道湖畔居委会，召开部分街道、居委会负责人座谈会，对社区基层组织和“小巷总理”在做好社会保障工作、维护社会稳定中发挥的作用给予充分肯定。组织召开辽宁省部分国有企业厂长、经理座谈会，听取大连大显集团、瓦房店轴承集团、大连锦达纺织集团、东北制药集团等企业领导的汇报，肯定了辽宁国有企业改革取得的成绩，同时指出，国有企业三年脱困主要在辽宁，希望大家再接再厉。他还听取大连工作情况汇报，视察金石滩、滨海路、海之韵广场等，在看到大连的新变化后指出，这样坚持下去再搞几年，大连就可以成为世界名城了。

【薄熙来辞去市长职务，李永金任代市长】　2000年8月21日，大连市十二届人大常委会第二十七次会议通过《关于薄熙来辞去大连市人民政府市长职务请求的决定》，并全票通过李永金为代理市长。

薄熙来从1992～2000年主持市政府全面工作。在市委、市政府的正确领导和全市人民的共同努力下，这一时期成为大连发展最好、变化最大的历史时期之一。1992～1999年，全市国内生产总值由270亿元增至1003亿元，年均增长14.2%；可支配财力由21亿元增至90亿元，年均增长23%；实物资产由758亿元增至2609亿元，年均增长16.7%；8年实际使用外资累计92.8亿美元，相当于此前总和的4.6倍；人均国内生产总值由5139元增至18429元。这一时期，全市经济结构得到全面调整，第三产业在国内生产总值中的比重由32%增至49%；城市功能整体得到提升，环境得到全面改造。大连在东北率先走上良性发展轨道，实现由传统的重化工城市向现代工业、商贸旅游、科技文化城市的历史性转变。　　（史　实）

【国有企业改革脱困目标如期实现】2000年是中央提出国有企业三年改革脱困目标的最后一年。大连市积极推进国有资产重组和企业搬迁改造，落实减员减债、债转股、主辅分离等措施，使一批企业摆脱了困境。国有企业资产负债率由上年的68%降至55%；国有大中型企业亏损面由24.3%降至15%，比国家要求低15个百分点；国有及国有控股企业盈亏相抵实现利润15亿元，比上年增长35.7%。继续推进公司制改造，有72%的国有大中型骨干企业初步建立现代企业制度。坚持既要脱困更要发展的思路，完成一批重点技术改造和招商引资项目，调整了工业布局和产品结构，推进了大型船舶、电力机车、通信及网络、数字化电子视听、精细化工等一批新产品的开发。坚持抓大促小、扶优扶强，大连西太平洋石化公司、大连石化公司、大显集团公司、冰山集团公司年销售额分别达到130亿元、123亿元、55亿元和35亿元。有13个国有企业进入全市50家纳税大户行列，占26%。

【高新技术产业蓬勃发展】　2000年，大连市以发展电子信息、生物工程、节能环保、新材料为重点，制定并实施更加优惠的政策措施，促进了高新技术产业快速成长。全市新认定高新技术企业48家；实现高新技术产品产值435.9亿元，比上年增长26.2%；大连高新技术产业园区技工贸收入150亿元，增长50%。加强软件园建设，东大诺基亚、中软等52家软件企业入园，实现软件产业产值3.5亿元，比上年增长1倍。培育创新基地，开工建设“双D港”，已有10家企业进港；建成海外留学人员创业园，入园企业达96家；启动民营科技企业创业中心建设，已有20家企业入驻；建立炮台生物、中以园艺、科源生物等十大农业高科技基地；引进以色列蔬菜、荷兰花卉、节水抗旱地被植物等50个农业新品种。成立大连科技风险投资公司，促进了高科技多元化融资体系的形成。加快城市信息化进程，推进政府和行业信息系统建设。经中国人民银行批准建设的区域性支付网关和RA认证中心、城域网二期工程及城市“一卡通”项目开始启动。大连市被国家批准为全国惟一的电子商务综合示范城市。

【社会保障制度基本建立】　2000年，大连市进一步完善独立于企事业单位之外、资金来源多元化、保险制度规范化、管理服务社会化的社会保障体系。城镇职工基本养老保险参保人数突破100万人大关，覆盖率达98%，离退休养老金全部按时足额发放，社会化发放率达100%。改革城镇职工基本医疗保险制度，城镇职工基本医疗保险参保职工66.5万人，市内参保覆盖率达70%。实现城镇就业和再就业8.5万人。完善定期差额救济、定期定额救济、临时性救济和突发性救济“四位一体”的城市居民最低生活保障模式，共投入资金1.1亿元，有6.2万名困难群众享受差额和定额救济，保障面达到2.3%，其中城市达到3.4%，保障金社会化发放率达到100%。继续开展扶贫帮困送温暖、敬老认亲等社会互助活动，为下岗、失业职工及其他困难群众发放临时救济金6393万元。　　（市政府办公厅综合处）

【第五次全国人口普查如期完成】　根据国务院决定，我国于2000年11月1日进行了第五次全国人口普查登记。这次人口普查以2000年11月1日0时为标准时间，普查登记的对象是具有中国国籍并在中国境内常住的人，每个人都在常住地登记。

按照国务院和辽宁省政府的统一部署，在市政府的统一领导和全市人民的积极支持配合下，经过近3万名普查工作人员的艰苦努力，大连市人口普查的登记工作如期完成。经快速汇总的主要数据如下：

1. 总人口及人口增长。全市总人口589.4万人，同第四次全国人口普查1990年7月1日0时的524.6万人相比，10年零4个月共增加64.8万人，增长12.4%，年均增加6.3万人，年均增长率1.1%。流动人口大幅度增长是本市人口增加的主要原因。全市净流入人口43万人，占总人口的7.3%，比第四次全国人口普查时上升5.2个百分点。

2. 人口分布。中山区37.8万人，西岗区34.5万人，沙河口区63.8万人，甘井子区78.5万人，旅顺口区26.5万人，金州区83.4万人，长海县10万人，瓦房店市95.6万人，普兰店市75.8万人，庄河市83.5万人。

3. 家庭户人口。全市有家庭户184.2万户，家庭户人口为550.5万人，占总人口的93.4%。平均家庭户规模为2.99人，比第四次全国人口普查时的3.47人减少0.48人，家庭户规模继续缩小。

4. 性别构成。全市人口中，男性299.1万人，占50.8%；女性290.3万人，占49.2%。性别比为103.03（以女性为100）。

5. 年龄构成。全市人口中，0～14岁人口94.4万人，占16%；15～64岁444万人，占75.3%；65岁及以上51万人，占8.7%。同第四次全国人口普查相比，0～14岁人口比重降低5.3个百分点，65岁及以上人口比重上升2.2个百分点，人口生育水平不断下降，人口老龄化进程加快。

6. 民族构成。全市人口中，汉族人口556.1万人，占94.3%；各少数民族人口33.3万人，占5.7%。与第四次全国人口普查相比，汉族人口增加60.1万人，增长12.1%；各少数民族人口增加4.7万人，增长16.4%。

7. 各种受教育程度人口。全市人口中，接受大学（指大专以上）教育的51.0万人；接受高中（含中专）教育的90.0万人；接受初中教育的212.4万人；接受小学教育的172.2人（以上数字包括各类学校的毕业生、肄业生和在校生）。

同第四次全国人口普查相比，每10万人中具有大学受教育程度的由3589人升至8646人；具有高中受教育程度的由11883人升至15275人；具有初中受教育程度的由30054人升至36047人；具有小学受教育程度的由34199人降至29217人。文盲人口（15岁及15岁以上不识字或识字很少的人）27.7万人，文盲率由9.38%降至4.7%，降低4.68个百分点。人口的文化素质有长足进步。

8. 城乡总人口。全市人口中，居住在城镇的人口373.7万人，占总人口的63.4%；居住在乡村的人口215.7万人，占总人口的36.6%。同第四次全国人口普查时相比，城镇人口占总人口的比重上升5.3个百分点，城镇化水平不断提高。

注：

1. 常住人口指在本市居住半年以上人口，包括外来人口，但不包括外出半年以上人口。

2. 总人口不包括现役军人；家庭人口不包括相互之间没有家庭成员关系、集体居住的人。

3. 城乡人口是按国家统计局1999年发布的《关于统计上划分城乡的规定（试行）》计算的。　　（市统计局　市人口普查办）

【大连港货物吞吐量和集装箱吞吐量再创新高】　2000年，受国内外经济持续增长、市场需求增加等因素的拉动，大连港货物吞吐量在上年增长率超过2位数的基础上继续攀升，全年突破9000万吨大关，比上年增长6.8%。集装箱运输继续保持上年高速增长势头。新开通红海线、波斯湾线、美西线3条国际集装箱班轮干线以及大连——哈尔滨、大连——长春集装箱直达班列，大连——延吉集装箱班列试运行。合资组建大连口岸物流网，进一步提高集装箱服务水平和作业效率。大连集装箱码头有限公司创下单船作业效率每小时150自然箱的国内最高纪录。至12月28日，大连港集装箱吞吐量突破100万标准箱大关，成为中国内地第七个集装箱吞吐量超过100万标准箱的港口。全年集装箱吞吐量为101.1万标准箱。　　（赵济普）

【丁美媛、姜翠华分获悉尼奥运会金牌和铜牌】　在2000年10月于澳大利亚悉尼举办的第二十七届奥林匹克运动会上，中国代表团成员、大连籍运动员丁美媛以300公斤的总成绩，夺得女子举重75公斤以上级金牌，并打破该级别抓举、挺举和总成绩3项世界纪录；姜翠华以34秒768的成绩，夺得女子场地自行车500米计时赛铜牌，实现中国自行车运动奥运奖牌零的突破。

【实德队获全国足球甲A联赛冠军及“超霸杯”】　2000年10月1日，大连实德足球队经过26轮鏖战，以17胜5平4负积56分的成绩，夺得全国足球甲A联赛冠军。这是甲A联赛举办7年来大连足球队第五次夺冠，也是在新千年首次夺冠。

12月30日，大连实德足球队在上海以4比1战胜“足协杯”赛冠军重庆力帆队，夺得2000年全国“超霸杯”赛冠军。这是大连足球队继1996年后再次获得“超霸杯”。　　（赵玉玲）

【引英入连供水工程提前1年启动】　1999～2000年，大连市连续发生严重干旱，城市供水的主要水源地碧流河水库的水位降至历史最低点，大连市区出现严重的供水危机。市委、市人大常委会、市政府、市政协多次召开会议，分析形势，研究方案，最终作出决策：提前1

大连实德足球队将士喜捧奖杯，欢庆胜利。　　赵宪明　摄

年启动本市“十五”计划大型基础设施建设项目——引英入连工程，并将一期工程定名为引英入连应急供水工程。

引英入连应急供水工程包括2个部分：(1)英那河水库扩建工程。对英那河水库大坝培高加厚，使水库总库容由6053万立方米增至2.96亿立方米，成为向大连城市供水的第二个水源地；同时完成转角楼水库至英那河水库反输水工程。(2)英那河水库至洼子店水库输水工程。铺设1条长114.5公里输水钢管，建加压泵站1座，把英那河水库的水送至洼子店水库，与引碧入连供水南段工程并网；同时建成朱限水库至引英入连供水工程主管线的输水工程。

2000年9月29日，引英入连应急供水工程动工兴建，总投资10.9亿元，计划2001年5月31日正式通水。工程完工后形成英那河、朱限和转角楼三库联调，每年可向大连供水3亿立方米，可基本满足2010年前城市用水增长的需要，对本市在21世纪可持续发展具有十分重大的战略意义。

为确保城市供水，在英那河、朱限、转角楼水库蓄水不足的情况下，庄河市将于2001年停止3个灌区1.4万公顷水田的供水，稻农要大面积临时调整种植结构；水库大坝增高后导致水位上升，上游2000多户居民共9000多人需迁出水库淹没区。市委、市政府要求各级政府认真做好移民的搬迁安置以及水田种植结构临时调整工作。（常德利）

2000年9月29日，市领导为引英入连应急供水工程奠基。　市水利局　供

【快速轨道交通工程正式启动】　2000年9月3日，大连市重大基础设施建设工程大连——金石滩快速轨道交通工程破土动工。该工程起于市内香炉礁立交桥，经泉水小区、开发区、保税区、高科技园区至金石滩广场，全长46.7公里，设计时速每小时100公里。计划建停车站点10个、高架桥20座（总长13.9公里）、隧道1座（长1123米），预计2002年6月完工试通车，届时将对本市对外开放先导区的经济发展起重要作用。（刘　芳）

重大活动

【第十二届大连国际服装节】　2000年9月16～25日举行，由中国贸易促进委员会、中央电视台、文化部外联局和社文司、香港贸发局、大连市政府等18家单位共同主办。

本届服装节共推出11项大型主体活动：开幕式大型广场艺术晚会《新世纪，你好》、第十二届大连国际服装博览会暨中国服装出口洽谈会、巡游表演——第二届中国大连狂欢节、2000大连世界名师时装展演会、2000年“大连杯”中国青年时装设计大赛、第六届大连国际服饰文化理论研讨会、大连国际名师名牌论坛、游园会、中国首届金牌形象大使电视大赛和维也纳之声音乐会、闭幕式综艺晚会·经典芭蕾舞专场演出等。其中，金牌形象大使电视大赛、维也纳之声音乐会2项活动是新增项目。

全国人大副委员长许嘉璐、全国政协副主席张思卿等251位国内贵宾，几内亚总理拉明·西迪梅、意大利前总统斯卡尔法罗、日本前首相村山富士、41名外国驻华使节等来自48个国家和地区的1100多位外宾，参加服装节活动。

本届服装节的主要特点：

第十二届大连国际服装节巡游表演。　迟维斌　摄

1. 媒体、网络空前关注。服装节组委会于6月29日在北京人民大会堂举行新闻发布会，75家中外新闻单位的记者以及服装界、旅游界人士共400余人与会，产生轰动效应。200余家海内外新闻媒体（其中电视台99家）近千名记者对服装节进行全面报道，其数量居历届之首。中央电视台播发服装节新闻和专题10余次，连续播发《世界名师名牌论坛》活动4次，还制作播出60分钟的特别节目《霓裳缤纷——世界名师时装展演》及服装节专题系列片。香港凤凰卫视播发3场世界名师时装展演。其他新闻媒体共播发介绍大连和服装节的稿件2000多篇（条）。

网站对服装节也给予极大关注。除大连城域网建有服装节主页外，新华社大连网站以及搜狐、新浪等著名门户网为服装节上网或进行直播和报道，北京迅博网进行全程直播报道。截至10月15日，大连国际服装节的网上点击次数为9680万次。

2. 国际色彩鲜明浓郁。国外参展商比例增大，美国、英国、法国、德国、意大利、加拿大、日本、韩国等20个国家和地区的参展商参加服装博览会，外商参展比例达到60%，超过国际展会外商参展比例标准1倍。世界名师时装展演会达到世界一流水平，展示了莱·卡门、艾麦吉尼尔多·杰尼亚、埃格诺娜等3个意大利世界顶级名牌服装。

3. 直接和间接经济效益较为显著。本届服装博览会暨服装出口洽谈会两期展总成交额72.2亿元，比上届增长28%，又创历史新高，其中一期展服装成交46.8亿元，增长12.5%；各项活动门票总收入1641.7万元，也有较大幅度增加。据对10大涉外宾馆调查，服装节期间共接待海外客人9198人次，国内客人1.4万人次，分别比上年同期增长78.3%和20.1%。据对大商、天百、中兴等12大商场调查，服装节期间总销售额为1.13亿元，其中服装销售额3585万元，比上年同期增长5.2%。

4. 大连服装品牌知名度得到提高。本市服装企业组成大连展团参加服装博览会，同时在奥林匹克购物广场展销“大杨”、“碧海”、“富田”、“九星”等近50个品牌服装，大打大连品牌。还举办大连服装品牌专场展演。

5. 群众参与热情有加。来连的海内外旅游者超过75万人。其中：海外游客7500人，比上届增加35.9%；旅行社组织国内游客2.7万人，增加1倍。近万名演员参加狂欢节巡游表演，上百万群众临街观看；50多万人次参加游园会；62万余人次参加服装博览会；15万余人次观看开幕式广场艺术晚会的彩排、正式演出和加演。

【2000中国大连烟花爆竹迎春会】 由大连市政府主办，于2000年2月6～10日在大连星海会展中心举行。本次迎春会适逢世纪之交、农历龙年，活动规模、档次及市民参与性等都较往届有很大突破。

迎春会主要活动有：焰火晚会、彩灯汇展、迎春美食、花卉奇石展、文艺演出、少儿游乐、卡拉OK大家唱、优秀电影展映、模拟主持、幽默电视片播映、免费上网、趣味竞技体育、书画楹联交流、服装展演、“久久合家欢”现场直播、年货展销、摄影大赛和观光游览等。迎春会节日气氛和民族特色浓郁。万余盏彩灯把星海湾装饰成灯的海洋，其中人型龙门灯、九龙壁大型灯组及巨型金龙最为引人注目。小吃一条街的摊棚设计突出祥和、欢乐的气氛，被誉为迎春会一景。由各区组织的民俗表演热烈喜庆，吸引众多市民驻足观看。

规模大、档次高，内容更加丰富。新增的迎春狂欢巡游表演有50多支表演队伍参加，俄罗斯民间舞蹈团、日本冲绳大鼓队的加入为其增添国际色彩。“久久合家欢”节目现场直播一台欢快、祥和、高品位的联欢晚会；烟花焰火燃放采用国内最先进的礼花和燃放技术，设计新颖，创意独特。

有16个国家和地区的驻华使节及外交官员共41人，日本、俄罗斯、欧美、东南亚及港澳台地区的海外游客6000余人，国内旅游团队1.6万人及散客10余万人参加了迎春会。近百万市民扶老携幼，走出家门过大年。中央电视台、日本名古屋电视台等50多家海内外新闻机构的200多位记者报道迎春会盛况。

（崔志忠）

【2000中国大连进出口商品交易会】 2000年5月23～28日在大连星海会展中心举行。由中国五矿化工进出口商会、中国机电产品进出口商会、辽宁省对外贸易经济合作厅、大连市政府主办，中国国际贸易促进委员会大连市分会承办。本届交易会重点突出机械、电子、五金、矿产、化工、建材等行业，共设展位608个，其中专业展位占80%。辽宁、吉林、黑龙江、天津、江苏、宁波、西藏、内蒙古、宁夏等地共有349家企业参展，参展人数1400人。海外有10家企业参展，意大利撒勒诺省商会第一次组团参展。

民族特色浓郁的中国灯笼令参加烟花爆竹迎春会的外国游客爱不释手。

迟维斌　摄

大连市民积极参与国际马拉松赛活动。　　赵宪明　摄

到会客商成倍增加。共有64个国家和地区近3000名客商到会洽谈贸易，日本、香港、美国、新加坡、巴基斯坦、印尼客商增加较多。马来西亚中国贸易总商会、泰国国际贸易商会、意大利维罗纳省中小企业联合会、美国洛杉矶商会、俄罗斯纳霍德卡自由经济区、科威特工业总局、香港港九钢材五金进出口商会等海外商会和机构组团到会。

出口成交大幅度增长，专业性交易会的结构改革初显成效。出口贸易成交7.27亿美元，比上届增长42.3%。其中：机电产品成交3.68亿美元，增长1.47倍，占总成交额的50.7%；五矿化工产品成交2.26亿美元，增长45%，占31.1%。2项成交额合计占总成交额的81.8%，成为交易会的主导。大连交易团出口成交2.54亿美元，位居各参展团第一。东南亚国家以及日本、香港、韩国等周边国家和地区，仍是交易会的主要成交对象。　　（葛玉广）

【第十二届大连赏槐会】　2000年5月27日~6月3日举办，由大连市旅游局主办。共举行赏槐巡游表演、国际风筝邀请赛、朝鲜族民俗表演、“久久合家欢”赏槐特别节目、“大连之夜”——旅游专场文艺演出、第二届大连国际广播音乐周、高占祥花卉摄影作品展、广场文化、游园会等12大类30多个活动项目，其中赏槐巡游表演、日景礼花弹、“槐花公主、槐花王子”评选、发放赏槐纪念卡等是新增项目。共接待日本、美国、加拿大、德国、澳大利亚、韩国、印度、菲律宾、马来西亚以及港澳台等30多个国家和地区的海外游客近万人，为历届最多，比上届增长40%，其中欧美游客有较大幅度增加。20万人的国内游客和50多万人次的市民也参加了活动。

日本游客在大连森林动物园赏槐。　　迟维斌　摄

据对大连商场、天百大楼、国泰大厦、中兴大厦、胜利广场等8个大型商场的统计，赏槐会期间销售额达到6851万元，比上年同期增长7.3%，收到较好的社会效益和经济效益。　　（刘海亭）

【第十四届大连国际马拉松赛】　2000年10月29日，第十四届大连国际马拉松“全日空杯”赛举行。来自世界五大洲25个国家和地区及国内20个省、自治区、直辖市、解放军、行业体协和计划单列市的4990名运动员，分别参加马拉松、马拉松接力、轮椅马拉松、轮椅半程马拉松、少年5公里、旅游者5公里共6个项目的角逐。

比赛结果：大连经济技术开发区队的仲伟福、孙静分别以2小时18分9秒和2小时40分54秒的成绩，夺得男、女马拉松全程跑冠军，其中男子成绩是该项赛事历史上第二好成绩；该队还获得男、女马拉松全程接力跑的桂冠。少年5公里男、女第一名分别被大连铁道有限责任公司的杜云飞和瓦房店三中的李娜夺得。大连的刘伟和上海的韩云分获男、女残疾人轮椅马拉松全程赛第一名；上海的王震华和周云分获男、女半程轮椅第一名。首次设立的参与型项目旅游者5公里跑的男、女第一名被大连东北国际旅行社的林宽士、俄罗斯伊尔库茨克市的阿克莎娜分别获得。大连运动员共夺得12项冠军中的7项，并首次包揽男、女马拉松全程跑和全程接力跑4项冠军。

本届赛事还以设项全面、比赛规范和市民有秩序地积极自觉参与而受到国家田协的高度评价。　　（赵玉玲）

概　　　貌

责任编辑　石黎明

大连概况

【地理】　大连市位于辽东半岛南端，其地域范围为北纬38°43′～40°12′、东经120°58′～123°31′。西隔渤海与华北远邻，东隔黄海与朝鲜半岛相望，南隔渤海海峡与山东半岛对峙，北依东北大陆广阔腹地。

全市土地面积12573.85平方公里，其中市内6个区2414.96平方公里，所辖3个市、1个县10158.89平方公里。海岸线长1906公里（含海岛岸线），占辽宁省海岸线总长度的73%。

陆地属辽东半岛低山陵的一部分，多山地丘陵，少平原低地，地形为北高南低，北宽南窄。丘陵多分布于山地两侧和半岛的最南部，山势大都低缓。最高的山峰是位于庄河市境内的步云山，海拔1130米。平原低地仅在河流入海处有零星分布。

河流多发源于北部或南部的低山区，具有短小、独流入海及水量季节性变化大等特点。较大的碧流河、庄河、大沙河和英那河集中在黄海斜面入海。最大的河流是碧流河，源于盖州市，在大连境内流经庄河市和普兰店市，干流全长156公里。

东西两侧及南端的海岸曲折，以岩岸为主，间有沙泥质海滩。岛屿星罗棋布，包括无名礁砣在内共226个，其中70%集中于东南海区。最大的岛屿是瓦房店市的长兴岛，面积223平方公里，是中国第五大岛。有港湾30多处，最大的是大连湾，水域面积186平方公里，岸线长72公里，水深湾阔，风平浪静，不淤不冻。

矿产资源已发现56种，其中金刚石储量居亚洲之首、世界第十。森林面积为47.29万公顷，森林覆盖率38.2%。有海洋生物3大类共209科414种，分别占辽宁省海洋生物类和海洋生物资源总量的48%和86%。

【建置沿革】　大连名称，源于大连湾。

大连地区自秦代起至后燕时期属辽东郡。唐代属安东都护府积利州。辽代属东京道辽阳府复州、苏州和穆州。金代属复州和金州。元代属金复州万户府。明初于辽南先后设金州、复州。清代属盛京奉天府复州、宁海县和岫岩州。1843年金州设副都统衙门，统管金州、旅顺水师营、复州、盖平（今盖州市）、熊岳八旗军政事务；同年又升宁海县为金州厅，隶属奉天府，掌管金州五社一岛的民事务。

1898年3月，沙俄强租旅大。翌年，在普兰店以南的旅大地区设关东州，下设金州、貔子窝、亮甲店、旅顺、岛屿5个行政区和金州、旅顺、貔子窝3个市。1899年9月，大连设市。（注：1999年4月8日，大连市第十二届人大常委会第十次会议确定1899年9月19日为大连建市时间）。1903年8月，沙俄在旅顺置远东总督府。1905年1月日俄战争结束后，日本侵占大连，建立军政署，后改称关东州民政署，再改称关东总督府。1906年9月置关东都督府，1919年改为关东厅，1934年再改为关东州厅。后关东州厅机构几经变化，到1938年4月，设旅顺、金州、普兰店、貔子窝4个民政署和大连、旅顺2个市，直至1945年8月日本投降。

1945年11月8日，大连市政府成立。至1946年1月，旅顺市、金县、大连县政府相继成立。1946年10月，旅大行政联合办事处成立，1947年改为关东公署，为大连地区最高行政机关。1949年改为旅大行政公署，隶属东北人民政府。1950年12月，撤销大连市、大连县建制，建旅大市人民政府，下辖中山、西岗、岭前、沙河口、甘井子、营城子、小平岛7个直属区和旅顺市、金县、长山县（1953年1月改称长海县）。1953年3月，旅大市由东北大区辖市改为中央直辖市；1954年8月又由中央直辖市改为辽宁省辖市。1955～1980年，市级政权先后称旅大市人民委员会、旅大市革命委员会、旅大市人民政府。复县、新金县、庄河县于1959年划归旅大市；1966年划出；1968年再次划归。1981年2月9日，国务院批准旅大市改称大连市。1985年1月～1992年9月，国务院先后批准复县改为瓦房店市（县级）、金县改为金州区、新金县改为普兰店市（县级）、庄河县撤县改市（县级），大连市形成辖6个区、3个市、1个县的行政建制格局。1994年5月，国务院批准大连市由地级市升为副省级市。

（万　涛　孙　玉）

【行政区划】　2000年，大连市辖6个区：中山、西岗、沙河口、甘井子、旅顺口、金州区；3个县级市：瓦房店、普兰店、庄河市；1个县：长海县。

各区市县共辖76个镇、28个乡和85个街道办事处。各镇、乡和街道办事处共辖村民委员会1434个，比上年减少1个；居民委员会567个，比上年减少370个。

行政区划变动情况　经辽宁省政府1月26日批复同意，撤销庄河市兰店乡、石山乡，合并设立兰店乡；撤销桂云花满族乡、横道河乡，合并设立桂云花满族乡；撤销鞍子山乡、花院乡，合并设立鞍子山乡；撤销明阳镇、尖山镇，合并设立明阳镇；撤销栗子房镇、南尖镇，合并设立栗子房镇；撤销小孤山满族镇，将其所辖12个村委会与吴炉镇合并，2

个村委会与黑岛镇合并；撤销青堆镇、沙岭乡、高岭乡、塔岭满族镇，将原青堆镇与沙岭乡和高岭乡的5个村委会合并设立青堆镇，将原塔岭满族镇与高岭乡的4个村委会合并设立塔岭镇；撤销大郑镇、高阳镇，合并设立大郑镇；撤销光明山镇、平山乡，合并设立光明山镇；撤销仙人洞镇，将其所辖区域与仙人洞国家自然保护区、冰峪沟旅游度假区合并。（徐承志）

【民族】　大连市有满、回、锡伯、蒙古、朝鲜、壮、侗、维吾尔、土家、苗、达斡尔、俄罗斯、白、瑶、布依、藏、哈萨克、彝、鄂温克、黎、畲、傣、高山、鄂伦春、阿昌、纳西、仡佬、羌、仫佬、哈尼、塔塔尔、柯尔克孜、水、京、裕固等少数民族35个，共有少数民族人口33.3万人（2000年第五次人口普查数，下同），占全市总人口的5.7%。与第四次人口普查相比，少数民族人口增长16.4%，占总人口的比重提高0.25个百分点。（柳野园）

【人口】　2000年末，大连市户籍总人口5514721人，居辽宁省第二位，比上年增加61657人。人口增长率1.12%，比上年提高0.74个百分点。

全市人口自然增长9984人（出生44927人，死亡34943人），自然增长率1.81‰（出生率8.15‰，死亡率6.34‰），比上年提高1.81个千分点；机械增加26266人（省内迁入43712人，省外迁入22903人；迁往省内27369人，迁往省外12980人），机械增长率4.76‰，比上年提高1.93个千分点。

全市人口中，市区人口2677760人，占48.6%，比上年提高0.2个百分点；市辖市、县人口2836961人，占51.4%。男性人口2790836人，占50.6%，比上年降低0.1个百分点；女性人口2723885人，占49.4%。农业人口2761250人，占50.1%，比上年降低0.4个百分点；非农业人口2753471人，占49.9%。

全市人口密度每平方公里438.6人（按土地面积12573.85平方公里计算），比上年增加4.9人。其中：市区每平方公里1108.8人（按土地面积2414.96平方公里计算），增加14.9人；市辖市、县每平方公里279.3人（按土地面积

2000年大连市各区市县所辖乡镇、街道办事处及村（居）民委员会

区市县	镇	乡	街道办事处	村委会（个）	居委会（个）
中山区	—	—	春海 春和 桂林 枫林 明泽 民主 天津 青泥洼桥 昆明 葵英 桃源 虎滩 转山（13个）	—	70
西岗区	—	—	工人村 香炉礁 红岩 建设 民乐 石道街 民运 白云 日新 长春路 北京 黄河路 八一路（13个）	—	69
沙河口区	—	—	中山公园 民权 长兴 泉涌 西山 马栏 李家 春柳 侯家沟 华北路 南沙河口 黑石礁 星海 富国 白山路 兴工 莲花山（17个）	—	128
甘井子区	革镇堡 红旗 营城子 凌水 辛寨子 大连湾（6个）	—	周水子 椒房 山中 华西 泡崖 南关岭 金家街 甘井子 金南路 华东 兴华 机场前 华中（13个）	50	97
旅顺口区	铁山 江西 双岛湾 北海 三涧堡 长城 龙头（7个）	—	水师营 龙王塘 登峰 市场 得胜 光荣（6个）	71	24
金州区	得胜 大李家 向应 华家屯 二十里堡 三十里堡 大魏家 亮甲店 登沙河 杏树屯 石河＊ 满家滩 董家沟（13个）	七顶山＊ 湾里（2个）	新港 光明 拥政 友谊 中长 站前 先进 马桥子 海青岛 大孤山（10个）	224	67
瓦房店市	仙浴湾 李官 永宁 复州城 老虎屯＊ 谢屯 得利寺 松树 许屯 万家岭 东岗 复州湾 李店 长兴岛 炮台（15个）	交流岛 泡崖 三台＊ 太阳升 赵屯 土城 阎店 西杨 驼山 杨家（10个）	祝华 岗店 文兰 共济 新华 铁东 岭东（7个）	392	54
普兰店市	大刘家 杨树房 皮口 城子坦 双塔 四平 安波 赞子河 沙包 瓦窝 元台 大田 大谭 夹河庙 唐家房 莲山 星台 徐大屯（18个）	泡子 墨盘 同益 俭汤 乐甲＊（5个）	丰荣 铁西 太平（3个）	289	18
庄河市	大营 徐岭 栗子房 黑岛 明阳 光明山 大郑 城山 长岭 荷花山 蓉花山 青堆 塔岭＊ 吴炉＊（14个）	桂云花＊ 鞍子山 三架山＊ 观驾山 太平岭＊ 步云山 兰店（7个）	城关 新华 兴达（3个）	363	35
长海县	大长山岛 獐子 王家（3个）	小长山 广鹿 海洋 石城（4个）	—	45	5

注：（1）金州区含由大连经济技术开发区代管的1个镇、1个乡和3个街道办事处，由金石滩国家旅游度假区代管的1个镇。

（2）加＊号的为民族乡镇。

（徐承志）

10158.89平方公里计算)，增加2.6人。

全市总户数1842746户，比上年增加35548户。

截至11月1日，全市有暂住人口379775人，比上年增加17.6%，其中男女分别占59.9%和40.1%。按暂住原因分：务工占70%，从事商业和服务业占25.2%；务农占2.4%；借读培训、治病疗养和投靠亲友占0.7%；因公出差、探亲访友和旅游观光占0.3%；当保姆占0.03%；其他原因占1.4%。按来自区域分：省内占41.4%，省外占58.6%。

(靳 炜)

2000年大连市人口情况

地区	人口(人)	其中		人口比上年增长(人)	自然增长率(‰)	机械增长率(‰)
		非农业人口	农业人口			
总计	5514721	2753471	2761250	61657	1.81	4.76
中山区	366388	366122	266	-640	0.09	7.76
西岗区	328625	328176	449	678	0.30	1.86
沙河口区	586571	583059	3512	16829	0.98	17.33
甘井子区	531719	393874	137845	13788	3.12	13.27
旅顺口区	209007	100760	108247	-628	0.34	1.44
金州区	655450	304922	350528	6042	3.06	9.14
瓦房店市	1025354	313385	711969	2229	1.81	-1.50
普兰店市	825100	174410	650690	4146	2.60	2.43
庄河市	897640	163644	733996	18666	1.13	-1.26
长海县	88867	25119	63748	511	5.90	-0.45

(靳 炜)

【气候】 大连市地处北半球暖温带、亚欧大陆东岸，属大陆性季风气候，兼具某些海洋性气候特色。冬无严寒，夏无酷暑，降雨集中，季风明显，四季分明。年平均气温10℃左右，年极端最高气温35℃左右，年极端最低气温-24℃左右，无霜期180~200天。年平均降水量550~800毫米，旱年多于涝年。由于地处东亚季风区，6级或6级以上大风日数沿海每年90~140天，内陆35~50天。年平均日照时数2500~2800小时，日照率为60%。

2000年，大连地区气温偏高，降水偏少，旱情严重，有2次台风影响。四季主要气候特点：冬季(1~2月)冷空气活动频繁，季平均气温偏低；春季冷暖分配不均，早春气温回升快，仲春以后至5月份出现低温时段；夏季高温少雨，伏旱严重；秋季平均气温大部正常，降水偏少。

气温 全地区年平均气温9.3~11.5℃，比常年高0.4~1℃。年极端最高气温36℃(普兰店，6月18日)，大连市区34℃(6月19日)；年极端最低气温-21.7℃(庄河，1月25日)，大连市区-15.6℃(1月24日)。季平均气温：冬季(1~2月)比常年低0.3~1℃，为近13年来的最低值；春季(3~5月)8.7~10.6℃，比常年高0.5~1.2℃，其中3月特高，4月略高到偏高，5月大部分偏低；夏季(6~8月)23.8~24.8℃(长海22.7℃)，比常年高1.4~2.4℃(大连市区最高)，其中6月气温最高，月平均气温22.4~23.7℃(长海20.3℃)，比常年高2.4~3.6℃，创各站建站以来最高值；秋季(9~11月)10.6~13.5℃(庄河、长海略低，其他大部地区正常或略高)，其中9月偏高，10月、11月略低到偏低；初冬(12月)气温比常年偏高0.4~1.5℃。

降水 全地区年降水量在372~436毫米之间，比常年少3~4成，夏季少4~5成。季降水量：冬季(1~2月)接近常年，1月雨雪频繁；春季(3~5月)40~119毫米，时空分布不均，其中瓦房店比常年多4成，其他地区少1~5成；夏季(6~8月)202~272毫米，比常年偏少3~5成，干旱严重，庄河只为历年同期的48%；秋季(9~11月)66~143毫米，除长海比常年多3成、金州与历年持平外，其他地区偏少3~5成。

日照 全地区日照时数2419~2707小时，普兰店、庄河稍多，其他地区比常年少47~201小时。

主要气象灾害 (1)干旱。入春后至6月28日，全地区降水特少，北三市比历年少3~5成，其他地区少5~7成，6月份持续高温，进入7、8月份后，降水持续偏少，出现“汛期无汛”现象。加之上年已遭百年大旱，使旱情更为严重，对农作物、人畜饮水，特别是城市供水构成严重威胁。(2)冰雹。6月8日、10日、11日，庄河市6个乡共43个村、223个屯遭受冰雹袭击。尤以仙人洞6月8日下午最重，降雹时间最长持续40分钟，冰雹最大直径6~7厘米，致使农作物、果树、柞蚕等损失价值2767万元。9月23日16时40分，普兰店市大田、同益、乐甲、沙包、莲山等5个乡镇遭受冰雹袭击，其中莲山镇最为严重，最大冰雹如鸡蛋黄大。苹果、蔬菜、杂粮损失价值300万元。(3)大风。12月4日14时~12月5日，黄海北部出现6~7级阵风8~9级西南大风，长海县小长山岛死1人，獐子岛失踪1人，打碎船只10条。

(宋 军)

2000年大连地区各站点气象要素值

站点	平均气温(℃)		降水量(毫米)		日照时数		≥8级风日数	
	2000年	历年平均	2000年	历年平均	2000年	历年平均	2000年	历年平均
大连	11.5	10.6	419.2	644.6	2704.5	2751.3	26	83
旅顺	11.1	10.5	407.9	586.5	2248.9	2575.4	45	61
金州	11.1	10.6	394.7	593.7	2419.0	2536.5	19	22
普兰店	10.0	9.5	447.2	648.7	2649.1	2520.9	3	21
瓦房店	9.8	9.5	424.3	635.3	2606.9	2807.7	31	43
庄河	9.3	8.9	441.7	795.5	2506.5	2497.3	18	15
长海	10.4	10.0	429.4	611.5	2707.2	2787.3	25	61

(宋 军)

【地震活动】 2000年，渤海海峡及辽南地区被中国地震局确定为重点地震危险区，大连市位于其中。当年大连地区地震活动强度和频度相对较低，未发生有感地震。

地震频度和强度 全地区共测到地震103次，比上年增加24次。其中：≥1.8级地震48次，增加22次；≥3级地震2次，减少2次；最大震级3.2级。

2000年大连地区各月份地震频次和最大震级

月份	频次	最大震级
1	7	2.5
2	8	2.0
3	14	2.8
4	9	2.9
5	10	2.1
6	11	3.0
7	10	2.8
8	10	2.2
9	3	2.6
10	10	3.2
11	7	2.1
12	4	2.1
总计	103	—

1991～2000年大连地区 M_L≥1.8级地震情况

年份	频次	最大震级
1991	34	3.4
1992	37	3.2
1993	44	4.1
1994	42	4.5
1995	49	3.1
1996	36	3.2
1997	30	3.0
1998	23	3.1
1999	26	4.1
2000	48	3.2

地震分布 地震主要活动在本地区东部和北黄海，渤海及渤海海峡较少。活动规律较明显，集中在普兰店市唐家房镇附近和庄河至瓦房店市许屯镇的条带断裂带？上。3级以上地震分布情况：6月25日，瓦房店市许屯镇北（北纬40°08′，东经122°10′）发生3级地震；10月28日，北黄海（北纬39°09′，东经123°16′）发生3.2级地震。

邻近地区地震活动 仍以鞍山市偏岭地区为主，于1月12日发生5.1级地震。震后大连地区普遍有感，北三市震感较强，没有人员伤亡和财产损失。

（许世昌）

国民经济和社会发展概况

【综合经济实力继续增强】 2000年，大连市认真贯彻落实党中央、国务院关于扩大内需、促进发展的一系列方针政策，以建设社会主义现代化国际名城为目标，推动国民经济和社会事业持续健康发展。全市实现国内生产总值1110.8亿元，首次突破1000亿元，按可比价格计算，比上年增长11.8%，已连续9年保持两位数递增。

全市国内生产总值中，第一产业发展保持相对稳定，实现增加值105.4亿元，增长3.8%；第二产业运行质量明显改善，实现增加值517.2亿元，增长13%；第三产业整体水平继续提升，实现增加值488.2亿元，增长12.3%。三次产业增加值构成比例为9.5：46.5：44。

全市人均国内生产总值20255元，按可比价格计算，比上年增长11%；按年末汇率计算，为2447美元。

【财政收支增长较快】 2000年，大连市地方财政一般预算收入77.61亿元，比上年增长14.2%，完成预算的109.9%。其中：市本级增长7.9%，县（市、区）级增长19.8%；各项税收增长14.6%。全市地方财政一般预算支出95.05亿元，比上年增长12.2%，其中基本建设、城市维护、支援农村生产等各项专项支出占47%。收支相抵，市地方财政连续第八年实现收支平衡并结余800万元。

【金融市场运行稳健】 2000年末，大连市金融机构人民币存、贷款余额各为1374.7亿元、1162.5亿元，分别比年初增长12.2%和16%；现金净投放32.5亿元，比上年少投8.3亿元。金融组织体系不断壮大。大连市农村信用联合社、深圳发展银行大连分行年内成立；华融、长城、信达、东方等4家资产管理公司在连设立分支机构。货币市场发展迅速。大连市票据贴现市场和融资代理市场全年办理贴现165亿元、再贴现122.4亿元，代理融资132.1亿元，分别占东北地区的28%、37.7%和56.3%；外汇交易额11.9亿美元，位居计划单列市之首。

【固定资产投资规模进一步扩大】 2000年，大连市全社会固定资产投资总额268.52亿元，比上年增长20.5%，呈现较快增长态势。其中房地产开发投资106.87亿元，增长58.1%，占投资总额的39.8%。全市基本建设和更新改造投资施工项目增加9.3%，其中新开工项目增加13.2%；全部投产（使用）项目增加19.6%，项目投产率67.3%，比上年提高5.5个百分点，一大批城市重点基础设施项目建成并投入使用。

在投资规模持续扩大的拉动下，全市536个资质四级及以上的建筑企业完成施工产值145.4亿元，比上年增长24%；施工面积1743万平方米，增长23.3%；实现利税9亿元，增长45.2%。

【城市建设迈出新步伐】 2000年，大连市完成135项城市建设重点工程，招投标覆盖率、监理覆盖率和一次交验合格率均达100%。市内四区新建、养护维修和挖掘修复道路44.7万平方米，铺设彩色人行步道方砖75.1万平方米；新建解放广场定向立交桥和海军、秀月、莲花等13个广场，扩建大工路、五一路西段等一批市区交通主干道。新增绿地面积160万平方米，建成区绿化覆盖率达到40.5%，比上年提高0.5个百分点。新建商品房447.1万平方米，其中经济适用房52万平方米。为解决城市严重缺水和长远发展问题，提前开工引英入连供水应急工程。

【环境保护成效显著】 2000年，大连市以建设生态城市为目标，全面启动“蓝天碧海工程”。城市污水处理率30.24%，机动车尾气合格率83%，分别比上年提高1.29个和3个百分点。大气环境质量达到国家二级标准。被国家环保总局、国家计委等确定为国家环保装备发展与设施运营示范化城市，并被推荐为环境“全球500佳”备选城市。

【对外经济贸易大幅度增长】　2000年，大连市外贸自营进出口商品总值102.1亿美元，比上年增长46.4%，增幅为“九五”时期最高水平。其中进口49.95亿美元，出口52.14亿美元，分别增长71.4%和28.4%。出口商品供货总值460.9亿元，增长10.9%，其中机电产品198.1亿元，占43%。

全市新批外商投资企业697家，实际使用外资13.06亿美元，分别增长12.2%和11.2%。225家外商投资企业追加投资（合同外资）8亿美元，增资额比上年增长1.1倍。已投产（营业）外商投资企业3930家，实现产值577.8亿元，利税63.9亿元，分别增长27%和1.6倍。

【国际旅游事业再创佳绩】　2000年，大连市共接待176个国家和地区的海外过夜旅游者33.8万人次；创旅游外汇收入2.34亿美元，比上年增长30%。金石滩国家旅游度假区、虎滩乐园、森林动物园、冰峪旅游度假区和圣亚海洋世界5个景区（点）被国家旅游局首批定为AAAA级景区（点）。

【大旱之年农业经济稳步发展】　2000年，大连市实现农林牧渔业总产值192.9亿元（当年价），比上年增加4.9亿元。种植业中，蔬菜产量增长10.3%；粮食、水果因受严重旱灾影响，分别减产4.4%和7.7%。林、牧、渔业生产较为稳定。森林覆盖率达38.2%；蛋、奶类产量分别增长1.3%和11.9%；地方水产品产量增长2.9%。

【国有工业企业改革脱困目标如期实现】　2000年是国有企业实现三年改革脱困的最后一年。大连市国有及国有控股工业企业实现利税总额47.6亿元，盈亏相抵后利润13.9亿元，分别比上年增长22%和25.5%。企业亏损面23.6%，比上年降低10.1个百分点，如期实现改革脱困目标。

全部工业企业实现工业产值1838亿元（1990年不变价），比上年增长11.8%；工业增加值473.1亿元，增长12.2%。国有及年销售收入500万元及以上非国有工业企业实现工业产值905.4亿元（1990年不变价），比上年增长23%；出口交货值380.7亿元，增长34.6%；利税总额94.1亿元，盈亏相抵后利润43.6亿元，分别增长64.6%和1.03倍，亏损企业亏损额下降8.1%。在被考核的277种工业产品中，有175种产量增加，其中原油（加工量）、内燃柴油机、通讯电缆、激光视盘机等产品，增长率达22%以上。

【商业市场较为活跃】　2000年，大连市完成社会消费品零售额488.7亿元，比上年增长9.1%，扣除价格因素实际增长11.6%。按消费品类别分，吃、穿、用、烧类零售额分别增长6.3%、17.7%、9.3%和24%；按行业分，批发零售贸易业和餐饮业零售额分别增长9.7%和19.8%，制造业及其他行业下降2.5%。限额以上批发零售贸易业商品销售额400.4亿元，比上年增长15.5%。

大连商品交易所成交期货合约3496万手，成交额7817亿元，分别占全国期货市场总成交量和总成交额的64%和48.6%，位居全国第一位和世界商品期货交易所第九位。

【价格水平降势减弱】　2000年，大连市市场价格水平继续保持低位运行，但降势有所减弱。与上年相比，居民消费价格总水平下降0.4%，商品零售价格总水平下降2.2%，降幅分别减弱0.1个和2.5个百分点。

【交通运输生产增幅提高】　2000年，大连市交通运输业完成旅客周转量80.28亿人公里，比上年增长4.8%，增幅提高3.5个百分点，其中铁路、公路、民航分别增长8.8%、2.2%、19.9%，水运下降11.3%；完成货物周转量731.97亿吨公里，增长21.6%，增幅提高18.8个百分点，其中铁路、公路、民航和水运分别增长9.8%、1.6%、34.7%和27%。

沿海主要港口完成货物吞吐量9699万吨，比上年增长6.8%，其中大连港货物吞吐量突破9000万吨大关，为9084.1万吨；集装箱吞吐量首次突破100万标箱，为101.1万标箱，增长37.4%。

【邮电通信业快速发展】　2000年，大连市完成邮电业务总量54.1亿元，其中电信业务52.4亿元，分别比上年增长48.6%和50.1%，增幅分别提高11.9个和11.7个百分点。年末，城乡电话交换机总容量192万门，增长25.1%；有线电话、移动电话用户分别增长22.4%和70.7%；住宅有线电话普及率56部/百户，其中城市82部/百户，分别增加8部和14部。

【科技事业迈出新步伐】　2000年，大连市遵循“引进外来的，推广自己的，孵化新生的”原则，积极推进科技成果转化和高新技术产业发展。安排各类科技计划项目268项，其中国家级48项。申请专利1173项，比上年增长22.1%。认定登记技术合同3410项，成交金额7.5亿元。高新技术产品实现产值比上年增长26.2%。软件产业实现产值9.8亿元，出口创汇4000万美元。

【教育事业蓬勃发展】　2000年，大连市适龄人口高等教育毛入学率达到30%，比上年提高7个百分点。在连普通高校在校研究生、本科及专科在校生人数分别比上年增长26.5%和22.4%；成人高校、普通高校成人教育学院在校生人数分别增长1.5%和23.8%。高中毕业生升学率87.1%，与上年基本持平；初中毕业生升学率74.7%，提高9.9个百分点。小学学龄儿童入学率99.7%，基本实现6周岁儿童入学的目标。

【文化事业繁荣活跃】　2000年，大连市直专业艺术团体在参加国内外重大赛事活动中，获得国家级奖17项，其中京剧《西门豹》获文化部“文华奖”新剧目奖和表演奖。群众文化活动丰富多彩。在第十届全国“群星奖”决赛中，本市选送的4个节目获金奖1项、银奖2项、铜奖1项。

【卫生事业不断进步】　2000年，大连市传染病发病率比上年下降15.58%，孕产妇和婴儿死亡率分别控制在22.84/10万和11.4‰。城市社区卫生服务试点工作覆盖人口45万人，农村初级卫生保健工作覆盖人口62.3万人。农村自来水普及率74.8%，粪便无害化处理率70%。

【体育事业取得新突破】　2000年，大连籍运动员参加全国和世界大赛共获金牌

66枚，其中1人打破举重项目世界纪录。在第二十七届悉尼奥运会上，14名大连籍运动员入选中国体育代表团，获得金牌、铜牌各1枚，其中女子自行车项目实现中国自行车运动奥运会奖牌零的突破。大连实德足球队获得全国足球甲A联赛冠军和“超霸杯”冠军。

【居民收入总体水平继续提高】　据抽样调查，2000年大连市城镇居民年人均可支配收入6861元，农村居民年人均纯收入3740元，均居省内各市之首，分别比上年增长9.3%和1.6%。

【社会保障体系建设稳步推进】　社会保障体系建设取得新进展。城镇职工基本养老保险覆盖率达到97%，离退休职工养老金社会化发放率达到100%。改革城镇职工基本医疗保险制度，市内参保覆盖率达到70%。完善“四位一体”的城市居民最低生活保障模式，共投入资金1.1亿元。继续开展扶贫帮困送温暖、敬老认亲等社会互助活动，为下岗、失业职工及其他困难群众发放临时救济金6393万元。城镇职工就业和再就业8.5万人。

【主要问题】　2000年，大连市经济结构调整任务依然艰巨。国有企业虽然实现三年改革脱困目标，但总体盈利水平还不够高，一些企业缺乏市场竞争力，脱困但未脱险；区市县经济发展还不均衡，北三市综合经济实力与市区特别是与南三区相比存在较大差距；高新技术产业虽然发展速度较快，但具有牵动作用的大项目还不多，吸引人才的政策尚须进一步完善；农民收入增长还不够快，北部山区部分农民生活仍较困难。

（袁成亮）

体制改革

【国有经济布局调整】　2000年，大连市围绕实现国有大中型企业三年改革脱困与制度创新的目标，加大调整国有经济布局和扶强做大优势企业的力度，推动国有企业实施跨地区、跨行业、跨所有制的重组。

1. 国有工业经济布局调整。经中央统一安排，大连石化公司、大连造船厂、中国华录电子公司、大连机车厂分别进入国家大型企业集团。大化集团公司、大连造船新厂、大钢集团公司、瓦轴集团公司等14个国有大中型企业基本实现债转股，总额达59亿元。大化集团、大显集团、盛道集团、冰山集团等10个骨干工业企业集团进一步完善。华铜铜矿关闭，国营523厂破产。大连水泥厂、大连第二水泥厂在脱困中实现资产重组。市区企业通过搬迁改造，形成大显电子、锦达纺织、盛道玻璃等一批新的工业园区。市电业局、电信局、广播电视局和信息产业局联手，重新配置信息网络资源，共投资1亿元设立大连数码科技股份有限公司，为形成高科技支柱产业奠定了基础。

2. 国有贸易经济布局调整。大商集团公司继上年成功兼并山东济南、威海、潍坊三市的3个百货商场后，又取得大连中兴大厦80%的股权，并以低成本兼并黑龙江和辽宁的4个大型百货商店，进一步壮大了集团实力，当年实现营业收入近60亿元、利润8000多万元，继续稳居全国大型零售商业企业第三的位置。粮食系统的市内3个粮食供应公司资产重组，组建大连明天集团有限公司，用便利连锁为主业、食品加工为基础的新经营形式，取代计划体制下的老模式。市供销社加大全系统改革力度，结束连续6年的亏损局面，实现扭亏为盈。国有外贸企业剥离10多亿元不良资产并进行重组，经营业绩大为好转，当年出口创汇25.8亿美元，比上年增长13.7%。

3. 其他行业国有经济布局调整。大连热电、春海热电和香海热电三大热电公司实行资产重组，组建大连市热电集团有限公司，以发挥整体优势和规模效益。市交通运输行业重组企业资产，壮大了大连交通运输、大连航运两大集团的优势。

【公司制改革】　2000年，大连市全面推进投资主体多元化的公司制改革并取得新突破。部分符合条件的国有、集体和民营科技企业通过增资扩股或资产置换，实现各种经济成分资本相互参股，进行规范化的公司制改革。全市按照上市公司的规范要求，已设立股份有限公司13家、有限责任公司100多家。大连美罗药业等4家公司成功上市，使全市上市公司增至20家。大连渤海饭店集团、大连友谊集团转让和减持股份有限公司的部分国有股权，优化了股权结构，筹集资金3亿多元。

股份有限公司继续规范完善。部分股份有限公司调整股本结构，回购个人股。市体改委制定下发《关于大连市设立股份有限公司审批程序若干问题的通知》，会同有关部门制定下发《大连市公司制企业职工董事、职工监事暂行规定》，规范股份制改革。各股份有限公司均建立起由股东会、董事会、经理层和监事会组成的比较完善的公司法人治理结构。

【中小企业放开搞活】　2000年，大连市中小企业改革取得重大进展。截至年末，近3000个中小企业进行了各种形式改制，占这类企业总数的90%以上。区市县属中小企业改革主要是加快建立和完善企业法人治理结构，强化内部管理，转换经营机制。市属中小企业改革的重点放在推进局属和大集团属中小企业的放开搞活上。社会福利企业改革开始起步，市体改委等9个部门联合下发《关于推进我市社会福利企业改革的意见》，中山、西岗、沙河口、旅顺口区已全面推开，其他区市县开始试点。

为促进中小企业改革与发展，市政府各部门积极提供必要的政策支持和协调服务。成立大连市中小企业信息咨询有限公司和大连市中小企业信用担保公司，为中小企业的改革与发展提供技术和资金上的帮助。

【事业单位改革】　2000年，大连市事业单位改革按照政事分开、事企分开、脱钩转制搞活的原则全面推开。市人事局提出《关于深化事业单位机构和人事制度改革的意见》，以市政府名义出台《大连市事业单位人员分流安置暂行规定》，制定被撤销、转为企业以及有计划减员单位人员分流的具体政策。建设系统事业单位改革由市政府统一规划、总体部署，各主管局因地制宜、规范操作，力度大、进度快、效果好。市房地产局所属10个事业单位全部转制为企业；市公用事业局改组自来水公司，组建起大连市自来水集团有限公司，当年减亏3000

万元；市城建局撤消市政管修、排水等5个管理处，成立市政设施管理处、风景园林管理处和道桥维修公司。通过改革，全市建设系统共减员8000多人。市交通局所属6个区市县的公路工程事业单位全部改制为有限责任公司。工业、科技、文化、体育、广播电视等系统事业单位的改革也开始启动。

【社会保障制度改革和社区建设】　2000年，大连市以加快社区建设和完善社会保障体系为重点，全面推进社会保障制度改革并取得重大进展。

社会保险制度继续完善，养老覆盖面进一步扩大。截至年末，全市城镇职工基本养老保险参保人数突破100万人大关，养老保险金收缴率达97%，33.5万名企业离退休人员养老金全部按时足额发放，社会化发放率为100%。城镇职工基本医疗保险参保职工66.5万人，占应参保人数的70%。巩固完善“四位一体”（居民最低生活保障线、特困职工帮困卡、一户一策、临时救济）的城市居民最低生活保障模式，资金总投入由上年的2212万元增至1.1亿元，保障面达到2.3%，有6.2万人领取保障金。全市基本建立起独立于企事业单位之外，资金来源多元化、保障制度规范化、管理服务社会化的社会保障体系。

为加快社区发展，各级财政共投入4500万元用于改善社区街道、居委会基础设施，已有50%的居委会办公用房和社区服务站用房达到100平方米以上。全市基本建立系列化的社区服务网络，多数居民不出社区就能解决日常生活的许多难题。

【住房制度改革】　2000年，大连市住房分配货币化工作全面启动。全市企业和自收自支事业单位中，有48个单位的货币补贴方案被批准实施，其中41个单位共发放补贴共4900万元，资助886人购买住房。公有住房出售力度加大，市内四区当年出售1.7万套，累计已达23.1万套。市内四区当年归集住房公积金8.15亿元，累计28.3亿元。市本级累计归集房改资金83.13亿元。

【市场体系建设】　2000年，大连市以要素市场为重点，以形成区域性中心市场为目标，加快市场体系建设。新建各类市场41处，总投资7亿元。年末，全市有各类市场742处，其中生活资料市场639处，生产资料和生产要素市场103处。随着家乐福、沃尔玛等4个大型超市落户大连，大型综合超市、仓储式商场等多种现代新型业态逐渐成为本市商业的主体。电子商务等现代营销方式开始实施。

要素市场更加活跃。全市证券交易额达到1326.29亿元，创历史最高水平；外汇调剂额达到11.9亿美元，居计划单列市之首。人才市场引进各类人才5400余人，劳动力市场安排失业和下岗职工3.8万人，为大连建设“北方人才高地”和促进下岗职工再就业发挥了重要作用。大连商品交易所实现交易额7817亿元，居全国首位。房地产市场房屋交易面积2743.9万平方米，交易额397.9亿元，分别比上年增长83.4%和91.2%。

【科教体制改革】　2000年，大连市科教体制改革与经济体制改革配套推进，取得较大进展。

科技体制改革继续深化。市政府出台《大连市市属科研机构管理体制改革实施意见》，开始启动市属科研机构改革，主要通过转制为科技型企业、整体或部分进入企业、资产重组、转为技术中介服务机构等多种形式进行改革。年内，市属23个开发性科研所全部制定改革方案，其中11个科研所的方案获准。

教育体制改革取得显著进展。市体改委会同有关部门制定《关于调整中等职业教育布局结构和管理体制的实施方案》，通过撤销、停办、合并的方式，对全市209所中等职业教育学校进行结构优化。截至年末，已有38所中等职业教育学校完成调整。

【农村综合改革】　2000年，大连市各区市县按照市场经济要求，深化农村综合改革，推动区域经济发展。

乡镇企业改革继续深化。乡镇企业在进行多种形式改制的基础上，重点加强规范、完善和监管。进行现代企业制度试点的13个乡镇企业，进一步探索集体资产产权的多种有效实现形式，取得较好效果。

推进农业产业化经营势头良好，效果明显。各区市县形成一批具有规模优势和科技优势的产业化新龙头。瓦房店市的大成（大连）食品有限公司、普兰店市的丰荣企业集团、庄河市的善岛水产有限公司、金州区的华农集团公司等，成为本地区具有影响力和较强辐射带动力的龙头企业。社会化服务体系建设加快。县（市、区）、乡、村三级农业服务组织进一步完善，为农户提供产前、产中、产后全程服务的村达494个，占全市村总数的32%。

小城镇综合改革试点稳步推进。被列为全国小城镇综合改革试点镇的复州城、三十里堡等镇，重新制定经济社会发展规划和建设规划，积极推进小城镇建设与发展；皮口、长兴岛等镇的各项试点工作全面展开。　（曹连新）

对外开放

【改善投资软环境成效显著】　2000年，大连市政府决定在全市开展“改善投资软环境年”活动，并提出“争取在二三年时间将我市投资软环境达到国内城市一流水平”的目标。全市广泛深入地开展此项活动，进一步改善了法治、行政和社会服务环境。

该项活动的主要成效：（1）切实解决外商提出的问题。市政府涉外主管部门召开日本、韩国、欧美、港澳台地区投资企业座谈会，针对外商提出的一些部门办事效率较低、审批手续繁杂、收费罚款不合理等问题，责成口岸、政法、行政执法等有关单位及地区处理，并向外商承诺改进措施。（2）初步落实“三个一工程”（一个机构服务、一个窗口收费、一个综合部门执法）。外资项目的审批、登记、管理、投诉处理、收费实行“一站式”全过程服务，并做出对外商投资企业执法前要分别到市委政法委和市监察局备案的规定。（3）初步清理收费项目。取消外地员工用工管理费；调低房屋交易手续费和卫生审查竣工验收费标准；缩小环保行政处罚的幅度；取消电力保证金，降低电贴费标准等。（4）建立行政管理和服务的基本制度。建立公示制、承诺制、委托制和处罚集权制，使对外商投资企业的管理和服务更加透明、规范，提高了工作效率。（5）进一步清理法规文件。由市政府法制办公室牵头清理涉外文件197件，拟废止12件，修订20件，从法规制度上保障投资环境的改善。

【对外贸易突破100亿美元】　2000年，大连市对外贸易实现自营进出口总额102.1亿美元，首次突破100亿美元大关，比上年增长46.4%。其中：进口49.95亿美元，增长71.4%；自营出口52.14亿美元，增长28.4%。

当年对外贸易的主要特点：（1）进出口同步大幅增长，双创历史最好水平。进口增长尤为迅速，而且是在上年高基数上的增长。（2）对传统市场出口继续保持强劲，对新兴市场出口潜力逐步显现。传统市场中，对亚洲出口增长24.8%；对欧盟增长41.2%；对美国增长37.3%。新兴市场中，对非洲出口增长30.7%；对大洋洲增长71.9%；对俄罗斯增长1.5倍。（3）出口商品结构进一步优化，机电产品出口成为带动全局的主要力量。由于全市以较大力度实施“科技兴贸”战略，使机电产品出口超常增长，达到25.8亿美元，占全市出口总值的49.5%。其中：技术含量较高的电器及电子产品和仪器仪表出口14.6亿美元，高新技术产品出口7.8亿美元，分别占56.6%和30.2%。（4）出口自营企业呈现新的发展趋势。外商投资企业出口41亿美元，比上年增长36%，占全市出口总值的78.8%，成为出口的主力军；市直外贸企业开始进入良性发展轨道，出口3.5亿美元，增长24%；私营企业首次出口560万美元，实现零的突破。

对外贸易大幅度增长的主要原因：（1）国内外经济形势好转。世界经济继续保持稳定发展态势，亚洲金融危机基本结束，国内实施的扩大内需拉动政策和稳健的货币政策，都为本市对外贸易发展提供了有利时机。（2）市政府积极鼓励。市政府有关部门进一步加大对77个重点出口企业的扶持力度并进行跟踪服务；多次组织企业参加国际上著名的展销会、博览会，组织8次企业与外商的对口洽谈；落实出口贴息和赴外参展补贴等具体政策，修订和完善出口目标责任制，制定出口考核奖励办法。（3）积极推进电子商务，提高网络贸易应用水平。大连投资贸易信息网介绍本市进出口企业700余家、产品信息5000余条；收到加拿大、澳大利亚、阿根廷等50多个国家400多位客商网上求购、寻求合作的信息50余条。

【引进外资规模和质量不断提高】　2000年，大连市充分利用我国即将加入世界贸易组织（WTO）所面临的机遇和亚洲经济复苏的大好时机，健全利用外资的组织机构，强化责任考核，加大境外招商力度，提高了招商引资的规模和水平。全市新批外商投资企业697家，合同外资23.85亿美元；实际使用外资13.06亿美元，比上年增长11.2%。累计批准外商投资企业8162家，合同外资187.9亿美元，实际使用外资91.5亿美元，外资到位率48.7%。

当年利用外资的主要特点：（1）吸引跨国公司投资取得较大进展。又有20家世界知名跨国公司来连投资，其中4家属世界500强企业。（2）外商投资项目规模大、水平高。全市新批合同外资1000万美元以上的项目74个，新批属高新技术项目95个。这些项目对全市出口商品升级换代和产业结构调整将起积极的促进作用。（3）外商增资和兴办独资企业的趋势持续发展。有225家外商投资企业增资，总计8亿美元，比上年增长1.1倍，占全市实际使用外资总额的61.5%，仍是利用外资的亮点，其中增资超过1000万美元的有东芝彩电等20家企业。新批外商独资企业的合同外资占全市总额的42.6%，是利用外资的重要组成部分。（4）外商投资进入新领域。信息、房地产、中介、交通运输服务等行业利用外资实现新的突破。全市新批外商投资中小担保企业2个、房地产中介服务企业1个、海上集装箱和铁路集装转运服务企业1个。教育、医疗、保险等领域利用外资也取得积极进展，有10多个项目在谈。

利用外资持续发展的主要原因：（1）把吸引跨国公司和世界知名大公司来连投资作为工作的重中之重。市政府为企业提供国际知名跨国公司企业名录和联系办法，并多次举办利用外资培训班，使全市外经贸从业人员掌握利用外资的最新发展动态。（2）理顺招商体制，组织境外招商。市外经贸委成立招商项目促进处，各县市区和对外开放先导区成立专业化招商队伍。市政府制定《大连市招商代理暂行规定》、《大连市进一步鼓励外商投资的若干规定》、《大连市利用外资目标管理考核奖励办法》等。全年共组织10次由市领导带队的境外招商活动，其中赴美国、日本、香港的招商活动规模较大，效果较好。（3）以我国进一步开放国际服务贸易领域为契机，把物流业、旅游业、金融服务业等作为吸引外资的重点，着力推出。

【国际经济技术合作规模继续扩大】　2000年，大连市新签工程承包和劳务合作合同877项，比上年增长4.6%；合同金额2.3亿美元，营业额1.7亿美元，均增长4.5%。

境外投资逐步由贸易性公司在海外设点为主，向生产企业在海外设厂转变。市政府多次召开会议，倡导企业到海外创办生产性企业，直接利用当地市场和资源发展壮大自己。当年促成大显集团和国际合作公司与阿根廷的20万套/年彩电出口组装合作项目，并组织企业赴中东、非洲等发展中国家和地区开展境外合作。当年全市新批境外投资企业9家，其中加工贸易企业2家。

外派劳务迅速扩大。全市外派劳务1.82万人次，比上年增长21.3%。外派渔工仍是本市外派劳务的优势之一，合作范围涉及亚洲、北非、西非等地区，当年新派41艘远洋轮船到南美和南非从事渔业生产，累计有146艘渔船在国外生产。

【对外开放先导区稳定发展】　2000年，大连市各对外开放先导区经济持续稳定发展，运行质量明显提高。

大连经济技术开发区不断提高经济运行质量，综合经济实力明显增强。全年实现国内生产总值165.5亿元，比上年增长18%；完成固定资产投资24.39亿元，增长1.4倍。强化政策驱动和工作创新，招商引资保持发展势头。全区新批外商投资项目74个，合同外资4.52亿美元，实际使用外资2.22亿美元，比上年略有增加。新批外商投资企业中，合同外资1000万美元以上的13个，其中2000万美元以上的6个。外贸出口跃上新台阶。全区出口创汇22.4亿美元，比上年增长42%。年出口额超过3000万美元的企业有14家，其中大连西太平洋石油化工公司以5.4亿美元位居全市榜首。高科技产业发展呈现新局面。全区引进国内较大的高科技项目6项，总投资10.66亿元；成立辽东节能、光洋科技、中电自动化、龙源自动化等开发研究中心；正在建设中龙制药博士后工作站；华丰科技园一期工程竣工；投资12亿元的辽宁成大科技投资有限公司开业。

大连保税区按照国际惯例规范运作，经济呈现快速增长势头。全年实现国内生产总值22.4亿元，比上年增长44.5%；工业总产值20亿元，增长98%；市场交易额112.6亿元，增长54.2%。新批外商投资项目116个，合同外资1.8亿美元，实际使用外资8063万美元，与上年基本持平。完成进出口集装箱16.5万标箱，增长54.7%；进出口总额8.2亿美元，增长13.9%，其中出口5亿美元，增长14.3%。完成进口汽车交易额35亿元，增长40%，在全国汽车进口的龙头地位进一步巩固。大连出口加工区于4月27日经国务院批准成立，成为全国首批15家出口加工区之一，至年末已完成2.95平方公里的规划和1.5平方公里的围网封闭，美、日、韩等国家和地区的15个项目开始运行。

大连高新技术产业园区不断调整经济发展思路，始终保持旺盛的发展势头。全年完成技工贸收入151亿元，比上年增长31%。新批外商投资企业72家，合同外资2.3亿美元，比上年增长12.8%；实际使用外资8079万美元，与上年基本持平。引进内资企业229家，引进内资21亿元，比上年增长20%。新认定高新技术企业37家。加紧开发建设“双D港”，首期规划9.2平方公里，珍奥生命园、创业服务楼、恒达科技城、瑞安产业园、光辉线路板等5个项目进区开工。七贤岭产业化基地项目推进明显加快，新开工项目18个，其中生物塑化一期、美罗药业2个项目竣工投产。大连软件园累计入园企业50家，完成产值3亿元，出口创汇1000万美元。园区创业中心孵化工作取得突破性进展，年末在孵企业210家，全年实现产值8.5亿元。

大连金石滩国家旅游度假区各项事业均取得较大发展。全年实现国内生产总值2.8亿元，比上年增长26%；接待国内外游客110万人次，其中海外游客2.1万人次，分别增长46.6%和44.8%；旅游收入9023万元，其中外汇收入108万美元，分别增长83%和72.5%。完成金石国际会议中心、金湾高尔夫球场、旅游港口一期、金石园二期、金石剧场改造等建设项目，开工建设影视艺术活动中心、婚礼殿堂、中华武馆、金湾高尔夫会馆、金石高尔夫二期、温泉等规模大、特色显著的新项目，为旅游业发展创造了新机遇。（王文清）

国内经济技术合作

【国内展洽活动取得新突破】　大连市继1999年在国内4个城市举办商品展销和经济技术洽谈会取得显著经济效益后，又于2000年3～11月间，相继在成都、郑州、哈尔滨和长沙市举办4次大型商品展销暨经济合作洽谈会，市委、市政府主要领导均亲自率团参加。这4次展洽会本市共有614家企业参加，总成交项目1550个，总成交额289.17亿元，分别比上年增长3倍和2倍，其中签订合同962项，合同金额200.33亿元，占总成交额的69.3%。哈尔滨洽谈会成交额为1999年以来8次国内招商活动之最高。

国内展洽活动给本市经济发展带来了活力，增添了后劲。4次展洽会共售出本地工业产品97.6亿元，购进外地商品49.5亿元，促进了商品流通；引进技术价值4.5亿元、设备价值4.9亿元、资金60.2亿元，提高了生产要素水平；签订游客互换协议126.5万人次/年，拓宽了合作领域，促进了旅游业发展；在4个城市建立地工产品销售网点181个，包括进入100多个大型商场，扩大了国内市场。

【与辽宁沿海城市的合作进一步活跃】2000年10月28日，辽宁沿海经济区联合体第六届理事会在连召开。大连市委书记薄熙来在会上提出搞活辽宁沿海六市经济技术协作的“十条意见”，包括：共同组团进行国内招商；利用大连的展览环境进行招商；利用大连的信息网络进行网上招商；发展商业连锁；加强高科技项目的合作开发；搞好旅游一体化合作等。

年内，大连市经济技术协作办公室积极推动辽宁沿海城市区域经济合作。锦州、盘锦、葫芦岛等城市参与大连组织的国内展洽活动，成交项目8个。沿海各市及相关工商企业参加黄海大道招商会，促成一批合作项目。辽宁沿海城市经济协作联合体与大连保税区管委会共同举办利用保税区政策研讨会，了解保税区有关入区政策规定、运作程序，考察保税区“一条龙”办事机构、国际汽车城等投资环境，推动了各地与保税区的经济合作。

1999、2000年大连市在各地举办商品展销暨经济合作洽谈会情况

地点	时　间	参加企业（个）	成交项目（个） 总计	其中：合同项目	合同比（%）	成交金额（亿元） 总计	其中：合同金额	合同比（%）	结成友好区市县（个）	建商业网点（个）
太原	1999.3.27～4.1	220	112	56	50	19.6	—	—	12	30
长春	1999.5.9～14	300	240	171	71	42.2	34.46	81	7	106
西安	1999.6.11～16	200	149	84	56	37.3	11.1	29	13	80
济南	1999.10.8～12	245	237	174	73	34.68	25.16	72	38	77
成都	2000.2.15～3.1	256	278	100	37	50.31	31.9	63	16	48
郑州	2000.6.8～12	316	428	225	53	66.4	36.4	55	12	26
哈尔滨	2000.9.5～10	700	508	332	65	114	86.5	76	11	86
长沙	2000.11.2～7	600	336	255	76	58.75	44.21	75	6	21
合计		2837	2288	1397	61	423.24	269.73	64	115	474

【内联企业出现一批纳税大户】　2000年末，大连市有外地驻连企业5885个。市政府通过制定政策、加强服务、改善软环境等措施，支持内联企业在连发展，加上企业的自身努力，内联企业中涌现出一批纳税大户，成为本市新的经济增长点。其中，辽宁成大集团、保税区中油油品销售中心、大连雁鸣企业集团等16家企业的年纳税额超过100万元。

2000年大连市纳税100万元以上的内联企业

排序		纳税额
1	大连正源房屋开发公司	2009
2	辽宁成大集团	1160
3	大连东方房屋开发有限公司	836
4	大连中银房地产开发有限公司	600
5	保税区中油油品销售中心	599
6	大连东方金龙房地产开发有限公司	354
7	瓦房店有色金属公司	330
8	大连雁鸣企业集团	230
9	大连生态美化妆品有限公司	201
10	国泰君安证券有限公司大连西安路证券营业部	150
11	大连恒祥房地产开发有限公司	150
12	大连中洋航运有限公司	150
13	上海家化大连公司	100
14	金通房屋开发有限公司	100
15	大连大有房屋开发有限公司	100
16	大连野力肥牛火锅城	100

【对口帮扶地区援建项目扎实推进】　根据国务院部署，大连市于1995年与贵州省遵义市和六盘水市、西藏自治区索县、湖北省兴山县、辽宁省朝阳市结成对口帮扶关系。

2000年，市政府按照各对口帮扶地区提出的援建项目及资金计划请求，落实援建项目53个，项目资金1550万元，涉及文化、教育、卫生、饮水工程、移民新村建设、农业科技及人员培训等方面。1996～2000年，市政府累计向对口帮扶地区无偿提供资金4537.8万元。

本市企业的一些经济技术开发项目也取得进展。如：大连东方物产集团公司与贵州怀酒集团共同出资1500万元，成立茅台海洋滋补酒有限公司，开发生产酒类产品；大重集团公司中标贵州盘县电厂项目；大连万达集团公司通过土地置换承建的贵阳市市级行政中心项目已启动。　　（刘增山）

·资　料·

大连市的对口帮扶地区

西藏自治区索县　位于西藏那曲地区东部念青唐古拉山脉的北端，平均海拔约4100米，地域面积5970平方公里。1999年总人口3.2万人，贫困人口占62%，属全国40个贫困县之一。在与大连市结成对口帮扶关系之前，乡镇企业数为零。群众生活受经济发展制约，长期处于贫困状态。

贵州省遵义市　位于贵州省北部山区，地域面积30762平方公里，占贵州省土地面积17.7%。1999年末总人口684.9万人，其中少数民族人口占10%。该市是革命老区，旅游资源丰富但开发程度较低，社会经济状况较为落后。1999年农民人均纯收入1689元。

贵州省六盘水市　是一座以煤炭、电力、冶金、建材为支柱的新兴能源原材料工业城市，地域面积9914平方公里，总人口260万人，其中少数民族人口占26%。

湖北省兴山县　属湖北省宜兴市，地域面积2326平方公里，2000年总人口19万人。该县是三峡工程淹没区之一，涉及1个乡3个镇，面积9.6平方公里，移民3万人。

辽宁省朝阳市　位于辽宁省西部，地域面积近2万平方公里，2000年总人口330万人。2000年城镇居民人均可支配收入4021元，农民人均纯收入1008元，仅分别为大连市的58.6%和26.9%。　　（刘增山）

精神文明建设

【开展“提高市民素质，增强城市凝聚力”主题教育活动】　2000年，大连市广泛开展“提高市民素质、增强城市凝聚力”主题教育活动，以人为本，注重养成，进一步提高了市民的思想道德素质。

切实加强思想建设。认真学习江泽民总书记“三个代表”的重要思想，联系实际，指导实践。办好“大连讲坛”，全年开讲10次，就对外开放、发展旅游业、发展高新技术产业、发展地域经济等方面进行了深层次的理论思考。推进基层理论学习，制定《关于加强基层理论教育的意见》。继续深入开展以“学习新知识、掌握新技能、迎接新挑战”为主题的全民读书活动。

大力加强思想政治工作。市委宣传部制定《加强和改进思想政治工作的实施意见》、《思想政治工作条例》等，规划和部署基层思想政治工作。组建大连市思想政治教育报告团，做巡回报告400多场，20多万人受到教育。开展“看成就、鼓干劲、求发展”活动，用大连改革开放的巨大成就鼓舞人、教育人。市委宣传部、市科协等部门举办“反对封建愚昧、崇尚科学文明”科普知识展和20世纪科技成果展等大型展会，在城乡基层巡回展出，近百万市民参观展览。全市农村广泛开展“致富思源、富而思进”的思想教育，组织农民参加“读一本书、学一门技能、做一名新型农民”的“三个一”活动，提高了农民的思想道德和科学文化素质。

不断强化道德建设。圆满完成家庭美德基础知识的培训教育任务，城乡居民受教育面达90%以上，有64.4万户家庭被评为各级文明家庭。元旦春节期间开展“迎新春、树新风”活动，为下岗职工和贫困户送温暖、献爱心。深入开展“敬老认亲”活动，党政机关干部带头与困难群众结对认亲，当年新增认亲对子1700个，密切了党群、干群关系。坚持开展“星期六义务奉献日”活动，围绕城市建设和市民关心的问题组织活动12次，近40万人参与，在全社会弘扬了奉献精神。继续开展“文明护绿”、“文明乘车”活动，市区1300万平方米绿地由市民义务管理维护，乘车自觉排队在公交车站处处可见。广泛开展移风易俗、破除封建迷信活动，清明节期间市民大都用鲜花祭祀故人，海葬、树葬等文明祭祀方式也被越来越多的市民接受。

【建设文明社区】　2000年，大连市按照“建设、教育、服务、管理”的工作思路，全面推进文明社区建设。

提出创建文明社区目标。市精神文明建设指导委员会制定《大连市创建文明社区工作的实施意见》，明确提出：中山、西岗、沙河口、甘井子、旅顺口和金州区90%以上的社区在2年内，普兰店、瓦房店市85%以上的社区在3年内，庄河市、长海县85%以上的社区在4年内，要建成市级以上文明社区；经过4年的努力，全市社区要基本建成整洁优美、文化活跃、生活方便、秩序良好、管理规范的智能型现代城市社区。

强化社区规范化建设。市委、市政府颁布实施《关于加强街道和社区居委会建设的意见》。全市社区居委会由原1826个调整为879个，社区居委会干部由原9130名减少为4116名，并逐步实现知识化、年轻化。全市总计投入4500万元，加强街道、社区居委会的基础设施建设。

深化社区教育。市文明委制定《加强和改进社区思想政治工作的实施意见》，推广中山区桂林街道加强社区思想教育工作、昆明街道绿山委做好下岗职工思想教育工作、西岗区民乐街道繁荣社区文化、沙河口区李家街道搞好社区文化阵地建设、甘井子区甘井子街道加强社区思想工作队伍建设等典型经验。

搞好社区服务。实施社区“爱心工程”，对生活有困难的居民发放“爱心卡”，持卡理发、洗浴、医疗等可享受免费或优惠服务；设立“爱心门铃”1000多个，对孤寡老人、烈军属、残疾人等实行爱心救助。实施社区再就业工程。各社区普遍建立再就业服务中心，全年安置下岗职工再就业1.4万多人。开展社区志愿者活动，全市有2300余支、近30万名社区志愿者为居民提供家电维修、服装剪裁、医疗咨询等义务互助服务；明泽、香炉礁、李家、华中等街道成立社区服务求助中心，为居民提供服务共200多项。

加强社区文化建设。仅中山音乐广场、胜利广场、人民广场等6个主要广场以社区居民为主体的演出，全年就达200余场，有6万人次参加演出，观众达60多万人次。进一步深化楼道文化建设，全市已有1.8万条楼道建起文化长廊，楼道文化的普及面达30%以上。

加强社区管理。广泛开展“建我家园、爱我家园、管我家园”活动，发动居民参与社区管理。全市有5万多人组成群众性义务护绿队伍，承包住宅小区内200多万平方米绿地的日常维护；1.5万人组成社区保洁队伍，清扫和维护社区卫生。市内四区成立由1500人组成的社区保安巡防队伍、由2万人组成的群防群治队伍，确保社区治安秩序良好。继续开展文明楼院创建活动，全市78%的楼院建成文明楼院。积极探索社区管理智能化。

文明社区建设取得明显成效。本市加强社区思想政治工作的经验在辽宁省思想政治工作会议上向全省推广。西岗区代表本市在全国创建文明社区工作座谈会上作经验介绍。辽宁省创建文明社区工作座谈会在连召开，本市、西岗区、中山区明泽街道以及祝捷、杨汝山、石领娣等“小巷总理”介绍了经验。市文明委组织拍摄反映社区居委会干部先进事迹电视剧《小巷总理》，先后在大连电视台、中央电视台播放。市委宣传部、市文明办和大连电视台联合拍摄专题片《温馨的家园》，全面介绍本市文明社区建设的经验。国务院总理朱镕基4月来连视察社区建设工作时，接见“小巷总理”并与他们座谈。新华社于4月30日以“小巷总理”为题，加编者按播发长篇通讯，在全国产生良好影响。

【开展“我为宾客送方便，满意在大连”活动】　2000年3月，大连市精神文明建设活动办公室、大连市消费者协会、大连日报社、大连电视台联合组织商业、宾馆酒店、交通客运、旅游景区景点等窗口行业单位，开展“我为宾客送方便，满意在大连”活动，重点解决服务态度不热情、服务质量差、办事效率不高等问题，以营造良好的投资、旅游、购物、休闲、娱乐环境。全市相关行业、窗口单位随即进行大规模的宣传教育活动；公布监督电话，接受社会监督；规范服务标准，开展岗位练兵、技术比武和规范服务竞赛，树立起办事高效、服务优质、文明礼貌、积极向上的社会形象。市有关部门对国庆节期间来连游客进行问卷调查结果显示，游客对大连的综合满意率达99%。

此项活动进一步推动了职业道德建设。大商集团在全国职业道德“双十佳”的评选中名列榜首，辽宁省委书记闻世震批示：大商集团的经验“各行各业企业都可借鉴”。大连天百大楼、国泰大厦分获全国用户满意服务单位、全国用户服务商品知识教育先进单位称号。

（曲传义）

大连市委领导视察沙河口区李家街道锦霞社区举办的“小巷讲坛”。

闫志杰　摄

党政机关

责任编辑　孙　颖

中共大连市委员会

【市委八届十一次全会】　2000年8月15日，中共大连市委召开八届十一次全委（扩大）会议，市委委员、候补委员以及部分离退休领导、局级领导干部共310人出席会议。

市委书记薄熙来作了题为《坚持“三个代表”重要思想，努力开创我市经济发展和社会进步新局面》的报告，总结全市2000年上半年工作，部署下半年及今后一个时期工作。

会议认为，上半年本市经济、政治、社会各项事业全面发展，正在朝着“双新”目标阔步前进。（1）经济运行出现阶段性重大变化，步入新的增长周期。与上年同期相比，全市实现国内生产总值446.5亿元，增长12.1%；完成地方财政收入36.3亿元，增长21.8%。经济快速增长突出反映在固定资产投资、利用外资和出口、第三产业、信息及软件等高新技术产业以及国有企业脱困5个方面。（2）党的建设和精神文明建设全面加强。主要体现在：较好地完成“三讲”集中教育任务；推进干部制度改革和交流，大力培养选拔优秀年轻干部；创造“大连讲坛”等有效形式加强干部教育；群众性精神文明建设活动蓬勃开展，市民素质得到提高。

下半年，全市要深刻领会“三个代表”的精神实质，努力做好今后一个时期的工作。（1）站在发展先进社会生产力的前沿，加快大连经济建设步伐。主要是：减人减债、扶强做大，抓好国有企业脱困与发展工作；抓住机遇招商引资，进一步开创对内对外开放的新局面；加快以电子信息为重点的高新技术产业发展步伐，抢占建设国际先进城市产业体系制高点；大力发展旅游、商贸、金融、会展业，形成新的经济支柱；推进县域经济结构调整，增强综合经济实力；抓好轨道交通和引英入连工程建设，进一步完善城市功能。（2）把握先进文化的前进方向，为经济和社会发展提供思想保证、精神动力和智力支持。主要是：抓好理论武装工程，加强和改进思想政治工作；深入开展群众性精神文明建设活动，进一步繁荣文化艺术事业；以落实和完善人才政策为重点，加紧构筑人才高地。（3）支持一切为人民利益的原则，密切党同人民群众的血肉联系。各级领导要为群众办好事、办实事；坚持从严治党，抓好党风廉政建设；深入开展“三讲”教育和“回头看”活动，坚决落实各项整改措施。　（钟　和）

·资　料·

江泽民“三个代表”重要思想

“三个代表”是中共中央总书记、国家主席江泽民2000年2月在广东考察工作，围绕新时期党的建设和推进高新技术产业发展这两个题目进行调研，并发表重要讲话时提出的。他指出：“总结我们党七十多年的历史，可以得出一个重要的结论，这就是，我们党所以赢得人民的拥护，是因为我们党作为工人阶级的先锋队，在革命、建设、改革的各个历史时期，总是代表着中国先进社会生产力的发展要求，代表着中国先进文化的前进方向，代表着最广大人民的根本利益，并通过制定正确的路线、方针、政策，为实现国家和人民的根本利益而不懈奋斗。在新的历史条件下，我们党如何更好地代表中国先进社会生产力的发展要求，更好地代表中国先进文化的前进方向，更好地代表中国人民的根本利益，要紧密结合国内外形势的变化，紧密结合我国社会生产力的最新发展和经济体制的深刻变革的实际，紧密结合人民群众对物质文化生活提出的新的发展要求，紧密结合我们党员干部队伍发生的重大变化，来深入思考这个重大问题。”

·组织工作·

【概况】　2000年，大连市各级党委和组织部门以改革为动力，全面加强领导班子、干部队伍建设和基层党建工作，为全市国民经济和各项社会事业的发展提供了组织保证。

继续把“三讲”教育作为党的建设重中之重，集中精力抓好区市县和第二批市直单位的“三讲”教育，认真开展“回头看”活动，狠抓整改措施落实，使各级班子和干部的精神面貌、工作作风发生深刻变化。坚持培养锻炼和大胆使用相结合，起用一批学历高、能力强、潜力大的优秀年轻干部，一些班子年龄偏大、非专业化突出、文化水平偏低的状况有所改善，领导班子整体结构进一步优化。以扩大民主为方向，以解决“能下”为重点，积极探索干部制度改革的新方法、新途径，为建立充满生机与活力的选人用人机制创造了条件。

抓好新一轮农村基层组织整顿建设，总结推广部分国有企业、新经济组织、改组改制企业发挥党组织政治核心作用的经验，积极探索研究街道社区党建工作的新路子，并注意做好其他领域党建工作，扩大了党的工作影响力和渗透力，提高了党的凝聚力和战斗力。

【“三讲”教育告一段落】　2000年，中共大连市委组织部着力抓好10个区市县和第二批41个市直单位“三讲”教育，有效地解决了领导班子及成员党性党风上存在的突出问题。同时，市级班子和首批市直单位进行了“三讲”教育“回头看”，通过自看自查，召开班子民主生活会，进一步落实整改措施。市委组织33个巡视组进驻各单位指导“三讲”教育，并集中检查了首批61个市直单位“回头看”活动和深入整改情况。

【加大领导班子和干部考察调整力度】 2000年，中共大连市委组织部结合“三讲”教育，严格考察81个市管班子和460余名领导干部，形成540多份考察材料。依据考察结果，重点优化调整部分市直党政机关部门、对外开放先导区和区市县领导班子，共调整市管班子118个、干部294人，其中提职97人。提职干部中，45岁以下的占67%，具有研究生学历和硕士学位以上的占42.2%。

【强化干部教育培训】 2000年，中共大连市委组织部协调和组织53名正处级以上领导干部参加中央党校、国家行政学院和省委党校的培训；在市委党校先后举办7期领导干部培训班，256名正处以上领导干部参加学习；开办领导干部英语授课班，经过推荐、考试，有37人参加首批学习。

调整领导干部培训形式、培训内容及师资力量配备，实行点名调训、分级办班，突出市场经济内容，聘请高校老师授课，进一步提高了培训质量。

【干部制度改革取得突破性进展】 2000年，中共大连市委组织部加快干部人事制度改革步伐。注重对开发区机构和干部人事制度改革的政策指导，调整配备有关干部，改革后的开发区工作部门和内设处级机构分别精简36%和51.2%，机关编制精简44.7%，并围绕构筑新的用人机制进行有益探索，为全面进行机构改革积累了经验。同时，对保税区、高新技术产业园区等单位实行中层干部竞争上岗，西岗区、沙河口区、甘井子区、金州区、普兰店市、瓦房店市等单位领导干部任前公示制和任免干部票决制进行试点指导，总结推广了成功做法。突出“一把手”、重点热点岗位和跨地区、跨部门的交叉流动，先后分5批对市管领导干部进行集中性交流，共交流144人，其中交流正局级领导干部47人。结合“三讲”教育，检查51个单位贯彻执行《党政领导干部选拔任用工作暂行条例》情况，继续完善和落实对领导干部监督的具体制度。

【加快选拔培养年轻干部步伐】 2000年，为适应新世纪发展对人才的要求，中共大连市委组织部选拔246名优秀年轻干部，分别参加大连理工大学MBA、大连外国语学院英语强化班和市委党校中青年干部班学习培训；选拔4名年轻干部参加省委组织部第三批境外培训；选派38名年轻干部分别到市外经济发达、落后地区和本市机关、基层单位及外商投资企业挂职锻炼；在全市组织推荐不同层次的后备干部600多名。

【召开全市人才工作会议】 2000年1月20日，市委、市政府召开大连市人才工作会议，提出要“把大连建设成为中国北方人才高地”的战略目标。除市五大班子领导外，中国科学院院士、著名科学家、大连理工大学教授钱令希，中国科学院大连化学物理研究所副所长、青年科学家包信和，以及来自上海的人才问题专家等到会。

市委书记薄熙来发表重要讲话，强调人才队伍建设的重要意义，提出人才是21世纪知识经济时代竞争的关键；指出大连人才队伍存在的年龄老化、知识老化、形象老化的“三老”问题；对人才队伍建设提出总体要求，强调加强人才队伍建设首先要解决观念问题，领导干部要善于识别人才，发掘人才，壮大人才队伍；市委、市政府要研究办法、拿出政策、组成班子、安排资金、落实措施，进一步加强人才队伍建设。

为贯彻落实这次会议精神，市委、市政府及有关部门先后下发《关于加强人才工作的意见》、《大连市优秀专家选拔管理办法》、《大连市引进留学人员来连工作若干规定》、《大连市引进优秀人才若干规定》、《大连市人才发展资金管理暂行办法》。加大高层次人才引进力度，通过结合市政府招商活动，赴成都、天津、郑州、长沙等地招聘高层次人才；建立引进高级人才网站；由领导、专家介绍推荐人才等途径，全市共引进各类高层次人才304名。

【加强基层党的建设】 2000年，中共大连市委组织部继续在农村党组织中开展“五个好”（建设一个好班子、培养一支好队伍、选准一条好路子、完善一个好体制、健全一套好制度）、“两带三富一强”（党组织带领、党员带动群众富民富村富乡镇，建设现代农业强市）活动，规范村务和乡镇政务工作，分批轮训农村党员和基层干部。

改进企业党组织工作内容和活动方式，探索发挥政治核心作用的途径和方法，组织力量调查本市99个国有大中型企业党组织建设情况，对党建工作软弱涣散的3个企业提出整改意见。

根据街道、社区党建工作面临的新情况，组成考察组赴上海、南京等地考察学习，积极探索建立街道、社区党建工作的新机制、新格局。

进一步强化党员管理教育措施。在全市普遍推行发展党员“两公开”和“失误责任追究”制度，严格把好“入口关”，保证党员发展质量，年内全市发展新党员11047名，使党员总数增至419556名。提出《关于严格和规范党的组织生活的意见》，总结基层单位严格党员管理教育，有效解决党员“出口不畅”问题的经验。继续做好修炼“法轮功”党员的教育转化工作，对56名练功党员给予党纪处分或组织处理。在全市组织开展学习西岗区检察院检察官刘金铃先进事迹活动。 （姚洪东）

·宣传工作·

【概况】 2000年，中共大连市委宣传部以邓小平理论和江泽民“三个代表”重要思想为指导，以“振奋城市精神，增强城市凝聚力”为主题，整体推进各项宣传思想工作。

发挥宣传理论指导作用。认真学习贯彻“三个代表”重要思想和党的十五届四中、五中全会精神，召开系列座谈会。举办“迎接新世纪，‘十五’献良策”征文活动，新闻媒体推出系列理论文章。“大连讲坛”成为干部理论学习重要载体。制定《关于加强基层理论教育的意见》，开展“讲学习、讲政治、讲正气，树立党员新形象”活动和“学习新知识、掌握新技能、迎接新挑战”全民读书活动，形成《文明城市论》等一批重点理论研究成果。

思想政治工作出现新局面。广泛开展“振奋城市精神，增强城市凝聚力”教育活动，树立了刘金玲、王成相、崔新一等一批新典型。制定加强和改进企业、农村、社区、机关、学校等战线思想政治工作的实施意见。组建思想政治教育报告团，“法轮功”人员帮教转化率达98.8%。

深入开展群众性精神文明创建活动。召开社区思想政治工作会议，总结推广一批典型经验。开展“我为宾客送方便，满意在大连”活动。加强文明行业创建工作，大商集团名列全国职业道德“双十佳”榜首。在全省率先开展创建“十星级”文明私营企业活动。开展“敬老认亲”活动，新增“认亲对子”1700个。有近40万人参加“星期六义务奉献日”活动。

召开全市“五个一工程”工作会议，确立第八届全国“五个一工程”参评作品。电视剧《相依年年》在上海国际电视节上、京剧《西门豹》在第六届中国艺术节上、广播剧《鲢头鲨》在省广播剧评比中、长篇小说《歇马山庄》在省长篇小说评比中分别获奖。全市城乡共举办广场文化活动300余场，观众达100多万人次。成功举办中国21世纪曲艺论坛暨精品展演、第二届大连国际广播音乐周“亿达之声”系列音乐会、全国著名艺术家“大连天兴之旅”采风、2000年大连国际艺术博览会。

2000年大连讲坛的主要内容

日期	主讲人	报告题目
1.11	上海市松江区区委书记、区长 潘龙清 广东省顺德市市委副书记 冯润胜	发展地区经济问题
3.17	中共中央纪律检查委员会宣传教育室主任 戴俭明	全国大案要案最新报告
3.25	香港盈科数码动力有限公司大中华区主席 陈庆祥	资讯产业发展问题
5.13	美国天时投资集团公司执行主席、德国奥迪汽车公司首席顾问、美国檀香山大学教授 李文	企业转型与应变
6.3	原苏州市市委副书记、苏州工业园区党工委书记、管委会主任 谢家宾 张家港市市委书记 蒋宏坤	新区发展与县域经济
6.21	中共中央台湾工作办公室副主任、国务院台湾事务办公室副主任、海峡两岸关系协会常务副会长 唐树备	海峡两岸关系问题
8.12	美国朗讯公司贝尔实验室资深博士 谢锦康	21世纪信息技术问题
	美国无限中国网公司总裁 徐德清	电子经济给予中国的机遇和挑战
	美国高级银行分析家 骆宁	信息贸易——WTO的挑战与机遇
8.15	全国政协副主席 陈锦华	国家“十五”计划的几个问题
	全国政协副主席 胡启立	知识经济问题
10.17	国务院经济发展研究中心党组书记、副主任 陈清泰	国有企业改革与发展问题
12.22	国家外交部新闻发言人、新闻司司长 朱邦造	当前国际形势

精心组织对外宣传。围绕国企改革脱困、城市建设、旅游优势等全市重点工作，邀请中央等主要新闻媒体记者来连采访，形成集中宣传声势。以大连国际服装节、烟花爆竹迎春会和市政府对外招商等活动为载体，广泛邀请海内外新闻机构进一步宣传大连，树立良好的对外形象。在美国旧金山成功举办“中国大连电视周”活动。建立了大连市人民政府新闻办公室外宣网页。

2000年7月，全国著名艺术家“大连天兴之旅”采风团到大连造船厂慰问演出。
宣传部　供稿

【“大连讲坛”成为推进干部理论学习的有效载体】　“大连讲坛”开办于1999年12月，是中共大连市委为改进领导干部理论学习方式而设立的。采取邀请国家部门和兄弟市的领导、国内外优秀企业家和著名专家学者来连作专题报告的方式，为全市副局级以上领导干部讲授国内外经济政治形势和党的路线方针政策，介绍外省市改革发展的经验和科技、金融、经贸、法律等方面的知识。每月至少举办一次，每次半天。

2000年，“大连讲坛”围绕“十五”计划、知识经济、对外开放、发展高新技术产业、旅游业和地域经济等课题，先后邀请18人来连作10场专题报告。由于报告贴近大连改革发展的实际，起点高、信息量大、可鉴性强，领导干部争相参加，反响热烈。其中李文的现代企业管理理念、陈清泰的国有企业改革与发展的思路等报告，给领导干部思想观念带来较大震撼，从而在机关中形成讲学习、促创新、求发展的浓厚氛围。

“大连讲坛”自开办以来，共邀请23人举办14次讲座，其做法在全国、全省引起广泛关注，中央人民广播电台、《辽宁日报》等中央和省级11家新闻媒体做了专题报道。

【开展“振奋城市精神，增强城市凝聚力”教育活动】 为深入贯彻落实江泽民总书记关于开展“致富思源，富而思进”教育的指示，从2000年4月起，中共大连市委宣传部在全市组织开展“振奋城市精神，增强城市凝聚力”教育活动。

围绕这一主题，相继组织开展“看成就、鼓干劲、求发展”、“解放思想，树立创新意识”、“崇尚先进，学习先进，弘扬先进”系列教育和形势任务教育。先后组织老党员、老劳动模范、志愿军老战士看大连活动。组织思想政治报告团、下岗再就业报告团等深入基层作报告。以发现焦裕禄在大连起重机器厂工作的照片为契机，在企业领导干部中组织学习焦裕禄精神，开展“知百家情，解百家难，连百家心”活动。结合“三下乡”工作，开展“读一本书，学一门技能，做一名新型农民”活动，宣传推广一批学科学用科学致富奔小康的先进典型。广泛开展广场文化活动、“扶贫帮困”、“敬老认亲”和群众性精神文明创建活动。

在开展“振奋城市精神，增强城市凝聚力”教育活动中，市直新闻单位开辟教育专栏，刊播各类消息、报道、图片700多篇幅。

【组建思想政治教育报告团】 2000年4月，中共大连市委宣传部精心选拔具有较高理论水平、丰富实践经验、一定知名度和影响力的专家学者、劳动模范、先进人物、老红军和老干部共20余人，组建大连市思想政治教育报告团，并按报告主题内容分为邓小平理论与实践、理想信念、科教兴市、国企改革、国内外形势5个分团。报告团成立后，一是根据形势任务需要，有针对性地举行专题报告会；二是应邀到基层单位作专场报告。至年末，报告团成员巡回报告400多场，直接听众达20万人，受到基层单位的广泛欢迎。

2000年，中共大连市委宣传部组织老党员、老劳动模范、志愿军老战士看大连活动。 宣传部 供稿

【新闻舆论引导水平不断提高】 2000年，中共大连市委宣传部加强对新闻舆论的宏观管理，坚持新闻例会、新闻阅评、新闻宣传协调会制度，制定《大连市新闻舆论监督办法》、《关于报刊扩版改版、广播电视增办栏目节目管理制度》、《同驻连记者站工作联系制度》、《关于在连举办新闻发布会管理制度》，进一步提高新闻宣传的主动性、计划性和引导水平。

新闻宣传围绕市委、市政府的中心工作，重点加强“三讲”教育、“三个代表”重要思想、国企改革与脱困、对外开放、高新技术产业、旅游业、商业、展览业、服装业和县域经济等的宣传力度，同时坚持每月突出一个宣传主题，每季度组织一次宣传战役，充分发挥新闻舆论阵地的主渠道作用，为本市改革开放和现代化建设营造了良好的舆论环境。 （王立武）

·统战工作·

【概况】 2000年，中共大连市委统战部围绕党的中心任务，团结全市各民主党派、工商联和各界人士，为促进大连市经济发展、政治稳定和社会进步做贡献。

协助市委邀请民主党派、无党派人士召开民主协商会、座谈会、情况通报会3次。各民主党派、无党派人士在人大、政协等会议上共提出提案和建议464件，80%被采纳。制定出台《大连市特邀人员工作暂行办法》、《关于进一步加强基层民主党派工作的意见》等指导性文件。完成市政协九届三次会议常委和秘书长届中调整的选举工作，调出市政协常委会组成人员8名，补选常委7名，选举秘书长1名。为下一届人大、政府、政协换届做准备，加强对新的党外代表人物物色、培养、选拔工作，考察新的党外代表人物41名，向中央和省委统战部报送全国、省两级人大、政协换届民主党派成员后备人选名单。转发《中央统战部关于加强新时期无党派人士工作的意见》并检查各单位贯彻落实情况。分别召开各区市县、国有大中型企业、高等院校、科研院所、委办局统战工作横向联系会议，总结工作、交流经验。加强非公有制经济代表人士思想政治工作，在全市非公有制经济人士中开展“致富思源、富而思进”教育活动。

加强统一战线理论研究和宣传工作。市各民主党派发挥民主监督作用的经验先后被《中国统一战线》、《友报》等新闻媒体采用，统战工作为经济建设服务的成果分别在《团结报》、《统战月刊》、

《友报》上发表。在中央统战部组织的“统战世纪行”大型采访活动中，市委统战部有4篇宣传稿件被采用。召开市第十九次统战理论研讨会，交流论文90余篇；召开统战工作理论研讨会7次；组织完成统战工作调研课题47项，形成调研报告52篇。全年编发信息199期，被市委办公厅采用41条、省委统战部采用128条、中央统战部采用86条。信息工作获全国副省级城市评比二等奖和全省14个城市评比一等奖。

【发挥民主党派参政议政和民主监督作用】 2000年，中共大连市委统战部协助民主党派完成参政议政专题调研报告45篇。

民革成员董藩提出的《西部大开发不要滥开发》的建议，受到中央领导的重视，国务院副总理李岚清和温家宝分别作了批示，关于西部开发范围和西部不宜设特区的建议被国家有关部门采纳。致公党市委提出的《关于同“法轮功”斗争应避免简单化、形式化》的建议，受到国务院副总理李岚清和国务委员罗干的重视，分别批示有关部门引起注意。调研部分高校、国有大中型企业、科研院所等单位民主党派工作情况，总结10个典型经验，在全市基层民主党派工作座谈会上推广。会同市政府办公厅检查特邀监察人员工作情况。

【加强民主党派队伍建设】 2000年，中共大连市委统战部根据中共中央和辽宁省委统战部关于民主党派换届要求，向民主党派推荐后备干部人选56人，对其中37名主副委后备人选进行考核并上报省委统战部。推荐8名民主党派中青年后备骨干成员参加中央和省社会主义学院培训学习。举办民主党派主副委研讨班，重点学习邓小平关于新时期统一战线理论和江泽民关于“三个代表”重要思想。协助7个民主党派举办基层骨干学习班，部领导亲自为学员作关于新时期统一战线理论若干问题的辅导报告。开展民主党派成员思想状况调查，形成《关于中青年民主党派成员思想状况的调查报告》和《关于民主党派思想政治工作情况的调查与思考》。党外干部实职安排工作取得突破性进展，向市委组织部推荐党外干部实职安排后备人选39人，其中王正刚、沈丽荣分别担任市规划局局长和综合执法局局长。与市委组织部联合召开大连市党外领导干部合作共事座谈会。

【开展港澳台及海外统战工作】 2000年，中共大连市委统战部加强同海外社团的联谊工作。先后邀请和接待美国、韩国、泰国等11个国家和地区社团组织的16个访问团、178人次来连参观考察，增进了解，加深友谊，促进合作，促成签订合作项目4个。邀请海外知名人士来连参加第十二届国际服装节，美国第一位华裔女市长陈李婉若、香港知名人士曾智明、泰国国际贸易商会主席王创合、美国中国和平统一促进会会长徐孝哲、美国东北同乡会名誉会长洪深、澳门大连海外联谊会会长蓝华缨等分别受到薄熙来、李永金等市领导接见。

2000年，中共大连市委统战部组织召开市优秀民营企业家“双思“经验交流大会。

统战部 供稿

贯彻《中共中央统战部关于加强新形势下港澳统战工作的意见》，对香港、澳门回归后如何开展港澳统战工作进行专题调研。根据台湾局势变化，举办台湾形势报告会，组织各民主党派负责人、港澳台同胞和黄埔军校同学召开学习《一个中国原则与台湾问题》白皮书座谈会。澳门大连海外联谊会在连成功举办澳门、大连、西藏摄影展。

【加强非公有制经济代表人士思想政治工作】 2000年，中共大连市委统战部从加强非公有制经济代表人士思想政治工作入手，积极引导非公有制经济健康发展。召开非公有制经济代表人士座谈会，市领导对非公有制经济人士对本市经济发展和社会进步所作的贡献给予肯定。认真总结非公有制经济人士开展“致富思源、富而思进”活动的经验，召开市优秀民营企业家“双思”经验交流大会，推动“双思”教育活动的深入开展。全面完成全市非公有制经济人士基本情况调查研究并形成调查报告。积极推动非公有制经济人士开展光彩事业活动，全年完成光彩事业项目16个，到位资金2.75亿元。其中：扶贫项目10个，投资2.62亿元；捐赠社会公益事业1100万元；建立光彩小学5所，投资120万元。筹资70多万元兴建的瓦房店市李店镇九龙小学已建成投用。市区民营企业安置下岗职工2600余人，安置朝阳农工200多人。私营企业主韩伟、周文麟获大连市特等劳动模范称号，黄淑卿等9人获市劳动模范称号。（崔建华）

·政法工作·

【概况】 2000年，中共大连市委政法委员会紧密围绕市委、市政府中心工作目标，协同公安、检察、法院、司法、安全等各部门，全力做好维护社会稳定各项工作。

组织开展人民内部矛盾纠纷大排查

活动，及时消除和化解一批不稳定因素；开展隐蔽战线斗争，有力地粉碎了境内外敌对势力的间谍、窃密、渗透和破坏活动；按照政法战线和宣传思想战线齐头并进，打击处理和教育转化相结合的工作方针，积极开展同“法轮功”的斗争，多次粉碎“法轮功”的反弹阴谋，受到中央和省有关部门的充分肯定。

根据不同时期的社会治安突出问题，集中开展“一打两整”、“打黑除恶”和扫除社会丑恶现象等行动，破获一批大案要案，惩治一批严重刑事犯罪分子；以金融领域经济犯罪为重点，加大侦查、检察、审判协调工作力度，查办一批有影响的经济犯罪案件，有力地维护了社会主义市场经济秩序。

深入开展基层安全创建工作。在城乡创建一批治安好、发案少、群众满意的治安模范小区、村镇，并在此基础上起草制定了维护社区稳定的工作意见；在企业单位广泛开展“比重视、比管理、比防范、比教育、比信誉”的安全文明竞赛活动，促进了企业安全文明生产；大力强化预防青少年犯罪宣传和教育活动，构筑了社会、学校、家庭三结合的青少年帮教工作体制；在刑事案件多发、治安问题突出的地区开展重点整治活动，在国有大中型企业周边地区和废品收购站以及高校、中小学周边地区开展治安专项整治活动，有效地改善了企业、铁路和学校周边治安秩序。

积极深化政法工作改革。在严把入口、竞争上岗、双向选择和疏通出口等干部人事制度改革方面有了新的突破；内部监督制约机制日趋完善，审判、检务、警务等各项公开制度逐步规范；执法责任制和错案责任追究制得到进一步落实，为严肃公正执法，制止司法腐败提供了有力的保证。

【出台《关于严厉打击金融领域经济犯罪的意见》】 2000年5月26日，中共大连市委政法委员会出台《关于严厉打击金融领域经济犯罪的意见》。

《意见》要求全市政法机关充分发挥打击经济犯罪特别是金融领域经济犯罪的主力军作用，加大打击力度，依法从重从快惩处各种经济犯罪分子，保卫国家、集体和公民财产安全，维护国家金融秩序。

《意见》中指出，要将打击贷款、金融票据诈骗案件，金融系统内部人员渎职、贪污、挪用、受贿案件，商业、职务侵占类型案件作为工作重点，集中打击，依法严惩；要加大追缴赃款赃物力度，将损失减少到最低程度；要实行打防结合，充分运用司法建议、就审就宣、以案讲法等形式，增强金融人员的法制观念，堵塞各种漏洞，及时防范和化解金融风险，预防和减少犯罪的发生。

【制定《关于加强城市社区稳定工作的意见》】 为适应社区建设新形势，2000年6月，中共大连市委政法委出台《关于加强城市社区稳定工作的意见》，对城市社区稳定工作的指导思想、任务、组织领导等做出规定，使基层治安创建工作进一步深化。

《意见》明确了社区居民委员会在维护社区安全稳定中的8项主要任务：(1)开展法制宣传教育，增强社区居民民主与法制意识；(2)开展法律咨询服务；(3)搞好治安防范和预防青少年违法犯罪工作；(4)教育和管理刑释解教人员和轻微违法犯罪人员；(5)配合公安机关搞好暂住人口的教育、管理；(6)配合做好对下岗职工、失业人员的管理和预防犯罪教育；(7)反映居民对社会稳定工作的意见和要求；(8)办理社会稳定和社会治安综合治理其他事项。

【举办大连市预防青少年违法犯罪展览】 为贯彻《中华人民共和国未成年人保护法》，减少和预防青少年违法犯罪，2000年11月6日，大连市社会治安综合治理委员会办公室在市青少年宫举办以《为了民族未来，祖国的明天》为主题的预防青少年违法犯罪展览，并在各区市进行为期1个月的巡回展，有10万余名中小学生和干部群众接受教育，在社会上引起较大反响。

【开展大连市公众安全感问卷调查】 2000年11月下旬，大连市社会治安综合治理委员会办公室在市教委的配合下，在全市进行公众安全感问卷调查。共发调查问卷1000份，调查6项公众安全感主要指标；返回有效问卷979张，回收率达到98%。调查结果：群众对本市社会治安状况总体评价较高，满意和基本满意率达到93.7%，其中评价很好、较好和一般的分别占13.3%、38.7%和41.7%。 （惠兆伦）

·政策研究·

【概况】 2000年，中共大连市委政策研究室围绕市委中心工作，加强与各有关部门的联系与合作，认真履行调查研究、文稿起草和决策咨询职能。

抓住市领导关注的当前工作中亟待解决的主要问题以及事关大连未来经济社会发展全局的重大课题，与有关部门合作开展15个课题的调查研究。其中，在市委、市建委、市经济研究中心等单位支持下完成大连城建经济发展模式研究课题，并在《经济日报》头版头条以《找准新的支点——大连城建经济发展战略模式扫描》为题发表；以大连粮食产业发展为课题，召开大连市发展粮食产业研讨会，《经济参考报》等10多家媒体及国内部分网站做了即时报道；在调查研究的基础上形成《大连市软件产业发展规划纲要》，提出加快大连市软件产业发展的思路和对策，得到市委、市政府领导高度重视。此外，还进行了本市水资源综合开发利用、建设区域性国际航运中心等10余个课题的调研。这些调研课题有的形成工作意见，有的在刊物和媒体上发表，有的以文件形式上报市委或省委，其调研成果为各级领导决策等起到重要作用。

先后承担市委八届十一次全会报告（部分）以及市委领导在市人才工作会议、市人才工作座谈会、海峡两岸城市建设发展研讨会、市发展粮食产业研讨会、世界服装名牌论坛会议等重要会议上的讲话的起草工作。还起草《中共大连市委关于加强人民政协工作的意见》等市委、市政府的一些重要文件；为市委领导提供了《关于国内外对环境经济研究情况的汇报》等资料。

年初拟定15个决策咨询研究参考题目提供给咨询委员，对咨询委员们提出的建议筛选后编发《决策咨询》12期，其中一批建议被省委政策研究室《咨询文摘》转发或得到市领导批示。邀请中国人民大学区域经济研究所4位专家来连，专题研究大连建设国际性城市的课题。编发《决策咨询动态》3期。召开全国决策咨询网络工作会议。 （雷 平）

·党校工作·

【概况】 2000年，中共大连市委党校、大连行政学院、大连社会主义学院认真贯彻中共中央《关于面向21世纪加强和改进党校工作的决定》，在教学、科研、设施建设等方面取得较好成绩。

举办主体班次教学58期，培训学员3898人次，分别比上年增加15期、1062人次。其中：党校29期、1844人次；行政学院26期、1939人次；社会主义学院3期、115人次。为适应建设高素质干部队伍的需要，处级以上领导干部培训班着重加强政治素质和经贸、法律、外语、计算机等应用知识培训；中青年干部培训班主要以“三个基本”即马克思列宁主义基本原理、毛泽东思想基本原理、邓小平理论基本原理以及重大现实问题探索、依法行政、党的建设理论与实践为教学内容。

函授教育招收大专生2601人、本科生2388人、研究生104人，在校学生共12142人，比上年增加21.3%。

现代化教学能力进一步增强。随着党校南区改建工程的竣工，多功能报告厅、多媒体教室、现代化语音室全部投入使用。在全省率先建成中央党校卫星远程教学B级站，新购置微机24台。

全年共发表科研成果116项，其中专著4部、教材类13本；在国家、省、市级报刊发表文章133篇。《关于大连“十五”城市发展规划的几点建议》、《人力资本积累是实现优势转化的关键》及《把大连环境优势转化为发展优势的思考》等文章成为课堂的第一手材料。《对全民所有制的理论反思》和《党建十大热点问题探析》获全国党校系统优秀科研成果奖。编辑出版《大连干部学刊》、《市情研究》等刊物。

【党校南区改造工程全面完工】 2000年6月30日，总投资2500万元，占地2.34万平方米的中共大连市委党校南区改造工程全面完工。

改造后的市委党校南区面貌焕然一新。南区内新建的建筑面积为7000平方米的综合培训楼，设有多功能报告厅、会议室、媒体教室、现代语音室、标准教室、讨论室、电子阅文室，并配有标准2人间学员宿舍共80间，以及学员餐厅、健身房和网球场等设施。（刘雅萍）

2000年6月30日，中共大连市委党校新建的综合培训楼竣工。

党　校　供稿

大连市人民代表大会

【市十二届人大三次会议】 2000年1月23～27日，大连市第十二届人民代表大会举行第三次会议，426名代表出席。

会议听取和审议了市长薄熙来作的《政府工作报告》、市计划委员会主任邢良忠作的《关于大连市1999年国民经济、社会发展计划执行情况和2000年国民经济、社会发展计划（草案）的报告》、市财政局局长阎承琦作的《关于大连市1999年预算执行情况和2000年预算（草案）的报告》、市人大常委会副主任李振荣作的《大连市人民代表大会常务委员会工作报告》以及市中级人民法院副院长刘晓滨作的《大连市中级人民法院工作报告》、市检察院检察长郑全慈作的《大连市人民检察院工作报告》。会议还审议通过《大连市人民代表大会议事规则修正案》，批准大连市2000年国民经济、社会发展计划，1999年预算执行情况的报告和2000年市本级预算，并对各项工作报告做出决议。

会议期间，收到代表10人以上联名提出的议案46件。其中赵振东等11名代表提出的《制定大连市劳动和社会保障监察条例》、于景宁等11名代表提出的《制定大连市实施〈人民防空法〉办法》、关道明等11名代表提出的《制定大连市海域使用管理条例》交付有关人大专门委员会在大会闭会后审议，提出审议结果报提请市人大常委会审议决定。其余43件议案转为建议、批评和意见，连同代表提出的260件建议、批评和意见，由市人大常委会办事机构分别交付有关部门办理并负责答复代表。

会议补选于桂荣为市人大常委会副主任，刘永久、胡志安为市人大常委会委员；选举郑全慈为市中级人民法院院长。

会议首次设立公民旁听席，有20位公民旁听会议。

【市人大常委会会议】 2000年，大连市人大常委会举行13次会议（第二十次～第三十二次）。听取和审议了市政府《关于大连市本级1999年财政预算执行和其他财政收支的审计工作报告》和《关于大连市1999年市本级决算的报告》，批准了市本级决算报告；听取和审议了市政府《关于大连市上半年国民经济和社会发展计划执行情况及下半年工作意见的报告》和《关于大连市2000年上半年预算执行情况的报告》；听取和审议了市中级人民法院《关于大连市两级法院执行工作情况的报告》、市人民检察院《关于民事行政检察工作的报告》以及大连海事法院工作报告。其中，常委会第三十一次会议审议了《大连市城市总体规划（1999～2020）（草案）》，做出《关于同意〈大连市城市总体规划（1999～2020）〉（草案）的决议》。

【市人大常委会主任会议】 2000年，大连市人大常委会举行20次主任会议（第二十八次～第四十七次）。听取和讨论了《大连市人大常委会2000年工作要点（草案）》、《关于2000年大连市人大常委会会议、主任会议拟定议题和视察等活动的安排意见（草案）》、《关于大连市人大常委会2000年执法检查计划（草案）》、《关于大连市人大常委会2000年地方立法计划安排意见》等工作安排；制定了《大连市人大常委会秘书长会议议事规则》以及对提任法律职务的法官、检察官试行任前公示等制度。听取和讨论了市人大各专门委员会有关市社会力量办学、房改资金管理使用、人口与计划生育工作等情况视察、调查报告以及市政府有关工作报告。

【地方立法】 2000年，大连市人大常委会依照《中华人民共和国立法法》规定，清理本市现行的50件地方性法规，及时修订或废止与国家法律法规和经济、社会发展实际不相适应的地方性法规。市人大常委会第二十六次会议做出决定，并报省人大常委会批准，废止《大连市城镇职工养老保险条例》。常委会第三十次会议审议了《大连市市政公用基础设施管理条例修正案》，决定根据一审意见作进一步修改后再次提请常委会会议审议。常委会还审议通过《大连市制定地方性法规条例（草案）》，并提请十二届人大第四次人民代表大会审议通过。

【执法检查】 2000年，大连市人大常委会执法检查的重点是《居民委员会组织法》实施情况。执法检查组深入23个街道、50多个居民委员会，重点检查市政府加强居委会建设，指导、支持和帮助居委会依法行使职权等情况，充分肯定居委会在宣传法律、加强精神文明建设、搞好社区服务、帮助安排下岗职工再就业、协助发放最低生活保障金等方面做出的大量而富有成效的工作。针对一些街道和政府部门硬性向居委会下达工作任务和有的社会团体随意向居委会摊派杂务等问题，要求市政府采取有效措施抓紧解决，给予居委会依法自治以积极支持。此次执法检查除组织市人大代表外，还邀请全国、省和区市县人大代表共200多人参加。由于采取市与区市县两级人大上下联动、区市县之间交叉检查、随机抽查等方法，检查取得较好效果。

【开展部分政府组成人员述职评议】 2000年，大连市人大常委会进一步完善政府组成人员述职评议办法，采取多人述职、重点评议方式，扩大述职人数，在述职人员中确定评议对象。常委会第二十二次会议通过《关于2000年度对大连市政府部分组成人员进行述职评议工作实施方案》，确定8名政府组成人员述职。常委会评议小组制定述职评议计划，组织视察、调查、听取意见，进行民主测评，了解述职评议对象的情况。常委会第二十八次会议在听取这8名政府组成人员述职的基础上，对其中的市计划委员会主任邢良忠、市教育委员会主任贾聚林、市房地产管理局局长张永林、市林业局局长张荣杰4人进行了评议。

【首次试行审判检察人员任前公示制度】 2000年，大连市人大常委会第三十一次主任会议通过《关于对提任法律职务的审判和检察人员试行任前公示的意见》，以进一步加强对人大常委会任命的审判和检察人员的社会监督。

11月15日，《大连日报》刊登《大连市人大常委会通告》，公布拟提请市人大常委会任命的16名法官名单及拟任职务。《通告》发布后，社会反响强烈，许多市民打来电话肯定这一做法。常委会极其重视市民提出的意见，责成有关部门调卷、阅卷，认真核实查证群众反映的问题。对有争议的问题，要求法院做出说明；对群众反映有贪赃枉法、违法办案、徇私舞弊等问题的人员，一经查实，决不提请任命。全年共对24名提职任命的法官、检察官进行了任前公示。

【首次开展法官述职评议】 2000年，大连市人大常委会第二十二次会议通过《关于对大连市中级人民法院部分审判员进行述职评议工作实施方案》。常委会成立评议小组，走访相关部门和单位，召开由企业、金融机构、律师事务所、街道办事处等60多个单位参加的座谈会6次，谈话70余人次。在市法院对2000余件案件进行自查的基础上，组织力量集中审查117件案件，共阅卷宗234卷。调查和审查结果显示，大多数审判员是称职的，但少数审判员还存在着超审限审案以及对当事人“生、冷、硬、横”等损害人民法官形象的问题。

常委会在第三十二次会议上首次进行法官评议，共听取20名法官的述职报告，按照“评要有据，议要依法”的要求，提出评议意见并进行投票测评，结果有4名法官称职票未能超过半数。

【人大代表视察】 2000年，大连市人大常委会针对人民群众关心的问题，组织代表重点对农民负担管理情况和城镇职工基本医疗保险制度改革工作情况进行视察。

为促进政府切实减轻农民负担，市人大代表组成3个视察小组深入农村基层，查看农民负担管理帐、卡，召开村民座谈会，走访农户，实地了解农民负担现状，检查有关减轻农民负担的法规执行情况以及有无违反法律和政策规定增加农民负担等情况。针对存在的乱收费、乱罚款、乱摊派和在婚姻登记、生育、殡葬等方面搭车收费等问题，要求市政府进一步加大工作力度，标本兼治，把农民不合理负担减下来，实现农民收入的稳定增长。

为促进政府进一步完善城镇职工基本医疗保险制度，组织人大代表深入企事业单位、医院和街道，认真听取职工、医务人员、退离休人员和下岗人员的意见，了解职工基本医疗保险实施情况。常委会第三十次会议听取和审议了《关于我市城镇职工基本医疗保险情况的视察报告》，指出医疗保险制度在实施中面临许多亟待解决的问题；强调要特别关注下岗人员、特困职工、退休人员以及收入低、年老体弱长期患有慢性疾病人员的医疗保障问题，加快配套政策的研究和实施，不断完善现行医疗保险政策，努力满足人民群众的基本医疗需要。

【申诉控告受理】 2000年，大连市人大常委会进一步加强人民群众来信来访和申诉控告的接待受理工作。共接待来信来访2399件（次），接待申诉当事人

1735 人次，涉及申诉控告案件 762 件，按规定受理 369 件。

【人大代表工作】 2000 年，大连市人大常委会积极为代表履行职责创造条件。坚持设立代表接待室和接待电话，及时听取和督办代表的建议、批评和意见，共接待代表电话来访 460 多人次。当年有 870 多人次的代表参加视察、执法检查等活动；160 多人次全国、省和区市县人大代表被邀请参加常委会组织的活动；141 人次的代表列席常委会会议。

加强对代表提出议案和建议的督办工作。市十二届人大三次会议主席团交付办理的 3 件议案，经有关专门委员会调查、初审，已审议完毕。市十二届人大三次会议期间代表提出的 495 件建议、批评和意见均已办理完毕并答复代表。

【国家机关工作人员任免】 2000 年，大连市人大常委会任免国家机关工作人员 100 人次，其中市人大常委会 2 人次、市政府 26 人次、市中级人民法院 35 人次、市人民检察院 30 人次、大连海事法院 7 人次。对法院、检察院有关人员在提请任命前进行法律知识考试，有 1 人因成绩不及格而被决定不予提请任命。

【对外交往】 2000 年，大连市人大常委会积极开展同外国议会的友好交往。共接待外国议会代表团 5 个，应邀组织常委会友好访问团出访英国、法国、韩国、日本，增进了与这些国家议会的相互了解及地区间的友好合作关系。

【纪念市人大常委会设立 20 周年】 2000 年是大连市地方人大设立常委会 20 周年。市人大常委会采取召开座谈会、发表纪念文章、组织图片展览、编辑图书和画册等形式，反映 20 年来常委会在民主法制建设中取得的成绩，广泛宣传人民代表大会制度。在新闻媒体刊播有关人大工作的稿件 400 余篇（条），其中 3 件作品在辽宁省第十届人大好新闻评比中分获一、二、三等奖。 （朱延青）

大连市人民政府

【市政府常务会议和办公会议】 2000 年，大连市人民政府召开 7 次常务会议和多次办公会议，讨论研究法制建设、经济建设及社会发展等诸方面问题。主要有：学习贯彻党的十五届五中全会精神、“十五”规划编制、政府工作报告、2001 年国民经济和社会发展计划安排、2001 年市政府工作重点、2001 年经济建设和人民生活 20 件实事安排、《大连市市政公用基础设施管理条例修正案（草案）》、深化事业单位机构和人事制度改革、国有企业改革与脱困、工业结构调整、国有企业扶强做大、企业债转股、企业搬迁改造、大连港老港改造、下岗职工分流和再就业、庄河三大灌区水田结构调整补偿、农村信息网络建设、发展第三产业、放心早餐工程、清理整顿早夜市、青泥洼商业城建设、大连商场西区改造、天津街商业街改造、发展电子商务、金石滩旅游工作、对外开放与对外招商、出口加工区、开发区机构改革、高新技术产业园区管理权限、加快高新技术发展、加快软件园发展、高新园区双 D 港和七贤岭产业化基地建设、抓好信息产业、市政府上网工程、城市建设重点项目、英那河水库扩建工程、英那河引水工程、快速轨道交通工程、研制开发轻轨车、节水压水、旅顺北路机场段南移工程、部分重点工业项目规划用地、环境建设、中国国际环境保护博览会筹备、人工增雨、解决大连玻璃厂工业污染、甘井子环境污染综合治理、泉水新区规划设计、城市公众交费一卡通项目、清债工作、抓好社会稳定工作、信访工作、抓好安全生产、交通安全、社会治安、搞好扶贫帮困、医疗保险、养老保险、下岗职工基本生活保障和再就业、社区建设、解决中小学危旧校舍、解决北三市拖欠教师工资等问题。

（李 东）

【经济建设和人民生活 19 件实事完成情况】 2000 年初，大连市政府确定经济建设和人民生活 19 件实事，到年末已基本完成，其中绝大多数指标实现或超过年初既定目标。

1. 国有企业改革脱困。全市国有企业改革脱困目标如期实现，国有及国有控股工业企业实现利润比上年增长 44.3%，72.3% 的国有大中型工业企业初步建立现代企业制度，亏损面下降到 12.6%。

扶强做大优势企业取得成效，大连石化公司、西太平洋石化公司、大显集团、冰山集团、大化集团年销售收入分别为 123 亿元、130 亿元、55 亿元、35 亿元和 22 亿元，瓦轴集团、中国华录、造船厂、新船重工、机车厂、大钢集团、华能电厂年销售收入超过 10 亿元。

国有企业分流安置 2.9 万人，全市当年再就业率达到 80%。

处结不良资产个案 25 个，落实债转股金额 59 亿元，市属国有工业企业资产负债率下降 10 个百分点。

国有工业企业引进投资额 1000 万美元以上项目 5 项，工业系统实际使用外资 1.71 亿美元。10 个技术改造大项目全面实施，其中 5 个项目竣工。42 个重点攻关产品全部投产并实现产业化。大显集团、西太平洋石化公司、造船厂、新船重工公司、中国华录、大连石化公司出口创汇均超 1 亿美元。全市国有工业企业招投标中标额 21 亿元。

完成大连制药厂等 15 个企业搬迁任务，建成精品花园式工厂 13 个。

2. 人才引进、培训与交流。引进各类急需紧缺的本科以上人才 5300 名，其中博士 61 名、硕士 538 名。

培训各类专业高级人才 4300 人，建成乡土人才培训基地 11 个。

新建 2 个海外留学人员创业园，新增企业博士后工作站 3 个。

基本完成区市县和各行业与周边省市及国际人才交流机构的联网，市人才市场储存人才信息 2.15 万条，高级人才信息 3260 条。

3. 高新技术产业发展。全市软件产业产值达到 9.1 亿元，高新技术产业产值比上年增长 30%。软件园启动软件开发楼、培训中心教学楼、服务中心等 6 个建设项目，开工总面积 12.7 万平方米。东大诺基亚、中软集团、中国网通等 52 家软件企业已入园。

大连市民营科技企业创业中心建成并投入运行，入驻孵化企业 22 家。

完成常设技术商品交易市场建设的前期准备，技术市场实现技术交易项目 7100 项，交易额 16.2 亿元。

高新技术产业园区实现合同外资 2.29 亿美元，实际使用外资 8079 万美元，引进内资 21 亿元。七贤岭产业化基地基础设施配套进一步完善，4万平方米的海外留学人员创业园建成并投入使用；启动高科技产业化项目20项，在孵企业210家，其中海外留学人员和博士创办企业96家。

5号路高新技术园区（“双D港”）建设全面启动，2平方公里起步区的基础设施建设完成，进港注册企业10家。

城域网二期工程开始启动，建成政府部门网站86个，农业、乡镇企业、旅游等信息网站开通。

电子商务支持平台进入最后测试阶段，完成电子商务示范工程8个。100处多媒体信息查询及服务网站的建设正在积极推进。城市公交“一卡通”在4条公交线路试验。信息服务业实现营业收入40亿元。

4. **区市县建设**。各区市县实现国内生产总值共计641.4亿元，财政收入29.3亿元，到位内资83.2亿元、外资4.94亿美元（各区市县完成情况见表）。

全市乡镇企业实缴税金19.2亿元，完成企业增加值638亿元，实现合同外资8.5亿美元，实际使用外资3.9亿美元，出口交货值200.9亿元。

绿源化工有限公司等10家高新技术示范企业初具规模并投入批量生产，华农集团、实德化学建材工业有限公司、大杨企业集团、亿达企业集团、华南企业集团的营业收入分别达到20.3亿元、21亿元、8.3亿元、10.3亿元和11.9亿元。北大科技工业园区等5个科技园建成或正在建设中。

各区市均新办3000万美元以上项目1个。

5. **农业经济**。黄海大道经济带新建精品工程31项，总投资4亿元。

调减粮田38.4万亩用于发展优质、特色、高效农业。

引进农业新品种226个，推广新技术60项。

新增远洋渔船30艘、底播增殖面积15万亩、海上网箱养鱼3000箱、陆地工厂化养鱼7万平方米。

建设和完善水产、果品、肉食、蔬菜加工龙头企业10个，大型农副产品批发市场8个。

新建水源工程1300处，新增节水灌溉面积10.9万亩，除险加固水库12座，治理水土流失面积35万亩。

建设“四位一体”生态工程8686户，完成90个贫困村、3万贫困人口的脱贫任务。

6. **外向型经济**。全市引进合同外资1000万美元以上的项目74个，其中5000万美元以上的项目11个；完成合同外资23.86亿美元，实际使用外资13.3亿美元，自营出口创汇52.14亿美元。

新签订对外工程承包和劳务合作合同营业额1.7亿美元，外派劳务1.82万人次。

邀请105家国外大型经贸代表团来连考察洽谈，同100家跨国公司建立业务联系，有20家跨国公司来连投资；重点行业引进具有导向作用的大项目64个。

改革对外贸易体制，建立项目招商中心、贸易促进中心等企业化运行机制；区市县涉外部门全部实现网上贸易和网上招商。

对美欧、日本、韩国、东南亚以及东欧、中东、南美、俄罗斯等国家和地区出口比上年增长24%。

市属国有外贸企业基本建立现代企业制度，亏损面下降到16%，资产负债率比上年降低10个百分点。

建立各区市县及相关部门的改善投资软环境“一把手”责任制，成立由全市26个涉外职能部门组成的涉外办公机构，基本实现一站式服务、一个窗口收费和一个综合部门执法，外商投诉综合处结率为91.5%。

7. **经济技术开发区和保税区**。开发区完成机构和干部人事制度改革，党政群机构由14个减为7个，机关行政编制由447名减为246名，建立了与改革开放相适应的创新机制。全区完成国内生产总值165.5亿元，固定资产投资24.3亿元，工业总产值360亿元，社会消费品零售额18.2亿元；实现合同外资4.52亿美元，实际使用外资2.2亿美元，吸引国内资金10.6亿元，出口创汇22.4亿美元。更新金马路、振兴路、5号路重点路段的路灯、方砖，环海路完成设计，启动停、缓建工程21项。博士后工作站、海外留学人员科技创业中心正在建设，华丰科技园一期工程竣工投产，北良生物科技园尚未启动。5个高新技术产业基地进展顺利，其中竣工投产1个。

保税区新批外商投资企业108家，实现合同外资1.8亿美元，实际使用外资8000万美元；实现国内生产总值22亿元，完成各项税收19.4亿元；进出区货物量达到16.3万标箱，进出口总额8亿美元，实现市场交易额112亿元。

8. **城市建设**。大连新火车站因方案调整暂未动工；现代博物馆、网球中心、电影城主体工程、门球场建设工程以及市图书馆、旅顺博物馆改扩建工程完成；星海艺术馆开工建设。

香海热电厂投入运行；春海热电厂二期工程开工建设。

OECF城市供水系统改造完成工程总量的80%；改造城区自来水地下管网20.5公里、煤气管网20.4公里；改造双燃料公交车辆633台、出租车1092台；液化气加气站建成4座、在建6座。

马栏河、春柳、傅家庄污水处理厂建成并投入使用；虎滩污水处理厂完成可行性研究、勘测及设计等前期工作。

大工路、山东路南段、五一路西段新建工程完工；维修市内四区主次干道65

2000年大连市各区市县主要经济指标实现情况

	国内生产总值(亿元)	增幅(%)	地方财政收入(亿元)	增幅(%)	到位内资(亿元)	增幅(亿元)	到位外资(万美元)	增幅(%)
中山区	18.3	11.2	3.19	8.8	6.15	132.0	5306	16.6
西岗区	17.4	13.1	3.09	10.0	6.17	137.4	4650	6.2
沙河口区	13.6	13.3	2.57	21.7	2.9	12.3	3645	4.4
甘井子区	101.3	12.0	4.68	22.9	15.3	85.0	8060	0.8
旅顺口区	44	10.5	2.21	8.2	8	27.0	3600	20.0
金州区	137.2	8.5	4.26	17.7	12.1	18.5	7175	19.5
瓦房店市	116	5.9	2.7	10.4	12.6	68.0	5372	5.3
普兰店市	105	6.8	3.2	32.8	8.8	26.0	6203	21.0
庄河市	78.1	11.1	2.42	20.4	10.0	58.7	5277	30.0
长海县	10.5	20.3	0.96	20.2	1.2	44.9	131	950.0

万平方米,铺设彩色人行步道方砖75.1万平方米。

中山路3条地下通道投入使用。

高标准完成人民路、中山路、疏港路、胜利路等14条路街的综合整治。

完成20条路街和与城市轨道交通相配套的线杆落地任务。

解放广场定向立交桥竣工通车。

长江广场、金福大厦(B座)、世界贸易大厦、大世界商业中心、岁盛大厦竣工;新世界广场、王府商厦、越秀广场、百年商城主体封顶。

综合整治长江广场、世贸大厦等11个大型公建项目的周边环境。

全长15.5公里的海皮公路一期工程竣工通车;全地区128个乡镇实现“乡乡通油路”。

9. 轨道交通和引英入连供水应急工程建设。城市轨道交通兴工街至黑石礁线路建成通车,星海公园至海事大学路段正抓紧施工;兴工街至华乐街11.5公里线路改造工程因计划调整暂未实施。市区到开发区、金石滩的快速轨道项目报国家计委立项,隧道、桥梁、路基工程全面动工。

英那河水库扩建和引英入连供水应急工程提前开工;大洋河远期引水规划纳入辽宁省“十五”计划。

10. 住宅建设和住房制度改革。启动和推进华乐、泉水、锦绣、泡崖等4个现代住宅新区建设。城区完成住宅竣工配套面积256万平方米,其中经济适用房54万平方米。

旧危房拆迁改造工作进展顺利,完成民权街二期动迁并开工建设。采取收购旧房和长期空置商品房的办法为市民提供廉租住房的工作正在运作中。完成住房解困5208户。城市人均住房使用面积达到13.8平方米。

加强住宅建设质量管理,新建住宅优良品率达到100%。锦华园小区、泡崖小区向建设部申报康居示范工程。

全市建成精品小区10个,智能化管理小区11个。

实施住宅小区达标工程,小区内道路修复和楼道灯安装基本完成。3个小区、1个大厦荣获全国城市物业管理示范小区(大厦)称号。

全市累计归集房改资金120亿元,实现房地产交易额397亿元。

11. 造林绿化。农村植树、植苗5382.5万株,垂直绿化302.4万株,新建园林式村庄150个、花园式单位500个,建设500亩以上苗圃5个。甘井子区金龙寺、金州区大黑山、瓦房店市长兴岛和旅顺4个森林公园一期工程全面竣工,共植树150万株,修路29.1公里,水、电等基础设施完成计划建设任务。

城区绿化植树420万株,其中栽植大树35.9万株、花卉1044.6万株,垂直绿化41.3万株。完成海军、秀月、风景、莲花等14个广场的新建改造任务。

4条“绿色长龙”建设植树95.3万株,铺草坪32.5万平方米,栽植花卉410万株。完成梭鱼湾50万平方米的绿化工程。

更新、补植90条路街的行道树。完成“9校1所”33万平方米的绿化任务和冰山、瓦轴、大显等13个大型企业厂区绿化。

城区新建公共绿地160万平方米,人均绿地面积达到8.5平方米,绿化覆盖率达到40.5%。

12. 商业及个体私营经济。实现社会消费品零售总额比上年增长11.6%。双兴商品城实现交易额80亿元,大商集团实现营业额60亿元。

建成大连国际车城、保税区石化产品交易市场、甘井子汽车城一期工程3个批发市场,当年实现销售额分别为46亿元、60亿元和10亿元;建成大连机动车交易市场、金州中益大市场、中国家私城等销售额10亿元以上批发市场10个。

大商西楼——新玛特购物中心进行内外装修并开始招商;南山宾馆改造工程正在内外装修。

由于计划变更,天津街改造推迟;对青泥步行街进行了改造。

完成家乐福、沃尔玛、华联、旺客隆4个大型超市,胜利百货金州店、三八超市、民勇理工大学超市、昌临登沙河店、华联丰华店5个标准超市和55个连锁店建设。全市新业态销售额占社会消费品零售额的10.2%。

豆制品厂搬迁改造、肉联厂改造完工并投产。

全市商业、物资、粮食、供销系统共减员分流13820人,减债6.1亿元。粮食、供销系统实现本级扭亏增盈,分别实现利润2345万元和1228万元;物资系统实现利润171万元。全市共销售政策性粮食31万吨,政策性库存基本解决。

在成都、郑州、哈尔滨、长沙举办商品展销和经贸洽谈会,实现成交额289.2亿元。培植创税超100万元的内联企业16家;地工产品销售额比上年增长1.8倍。

全市个体私营经济实现产值比上年增长15.7%。

13. 旅游业。接待海外旅游者和旅游创汇均比上年增长30%,实现旅游总收入90亿元。

成功举办大连国际服装节、烟花爆竹迎春会、赏槐会和马拉松赛。

《大连之夜》文化旅游晚会新排节目11个,演出43场,并配合全市外出招商进行6次专场演出。

四季购物到大连活动取得良好成效。

先后到日本、韩国、美国、俄罗斯、香港等国家和地区开展旅游促销活动,组织旅游大篷车先后8次走访国内17个省市区的60多个城市,接待海外包机69架、海内外游船10艘。

星海湾渔人码头项目外方设计和开工准备就绪;虎滩渔人码头子项目中的根雕馆外立面装修、临海栈桥和嘉乐斯改造装修及周边环境整治完工,王子饭店改造工程正在规划设计。

购置豪华游船1艘,改造和整修游船6艘,开通星海湾——大连港、星海湾——老虎滩、老虎滩——大连港、金石滩——广鹿岛、神月湾——金石滩、大连——金石滩6条“海上看大连”旅游航线。

森林动物园二期工程完工并试开园;虎滩极地馆完成土建工程,预计2001年7月营业;圣亚海洋世界二期正进行填海建设;星海湾大型室内海水游泳馆等项目正在进行前期设计、招商洽谈和开工准备。旅顺蛇岛探秘项目因保护野生动物等原因被取消。大黑山宗教文化风景区投入2940万元用于道路修建和景点改造等,正进行招商引资。

金石滩度假区实现合同外资1.2亿美元,实际使用外资2011万美元。金石国际会议中心竣工投入使用;金石高尔夫球场二期、金石园二期扩建基本完工;野生动物园项目调整为在狩猎场增加动物狩猎区、弓弩射击场、彩弹场建设,上述项目建设基本完工;渔人码头建成投入使用;金石地质馆前期工作正在进行。

14. 会展业。举办大型展会52个(其中同海外著名展览公司合办的5个,展出面积在1.5万平方米以上的10个),成交额突破300亿元。承办有一定档次和规模的国际会议10个。

星海湾主题公园实行统一规划、分项招商,直升飞球项目建成升空,星海会展二期工程因外方原因拟在2001年开工建设。

进出口商品交易会出口成交额7.27亿美元,比上届增长42.3%;化妆洗涤商品交易会、国际环境保护博览会和旅游风景区、度假区博览会分别完成交易额27.5亿元、19亿元和8339万元。

全市有106家企业到美国、德国、日本、意大利、印尼、加拿大参加纺织品、环保等专业展会,展位达到101个。

星海湾商务区实现合同外资1.5亿美元,实际使用外资0.26亿美元。

15. **交通运输业**。大连港完成货物吞吐量9084万吨、国际集装箱吞吐量101万标箱。新辟大连——波斯湾、大连——美国西海岸等2条国际集装箱远洋班轮航线。大窑湾8、9、10号泊位投入使用。

20万吨级矿石码头项目由于腹地钢铁企业限产等原因被国家定为缓建项目,正在研究制定分步实施方案。

空港完成旅客吞吐量275.2万人次、货邮吞吐量7.6万吨。新开通大连——伊尔库茨克、大连——曼谷2条国际航空线和大连——西宁、大连——张家界等7条国内航空线。

烟大火车轮渡项目方案由铁道部组织专家修改完毕,正在推进项目公司、法人确定、股份投入等前期工作;周水子机场扩建项目正在进行前期工作。

16. **财政、金融、审计**。市本级财政收入34.3亿元,超额3.9%完成预算,实现财政收支平衡。

新上市企业4家;有6家上市公司获准配股,其中3家实施。

市商业银行各项存款余额110.3亿元,比年初增长15.1%;实现利润6138万元;新增贷款16.2亿元,主要投放到本市的重点工程和高新技术企业。

成立贴现市场,为企业办理贴现金额165亿元,发行银行卡271.3万张,比上年增长93.8%。按中国人民银行总行批文着手撤销大连信托投资公司、大连国际信托投资公司、大连经济技术开发信托投资股份有限公司,并按国家要求进入清算程序。国投、开信、大信、华信的证券部门被剥离,将与大连财政证券公司共同组成大通证券股份有限公司,筹建申请获中国证监会批准,各项准备工作基本完成。

大连商品交易所实现粮食期货交易额7817亿元,列全国同行之首。

完成对棒棰岛等10个企业集团、环保等12个行业系统、广电大厦等10个投资建设项目、工商系统收支两条线等25个调查项目、扶贫资金等8个专项资(基)金的审计。

17. **社会事业**。大连二十高中和二十三中2所大型现代化寄宿制高中建成并交付使用。初步解决明泽小学等3所学校马路操场问题,另有13所学校马路操场的改造方案已确定。完成大连三中等5所学校塑胶跑道操场铺设工程和青泥小学等4所学校塑胶跑道操场的基础工程。大连职业技术学院夏家河子分院主体工程竣工。

大连大学1.8万平方米教学实验楼正在施工。在连高校全部启动后勤社会化工程,学校食堂和公寓管理、后勤服务等正在向社会化管理转轨。在连高校共新建大学生公寓13万平方米。

中小学教师第二次双聘的考核方案开始实施。全市共引进内资近2亿元,新建大连南洋学校、北师大大连附中等5所民办高中和中等职业技术学校。

足球运动学校建成投入使用。全市1/3以上的区市建成市民健身中心。体育场、体育馆、航空学校等3个事业单位和6个自收自支单位人员分流安置率达到40%。体育产业创收比上年增长20%。

专业艺术表演团体分流152人,占总人数的26%。

大连电视台和大连人民广播电台分别分流人员36.8%和23%。本市有线电视网与国家电视主干网联接光缆敷设完毕,待沈阳至大连段(由省负责)的光缆敷设完工后即可对接。全市39.4%的乡镇实现有线电视联网。

制定《大连市区域卫生规划》,在25个街道开展社区卫生服务试点,城区二级医疗格局框架基本形成。市卫生监督所和疾病控制中心组建工作准备就绪,生殖保健中心成立并通过省卫生厅验收。市儿童医院将康复科扩展为市弱残儿童康复中心,但尚未对外挂牌。远程可视医疗会诊中心建成并开展远程会诊。卫生事业单位实施双聘制改革,分流安置10%的人员。

市中心医院、友谊医院和第五人民医院门诊楼改扩建工程竣工。

18. **社会保障事业**。国企下岗职工生活得到基本保障,全市累计实现城镇就业和再就业8.5万人,城镇登记失业率控制在3.9%。

全市城镇职工基本养老保险参保人数达到101.5万人,养老保险基金收缴率达到98%;33.4万名企业离退休人员的养老金全部按时足额发放,社会化发放率为100%;市内职工基本医疗保险参保比例达到70%。

19. **社会治安**。开展"一打两整"、"打拐"、"扫丑"、"打黑除恶"等专项斗争,全市重特大刑事案件破案率比上年提高6.15个百分点。推进110向农村和海上延伸,接处警率达到100%。公安综合训练馆完工投用。投资200万元购置防暴武器装备、更新9台巡警车(其中将预算更新巡警车的100万元购置了防暴设备)和电视监控等设施。实施"畅通工程",中山路、人民路行人遵章率达到95%以上,华北路、华东路达到85%~90%;主要交通干道车辆通行平均时速达到35公里。巡警加大对市区84条主要路街和广场综合管理力度,并取得明显效果。全市83%的居民区达到安全小区创建标准。

(注:19件实事完成情况为年初初步统计数。)

·外事工作·

【概况】 2000年,大连市接待境外来访客人29.8万人次,其中市外事办公室接待外国党政和议会代表团、驻华使节、友好城市客人、海外记者共3662人次。来访团组中,副部长级以上团组29批,其中包括印度总统那拉亚南、刚果(布)总统萨苏、几内亚总理西迪梅、意大利前总统斯卡尔法罗、日本前首相村山富市等率领的重要代表团,以及50个国家的122位驻华使节。

市外事办公室共审批因公出国团组2268批、7396人次,办理因公护照9838人次,办理赴60个国家的出国签证7294人次,办理34个国家的来访邀请1856人次,办理20个国家的113本领事认证。

友好城市交流。年内,本市与刚果(布)黑角市结为友好城市;法国勒阿弗尔市在连设立办事处。市外办接待来自日本、美国、英国、法国、韩国、俄罗斯、加拿大、刚果(布)8个国家的友好城市客人682人次,其中领导人率团来访12批。美国奥克兰市向本市赠送2辆警车;日本舞鹤市向瓦房店市赠送1辆急救车;日本北九州市为本市自来水公司提供500万日元,用于培训城市建设方面的管理人才。本市有9个市级代表团出访7个友好城市。

民间友好交往。本市接待国外友好组织派来的友好访问团组112批、1179人次。新授予7位外国及地区友人大连市荣誉公民称号。市对外友协及有关单位与国外有关企业共同举办的第十一届“佳能杯”日语演讲比赛、第四届“枫叶杯”英语演讲比赛、第四届“岩谷杯”焊工技能大赛、第二届“国际商务杯”外国人汉语演讲比赛和首届“希尔顿杯”英文歌曲大奖赛,取得圆满成功。

2000年访问大连市的外国重要代表团

	人数	团 长	来访时间
韩国京畿道访华团	5	马昌焕 知事	1月20~22日
朝鲜外交部访华团	10	白南舜 外务相	3月20~21日
新加坡外交部访华团	4	李宗严 副部长	4月24~25日
日本民主党访华团	2	伊藤英武 副党首	5月4~5日
南斯拉夫文化代表团	8	米尔科维奇 部长	5月12~14日
日本长崎县议长一行	18	林义博 议长	5月17~18日
古巴国家储备局局长一行	4	邵黄 局长	6月3~5日
危地马拉人权部长一行	3	戈多耶 部长	9月16~18日
新加坡交通及信息科技部访华团	4	姚照东 部长	9月21~22日
日本爱媛县访华团	18	矢野顺意 副知事	10月7~10日
老挝最高人民检察院访华团	6	坎班 检察长	10月10~11日
利比亚总人大代表团	6	沙胡米 部长	10月24~26日
冰岛渔业部长一行	10	马修森 部长	11月3~4日
韩国济州道访华团	23	禹瑾敏 知事	11月8~10日

注:国家元首和政府首脑来访见【重要外事来访】。

【重要外事来访】 2000年,大连市重要外事来访有5次:

3月22~24日,刚果(布)共和国总统德尼·萨苏一行63人,在中国驻刚果(布)大使曲阜君等陪同下访问大连。市委书记、市长薄熙来会见并宴请萨苏总统一行。李永金副市长陪同萨苏总统参观了经济技术开发区、大窑湾新港、大连造船厂、星海会展中心,游览了滨海路、森林动物园、海之韵广场、绿山观景台等。萨苏总统还出席在连召开的刚果(布)投资环境说明会。

5月31日~6月1日,印度总统那拉亚南一行104人,在中国驻印度大使周刚等陪同下访问大连。市委书记、市长薄熙来会见并宴请那拉亚南夫妇及代表团主要成员。那拉亚南总统参观了经济技术开发区、金石滩国家旅游度假区、保税区、泡崖住宅小区,游览了滨海路、海之韵广场、绿山观景台等。

9月15~17日,日本前首相村山富市夫妇一行3人,在中国人民外交学会副会长金桂华夫妇陪同下访问大连。市委书记薄熙来、代市长李永金分别会见、宴请村山富市夫妇一行。村山富市应邀出席第十二届大连国际服装节开幕式并致辞,还观摩了服装节巡游表演,参观了自然博物馆、少儿图书馆,游览了滨海路、海之韵广场等。

9月15~18日,意大利前总统斯卡尔法罗一行8人,在中国人民外交学会会长梅兆荣夫妇陪同下访问大连。市委书记薄熙来、代市长李永金分别会见、宴请斯卡尔法罗一行。斯卡尔法罗总统应邀出席第十二届大连国际服装节并致辞,还观摩了服装节巡游表演和意大利精品时装展演,参观了大连港、星海广场、海之韵广场,游览了滨海路、森林动物园等。

9月16~17日,几内亚总理西迪梅一行12人,在中国驻几内亚大使许孟水等陪同下访问大连。市委书记薄熙来、代市长李永金分别会见、宴请西迪梅总理一行。西迪梅总理应邀出席第十二届大连国际服装节开幕式并致辞,还参观了经济技术开发区、金石滩国家旅游度假区、星海会展中心,游览了滨海路、森林动物园、绿山观景台等。

2000年5月31日~6月1日,印度总统那拉亚南一行访问大连。 王晓槐 摄

【扩大对外宣传】 2000年,大连市外事办公室利用本市举办大型活动之机,先后邀请和组织日本、印度、新加坡、英国、法国、韩国、美国等10个国家74个新闻媒体的189名记者来连采访,宣传报道大连。

当年来访的外国媒体的特点:(1)世界知名新闻机构多,如法国《费加罗报》,日本共同社、《产经新闻》、广播协会(NHK),英国广播公司,美国哥伦比亚广播公司、新加坡《联合早报》等；（2）亚非拉发展中国家如黎巴嫩、印度、海地、突尼斯等对本市比较关注；（3）派访的电视记者较多，占来访记者总数的40%以上；（4）报道外资项目进展情况多，先后对新加坡投资的大连集装箱港务集团、美国投资的固特异轮胎有限公司及开发区部分日资、韩资企业多次进行采访报道。据不完全统计，年内海外新闻媒介发表介绍大连的文章、照片等93篇（幅），组织对外电视直播1次，制作电视专题片21部。

2000年9月15～18日，意大利前总统斯卡尔法罗一行访问大连。王晓槐　摄

【7名友好人士获大连市荣誉公民称号】 2000年，大连市向7名外国及地区友好人士颁发《大连市荣誉公民》证书。这7位新荣誉公民是：美国休斯敦市市长李·布朗、香港得实发展有限公司总裁张可治、新加坡万邦集团主席曹慰德、日本蝶理株式会社社长中村久雄、香港赛马会行政总裁黄至刚、日本正兴电机制作所会长大岛淳司、韩国丰源制靴工业株式会社社长柳富烈。至此，已有72位外国及地区友人被授予大连市荣誉公民称号。

【本市与刚果（布）黑角市结为友好城市】 2000年6月19日，大连市与刚果（布）黑角市结为友好城市。至此，与大连结为友好城市的总数已有8个国家的12个城市。（吴智超）

·侨务工作·

【概况】 2000年，大连市共有归国华侨1843人、侨眷（含港澳同胞、外籍华人、新移民眷属）11.5万人。同大连市有血缘、地缘关系的海外华侨华人、港澳同胞共有3.75万人，分布于50多个国家和地区。

全市有海外华侨华人、港澳同胞投资企业5348家，合同外资100多亿美元，其中当年新办企业248家，合同外资8.8亿美元。当年市侨办引荐促成合资合作、对外贸易、劳务出口等项目11项，合同外资3865.5万美元，实际到位外资975.5万美元，实际到位外资额比上年增长1.8倍。

全市共接待海外侨胞、港澳同胞5.3万人次，比上年增长89.3%，其中市侨办（含中旅社）接待1.3万人次，占24%。新结识海外华侨华人社团43个，其中重点团组35个、207人次。接受海外侨胞、港澳同胞捐赠5项，折合人民币85万元。

开展全市归侨侨眷普查、登记、发证工作。安置华侨回国定居2户3人，办理归侨侨眷子女升学加分手续证明48份，接待来信来访470余件次，发放救济款1.5万元，走访困难归侨侨眷60余户。

2000年9月16～17日，几内亚总理西迪梅一行访问大连。王晓槐　摄

【招商引资引智取得新成效】 2000年，大连市侨务办公室先后组织5个招商小组分赴广东、福建、上海等侨乡考察、招商，了解国内经贸活动信息。参加市政府招商团赴新加坡、香港招商，向当地华侨华人、港澳同胞社团及各界人士引荐介绍有关项目。参加市政府在长沙举行的大连—长沙经济技术洽谈会，邀请20多位侨界客商洽谈。当年储备项目信息资料350余个，先后向北三市、对外开放先导区、有关委办局及企业等提供项目60多个，已有11个单位与外方签订合资合作合同，达成意向28个。与日

本农协签订派遣赴日研修生合同，为城建局等有关单位派遣赴日研修生4名；促成日本农协向本市赠送果树种苗19个品种、绿化用地被植物20种。协调处理侨、港、澳客商经济纠纷65件次。

【海外联络与交往不断扩大】 2000年，大连市侨务办公室邀请马来西亚、奥地利、匈牙利、法国等国家的70多位海外侨胞前来参加大连国际服装节活动。邀请中国留德学者计算机学会副主席张敏博士、美国牛股网首席执行官朱鸿博士等20余位专家学者来连参加海外学子创业周活动，与大连海事大学、大连大学、盛道集团、华录集团及大连软件园的软件开发公司进行信息技术、生物工程技术等方面的交流和洽谈，签订合作项目12项。还邀请接待来自美国、加拿大、荷兰、日本、巴拉圭、菲律宾、香港等10多个国家和地区的20多个团组共250多人来连考察访问，参加经贸洽谈及展览活动。

【宣传归侨侨眷法规】 2000年是《中华人民共和国归侨侨眷权益保护法》颁布10周年。大连市侨务办公室会同市人大民侨外委、市政协联络委、致公党市委、市侨联等开展系列纪念活动，并检查区市县和部分企事业单位贯彻执行《保护法》情况；与沙河口区委、区政府联合举办“辽南杯”纪念《保护法》颁布10周年广场文艺晚会，归侨侨眷代表及市民2000多人参加。市领导在《大连日报》发表了纪念文章，并在电视上发表讲话。

【赴港招商】 2000年10月，大连市侨务办公室参加市政府赴港招商团，在香港进行为期6天的招商活动。期间，邀请近百位海外侨胞、港澳同胞客商参加大连发展茶叙会和招商洽谈会，并拜会香港中华总商会、香港华侨华人总会等7个华侨华人社团，拜访了专程从东南亚来港参加会议和在港的各界知名人士30多人。引荐促成合资合同1项，合同外资2000万美元；增资意向1项，增资3000万美元；达成合作意向7个。

【参加欧洲华侨华人联合会年会】 2000年8月，欧洲华侨华人联合会第八届年会在奥地利维也那举行。该联合会是由欧洲20多个国家和100多个华侨华人社团组成的国际性、区域性跨国华侨华人组织，在欧洲较具影响力。大连市侨务办公室派代表赴会，并拜会20多个华侨华人社团，结识来自60多个国家和地区的华侨华人代表500多名，其中包括欧洲侨界的70多位侨领。还邀请以欧洲中华总工会商会主席、全球华侨华人推进中国和平统一大会组委会主席张曼新为团长的欧洲中华总商会访问团来连考察。

2000年，辽宁师范大学被国务院侨办确定为全国首批华文教育基地之一。图为授牌仪式。 市侨办 供稿

【辽宁师范大学被国务院定为华文教育基地】 2000年，国务院侨办将辽宁师范大学定为华文教育基地，成为全国首批确定的22个华文教育基地之一，6月28日举行授牌仪式。

该基地的建成，为海外华侨华人学习中国语言，弘扬中华文化，增强民族意识和爱国爱乡感情，提供了又一条途径。

【开展归侨侨眷普查登记】 根据辽宁省侨办统一部署，大连市侨务办公室自1999年11月开始对全市归侨侨眷进行普查登记，并于2000年12月完成。这是继1989年首次普查之后，本市进行的第二次较大规模的归侨侨眷普查登记。普查结果：全市有归国华侨1843人，比1989年增加770人。其中：朝鲜归侨1379人，占75%；韩国归侨86人，日本归侨84人，各占4.6%；东南亚各国归侨157人，占8.6%；港澳地区归侨51人，占2.7%；欧美各国归侨85人，占4.6%。共有侨眷11.5万人，比1989年增长8倍。经个人自愿申办，市侨办审批发放《归侨侨眷身份证》5500个。 （施 兵）

·台务工作·

【概况】 2000年，大连市政府台湾事务办公室以高新技术、城市建设、涉台旅游等为重点，开展对台经贸工作和交流交往活动。来连台胞人数比上年增长5%，新增台资项目和投资额分别增长6.9%和54.6%。先后举办或参与承办海峡两岸城市建设发展（大连）研讨会、第三届海峡两岸青年中秋联欢会和大连—香港经济技术合作洽谈会等。邀请4家台湾新闻媒体来连采访。举办涉台宣传教育座谈会、报告会、讲座14场次，听众近9000余人次。办理涉台婚姻6对；处理涉台突发事件2件；办理台胞捐赠手续3件，捐赠金额12.96万元；接待来信来访及政策咨询210人次。

为纪念江泽民总书记《为促进祖国统一大业的完成而继续奋斗》的讲话发表5周年，召开全市各界人士、台商和台属代表座谈会；邀请专家、学者为全市局以上干部作两岸形势报告；为大学师生、老干部和科技工作者作学习江总书记讲话辅导及台湾形势报告。以《一个中国原则与台湾问题》白皮书发表为契机，组织召开各区市县台办主任、部分市直单位和院校对台工作负责人学习白皮书座谈会；组织在连台商宣讲白皮书，激发广大在连台商为促进祖国统一大业做出努力。

【利用台湾新闻媒体宣传大连】 2000年，大连市政府台湾事务办公室为使台湾岛内的民众及时了解大连的发展变化情况，邀请和接待海峡两岸新闻媒体共16家来连采访，其中台湾新闻媒体4家。台湾卓越传播公司来连拍摄了《中国名城——大连》专题片，台湾TVBS电视台记者参加了海峡两岸城市建设发展（大连）研讨会，两个专题节目在台湾中华电视台同时播出；还邀请并协助台湾记者采访和拍摄了大连国际服装节盛况。

【对台交流交往】 2000年，大连市来连台胞27022人次，比上年增长5%，其中经商9372人次，旅游16819人次，探亲334人次，交流165人次；本市赴台人员391人次，比上年减少1%，其中探亲262人次，探病奔丧16人次，定居4人次，交流109人次。

大连市政府台湾事务办公室接待台湾来连团组10个，这些团组具有大规模、高规格、高层次的特点。其中重要团组有：台湾前“行政院长”郝柏村夫妇一行17人；台湾中国台海关系研究发展协会理事长赖干明一行16人；“中国统一联盟”第一副主席王津平一行40人；台湾前“总政战部”主任王升一行53人。还协助有关单位接待以台湾中华青年交流协会理事长李钟桂为团长的台湾青年访问团一行160人，参加中华全国青年联合会主办的第三届海峡两岸青年中秋联欢会大连分会场“海上升明月——海峡两岸青年中秋联欢会”活动。

本市有15个团组赴台交流。

【连台经贸合作】 2000年，大连市新增台资项目62项，总投资2.12亿美元，合同台资1.54亿美元，分别比上年增长6.9%、54.6%和76.9%。截至年末，全市累计批准台资项目863项，总投资额19.55亿美元，合同台资11.47亿美元。

当年来连考察的台湾百大企业和上市上柜公司有大同尚志货柜公司、英业达集团等12家。英业达集团副董事长温世仁为本市270多位企业界人士作了2场有关企业发展和电子商务方面的演讲，并与市领导探讨有关设立风险投资基金问题；国民党中委罗传进带领的台湾渔机协会考察团与市水产局达成远洋捕捞合作和船员培训意向；台湾海峡两岸企业交流协会等5家专业工会先后组团来连考察，并就设立食品加工厂、调味品厂、观光农场等项目达成初步意向。

大连市政府台湾事务办公室先后组织台商参加大连出口商品交易会、出口加工区招商会、厦门贸易洽谈会和香港经济技术合作洽谈会等。在市政府于香港举办大连—香港经济技术合作洽谈会期间，邀请台、港、澳地区十大商会的150余名客商参加洽谈，其中台湾知名人士和重要客商35人，包括原国民党副主席林洋港、原民进党主席许信良、台湾百大富豪之一英业达集团副董事长温世仁、旅台大连同乡会会长曲铭等；同时邀请26位台商参加金州区招商说明会、高新技术和出口加工区项目推介会。在港招商期间共签订项目12个，合同台资2.65亿美元。

参与引荐洽谈台商投资项目。共接触洽谈台商投资意向30余个项目，包括食品加工、木材加工、休闲农业、除尘设备等。经参与引荐，新办台资企业或新立项目10个，有宇智电子、宏德升木业、肆知堂针织、连盛科技、广懋公司大连怡雅专卖店、联亚建材等，合同台资1061万美元，实际到位台资305万美元。

推进国有企业组团赴台开展经贸活动。先后组织召开5次赴台经贸交流工作座谈会，组成3个经贸团组赴台，其中大钢团组与台湾广泰金属有限公司等企业洽谈成功棒材线材加工项目，总投资500万美元。

为台资企业排忧解难。为台资企业协调处理重大经济纠纷和刑事案件4起，增强了台资企业的投资信心。大成食品有限公司台商再投资700万美元，设立大成美食有限公司；台湾广懋公司大连怡雅专卖店追加投资，并为本市4所高校贫困生捐赠羽绒服200套，价值7万余元。设立涉台经贸信息网站，年末正式开通。

【举办海峡两岸城市建设发展（大连）研讨会】 2000年9月3~7日，由大连市政府主办、市政府台湾事务办公室承办的海峡两岸城市建设发展（大连）研讨会召开。来自祖国大陆和台湾的160余位城市建设专家、学者和实业家，围绕城市建设理论、城市建设项目洽谈、宣传大连乃至大陆城市建设成就、加深了解及增强友谊四大主题，开展学术报告、

2000年9月3~7日，由大连市政府主办、市台办承办的海峡两岸城市建设发展（大连）研讨会召开。 左全夫 摄

论文交流、参观大连城建成就、连台城建项目洽谈等8项活动。此次研讨会的举办，为推动大连城市建设向更高层次迈进提供了舆论支持、理论依据和项目合作机会。（丛昕日）

·信访工作·

【概况】 2000年，大连市乡镇以上党委和政府共受理人民群众来信来访18.96万件次，比上年下降29%，其中集体访3751批、8.12万人次，分别下降23%和28.8%。

中共大连市委、大连市人民政府信访办公室受理群众来信来访2.73万件次，集体访593批、1.47万人次，分别比上年上升12.3%、3.7%和5%。拖欠工资、养老金，企业产权制度改革遗留问题，农民负担过重，农村土地、滩涂、海域承包纠纷，基层干部为政不廉等问题成为来信来访热点。共立案470件，结案率90%。

各级党委和政府坚持把信访工作摆在重要议事日程。市政府新建立市领导信访接待日制度，由市领导和政府职能部门轮流到信访部门接待来访群众。各区市县层层签订责任状，进一步落实领导责任制。中山区成立由10名法律工作者组成的法律顾问团，协助解决信访疑难案件，并率先在9个街道成立社区社会矛盾调解中心。经济技术开发区建立主任接待日、主任信箱等制度，形成畅通有效的政、企、民对话渠道。

全市各级信访部门加强信访信息与调研工作，注意捕捉有价值的苗头性和突发性信息。市信访办编发信访信息191条，被上级机关采用和领导批示156条；对农民参加社会保险不兑现、城市居委会建设等社会热点问题进行调研，形成5篇调查报告。

【妥善化解群众集体访】 2000年，大连市集体访形势比较严峻。对此，各级领导坚持“三抓”：一抓苗头，搞好预测预报。每逢重大活动和重要节日，市委、市政府都召开专题会议，听取信访形势汇报，排查社会矛盾，研究部署信访稳定工作，并以政府名义交办重要集体访案件。二抓责任制和目标考核。凡发生来市集体上访事件，责任单位主要领导都亲自包案处理。为强化目标考核，各地均实行集体访一票否决制，凡当年发生进京集体访，取消年度先进单位评选资格。三抓处理落实。凡发生的集体访，信访部门均逐个落实处理结果。对重点地区、重点单位、重点问题，信访部门带案下乡攻关，直到问题解决、群众稳定为止。年内，市政府交办的180余件集体访案件全部得到妥善化解。

【完善政府热线电话办公制度】 2000年，大连市委、市政府不断完善热线电话办公制度，及时为民排忧解难，促进政府职能部门工作作风的转变和办事效率的提高。

进一步健全热线电话工作网络。重新调整部分职能部门热线电话，在全市形成以市政府热线监督电话为龙头、以33个政府职能部门和13个地区100部热线电话为支系的热线电话网络。

加强对重点疑难问题的督查和协调。市信访办公室与新闻、工商、物价、环保、公用事业、旅游等部门一起，对热线电话反映的旅游黄金周中个别旅行社、酒店、公园的违规经营行为，部分公交线路乘车难，东关街常流水，部分职能部门乱收费等问题，进行明查暗访，召开现场办公会70余次，并在电视台《新视点》节目中予以曝光，使问题得到妥善解决。

政府热线电话工作网络全年共受理热线电话9.2万件次，98%以上的问题得到及时妥善处理，充分体现“便民、高效、快捷”的特点，成为联系政府与人民群众的重要桥梁和纽带。（刁培树）

·民族工作·

【概况】 2000年，大连市民族宗教事务委员会大力促进民族乡镇经济发展和社会进步，开展少数民族文体活动，增进了民族团结，维护了社会稳定。

民族乡镇经济加快发展步伐。年内，全市11个满族乡共签订招商引资和横向联合项目52个，协议资金1.82亿元；投资4300万元，建设农业精品项目20个；实现工农业总产值127亿元，比上年增长29%；财政收入5634万元，比上年增长27%。

民族乡镇交通状况大有改善。市交通局、旅游局分别投资1000万元和100万元，三架山满族乡自筹资金200万元，在三架山乡修建山区公路13.4公里；市交通局投资6000万元、金州区财政局投资1000万元，在石河满族乡修建高等级公路7.16公里（海皮公路段属）。

民族乡镇社会事业又有发展。市政府安排少数民族地区补助费90万元，重

2000年9月，大连市选送9个节目参加辽宁省第五届少数民族业余文艺调演全部获奖。 市民宗委 供稿

点改善民族乡镇2所中学、2所卫生院和3个敬老院办学办院条件；组织扶贫对口帮单位向52个民族贫困村捐资赠物价值108万元。

少数民族文艺活动开展活跃。有9个节目参加辽宁省第五届少数民族文艺调演并全部获奖，其中一等奖3个、二等奖1个、三等奖5个，市民宗委获得优秀组织奖。

【加强少数民族工作管理】 2000年，大连市民族宗教事务委员会积极参与庄河市少数民族乡镇“合乡并镇”工作，使被撤并乡镇仍可享受民族乡待遇，少数民族群众基本满意（见35页）。

加强清真食品生产经营管理。参与起草《大连市熟肉制品生产流通管理规定》，规范清真熟肉制品的生产和流通。市肉联厂投资420万元，扩建搬迁清真牛羊屠宰加工车间，提高了日屠宰量，并实现出口内销同一标准，保证回民群众吃上放心的清真牛羊肉。依法查处“清真”不真的问题，取缔4家非法经营业户。与市工商局理顺关系，明确了两个部门在清真食品生产经营管理上的职责分工。

妥善处理社会敏感问题。与公安、规划等有关部门配合，重新勘测回民墓地界线，确认回民墓地未被侵占的事实，说服上访回族群众消除误会。针对山东阳信事件，深入回族群众作耐心细致的思想工作，维护了民族团结。

【越南民族与山区事务委员会代表团来连访问】 2000年8月26～27日，以越南民族与山区事务委员会副主任陈留海为团长的代表团一行5人，在国家民委有关人员陪同下来连参观访问。代表团参观游览了圣亚海洋世界、星海会展中心、金石滩旅游度假区、大连经济技术开发区、滨海路及市容。

【市人大代表视察《城市民族工作条例》贯彻实施情况】 2000年4月20日，大连市人大常委会民族侨务外事委员会及部分委员和少数民族人大代表，对本市清真食品生产经营管理情况进行视察。代表们听取了市民宗委代表市政府作的《关于贯彻落实〈城市民族工作条例〉情况的报告》，实地察看了市肉联厂清真牛羊屠宰车间、长兴市场清真牛羊肉销售摊点、中山区回民糕点厂、民族饭庄清真糕点销售窗口、宜州府饭店、域乐楼饭店等清真食品生产经营单位。对本市清真食品生产经营管理总体情况表示满意，同时指出存在的部分业主不到民族工作部门申办审核手续就擅自营业，缺乏高档次综合性的清真大厦等问题。

（柳野园）

·宗教工作·

【概况】 2000年，大连市民族宗教事务委员会全面加强宗教事务管理，全力维护宗教领域团结稳定。市政府与各区市县签订了年度宗教工作责任状。开展宗教活动场所年检，全市登记开放的宗教活动场所109个，教职人员167人，宗教信徒6.4万人。依法制止“三乱”，拆除违建佛像14尊，制止乱建庙宇意向6起，清理各种非法宗教活动点89处；抵制宗教渗透事件6起，查处教育各类自由传教人员11人。

加强宗教界爱国主义教育。组织教徒参观爱国主义教育基础和城市建设新貌；针对梵蒂冈“封圣”事件，组织全市宗教界人士进行谴责和声讨；开展争创文明宗教活动场所、争做文明教徒活动，教育教徒爱国守法敬业，教徒在“扶贫帮困”活动中共捐资20万元、衣物1万余件。

【大连市佛教协会第四届代表会议】 2000年3月31日，大连市佛教协会第四届代表会议召开，62名代表出席会议。会议通过《大连市佛教协会修改章程》、《大连市佛教寺观管理办法》，选举释果明为会长，释盖成、韩伟、于金为副会长。

【本市宗教界强烈抗议梵蒂冈“封圣”】 梵蒂冈不顾中国的强烈反对，于2000年10月1日举行仪式，把曾经在中国犯下丑恶罪行的一些外国传教士及其追随者册封为“圣人”，对此，中国政府和人民及中国爱国宗教团体表示极大愤慨和强烈抗议。10月9日，大连市天主教、基督教、伊斯兰教、佛教等宗教团体召开宗教界人士座谈会，强烈抗议梵蒂冈的倒行逆施，坚决支持中国外交部的抗议声明。

（于树敏）

·人事工作·

【概况】 2000年，大连市各级人事部门认真贯彻落实全市人才工作会议精神，改革创新人事管理制度，开发整体性人才资源，实现构筑中国北方人才高地的年度目标。

全年引进国内外人才5400人，比上年翻1番。优化公务员队伍结构，突出抓好竞争上岗、轮岗和培训，为行将进行的全市机构改革做好前期准备。继续深化事业单位机构、用人和分配制度综合配套改革，先后出台《关于深化事业单位机构和人事制度改革的意见》等系列文件。安置军转干部1127人。

人事工作出现健康发展的良好局面。瓦房店市人事局被国家人事部授予全国人事系统先进集体称号；大连市人事局、中山区人事局、普兰店市人事局、大连市人才服务中心被评为辽宁省人事、编制系统先进集体。

【构筑中国北方人才高地】 2000年，大连市人事局按照市委、市政府确定的构筑中国北方人才高地的战略目标，研究制定了构筑中国北方人才高地目标任务的基本框架，即：把大连建成区域的人才集聚中心、信息中心、培养中心、评价中心、配置中心，实现人才的高密度、高智能、高匹配、高流量、高绩效，使人才在总人口中比例超过东北、内四盟、环渤海地区各城市，并逐步接近或在某些方面超出国内中心发达城市水平，2020年达到世界中等发达国家同类城市水平。同时提出实现这一目标任务要采取的主要措施，即实现“3个突破”，建设“3个体系”：大力培养引进，实现人才数量、质量的突破；加快结构调整，实现人才布局、效益的突破；积极放开盘活，实现人才体制、机制的突破；建设政策体系，发挥导向、激励作用；建设市场体系，合理配制人才资源；建设服务体系，提高社会化服务水平。

【人才工作成效显著】 2000年，大连市人事局把人才问题提上重要议事日程，人才工作力度明显加大。组织各种招聘团15次赴国内外招聘人才，全年引进国内外人才5400余人，培训各类高级人才4300余人。新建成大连丰荣高效农业示范基地、瓦房店市老虎屯职业技术学校等11个市级乡土人才培训基地，大连软件园留学人员创业基地、大连旅顺留学人员创业园2个海外留学人员创业园，大连国际技术投资合作有限公司、大连冰山集团有限公司、大连商品交易所3个企业博士后工作站。有229人通过国有工业企业高级经营者任职资格考评。实施市人才市场与区市县及国际人才交流机构联网工程，实现人才信息“网上行”。举办人才招聘洽谈会260多次，7000余家（次）用人单位进场招聘，应聘人员25万余人，达成意向4.5万人，为下岗专业技术人员提供再就业岗位5132个。

【公务员管理】　2000年，大连市人事局将公务员管理与机构改革准备工作相衔接，拟定市级机关机构改革人员定岗和分流的实施办法，参与开发区和市安全局机构改革中人员分流政策的研究论证，为行将进行的全市机构改革做准备。

继续推行公务员竞争上岗。中山、西岗、沙河口、金州等区和部分市直单位的竞争上岗措施已先行收效。公安机关积极试行公务员聘用合同制，在完善定量考核、等次设置等办法基础上，举办初任、任职培训班，组织知识经济、中级外语考试和各类专业培训，2.4万余人（次）应考或参训。

深入开展“做人民满意的公务员”活动，市工商局金州分局、西岗区城建局和金州大市场工商管理所所长王德林分别被辽宁省政府授予人民满意的公务员集体和人民满意的公务员称号。

【深化事业单位机构和人事制度改革】
2000年，大连市人事局在巩固事业单位“双聘制”成果的同时，集中研究了事业单位综合配套改革问题。提出《关于深化事业单位机构和人事制度改革的意见》，以市政府名义出台《大连市事业单位人员分流安置暂行规定》，制定被撤销、转为企业以及有计划减员单位人员分流的具体政策。

深化事业单位分配制度改革。出台《关于深化事业单位分配制度改革，建立和完善人才激励机制的意见》，提出按照“脱钩、分类、放权、搞活”的基本思路，逐步建立和完善自主、灵活、激励、监督相统一的分配机制的意见。指导市直22个事业单位根据各自特点进行内部搞活的试点，推出岗位工资、项目工资、协议工资等15种分配形式，重点进行资金、技术要素参与分配的试点。市体育馆、市建筑科学研究设计院、市电子所、大连电视台等单位按新的分配机制运行，效果良好。

深化机关事业单位用工制度改革。开展工人岗位技术等级考聘分开试点，制定相关配套政策，为下一步全面推行工人素质培训考核、岗位聘任和技术等级结构比例管理创造了条件。

【军转干部安置】　2000年，大连市接收安置转业干部及随调随迁家属1127人，其中师团职214人。安置工作按政策规定继续以指令性计划为主，重点充实经济建设第一线。其中：安置到市内四区827人，其他区市县300人；安置到国家机关433人，事业单位311人，企业383人，分别占安置总数的38.42%、27.6%和33.98%。

扩大军转干部的考试覆盖面，加大竞争因素，保证人才资源的有效配置；改革军转干部培训机制，重点依托高校实施教学，实现培训的集约化、规范化。

（王福连）

·机构编制·

【概况】　2000年，大连市机构编制委员会办公室积极为新一轮机构改革做准备，继续冻结机构编制，试行部分行政管理体制改革，深化事业单位机构改革。

机构改革准备工作基本就绪。在分赴中编办及北京、上海等8个城市考察机构改革情况和对本市城建、农业等部门重点调研的基础上，提出本市机构改革建议，并拟定《大连市党政机构改革方案》及2个预案、《关于大连市党政机构改革方案的说明》、《关于实施大连市党政机构改革方案的通知》、《关于市党政机构改革工作程序的意见》、《关于市直部门职能调整的意见》、《关于市级行政编制精简比例模拟测算》等配套文件。区市县党政机构改革准备工作也已开始，在搞清政策、摸清底数的基础上，制定出机构改革、人员分流等系列涉及改革的基本方案和多套预案。

继续冻结机构编制，清理整顿非常设机构。凡涉及增设机构、增加编制、增加领导职数和机构升格的请示，一律不受理、不办理；新批准成立的事业单位，其内设机构和领导职数改过去由主管部门设置为自行核定，报市编委统一审批。草拟《大连市事业单位机构编制管理办法》。进一步采取控编减员，清退编外人员等措施，严把“进口”、放开“出口”，除政策性安置人员外，严格控制各级机关调入人员。据年末统计，市直机关总体空编13%左右。对1999年以来成立的197个市级非常设机构提出清理整顿意见。

【行政管理体制改革】　2000年，大连市编制委员会根据国家、省和市的要求，改革部分行政管理体制。

建立城市管理综合执法体制。为扭转城市管理条块分割、职能交叉、多头管理、重复执法、以罚代管的混乱局面，建立与现代化城市相适应的统一执法体系，经国务院法制办批准，撤销行使行政执法职能的事业单位18个，成立大连市城市管理综合执法局，作为市政府直属机构，精简编制253名。

深化开发区机构和人事制度改革。开发区机构和人事制度改革是市政府确定落实的19件实事之一。改革后的开发区党工委、管委会工作部门由原来的14个减为9个，减少36%；部门内设机构由80个减为38个，减少43%；机关编制由447名减为247名，精简44.7%。

【事业单位机构改革】　2000年，大连市继续深化事业单位改革，通过转换运行机制、改革管理体制、调整结构布局，减少事业单位294个，占全市事业单位总数的6.5%；减少事业编制12413名，占全市事业编制总数的6.9%。减少的事业编制中，全额拨款编制2231名，差额拨款编制556名，自收自支编制9626名。若按人均年收入1.5万元计算，减少这些编制人员1年可为财政节省人头费开支3346万元。在减少的事业单位中，撤消的47个，抽回事业编制987名；转制为企业的97个，抽回事业编制8876名；合并的150个，收回事业编制2550名。

事业单位登记工作开始启动。市编委办公室制定并以市政府名义下发《关于在全市开展事业单位登记管理工作的通知》；市及区市县两级登记管理机构相继建立。8月，全市事业单位登记管理工作动员大会召开，正式启动登记工作。

（马华伟）

·经济研究·

【概况】 2000年，大连市政府经济研究中心紧密结合大连经济发展实际，广泛开展调查研究，充分发挥智囊团作用，为市领导决策当好参谋。全年完成市领导交办工作14项，形成报告、讲话、意见等32篇；承担并完成市级软科学课题研究8项，形成报告15篇；围绕经济工作中的热点、难点问题开展对策研究，撰写调查报告和论文187篇；为市有关部门和区市县及企业集团开展重要咨询服务12次。编发《调查研究报告》42篇、《市长参阅》45期、《大连经济信息》46期、《大连经济研究》6期；在市级以上报刊发表言论、文章76篇。

【为政府决策提供政策咨询】 2000年，大连市政府经济研究中心认真参与辟建"双D港"创意论证，组织召开"双D港"新闻发布会，策划宣传方案，在全国亮出兴建"双D港"，大力发展高新技术产业的旗子。

参与市委、市政府重大决定和政策措施的制定，形成《关于进一步加快发展高新技术产业的决定》、《大连市加快北三市经济发展的若干政策措施》等政府文件；牵头组织起草了《政府工作报告》、代市长李永金在省委经济工作会议和大连市加快北三市经济发展座谈会上的发言材料。

完成市领导交办的重点课题和有关部门下达的软科学课题研究任务，主要有国家科技部《东北地区共同发展与大连龙头作用的研究》课题和国家"863计划"项目《大连市创建软件产业国际化示范城市研究》的前期论证，市领导交办的《我国加入WTO后对大连经济的影响及对策研究》、《建立大经贸市场——我市经济的腾飞之路》以及《大连市科技发展"十五"规划》、《关于大连市投资软环境综合指标评价》等课题。

及时掌握国内外经济发展和沿海开放城市发展的新动态，为市委、市政府领导决策提供信息服务，有200余篇信息被市委、市政府办公厅采用。

【面向社会拓宽咨询领域】 2000年，大连市政府经济研究中心协助国家发展计划委员会和国务院发展研究中心，调查大连集装箱运输流向情况；配合辽宁省发展研究中心，调研《我国加入WTO对辽宁经济的影响》课题中服务贸易部分；完成满州里市政府委托的《满州里科技合作计划》课题研究。

会同市政协就改善本市投资软环境进行调研和考察，形成考察报告；会同市计委召集区市县主管农业负责人，研究大连调减粮田面积，发展经济作物的问题，形成《大连调减粮食面积的空间分析》、《大连调减粮田面积的对策》等调研报告；会同市统计局、农委就农村剩余劳动力问题进行调研，形成《关于开发我市农业劳动力资源，投入生态建设》的调查报告；会同市劳动局完成《大连市社会保险存在的问题及对策研究》、《大连市劳动力需求预测战略研究》和《劳务就业机制研究》等课题；完成市旅游局委托的《大连市旅游产业"十五"计划和2020年远景目标纲要》的调研起草；参与修编旅顺口区规划；完成企业委托的《大连建设宏孚国际老年社区可行性研究》。

为市有关部门、企事业单位、外地驻连机构提供信息服务，接待查阅资料者300余人次，提供资料500万字。

【联系实际开展经济理论研究】 2000年，大连市政府经济研究中心与市有关部门合作，邀请专家学者举办各种理论研讨活动，为全市经济发展出主意、献计策。与市社会科学联合会、大连日报社、市城市经济学会共同举办大连市建设现代化国际名城研讨会；与市委政研室合作开展"大连城市建设模式"研究；与市委宣传部、市计委、大连日报社联合举办"我为'十五'献良策"活动；与市计委、市经委合作进行"大连工业经济发展方向与结构调整的战略选择"研究；与市外经贸委、市外管中心等单位联合召开"改善投资软环境、进一步扩大招商引资"、"引进大项目、实施'走出去'战略"等理论研讨会、座谈会22次，共邀请大专院校及有关部门专家学者700余人次参加研讨。

【大连市建设现代化国际名城研讨会】 2000年9月28日，大连市政府经济研究中心、市社会科学联合会、大连日报社、市城市经济学会共同举办大连市建设现代化国际名城研讨会，来自全市理论战线的专家学者和市有关部门的领导、企业家代表及外籍专家代表等40多人参加会议。与会者就国际名城的内涵、功能特征及如何把大连建设成为现代化国际名城等问题展开研讨。

（刘昌阳）

政协大连市委员会

【市政协九届三次会议】 2000年1月22～26日，中国人民政治协商会议辽宁省大连市第九届委员会举行第三次会议，480名委员中有359人出席会议。

会议听取和审议了市政协主席林庆民作的《政协大连市第九届委员会常务委员会工作报告》、市政协副主席谭忠印作的《政协大连市第九届委员会提案委员会工作报告》、市政协副主席郝斌作的《政协大连市提案委员会关于九届三次会议期间提案审查情况的报告》。与会委员列席市十二届人大三次会议，听取和协商讨论了市长薄熙来作的《政府工作报告》和其他各项报告。会议补选政协市第九届委员会秘书长和常务委员会委员，审议并通过《政协大连市第九届委员会第三次会议决议》。22名委员围绕全市经济建设和社会发展的重大问题作了《发展环保支柱产业，推动我市经济持续发展》、《发挥高校优势，将大连建成科教城》、《现代化城市建设与构建学习社会》等大会发言。市政协副主席黄畋宣布《发展海洋高科技产业，努力建设好海上大连》等32个提案为1999年度优秀提案。

【市政协常委会会议】 2000年，政协大连市第九届委员会常务委员会共召开4次会议。

九届十次常委会议于1月25日召开，讨论通过市政协九届三次会议决议（讨论稿）、市政协提案委员会关于九届三次会议期间提案审查情况的报告（送审稿）和市政协2000年工作要点，还听取了对市政协常委人选意见的汇报，通过了各专门委员会人事调整方案。

九届十一次常委会议于3月31日召

开，专题研究了如何进一步改善和优化本市投资软环境问题，市各民主党派、工商联、社会团体、各界人士代表及市政协有关专门委员会负责人共17人作专题发言。

九届十二次常委会议于8月3日召开，协商讨论了关于全市“十五”期间实施“走出去”战略及参与西部大开发促进大连经济发展的建议，市政协副主席梁增镖、市各民主党派、政协有关专门委员会负责人和常委共13人作专题发言，还审议通过关于修改提案工作条例的意见。

九届十三次常委会议于9月21日召开，听取了市政府关于“引英入连”供水工程和城市供水应急工程及大连至金石滩快速轨道交通工程的情况通报并提出意见和建议，还审议通过人事任免事项。

【政治协商】 2000年，政协大连市委员会围绕全市改革开放、经济建设和社会发展中的重大问题进行协商，为党政部门科学决策提出许多有价值的意见和建议。

协商制定“十五”计划，明确新世纪发展目标和走向。在市政协九届三次会议上，就如何制定本市“十五”计划召开专题座谈会，委员们提出许多具有前瞻性、可行性的意见和建议。在计划制定过程中，市政协九届十二次常委会议就“十五”计划框架进行讨论，形成《关于我市在“十五”期间实施走出去战略几点建议》的专题报告，其中加速培育跨国公司、加强对国际投资环境和对外投资方式的研究等5个方面的意见和建议得到市领导的重视。在市“十五”计划纲要（草案）制定后，又组织召开专题协商会，围绕发展高新技术产业、优先发展教育事业、加快产业结构调整、提高人民生活质量等方面提出许多意见和建议，有些被吸纳到计划纲要中。还组织委员围绕制定“十五”计划开展献计献策活动。

协商制定《大连市城市总体规划》，确立现代化国际城市发展蓝图。委员们就进一步完善城市功能、制止城市无序扩张、发展节水节能产业等问题提出42条意见和建议，受到有关部门的高度重视。市政协九届十三次常委会议还提出，要建立科学的节水机制、开源与节流并重、加强水资源的保护与合理开发等意见和建议。

协商制定地方性法规。组织委员先后5次参加有关部门召开的立法论证会，提出意见和建议80余条；对市人大的《大连市制定地方性法规条例（草案）》、《大连市市政公用基础设施管理条例修正案（草案）》2部地方性法规草案进行专题协商；对全国人大的《中华人民共和国婚姻法修正案（草案）》及说明等8部法律法规草案或修正案提出76条修改意见，其中许多意见受到重视并被采纳。

【民主监督】 2000年，政协大连市委员会加大民主监督工作力度，对党政机关改进工作提供了切实有效的帮助。

认真实施《大连市政协关于进一步加强和完善委员应邀参加社会监督工作的意见》，发挥特邀监督员在民主监督中的作用。加强特邀监督员队伍建设，选拔一批责任心强、经验丰富的委员担任公安、海关、税务等部门和单位的特邀监督员。应市检察院邀请，派出听证员，参与审理有关重要案件。重视开展个案监督，使民主监督落到实处，取得明显成效。

加强与政法部门的沟通联系，推动民主法制和廉政建设。与市委政法委联合制定《大连市政协社会法制和民族宗教委员会同市政法部门加强对口联系的意见》，为开展民主监督创造了有利条件；积极参与市公安局关于《大连市公安局从严治警10条纪律》及其《实施细则》的制定；及时获取市中级人民法院处理市政协转送信件的结果回复；及时听取市国家安全局的情况通报。

以检查行风为切入点，评议行政执法部门工作。协同有关部门检查评议市公安、卫生等17个部门的行风建设情况；组织委员专题视察市检察机关发挥职能作用、为国企改革和发展服务的情况；参加“三五”普法检查验收活动，提出的意见和建议引起有关部门重视。向市委和上级政协报送各类信息50余条，其中《警惕以到西部考察为名的公款旅游蔓延》、《有关媒体实施舆论监督应增加透明度》等信息被市委、市政府、省政协和全国政协采用。

【参政议政】 2000年，政协大连市委员会围绕党政中心工作，精心组织参政议政活动，为加快城市现代化建设建言献策。

调查研究重要课题。专题调研规范和完善民办教育发展运行机制问题，提出教育行政部门应合理进行宏观调控、制定教师社会保障制度等5个方面的意

2000年7月19日，政协大连市委员会组织政协委员视察大连软件园。

市政协　供稿

见和建议；专题调研参与西部大开发问题，形成《参与西部大开发，促进大连经济发展》的专题报告，从调整产业结构与参与西部大开发应统筹考虑、发挥政府在参与西部大开发中的协调服务作用等5个方面提出意见和建议；调查研究加强和改进基层人民调解工作问题，提出应建立四级工作网络以形成“大调解”工作新格局、注重在预防上下功夫等意见和建议；专题调研环保产业发展情况，提出要尽快制定环保产业发展规划、加大环保产业资金投入等意见和建议。还围绕改善投资软环境、人才培养与引进、城市文化建设、海洋环境保护、少数民族乡镇合并后如何落实党的民族政策、发挥留学生作用等问题开展调研，分别形成专题报告。

视察考察重点、难点、热点问题。就全市国有企业三年改革与脱困、高新技术产业发展、应急水利工程与节水工程建设、商业市场建设、城市重点建设项目、文化市场管理、中小学办学条件改善、城乡科普、科技兴医、计划生育工作等开展视察考察活动，就涉及全局的重大问题提出建议。《对国家“十五”计划中交通建设的六点建议》被全国政协报送中央政治局参阅；《对滥出书刊行为应依法予以治理》的建议被全国政协转送国家新闻出版署；《建议建立健全高校研究生培养过程中的知识产权保护体系》的建议被省、市政府分别报送国务院有关部门；《制定“十五”计划应引导个体私营经济向科技型和外向型发展》的建议，省委书记闻世震作了批示，并要求有关部门研究借鉴。

在参政议政过程中，组织委员开展献计献策和理论研讨活动，共征集论文137篇。

【政协提案】　2000年，大连市政协九届三次全会以来，市政协共征集提案583件，经审查立案558件，其中年内办复552件，占99%。这些提案内容广泛，涉及全市政治、经济、文化与社会发展的各个方面，提出许多解决问题的思路、办法和措施。

针对改善投资软环境这一关系大连能否继续保持良好发展态势的关键性问题，市政协九届三次全会将市政协委员、大连市金港新区事业发展部部长于怀江提出的《增强紧迫感，在面临加入WTO新形势下加大力度改善我市投资软环境》的提案确定为“一号提案”。该提案就修改和完善有关政策法规、严格规范执法行为、加强涉外部门队伍建设等8个方面提出前瞻性和建设性较强的建议，受到市委、市政府的高度重视。为推动“一号提案”的落实，市政协在深入调研的基础上召开九届十一次常委会议进行专题讨论研究，并向市委、市政府报送《适应“入世”要求，营造按国际惯例办事的投资软环境》的专题报告，并深化和完善了提案内容。此外，就如何编制好大连市“十五”计划、建设高智能城市、加速发展软件产业、加强与西部地区经济合作、大力发展节水型农业等重点提案实行重点督办落实。

在提案办理过程中，组织提案者和提案承办部门负责人到外地学习考察，就加快审批制度改革等提出具体意见和建议；组织委员检查有关涉外管理部门改善投资软环境情况，促进了涉外服务工作的改进和提案工作机制的创新。

结合提案工作实践，市政协修订了《政协大连市委员会提案工作条例》，对确立审查立案标准、抓好办理落实等方面做了更加具体的规定，增强了可操作性，从制度上保证和促进了提案工作水平的提高。

【对外联谊】　2000年，政协大连市委员会发挥自身特点和优势，进一步加强对外交往，为促进祖国统一和扩大对外开放做出努力。

积极开展人民外交。先后组团出访澳大利亚、韩国、美国、香港等国家和地区；接待韩国前总理、美国奥克兰市友好代表团等来访，其中台湾同胞、海外侨胞以及港澳各界人士共65批、451人次。先后举办澳门、西藏、大连摄影展，增进了彼此间的友谊与合作。

为经济建设服务。引进和介绍项目15项，达成合作意向5项。首次举办大连“明珠杯”金石高尔夫球邀请赛，共有13个国家和地区以及国内企业界的100多人参加比赛，达到了“以球会友，增进友情”的目的，既拓宽了政协海外联谊工作领域，也扩大了大连在海内外的知名度。　（王正光）

中共大连市纪委　大连市监察局

【廉洁自律】　2000年，中共大连市纪律检查委员会、大连市监察局坚持一手抓违纪违法案件查处，一手抓反腐倡廉教育，加大从源头上预防和治理腐败现象的力度，党风廉政建设和反腐败工作取得阶段性成果。

领导干部廉洁自律工作进一步深入。认真清理党政机关少数干部违规占用和借用小汽车问题，清退违规小汽车195台。纠正部分领导干部用公款为住宅配备电脑问题，有关责任人受到通报批评。初步落实中央纪委关于局级领导干部的配偶、子女不准在该领导干部管辖的业务范围内从事可能与公共利益发生冲突的经商办企业活动的规定。严格审查用公款出国（境），市外办等有关部门共制止、取消出国（境）团组57批、266人次，压缩团组174批、577人次，减少出访8350天，节约费用2000多万元。清理并纠正707名党政机关、事业单位科级以上领导干部和国有大中型企业中层以上领导人员住房违规问题，收缴违规资金70多万元。

【党风廉政教育】　2000年，大连市各级党委、纪委采取多种形式开展党风廉政教育。（1）深入开展“三讲”教育。认真组织各级领导干部学习江泽民总书记“三个代表”的重要思想，并把为政清廉问题提高到实践“三个代表”的高度来认识，增强了领导干部廉洁自律的自觉性。（2）深入扎实地开展警示教育。在“大连讲坛”开设党风廉政教育课，先后2次请中央纪委有关领导为全市局级以上领导干部作厦门特大走私案等全国性大案要案分析报告；组织有关部门以成克杰、胡长清特大贪污受贿案等案件为典型，开展警示教育；组织20多万党员干部观看反腐倡廉影片《生死抉择》。（3）实行集体廉政谈话。对1999年以来新任职的373名局级和正处级领导干部分6批进行集体廉政谈话。剖析全市近两年来查处的党员干部违纪违法案件，请市审计局领导作经济违法案件的分析报告，请老革命军人讲艰苦奋斗的光荣传统，让服刑人员现身说法讲悔恨，这一做法得到省委、省纪委领导的肯定并在全省加以推广。(4) 开展“读文章，思廉政，树形象”活动。市纪委每月向全市40多名市级、900多名局级和4000多名处级领导干部推荐一篇党风廉政文章，许多单位和部门还将这项活动延伸到领导干部家庭，促使领导干部配偶、子女自觉当好“廉内助”。中央政治局常委、中央纪委书记尉健行对这一做法给予肯定。(5) 加强信访监督。市纪委对群众来信反映的局级领导干部的问题进行综合分析，并以通报的形式反馈给局级干部引以为戒。市纪委、市监察局《适应新形势，积极开展信访监督》的经验，在中央纪委、国家监察部召开的部分省市纪检监察信访工作座谈会上进行了交流。(6) 深入开展学习姜云胜、刘金玲、王成相先进事迹和“三我”活动，涌现出一批勤政廉政先进典型。

进一步落实党风廉政建设责任制。各级党委、政府普遍制定落实党风廉政建设责任制的具体实施细则，建立相关的配套制度，加强监督检查和责任考核。全市有44名领导干部受到责任追究。市纪委、市监察局结合“三讲”教育，对46个单位、74个领导班子、369名领导干部落实党风廉政建设责任制情况进行了民主测评。为加强对领导干部的监督，市纪委制定下发了《中共大连市纪委关于加强对领导干部监督工作的意见》。

【查办案件】 2000年，大连市各级纪检监察机关共受理群众信访举报6081件次，比上年下降4.4%；立案查办违纪违法案件798件，增长3%；结案747件，结案率93.6%。处分违反党纪人员434人，其中开除党籍131人，留党察看39人，撤职10人；处分违反政纪人员327人，其中开除公职73人，开除留用17人，撤职28人。受党纪处分人员中，有科级领导干部79人、处级40人、局级2人；受政纪处分人员中，有科级领导干部75人、处级21人、局级3人。通过查办案件共挽回经济损失9600余万元。

查办案件的主要特点：(1) 查办一批大案要案，其中县处级以上领导干部违纪违法案件79件，比上年增长49%；查办万元以上大案243件。(2) 查办企业领导人员违纪违法案件224件，为国有企业实现改革与脱困提供保障。(3) 查办司法人员违法案件70件，维护了司法机关形象。(4) 查办领导干部失职渎职案件122件，为国家挽回损失800余万元。(5) 加大自办案件力度，市纪委、市监察局自办案件49件，比上年增长14%。其中直接立案19件，涉及局级干部5人、处级干部15人。(6) 严肃查办一批党员、干部参与“法轮功”邪教组织活动的案件，维护了党的纪律。

【纠正部门和行业不正之风】 2000年，中共大连市纪律检查委员会、大连市监察局在纠风工作中继续实施“一把手”工程，开展民主评议行风工作，推行社会服务承诺制。协助市政府与17个重点部门和行业单位的主要领导签订部门和行业作风建设责任状，组织人大代表、政协委员、特邀监察员采取明察暗访、问卷调查、民主评议等措施，加大对行风建设的监督力度。

加大改善外商投资软环境的监督检查力度。协调组织召开有市领导参加的外商投资企业负责人座谈会，征求外商投资企业的意见、建议，并及时通报调查及整改情况。在市政府开展的“投资软环境年”活动中，进一步规范涉外职能部门执行公务行为，促进了公务备案审核制的落实。

狠刹医药购销中的不正之风。督促有关部门取缔无证经营点29个，扣留违规药品140余种，销毁一批劣质药品；降低20种药品价格，总额1900多万元。药品集中采购开始进行试点。

减轻农民和企业负担。全市农民当年限额内负担1.53亿元，人均负担64元，占上年农民人均纯收入的2.4%，比上年降低0.28个百分点，连续8年控制在3%左右，低于国务院5%的规定。市、县(市区)两级政府在认真落实国务院和省政府取消或降低的收费项目的基础上，结合本地实际又取消和降低一批市级收费项目和收费标准，减轻企业负担2500多万元。

【源头预防和治理腐败】 2000年，大连市各级纪检监察机关继续落实中央关于实行“收支两条线”的规定，在完善制度的基础上，重点抓收费票据管理，建立单位“财政缴款专户”，取消各单位预算外资金的过渡帐户。

继续推行政务公开、厂务公开和村务公开制度，推进社会主义民主政治建设。市政府在已公开热点部门电话的基础上，建立市民投诉中心，受理电话投诉达3万余件，处结率达到98%。市人大在总结市民旁听人大常委会会议经验的基础上，开始实行公民旁听人民代表大会制度。市政府许多部门和各区市县政府设立媒体触摸屏咨询系统，成为市民到政府办事的向导。各街道办事处向辖区市民印发政务公开手册，公开市民需要知晓的政务。在上年试点的基础上，全市1305个企业、921个事业单位全部实行厂务、院务、校务公开。农村各乡镇普遍实行政务公开。村务公开继续向两头延伸，即向下公开到屯(组)，向上延伸至乡镇。

有形建筑市场按要求有序运行，全市共有643项新开工工程进入有形建筑市场，公开招投标率100%。领导干部任期经济责任审计工作全面启动，有关部门先后对124名领导干部进行任期经济责任审计。政府采购制工作逐步展开，市及区市县已建立领导小组和管理操作机构7个，下发地方行政规章和其他配套性规定21项，采购范围涉及货物、工程、服务三大类，年采购总额达2亿多元，节约资金2400多万元。会计委派制试点工作稳步实行，已有5个区市县、6大企业集团向331个单位和部门委派会计253人。

【执法监察】 2000年，大连市各级纪检监察机关共完成执法监察、效能监察项目647项，提出监察建议199项，建立规章制度116项。

重点监督检查国债资金管理使用情况，共检查59个项目，查出挪用国债资金案件1件，其他问题20多件，处理有关人员2人。专项执法监察社会保障资金，发现案件线索4起，给予党纪处分1人，政纪处分1人，移送司法机关处理1人。继续开展粮食流通体制改革情况执法监察，查处违反粮改政策案件21件。继续开展党政机关及事业单位财务管理情况的监督检查，共查出违纪金额500多万元，收缴49.5万元。 (刘广友)

民主党派·人民团体

责任编辑　孙　颖

民主党派和工商联

2000年11月2～4日，中国民主同盟办学工作会议在连召开。　郭梅良　摄

【中国国民党革命委员会大连市委员会】　2000年有基层组织23个，专门工作委员会6个；党员499名，其中新党员38名。党员中，教育界的占44.1%，科技界的占6.2%，经济界的占11%，医疗界的占8.6%，其他界别的占30.1%；具有高、中级专业技术职称的占97%；硕士、博士、博士后78名，占16%；有海外关系的占71.2%；各级人大代表、政协委员43名，其中全国人大代表1名、政协常委1名，省人大代表1名、政协委员2名，市人大常委1名、政协委员12名(常委3名)；市政府特邀监察人员12名。

民革市委领导参加中共市委、市政府举行的民主协商会等会议及视察活动共16次，同有关部门对口联系6次。民革市委在市政协九届三次全会上作了《关于进一步发挥参政党职能作用，加强特约工作的十点建议》的大会发言，提交党派提案6份、委员个人提案37份；在市政协九届十一、十二次常委会上作了《改善投资软环境，要把人的因素放在第一位》、《对大连市“十五”期间社区建设的几点意见》的大会发言。参与市政协一号提案调研，形成《关于进一步坚持和完善中国共产党领导的多党合作制度的建议》，并被列为当年市政协领导分工督办的11件重点提案之一。市委办公厅、市政府办公厅根据《十点建议》，制定《大连市特邀参政人员工作暂行办法》。民革市委有7份提案被评选为市政协优秀提案。在市政协举办的“我为‘十五’规划献良策”征文活动中，递交论文21篇，占征文总数的30%。在民革辽宁省2000年参政议政工作评比中，荣获惟一的市级先进集体称号。完成22个基层组织的换届，选拔50名后备干部充实到基层领导岗位，使基层领导平均年龄由60.5岁降至48.3岁。

在九届全国人大三次会议上，主委何大川牵头与31位代表一起，就“11·24”特大海难提出唯一的询问案，引起强烈反响，受到中共中央、国务院、全国人大议案委员会以及全国各界的广泛关注。党员董藩针对西部大开发提出的一系列建议，被国内多家媒体以“内参”形式上报中央，得到国务院副总理李岚清、温家宝的亲笔批示。

组织党员到边远地区扶贫帮困，到福利院敬老献爱心，帮助下岗职工解决困难，并安排下岗职工再就业965人。在多家新闻媒体上推出民革党员、优秀青年知识分子傅恩波和民革党员、参政议政模范董藩的先进事迹，在全国民革引起很大反响。

全年接待台胞9批、30余人次，从日本引进合资项目1个。　（蒋爱国）

【中国民主同盟大连市委员会】　2000年有基层组织10个，支部50个，专门工作委员会10个；盟员1176名，其中新盟员23名。盟员中，教育界的占64.2%，科技界的（含医疗卫生界）占19.22%，文学艺术界的占8.25%，其他界别的占8.33%；具有高级技术职称的占56.8%，中级技术职称的占42.86%；硕士、博士、博士后173名，占14.7%；有63人享受政府特殊津贴；各级人大代表、政协委员69名，其中全国政协委员1名，省人大代表2名、政协常委2名，市人大代表4名、政协副主席1名、政协常委5名；担任政府有关部门及司法机关的特邀监察人员9名。

民盟市委领导参加中共市委、市政府举办的民主协商会、情况通报会和工作会议及市政协组织的视察活动70余人次，特邀人员参加活动7人次。民盟市委在市政协九届三次全会上，作了《发挥高校优势，将大连建成科教城》的大会发言，提交党派提案5份，其中《保护大连海洋生态环境，促进经济可持续发展》的提案被列为重点提案。组织盟员围绕本市经济建设开展专题调研，向市委、市政府提交《大连市演出市场调查报告》、《关于我市制药工业实现跳跃式发展的意见》、《发展海洋环保产业，推进大连海洋经济腾飞》、《对大连市房地产中介发展的思考》等13篇调研报告。完成4个基层委员会、16个支部的换届工作，新成立基层委员会1个。

11月2~4日，民盟全国办学工作会议在大连召开。全国人大常委会副委员长、民盟中央主席丁石孙出席会议并作重要讲话。来自全国29个省、直辖市和自治区的代表百余人参加会议。

发挥智力优势，真诚回报社会。民盟市委捐资帮助贵州省务川自治县50名小学生就学；组织医务界盟员赴普兰店市贫困乡为当地群众义诊，并专程看望战斗英雄于庆阳烈士的老母亲，为其检查身体。邀请“ZT—1”丰抗素发明人张玉生到甘井子区现场传授技艺，并向甘井子区推广40万亩用量的丰抗素。

（傅金英）

【中国民主建国会大连市委员会】 2000年有总支4个、支部45个、小组3个；会员733名，其中当年新入会会员42名。会员中，工商企业界的占65.4%，高教界的占8.3%，财政金融界的占6%，政府机关的占7%，社会团体的占0.7%，其他的占12.6%；具有高、中级专业技术职称的占72%；各级人大代表、政协委员95名，其中全国政协委员1名，省人大代表1名、政协委员3名（常委2名），市人大常委1名、政协常委6名；市政府特邀监察人员9名。

民建市委领导参加由市委、市政府及省、市政协召开的民主协商会等会议和视察活动共65次。会员中的人大代表、政协委员提出议案、提案共78件，其中副主委王承志在市人大十二届三次会议上提出议案26件。民建市委在市政协九届三次会议上作的《把开发人才资源作为我市跨世纪经济突破口的建议》的大会发言，受到市委、市政府的高度重视，市政府及有关部门将此纳入议事日程，采取调整引进人才优惠政策、加速人才市场建设、完善用人机制等6项具体措施加以落实。此提案被市委、市政府和市政协分别评为专题调研一、二等奖和“我为‘十五’规划献良策”三等奖。在市政协九届十一、十二次常委会上提出的《加强我市投资软环境基础建设》、《做好政策文章增加引资力度》、《优先发展第三产业，增强城市功能和活力》的建议，得到有关部门的重视。完成《加速产业结构升级步伐，推进全市经济快速发展》等9个专题调研报告。与市政协等6个部门联合开展“我为‘十五’规划献良策”活动，撰写论文17篇，有6篇分获一、二、三等奖。召开立法论证会2次，与政府对口联系部门沟通8次，特邀人员应邀参加各项活动10余次。

为纪念民建成立55周年举办系列活动：组织“我为民建”征文活动；召开“爱民建，忆传统，做贡献”纪念座谈会；召开第十次统战理论研讨会并表彰优秀论文；增补会史；组织“视觉沙龙、大连第一回展”等活动。6月15~18日，圆满完成民建中央大型会议来连考察的接待任务，来自全国24个省、市、自治区的60余人参加考察。

发挥民建优势，参与公益事业。会员捐款10万元兴建瓦房店市李店镇九龙小学；企协会员安置下岗职工和待业人员150人，历年累计安置近2000人；培训各类人员400人。

（范 洁）

【中国民主促进会大连市委员会】 2000年有基层组织57个；会员923名，其中新会员18名；成员平均年龄54.5岁。会员中，具有高、中级专业技术职称的占99.6%；各级人大代表、政协委员65名，其中全国政协委员1名，省政协委员3名，市人大常委1名、政协常委7名（政协副主席1名）；有1人担任副市长，6人担任副局级领导职务；市政府特邀监察人员11名。

积极履行职责，充分发挥参政党职能作用。民进市委领导参加中共市委、市政府举行的民主协商会、通报会、视察等活动15次，与教委、文化局开展对口联系活动7次。以专题调研为重点，继续开展参政议政和“一人一案”活动，收到基层支部和会员提交的建议近百件、专题报告和文章15篇。民进市委提交《提高执法人员素质是改善投资软环境的关键》和《高等职业技术教育在经济社会发展中的地位及对大连高职教发展的建议》2份专题调研报告，后者获当年市政协调研成果三等奖；《发展职业教育产业，培育21世纪我市新的经济增长点》的提案被评为优秀提案。会员中人大代表、政协委员提出建议、提案102件。完成基层组织领导换届，充实年轻后备干部28人。

民进市委召开庆祝中国民主促进会成立55周年大会，中共市委、市政协有关领导参加大会。会员孙静华、于景宁、徐正阳等70余人受到国家、省、市、区和单位的表彰。市委会被中共省委授予本年度统一战线宣传教育工作先进集体称号。

大连民进文化科技培训学校继续推进市民文化素质教育，开设法律、经济管理、会计等专业。在校生2484名，其中大中专生2203名、本科生281名；年内毕业497名。

（孙文武）

【中国农工民主党大连市委员会】 2000年有基层组织37个，其中基层委员会4个、支部24个、小组9个；党员810人，平均年龄53.5岁，其中新党员35人，平均年龄39.6岁。党员中，医务界的占59.1%，科技界的占18.7%，文教界的占21.1%；具有高、中级专业技术职称的占99.5%；有22人享受政府特殊津贴；各级人大代表、政协委员41人，其中全国人大代表1人，省人大代表1人、政协委员3人（常委2人），市人大代表4人（常委1人）、政协委员16人（副主席1人、常委3人）；市政府特邀监察人员8人。

农工党市委领导参加中共市委、市政府举行的民主协商会等会议及视察共11次，党员中的人大代表、政协委员共提出建议和提案60多件，结案率达98%。农工党市委在市政协九届三次全会上作了《发展环保支柱产业，推动我市经济持续发展》的大会发言，提交《大力发展节水灌溉农业的几点建议》等4件提案；在市政协九届十一、十二次常委会上作了《关于进一步优化我市高新技术产业投资软环境的建议》、《进一步发展我市资本市场的建议》的发言；向市委、市政府递交《对大连“十五”期间高新技术产业发展的几点建议》、《关于大连区域性国际航运中心建设的问题研究》、《对大连旅游产业发展的几点思考》、《关于大连社区卫生服务情况的调研报告》等4篇专题调研报告。

积极参与西部开发和教育扶贫。组织党员到贵州遵义地区实地考察。党员、大连英联科技有限公司董事长戴杰捐款8万元，在道真苗族仡佬族自治县平模镇建成的英杰希望小学7月8日举行落成典礼，全国人大副委员长、农工党中央主席蒋正华题写校名。市委会向受灾的道真县捐款3000元，同时资助20名少数民族失学女童完成小学六年义务教育。

党员年内获市级以上科研成果奖24项，发表学术论文120多篇，著（译）书3部。市委会获全国农工党组织建设成绩奖和辽宁省统一战线宣传教育工作先进集体称号。（尹云华）

2000年7月8日，农工民主党党员戴杰捐资兴建的英杰希望小学举行落成典礼。
农工民主党　供稿

【中国致公党大连市委员会】　2000年有基层组织17个，其中支部14个、小组3个；党员271名，其中新党员10名。党员中，科技界的占28.4%，教育界的占35.1%，医务界的占11.8%，经济界的占13.4%，其他界别的占11.3%；具有高、中级专业技术职称的占94.9%；各级人大代表、政协委员28名，其中全国人大代表1名，省人大代表2名，市政协副主席、市人大常委、市政协常委各1名；市政府特邀监察人员8名。

致公党市委领导参加中共市委组织的民主协商会等会议9次；参加市政协组织的视察6次。专题调研报告《论大连城市形象塑造中的“大CIS”战略》、《新世纪旅顺港如何大发展》、《在“十五”规划中对北部环海老工业区搬迁改造的意见》引起市有关部门重视。致公党市委在市政协九届三次全会上作的《关于加强和改善我市果树和果品生产的建议》的大会发言，得到市政府重视，并被市政协评为优秀提案，《进一步发展我市旅游业的几点建议》、《关于在大连地区建设一批配套设施较好的老年公寓》等提案引起市有关部门重视；在年初市政协常委会上作了《对我市软环境建设的几点意见和建议》的发言。党员中的政协委员共提出提案21件。在市政协组织的“我为‘十五’规划献良策”活动中，党员共撰写论文6篇。

致公党市委召开大会，庆祝中国致公党成立75周年。接待来自南美洲巴拿马、多米尼加、巴拉圭、哥斯达黎加4个未建交国家华人代表团一行30余人；接待从海外归来的党员和亲友6人。有16名党员出国探亲、讲学、经商。

（胡登科）

【九三学社大连市委员会】　2000年有基层组织44个，其中委员会6个、支社33个、直属小组5个；社员1220名，其中新社员35名。社员中，科技界的占97%；具有高、中级专业技术职称的分别占76.3%和22.6%；中科院院士2人、工程院院士1人，40余人享受政府特殊津贴；各级人大代表、政协委员95名，其中全国政协常委1名，省人大代表4名（常委1名）、政协委员5名（常委1名），市人大代表5名（常委1名、副主任1名）、政协委员28名（常委5名）；市政府特邀监察人员7名。

九三学社市委领导参加中共市委、市政府组织召开的民主协商会等会议24次；参加市政府组织的对市公安局、卫生局等9个局的纠风检查14次；参加市政协组织的视察12次。社员中的人大代表提出建议7件，政协委员提出提案92件，采纳落实率为65%。九三学社市委在市政协九届三次全会上作了《加强水资源保护，维护可持续发展》的大会发言，提交的《关于旅顺口区申报联合国、世界自然与文化遗产》等3件提案被市政府、市政协列为重点提案。为落实《创建大连“国际大众天文台”的建议》提案，市委会专门邀请中国天文界的专家来连考察、论证并提出评估意见。组织社员开展专题调研，向市委、市政府提交《大连市建设国际名城的战略选择及思路》、《抓住机遇，发展软件产业》、《把握机遇，营造我市信息产业发展的良好环境》等3篇调研报告，向市政协常委会提交《迎接WTO挑战，改善投资软环境》和《关于收入与发展的一点思考》等2篇大会发言材料。在市政协组织的“我为‘十五’规划献良策”活动中有7篇论文获奖。在市统战理论研讨会上，提交的7篇论文全部获奖。继续组织社员开展立足本职做贡献活动，提出合理化建议110项，解决生产难题73项，节约并创造经济效益5002万元。

大连造船厂支社被九三学社中央授予先进基层组织称号；市委会和4名社员分获九三学社辽宁省委授予的科技咨询服务先进集体、先进个人称号，5个基层组织和52名社员分获1999～2000年度先进集体和先进个人称号；大连理工大学教授董闯、王永学被评为九三学社辽宁省中青年十大杰出科技人才，林焰入选国家教育部跨世纪优秀人才培养计划，吴彦被评为市劳动模范；大连医科大学教授施广霞、大连合成纤维研究所副所长杨春光被市发明创造奖评审委员会评为1999～2000年度优秀发明家。社员的科研成果获国家科技进步二等奖1项、三等奖2项；获省部级科技进步一等奖5项、二等奖3项、三等奖4项。（万林勇）

【台湾民主自治同盟大连市委员会】 2000年有基层组织7个，其中委员会2个、支部4个、小组1个；盟员92人（在国外学习工作6人），其中新盟员4人。盟员中，医务界的占19%，科技界的占12%，文教界的占14%，党群机关的占12%，其他界别的占43%；在连盟员中，具有高、中级专业技术职称的分别占29%和44%；各级人大代表、政协委员11名，其中省人大代表1名、政协常委1名，市人大常委1名、政协委员7名（常委3名）；市政府及司法机关特邀监督人员6名。

台盟市委及盟员中的人大代表和政协委员向省市人大、政协提交建议、提案33份，其中台盟市委向市政协九届三次全会报送的《关于拓展民主党派“知情出力”渠道的建议》、《关于拓宽中小企业筹资渠道的建议》、《关于加强中小企业管理的建议》、《进一步做好在连台商工作的建议》4件提案得到市委、市政府重视并被有关部门采纳。市委会在市政协全会和常委会上作了《关于大力推进加快扶持我市中小企业发展的建议》、《改善我市投资软环境，做好在连台商工作》和《对制定我市“十五”规划的四点建议》的发言，并向中共大连市委报送《关于大连市建设国内外一流投资软环境的对策与思考》的调研报告。参与对《大连市公安局从严治警10条纪律及实施细则（征求意见稿）》的修改。完成支部换届工作。盟员卢馨当选为第九届全国青联委员。

为纪念台盟大连市委员会成立50周年，盟市委于4月2日召开庆祝大会，全国政协副主席、台盟中央主席张克辉到会祝贺，中共大连市委、市政协、市委统战部及台盟省委、省台联领导，市对台办、各民主党派和群众团体负责人以及市盟员和所联系台胞近200人参加庆祝大会。大会向1966年以前加入台盟的林奇壁、蔡行铸等11位老盟员颁发荣誉证书。会间举办“大连台盟50年”图片展。

全年接待国内外台胞16批、67人次。 （吴　捷）

【大连市工商业联合会】 2000年，有区市工商联组织9个、乡镇街道分会40个、行业分会9个；会员6224名，其中非公有制会员4116名。会员中各级人大代表、政协委员228名，其中市人大常委2名、政协常委3名；市政府特邀监察人员6名。

以非公有制经济为重点，积极参政议政。市工商联在市政协九届三次全会上作了《大力发展民营科技，走民营科技产业化兴市之路》的大会发言。组织会员参加市政协举办的“我为‘十五’规划献良策”征文活动，有23篇征文获奖。成立由35人组成的市工商联参政议政工作委员会，以进一步发挥参政议政的整体优势。

以基层组织为重点，加强组织建设。新发展会员305个，建立行业协会2个、街道分会3个、村级商会1个。为更好地发挥基层组织的作用，举办街道商会秘书长培训班，就新时期工商联的性质、任务和作用等内容进行培训，就如何规范管理、开展活动、发挥作用等课题进行研讨和交流。针对直属基层组织疏于管理的问题，制定并试行工商联直属基层组织管理办法。加强工商联代表人士队伍建设，增补3位素质高、企业发展好、社会影响力大的代表人士为本届市工商联执委会副会长。向省工商联推荐常委3名、执委2名；向市政协推荐常委1名。

发挥商会职能，为非公有制经济发展服务。为会员企业融资服务，经市商会牵线搭桥，市建行与民营中小企业签订合作协议，当年为私营企业提供贷款2300万元；为会员企业招商引资服务，先后4次组织会员企业分赴南非、韩国、日本、香港进行商务考察和招商引资，促成企业签订合作项目和达成意向20余项，协议外资1500多万美元；为社会公益事业服务，召开“向下岗职工献爱心，一帮一，结对子”大会，有50家私营企业同50户下岗特困职工家庭结成扶贫帮困对子，组织30余家私营企业先后2次参加市政府举办的下岗职工招聘大会，提供就业岗位近2000个，有1000余名下岗职工与私营企业签订劳动合同。

积极开展对外联络，加强国内友好合作。接待海内外工商社团30个团组、200余人次，出访海外工商社团15家，同9个国家和地区的商会组织建立友好往来关系。同国内11个省市级工商联达成共建友好商会协议，组织企业家对接6次，涉及项目30多个，签订合同和达成意向9项，合同资金8000万元，协议资金2000万元。 （方英姿）

2000年4月2日，台盟大连市委员会成立50周年庆祝大会在连召开。

吴　捷　摄

人民团体

·大连市总工会·

【概况】 2000年，大连市有产业工会

10个、区市县总工会10个、对外开放先导区工会4个、基层工会7680个，专职工会干部3209名。全市建会单位职工总数106.2万人、工会会员101万人，职工入会率达到95.1%。

新建企业建会取得显著成果。全市新建企业组建工会1346家，发展会员14.7万人。各区市县及对外开放先导区工会开始创建路街工会、写字楼工会和大市场工会等新的工会组织形式。

深化企事业单位职工民主化管理。建立职工福利职代会审议制度；全面实行厂务、校务、所务、院务公开；建立职工持股会制度。初步建立劳动关系协调机制，职工的合法权益得到依法保障。

继续开展扶贫帮困和“联手、联心、联岗”再就业活动，对生活困难的劳模实行补贴，年发补助金20万元。组织以第四届中日“岩谷杯”焊工技能大赛、国企改革脱困攻坚竞赛等为主要内容的建功立业竞赛活动。

成功承办第十二届大连国际服装节闭幕式晚会、第五届烟花爆竹迎春灯会和庆“五一”等一系列大型社会活动。圆满完成全国劳动模范的推荐和大连市先进集体、劳动模范的评选表彰工作；主办“西部劳模看大连”、大连百名劳模肖像展，组织劳模赴京休假观光活动，在社会上产生强烈反响。

【深化企事业职工民主化管理】 2000年，大连市总工会与市劳动局等部门联合发文，把职工养老保险费、住房公积金等缴纳情况纳入职代会审议监督范围；与市委组织部等12个部、委、局联合表彰大连市1998～1999年度企事业民主管理工作先进单位和个人；协调市纪委等有关部门督查企业厂务公开工作。全市累计有2353个企事业单位实行厂务、所务、校务、院务公开，其中98%的国有、集体企业实行了厂务公开；有2436个企事业开展民主评议领导干部工作，共评议各级领导干部15120人。与市委组织部、市经委、市体改委、市工商局、市集体办共同制定下发《大连市公司制企业职工董事职工监事制度暂行规定》，全市128个公司制企业中有107个企业的职工代表进入董事会、125个企业的职工代表进入监事会，分别占公司制企业总数的83.6%和97.7%。建立职工持股会的企业累计达到79户。

【劳动关系协调机制初步建立】 2000年，大连市建立平等协商、集体合同制度的企业达到3635户。市及各区市县普遍建立劳动关系协调委员会，市三方协调委员会进一步规范集体合同争议处理程序。市总工会与有关部门联合对《劳动法》贯彻实施情况进行执法检查，及时纠正被裁减职工得不到法律补偿和个别企业对职工非法搜身等侵犯职工合法权益的行为，并督促一些企业续签逾期合同。市及各区市县总工会和产业工会共接待职工来信来访7377件，处结率为96.1%。

【职工思想政治工作富有成效】 2000年，大连市各级工会在全市职工中广泛开展以“看发展变化鼓舞职工，树共同理想凝聚职工，做积极贡献激励职工”为主题的系列教育活动，并与加强职业道德建设、实施“知识武装工程”等活动有机结合起来。在第六届全国职业道德建设“双十佳”评选中，大商集团荣获十佳单位称号；在实施“知识武装工程”活动中，又有70名职工获自学成才标兵和自学成才者称号。

【建功立业竞赛活动蓬勃发展】 2000年，大连市各级工会以“百万职工献良策，实现‘双新’尽职责”为主题，组织动员职工开展建功立业竞赛活动。主要有第四届中日“岩谷杯”焊工技能大赛，轻纺系统细纱、织布技能大赛，国有企业改革脱困攻坚“贡献杯”、“振兴杯”、“奋斗杯”竞赛，城建系统“精品工程杯”、“绿景杯”、“人居杯”竞赛等。全市职工共提出合理化建议26万余件，其中被采纳12万余件，创造效益或节约资金达2.43亿元。各级工会技协积极组织开展技术攻关、技术革新，开发技术成果4387项，创效益达1.58亿元。

【评选表彰市先进集体、劳动模范】 2000年4月30日，大连市召开1998～1999年度先进集体、劳动模范表彰大会，表彰市特等劳动模范42名、先进单位105个、劳动模范752名、先进集体170个。

此次评选特点：（1）范围广、代表性强。在先进集体中，有企业、院校、乡镇、街道，也有科研、政法、文化、新闻、金融、卫生、农业、国家机关等各条战线的单位和集体；在劳动模范中，有工人、农民、科技教育工作者、经营管理人员、机关公务员、个体劳动者、私营业主等社会各界先进人物。（2）劳模趋向年轻化、知识化。评出的557名劳动模范中，具有大专以上学历的362名、高级职称的161名，分别比上届增

2000年4月30日，大连市召开1998～1999年度先进集体劳动模范表彰大会。
市总工会　供稿

加25%和6%；35岁以下的35名，占劳模总数的6.3%，比上届高出4个百分点。（3）新劳模比例增加。评出新劳模484名、新特模29名，分别占劳模和特模总数的61%和69%。郭程新、肖志国、邢爱萍等首次参评即被破格评为特等劳动模范。

【开展“联手、联心、联岗”活动】2000年，大连市总工会、市工商局根据本市再就业形势，决定在全市共同开展“联手、联心、联岗”活动，提出到2001年底建成再就业安置基地10个、安置点100个，结帮扶对子1000个，安置下岗职工1万人的“十百千万”目标。由于各区市县工会、工商部门共同努力，这一目标提前完成，到年末，已建立再就业安置基地13个、安置点103个，与下岗职工建立帮扶对子1018个，安置下岗职工10682人。

【开办军嫂就业招聘洽谈会】 2000年，大连市总工会注重军嫂就业工作，积极为军嫂就业创造条件。先后8次在大连军分区、水警区、海军舰艇学院、空军基地等部队举办“送岗位到军营”军嫂就业招聘洽谈会，提供就业岗位4106个，参加应聘军嫂2000余人，安置316人。这一做法得到中央军委及省市党政军领导的高度评价。

【扶贫帮困见实效】 2000年11月15日，大连市内四区的4730名特困职工全部进入最低生活保障线，其中由各级工会组织帮助解决2129人。继续开展“进百家企业、访千户职工家庭、向万名职工送温暖”活动，各级工会干部和党政干部走访慰问困难职工家庭4.7万户次，送慰问金794.7万元和价值120余万元的米、面、油等。市总工会还对203名生活困难的劳模实行定期和临时性补助；协调市内医院为困难企业的4000余名女职工免费体检；给予有脱贫能力的88名特困职工小额借款；为部分单亲特困女职工家庭落实最低生活保障线上浮30%的政策；组织效益好的企业与困难企业50名特困职工结对帮扶；协调大连造船厂工会出资为大连童装厂改善职工劳动条件。市总工会职业介绍所举办大型用工招聘洽谈会20次，提供就业岗位2.4万多个，安置下岗职工就业4674人次。“帮困110”接听热线电话2700余次，发放救助金近5万元。全市各级工会共帮助和引导1.8万名职工实现再就业。

2000年5月18日，大连市总工会投资7000多万元改建的大连五一国际酒店开业。 市总工会 供稿

【对生活困难劳模实行补贴】 2000年，大连市总工会决定对生活困难劳模进行补助。凡家庭月人均收入低于、相当于当地最低生活保障标准，或略高于但高出部分不超过20%，以及年龄较大、常年有病、劳模个人负担医疗费数额较大造成生活困难且企事业单位又无力帮助的全国、省（部）、市级劳动模范，由市总工会建立档案，定期或不定期给予补助。补助标准每人每月80～180元不等。因其他原因造成生活困难的，按荣誉称号的高低、实际人均收入的多少、劳模本人和家属所患疾病的种类及严重程度确定补助金额。当年共对263名生活困难的劳模实行定期和临时性补助，发放补助金20余万元。

【组织“西部劳模看大连”活动】 2000年9月28日～10月2日，大连市总工会邀请80余名西部地区全国劳动模范代表到大连参观考察。参加本次活动的有藏、满、回、彝、维吾尔、蒙古等少数民族劳模代表，分别来自西部12个省、自治区、直辖市。西部地区劳模在连游览考察了金石滩国家旅游度假区、经济技术开发区、森林动物园、棒棰岛宾馆、大连港、三洋制冷有限公司、新船重工有限责任公司等，和大连劳模共植友谊树并进行座谈交流。

【全国工会组织基本状况普查在连试点】 2000年7月28日～8月18日，全国总工会在大连市中山区进行全国工会组织基本状况普查试点。全国、省、市及中山区工会共组织400余人参加普查。经过普查，摸清中山区辖区内各种类型单位数、职工数、工会数和会员数，形成《关于辽宁省大连市中山区工会组织基本状况试点调查报告》等5份报告。

【大连五一国际酒店建成开业】 大连五一国际酒店是大连市总工会投资7000多万元，在原工人大学楼基础上改造扩建的旅游涉外星级酒店，2000年5月18日试营业。建筑面积2.2万平方米，共11层，内有餐厅、活动室、大小会议室、商务中心、洗浴中心等现代化综合服务设施及170余套中高档客房。（胡 伟）

·共青团大连市委员会·

【概况】 2000年，共青团大连市委员会有基层团委965个、团总支752个、团支部1.1万个；共青团员28.3万余名，其中新团员1.8万名。

以纪念“一二·九”运动65周年、抗美援朝50周年等活动为契机，加强青少年爱国主义教育。在大学生中广泛开展科技、文化、卫生“三下乡”活动。深入实施以青年志愿者行动、希望工程、青年文明号、星火带头人活动为主要内容的“跨世纪青年人才工程”和“跨世纪青年文明工程”。有40名青年分获市级先进青年称号。

根据企业产权制度改革对共青团组织建设提出的新要求，各基层单位全面调整团组织隶属关系。区市县团组织继续扩大街道团工委工作覆盖面，新建立团工委34个，同时在非国有企业中开展建团工作新尝试。民办学校大连成成经贸学院、大连国际商务学院的团建经验分别在全国民办高校团建工作会上作了介绍。

大连市青年联合会选派6名优秀青年赴美国、日本、韩国、新西兰及欧洲一些国家考察、研修，并安排西部地区团干部在市青联挂职锻炼；接待日本、澳门、台湾等8个国家和地区青年访问者248人次，其中来连参加海峡两岸青年中秋联欢活动的台湾青年访问团一行160余人。

【加强青少年爱国主义教育】 2000年，共青团大连市委员会以建党79周年、“一二·九”运动65周年为契机，组织大学生慰问老红军和参加过“一二·九”运动的原大连市委书记宋黎，用老一辈的寄语影响教育当代大学生；在抗美援朝50周年纪念日举行18岁成人宣誓仪式。少先队组织于“六一”国际儿童节在人民广场举行升国旗仪式，在建队日开展“星星火炬，代代相传”——市新老少先队员“忆传统展未来”主题教育活动。

【深化“跨世纪青年人才工程”和“跨世纪青年文明工程”】 2000年，共青团大连市委员会深入实施“双跨工程”，积极为培养青年人才而努力。

青年志愿者行动继续深化。青年志愿者积极投身服务全市大型活动、扶贫帮困、保洁护绿等活动，在“千团帮千户，为贫困家庭献爱心”活动中捐款捐物98.3万元，全市青少年文明护绿责任区已达384处、296万平方米。

希望工程积极开展“爱心助学”活动，接受各界捐款218万元、捐物总值50万元，资助贫困学生3100名。

以“青年文明号”、“青年岗位能手”为依托，深化青年创新争效活动。全市涌现出国家级青年文明号30个、省级青年文明号56个，近30万名青工参加青年岗位能手活动。大连机车车辆厂技术员曲维峰等10人分获辽宁省杰出、优秀青年岗位能手称号，进步电影院等10个青年集体被命名为辽宁省青年文明号。团市委与市经委、科委、科协联合命名“五小”竞赛优秀成果45项、青年知识分子优秀科技成果30项。

为下岗青工再就业服务。团市委与大连电视台联合创办“阳光行动”栏目，为下岗青工提供再就业服务途径；举办下岗青工招聘洽谈会，参加招聘8000余人，当场签订用工合同572份。全年共安排下岗青工再就业近千人。

创建“青年文明社区”，培养农村“星火带头人”。采取青年为辖区居民服务、社区为青年提供社会实践基地双向服务办法，加快青年文明社区建设。中山区春海社区团工委成为大连外国语学院实践基地，北京街道等成立青年活动中心。“星火带头人”活动以提高农村青年科技兴家意识为突破口，加快推广科技项目。全市成立青年“星火带头人”服务队212支，涌现县（区）级青年“星火带头人”381名。开展评选表彰市十大青年科技标兵和市十大杰出、优秀农村青年活动。宋爱国当选第十届辽宁省十大杰出青年。

青少年科技文化活动丰富多彩。举办首届青工保龄球大赛和首届“大雪杯”青工四门足球赛。以“向新世纪迈进，在实践中成才”为主题，在大中学生中广泛开展科技、文化、卫生“三下乡”活动。

2000年，大连市第三批赴贵州盘县支教扶贫的青年志愿者载誉归来。

李 珞 摄

【深化少先队“手拉手”活动和“雏鹰行动”】 2000年，中共大连团市委根据市北部地区受灾实际情况，开展城乡少年济困助学“手拉手”活动，有7000名同学新结帮困对子。还通过开展“做新世纪小主人”读书活动、少先队节水教育宣传活动、“争作滨城环保小卫士”主题教育活动、“少年儿童平安回家”安全教育活动、“滨城少年盼奥运，我为队旗添光彩”签字活动等，丰富素质教育内容。

【评选市十大青年科技标兵和十大杰出（优秀）农村青年】 2000年，共青团大连市委、市青年联合会、市委组织部、市人事局、市科委、市科协、大连日报社、大连晚报社、大连人民广播电台、大连电视台联合命名表彰第三届大连市十大青年科技标兵。大连大显股份有限公司金属部件厂副厂长、工程师刘万全，大连医科大学附属第二医院普外科副主任、教授邢光明等10人受到表彰（名单详见340页）。

为树立新时代农村青年的先进形象，团市委与市农村工作委员会联合命名表彰大连市杰出农村青年及大连市优秀农村青年各10名。旅顺口区北海镇北港开发有限公司经理刘明洲等10人获大连市杰出农村青年称号（名单详见337页），瓦房店市交流岛乡马路村农民刘水等10人获大连市优秀农村青年称号。

【海峡两岸青年在连共度中秋佳节】 2000年9月11～13日，由共青团中央、全国青年联合会组织的海峡两岸青年中秋联欢活动在北京和大连同时举行。以台湾中华青年交流协会理事长李钟桂为团长，由160余人组成的青年访问团来连参加活动。

在连期间，访问团拜会了代市长李永金，并参观高新技术产业园区和大连冰山集团、大连理工大学等。组织“海上升明月”联欢晚会，团中央书记处常务书记、全国青联主席巴音朝鲁，辽宁省委常委、市委书记薄熙来，以及国务院台办领导、团中央统战部部长胡伟等出席晚会。冯巩、刘斌等著名演员和本市青年演员与台湾访问团成员同台演出，大连歌舞团、大连大学合唱团、市青少年宫少儿艺术团参加演出。本市青联委员、团干部、市有关单位领导共300余人参加联欢活动。

【开展大中学生“三下乡”活动】 2000年暑假期间，共青团大连市委员会、市学生联合会号召大中学生“向新世纪迈进，在实践中成长”，在全市大中专院校中组织开展以“长才干，受教育，做贡献”为目标的“科技、文化、卫生三下乡”活动。大连理工大学、大连铁道学院、辽宁师范大学、大连医科大学、大连水产学院等院校分别组织以博士生、硕士生为主的赴西部地区“三下乡”服务队和以本科生为主的赴北三市农村集中服务队。“三下乡”服务队远赴宁夏、青海、陕西、贵州、内蒙古等省、自治区，考察了解当地工、农、畜牧业发展情况及医疗卫生状况，为边远贫困地区群众开办文化科技讲座、举办文艺演出、送医送药，受到当地政府和群众的欢迎。大连理工大学、大连铁道学院获全国“三下乡”活动先进单位称号，辽宁师范大学等8所学校、邵莹等20名学生和团市委分获辽宁省“三下乡”活动先进单位、先进个人和组织工作先进单位称号。

（李　珞）

·大连市妇女联合会·

【概况】 2000年，大连市妇女工作力求创特色、出精品，在“双学双比”、“巾帼建功”、依法维权、下岗女工再就业、社区服务等方面取得可喜成绩，受到全国和省妇联的表彰。

“双学双比”和“巾帼建功”活动的广泛深入开展，大大提升了城乡妇女的综合素质和社会地位，并已深入人心。全市涌现出国家级巾帼文明示范岗2个。

实施女性人才工程，表彰优秀杰出女性。与市教委联合下发《大连市实施“女性人才工程”的意见》和《关于培养选拔女干部工作意见和建议》。在各个工作岗位上取得成绩的优秀女性受到市妇联表彰。

市妇联与市劳动局、市民政局等单位联合举办大型用工洽谈会4次，提供就业岗位3000个，现场招聘1500多人。动员万名女私营个体业主与下岗女工结对子。鼓励下岗女工到农村寻求发展空间，女工务农1400余人。全年帮助5248名下岗女工找到新工作。

“依法维权”通过普法宣传、社会帮教、行政维权、法律救助、司法保护、信访投拆6条社会化网络加以实施。开通“148”妇女法律专线电话，为广大妇女提供了较好的法律服务。

积极参与0～3岁婴幼儿早期教育研究，为家长免费提供幼教参考资料1万份；在大连电视台放映0～3岁婴幼儿早期教育电视片，举办家庭教育公开课展评电视讲座。开展“春蕾”助学活动，资助贫困女童872名；为500多名贫困和单亲儿童找到代理妈妈。“六一”儿童节期间举办了宝宝爬行、少儿硬笔书法比赛等多项活动。“创建文明家庭”活动内容已延伸到楼道社区和广场各方面。

接待应全国妇联邀请来访的匈牙利福利和家族事务部、澳大利亚商业职业妇女联合会、尼日利亚事务和青年发展部、韩国济州道、香港中华总商会妇委会等外国和香港妇女代表团。以市妇联主席崔庆群为团长的辽宁省妇女代表团一行5人应邀到香港访问。

4月和6月，全国人大副委员长、全国妇联主席彭珮云等先后来连调研和参

2000年9月11～13日，台湾青年访问团一行160余人来连参加海峡两岸青年中秋联欢活动。　李　珞　摄

加会议。全国省、区、市妇联主席工作会议和全国首届老年妇女问题研讨会年中在连召开。

【"双学双比"竞赛活动上升新高度】2000年，大连市妇女"双学双比"竞赛活动上升到"学科技、学经营、比效益、比发展"的新高度。各级妇联利用多种形式组织农村妇女进行科普教育和技术培训，全市农村科技研究会、协会、学会已达1125个，三八科技示范基地已建立1846个，涌现出妇女科技示范大户5600个、特色专业户3800个。宣传树立了全国"双学双比"女状元刘福玉和辽宁省女状元王玉翠、张春玉为代表的市十大科技女状元等科技致富典型。

2000年4月11～13日，全国妇联主席彭珮云来连调研期间视察大连市"文明家庭"。 市妇联 供稿

【"巾帼建功"竞赛形成规模】 2000年，大连市"巾帼建功"竞赛活动内容不断创新，并形成规模。市妇联成功举办大连市"巾帼建功"跨世纪行动论坛，并通过举办女知识分子联谊会、女企业家联谊会、区市县女领导干部联谊会、女政法工作者联谊会等开展各项活动，提高了妇女群体的综合素质。在全市女职工中开展"岗位技能上台阶"、"巾帼小科技"、"创效益能手"等竞赛活动，共提出合理化建议7万多条，被采纳2万多条，创效益4600多万元。巾帼文明示范岗向机关、院校、事业单位和个体私营企业延伸，涌现出国家级文明示范岗位2个。

【"创建文明家庭"活动提升新层次】2000年，大连市妇联将创建文明家庭活动提升到家庭、楼道、社区和广场"系列文化"的新层次。全市已有7600个楼道建起楼道文化长廊，涌现出市级文明家庭204户。各级妇联在社区共举办各类艺术晚会和文化活动1500余场。有上百支共30多万人参加的妇女合唱队、模特队、秧歌队、鼓队、健身队活跃在各大广场。

2000年，以大连市妇联主席崔庆群为团长的辽宁省妇女代表团一行5人应邀到香港访问。 市妇联 供稿

【全国省区市妇联主席工作会议在连召开】 2000年6月19～22日，全国省区市妇联主席工作会议在大连市召开。全国人大常委会副委员长、全国妇联主席彭珮云，全国妇联副主席、书记处第一书记顾秀莲，全国妇联副主席、书记处书记刘海荣、田淑兰、华福周，辽宁省委副书记孙春兰，全国各省区市、省会城市、计划单列市妇联主席，中央国家机关妇工委以及全国妇联机关各部门负责人近170人出席会议。

会议期间，代表们听取了大连市妇女工作的汇报，实地考察了中山区桂林街道的社区文化建设、经济技术开发区企业的外来妹管理、甘井子区的楼道文化和社区文化活动等。市委书记薄熙来为大会作市情报告。

【杰出女性获殊荣】 2000年，在纪念"三八"国际劳动妇女节90周年暨表彰大会上，大连市妇联命名戚秀玉职业介绍所所长戚秀玉等10人为大连市第七届十大杰出女性（名单详见337页）；大连衡平律师事务所律师赵霞等10人为大连市十大维权女标兵；大连兴杨实业开发有限公司总经理孙美琴等10人为大连市十大科技女状元；大连色织布厂下岗女工卢慧滨等10人为大连市十大再就业女明星。还表彰了市“三八”红旗手标兵27人和“三八”红旗手106人、市优秀妇女干部99人、市妇女工作先进集体97个。

【全国老年妇女问题研讨会在连召开】2000年5月29~31日，全国首届老年妇女论坛暨优秀论文颁奖会在大连市召开。这次会议由全国妇联老干部局、中国老龄协会调研部、中国老年报社、中国老年杂志社、中国老年科学研究中心、大连市妇联等单位联合举办，来自全国各地的专家学者80余人出席会议。会上有36篇论文获奖，其中《老年妇女在老龄化社会中的价值和作用》、《老年妇女的身心健康》等10篇论文获一等奖。研讨会就老年妇女的心理健康和家庭负担过重等突出问题进行了研讨。

【“148”妇女法律专线开通】 2000年3月8日，大连市妇联协调市司法部门，以“148”法律服务专线为载体，开通148妇女法律专线电话，其号码为4310148。每月8日、18日、28日上午8~12时，司法、公安、劳动、检察、法院、卫生、计划生育、工会、劳动监察等相关部门的专家学者，以法律服务支援者身份现场解答与妇女有关的法律问题，并提供必要的法律援助。至年末，共有65位专家学者提供法律服务，接待咨询2088人次，联动部门电话解答咨询2632人次，参与协调解决侵权事件236件。

【社会化维权形成网络】 2000年，大连市妇联“依法维权工程”重点进行6条社会化维权网络建设：(1)普法宣传网络。配合有关部门举办宣传教育活动12次；召开修改《婚姻法》研讨会、座谈会，提出修改意见和建议60多条。(2)社会帮教网络。组织第三批帮教团，对沈阳市大北监狱大连籍在押女犯及南关岭、大连女子收容教育所的妇女进行帮教。(3)行政维权网络。参与制定保障妇女权益的地方性法规和政策，并对生育保险和女职工特殊保护中的有关问题提出修改意见。(4)法律救助网络。免费受理法律咨询600多人次，代书法律文书21份，协调办理诉讼案件4起，通过新闻媒体曝光侵权案件10余起。(5)司法保护网络。对法律援助案件和重点案件实行优先原则，28个维权合议庭共给予180名妇女减免和缓缴诉讼费用，切实保障了离婚妇女的合法权益。(6)信访投诉网络。于“三八”妇女节开通148妇女法律专线电话，接待咨询和电话解答4720人次。

【举办《婚姻法(修正草案)》座谈会】 2000年6月22日，大连市举行修改《婚姻法(修正草案)》座谈会。全国人大副委员长、全国妇联主席彭珮云，全国妇联书记处书记李秋芳、权益部部长丁露，辽宁省妇联副主席邱立明，市委、市人大、市妇联等部分领导，以及从事司法实践与法学研究的各界人士40余人出席座谈会。与会者就《婚姻法(修正草案)》的修改提出修改意见和建议60余条。 (刘毓兰)

·大连市科学技术协会·

【概况】 2000年，大连市科学技术协会有市级学会83个、区市县科协10个，厂矿企业、大专院校、科研院所科协135个。各级科协组织作用得到较好发挥。

围绕加强技术创新、发展高新技术、实现科技产业化开展学术活动。市科协与市社科联、市政协科教文卫体委联合主办，自然辩证法研究会承办了市技术创新理论研讨会；支持市生物学会承办全国首届植物基因组学大会、中国材料研究会举办国际材料最新发展展望学术会议；与市信息产业局、大连理工大学共同举办大连国际信息技术论坛，围绕“21世纪的城市信息化和电子商务”主题开展学术交流。

发挥基层科协组织作用。“金桥工程”共立项119项，完成105项，新增利税2亿元；有33个项目、11个单位、21人当选市科协第二届“金桥工程”优秀项目、优秀组织单位和优秀组织者奖。农村基层科协组织积极参加市科协组织实施的“科普之春”、“科普之冬”活动，在发展地域经济、调整农村产业产品结构以及普及先进适用技术、推广新品种方面发挥重要作用。科普活动以多种多样形式在各领域广泛开展。

【开展多种形式科普活动】 2000年，大连市科协继续开展创建“科普进社区、进楼院、进家庭”科普示范街道活动，全市已建科普示范街道5个。

以提高公众科技素养为目的，于“十一”期间举办趣味科普展，最高日参观人数逾2000人，中央电视台予以报道。邀请来连参加国际服装节的美国宇航员鲍伯考作航天科普报告。在市委大楼举办“20世纪科学技术重大发现与发明”展览，中国科技馆向市委赠送启迪创新思维的科普展具，全国人大副委员长、中国科协主席周光召为展具题词“大连科技之光”。举办“崇尚科学文明，反对迷信愚昧”宣传日活动，并在全市进行“20世纪科学技术重大发现与发明”大型图片巡回展，引起社会强烈反响。

承办并参加第十届辽宁省“盼盼杯”青少年科技发明创新大赛，本市获奖46项；选派14名选手代表辽宁省参加第十届全国青少年科技创新大赛，获奖4项。与市教委共同举办第二届中小学科技节。

加强国内外科技交流。接待海外科技来访团11个。牵线搭桥，促成国际著名社会活动家、日本友人池田大作著作角在市艺术展览馆开展。举行市科协与日本高崎金属工业团地协同组合研修生合作事业10周年庆典。承办全国30城市科普网第十五届年会、第十四届部分省市科协国际部联络网会议等。

【全国首届植物基因组学大会在连召开】 2000年7月24日，由北京大学副校长陈章良，中科院院士张启发、董玉琛，中国科学院国家基因中心研究员韩文斌，辽宁师范大学生物工程研究所所长王关林等16位海内外知名生物专家发起，大连生物学会主办的中国首届植物基因组学大会在大连召开。会上，专家学者们分别作了分子标记体系、遗传多样性及分子细胞遗传、基因克隆转化和文库构建等专题报告，重点讨论了中国植物基因组研究的战略问题。为更好地利用会议的人才资源、信息资源和成果资源，为本市双D港建设服务，市科协组织与会专家参观高新技术产业园区，介绍园区的建设情况以及双D港的规划发展目标和招商引资政策。 (陈诗媛)

·社科联·侨联·台联·

【大连市社会科学界联合会】 2000年，

大连市社会科学学术团体经市民政部门整顿，由上年的80个减少到70个。其中当年新发展4个，为市报告文学学会、市经济文化促进会、市智能产业协会、市知名企业协会。

把握主题，深入研究重大理论与实践课题。市社科联组织有关部门、社会科学专家学者及专业工作者60余人，对市委、市政府审定的《大连振奋城市精神、增强城市凝聚力的理论与实践》和《大连建设北方人才高地的研究》课题进行联合攻关并完成课题报告；与市委宣传部联合组织专家学者，完成《关于大连建设国际名城的研究报告》。所属学会、协会、研究会共完成课题报告30多个。其中：市房地产经济学学会完成《关于进一步放开、搞活大连市房地产市场的研究》；市邓小平理论研究会完成省级课题《天百模式探析》和市软科学项目《大连“一校两院”管理体制和运行机制的研究》；市税务学会完成《从大连高新技术企业经济结构趋向看税收存在问题与对策》；市劳动学会完成《以劳务形式上岗就业机制初探》和《大连市社会保险存在的问题与对策研究》；市纪检监察工作研究会按照中纪委和省纪委的要求完成《新形势下加强国有企业纪检监察工作的思考》、《关于大连市反腐倡廉基本经验及主要措施的调查报告》；市金融学会完成《大连市银行业“十五”发展规划》和《大连市金融安全区建设》；市统战理论研究会完成《非公有制经济代表人士现状与政治安排问题的研究》。这些课题报告具有鲜明的时代特点，其理论对指导现实具有积极意义。

联系实际，积极开展理论研讨和学术交流。与市体改委联合召开大连市建立社会主义市场经济体制基本框架研讨会；与市科协、市政协科教文卫体委、市自然辩证法研究会联合召开大连市技术创新理论研讨会；与市政府经济研究中心、市城市经济学会、大连日报社联合召开大连市建设现代化国际名城研讨会。所属学会、协会、研究会也紧密结合实际，召开理论研讨会、座谈会、报告会共100余次。市工商行政管理学会召开的呼唤商标意识实施名牌战略理论研讨会，对本市实施名牌兴市战略起到促进作用。所属学会、协会、研究会还结合各自特点，宣传社会科学理论。市职工思想政治工作研究会为配合再就业先进典型的宣传，组建大连市再就业工作先进事迹报告团，进行巡回报告9场。

开拓创新，推动学科建设和学会工作健康发展。扶持哲学、科学社会主义、经济学等基础学科学会发展，重点支持市经济学学会重建机构。抓好学科带头人建设，建立社科人才档案，已为170余位社会科学专家学者建档。

注重加强对外交流。市陈香梅中美文化交流促进会、市宏观经济学会分别组织会员到美国纽约、华盛顿等城市进行商务考察；市邓小平理论研究会在北京举办的国际行政院校联合会2000年会上作学术交流；市火花艺术协会应亚洲火花协会的邀请，参加在南京举办的亚洲火花协会成立2周年纪念活动；市教育学会接待台湾教育参访团，并召开海峡两岸教育文化交流座谈会。（陈丽华）

【大连市归国华侨联合会】 2000年，大连市归国华侨联合会坚持为经济建设服务方针，积极参政议政，献计献策，依法护侨。

参政议政，为侨服务。市归侨侨眷当选全国、省、市人大代表和政协委员的共有160名。侨界当年提出议案、提案180件，大部分被采纳。其中市侨联提出的《关于营造人才优势，构筑我市海外人才高地的建议》得到市政府主要领导批示，转有关部门落实，省政协《友报》以《大连做足人才文章，采纳侨联建议》为题作了报道。市侨联接待处理归侨侨眷和海外侨胞来信来访65件次，维护了归侨侨眷和海外侨胞的合法权益。

鼓励归侨侨眷参与招商引资。会同市侨办印发《致全市归侨侨眷、港澳同胞眷属一封信》，动员他们利用自身优势，牵线搭桥，招商引资，为本市外向型经济发展做贡献。市侨联还派人到广东、福建、浙江、江苏等地参观考察侨乡，与侨乡建立联系。

广泛联络，凝聚侨心。组织召开新千年春节茶话会、全市侨界反台独促统一座谈会；组织侨界离退休高级知识分子代表参观高新技术产业园区和海外学子创业园。8月10～14日，在连召开朝鲜平壤华侨高中校友会，来自美国、日本、韩国、香港等国家和地区及国内共60多名校友参加会议。

开展纪念《归侨侨眷权益保护法》颁布10周年系列活动。会同市人大民侨外委、市政府侨办、市政协联络委、致公党大连市委共同召开座谈会；与沙河口区区委、区政府联合举办文艺晚会；在《大连日报》和大连电视台发表文章和讲话。（周泽健）

【大连市台湾同胞联谊会】 2000年，大连市有台湾省籍同胞552人。台胞中有各级人大代表、政协委员14名，其中省人大代表1名、政协常委1名，市人大常委1名、政协常委3名。

大连市台湾同胞联谊会先后组织台胞学习《一个中国原则和台湾问题》白皮书，举办纪念“二·二八”起义报告会，观看台湾地震录像片，并邀请市委统战部部长、市台办主任介绍台湾总统大选前后岛内政局的变化，使台胞及时了解和认清海峡两岸形势。

发动台胞为本市改革开放和经济建设献计献策。台胞在市人大、政协会议上提出建议和提案42件，其中团体提案《关于企事业单位在机构改革、转制中应妥善安排台湾同胞工作》被市政协评为优秀提案。

为台胞排忧解难。为7名面临下岗和待业的台胞及配偶安排了工作；为普兰店市残疾台胞家庭的孩子解决了工作问题，并发给最低社会保障金。全年接待台胞来信来访34人次；为台胞解决住房、学生转学入学、办理公证等问题43件。

接待岛内、海外台胞11批94人次，主要有台湾妇女菁英联盟访问团、台湾台海两岸全方位交流协会访问团、海外知名台湾企业家经贸考察团、台湾高雄市金属家具商业同业公会考察团、台湾中华餐饮交流协会访问团等。

为连台经济合作牵线搭桥。促成台湾独资企业大连美玉加工有限公司成立，投资10万美元；为美国杜尔公司与大化集团公司合作牵线，签订意向合同，总投资600万元；为台湾万寿兴业股份有限公司两次来连考察提供方便，促使其决定在本市建立办事机构。

大连大学副教授卢馨当选全国第九届青联代表大会台湾团的代表并出席会议。（张立功）

法　　制

责任编辑　孙　颖

地方立法

【概况】　2000年，大连市人大常委会制定地方性法规1个：《大连市社会保险基金管理条例》；修订2个：《大连市城镇职工养老保险条例》和《大连市市政公用基础设施管理条例》，其中《大连市城镇职工养老保险条例》经市第十二届人大常委会第二十六次会议审议通过、省第九届人大常委会第十八次会议批准终止施行。由市人大财经委起草的《大连市社会保险基金监督条例（草案）》和由市人大规建环保委与市政府法制办、市城建局等有关部门共同研究修改的《大连市市政公用基础设施管理条例》提交审议，正在进一步修改。

【《大连市城镇职工养老保险条例》终止施行】　《大连市城镇职工养老保险条例》是我国城镇企业职工养老保险地方立法较早的一部法规，自1994年1月1日施行以来，对推进本市城镇企业职工养老保险制度改革起到重要作用。随着城镇企业职工养老保险制度改革的不断深化，国务院于1997年7月16日下发《关于建立统一的企业职工养老保险制度的决定》，1999年又颁布《社会保险费征缴暂行条例》。鉴于《大连市城镇职工养老保险条例》中的主要条款已与前述行政法规的新规定不一致的实际，大连市第十二届人大常委会在2000年7月18日召开的第二十六次会议上，审议市政府提交的《关于提请审议终止施行〈大连市城镇职工养老保险条例〉的议案》，决定终止施行该项法规。经辽宁省第九届人民代表大会常务委员会第十八次会议批准，该法规于11月1日起终止施行。　（朱　彤）

政府法制

【行政立法】　2000年，大连市政府法制办公室审核或办理地方性法规草案、市政府规章和规范性文件73件，其中地方性法规草案3件，市政府规章、规范性文件70件。主要政府规章和规范性文件有：《大连市国有工业企业物资采购监督管理规定》、《大连市国有工业企业销售监督管理规定》；《大连市引进优秀人才若干规定》、《大连市市属科研机构管理体制改革实施意见》；《大连市进一步鼓励外商投资的若干规定》、《关于扩大对内开放吸引市外内资企业的暂行办法》；《大连市城镇职工基本医疗保险实施办法》、《大连市职工基本医疗保险监督检查办法》；《大连市行政事业单位银行帐户管理暂行规定》、《大连市财政监督暂行办法》、《大连市行政事业性收费、政府性基金实行票款分离和罚没收入实行罚缴分离暂行办法》等。

【行政执法监督】　2000年，大连市以推进依法行政为目标，继续加大行政执法责任制工作力度。市政府与10个区市县政府、29个政府部门及开发区签订行政执法责任状，市政府法制办公室制发《大连市实行行政执法责任制检查考核标准》，规范和细化执法责任制考评办法。同时，根据《国务院关于全面推进依法行政的决定》要求，把行政执法责任制工作进一步延伸到乡镇。

开展行政执法大检查。根据辽宁省政府通知精神，市政府成立由副市长刘长德任组长的行政执法大检查领导小组，从7月下旬起，对全市行政执法情况进行为期3个月的大检查，取得明显成效。（1）进一步明确执法主体。将市、县（市、区）两级政府275个具有执法职责的部门以及全市1110个合格的授权、委托机构名单在《大连日报》上公布。（2）进一步清理行政执法依据。全市清理规章和规范性文件565个，对其中与党的方针政策、国家法律法规、现实需要不相适应的125件予以废止。（3）进一步提高行政执法队伍整体素质。清退从事行政执法活动的合同工、临时工，为市劳动局、城建局、环保局、卫生局、计生委等部门10380名行政执法人员换发省政府统一规范的执法证件，同时注销144人的执法证件。省行政执法大检查组先后3次来连明查暗访，检查验收一次合格。

【行政复议】　2000年，大连市政府法制办公室受理行政复议案件268件，比上年增长16.5%，审结242件，占受理案件的90.3%；提起行政诉讼案件225件，比上年增长12.5%，审结180件，占80%。市政府收到行政复议申请57件，比上年增长50%，其中立案处理15件，协调处理22件，不予受理20件；审核劳动教养复议案件44件，其中维持37件，撤回申请6件，撤销1件；办理市政府被诉案件3件，其中法院维持1件，2件正在审理中。共办理省转案件5件，市领导交办案件6件，社会投诉案件12件。上述案件涉及环境污染、房屋拆迁、劳动工伤、经济合同、债权债务、劳动工资、土地使用、房屋产权等。办案人员从稳定大局出发，坚持依法办事，使问题得到圆满解决，既保护了当事人的合法权益，又维护了政府的形象。

【《大连市人民政府公报》创刊】　2000年，根据《中华人民共和国立法法》要求，大连市政府创办《大连市人民政府公报》，于1月1日试刊发行。该《公报》由市政府法制办公室主办，年内为内部发行，待国务院新闻出版署批复后为国内外公开发行。创办《公报》的宗旨是向全市机关、团体、企事业单位和公民提供政府规章标准文本。主要内容有：全国人民代表大会及其常委会、国务院颁布的有关法律、行政法规、决定、命令和立法解释；省、市人民代表大会及其常委会颁布的地方性法规；省、市政府制发的政府规章；市政府下发的决定、命令以及其他有关规范性文件；市政府各委、办、局为贯彻法律、法规发布的规范性文件；市政府领导批准刊登的其他重要文件。（李树炳）

【大连市城市管理综合执法局成立】 2000年1月4日，大连市城市管理综合执法局成立，7月7日挂牌。该局为市政府直属机构，副局级建制，下属规划土地、房地产、建筑市场、城建、公用事业等5个行政执法大队。其主要职责是行使城市规划管理、房地产管理、建筑市场管理、市容环境卫生管理、城市园林绿化管理、市政基础设施管理、市政管理等7个方面法律、法规、规章规定的行政处罚权，以及履行法律、法规、规章和省、市政府规定的其他职责。

该局的成立，推动了城市行政管理体制改革，有效地克服了多年存在的多头执法、重复执法、职权交叉、行政执法机构膨胀等问题；统一了执法尺度，加大了执法力度；精简了机构人员，将原市区两级18支执法队伍1023名执法人员减至为1个执法局400个人员编制，降低了执法成本。

该局成立后，在城市管理方面发挥了重要作用。当年检查纠正违章建筑、无证销售商品房、乱贴广告、劈山毁林、违章用水等各类违法行为3.6万余起，做出行政处罚1.2万余件。还以前所未有的力度开展全市建设项目秋季大检查，共检查市内四区建设工程305处、单体楼房2429栋，查处无审批手续或审批手续不全、改变规划、超标建设、无证拆迁、无商品销售许可证等共215处，违章单位均受到相应处罚。（高大东）

审　判

·人民法院·

【概况】 2000年，大连市两级人民法院公正司法，严肃执法，为经济建设的正常进行、社会事业的顺利发展和社会治安环境的进一步改善提供司法保障。共受理各类案件85783件，比上年上升7.2%；审结案件76678件，上升8.3%。结案率为89%。

继续推进审判制度改革。年内，市中级人民法院撤销集立案和审判监督职能于一身的告诉申诉庭，分别成立负责收诉立案的立案庭和负责审判监督及再审的审判监督庭，实现立审分离；撤销经济犯罪审判庭，其所管一审、二审案件分别划归刑事审判一庭、二庭审理；实行中层领导干部竞争上岗，公开选拔任用中层副职领导干部8名；按最高人民法院要求，开始进行审判长公开选任，为实现公正审判和提高审判工作效率奠定了基础。

【刑事审判】 2000年，大连市两级人民法院继续依法严厉打击各类刑事犯罪活动，全力维护社会稳定。共受理一审刑事案件4727件，审结4390件，按可比口径，分别上年上升13%和10%；受理二审案件362件，审结250件。共判处案犯5397人，其中无期以上徒刑283人，5年以上有期徒刑968人。

当年的刑事审判工作根据对敌斗争的新形势，依法严惩一批危害国家安全和组织利用邪教破坏法律实施的犯罪分子；继续坚持“严打”方针，严厉打击一批杀人、抢劫等暴力犯罪、涉枪犯罪、毒品犯罪以及黑社会性质的犯罪；加大打击经济领域犯罪的力度，为国家挽回直接经济损失8000万元；紧密配合反腐败斗争，严惩一批贪污、贿赂、挪用公款等犯罪分子。

【经济审判】 2000年，大连市两级人民法院充分发挥经济审判调节、保护、规范经济活动的职能作用，全力维护经济秩序。共受理一审经济纠纷案件16343件，比上年下降1.5%，审结14893件，上升1%；受理二审经济纠纷案件1091件，审结785件。共解决争议标的额38亿元。经济纠纷案件数量下降，表明本市经济运行逐步向良性循环方向发展。

当年的经济审判工作重点是加大为国有企业改革提供法律保障的力度，妥善解决改革中出现的各种新类型经济纠纷案件和适用法律面临的新问题。当年受理涉及国有企业改革的一审经济案件占全部一审经济纠纷案件的85%。同时，在平等保护各种经济主体合法利益，化解和防范金融风险，努力改善投资环境方面，也取得显著成效。

2000年7月7日，大连市城市管理综合执法局举行挂牌仪式。　姜爱学　摄

【民事行政审判】　2000年，大连市两级人民法院进一步加强民事、行政审判工作。民事案件仍呈较大幅度增长，共受理一审民事案件28341件，比上年上升8%；审结25517件，上升6.8%。行政案件数量继续有所上升，共受理一审行政案件499件，比上年上升5.7%；审结435件，上升1.6%。

当年的民事、行政审判工作，对涉及广、影响大的群体性案件和矛盾易激化的债务、房地产、劳动争议、损害赔偿、土地山林承包纠纷等案件，在查明事实、分清是非的基础上，充分运用调解手段化解纠纷，提高了案件审判效率，取得良好效果。当年群体性民事案件涉及当事人40余人，案件全部得到妥善解决。对因企业改制、劳动用工制度改革、住房制度改革、社会保障制度改革等引发的新类型纠纷案件，在既支持改革措施的实施，又维护人民群众合法权益的前提下公正司法，保证了全市改革开放的顺利进行。

【执行工作】　2000年，大连市两级人民法院继续下大力气解决“执行难”问题。4月，召开全市两级法院执行工作会议，确定全年执行工作的基本方针和目标，推动全市执行工作深入开展。全年受理执行案件30778件，比上年上升8.6%；执结27554件，上升6%。执结标的额25.5亿元。

在执行过程中，对有履行能力的当事人重在宣传教育，促使其自觉履行；对有履行能力而拒不履行义务的当事人则依法强制执行；对确有困难，暂时无法履行或没有履行能力的当事人，运用以物抵债、债权转股权以及执行和解等多种方式进行处理，尽量实现债权人的合法权利，减少其损失；对抗拒执行，损害法律尊严的违法犯罪行为，坚决依法追究行为人的法律责任。

【立案和审判监督工作】　2000年，大连市中级人民法院成立立案庭和审判监督庭，使立案、申诉审查和再审工作更加规范。两级法院除收诉立案工作外，还接待处理人民来信来访68209件次，对其中符合法定条件的及时立案或进行复查。共受理再审案件1197件，审结985件，其中改判145件。市中院还受理检察机关提起抗诉的案件53件，审结24件。新审判机制的运行，初步解决了“告状难”、“再审难”等长期存在的问题。

【李军、郝更新挪用资金案】　2000年9月27日，大连市金州区人民法院对李军、郝更新挪用资金案进行一审判决，以挪用资金罪判处李军有期徒刑5年，判处郝更新有期徒刑4年。一审判决后郝更新不服，向市中级法院提起上诉。2000年10月23日，市中级法院立案，经二审认为：原审判决认定事实清楚，定罪准确，审判程序合法，郝更新上诉否认与李军共谋没有依据，但鉴于二被告人能认真悔过，坦白罪行，且积极归还挪用资金，未造成经济损失，应从轻处罚，遂改判李军有期徒刑4年，改判郝更新有期徒刑3年，缓刑4年。

1999年，李军在任市商业银行金州区中长街支行南站营业所负责人期间，郝更新找其帮忙贷款。李表示南站营业所无权贷款，但如能帮助吸收存款可借钱给郝使用。郝遂通过关系找到大连市人周国柱为南站营业所吸收存款。周国柱以其女儿周佳琳的名义在该所开户并先后3次存款158万元。期间，李、郝经预谋，由郝提供空白介绍信并私刻周佳琳印鉴，由李将周佳琳预留的原始印鉴调换，并卖给郝转帐支票和现金支票，于是郝在1999年3月~6月间，先后多次从南站营业所储户周佳琳帐户上提取存款，共计人民币157.8万元，被郝用于个人经商活动。案发后追回赃款及利息170万元。

【冷巧梅诉庄河市黑岛中心小学人身损害赔偿案】　2000年11月1日，庄河市人民法院对冷巧梅诉黑岛中心小学人身损害赔偿案做出一审判决：（1）被告赔偿原告医药费、护理费、交通费、营养费、安装假肢费、伤残补助费合计32724.9元；（2）被告一次性给付原告精神损害抚慰金50000元；（3）诉讼费6935元，由原告法定监护人负担3615元，被告负担3320元。

2000年3月3日，庄河市黑岛镇中心小学下属黄贵城小学开会布置学生利用周六周日在家搞勤工俭学活动。次日上午，该小学学生冷巧梅在山上捡回一些爆竹并与同学和本村儿童拿出一个未响爆竹玩耍，该爆竹突然爆炸，致冷巧梅面部多处擦皮伤，右手拇指、食指及中环指自掌关节以远缺如，自腕横纹以远皮肉绽开，掌骨骨折不成形，左手自虎口沿掌侧呈弧形裂开。事发当日，被送入庄河市人民医院治疗，住院38天后出院。经法医鉴定，冷巧梅属重伤，构成叁级伤残。随后，冷巧梅对庄河市黑岛中心小学提起诉讼。

庄河市人民法院认为：原告未满13周岁，系限制民事行为能力人，在校学习和生活期间，学校在特定的时间和区域内负有监护责任。学校布置属于限制行为能力人的小学生捡拾存在危险隐患的易燃易爆物品即烟花爆竹壳的行为，明显不当，应对由此产生的后果负主要法律责任。原告父母系原告的法定监护人，基于监护职责，对原告受到的伤害亦应承担一定责任。

【焦维林诉大连利达房屋开发公司、大连市气体供应公司房屋买卖纠纷案】
1999年7月29日，沙河口区人民法院以《中华人民共和国消费者权益保护法》第49条为法律依据，对焦维林诉大连利达房屋开发公司、大连市气体供应公司房屋买卖纠纷案做出一审判决，支持焦维林双倍返还购房款的诉讼请求。二被告不服，上诉至大连市中级人民法院。市中级法院经公开开庭审理后认为，《中华人民共和国消费者权益保护法》制定时所设定的适用范围不包括商品房在内，且房屋买卖有房地产法规专门加以规范，故本案应优先适用房地产法规。据此认为原审判决认定事实不清，适用法律不当，裁定撤销原审判决，发回原审法院重审。

1996年8月27日，焦维林购买利达房屋开发公司与气体供应公司联建房屋1处，当日向利达公司交付首付购房款10万元，并入住该房屋；同年12月6日，又向利达公司续交购房款5万元。1997年12月16日，焦维林与利达公司结清购房余款，并正式签订房屋买卖合同。1999年6月23日，焦维林以利达公司房屋质量未达合同约定标准、没有商品房销售许可证无法办理产权证，其行为已构成民事欺诈为由，向大连市沙河口区人民法院提起诉讼，提出双方签订的商品房销售合同应视无效，要求利达公司退回房款并承担利息等损失，气体公司负连带责任。诉讼中，焦维林又增加诉讼请求，要求按《消费者权益保护法》第49条的规定判令二被告双倍返还购房款并赔偿损失。

关于商品房购买者能否同普通消费者一样，可以主张适用《消费者权益保护法》第49条双倍返还价款的规定，多年来一直是法学界探讨和研究的问题。本案是我国首例就商品房买卖能否适用《消费者权益保护法》第49条双倍返还价款规定进行审理的案例，审理时受到社会各界广泛关注，有关报纸还作了追踪报道。（鲁振刚）

·海事法院·

【概况】 2000年，大连海事法院受理各类案件917件，审结和执结各类案件995件（含上年结转）。结案标的总金额为4.42亿元，结案率为83.2%。

深化审判方式改革。按最高人民法院“立审分立”、“审执分立”、“审监分立”要求，成立立案庭，对全院案件的立案、送达、开庭、结案等不同审理阶段实行流程管理，办案质量、办案效率进一步提高。一、二审案件平均结案周期分别为83天和73天，均比规定时间短10余天。

【海事海商案件审理】 2000年，大连海事法院受理海事海商案件657件，比上年上升8.2%；审结693件（含上年结转），上升9.5%。

在案件审理过程中，依法及时采取海事诉前保全措施，保护当事人的合法权益。共办理诉前扣押船舶和船载货物案件40件，海事证据保全案件4件，海事强制令案件2件，分别比上年增加16件、3件和1件。涉案标的总金额达6000余万元。其中涉外案件11件，占23.9%。还依法审结一批海上货物运输合同承运人无提单放货赔偿纠纷案件，追究航运企业非法放货的民事赔偿责任，打击了境外个别企业以非法套单手段诈取境内国有企业出口货物的不法行为。

【海事海商案件执行】 2000年，大连海事法院受理海事海商执行案件260件，结案301件（含上年结转），均比上年有所减少。结案率为87.5%，比上年提高5.3个百分点。其中：1998年前积案8件全部执结，结案率为100%；1999年积案76件，执结71件，结案率为93.4%；当年受理260件，执结222件，结案率为85.4%。案件执结率均超过省法院提出的90%、85%、75%的要求，实现最高法院提出的执行工作基本实现良性循环的目标。

【海事仲裁裁决申请执行案】 2000年5月22日，大连海事法院对海南东大海洋运输公司与中国外运北京公司大连分公司运费争议案做出裁决书，决定对中国外运北京公司大连分公司予以强制执行。

1999年8月13日，东大公司因与外运公司发生航次租船合同运费、绕航费纠纷，依据合同中的仲裁条款，向中国海事仲裁委员会申请仲裁。中国海事仲裁委员会于2000年4月20日做出裁决如下：（1）外运公司于30日内支付运费、绕航费及利息共103959.78美元；（2）仲裁费用48849.6元（东大公司已预交），由外运公司承担90%，由东大公司承担10%，即外运公司应向东大公司支付43964.64元。在仲裁过程中，东大公司为保证仲裁裁决的顺利执行，于2000年1月5日向大连海事法院提出财产保全申请，大连海事法院依法于当日采取保全措施，查封了外运公司价值110.4万元的房产1处。

仲裁裁决书下达后，外运公司迟迟未履行执行决定，于是东大公司提出强制执行申请。执行过程中，在大连海事法院主持下，东大公司与外运公司最终经过友好协商，于2000年7月10日自愿达成和解协议，外运公司将被查封的房产转让给东大公司用于抵偿全部债务。（刘 栋）

检 察

【概况】 2000年，大连市两级人民检察院依法严惩危害国家安全、社会稳定、人民生命财产安全以及社会主义市场经济秩序等严重刑事犯罪活动，批捕起诉一批有重大影响的犯罪案件。共批准逮捕各类刑事犯罪嫌疑人4324人，起诉5221人。积极查办贪污贿赂、渎职等职务犯罪案件。共立案查办贪污贿赂、渎职等职务犯罪案件225件，比上年上升29.3%，其中：贪污贿赂、挪用公款等经济犯罪案件184件，上升5.8%；侵权、渎职犯罪案件41件，上升5.1%；为国家和集体挽回经济损失3亿余元，比上年增长5倍。查办大案要案114件，比上年上升7.5%。

充分发挥检察技术作用，为办案和执法监督服务。共受理各类委托技术鉴定与技术咨询469件，出具鉴定书456件；受理法医鉴定308件；纠正错案鉴定16例。

进一步加强执法监督，维护司法公正和法制权威。保证国家法律统一正确实施。

全面开展以“学习刘金铃，争当人民满意的检察干警”为重点的为人民服务宗旨教育和公正执法为核心的职业道德教育。以反对特权思想和霸道作风专项教育活动为重点，全面加强内部廉政建设和监督制约机制建设。出台《大连市检察机关党风廉政建设责任制实施细则》和相应的《考核办法》。

【打击各种刑事犯罪活动】 2000年，大连市两级人民检察院把维护社会稳定作为首要任务，与公安、审判机关密切配合，坚持“严打”方针，保持对严重刑事犯罪的高压态势。全年共受理公安机关和国家安全机关提请批捕案件3367件4838人，经审查依法批捕3049件4324人；受理公安机关移送审查起诉案件4375件6617人，经审查依法提起公诉3557件5221人，其中批准逮捕重、特大刑事犯罪嫌疑人866人，起诉重、特大刑事犯罪被告人471人。坚持重、特大案件适时介入，在批捕、起诉环节适时介入案件379件，使一些严重刑事犯罪分子及时受到法律的制裁。

【查办经济违法案件】 2000年，大连市两级人民检察院共受理各种经济违法案件184件，比上年上升5.8%。

加大反腐败斗争力度。查办百万元以上经济违法案件16件，千万元以上经济违法案件4件，分别比上年上升33%。有31名县处级以上领导干部因涉嫌职务犯罪被查办。

查办金融领域经济犯罪。根据市委

统一部署，开展打击金融领域经济犯罪专项斗争，共立案查办金融领域经济犯罪案件33件。

查办国有企业内部管理人员职务犯罪。围绕国有大中型企业改革、发展和脱困，将查办国有企业内部管理人员的职务犯罪案件作为重点，立案查办违法犯罪76件76人。

【全面实行主诉检察官办案责任制】 2000年，大连市两级人民检察院继续深化主诉检察官办案责任制，通过竞争，已有65名主诉检察官正式上岗。为明确主诉检察官的权利和责任，完善主诉检察官制度，市检察院制定《大连市人民检察院主诉检察官制暂行办法》和《大连市人民检察院主诉检察官监督制约办法》。主诉检察官制正在走向正规化、制度化。

【预防职务犯罪有新举】 2000年，大连市两级人民检察院积极探索减少和预防职务犯罪的新方法和新途径，初步形成查办一案，责成犯罪嫌疑人写一份悔过书，与发案单位召开一次座谈会，讲一堂法制课，提出一份检察建议，协助制定一项整改措施，进行一次回访考察的“六个一”防范对策，并在商业、工业、银行系统和港务局等案件多发部位建立预防犯罪网络，有针对性地采取防范措施，取得明显成效。

【执法监督】 2000年，大连市两级人民检察院加大诉讼监督力度，全力维护司法公正和法制权威。

在侦查监督中，对公安机关应当立案而不立案的案件要求其说明不立案理由51件，发出立案通知18件28人，公安机关已立案16件25人；决定追捕37人，追诉11人。

在审判监督中，通过二审、再审程序，提出刑事抗诉案件15件，改判3件；对不服法院生效的民事、经济、行政判决申诉案件，提请抗诉185件，提出抗诉146件，法院再审审结51件，改判34件，调解结案6件，维持原判11件，改判率为78.4%。

在刑罚执行和监管改造活动监督中，清理违规留所服刑人员97人，纠正以教代侦、以教代刑、违法劳教人员93人。同时立案查办干警职务犯罪案件7件。

强化自我监督，落实办案责任制、错案追究制和案件赔偿制。立案复查刑事申诉案件47件，办结43件，依法纠正2件；受理刑事赔偿案件13件，办结10件，依法做出赔偿4件。

【检察干警试穿新式检察服】 根据上级要求，从2000年7月1日起，大连市两级人民检察院的全体干警试穿新式检察服。在全国同时试穿的还有北京、上海、青岛、深圳市和海南省。新式检察服为佩戴胸徽的西服式制服，颜色选用国际司法界常用的深色，取消大沿帽、肩章和领花，以胸徽作为检察员的主要司法标志。新式检察服主要用于出庭公诉和在社会上执行公务需要证明身份时穿着，其他场合不得穿着。　（倪福梅）

公　安

【概况】 2000年，大连市公安机关全面加强各项保卫工作，推进队伍建设，为经济建设和改革开放的顺利进行提供了良好的社会环境。

开展严打整治专项斗争。先后组织开展“一打两整”、“打拐”、“扫丑”、“打黑除恶”、“冬季严打整治”等系列严打整治行动，始终保持对各种违法犯罪活动的高压态势，破案追逃工作成效显著。全年共破获刑事案件15926起，杀人、绑架案件的破案率分别达到77.9%和91.7%；抓获逃犯657名，移送起诉犯罪嫌疑人5114名，批准劳动教养2714名。其中：破获经济犯罪案件529起，为国家、集体、个人挽回经济损失2.54亿元，分别比上年增长52.5%和1.5倍；破获涉税案件30起，追缴税款4654.3万元；破获毒品案件472起，抓获涉毒人员463人，缴获海洛因848.4克，冰毒1507克，摇头丸1690粒。

继续打击“法轮功”邪教组织非法活动。开展查缴“法轮功”宣传品专项行动，加强查控堵截，基本压住非法活动反弹势头。公安部为市公安局记集体一等功。

积极推进治安防控体系建设。8月，市公安局防暴警察支队成立，主要职责是在各种突发事件处置中担任攻坚、突击任务。调整巡警巡逻勤务，有效提高动态治安控制能力，有力震慑和打击了现行违法犯罪活动，确保了社会治安秩序基本稳定。

改进和加强公安行政管理。切实提高交通管理水平，卓有成效地实施“畅通工程”，在全国“畅通工程”评比中名列前茅。圆满完成重要警卫任务和大型

2000年，大连市公安局在“争创人民满意”活动期间，向受害群众返还被盗物品。

市公安局　供稿

活动安全保卫工作，严密落实安全措施，确保各项任务和活动万无一失。加强消防安全管理监督，强化消防特勤队伍建设，增强灭火和抢险救援能力。进一步提高人口管理和服务水平，居民身份证制作实现网络传输无底卡制证，完成第五次全国人口普查户口整顿和公民身份号码编制工作。深入开展“争创人民满意”和“执法质量年”活动，强化法制教育和执法监督，有效提高全局民警的法制意识和执法水平。全面实施“金盾工程”，公安信息化建设有突破性进展。

（喻兴波）

2000年9月17日，香港赛马会将21匹退役的纯血种赛马赠予大连市公安局女警大队。 孙良泉 摄

【开展“打丑”专项行动】 2000年7～9月，大连市公安机关根据国务院统一部署，与文化、工商、监察等部门协作，在全市开展“加强娱乐服务场所管理，严厉打击社会丑恶现象”专项行动。

此次行动是我国改革开放以来规模最大的一次“打丑”专项行动。市委、市政府成立领导小组，并组成以公安机关为主，文化、工商、监察部门配合的检查指导组。全市出动警力2.3万人，文化、工商、监察检查人员330人次，组织集中清查3次、跨地区交叉检查2次、暗访抽查2次，检查场所9361家；处罚违法违规场所2666家，端掉卖淫嫖娼、赌博窝点36个，查破各类案件185起，抓获违法犯罪人员750人，查处865人。同时，利用新闻媒体广泛宣传报道，召开宣传教育会议200余次，受教育者近万人；建立举报制度，公布举报电话，共收到举报线索78件，通过线索破获卖淫嫖娼案件19起，赌博案件6起。

为达到标本兼治、长效管理的目的，市公安、文化、工商、监察部门联合制定《大连市娱乐服务场所管理的有关规定》，落实管理责任，实行分类整治。拆除包间、房中房、贵宾房、隔断（挂帘），整改门窗透视度；清退私雇私聘和未经培训、无证上岗的保安1820人，取缔“黑保安”和看场人员814人，在795家场所配备正规保安1901人，使全市娱乐场所保安配备率达到77%；取缔无证经营场所194家，吊销场所营业执照182家，限期整改1682家，责令停业592家，罚款27家。对全市3786家娱乐服务场所进行重新审核登记，确认合格准予继续经营的2629家，压减1157家，压减比例达到30.6%。经过“打丑”专项行动，全市娱乐场所管理得到规范，黄、赌、毒等社会丑恶现象得到有效遏制。

【开展“一打两整”专项行动】 2000年4月15日～7月31日，大连市公安机关按照市委、市政府统一部署，在全市开展以严厉打击严重刑事犯罪和经济犯罪，整治突出社会治安问题，整顿重点地区治安秩序为主要内容的“一打两整”集中行动。

此次专项行动共破获刑事案件7817起、经济案件209起，挽回经济损失12059.3万元；抓获违法犯罪人员1.2万名、逃犯666名，打掉犯罪集团225个，抓获成员859名；收缴一批非法枪支、子弹、炸药、雷管、导火索和管制刀具。其中：查处卖淫嫖娼案件420起，抓获涉案人员798人；查处赌博案件265起，没收、查封电子游戏赌博机1600余台，抓获涉赌人员1011人；查处制黄贩黄案件40起，抓获涉毒人员153人。

此次专项行动还查处治安案件8830起，打掉流氓恶势力团伙142个，惩处村霸、市霸、厂霸、校霸、渔霸等433名；收容“三无”（无生活来源、无固定住所、无有效证件）人员1.3万名；取缔非法收购站点6625处、非法经营录像厅105个；查处妨碍市容卫生不法行为867起，取缔非法经营摊点17129处；查处车辆违章15万起，吊销机动车驾驶执照470个；查处行人违章2.3万起。

“一打两整”专项斗争的开展，极大地震慑了犯罪。5～7月，全市刑事案件共立案5897起，比上年同期下降4.9%，其中杀人、盗窃案件分别下降1.8%和4.6%。

【开展“打拐”专项斗争】 2000年4～7月，大连市公安机关按照国家公安部和辽宁省公安厅统一部署，在全市开展严厉打击拐卖妇女儿童专项斗争。重点是全力侦破重特大拐卖拐骗妇女儿童的犯罪案件，抓捕那些手段残忍、危害严重的人贩子，解救被害妇女儿童，消除社会隐患。此项斗争得到妇联、民政、共青团等组织的全力支持，新闻媒体、社会各界和广大群众也积极响应，宣传动员，检举揭发。

截至7月31日，先后进行3次全市性清查搜捕行动，共破获拐卖（骗）妇女案件26起，抓获人贩子36名，解救妇女121名，安置、遣返外国籍妇女10名。

【加强社会面巡查】 2000年，大连市公安局充分发挥指挥调度系统的信息中枢作用，接警56.5万次，处警32.9万次，确保了社会面巡控工作的深入开展和管辖区域治安秩序的稳定。

改革社会面巡逻防控勤务，发挥巡警巡控作用。由过去的单一车巡改变为步巡管段、车巡管面，建立多层次巡逻防控体系。全年抓获各类违法犯罪嫌疑人员1.2万名，其中捕办1680人，劳动教养741人，治安处罚9884人；破获现行大案19起；为民排忧解难1.9万次，抢险救灾1257次，救助群众2283人，处置突发事件2起。

强化综合执法工作，形成以巡警支队综合执法机动队和市内四区巡警中队相结合的综合执法机制。全年出动警力4.3万人次，车辆1.8万台次，清理各类违章问题1.3万件，暂扣各类车辆6300余台，没收物品2000余台车，罚款13.8万元，维护6705户动迁治安秩序，查处违章用地32处，违法施工100处。

加强公交客运、出租车、公园及高新技术产业园区治安管理，建设打、防、控体系。成立公交线路保安巡防队。推出出租车防暴力侵害联动报警装置，改进和完善出租车动植物识别标志，查找遗失物品1446起。实行市内四大公园及高新技术产业园区三级防范，有效控制辖区治安秩序，发案数比上年下降13%。登记出市车辆18万台，检查出租车12万台次，执行堵截任务300余次，成功堵截各类犯罪嫌疑人18人。

2000年，大连市公安局女警大队女警在新建成基地进行训练。　孙良泉　摄

【女警大队基地建成投用】　大连市公安局巡警支队女警大队成立于1994年末，2000年有民警58人，其中女警50人，配备巡警车3台、摩托车10辆、运马车2台、英纯血警马30匹。主要担负繁华路段和广场治安巡逻、110接处警、大型商贸文化活动执勤或表演、国家领导人及外国贵宾礼仪警卫等任务，在参与城市管理，维护社会治安稳定方面做出贡献，曾受到江泽民、李鹏、李瑞环、尉健行等党和国家领导人的接见，并荣获全国城镇文明示范岗、全国职工职业道德百家先进班组等称号。

为更好地发挥女警作用，市政府于1999年拨专款400万元建设女警基地，当年末建成投入使用。基地占地面积2万平方米，其中：办公大楼建筑面积2500平方米，内设贵宾室、荣誉室、会议室、阅览室、兽医室、宿舍等；马厩占地750平方米，内设30个马房；训马圈直径25米，跑马场周长415米；训马表演场地6000平方米，绿化面积1万平方米。

【国内首家“110”犯罪举报信箱开通】　2000年1月3日，大连市公安局、市

2000年8月，大连市公安局防暴警察支队成立。图为雄姿勃发的防暴民警。　孙良泉　摄

邮政局在全市开通国内首家“110”举报犯罪信箱，并实行邮资免付邮递。市公安局和邮政局按机要工作管理规定，对市民的举报信件实行专人分拣投递，专人拆封登记，最后由市公安局“110”指挥中心统一受理，按属地化、专业化管理原则，及时转递查处。至12月4日，“110”举报犯罪信箱共收到举报信件429件，属公安局管辖的案件线索274件。

（新　炜）

2000年，在大连市设立的惟一的女交警示范岗——人民广场交通指挥岗上，女警正在指挥交通。　孙良泉　摄

【打击“法轮功”邪教组织非法活动】　2000年，大连市公安机关认真贯彻中央关于处理“法轮功”问题的一系列重要指示，打击“法轮功”邪教组织的非法活动，取得决定性胜利。

打击处理一批“法轮功”顽固分子。依法逮捕原“法轮功”大连总站站长高秋菊等人，判刑3人；劳动教养、治安拘留一批顽固分子，挫败“法轮功”分子利用敏感日和节假日组织策划的非法活动。

做好“法轮功”习练者教育转化工作。与有关部门、社会各界共同形成教育转化工作体系，采取一切行之有效的措施，使大多数习练者彻底转化，基本实现团结、教育、转化、解脱大多数，孤立、打击极少数顽固分子的斗争目标。

查缴大量“法轮功”反动宣传品。全年出动警力1.5余人次，查获、收缴“法轮功”反动宣传单46万份，书籍1100余册，音像制品1200余盘，画像373张，图片47幅，大幅标语5幅；查获、扣押用于制作“法轮功”反动宣传品的电脑、复印机、打印机等物品共50余台；端掉从事印制、分发“法轮功”反动宣传品团伙窝点60余个，沉重打击了本市“法轮功”地下组织体系，有效控制反动宣传品的信息源头。（王　力）

【外来人口管理】　2000年，大连市公安机关对外来人口强化动态管理，加大对“三无”人员的监察和收容遣送力度，并积极探索外来人口管理公寓化模式。截至11月末，全市10个区市县和开发区、金石滩国家旅游度假区以及5个直管单位都已建立外来人口计算机管理系统；外来人口登记办证574232人，办证率达到98.9%，创8年来外来人口管理工作最高纪录。通过计算机管理系统查获逃犯信息83条，抓获外地逃犯32人。

开展外来人口、外来人口租赁房屋以及建筑工地外来人口等清理整顿11次，清理整顿部位5.2万处，取缔非法房屋出租户578户，审查外来人口20万人次，破获刑事案件319起，查处治安案件382起，打击处理各类违法犯罪嫌疑人571人，抓获逃犯27人。截至12月10日，“三无”人员管理中心共收容外来人员22365人，劝返遣返4322人，抓获网上逃犯15人。

【治安管理】　2000年，大连市公安机关围绕社会政治安定和治安稳定的目标，圆满完成治安管理各项任务。

治安防范的科技含量明显提高。共安装居民住宅防盗门4.2万樘，安装楼寓对讲电控门3320个单元，一、二、三级防护部位技防设施覆盖面分别达到100%、98%和90%。全市群防群治队伍协助公安机关抓获违法犯罪人员1801人，协破案件1828起，盗窃、抢劫、诈骗案件分别比上年下降2.6%、3.3%和16.5%。

保安管理更加规范。清理整顿全市保安服务业，共有1128家娱乐场所配备了专职保安，3797个企事业单位实现更职人员保安化；收编和派驻93家物业小区保安，57家物业小区配备了专职保安，社会公益保安队伍达到2618人；取缔自建保安组织231个、“黑保安”880人。

枪支弹药、爆炸物品管理进一步完善。收缴非法枪支9827支，炸药2553公斤，雷管4440枚，导火索4396米，导爆管800枚，非法生产、销售的烟花爆竹价值100.05万元。

大型活动安全有序。完成各类大型活动警卫752场（次），出动警力14万人次、保安2万余人次。

特种行业管理更加规范有序。全市旅店业安装计算机信息系统844家，城区和郊区信息管理覆盖面分别达到100%和80%，抓获网上逃犯34名；录入印章信息37万件，协破案件138起。清理整顿机动车修理和报废机动车拆解业，取缔无证经营场所12家，处罚违规经营场所23家。查处违法废旧物品收购站点115家，取缔无证站点60家，查没非法收购的生产性废旧金属价值10万余元。

（新　炜）

【道路交通管理】　2000年，大连市发生道路交通事故4367起，死亡645人，伤938人，直接经济损失折款3418.6万元。与上年相比，事故起数、受伤人数、经济损失数分别上升16.3%、26.9%、20.1%，死亡人数下降5%。

全面实施“畅通工程”，创建“平安

大道”。根据国家公安部和建设部联合下发的《2000年全国实施“畅通工程”总体方案》和《2000年全国创建“平安大道”总体方案》，在交通有序畅通、管理科学高效、执法严格文明等6个方面都达等二等第一名的全国最高水平，受到公安部、建设部专家组，全国检查团和辽宁省交警总队的高度评价。沈大高速公路、黄海大道和旅顺北路等路段成为全省创建“平安大道”的典型。新华社发表文章称“大连是中国不塞车的城市”。

加强道路交通秩序整顿。开展以整顿机动车行车秩序、行人遵章行路、静态交通秩序等为主要内容的5次专项秩序整顿。共收缴交通违章罚款2970.69万元，治安拘留874人，刑事拘留133人，追究肇事犯罪嫌疑人刑事责任案件移送市检察院206件，逮捕111人。经过集中整治，市区交通秩序明显好转，中山路、人民路、华北路的行人遵章率达到98%，机动车遵守信号率达99%以上，市区主干道路车辆平均时速达到35公里。

做好道路交通规划与渠化。共施划交通标线12万平方米，新增标线4万平方米，全市总标线达17万平方米；更新改造交通标志230面，新增标志930面，全市交通标志达4100面；在滨海路安装反射镜38面；在中山路、人民路设置太阳能发光道钉1651个；在市区施划停车点150处，停车位1506个；调整公交线路19条、站点33处，全市港湾式车站达18处。

坚持交通安全宣传教育。在《大连日报》开设“人·车·路”专版，在大连电视台开辟《在路上》专栏，在大连电台开播交通台节目；通过中央、省、市级新闻媒体共刊播稿件1268篇。8月，在市人民文化俱乐部举办《大路畅通》专题文艺晚会，各界群众及公安部组织的全国十大新闻单位采访团观看演出。

【消防管理】　2000年，大连市发生一般性火灾1261起，死29人，伤15人，直接财产损失606万元。

深入开展消防行政执法质量年活动。共检查单位1.6万个，整改一般火灾隐患1.3万处，责令停止施工、停止使用、停产停业单位121个，罚款77.9万余元，发出警告13起，行政拘留3人。

全面加强消防执勤训练及消防特勤建设。完善多功能训练馆、模拟化工装置、烟热训练馆、模拟地下隧道、固定油罐等8个训练设施；配备消防特勤指挥车、防毒防化洗消车、特勤后援车和后勤堵漏器材等装备设施；制定特勤灭火救援预案，编写训练教材，全面开展各种接近实战的特勤训练。

提高消防作战能力。全年接警出动3074次，实施火灾扑救3035次，抢救人员61人，保护价值2061万元；抢险救援19次，抢救人员8人，保护价值8万元。成功扑救开发区京大化工厂油罐爆炸火灾，成功处置大连东亚列克纳胶厂氨气泄漏事故。

开展“建文明安全社区，让火灾远离家庭”活动。在全国率先开放消防队站，让市民亲身体验灭火和逃生现场，提高了全民的消防安全意识和自防自救能力。　（王　力）

【破获“9·20”、“12·5”系列敲诈勒索案】　2000年9月20日，大连市西岗区石道街和八一路街道百余户居民家中相继收到同样内容的恐吓信。内容大致是让收信人按信上要求，往招商银行沈阳市北市支行李丙祥的“一卡通”帐号上汇款2000元，否则将家破人亡。收到恐吓信后，居民们纷纷拨打110报警。接警后，市公安局刑警支队迅速组成专案组。同年12月5日上午10时许，本市沃尔玛大型超市经理接到一男子打来的电话，该人声称已在超市放置炸弹，让超市在中午12点以前，往招商银行沈阳市北市支行帐号为002409621449的“一卡通”帐户上汇款10万元，。市公安局经分析后认定，此案与“9·20”敲诈勒索案系同一案犯所为，决定并案侦查。

经过缜密侦察，专案组于12月20日找到李丙祥，但排除了李的作案嫌疑，同时查明一个名叫王宁的抚顺人有作案嫌疑，其真实姓名为王笃山（男，25岁）。经文检鉴定，确定王笃山是此系列敲诈勒索案的犯罪嫌疑人。2001年1月21日，专案组前往辽宁省新宾县将其抓获。经审查，王对犯罪事实供认不讳。

【破获本市首例特大持枪绑架勒索案】　2000年1月31日晚11时许，大连市三山岛酒店经理焦正刚（男，41岁）在渤海大酒店与客人谈生意准备开车回家时，被3名男子持枪绑架到一住宅内。绑架者将其随身携带的7万元人民币及劳力士手表抢走，并向其索要40万美元。翌日，焦让其家属送交40万美元后被释放。2月13日焦向公安机关报案。这是建国以来本市发生的最大的一起持枪合伙绑架案。

接到报案后，市公安局中山分局成立专案组，根据被害人提供的线索找到被绑架的场所。该住宅系一“三陪女”叶某所租，其男友孙盛毅（男，26岁）最近突然暴富，被确定为此案重大嫌疑人。专案组2月29日将孙盛毅依法逮捕，经20余小时的突审，孙交待了持枪合伙绑架的犯罪事实。此后，又将另外3名犯罪嫌疑人刘龙清（男，26岁）、孙有明（男，26岁）和曲昌意（男，28岁）逮捕归案。

【破获虚开增值税专用发票特大涉税案】　2000年7月下旬，大连市国税局稽查三分局对大连小勇经贸有限公司进行税务稽查时，发现该公司有虚开增值税专用发票的重大嫌疑。市公安局税侦处接到报案后，与国税局成立联合专案组，开展侦破工作。8月3日，该公司负责人邹伟（男，32岁）被传讯后交代了犯罪事实：为增加销售额，使该公司由小规模纳税人转为一般纳税人，邹自1999年以来，通过黄文静（女，29岁）为西岗区宏远物资经销公司经理初立忠（男，37岁）虚开增值税专用发票；为抵扣税款，邹又让周汉希（男，39岁，广东省潮阳县人）为自己虚开增值税专用发票。此案涉嫌虚开增值税专用发票价税合计1800余万元，虚开税款达260余万元，是一起虚开增值税专用发票特大涉税案件。犯罪嫌疑人邹伟、黄静文等4人被依法刑事拘留，虚开税款大部分被抵扣。

【破获“12·29”特大跨国贩毒案】　2000年12月28日，大连市公安局禁毒处侦查人员获悉，一朝鲜人金学男（男，45岁）欲来连贩毒，将于29日上午在大连良运酒店与买家接头。市公安局立即部署警力，对毒贩可能藏身落脚和进行毒品交易的重点部位进行严密监控。12月29日午，金某带样品到良运酒店与邵臣（男，26岁）见面，当二人走出酒店准备乘车上路交易时，被警察抓获，从邵臣怀抱的印有“娃哈哈”矿泉水字样的纸箱里搜出冰毒8000克。这是本市迄今为止破获的最大的一起贩卖冰毒案。经查，毒品是从朝鲜经丹东运入大连。

（新　炜）

【“9·26”特大交通事故】　2000年9月26日5时10分，普兰店市城子坦镇苗屯村个体驾驶员李洋，驾驶农用三轮车共载19人（其中驾驶室内3人，车厢内16人），沿鹤大公路由西向东行驶至庄河市明阳镇阳山委处，在超车过程中驶入道路左侧，与对向由庄河市新华街道红光委毕建旭驾驶的解放牌大货车相刮，造成农用三轮车上9人死亡，2人轻伤，两车损坏。

当日下午，大连市政府在庄河明阳镇召开全市事故现场大会。根据现场勘查及调查，确认李洋驾车违反机动车载人规定，在对向有来车会车的情况下超车，是造成事故的主要原因；毕建旭驾驶制动性能不良的车辆，在发现对向来车超车时措施不当，也是造成事故的原因之一。根据《道路交通事故处理办法》规定，李洋负此事故主要责任，被判有期徒刑7年；毕建旭负次要责任，被行政拘留15天；二人驾驶证均被吊销。

（王　力）

司法行政

【概况】　2000年，大连市司法行政工作在改革中稳步发展。

普法和依法治理工作不断深化。先后开展了以“维护社会稳定法律知识问答”、“依法取缔邪教组织、防范和惩治邪教活动”等为主要内容的法律法规宣传教育和学习活动；组织开展“送法下乡”和“联接百家企业，提供法律服务”活动，协同大连电视台举办市民法律知识大赛；“三五”普法和依法治市工作通过省依法治省检查调研组检查验收。

认真做好“法轮功”类劳教人员的教育转化工作，使一批“法轮功”痴迷者得到彻底转化，市劳动教养院被评为全国教育转化工作先进集体；监管改造秩序持续稳定，市教养院通过了国家司法部现代化文明劳教单位复查验收。

律师、公证工作改革进一步深化。市司法局与市国有资产管理局联合制定《大连市律师事务所介入国有资产产权事务试点方案》，并确定法大、天合、衡平、恒信、青松、海星等7家律师事务所为首批试点单位，为防止国有资产流失提供法律保障；国资律师事务所与机关事业单位脱钩改制开始进行，经省司法厅批准，有6家国资所与原属机关事业单位脱钩，转为合伙制律师事务所；制定《关于大连市深化公证工作改革的实施方案》，积极推行要素式公证书和主办公证员负责制试点工作。

人民调解和基层法律服务工作进一步加强。人民调解组织共排查调处各类民间纠纷2万余件，民间纠纷与上年相比呈下降趋势；安置刑释解教人员1657人，列入帮教人员3428人；基层法律服务所为基层政府和企事业单位担任法律顾问1920家，承办各类法律事务21912件；全市“148”法律服务专线受理咨询电话23516件，接待来访咨询3597人，上门服务39件，化解上访事件43件；法律援助机构接待来访咨询3000余人次，受理法律援助案件426件。

【律师工作】　2000年，大连市有律师事务所80个，与上年同，其中国资所11个、合作所7个、合伙所62个；有律师952人，比上年增加115人。律师办理各类法律事务15476件，比上年增长13.8%，其中刑事案件2020件，民事案件4878件，经济案件3564件，行政案件272件，非诉讼法律事务5017件，民事、行政案件和非诉讼法律事务呈上升趋势，分别增长19.8%、30.8%和37.7%。律师担任企事业单位法律顾问1228家，比上年增长2%；所办案件涉及财产标的额82亿元，索回赔欠款20亿元。

当年本市律师法律服务业务已拓展到国有企业改革、金融、房地产、期货、证券、知识产权、外经外贸、海事海商等多个经济领域。特别是涉外业务发展较快，为市政府招商团的境外招商活动提供了大量法律服务。在国有企业改革中，代理大连第二机床厂、电子节能设备厂等40家企业的破产清算，为大钢、大化、大杨等18家企业上市，102家企业股份制改造，以及瓦轴、大起、大机床等大型国有企业债转股，提供了法律服务。法大律师事务所被国家司法部评为文明律师事务所。

【日本名古屋第一法律事务所大连办事处成立】　2000年8月4日，经国家司法部批准，日本名古屋第一法律事务所大连办事处正式挂牌成立。这是外国律师机构在东北地区设立的第一家律师机构。

【第三届中日律师交流大会在连举办】　2000年8月22日，由中华全国律师协会和日中法律家交流协会联合主办的第三届中日律师交流大会在连召开。国家司法部副部长段正坤、省人大常委会副主任张焕文、副省长赵新良以及省司法厅、市政府的有关领导出席大会，我国律师200余人、日本律师60余人参加大会。中华全国律师协会会长高宗泽致开幕词，日中法律家交流协会副会长西村利郎致词。大会交流论文11篇。与会者就加入WTO后律师面临的挑战与机遇，外资企业清算、破产、诉讼程序，战后赔偿的法律问题，刑事辩护的法律问题等内容，进行了交流与研讨。

【公证工作】　2000年，大连市有公证处11个，公证人员112名，其中注册公证员82名；开办公证业务200余种。

公证质量和水平有新提高。全年办理各类公证事项11.3万件，比上年增长33%。其中：民事公证4.7万件，增长50%；经济合同公证2.8万件，增长76%，涉及金额9亿多元。业务增长幅度较大的有房屋买卖公证、委托公证和经济合同公证，分别增长71%、3.5倍和2.6倍。办理涉外公证3.9万件，增长3%。拒绝公证228件，制止不法活动25件，为国家、集体、个人避免和挽回经济损失2140万元。

不断深化公证工作改革。根据国务院和国家司法部有关文件精神，市司法局制定印发《大连市进行试点实施方案》和《大连市推行要素式公证书的通知》，确定市公证处为市主办公证员试点单位，市公证处和瓦房店市公证处为市推行要素式公证书试点单位，为下一年在全市推行要素式公证书、主办公证员负责制打下基础。

·名词解释·

主办公证员　是指独立办理公证事务并承担相应责任的公证员。

要素式公证书　是一种全新的公证书格式，由首部、证词内容、尾部及使用说明构成。

【监狱劳教工作】　2000年，大连市监狱、劳动教养院把确保场所安全稳定作为第一职责。先后开展3次以安全稳定为内容的“百日安全竞赛”活动，检查监院执法和各项制度落实情况，对重点环节和部位的安全隐患进行排查，并实行边查边改；坚持季度、节假日和敏感期监院情况动态分析，每季一次对犯人、劳教人员进行问卷调查和测评。

提高教育改造质量。将犯人、劳教人员的“三课”（政治课、文化课、技术课）教育规范化、正规化、课堂化，进行公开课示范教学，市监狱和市劳动教养院“三课”到课率、及格率分别达到99.7%和100%，均达到或超过国家司法部、省司法厅教育指标。同时，进一步强化犯人、劳教人员心理测试、咨询和矫治工作。

开展联合帮教活动。协助和配合社会帮教9场（次），帮教犯人583人次、劳教人员3711人次。据调查，市监狱、市劳动教养院3年内刑释解教人员重新犯罪率为3.6%和5.5%，低于国家司法部、省司法厅指标。

【“三五”普法和依法治市】　2000年是大连市实施“三五”普法教育的最后一年。“三五”普法期间，全市有450万人直接接受普法教育，5.5万名科以上干部和企业经营管理人员参加法律知识考试，大中小学校通过开设法制课掌握了基本法律知识；建立外来人口法制宣传教育培训中心17个、分部395个，有普法讲师团11个、普法骨干8万多人；新闻媒体开辟法制宣传教育栏目30多个；广泛开展“送法下乡”活动，为农民群众送法律书籍20余万册；有80%的行业、100%基层开展了依法治理活动。市民法制观念进一步增强，领导干部依法决策、依法管理的水平和能力明显提高。

11月13～15日，大连市“三五”普法和依法治市工作通过省级检查验收。

2000年，大连仲裁委员会仲裁员正在仲裁经济纠纷。　　仲裁委　供稿

【人民调解和基层法律服务】　2000年，大连市乡镇街道司法所184个，司法调解中心172个，分别占乡镇街道总数的96.8%和93.5%；各级调解组织2813个，调解人员4.5万名。

实施“护城河工程”，建立和完善民间纠纷调解制度和防止矛盾纠纷激化制度。在乡镇街道和村民委广泛开展人民调解创“四无”（无自杀、无民转刑、无群体上访、无群体械斗）活动，基本形成大民调工作格局。共调解各类民间纠纷2.1万件，97.3%调解成功；防止自杀事件42件、59人，防止民间纠纷转刑事案件83件、173人，防止群体性上访155件、3615人，防止群体性械斗51件，有效地维护了基层社会稳定。

基层法律服务领域不断拓宽。法律服务所和法律服务工作人员担任法律顾问2044家，代理诉讼1814件，见证4688件，代写文书3736件，提供法律咨询2.2万人次，办理法律援助361件，为当事人挽回经济损失5903万元。

安置帮教工作取得进展。各区市县均成立刑释解教人员安置帮教协调小组，乡镇街道建立安置帮教工作站177个、基地126个，刑释解教人员3年内重新违法犯罪率控制在5%以下。　（刘岩香）

仲　裁

【概况】　2000年，大连仲裁委员会受理各类经济纠纷案件100件，比上年减少3件；涉案标的额1.15亿元，比上年增长21.6%。审结案件75件，其中裁决42件，调解24件，调解率为32%。受理案件的平均审限为3.2个月。

从受理案件标的额看，建筑合同纠纷标的额最大，为6530万元，占总标的额的56.8%；买卖合同纠纷标的额1200万元，占10.6%；租赁合同纠纷标的额420万元，占3.7%；其他纠纷标的额3350万元，占28.9%。涉案领域较以往有所扩大，新增加了金融、产权转让、科技合同等纠纷案件。涉外案件明显增多，涉案标的额4200万元，占总标的额的36.5%。

加强仲裁员队伍建设。5月30日，举办第二届仲裁员培训班，有160余名仲裁员参加培训，我国著名法学家、全国人大法工委巡视员河山教授作了《仲裁法》、《合同法》专题讲座。

建立仲裁联络网。聘请44名企业负责人和从事合同管理、经济贸易及法律等行业的专业人士为仲裁联络员。建立仲裁联络单位245户。

【大连仲裁委员会第二届委员会成立】　2000年3月9日，大连仲裁委员会召开第二届委员会第一次会议。副市长刘长德继续担任委员会主任，李秀岩、洪祖培、洪绍兴任副主任，委员由张本金等16人组成。洪绍兴任秘书长，王家显任副秘书长。会议审议通过修订后的《大连仲裁委员会章程》和《大连仲裁委员会仲裁规则》；聘任267名仲裁员，其中有来自韩国、日本、香港等国家和地区的仲裁员6名。　（吴少云）

军　事

责任编辑　郑　彬

兵　役

【民兵组织调整整顿】　2000年，大连军分区依据地理位置、企业经济效益和适龄青年分布情况，采取“一个坚持，五个拓展”（坚持大中型国有企业为编组骨干的地位，向商服、金融、合资、民营企业和机关事业单位拓展）的办法，调整整顿民兵组织布局，以增强民兵工作的生机活力，提高民兵队伍的整体素质。调整中，在地区上突出城市、海防2个重点；在队伍建设上突出民兵应急分队、民兵专业技术分队和对口专业分队3支队伍；在组织领导上突出党管武装的落实。至年末，全市基干民兵中党团员占47%，退伍军人占19%；经训率达到95.3%，在位率达到95%。

与此同时，注重稳定基层武装机构和专武干部队伍。与市委组织部、市人事局、市财政局、市编委、市教委等部门联合行文，贯彻中央办公厅关于稳定基层武装机构和专武干部队伍的文件精神，抓住部分乡镇合并和企业改制的契机，在沙河口区和普兰店市进行试点并及时总结经验。年内，恢复企业武装部7个，新成立14个；调整街道和乡镇专职武装干部104名。

【民兵武器装备管理】　2000年，大连军分区严格管理民兵武器装备，确保安全无事故。投入120多万元，整修和完善所属市库和各区市县库。与市人民武装部主管领导签订《武器管理安全责任书》，同时完善武器管理、弹药管理、警保、检查、值班等各项规章制度，并做到周有检查、季有通报，节假日领导住库值班，确保不出漏洞。开展“红旗库”评比活动，长海县人民武装部被评为全国民兵武器装备管理工作先进单位；旅顺口区、瓦房店市、庄河市的民兵武器库被评为沈阳军区红旗库房；军分区、金州区、沙河口区、中山区民兵弹药库和金州区、甘井子区、西岗区民兵武器库被评为辽宁省军区红旗库房。

【战备训练】　2000年，大连军分区以军事斗争准备为核心，以“打得赢”为标准，圆满完成各项战备训练任务。

全面落实科技练兵。为提高军分区和人武部两级机关“两作能力”（计算机操作、军事论文和军用公文写作），加强网上练兵，革新训练器材，努力实现办公自动化和指挥自动化。至年末，分区及各人武部基本达到每个办公室配备1台计算机，建成各人武部局域网并与分区远程网联通。军分区有1部多媒体课件获沈阳军区二等奖；2篇学术论文被辽宁省军区评为优秀论文并获三等奖，1项训练器材研制获二等奖。长海县三八女炮班、女民兵高炮班参加部队演习受到上级好评。

【征兵工作】　2000年，大连市冬季征兵工作从10月中旬开始至12月底结束，征兵人数与上年持平。新兵中，党团员占43%，比上年降低7.2个百分点；大专以上文化程度的占1.86%，降低0.04个百分点；高中毕业生（含职高、技校、中专生）占45.8%，提高8.8个百分点。

针对由于高校扩招，应届高中毕业生升学率大幅度提高，致使符合征集条件的适龄青年相应减少的新情况，拓宽征兵渠道：（1）由街道负责征集未设武装部的企事业单位的适龄青年；（2）深入到招收非学历学生的大中专院校挖潜；（3）依法征集外商投资企业中的适龄青年。同时，各级政府加大对优抚安置工作的检查力度，重点解决优待金不兑现、退伍军人安置不落实的问题；企业也对适龄青工出台相应的优惠措施，消除其后顾之忧，激发了适龄青年参军报国的积极性。

为切实保证新兵身体、文化、政治全面合格，各单位对选拔预征对象、体检、政审、审批等关键环节层层把关，特别是对空挂户、外出务工经商的适龄青年，做到现实表现清、不留空档和疑点。为严肃征兵纪律，制定《廉洁征兵规定》、《征兵工作人员守则》、《廉洁征兵公约》等规定；人大代表视察征兵工作，促进依法征兵、廉洁征兵的落实；设置纪检监察组，进行法律监督；设置举报电话、信箱，接受群众监督。

【国防教育】　2000年，大连市围绕国内外形势变化和改革、发展、稳定的大局，依法实施国防教育，进一步增强全民国防观念，有力地促进了国防建设。

“四法一例”教育。3月14日～4月1日，全市大规模开展以《国防法》为重点的新《兵役法》、《人民防空法》、《军事设施保护法》、《辽宁省国防教育条例》“四法一例”的学习宣传活动，采用设置宣传站（点）、摆放宣传画板、散发宣传材料、出动文艺队和宣传车等方式，受教育群众达150余万人。

形势教育。针对台海局势，各级国防教育办公室组织干部群众，学习《人民日报》社论《坚持一个中国的原则》、我国政府国防白皮书等。市委邀请海协会会长汪道涵来连，给局以上领导作报告。市国防教育办公室把国防大学、军事科学院教授在省国防教育领导干部培训班的讲课录像带下发各区市县组织播放，观众达3万多人。各区市县还组织形势报告会500多场次，受教育群众10多万人。通过教育，广大群众认清了台海形势，坚定了一个中国的原则。

社会化宣传教育。组织全市大中小学参加由国家教育部和解放军报社联合举办的“保卫二十一世纪中国”科技知识竞赛活动；在全市开展跨世纪国防知识竞赛活动，共有18.5万人参加答卷，进一步激发出全民爱祖国、爱大连、爱国防的热情。

按系统进行国防教育。各级党校把国防教育纳入党员干部培训教学计划。各级领导干部中有1.5万人参加国防教育，2000多人参加“一日兵”活动，223名主要领导参加国防知识测试。大连理工大学组织学生学习《孙子兵法》、《军事高科技知识》等，新生入学先进行1个月军训。沙河口区组织34所中小学校2000多名学生，到旅顺海军基地参观，听取台海局势报告。全市有少年军校218所。企业把国防教育纳入目标管理，并与企业经济效益和个人利益挂钩。基干民兵结合整组、军训进行国防教育。年内，全市评出国防教育达标单位425个、创先单位100多个，金州区、大连海洋渔业总公司等被评为双十佳单位。

大连预备役高射炮师在训练。　　预备役师　供稿

【国防工程管护】　2000年，大连市军事设施保护委员会与沈阳军区、辽宁省军区有关部门一起普查全市国防工程，摸清技术状况和管护底数，建立国防工程数据库，使全地区国防工程得到有效保护，始终处于良好战备状态。

吸取以往军事设施受损的教训，在“引英入连”等大型建设项目实施初期，会同有关部门详细对照项目设计图与军事设施分布图，并现场勘察，避免对军事设施造成损毁。加强法制建设，依法追究并公开处理数起影响军事效能的事件，协同地方有关部门拆除影响航道使用的养殖筏具、网具3000多件，清理航道面积4.5平方公里。旅顺口区被评为全国国防工程军民共管先进单位。

（朱自发　原镜洎　曲景贵　王恒俊）

【预备役部队建设】　2000年，大连预备役高射炮兵师以“打得赢”和“不变质”为目标，以解决制约部队全面发展的倾向性问题为突破口，圆满完成以科技练兵为重点的各项任务，推进部队全面建设。

政治建设不断加强。针对国际战略新格局和台海军事斗争形势，组织官兵学习党中央、中央军委关于做好军事斗争准备和实现祖国统一大业的方针政策，开展“捍卫国家主权，牢记神圣使命”的教育活动，增强了官兵准备打仗的使命感和履行预备役职能的责任感。针对地方国有企业改革和兵役制度改革带来的新情况、新问题，开展“服从大局，拥护改革”系列活动，使官兵树立起正确的大局观、仕途观和利益观。师团党委班子扎实开展“三讲”教育“回头看”活动，进一步增强凝聚力和战斗力。

组织建设不断巩固。调整现役军官97名，完成32名预任干部的调配、套改和授衔工作，使预任官兵中的党团员、复转军人、中专以上文化程度的比例分别达到63.9%、51.3%和81.4%，专业对口率、经训率分别达到74.5%和88.1%。营口四团当年组建当年形成战斗力。大连石化公司、大连新船重工公司党委副书记战斌声分别被辽宁省军区评为先进单位和党管武装先进个人。

军事训练水平不断提高。全年实训官兵1360人，占应训人数的100%。师团首长机关进行了新“六会”集训，修订完善“一纲九案”，为科技练兵深入开展奠定基础。完成辽宁省军区组织的师团首长机关战术作业演练和分队射击训练，获得总评优秀成绩。四团被中国人民解放军总参谋部评为科技练兵先进单位；四团团长孙剑利主持研制的防空群远程网预警指挥系统获沈阳军区科技练兵成果一等奖并获国防专利，代表沈阳军区进京向中央军委和解放军总部首长汇报表演。

参建共建活动经常进行。积极参加省军区的双拥共建“百项工程”和本市扶贫帮困活动，师团机关向灾区和特困下岗职工捐款3.7万元、衣物900余件；向市残疾人基金会捐款7350元。一团被评为大连市拥政爱民先进单位。年内有16人被评为省、市劳动模范和先进工作者，321人被评为企业的生产标兵和革新能手；1人和1个连分别被辽宁省军区评为两个文明建设先进个人和先进单位；1人被辽宁省军区评为抗旱救灾先进个人。特别是三团召开的“预备役号”百台出租车命名大会，在人民群众中塑造了预备役部队的新形象。　（胡天兵）

人民防空

【概况】　2000年，大连市实施市人防通信指挥中心、振兴广场人防工程、友谊医院地下防空救护中心（区级）等人防工程建设项目。其中，市人防通信指挥中心年底竣工并投用；友谊医院地下防空救护中心（区级）完工待验收；振兴广场人防工程主体大部分完成。

年内，市人防工作会议提出通信警报建设目标，确定2年内使市区防空警报音响覆盖率达到100%。

【人防设施维护管理】　2000年，大连市人民防空办公室全面加强人防工程管理。对全市人防工程及在建和即将开工的民用建筑项目进行执法检查，其中检查在建项目190个、总建筑面积623万平方米，对不安全隐患提出整改意见，促进了人防工程的维护管理。全市人防工程实现全年消防安全无事故的目标，消防安全达标率在90%以上，人防工程维护管理良好率达96.5%以上。

【防空警报试响时间变更】　2000年10月10日，经市政府批准，大连市人民防空办公室将防空警报试响时间，由原来每年的1月20日调整为每年的8月15日。

【辽宁省军区“大连2000活动”在连进行】　2000年8月31日~9月3日，辽宁省军区“大连2000活动”在大连市人防指挥所进行。市人防办负责活动的后勤保障工作并圆满完成任务。共提供活动（作业）场所2处，完成为活动提供供水、排水、通风、除潮和供电以及垃圾处理、副食品供应、交通疏导、空气质量监测、拥军慰问等协调保障任务，累计支出20万元。　（吕宪丽　王殿志）

全军首创的学员旅。　龙运河　摄

军事院校

【概况】　2000年，大连市有4所军事院校，即海军大连舰艇学校、大连陆军学院、解放军大连医学高等专科学校和空军大连通信士官学校。

【海军大连舰艇学院诞生50周年】　2000年11月22日，海军大连舰艇学院诞生50周年。50年来，共培养海军专业技术和军事指挥人才3万余名，其中成长为将军的100多名，在职的海军军以上指挥干部有57.7%毕业于该院；还为7个国家培养军事留学生近200名，被誉为中国海军“人才母舰”。在新的形势下，该院坚持从“打得赢”、“不变质”这一使命出发，围绕培养高素质新型海军指挥人才，大力加强思想政治建设，以“爱舰、爱岛、爱海洋”为主线，树立理想信念、军魂意识、献身精神；着眼打赢未来高技术战争的需要，在全军率先实行跨专业的“通科”教学改革，并荣获全军院校教学改革成果一等奖；努力锻造坚强意志，坚持“外练形、内练神”，“外练技能、内练作风”，逐步形成以培养综合素质为目的、以严格的实践锻炼为特征、与课堂教学和政治教育相衔接的教育体系。1982年和1997年先后2次被评为全军管理教育先进单位，1996年被评为全国政治理论教学先进院校，1998年被中组部、中宣部和教育部党组评为党的建设和思想政治工作先进高校。

海军大连舰艇学院先进事迹报告会在人民大会堂举行。　刘永路　摄

【海军大连舰艇学院先进事迹报告会在京举行】　2000年7月27日，由中央宣传部、国家教育部、解放军总政治部、共青团中央联合举行的海军大连舰艇学院先进事迹报告会在北京人民大会堂举行。海军大连舰艇学院政治委员罗挺，基础部主任、副教授班喜光，97级学员王政，毕业学员、某驱逐舰支队舰长贾晓光分别作了报告。报告介绍了海军大连舰艇学院建院50年来，始终坚持正确的办学方向，贯彻新时期军事战略方针，努力培养高素质新型海军人才，为建设一支

强大的人民海军做出积极贡献的光辉历程。海军司令员石云生、政治委员杨怀庆，教育部、共青团中央领导，驻京陆海空三军、武警部队官兵，以及首都高校师生、各界群众2500余人参加了报告会。

8月14日，中央宣传部、国家教育部、解放军总政治部、共青团中央联合发出通知，转发舰艇学院党委《大力加强思想政治工作，培养高素质新型海军指挥人才》的经验，要求各地各部门各单位参照这一经验，在增强思想政治工作的时代感，加强针对性、实效性、主动性上下功夫，努力开创我国高等学校思想政治工作的新局面。

此前，由《人民日报》、新华社、《光明日报》、中央人民广播电台、中央电视台、《解放军报》等16家中央新闻单位30多人组成的采访团，于7月11日专程来连采访海军大连舰艇学院大力加强思想政治建设、培养高素质新型军事指挥人才的经验，并将其作为重大典型，向全国推出。

【海军大连舰艇学院舢舨队第11次横渡勃海海峡】 2000年8月4日上午，海军大连舰艇学院舢舨队出征，第11次横渡勃海海峡。舢舨队由分别以“献身、严格、图强、求实”的校训、民族英雄邓世昌及优秀毕业学员卜风刚的名字命名的6艘舢舨组成，队员以97级舰艇技术指挥专业的学员为主，其中大部分队员参加过中华人民共和国成立50周年首都国庆大阅兵。舢舨队从辽东半岛的大连老虎滩出发，途经小平岛、北隍城岛、大竹山等海岛，抵达山东半岛的烟台港后折返，往返航程116.9海里，为期12天。

操纵无动力舢舨横渡渤海海峡是舰艇学院的优良传统，目的是培养学员勇于拼搏、敢打硬仗和吃大苦、耐大劳的优良作风。

【海军大连舰艇学院举行第十一届合唱节晚会】 2000年5月12日，海军大连舰艇学院举行第十一届合唱节晚会。这台名为《蓝色道路从这里起航》的晚会，由《蓝色的梦》、《蓝色的爱》、《蓝色的使命》3部分组成，展现该院创建50年来取得的辉煌成就，抒发海军学子为保卫祖国、甘愿献青春洒热血的豪情壮志，充分展示了该院乃至海军官兵的气质和精神风貌。海军政治部主任胡彦林中将，舰艇学院院长郑宝华少将、政委罗挺少将，大连市委书记、市长薄熙来等军地领导观看了演出。

【“百名教官看大连”活动】 2000年6月17日，来自海军大连舰艇学院、大连陆军学院、解放军大连医学高等专科学校和空军大连通信士官学校的100名首长和优秀教员，参加由大连市委、市政府组织的“百名教官看大连”活动，其中有不少是全国、全军优秀教师。他们参观大窑湾码头和南关岭国家粮食储备库2个具有国际先进水准的重点工程，游览劳动公园、泡崖新区、海之韵广场、星海广场、自然博物馆、森林动物园、奥林匹克地下商城等，还到市政府国际会议厅与市领导共话军民鱼水情。这项活动被称赞为是对双拥共建工作新的拓展。

【韩国海军学员团访问海军大连舰艇学院】 2000年7月17～18日，由9人组成的韩国海军士官学校学员代表团参观访问海军大连舰艇学院，这是该校学员代表团第二次访问大连舰院。期间，代表团观看《舰艇学院简介》和《千人大方队》录像片，参观院史馆、作战研究中心、模拟训练中心等，并与舰院学员进行交流，还举行一场篮球友谊赛。

【“郑和”舰访问俄罗斯】 2000年9月21日，由海军大连舰艇学院院长郑宝华少将率领的“郑和”号训练舰经过4昼夜航行，抵达俄罗斯海参崴港，开始对俄罗斯为期4天的访问。俄海军在码头上举行隆重的欢迎仪式，俄太平洋舰队水面编队司令叶罗什科少将参加仪式。访问期间，“郑和”舰官兵向“太平洋舰队的战斗荣誉”纪念碑敬献花圈；参观俄海军舰艇、舰艇博物馆、太平洋军事学院和伏罗希罗夫炮连；出席俄太平洋舰队司令举行的招待会。俄太平洋舰队科涅夫中将等军政官员回访“郑和”舰并出席招待午宴。“郑和”舰军乐队在海参崴市中心广场举行音乐会，中俄两国海军官兵在双方舰艇上举行水兵联欢会，并举行篮球、足球赛。俄军民和华侨数千人参观了“郑和”舰。（邓才耘）

【空军大连通信士官学校食堂实行社会化管理】 2000年3月，为贯彻中央军委、解放军总部关于军校实施社会化保障的要求，空军大连通信士官学校将学员、战士就餐的千人大食堂交由地方大连鹏成餐饮管理中心管理。该中心对学校餐饮的原材料购进、烹饪、主食制作实行一条龙服务，不再使用军队炊管人员。这在全军士官学校尚属首家。（王集超）

海军大连舰艇学院舢舨队横渡渤海海峡。　龙运河　摄

对外开放先导区

责任编辑　周万久

经济技术开发区

【概况】　大连经济技术开发区位于大连市金州区境内，规划面积220平方公里。1984年9月经国务院批准成立，是全国第一个国家级经济技术开发区。

2000年，全区地域面积30平方公里。有街道办事处3个，共设居民委员会24个。总人口22万人，比上年增长9.1%，其中非农业人口9.1万人，占41.4%。

这一年，开发区继续快速、健康发展，国内生产总值、出口创汇、财政税收等方面都有大幅度增长。

2000年大连经济技术开发区主要经济指标完成情况

	单位	实际完成	比上年增长(%)
国内生产总值	亿元	165.5	18.0
工业总产值	亿元	360	26.1
农业总产值	亿元	6.2	3.3
邮电业务总量	亿元	1.62	-1.8
社会消费品零售额	亿元	18.2	35.8
年末金融机构各项存款余额	亿元	114.1	12.6
年末金融机构各项贷款余额	亿元	105.4	8.8
出口总额	亿美元	22.4	42.0
新批外商投资项目	个	74	-34.0
新增合同外资	万美元	45216	-42.0
新增实际使用外资	万美元	22190	5.0
接待海外游客	万人次	5.3	32.5
接待国内游客	万人次	851	30.6
旅游创汇	万美元	3151	30.9
地方财政收入	亿元	13.5	10.0
地方财政支出	亿元	14.9	77.4
税收收入	亿元	10.9	19.8

【工业发展势头强劲】　2000年，在国内外有利经济形势下，大连经济技术开发区工业企业实现利润25亿元，比上年增长3倍多，创建区以来最高水平。

2000年大连经济技术开发区工业主要经济指标完成情况

单位：亿元

	实际完成	比上年增长(%)	其中外商投资企业	比上年增长(%)
工业总产值	339.2	27.6	327.3	27.5
销售收入	363	36.0	347	34.9
利润	25.06	313.4	229.36	337.8
税金	25.7	50.6	24.36	49.5

注：各项指标均为全部国有工业及年销售收入在500万元及以上非国有工业。

【固定资产投资为历史最高水平】　2000年，大连经济技术开发区加大固定资产投资力度，提升城市服务功能水平，加快项目建设，完成固定资产投资24.39亿元，比上年增长1.4倍，达历史最高水平。

2000年大连经济技术开发区固定资产投资完成情况

单位：亿元

	实际完成	比上年增长(%)
总计	24.39	140
基础设施及公共服务设施	3.25	90
其中：区财政投资	1.9	87
项目建设	16.95	156
其中：外资	10.13	184
内资	6.82	127
商品房建设	4.2	140
其中：住宅	3.47	154

【机构和干部人事制度改革成效显著】　2000年7月12日起，大连经济技术开发区管理委员会进行了机构和干部人事制度改革，10月11日召开新机构成立暨局处级领导干部聘任大会。这一改革为开发区体制创新，建立“精简、效能、统一”的行政管理和服务体系奠定了坚实基础。

改革后的党工委、管委会工作部门由原14个（不含公安局）减至9个，部门内设处级机构由80个减至39个，减幅分别为36%和51.2%；机关公务员编制由原447名减至247名，减幅为44.7%。干部队伍结构更加年轻化、高学历化，平均年龄由42.2岁降至37.6岁，其中局处级干部由44.9岁降至41岁，正局级干部由48.4岁降至44.2岁。正局级干部中，40岁以下的4人，占28.6%，年龄最小的只有34岁。局处级干部具有大学以上学历人数比重由66.4%升至91.4%，具有研究生学历的由13.4%升至41.3%。14名正局级以上领导干部（不含公检法系统）全部具有大学以上学历，其中博士3名、硕士6名。干部任用实行聘任制，聘任期3年。

【利用外资项目储备取得新突破】　2000年，大连经济技术开发区根据国内外经济形势的变化和国际投资的新特点，积极调整招商思路，改进招商方式：（1）继续发挥地缘优势，2次开展对日本、韩国的集团招商，重新激活日商、韩商对开发区的投资热情；（2）认真梳理以往批准的呆滞项目，对其中投资额在1000万美元以上的21个大项目进行攻关，启动其中7个项目；（3）吸引国有大企业进区嫁接改造，如鞍钢集团与德国蒂森克虏勃在开发区合资建设热轧板项目，总投资1亿多美元；（4）赴北京、广州及国家各部委，开展外资内招；（5）组织大型招商团赴港招商，签约项目12个，合同外资1.3亿美元。经努力，全区形成储备项目40个，其中大项目15个，有6个项目投资达到1亿美元以上；合同外资总计20多亿美元。

【市政管理总公司成立】　2000年2月15日，大连经济技术开发区市政管理总公司成立。该公司是开发区管委会直属企业，下设自来水、燃气、供热管理、排水管理、环境卫生管理、园林绿化管理、市政设施管修等9个子公司。它的成立是开发区公用事业的一项重大改革，解决了开发区多年来重建设、轻管理的问题，可进一步提高城区管理水平，盘活市政公用设施资产，为全区企业和居民提供优质高效的服务和优良的城区环境。当年，开发区在全市城市达标检查评比中继续列各区市县第一名；绿化养护管理位居全市前列，其中植大树数量和成活率列全市第一。

【开发区被列为环境保护国家示范区】（见第165页）

【高科技产业取得新进展】　2000年，大连经济技术开发区华丰科技园一期工程建设完成，即将投产；中电自动化、龙源自动化、辽东节能、光洋科技、环宇通讯、高新生物等6个科研中心挂牌启动；来福生物、绿峰生物、宏信消防等高科技产业化基地建设完成。

当年新批外资企业中有高新技术企业10个。其中有3个重点高科技项目：大连开发区保顺汽车公司与大连理工大学联合开发，具有国内领先水平的环保项目柴油车尾气净化器；大连开发区金港集团公司与美国硅谷芝美公司签订的新型抗肝癌药物项目；大连金石山化工有限公司开发的具有世界先进水平的道路标志漆。

年末，全区累计有高新技术企业87个，投资总额20亿元，高新技术产值占工业总产值的比重为10%。

【旅游文化市场开业】　2000年11月，由大连经济技术开发区文化艺术中心开发建设的大型旅游文化市场开业。该市场是正在兴建的开发区文化广场的重要组成部分，拥有书店、影院、文化茶楼、音乐酒吧、大型迪厅、旅游纪念精品厅等设施，集文化、娱乐、餐饮、购物等综合服务于一体，对丰富开发区的文化生活和改善投资环境将起到积极作用。

（胡振生）

2000年大连经济技术开发区外商投资情况

	单位	数量	比上年增长(%)	历年累计
项目	个	74	-34	1384
合同金额	亿美元	5.37	-45	105.79
其中：外资	亿美元	4.52	-42	71.95
注册资本	亿美元	2.05	-53	52.17
实际使用外资	亿美元	2.22	5	32.4
项目中：				
1000万美元以上项目	个	13	-69	281
其中：2000万美元以上	个	6	-60	149
1亿美元以上	个	—	—	9

保税区

【概况】　大连保税区位于大窑湾国际深水港和大连经济技术开发区之间、金州区境内，规划面积2平方公里。1992年5月13日由国务院批准设立，是东北地区惟一的保税区，也是国内开放程度最高，政策最优惠的经济区域之一。

2000年，保税区主要经济指标快速增长，进出区货物量、进出口总额、固定资产投资3项指标完成情况为历史最好水平。确定以加工项目为主导，以仓储、贸易项目为两翼的招商引资新思路，全面进行招商，截至年末，世界500强大公司已有8家在区内落户。

名词解释：

保税区　是海关监管下的特定区域，具有“境内关外”的特性，实行免税和保税制度（货物进入保税区内不涉及关税问题）。做为特殊的经济区域，保税区拥有特有的国际贸易、仓储物流、生产加工三大功能优势，区内实行贸易活动、货物进出、外汇流通、境外人员出入四大自由，因此对外商投资具有巨大的吸引力。

经国务院批准，全国设立上海、天津、大连、福田、宁波、厦门、珠海、福州、广州、海口、沙头角、盐田港、汕头、青岛、张家港共15个保税区。

【出口加工区成立】　经国务院批准，大连出口加工区于2000年4月27日在大连保税区内正式设立，是全国首批15家出口加工区试点之一。出口加工区设管委会，与保税区管委会合署办公。

出口加工区批准面积为2.95平方公里，分两块建设，其中A区1.5平方公里、B区1.45平方公里。年内，A区已完成“七通一平”和海关监管隔离设施6150延长米围网；B区围网正在进行。建成后，将使保税区出口加工功能的主体地位进一步强化，发展空间也能得到较大扩展。

出口加工区成立后仅半年，美国、日本、韩国等国家和地区共有15个加工项目进驻，总投资4730万美元，其中300万美元以上的项目7个：投资1000万美元的大连爱丽思生活用品有限公司，主导产品家具、宠物、塑料制品等项目；投资660万美元的大连和辰工贸有限公司，主导产品美容仪器；投资600万的美元派尔刚联合木制品（大连）有限公

2000年大连保税区主要经济指标完成情况

	单位	实际完成	比上年增长(%)
国内生产总值	亿元	22.4	44.5
工业总产值	亿元	20	98.0
批准外资项目	个	116	16.0
合同外资	亿美元	1.8	-29.3
实际使用外资	万美元	8063	0.6
批准内资项目	个	191	-8.2
内资注册资金	亿元	3.7	31.0
市场交易额	亿元	112.6	54.2
关税及代征税	亿元	17.7	101.5
进出口货物额	亿美元	8.2	13.9
集装箱进出量	万标箱	16.5	54.7
区级财政收入	亿元	1.4	13.3
上缴税收	亿元	2.4	15.6

司，主导产品木制房屋；投资430万美元的大连保税区根本化学有限公司，主导产品荧光粉、陶瓷；投资300万美元的大连保税区波莱特蜡业有限公司，主导产品特种蜡。

【基本建设成效显著】 2000年，大连保税区和大连出口加工区基本建设投资1.85亿元，比上年增长1.5倍，创保税区建区以来的最高水平。其中，保税区基本建设投资6000万元，完成场地平整0.6平方公里，铺设地下管网4000延长米，竣工工程建筑面积达8万平方米；出口加工区基本建设投资1.25亿元，已完成1.35平方公里的场地平整，占全部面积的90%，8号路以西的0.8平方公里的“六通一平”全部完成，占全部面积的53.3%，建成20吨供热中心一座，1千千伏安电力开关站两座。

地下管网实现数字化。为把保税区和出口加工区规划建设成为高标准的经济区域，运用计算机手段，全面提高地下管网管理水平。经过几年的努力，两区的规划图已输入微机，形成完整的数字规划图，并集中力量对保税区地下管网及出口加工区规划管网实现数字化，大大丰富了现有规划图的内容。

【物流行业实行现代化管理】 2000年，大连保税区管委会加大对全区物流行业的支持力度，加大物流行业的对外招商力度，为物流行业在全区的发展创造了良好的经营环境。

为加速区内物流业的发展，管委会与大连海关、保税区海关合作，制定了有利于区内物流业发展的海关监管模式，对区内仓储物流企业实行微机联网，卡口管理等措施，并积极协调有关部门，制定了保税区货物分拨企业通关监管模式，为物流企业提高效率、降低成本创造了良好的通关条件。通过与货代、货运以及进出口企业合作方式，全面加强区内企业开展货物分拨业务，简化通关手续，降低收费，加快物流速度，物流一条龙服务体系已经初步确立。全区物流企业货物通关制度改革走在了全国海关管理的前列。

【大连保税区国际物流分拨中心成立】 2000年4月，大连保税区国际物流分拨中心成立。该中心利用报关行等载体，通过与海关、外汇、检验检疫等相关部门协调，解决了企业进出口代理、购付汇等难题。该中心与中国航空技术进出口公司大连公司、盛辉物流、大连国际合作公司进行全面合作，共为企业调汇2000万美元，报关行自理进出口票据18000票。

【保税区企业参加大连国际车展获成功】 2000年8月24～28日，在第五届大连国际汽车暨零部件展览会上，大连保税区有21家企业参展，展出来自日本、德国、美国、英国、法国、韩国、瑞典等近十几个国家和地区40余种车型和著名品牌车262台，占大会参展整车的75%。其中，保税车243台；完税和国产车19台。保税区参展企业室内参展面积为4970平方米，占大会室内布展总面积7500平方米的66%。展会中保税区参展企业成交协议整车709台，成交协议额3.7亿元，占展会成交协议总额的54.4%。大连保税区参展企业在本届车展中各项指标都独占鳌头，再一次充分显示了主力军的作用。

【保税区首家高新技术企业成立】 2000年3月，大连保税区紫晶电子有限公司被大连市政府正式认定为大连市高新技术企业，从而成为保税区第一家高新技术企业。

该公司创建于1998年，是中国北方地区惟一一家生产高精度掩膜版和印刷版的集技术开发、生产、销售于一体的高新技术企业。长期以来，公司一直跟踪国际技术动态，了解国外的最新发展方向和趋势，同时对韩国和日本进行多次技术考察，取得了大量的第一手资料，特别是通过近两年的发展，在技术、生产、市场等方面都取得重大进展，为客户提供了满意的服务。

【大连国际农机博览会在保税区举办】 2000年9月26～28日，在大连保税区国际商品展示中心，大连国际农业机械博览会隆重举办。该博览会是经大连市政府批准，由大连保税区管委会和韩国农机械工业协同组合共同主办、大连市农委协办的一个具有国际性、专业性、区域性特点的行业盛会。展会有来自韩国、法国、日本和中国的60余家大中型农机生产企业参加，展出农业机械300多钟。此次展会吸引了国内外众多农机生产厂家、农机销售公司、农业行业主管部门前来洽谈，寻求合作伙伴，并为大力发展保税区展览业奠定了基础。

（赵翠琳）

高新技术产业园区

【概况】 大连高新技术产业园区主要位

在保税区举办的2000年大连国际农机博览会开幕式。 保税区管委会 供稿

于沙河口区、甘井子区境内，1991 年 3 月经国务院批准建立，是首批国家级高新技术产业园区之一。2000 年末总占地面积 35.6 平方公里，由七贤岭产业化基地、双 D 港、软件园、黄河路科技城、星海高技术中心和政策区组成。注册企业 1700 余家，其中外商投资企业 445 家、高新技术企业 411 家。

2000 年，园区在招商引资、基本建设、经济发展等方面取得长足发展，被国家科技部和外经贸部认定为国家高新技术产品出口基地。

2000 年大连高新技术产业园区主要经济指标完成情况

	单位	实际完成	比上年增长(%)
技工贸总收入	亿元	151	31.0
工业总产值	亿元	105	27.0
引进外资项目	项	72	26.3
合同外资	亿美元	2.3	12.8
实际使用外资	万美元	8079	0
引进内资项目	项	229	30.9
引进内资(注册)	亿元	21	20.0
出口创汇	亿美元	4.1	32.0

【“双 D 港”建设全面启动】 大连“双 D 港”（DalianDDport）是大连高新技术产业园区的新区，位于市区东北部小窑湾畔，与经济技术开发区、保税区、金石滩旅游度假区相连。1999 年 12 月由市政府批准设立，旨在发展数字技术（Digital）和生命技术（DNA）及相关领域的高新技术产业，是大连市面向 21 世纪经济和社会发展战略的重要组成部分。规划占地面积 20 平方公里，一期规划面积 9.2 平方公里。

2000 年，“双 D 港”建设全面启动。完成 9.2 平方公里详细规划设计和相关配套工程设计以及 294 户居民和 26 家企业的动迁，征地 68.9 公顷；完成区内路街命名；平整场地 4.5 平方公里，回填土石方 580 万立方米，数字湖疏浚工程结束；铺设市政管网 3 万延长米，完成开关站、污水泵站及路灯工程的部分施工任务；绿化方面沿 6 条道路进行带状绿化，栽植树木 7500 株。

项目引进水平高、规模大。年内，体现数字技术和生命技术高科技特色的珍奥生命园、创业服务楼、恒达科技城、瑞安产业园、光辉线路板等 5 个项目进区开工，总投资近 10 亿元，建成后年可实现产值 50 亿元、利税 20 亿元。

首批国家留学人员创业园示范建设试点单位——大连留学人员创业园。

高新园区管委会　供稿

【创业中心孵化功能不断完善】 2000 年，大连高技术创业服务中心孵化面积达到 10 万平方米，在孵企业 210 家。创业中心建立起较为完善的科技创业支撑服务体系，可为孵化企业提供企业注册和登记、项目咨询、财务管理、物业管理、法律咨询、人才招聘、风险投资、人员培训、技术交流、市场拓展、商务和后勤等一系列服务；在省、市政府的支持下，出台一系列扶持企业发展的政策和措施；建立孵化企业技术创新基金、软件企业人才扶持基金，启动 300 万元规模的种子基金。

【留学人员创业园被认定为国家首批示范建设试点园】 大连留学人员创业园是大连市高新技术产业园区面向海外留学人员和高科技人才的中小型科技企业孵化器。1999 年被确定为辽宁省海外学子园和辽宁省博士创业园；2000 年被国家科技部、人事部、教育部认定为首批国家留学人员创业园示范建设试点，成为全国 9 个试点单位之一。年末，该园拥有留学人员创办的企业 96 家。

【2000 年中国海外学子辽宁（大连）创业活动周暨科技论坛】 2000 年 6 月 29 日～7 月 2 日，由辽宁省政府及国家科技部、教育部、人事部、国务院侨办主办，大连市政府及辽宁省政府办公厅、科技厅、教育厅、人事厅、外事办公室承办，在刚落成的大连市留学人员创业园举行。国家科技部副部长徐冠华、国务院侨办副主任刘泽彭、全国政协副秘书长王巨禄及国家教育部、人事部相关领导，张国光、薄熙来、陈政高等省市有关领导，中科院院士钱令希、楼南泉出席开幕式。来自美国、加拿大、日本、欧洲、澳大利亚、新西兰、韩国等国家和地区的 300 多位海外留学人员，以及辽宁省 800 多个企业、科研院所、高校的国内 1000 多名代表参加活动。此外，10 名海内外知名专家、学者和企业家应邀研讨 21 世纪高新技术产业发展趋势和发展战略。

活动的主题是“21 世纪的高科技与高科技人才”，宗旨是引进海外科技资源，与辽宁产业发展相结合，实现跨跃发展。海外留学人员带回的高水平科技项目涉及电子信息、生物工程与医药、节能、环保新材料等领域。会议达成意向协议 472 项、正式合同 118 项，合同总金额达 18.3 亿元。

创业活动周暨科技论坛的举办，进一步扩大了辽宁科技对外开放，鼓励和吸引了海外高层次科技人员来辽宁创业，是实现辽宁高新技术产业跨跃式发展的重要举措。大连市留学人员创业园同时被辽宁省政府命名为辽宁大连海外学子创业园和辽宁省（大连）博士创业园。

【七贤岭产业化基地开工一批新项目】2000年，大连市高新技术产业园区七贤岭产业化基地新开工项目18个。其中：生物塑化项目一期工程竣工并投用；美罗药业工程竣工投产，亿阳软件大厦、上方药业主体厂房封顶。截至年末，该基地已拥有电子信息、生物医药、光机电一体化、新材料等高新技术领域的企业100余家。（粟冬生）

【软件园进入快速发展轨道】 大连软件园是大连市政府为集中发展软件产业而在大连高新技术园区建立的软件专业化园区，一期工程规划面积3平方公里，1999年开工兴建并竣工，东大阿尔派等25家企业入园。同年被国家科技部命名为国家火炬计划软件产业基地，并被确定为国家级软件出口基地和国家863计划软件产业国际化示范园区候选单位。

2000年，大连软件园建设取得重大进展。

项目和环境建设有重大突破。新启动东北大学东软信息技术学院、大连东大诺基亚通信技术有限公司、中国计算机软件与技术服务公司、中国网通东北枢纽中心、大连软件园创业中心2号楼、“软件知音”生活配套区等6大建设项目，投资总额近7亿元。其中：东北大学东软信息技术学院占地6万平方米，建筑面积3万平方米，总投资1.2亿元；中国网通公司东北枢纽中心投资1亿元。贯穿软件园的大工路东段全线贯通；由家村广场、软件园区内及周边环境经整修也发生根本性变化。

创业中心建设取得较大进展。新组建大连软件园创业服务有限公司，已具备为软件园创业中心中小企业服务的功能。在中心内建立了能容纳50名大学生创业的学子创业园。

一批知名软件企业入住软件园，提高了软件园在国内外的影响。新入园的有东大诺基亚通讯技术公司、中软公司、用友公司等国内外知名软件企业。截至年末，入园企业已达50家，其中包括来自美国、日本、韩国、新加坡、芬兰等国家的独资、合资企业10余家。全园全年实现产值3亿元，出口创汇1000万美元。（粟冬生 黄志强）

国家旅游度假区

【概况】 大连金石滩国家旅游度假区位于金州区境内，毗邻大连经济技术开发区、大连保税区和大窑湾国际深水港，南、东、北三面环黄海。陆地面积62平方公里，海域面积58平方公里，海岸线长达30公里。1985年开发建设；1988年被国务院批准为国家重点风景名胜区；1992年又被批准为国家旅游度假区，是首批国家旅游度假区之一。

2000年，旅游度假区开展“共建美好金石滩”活动，促进各项事业全面发展，接待游客数量、旅游收入、财税收入3项指标创历史最好水平。

2000年金石滩国家旅游度假区主要经济指标完成情况

	单位	实际完成	比上年增长(%)
国内生产总值	亿元	2.8	26.0
社会总产值	亿元	8	23.0
固定资产投资	亿元	3	49.0
引进外资项目	个	8	-11.1
合同外资	亿美元	1.22	-26.7
实际使用外资	万美元	2011	43.6
引进内资项目	个	20	18.8
合同内资	亿元	2.2	207.7
实际使用内资	亿元	1.1	54.0
第三产业增加值	万元	9000	28.6
国内外游客	万人次	110	46.6
其中：海外游客	万人次	2.1	44.8
旅游业总收入	万元	9023	83.0
旅游外汇收入	万美元	108	72.5
财政收入	万元	2815	33.0
地方税收	万元	2540	40.3

【“欢迎您来金石滩”旅游招商活动取得成功】 2000年，大连金石滩国家旅游度假区首次在北京人民大会堂举办“欢迎您来金石滩”大型旅游招商说明会，来自美国、日本、荷兰、韩国等国家以及港、澳、台地区的760余名投资商和旅行商参加说明会，共签订北欧村、金地阳光酒店、方舟太阳城等内外资项目合同4个，其中内资项目总投资9500万元、外资项目总投资800万美元。

其他招商活动也取得好成果。赴美招商签订海上夜总会、金石广场主题公园等项目合作意向；赴韩招商与ACE、普光CC等企业集团建立良好合作关系，ACE集团组织250人的考察团来区考察；赴港招商签署金石谷乡村俱乐部合作合同，并推动金座庄园、金海度假村、鲤鱼门等外资项目启动。

【金石滩进入首批国家AAAA级旅游区行列】 1999年9月30日，国家旅游局为规范全国旅游区（点）质量管理，使我国旅游业与国际旅游业接轨，开始进行旅游景区（点）质量等级评定，评定等级4个，从高到低依次为AAAA、AAA、AA、A级。大连金石滩国家旅游度假区加强旅游促销与经营管理，不断完善软件、硬件建设，初步形成经营、促销、管理的规范化体系，顺利通过了国家AAAA级旅游区检查验收，于2000年1月成为国家旅游局公布的全国首批187个国家AAAA级旅游景区（点）之一，也是进入此行列惟一的国家旅游度假区。

【旅游接待设施不断完善】 2000年，大连金石滩国家旅游度假区不断完善接待设施，缓解游客吃、住、行等难题。金石国际会议中心、华龙大酒店、恐龙探海休闲区、港口海鲜一条街等旅游服务设施投入运营，新增接待床位530张。年末全区具备同时接纳2500人住宿、6000余人就餐的能力，接待能力比上年增长25.1%。在大连市内、金州区、瓦房店市等主要客源地到度假区的旅游线路上，有关单位组织小型旅客营运车55台，大连旅游汽车公司组织数台旅游包车投入运营。区内还配备旅游大篷车、欧式马车等特色交通工具。

【旅游促销卓有成效】 2000年，大连金石滩国家旅游度假区管委会采取有力措施，加强旅游促销。先后组团到北京、成都、郑州、哈尔滨、广州等地促销，与北京、成都等缔结友好区市关系，签署团组互换协议；借助世界女子沙滩排球公开赛、全国少年象棋锦标赛、“金手镯”全国武术散打冠军赛等活动开展促销；在胜利广场、天伦商厦等市内繁华地段多次举办大型广场促销活动；与市内150家旅行社、驻连机构和企事业单位达成输送游客、套票代销的合作关系；

利用大连烟花爆竹迎春会、大连购物节等大型活动以及“五一”、“十一”等假日开展宣传促销；组织首都150名新闻记者驾车乘船游金石滩，掀起宣传金石滩的热潮；利用新闻媒体发表宣传专版、专题共450多篇次。

得当的促销措施使度假区知名度有较大提高。来区国内外游客110万人次，比上年增长47%；旅游总收入达9023万元，增长83%，增幅为历史最大。

【市政设施水平和景区景点档次提高】 2000年，大连金石滩国家旅游度假区全面改造金石路，合并新老两条道路，新修道路4.6公里，路面由17.5米拓宽到21.5米。新建什字街、金石广场山体观光路、武夷路等沥青道路7129延长米，路面6.2万平方米。新建海滨浴场、恐龙探海、金石广场山顶、玫瑰园、港口等10处停车场，总面积2万平方米。新建樱花园、玫瑰园、多棱体广场、恐龙探海等景区参观步道以及观景台、休闲广场共5.7万平方米。安装5号路、武夷路等道边石2.1万延长米。

整治玫瑰园景区、恐龙探海休闲区、多棱体广场、蜡像馆等景区景点环境。改造中心浴场及凉水湾浴场沙滩10余万平方米，筛沙11万立方米。实施光明工程，安装330余盏路灯和4处高杆广场灯。多棱体广场新修观海步道，增加休闲设施，成为主要的游客集散地之一。整治中心广场，使其更加宽敞、整洁、明亮，成为游客夜间活动的主要场所。清理、整治区容村貌及海面白色养殖浮标，动迁居民127户、养殖库房4540平方米、海上养殖台筏563台。

【金石国际会议中心竣工投用】 2000年8月30日，大连金石滩国家旅游度假区金石国际会议中心竣工。建筑面积3.7万平方米，有大小会议厅、俱乐部、客房4个单体建筑。会议厅配备6声道同声传译和多媒体演示系统；俱乐部拥有游泳馆、保龄球馆等现代康体娱乐设施；宾馆拥有标准客房110余套和豪华商务套房。整个中心设施现代、功能齐全，成为度假区骨干旅游项目。投入使用后，接待韩国ACE集团考察团等数批国内外会议团组。

【金湾高尔夫球场试营业】 金湾高尔夫球场是大连金石滩国家旅游度假区的第二个高尔夫球场，1999年开始兴建。2000年新建标准球道4个，使球道总数达到9个，并设有标准练习场。8月开始试营业，于国庆节期间推出大众高尔夫活动，受到社会各界欢迎。

【金石园二期扩建又填新景观】 2000年，大连金石滩国家旅游度假区金石园实施二期扩建工程，园区范围由2.4万平方米扩建到3万平方米，在2万平方米范围内又深挖5～8米，挖出一线天、登天洞等新景观，使园区景观更加险峻和奇特。

金石园为风化海石积聚地，埋藏于地下6亿多年，是在一次工程施工中偶然发现并被挖掘出来的。岩石主要成份为石英砂岩，形态千奇百怪，或如龟似象，或如鹿似犬，被游客称为“海蚀动物园”。

【婚礼殿堂建成】 2000年，大连金石滩国家旅游度假区以缔结“金石良缘”为主题，开工建设婚礼殿堂及爱情岛工程。该项目占地面积4.5万平方米，建筑面积1111.6平方米。年内完成主体建筑及场地平整、园内道路建设、大树栽植以

2000年建成投用的金石滩国家旅游度假区的金石国际会议中心。　　金石滩国家旅游度假区管委会　供稿

及喷泉雕塑、藤萝架等小品制作。推出婚礼庆典、婚宴、婚纱摄录象、观光等一条龙服务。婚礼项目融中西方婚礼文化于一身，深受中外青年欢迎。

（翁铭锋）

经济开发小区

【概况】 大连市的经济开发小区始建于1992年，是市委、市政府改善全市经济整体布局，推动区域经济发展的战略部署之一。至2000年末，市政府共批准建成市级经济开发小区18个，分设在除市内三区和长海县外的6个区市，主要沿沈大高速公路、旅顺北路、大庄公路和渤海岸一线的“三路一线”分布。

2000年，全市18个经济开发小区共有企业1561家，其中内资企业1140家、外资企业421家；累计合同外资15.25亿美元，实际使用外资6.84亿美元；基础设施建设累计投资24.52亿元，工业用地面积达到20.87平方公里。

各有关区市政府加强对小区的领导与管理，调整发展思路，给予优惠政策，促进了各小区的对外开放和经济发展，其中庄河、长城小区招商成果是历年来最好的。

2000年大连市经济开发小区主要经济指标完成情况

	单位	实际完成	比上年增长(%)
工业总产值	亿元	150	8
引外资项目	个	59	-3
合同外资	亿美元	3.5	32
实际利用外资	亿美元	1.08	3
引进内资项目	个	117	8
合同内资	亿元	21.8	15
实际利用内资	亿元	10.09	26
出口商品交货值	亿美元	9.5	63
绿化面积	万平方米	186	43

【金州开发小区招商引资名列全市榜首】 2000年，金州经济开发小区新批准利用外资项目17个；总投资1.27亿美元，其中合同外资7853万美元；实际使用外资2357万美元。项目中，总投资1000万美元以上的有4个，总投资6500万美元，其中三合制品投资2800万美元、大地物流项目一期投资2650万美元；高科技项目2个，总投资1628万美元。引进内资大项目3个，总投资3.28亿元，均已开工建设，到位内资1.9亿元。以上招商引资成果为该小区有史以来最多，并名列当年全市各经济开发小区之首。

【投资环境建设再上台阶】 2000年，大连市各经济开发小区进一步加强投资环境建设，共投入建设资金7.5亿元，比上年增长28%，其中基础设施建设投资2.98亿元，增长15%。

各小区在硬件建设过程中，进一步抓紧起步区配套设施建设。共种植树木102万株、花卉23.5万平方米；修建主要道路，铺设彩砖、方砖等，美化面积共186万平方米。同时加强对外宣传，制作和完善招商册、项目册、环境录像片等宣传品，投入较大资金在高速公路、黄海大道和主要公路旁制作高质量大型广告牌。金州小区投资20多万元，在高速公路出口处重新制作大型广告牌；营城子小区投资近20万元，编制环境评价报告书并制作沙盘。

2000年大连市各经济开发小区经济发展情况

	区内企业(个)			当年引进项目情况					区内企业经济状况			绿化面积
	外资	内联	合计	项目（个）	合同投资（万元）	协议外资（万美元）	实到外资（万美元）	实到内资（万元）	工业总产值（亿元）	上缴利税（万元）	出口交货值（万美元）	（万平方米）
旅顺	45	60	103	26	115220	4123	557	11000	1.48	8827	604	2.0
长城	13	114	127	18	11789	555	305	7519	4.53	2220	1150	2.6
营城子	11	31	42	5	4671	871	85	2065	3.41	3869	1986	1.6
辛寨子	10	118	128	19	17220	850	0	3000	1.00	1388	638	2.0
北海	12	24	36	11	7340	500	260	5300	7.90	3397	9190	2.9
金州	114	89	203	17	151044	7853	2357	19000	20.64	3117	14000	7.9
三十里	41	60	101	7	15675	894	871	3000	3.45	2598	12000	0.5
石河	7	49	56	9	10704	845	149	2700	2.97	6394	22040	3.0
登沙河	3	7	10	4	10795	692	113	1800	3.54	431	1211	0.2
普兰店	16	4	20	4	36440	3970	940	4500	4.54	2525	1560	0.1
杨树房	38	32	70	6	23570	2560	720	2770	3.75	2047	11756	0.9
皮口	0	10	10	11	6740	0	468	6090	3.42	1349	2890	1.6
炮台	42	74	116	8	45682	3194	1153	3440	30.88	1665	4640	24.0
老虎屯	18	278	298	7	5940	366	249	5691	22.80	3280	6282	7.5
长兴岛	3	127	130	2	34030	4100	1430	8080	3.0	1830	2000	34.0
永宁	17	28	45	3	4830	600	210	4420	0.50	340	558	0.8
仙浴湾	17	5	22	9	15300	1350	600	2200	1.38	1980	360	93.0
庄河	14	30	44	10	20470	700	340	8000	3.98	2880	2105	2.0
总计	421	1140	1561	176	537460	34023	10807	100575	150.00	50137	94970	186.5

（胡荣彬）

农　业

责任编辑　郑　彬

概　述

【农村经济概况】　2000年，大连市农村总人口292.3万人，其中劳动力120.6万人，占41.3%。农村劳动力中，从事农林牧渔业73.4万人，非农行业47.2万人，分别占劳动力总数的60.9%和39.1%。

年末全市实有耕地面积26.9万公顷，比上年减少2.9%；农业机械化总动力230.03万千瓦，增长4.7%；农用化肥施用量12.4万吨（按折存法计算），下降10.1%；农用塑料膜使用量0.8万吨，下降11%；农药使用量0.9万吨，与上年持平。

在连续2年遭遇严重干旱的不利条件下，全市农村经济仍保持相对稳定发展。全市农作物播种面积32.7万公顷，比上年减少4.9%。全年实现农林牧渔业和非农行业总产值1946亿元（当年价），比上年增长5.4%；农村年人均纯收入3740元，增长1.6%。

2000年大连市农林牧渔业和非农行业产值

单位：亿元

	当年价	比上年增长(%)	1990年不变价	比上年增长(%)
农林牧渔业	192.9	2.6	128.1	-2.3
其中：农业	64	3.5	27.8	-1.2
畜牧业	38.4	1.1	25.5	-2.3
林业	1.4	7.7	0.4	-20.0
渔业	89.1	2.6	74.4	-4.0
非农行业	1753	5.7	—	—
其中：工业	1257.9	7.1	—	—
建筑业	129.7	6.0	—	—
运输业	142.3	-1.6	—	—
商饮业	222.9	2.3	—	—

2000年大连市主要农副产品产量

单位：万吨

	产量	比上年增长(%)
粮食(含大豆)	106.3	-4.5
水果	72.8	-7.7
其中：苹果	61.3	-12.2
蔬菜	223.4	10.3
水产品	213.9	-0.04
肉类	26.2	-4.4
鲜蛋	15.0	1.4
奶类	6.6	11.9
其中：牛奶	5.2	9.7

主要农副产品产量除粮、果、肉比上年下降外，其他均有明显增长。林业生产取得新进展，完成荒山造林和退耕还林面积9733公顷，低产林改造1.5万公顷，石质山造林201.2万株。

农业生产条件进一步改善。全年改造中低产田26.7万公顷，新增节水灌溉面积7180公顷，治理水土流失面积3.58万公顷，新修河道堤防435公里，除险加固小型水库12座，进一步增强农业抗灾减灾能力。

【农业外向型经济】　2000年，大连市农业外商投资企业发展顺利。新批农业外商投资企业161家，比上年增加19家；合同外资2.5亿美元，下降6.9%；外资当年到位5000万美元，到位率21%，与上年持平。新批企业中，合同外资在100万美元以上的项目35个，与上年持平。其中：1000万美元以上的3个，500万～1000万美元的6个；300万～500万美元的6个，100万～300万美元的20个。全市有47家农业外商投资企业增资，合同外资9000万美元。至年末，全市累计批准设立农业外商投资企业1373家，总投资额18.91亿美元，合同外资12.1亿美元。

当年，全市农副产品出口供货额达80.64亿元，比上年增长10.6%，占外贸出口供货总额的17.5%。

【农村扶贫工作】　2000年，大连市有94个贫困村、8400户贫困户、3.1万贫困人口实现脱贫，完成市政府部署的90个村、3万贫困人口脱贫的任务。全市累计已有272个贫困村、3.56万户贫困户、13万贫困人口脱贫。

当年，市扶贫资金由过去只能到乡镇及村，改为直接发放到农户，由需要资金的贫困户提出借款书面申请，经村、乡镇审查批准后办理抵押和担保，借款期为1～2年，期满还款。之后再将这一部分款项借给下一户，实行资金滚动使用。市本级财政年内拨款64万元，共扶持210户发展养牛、生产食用菌和种植业等项目。

继续组织基层党员和干部包困扶贫，全年全市有9789名党员和干部帮扶贫困户，帮扶资金和物资折合资金总计16万元。

【农村能源建设】　2000年，大连市继续贯彻农村能源建设与生产、生活结合，与改善生态环境结合的方针，一手抓运行管理，一手抓项目建设，取得较好成绩。全市共投入资金9300万元，兴建

“四位一体”北方农村能源生态模式8086户；兴建太阳能暖房12.4万平方米，其中太阳能农舍667栋、9.7万平方米；推广太阳能热水器9643平方米；修建高效节能组合架空炕2.63万铺；兴建大中型能源环保工程7处，容量2120立方米；兴建生物质气化工程1处，供气规模1000户。至年末，全市累计完成“四位一体”生态户4.8万户，太阳能热水器采光面积5.5万平方米，太阳能暖房建筑面积77.6万平方米，高效节能组合架空炕23.4万铺，大中型能源环保工程27处、6016立方米，生物质（秸秆）气化工程3处、供气2200户。

年内，普兰店市全国农村能源综合建设县项目的单项和综合顺利通过国家农村能源综合建设县项目专家组的验收；完成国家级生态农业示范市《大连市生态农业建设规划》的编制、论证和审定。

【首次举办大连市农业名特优新品种展示品尝会】　2000年10月14～17日，大连市农村工作委员会和大连市科学技术委员会联合举办大连市农业名特优新品种展示品尝会，以宣传农业新品种，促进其在全市的普及和推广。7个县（市、区）及经济技术开发区、金石滩国家旅游度假区参展，共展出水果、蔬菜、水产、畜禽、林木、花卉、粮油等7大类600个品种，并选出234个品种供参观者品尝。全市有1.2万人次参加展示会并进行了品尝。

【12项产品获首届中国（沈阳）国际农业博览会金奖】　2000年9月20～25日，首届中国（沈阳）国际农业博览会在沈阳荷兰村举行。大连市组织各县（市、区）参加此次博览会，带去水产、水果、蔬菜、畜牧、粮油、花卉、苗木、农药、肥料等9大系列近400个具有高新特优水平的实物农业产品和生产资料，以及近300个招商引资项目。在本次展会上，本市有37项产品获得博览会金、银、名优产品奖，占全省获奖总数的17.1%，其中金奖12项、银奖12项、名优产品奖13项，分别占各奖项总数的18%、18%和16%；有21个项目签约，吸引外资近5000万美元、内资2亿元，取得了丰硕成果。

大连市获首届中国（沈阳）国际农业博览会金奖一览

获奖产品	生产单位
50%乙草胺乳油	大连瑞泽农药股份有限公司
双孢蘑菇	大连新天地食用菌开发有限公司
“樱花”牌富士苹果	大连旅顺龙塘果树农场
新嘎拉苹果	大连金州区国营农场
红富士苹果	瓦房店驼山乡农业技术推广站
仙人枣	大连嘉宝枣业有限公司
“大成”系列肉制品	大成宫产食品(大连)有限公司
冻白身鱼	大连善岛食品有限公司
芸豆	瓦房店老虎屯经济技术开发区建设总公司
“大水”牌、“红梅”牌对虾片	大连水产集团有限公司
盐渍海菜系列产品	大连水产养殖集团有限公司
维生素AD胶丸	大连水产集团水产制药厂

【农业首次组团赴香港招商】　2000年10月25～26日，大连市首次组建农业分团参加市政府在香港举办的大连市招商引资洽谈会。农业分团重点宣传介绍大连市农业的整体优势、外商投资农业的优势产业以及农业产业化龙头项目，并拜访国内外企业13家，接洽客商46人，推出农业招商引资重点项目45个。签定意向合同4项，总投资1220万美元，其中外资750万美元。（隋信龙　李海燕）

渔　业

·概述·

【渔业概况】　2000年，大连市地方渔业有重点渔港36处，其中国家一级群众性渔港3处；近海可进行浮筏养殖的水面52.26万公顷，其中黄海45.56万公顷；适宜海产品长成的滩涂6.5万公顷，其中黄海沿岸4.35万公顷，渤海沿岸2.14万公顷。

全市有渔业乡镇84个、渔业村375个、渔业户77779户，渔业总人口24.1万人，其中渔业劳动力13.2万人。有市、县级国有水产企业14个，其中水产养殖企业4个、水产加工企业1个、船网机具修造企业2个、流通企业7个。

大连市人均水产品占有量375.8公斤，比上年增长2.6%；渔民人均收入7000元，增长2.5%；新增渔业固定资产5.9亿元，增长37.2%。

当年，全市水产业面向国际国内两个市场，依靠科技进步，加速产业产品结构调整，渔业经济继续稳定、健康发展。

2000年大连市地方渔业主要经济指标完成情况

	单位	实际完成	比上年增长(%)
一、渔业总产值（1990年不变价）	亿元	156	9.7
1.水产品	亿元	87.3	8.2
海水产品	亿元	86.5	8.1
海洋捕捞	亿元	40.8	0.7
海水养殖	亿元	45.7	9.3
淡水产品	万元	6527	39.8
2.苗种	亿元	2.6	30.0
3.水产系统第二、三产业	亿元	66.1	10.9
二、水产品产量	万吨	205.7	2.9
1.海水产品	万吨	205	2.9
海洋捕捞	万吨	86.4	-2.2
海水养殖	万吨	118.6	6.8
2.淡水产品	吨	7293	5.2

2000年大连市地方渔业主要水产品产量

	单位	数量	比上年增长(%)
海水产品	万吨	205	2.9
其中:鱼类	万吨	53.3	-1.5
虾蟹类	万吨	15.2	13.4
贝类	万吨	93	4.7
藻类	万吨	35	20.3
淡水产品	吨	7293	5.2

【新品种引进、新技术应用成果显著】2000年，大连市引进欧洲大扇贝、美国硬壳蛤、美国红鱼、美国象拔蚌、韩国栉孔扇贝等10余个新品种，经过驯养，已基本适应本市水域环境，其中60%的品种已育出新一代种苗并长势良好。

杂交和多倍体等生物工程技术应用

领域进一步拓宽。先后利用日本、韩国栉孔扇贝与当地栉孔扇贝杂交，育出新一代幼贝1亿枚；引进日本虾夷扇贝与本地虾夷扇贝杂交，培育幼贝26亿枚；鲍鱼杂交技术普及全市，育苗量比上年增加10%。

新技术推广有新进展。全市实施科技推广项目29个，增加产量3万吨、产值1亿元。重振鲍鱼人工增养殖业，产量接近历史最好水平；以瓦房店市为重点的海参人工增养殖生产，产量、产值分别比上年增长50%和66%；以长海县为重点的象拔蚌养殖，推广面积达66.7公顷，进入规模生产；对虾养殖示范区规模扩大，市县两级共建设示范区9个，对对虾养殖病害防治也做了有益探索。

新品种、新技术的推广应用，使科技在渔业发展中的贡献率达到56%，比上年提高2个百分点。

【渔业外向型经济迈出新步伐】 2000年6月14～17日，大连首届国际海鲜大会举办，国内70多家企业参展，12个国家和地区近千名外商参会，签订协议20余个，完成交易额2.4亿元。

全市有16个团组50人次参加日本、美国、韩国、爱尔兰等国的国际渔业经贸洽谈会；接待来自20多个国家和地区的140个800人次的渔业团组，分别在连召开中日河豚鱼养殖研讨会、中日韩三国裙带菜协议会等，进一步加大渔业的国际间交流。

当年，全市渔业实际使用外资5361万美元，兴办外商投资企业48家；出口水产品21.2万吨，创汇2.5亿美元。由于投资环境进一步改善，其中有9个渔业外商投资企业的外商增加投资共1200万美元。

【渔业生产秩序明显好转】 2000年，大连市各级水产部门及鱼政部门强化“伏季休渔”管理，加大海上处罚力度，全面加强渔业资源和水域环境保护。全年核签捕捞许可证件1.2万本、渔业无线电台执照3600本，发放秋虾捕捞证1058本、特种海产品证1012本；出动渔政船600艘次，检查渔船8000余艘次，查获违规案件1500余例。强化渔业安全管理，核发港航证书8764本，审核航行签证簿1.3万船次；检验各类渔船1.6万艘，清理“三无”渔船2234艘。进行建国以来的首次渔船普查，普查登记各类渔船2.3万艘。深化对渔民的安全教育，受教育的船主和船长1.3万人次、家属6000人次；建立市、县、乡、村四级渔业安全指挥网络和信息传递网络，全市渔业海损事故比上年下降43%。

·海洋捕捞·

【概况】 2000年，大连市认真贯彻国家关于海洋捕捞实现“零增长”的要求，大力控制近海捕捞强度，积极调整作业结构，扩大远洋渔业规模，海洋捕捞生产减产增收。

2000年大连市地方渔业海洋捕捞生产情况

	单位	数量	比上年增长(%)
海洋捕捞产值	亿元	40.8	0.7
海洋捕捞产量	万吨	86.4	-2.2
1. 按品种分：			
鱼类	万吨	52.2	-10.6
虾蟹类	万吨	14.5	13.3
贝类	万吨	11.6	38.1
其他类	万吨	8.1	-6.9
2. 按海区分：			
渤海	万吨	21.7	-4.4
黄海	万吨	52.4	1.6
东海	万吨	2.9	-40.8
其他海域	万吨	9.4	3.3

【近海捕捞生产布局调整】 2000年，大连市针对近海资源状况和实施中日渔业协定后出现的新情况、新问题，以提高经济效益为中心，调整捕捞生产布局。

坚持对马五岛等传统作业渔场生产，拖网产量、产值均比上年增加。增加秋季花鱼流网生产船，投产船只比上年增加200艘，花鱼产量3万吨，比上年增加1万吨，仅秋季平均单船产值就达18万元。在中小马力渔船中进一步推广保鲜保活设备，全市有8600多艘渔船改造或安装活鱼箱或保鲜舱，比上年增加1500多艘，使鲜活鱼品产值提高1倍以上。

【对虾增殖放流质量提高】 2000年，大连市继续探索提高对虾增殖放流质量，保证增殖事业健康发展的路子，在本市海域放流1厘米虾苗3.6亿多尾，占辽宁省放流总量的87.5%。全市有3000余艘渔船投入海洋岛渔场回捕增殖对虾，产量达到353吨，且虾体大、价格好，经济效益较高。

【远洋渔业整体实力进一步壮大】 2000年，是大连市远洋渔业结构调整力度最大、整体实力提升最快的一年。全市新增远洋渔船68艘，使总数达到173艘。远洋捕捞产量10.1万吨，比上年增长1%；当地销售水产品7.34万吨，增长87.2%；运回国内2.74万吨，下降40%；国外经营总收入8400万美元，总盈利930万美元，分别增长27.2%和47.6%。

重点加快大洋性公海渔业发展步伐，新增大洋大型金枪鱼延绳钓和鱿鱼钓渔船11艘，使总数达到41艘；捕捞产量2.4万吨，占远洋捕捞总量25%，比上年提高2个百分点。公海大洋性金枪鱼钓在上年实现零的突破基础上，捕获金枪鱼430吨，实现产值1620万元。

适时调整过洋性渔业的作业布局。在稳定安哥拉、摩洛哥、喀麦隆等西非渔场生产的同时，重新开发印尼渔场，使过洋性渔业在国际入渔条件变化的情况下，仍保持较好态势。

远洋渔业产业化水平有新的提高。远洋船队配套冷藏运输船达9艘，初步形成捕捞、运输、加工、贸易一体化的产业格局。

·海水增养殖·

【概况】 2000年，大连市进一步调整海水增养殖布局，优化结构，不断提高发展质量和水平，海水增养殖继续增产增收。

2000年大连市海水增养殖主要产品产量

单位：万吨

	数量	比上年增长(%)
总产量	118.6	6.8
其中：海带	18.9	11.1
扇贝	15.3	45.7
贻贝	10.2	-25.0
牡蛎	21.9	33.5
杂色蛤	17.2	20.3
对虾	0.5	10.6
海水鱼	1.2	67.6

2000年大连市海水增养殖生产情况

	单位	数量	比上年增长(%)
1.总面积	万公顷	10	0.4
浅海养殖	万公顷	5.4	1.9
其中:底播增殖	万公顷	2.2	-13.0
滩涂养殖	万公顷	2.9	-3.8
港湾养殖	万公顷	1.7	3.2
工厂化养殖	万平方米	10	69.5
海上网箱养殖	万平方米	24.8	860(倍)
2.总产量	万吨	118.6	6.8
浅海养殖	万吨	86.8	7.0
其中:底播增殖	万吨	1.9	-24.0
滩涂养殖	万吨	26.9	7.6
港湾养殖	万吨	4.9	-
工厂化养殖	吨	155	180(倍)
海上网箱养殖	吨	2428	260(倍)
3.总产值	亿元	45.9	9.3

大连富谷水产有限公司养殖的河豚鱼。　　李 凯 摄

【调整和优化区域布局、生产结构和品种结构】 2000年，大连市调整水产养殖的区域布局和生产结构。浮筏养殖受市区南部海域功能规划调整的影响，清减浮筏近7000台。有关单位采取向深水大流区打筏子以及向黄渤海新区发展的措施，又增加浮筏7000台，使浮筏养殖规模基本稳定在31万台。海底地播增殖生产进一步加大投入，新增投苗面积1.7万公顷。网箱养鱼由上年的1810箱增加到5000箱，工厂化养鱼由5.9万平方米扩大到10万平方米，产量分别增长860倍和180倍，呈现快速发展的良好势头。

优化品种结构。全市浮筏养殖恢复和扩大生产相对稳定的海带、裙带菜的养殖规模，并积极采用新工艺、新技术，使产量均有增长。继续调低栉孔扇贝的放养规模，由上年的4.5万台减至3万台。继续增加海湾扇贝养殖比重，由5.8万台增至9.5万台，产量15.3万吨，比上年增长45.7%。

【滩涂养殖不断提高管养水平】 2000年，大连市杂色蛤产量比上年增长20.3%，单产水平有较大提高；滩涂总产量比上年增加7.6%。实施港圈养殖的综合利用，进一步增加了虾、鱼、参、贝等优质高效品种混养比重。对虾产量比上年增加10.6%，港圈生产收入6.6亿元，比上年增加8.4%，产出效益继续保持历史最好水平。大力推行健康养殖技术。先后引进、试养墨西哥海湾扇贝、美国象拔蚌、欧洲大扇贝等品种，象拔蚌、大扇贝、欧洲贻贝等品种繁育获得成功。进一步推行鲍鱼杂交、太平洋牡蛎三倍体、栉孔扇贝杂交育苗养殖和对虾健康养殖示范区技术，病害发生率比上年有所降低。

【海水鱼人工养殖实现历史性突破】 2000年，大连市全面展开陆地养海水鱼生产，新增养鱼面积8万平方米，等于前8年的总和，使总面积达15万平方米；品种由牙鲆、河豚等几个发展到真鲷、鲈鱼、六线鱼等10余个。养殖水平有很大提高，庄河观驾山水产养殖公司与大连国际合作投资公司共同出资8000多万元，建立起我国第一座大规模、全封闭、内循环、现代化养鱼基地；太平洋海珍品有限公司采用膜技术二次利用鲍鱼育苗和养成用水养鱼，并对水质、温度、饲料等全部实行计算机监控管理。养鱼的模式趋向多样化，庄河、瓦房店地区的港圈高值鱼养殖形成规模，达到333.3公顷。

海上网箱养鱼由上年的起步试养进入全面开发时期，新增网箱3200个，等于前3年的1.8倍，总规模达到5000箱。繁育海水鱼幼苗600万尾，比上年增加2倍，基本保证了生产需求。

年内，全市共产出人工养殖高质商品鱼2700吨，实现产值2亿元，分别比上年增长2.3倍和2倍。

【美国红鱼落户滨城】 美国红鱼具有生长速度快、抗病力强、广盐耐高温、肉质上乘的特点，适于池塘和网箱养殖。2000年，大连湾海珍品养殖公司从国家海洋局第一海洋研究所引进数百尾种鱼进行人工繁殖，很快获得成功。5月下旬，1万尾体长8厘米、体重10克左右的鱼苗被放入2.6公顷虾池中进行养成试验，至8月下旬最大个体重达750克，平均个体重500克以上，实现当年育苗、当年养成和受益。美国红鱼的试养成功，为北方海区虾池和网箱养鱼增加一个重要品种，具有很好的发展前景。

·水产品加工·

【概况】 2000年，大连市有水产加工企业266个，比上年增加26个，加工能力45万吨；水产冷库204座，日冷藏总量180.9万吨，制冰总量9.6万吨；饲料加工企业18个，年饲料加工能力4.5万吨。

当年，本市根据渔业产业结构调整要求，把水产品加工作为发展重点，总结推广庄河黑岛镇发展水产品加工的经验。全市共投资2亿多元，新改（扩）建水产品精深加工厂34座，其中投资超过1000万元以上的企业5个，技术水平和卫生条件全部达到国际标准，提高了产品档次。继续实施名牌战略，又有13种水产品荣获首届中国（沈阳）国际农业博览会名优产品奖，是本市获奖农产品总数的39.4%。

2000年大连市水产加工情况

	单位	数量	比上年增长(%)
加工水产品	万吨	106.1	-2.7
水产加工成品量	万吨	54.3	12.3
冷冻品	万吨	20.4	33.3
加工制品	万吨	31.4	0.3
饲料产品	万吨	2.5	24.0
水产加工产值	亿元	26.0	30.9

【水产品加工趋向集约化、专业化和区域化】　2000年，大连市形成一批各具特色的水产品加工基地：以庄河市黑岛镇为中心的精深水产品加工区；以甘井子区大连湾渔港为依托的冷冻水产品加工区；以开发区、金州区为主体的鱼糜产品加工区；以大连水产养殖集团和甘井子区凌井水产食品有限公司为主体的南部藻类精深加工区。这些加工区的形成推动了渔业产业化的发展。　（王　宏）

种植业

·粮油生产·

【概况】　2000年，大连市粮油作物播种面积28.1万公顷，比上年下降7.9%。其中：粮食播种面积27.3万公顷，总产量106.3万吨，分别比上年下降8.6%和4.5%；每公顷产量3892公斤，增长4.5%。油料花生播种面积8231公顷，总产量2.12万吨，每公顷产量2578公斤，分别比上年增长27.2%、84.3%和45.5%。粮食作物结构发生较大变化，主要粮食作物玉米、水稻、小麦及小杂粮的播种面积比上年减少；大豆、薯类、油料花生比上年增加；谷子、高粱基本持平。

粮食播种面积减少，主要是由于进一步调整农业结构，调减粮田播种面积，扩大果树、蔬菜、设施农业及其他优质高效经济作物的种植而造成的。

粮食总产量下降，主要是因为本市遭受有史以来少有的旱灾。1～8月，全市平均降水220毫米，比历年平均值减少40%，是有史以来少有的大旱年份。因干旱造成粮食减产16.48万吨，损失1.48亿元。花生总产量增加，一是由于覆膜花生栽培面积扩大；二是由于推广应用优质高产新品种，使单产提高。

2000年大连市粮油作物播种面积情况

	单位	数量	比上年增长(%)
总计	万公顷	28.1	-7.9
玉米	万公顷	15	-8.0
水稻	万公顷	2.8	-12.5
小麦	公顷	3500	-76.7
杂粮	公顷	6770	-9.3
大豆	万公顷	3.5	16.5
薯类	万公顷	4.4	2.3
谷子	公顷	3368	0
高粱	公顷	2397	0
花生	公顷	8231	37.0

2000年大连市粮油作物受灾情况

单位：万公顷

	数量	占播种面积(%)
受灾面积	23.3	83.0
成灾面积	21.0	74.7
其中：减产2～3成	7.7	27.4
减产3～5成	3.2	11.4
减产5～8成	2.1	7.5
绝收	0.4	1.4

【3000余公顷水田改种其他作物】　2000年，大连市遭受严重干旱，水库储水量不足，致使全市3333公顷水田改种其他作物。其中，庄河市133公顷水田改种大棚蔬菜等；瓦房店市200公顷水田改种大豆、玉米、温室大棚（栽种果树、蔬菜等）；普兰店市3000公顷水田改种大豆、蔬菜、果树、家种菜等。全市水稻总产量15.8万吨，单产量380.7公斤，分别比上年下降21%和10.4%。

【粮油新品种引进力度大】　2000年，大连市政府出台《大连市扶持引进推广新品种、新技术暂行办法》，引导广大农民扩大名特优新品种的种植，压缩滞销农产品，全面优化粮油作物品种结构，提高农产品档次和水平。《办法》规定，引进农业新品种、新技术，均采取引导投资补助方式予以补助，并根据品种引进范围（国外、国内）、引进数量、试验示范规模、引进成功率、试验费用等指标，确定补助标准。

年内，全市从国内外引进粮油新品种686个，包括玉米、水稻、大豆、薯类、高粱、谷子、小杂粮、花生等，试验示范面积66.7公顷，且试验效果良好。

【粮油生产首次大规模实施“订单农业”】　2000年，大连市粮油生产首次大规模实施“订单农业”，实施“订单农业”的粮食作物面积达1.3万公顷。这一举措，既解除了农民销售农产品的后顾之忧，增加了农民的经济收入；又加速了农作物良种的引进及品种的更新换代。

签订订单规模较大的合同有：普兰店市农业局同大连连王油脂有限公司签订2.6万吨大豆的供销合同，并与各乡镇及农户签订1.1万公顷大豆的种植合同；同日本岩谷产业株式会社签订4300吨优质水稻出口合同，并与农民签订667公顷水稻种植合同；同大连、鞍山等地一些商场签订6000万穗鲜食糯玉米供应合同，并与农民签订1333公顷种植合同。瓦房店市三台乡同福建超大集团签订4000吨优质水稻销售合同，并与农民签订667公顷水稻种植合同。金州区凯富隆公司同向应乡、杏树屯镇等地的1400个农户签订200公顷甜玉米产销合同。

【农业科技试验示范基地建设初具规模】　2000年，大连市各级农业技术推广部门围绕农业结构调整，推进优质高效农业发展这一中心，组织建设一批各具特色的农业科技试验示范基地。至年末，全市除长海县外，其余区、市农业技术推广中心和部分乡镇农科站均建成一块面积在3.3～6.7公顷的试验示范基地，总面积达139公顷，其中市、区级基地面积47.6公顷。农业科技试验示范基地试验项目涉及育种、栽培、土肥、植保等，作物种类包括粮油、蔬菜等上千个名优品种。普兰店市农业中心基地，在引进粮油、蔬菜新品种的同时，引进香菇、平菇、木耳、榆黄菇、猴头菇等10多个食用菌品种，而且向菇农传授食用菌增产技术，培训食用菌技术人员近百人，推动了当地食用菌生产的发展，受到农民欢迎。各级农业科技试验示范基地的建立，为农业新品种的更新换代，加速新技术的推广提供了品种来源和技术保证，同时也提高了农业的科技含量。

（孙锦花）

·蔬菜生产·

【概况】 2000年，大连市蔬菜生产继续保持良好的发展态势，播种面积和产量均有较大幅度增长。其主要原因：(1)根据市政府关于农业产业结构调整的总体要求，全市从调减的粮田中发展菜地9267公顷；(2)蔬菜新品种的引进和适用新技术的推广应用，提高了蔬菜单位面积产量和产品质量。

供应市内商品菜各季节产量与上年相比的变化，反映出全市各季节蔬菜供求关系的新变化和蔬菜种植结构调整的成效。

2000年大连市蔬菜播种面积及产量

	单位	数量	比上年增长(%)
播种面积	万公顷	4.1	12.0
其中：供应市内商品菜	万公顷	1.9	0
秋白菜	公顷	1264.3	-14.8
总产量	万吨	223.4	10.3
其中：供应市内商品菜	万吨	63.5	1.9
冬菜	万吨	9.7	19.8
春菜	万吨	27.7	7.4
夏菜	万吨	8.8	3.5
秋菜	万吨	17.3	-13.0
其中：秋白菜	万吨	8.5	-4.5

【保护地蔬菜生产又有新发展】 2000年，大连市蔬菜保护地生产面积发展到2.3万公顷，比上年增加9.5%；保护地蔬菜产量达到191.2万吨，增长6.2%，其中85%以上是反季节蔬菜。保护地蔬菜反季节生产已成为发展农村经济和提高农民收入的支柱产业。

当年，通过产业结构调整新发展蔬菜保护地面积346.6公顷，超额完成市政府下达的任务指标，进一步加强了蔬菜生产的实力。

【蔬菜新品种引进力度加大】 2000年，大连市共引进蔬菜新品种25个种类147个品种，其中国外68个，国内79个；投入新品种引进资金682.1万元，其中市财政投入资金29万元。

为发挥引进品种的示范作用，全市共建立示范园圃19个，占地13.5公顷。通过试验、示范，筛选出荷兰的戴多星黄瓜、以色列的高迪金皮西葫芦、荷兰的千禧番茄等27个品种加以推广，丰富了大连地区的蔬菜种类（品种）。

市长李永金视察大连长青农业发展有限公司。 市农委 供稿

【蔬菜实用新技术推广成效显著】 2000年，大连市推广以无公害蔬菜生产技术为中心的实用新技术推广项目8项，总实施面积达到3.7万公顷，比计划增加31.8%。其中EVA农膜配套技术应用1467公顷，蔬菜节水栽培技术7467公顷，绿色食品蔬菜生产技术2667公顷，食用菌生产技术800公顷，棚菜配套生产技术1.4万公顷，二氧化碳气肥施用技术2667公顷，蔬菜嫁接育苗技术5133公顷，植物动力-2003应用技术3333公顷。这些实用新技术的推广应用，为全市增加蔬菜产量11.2万吨，增加产值8900万元。

【无公害蔬菜生产技术在全市推广】 2000年，由大连市农业局承担的国家农业部丰收计划无公害蔬菜生产技术项目在全市推广。该项目计划用2年时间完成，计划实施面积2.67万公顷。

当年，全市完成实施面积1.5万公顷，超过年计划11.5%。其中：旅顺口区实施面积683公顷，甘井子区807公顷，金州区2800公顷，普兰店市3733公顷，瓦房店市4467公顷，庄河市2367公顷。全市平均每公顷新增产量2.8吨，总计增加产量4.2万吨、产值1.26亿元、纯收入0.65亿元；覆盖农户18万户并全部受益；项目区蔬菜作物病虫害的发生率明显下降。

【干旱影响部分春菜生产】 2000年入春后，大连地区春旱十分严重，春菜受旱面积约1万公顷，占全市春菜面积的30%。旅顺口区铁山镇、北海镇，甘井子区的营城子镇、革镇堡镇，经济技术开发区的董家沟镇等受灾较重。旱灾造成春菜减产10.5万吨。

【全市最大的蔬菜工厂化育苗场建成投产】 2000年，大连市最大的蔬菜工厂化育苗场——大连长青农业发展有限公司建成投产。该公司由大连国信发展有限公司与以色列寰宇农业（以色列）有限公司合资建立，位于金州区得胜乡，占地33.3公顷，建有6座合计3万平方米的现代化育苗温室，设备全部从以色列引进；还建有22座近3万平方米的示范温室。育苗场设计年育苗总量2.4亿株，可满足6667公顷菜田的用苗。项目计划投资1.2亿元，首期投资近6000万元。

该公司采取与农户签订产前生产订单和产后销售订单的“双订单”经营方

式，向全市及东北地区广大农民提供用苗服务。（匡远进）

·水果生产·

【概况】 2000年，大连市水果生产遭受严重旱灾，加上部分老残果树的拔除，致使水果总产量有所下降。由于水果产业结构调整力度加大，年内一些老残果树虽被拔除，但果园面积和果树总株数未受影响，且果树总株数还有所增加，年内仅退耕植果面积就达7800公顷，超过计划33.8%。

年内，改造老残果园4300公顷，改造老品种果树270万株，栽植各种名优新品种果树1229.5万株，分别超过计划1.2倍、35%和57.6%。果树设施栽培面积达1800公顷，比上年增加35%。

2000年大连市水果生产情况

	单位	数量	比上年增长(%)
果园面积	万公顷	8.5	0
其中：苹果园	万公顷	6.7	-6.3
果树株数	万株	4513	10.5
其中：苹果	万株	2837	-8.0
水果产量	万吨	72.8	-7.7
其中：苹果	万吨	61.3	-12.1

【果树产业结构调整力度大】 2000年，大连市新栽果树1.2万公顷，其中退耕植果7800公顷；栽植果树1229.5万株，其中苹果、梨、葡萄、桃、李子、樱桃和枣分别为38.5万株、158.8万株、385万株、464.6万株、62.9万株、54.7万株和37.8万株，其他果树27.2万株。在将耕地变成果园进行结构调整同时，还依据市场需求，加大树种品种结构调整力度。年内新栽苹果仅占全市新栽果树总数的3.1%，而市场畅销的樱桃、优质桃和葡萄的比重高达74%。

果树产业结构调整力度大的主要原因：（1）领导重视。各级政府都把产业结构调整做为振兴农业和农村经济的重要工作来抓，层层建立岗位责任制，实行奖惩制度。（2）舍得投入。全市用于购买良种苗木投入资金达5938万元，其中区市县级1915万元，乡级1910万元。（3）政策优惠。各区市县都制定相关的优惠政策，如金州区对退耕植果的农户前5年免征农业特产税，同时每公顷补助玉米2250公斤，对黄海大道、沈大高速公路沿线退耕植果项目，在水利配套和苗木费方面给予适当补贴；庄河市为保证黄海大道沿线退耕植果连片进行，采取反租倒包措施。（4）注重招商引资。普兰店市大田镇、莲山镇引进大庆农工商公司和吉林农大等单位资金700万元，共建酿酒葡萄生产基地407公顷。

·名词解释·

反租倒包 为了集中连片栽植果树，乡、村等集体单位把已分散承包给农民的土地反租回来，经统一规划后，再租给农民经营。

【果树新品种引进成效显著】 2000年，大连市把果树新品种引进做为重点工作来抓。全市共引进果树名优新品种51个、4.7万株，其中直接引自国外的24个、370株，引自国内科研院所的27个、4.7万株。品种有桃子、苹果、甜樱桃、梨、李子、杏、葡萄和大枣。全市财政共投入资金162.5万元，其中市县两级财政投入135万元。引进的新品种苗木表现出较好的适应性和抗逆性，成活率达90%以上，为全市果树品种更新换代打下良好基础。

【新建成24个精品果园】 2000年，大连市新建成精品果园24个，面积达3341公顷，总投资1.05亿元。有11个果园被评为大连市优秀农业精品工程。其中：普兰店市大刘家镇大徐樱桃园二期工程、城子坦镇万亩优质桃园获一等奖；普兰店市元台镇桃园、瓦房店市李官镇万亩葡萄园、金州区登沙河镇阿尔滨梨园和石河镇黄旗果园获二等奖；普兰店市山镇酿酒葡萄园、瓦房店市闫店乡和平村中华寿桃园和老虎屯大四川果园、金州区石河镇东沟村大樱桃园和登沙河镇程家大樱桃园获三等奖。

【优质水果在省获奖】 2000年，在沈阳举办的辽宁省第六届优质水果评选会上，大连市选送的水果样品有28个获奖。其中大奖2个、金奖13个、银奖7个、铜奖6个。大连市选送的贴字新红星苹果和普兰店市选送的陆奥苹果样品荣获大奖；普兰店市选送的红富士、乔纳金、王林苹果和雪花梨，金州区选送的红富士、静香苹果和晚红葡萄、仙人枣，瓦房店市选送的红富士苹果，以及旅顺口区选送的巴梨共13个水果样品荣获金奖。（毕克显）

畜牧业

【概况】 2000年，大连市畜牧业生产喜忧参半，各项指标有升有降。全市奶牛、家禽生产在畜牧业产业结构调整中有较大的发展，生猪生产受到吉林等地外进猪的冲击呈下降趋势。

2000年大连市畜牧业生产情况

	单位	数量	比上年增长(%)
生猪饲养量	万头	361.3	-5.5
生猪存栏	万头	170.8	-5.0
生猪出栏	万头	190.5	-6.0
牛饲养量	万头	29.9	-21.7
奶牛存栏	万头	1.46	9.0
羊饲养量	万只	30.7	3.4
家禽饲养量	万只	5862	10.9
肉类总产量	万吨	26.2	-4.4
蛋类总产量	万吨	15.0	1.2
奶类总产量	万吨	6.6	11.9
肉类人均占有量	公斤	47.5	-5.6
禽蛋人均占有量	公斤	27.2	0
奶类人均占有量	公斤	11.97	10.9
畜牧业总产值(1990年不变价)	亿元	25.6	-2.3

【新品种引进见成效】 2000年，大连市政府关于农业新技术新品种引进扶持政策出台后，大连市农业局积极引进新品种，调整畜牧业品种结构。利用市财政引种补贴经费30万元，引进德国黄牛、皮埃蒙特牛、美国黑白花奶牛、澳大利亚牛、崂山奶山羊、莎能奶山羊等9个新品种，推动和促进老品种改良，提高了畜产品产量和质量，增加了农民收入。仅引进德国黄牛和皮埃蒙特牛1项，当年就增加农民收入1000多万元。

【大成公司实行“订单牧业”】 2000年，大连市肉鸡产业化龙头企业——大成食品有限公司实行“订单牧业”取得良好效果，有力地促进了全市肉鸡生产的发展。

该公司实行的“订单牧业”，即与饲养户签订合同，对饲养户供应鸡雏、饲料并提供全程技术服务，同时以保护价回收肉鸡，保证饲养户每只肉鸡可盈利1.5～2元，让农民无后顾之忧。至年末，有3700个饲养户与该公司签订饲养合同，饲养肉鸡3400万只，占全市总量的69%，实现产值6亿元，农民增加纯收入5100万元。

【奶类总产量创历史最好水平】 2000年，大连市把发展奶业生产作为畜牧业结构调整的突出项目来抓，奶业生产率先实现产业化。全年奶类总产量6.6万吨，比上年增长11.9%，创历史最好水平，其中牛奶产量5.2万吨，增长9.7%。

奶类产量大幅增长的主要原因：(1)奶业加工龙头企业不断增加科技投入，开发技术含量高的新产品，并创出知名品牌和绿色品牌乳制品。在“三寰”系列乳制品和“奥乐”牌绿色食品奶生产的带动下，全市日销奶量达130吨，比上年增长10.9%，奶类人均占有量11.97公斤，高出全国人均占有量5.57公斤。(2)奶业综合服务站发挥作用。服务站积极为奶农做好良种奶牛推广、饲料供应、疫病防治和生牛奶购销等产前、产中、产后服务，促进奶源基地生产水平不断提高。全市成立5个个体奶业协会，加强对奶农管理，协调供求关系，逐步形成奶农——奶协——奶厂的松散型经济联合体。至年末，奶业协会共吸收个体奶农510户，存栏奶牛5860头，占据全市奶牛生产的“半壁江山”；供应原料奶2.2万吨，占全市原料奶供应量的48%。(3)奶业法规建设加强。年内颁布《大连市生牛奶管理办法》，使奶业行业管理有了法规依据；实施奶牛健康证制度，使市民喝上了放心奶，有力地促进了全市奶业生产的健康发展。

【复州牛、庄河大骨鸡被列为国家级畜禽资源保护品种】 2000年8月，经过几十年选育的大连市地方良种复州牛、庄河大骨鸡被国家农业部列为畜禽资源保护品种。复州牛具有体型大、体质健壮、结构匀称，肉用性能好，泌乳及哺育能力强，生长发育快等特点，年末有种牛100余头。庄河大骨鸡以体大、蛋大、肉嫩、味鲜，耐粗饲料、抗病力及适应性强，毛色鲜艳等特点闻名国内外。年末庄河市大骨鸡饲养量达500多万只，实现产值2.25亿元，农民纯收入6000万元，并出现向专业化、集约化、产业化方向发展的好势头。

【础明集团所属企业在全国肉食行业中首家通过HACCP国际认证】 2000年12月12日，由英国摩迪国际认证中心及国际粮农组织成员组成的国际认证小组，对大连础明集团所属大连明兴畜产有限公司进行严格审核，确认该公司食品安全、卫生控制达到国际先进水平，给予HACCP认证，使该公司成为我国肉食行业首家通过HACCP国际认证的生猪屠宰及食品加工企业，取得肉食品出口的通行证。

大连础明集团是由大连础明实业发展公司、大连础明生物科技有限公司、大连种猪繁育中心、大连明兴畜产有限公司等多家公司组成的集生猪繁育、饲养、肉食品加工、销售、服务以及相关科研活动乃至大型科技培训为一体的综合性现代化生猪产业化龙头企业，2000年末总资产1.5亿元，其中固定资产9400万元。础明生物科技有限公司是辽宁省最大的养猪基地，年出栏瘦肉型健康商品猪5万头，饲养契约猪3万～5万头；大连种猪繁育中心有可繁母猪4000余头，不但为本企业提供三元杂交瘦肉型优良品种仔猪，同时还可为大连及周边地区提供大量的优质种猪；明兴畜产有限公司是与香港合资兴建的集生猪屠宰、分割、深加工于一体的现代化肉食品加工企业，严格执行国际化规范管理，生产的“础明”牌肉食品有生、熟、副产品3大系列近百个品种，全部采用国家倡导的冷却排酸先进工艺生产，是真正的新鲜肉、放心产品。 （宋成有）

名词解释：

HACCP 是英文“危害分析与关键控制点”的缩写，是世界各国仪器工业所公认和共同实施的食品安全体系，食品加工业如能取得这一认证资格，就等于拿到食品出口的通行证。

被国家农业部列为畜禽资源保护品种的庄河大骨鸡。 市农委 供稿

林 业

【概况】 2000年，大连市农村造林绿化取得显著成绩，生态环境建设取得新突破，全市森林覆盖率达38.2%。

当年，市政府继续与各区市县签订造林绿化责任状，实行领导任期绿化目标考核制。在全市扎实深入地开展“绿化杯”竞赛活动，激发了各级政府和各级领导大干绿化的积极性。

提高造林绿化质量。各区市县以创建绿化精品工程为龙头，高标准设计、高标准整地、高标准栽植。在速生丰产林基地建设上规模大、质量好，受到北三市广大干部的广泛认可。

加大绿化投入。继续坚持市、县、乡三级财政按 1∶2∶4 的比例投入，共投入资金近 1 亿元；同时形成银行贷款、社会及个人捐款等多层次、多渠道的绿化投入机制。普兰店市党政机关、企事业单位、乡镇干部和社会各界近万人，一次性为造林绿化捐款 386 万元，捐款数额之大、人数之多在大连市绿化史上尚属首次。

加强绿化管护。普遍推广“造上一片林，留下管护人”的方法，组建 5000 多人的专职护林员队伍，同时实行异地有偿扑火及森林防火督察制，使全市森林受害率在火险指数居高不下、持续高温干旱的情况下，仍控制在国家及省规定的指标以内。大连市森防监测检验室建成并投入使用，国家森林病虫害测报点在普兰店市落成，本市研究的周氏啮小蜂防治美国白蛾新技术达到国际先进水平。加强出入境木材、苗木及木制包装品的堵截和检疫监测工作，较好地遏制了松材线虫等突发性、暴发性和危险性森林病虫害的发生与蔓延。

园林式村庄——金州区石槽村。　　市林业局　供稿

2000 年大连市农村造林绿化情况

	单位	数量	比上年增长(%)
荒山造林	公顷	2000	0
退耕还林	公顷	8733	92.6
栽大树	万株	16.3	3.8
低产林改造	万公顷	1.5	1.3
速生林	公顷	8133	22.0
经济林	公顷	2333	9.0
栽针补阔	公顷	4667	0
石质山造林	万株	201.2	96.7
园林式村庄	个	150	47.1
花园式单位	个	500	63.9

【退耕还林取得阶段性成果】　2000 年，大连市以调整农业生产结构为契机，加快林业发展和生态环境建设。在上年基本完成 25 度以上坡耕地退耕还林的基础上，又在黄海大道、沈大高速公路、旅顺北路等重点交通路段两翼实施退耕还林工程。

市政府推出“谁退耕、谁造林、谁经营、谁受益”的政策，各地也相应采取“以粮代赈、减免税收、苗木补贴”等一系列优惠措施，调动了广大农民退耕还林的积极性，全市农村掀起退耕还林，发展生态林、经济林、苗圃、花卉的热潮。生态林主要营造以三倍体毛白杨、红松、日本落叶松等优良树种为主的速生丰产林；经济林主要发展以银杏、板栗、大枣等为主的干杂果经济林。当年，全市农村完成退耕还林面积 8733 公顷，是市政府下达计划的 1.3 倍，其中经济林 2333 公顷。

【园林式村庄建设全面推进】　2000 年，大连市农村园林式村庄建设以绿化为主，达到“屯在林中，林在村中”的效果，农村园林式村庄建设进程进一步加快。当年，各地在建设园林式村庄过程中，纷纷聘请高水平专家对园林式村庄进行总体规划设计，使许多园林式村庄在建设风格上各有特点。如甘井子金龙寺沟村、金州区泉水村、旅顺口区周家村和许家窑村在建设中都注重了园林艺术与绿化美化的自然和谐，效果很好。至年末，全市有园林式村庄 686 个，其中当年新建 150 个。

【冬季栽大树取得重大突破】　2000 年，冬季栽大树在大连农村地区普遍推广，使本市长期以来的三季植树变为四季绿化，这在本市绿化史上属首创，也是我国长江以北地区林业发展的重大突破。冬季栽大树采取树木冬眠后带冻土坨移出栽植的方法进行，该方法破坏根系少，符合树木自然生长规律，有利于树木成活和发展。1998 年冬至 2000 年末，全市农村冬季共栽大树 60 万株，尽管遭遇连年干旱，成活率仍在 90% 以上。

【绿色通道工程建设取得显著成绩】　2000 年是大连市绿色通道工程建设 3 年规划的最后一年。该工程是从总体上构建起以林业生态工程为框架，以公路、铁路、河流两岸和库区周边绿化为网络，以城镇、村屯绿化为依托，乔、灌、花、草相搭配，生态、社会、经济效益相结合的城乡绿化新格局。

1998 年春至 2000 年末，在沈大高速公路、黄海大道、旅顺南北路两翼，采用景观、带状、组团式 3 种绿化模式，实行乔、灌、花、草相互搭配的方法，大大提高道路绿化的档次和水平。同时，在市内公路、铁路两侧、河道等地也栽植各类乔灌树木、草坪、果树，使之形成一条条绿带、一片片绿洲和一个个果树长廊。

当年，公路绿化计划内完成高标准绿化 4.4 万公里、常规绿化 37.5 公里、植物防护工程 41.2 公里、草养路基 91 公里，栽植各类乔灌木 4.1 万株、绿篱 30.8 万株、紫穗槐 39 万株、草本花卉 4 万余株；计划外完成绿化 1.3 万公里，栽植各类苗木 56.2 万株。铁路绿化营造 102.6 公里的经济林带，面积达 166.8 公顷；栽植各种果树12.9万株。河道绿化完成面积2453.3公顷，种植草坪400公顷。

【4处森林公园一期工程圆满完成】 2000年，大连市政府将甘井子金龙寺森林公园、金州大黑山森林公园、瓦房店长兴岛海滨森林公园、旅顺森林公园等4处森林公园的建设，列入全市经济发展和为民办的19件实事之中。至年末，4处森林公园一期工程建设全部完成，共占地2万公顷，栽大树150万株，造林587公顷，新建绿化带13公里，修路29.1公里，修仿汉建筑大门1座，修仿古长城10公里。

【速生丰产林基地建设走出新路】 2000年，大连市继续加大低产林改造力度，完成低产林改造1.5万公顷，营造日本落叶松速生丰产林8133公顷，为年计划的3.1倍；通过实施退耕还林，营造杨树速生丰产林120公顷；采取“两根一干”的栽植方法，栽植三倍体毛白杨53公顷。至年末，全市拥有速生丰产林基地3.3万公顷。山上与山下并重、针叶与阔叶并举的造林方式，改变了造林树种单一的状况，不仅加快了生态环境的改善，而且提高了林业的经济效益。

【林业科技含量进一步提高】 2000年，大连市引进和推广林业先进实用技术和林木优良品种，以适应林业可持续发展战略要求和现代林业建设的需要。

林业部门从国外引进金钱松、白皮松、北美黄杉、俄罗斯柳、法国冬青等89个林木、花卉优良品种；推广应用ABT生根粉、KD－1型高吸水树脂、板栗核桃嫁接及早实丰产稳定技术等10项先进实用技术，其中高吸水树脂技术主要用在龙柏、蜀桧、圆柏、樱花等高档乔木上，其成活率和保存率均在90%以上，比未使用的高20%～30%。另外，还建立三倍体毛白杨，107杨速生丰产林，板栗、大枣、核桃等经济林，石质山针阔混交造林等林业科技示范重点工程43项，绿化总面积为1467公顷，推广辐射面积1.3万公顷。

【苗木、花卉业发展迅猛】 2000年，大连市林业局从美国胖龙公司引进成套温室设备，在金州区杏树屯建成面积为3000平方米的现代化工厂化育苗室，共培育从加拿大引进的兰粉云杉、北美黄杉和从德国引进的一品红等树苗9万株，万寿菊等花卉6000株，实现本市育苗史上的新突破。还分别在金州、庄河、瓦房店、普兰店市建成5处苗圃，总面积达210.7公顷，共培育速生苗木1264万株。同时启动4处千亩以上大苗圃的基础工程，预计2001年底投入使用。

至年末，全市完成育苗面积1266.7公顷，年产苗1亿株，其中容器苗605万株，良种使用率接近80%。花卉种植总面积400公顷，其中保护地面积200公顷，年产花卉2600万株、盆花1000多万盆、鲜切花6000万株，外销花卉种苗600万株。有花卉批发市场6处、鲜花店700余家，从业人员4200人，年花卉销售额达1.05亿元，创利税4000万元。花卉业已初步形成产供销一条龙的生产经营网络，打破了以往“南花北调”的格局，康乃馨、非洲菊和玫瑰等种苗大量销往海南等地，形成“北花南调”的发展趋势。（蔡星艳）

农业机械化

【概况】 2000年，大连市农业机械化整体水平持续发展。农业机械总动力、大中型拖拉机保有量分别比上年增长4.7%和14.1%；各种拖拉机配套农具比由上年的1：1.03提高到1：1.07。

2000年大连市农业机械化及生产情况

	单位	数量	比上年增长(%)
农机总动力	万千瓦	230.03	4.7
其中:拖拉机	万千瓦	23.81	4.9
农业机械净值	亿元	6.46	42.6
完成作业量	万标准亩	5046.8	0.4
其中:农业	万标准亩	3982.6	2.7
抽水抗旱	万标准亩	139.5	17.7
整治河塘	万标准亩	166.9	－32.7
农田基本建设	万标准亩	380.8	－21.3
农机经营收入	亿元	10.07	6.0
农机经营纯收入	亿元	4.07	3.8

【果园、蔬菜生产机械化发展较快】 2000年，大连市适当调整农业机械化结构，改变过去只注重抓农田产中机械化的做法，确立全方位、大农业机械化的工作思路，引导农民积极向水果、蔬菜生产机械化投入，以促进水果、蔬菜生产的发展。至年末，全市园艺机械达到6770台，配套作业机具8370台（套），分别比上年增长1.6倍和40%。

【3个农机化示范区建设初具规模】 2000年，大连市金州区登沙河镇的旱作生产机械化示范区、普兰店市城子坦镇的水稻生产机械化示范区、瓦房店市老虎屯镇的水果生产机械化示范区经过1年的建设，初具规模。登沙河镇的旱作农业从整地、播种到收获全部实现机械化，面积达到20公顷；城子坦镇的水稻生产从整地、育秧、插秧到收获全部实现机械化，面积达到66.7公顷，并且实现工厂化育苗和机械化抛秧，填补本市水稻发展史上的空白；老虎屯镇的水果生产从打药、除草、灌溉、松盘到运输等各个环节均实现机械化，面积达到26.7公顷。

【跨区农机服务效益好】 2000年，大连市旅顺口区、金州区和普兰店市的农机管理部门组织由42台小麦联合收割机组成农机跨区服务作业队，到河南、江苏、山东等地参加全国小麦夏收会战，共收获小麦2000公顷，获得收益80多万元。（张庆广）

水利事业

【概况】 2000年末，大连市有各类水利工程8000项，其中水库261座（大型水库6座、中型水库13座、小型水库242座）、平塘206座、引水工程248处、提水工程720处、水井6565眼。

当年，全地区发生历史罕见的严重干旱，少大雨、暴雨，河道径流小，致使水库蓄水锐减。全市19座大中型水库中，有15座蓄水量比严重干旱的1999年还有下降。年末全市水库总蓄水量为4.37亿立方米，比上年末减少3.59亿立方米，下降45.1%。其中，担负城市供水任务的碧流河水库蓄水1.98亿立方米，减少 2.25 亿万立方米，下降 53.2%，为历史最低点。

根据市政府节水压水的通知精神，市水利部门及时调整供水计划，实施供水总量控制。全年城市供水 3 亿立方米，比上年增加 1800 立方米。

这一年，全市水利基本建设、农田基本建设、抗旱防汛等取得可喜成绩。大连市被国家水利部、财政部命名为全国水土保持生态环境建设示范城市；大连市政府及金州区、庄河市、瓦房店市、普兰店市政府又一次夺得辽宁省农田基本建设“大禹杯”。

2000 年末大连市 6 座大型水库蓄水量

单位：万立方米

	蓄水量	比上年末下降(%)
碧流河水库	19800	53.2
朱隈水库	4270	41.0
转角楼水库	5100	33.7
刘大水库	1630	3.6
松树水库	1070	50.9
东风水库	3110	42.2

【水利基本建设】　2000 年，大连市水利基本建设前期工作明显加强。编制完成《英那河水库扩建工程的可行性研究报告》和《英那河水库扩建工程初步设计报告》、《引英入连应急输水工程设计报告》和《大连市水利发展十五规划报告》；基本完成全市水利工程普查外业查勘和资料搜集工作。

年内，刘大水库除险加固、永记水库除险加固 2 项工程超额完成设计总量，工程质量良好；碧流河水库旁通管工程和青云河水库供水工程建设也已完成；英那河水库扩建及引英入连应急输水工程根据市委、市政府决定提前 1 年实施，于 9 月 29 日同时开工，以缓解城市供水紧张状况。

【农田基本建设】　2000 年，大连市投入农田基本建设资金 8.4 亿元，完成土石方 8700 万立方米；完成各类重点骨干工程 491 项，其中灌溉工程 231 项、治河工程 72 项、水保工程 155 项、其他工程 33 项。新增节水灌溉面积 7180 公顷，改善灌溉面积 9353 公顷，完成中低产田改造 2.67 万公顷。新建闸坝 14 座、灌溉站 35 座，建方塘 190 座、机电井 201 眼，兴建各类小型水源工程 5529 眼（座）。实施渠道防渗 41.94 万平方米。新建人畜饮水工程 86 处，解决 7.84 万人及 3800 头大牲畜的饮水困难。建市级农田基本建设精品工程和配套工程 86 项。

全市完成水土流失治理面积 3.58 万公顷，其中修农业梯田 2490 公顷、果树梯田 1 万公顷，造林整地 2.3 万公顷，修建谷坊 1207 座、塘坝 31 座。拍卖“四荒”使用权 1670 公顷，回收资金 767 万元，发“四荒”使用权证 1591 个。

完成全市水土保持沟壑调查及水土保持规划，通过对 600 多条小流域、1 万多条沟壑的普查，建立起拥有 15 万条信息的基础资料库。完成《碧流河水库上游水土流失综合治理十年规划报告》，为开展水源保护水土保持综合治理打下坚实基础。

【抗旱防汛】　2000 年，大连市遭遇特大干旱，年平均降雨 439 毫米，仅为常年平均值的 64%。有 100 多条河流断流，122 座小型水库、535 座塘坝干涸，3593 眼机电井出水不足或无水可提，地下水位平均下降 2～6 米，水库总蓄水量仅 4 亿多立方米，为历史最低点。农作物受灾面积 23.3 万公顷，其中干枯死亡 4233 公顷；果树受灾 3054 万株；18 万人口、3 万头大牲畜饮水困难。为减灾保收，争取国家抗旱经费 200 万元，购置 100 台（套）喷灌设备、8 吨旱地龙。全市兴建各种拦蓄工程 5000 余项，增加蓄水总量 5000 多万立方米。

抗旱的同时注意防汛。争取国家防汛应急抢险资金 250 万元，完成 12 座小型水库除险加固、5 座水库维修和英那河水库下游溢洪道的维修等工程施工。全市共治理河道 163 条（段），筑堤 435.67 公里，动用土石方 975.2 万立方米，石方 82.7 万立方米，可保护 36 万人口、5.6 万公顷耕地的安全。完成碧流河中游（庄河一侧）36.5 公里筑堤工程，使庄河市 3 个乡镇、26 个村屯、4000 公顷耕地、3.5 万人口有了安全保障。治理碧流河一级支流至吊桥河、永利河，完成河道整治 7.7 公里，交叉建筑物 47 处，使碧流河防洪工程更趋完善。完成河道绿化 300 公顷、210 公里。

【水利科技】　2000 年，大连市推广节水新技术 13 项，节水 9421.6 万立方米，增加经济效益 4547.7 万元。推广咸水灌溉技术成果在甘井子区取得成效，灌溉面积 400 公顷，节水 480 万立方米，增加效益 120 万元。市水利局在黄海大道开始建设节水灌溉示范园区。

【大连市成为全国水土保持生态环境建设示范城市】　2000 年 4 月，大连市在全国水土保持生态环境建设总结表彰大会上，被国家水利部、财政部命名为全国水土保持生态环境建设示范城市。1997 年，国家水利部把大连列为全国城市水土保持生态环境建设试点城市之一。试点期间，投资 180 多万元，在中南路总长 3640 米的干路两侧砌虎皮挡土墙 2080

农田基本建设工程——平塘工程。　　市水利局　供稿

米，栽种造型植物1470米，铺栽草坪9100平方米，对人行道做硬覆盖，建成“水土保持一条街”；将市区10多条道路建成绿色通道，消除水土流失的痕迹；结合小区改造，在三环、泡崖、香海花园、同乡山庄等小区建成水土保持小区，有力地推动了城市水土保持生态环境建设。市水土保持办公室共审查水土保持方案697件，收缴水土流失补偿费457万元，监督治理面积479万平方米，基本控制了市区大规模开发建设造成的水土流失。

【引英入连供水工程提前1年启动】（见第31页）　（常德利）

气象事业

【概况】　2000年，大连市各级气象部门气象服务水平不断提高。全年全地区地面测报错情率0.4‰，与上年持平，其中长海、金州2个站全年观测、发报无错情；农业气象综合目标达国家一级标准，农业气象测报错情率0.65‰，比上年上升。

大连市气象台全年暴雨预报准确率100%，一般性降水预报准确率62%，平均月降水趋势预报准确率74%，全年平均月温度趋势预报准确率62%，重大灾害性天气无漏报。常规资料上行传输及时率98.75%，全球交换数据传输及时率达100%。撤销原传输数据的地面专线电路，气象卫星综合应用业务系统（9210）网络系统运行正常。作为全国组网站的雷达站发布实时资料1944份，传输率99%。

【气象现代化建设步伐加快】　2000年，大连市气象局完成建立在DOMINO/NOTES平台上的办公自动化网络建设，实现同中国气象局、各省级气象部门以及市气象局内部的邮件互通、信息传送、文件处理等内容；在业务网络上实现实时资料调用、实时资料网上传输共享、台风路径报文检索打印及卫星云图实时调用显示。开发研制各种业务软件，其中大连气象台新业务流程、影响北方海域的热带气旋预报服务系统、与大连环境监测中心共同开发的大连城市空气质量污染预报系统投入使用，改进了预报流程，增加了预报方法，使气象预报工作更加科学化、客观化。

【为引水节水决策提供科学依据】　2000年，大连市继上年出现严重旱情后，又出现旱情。至8月下旬主汛期过后，碧流河水库容量仅为2.4亿立方米，如果下年仍为沽水年，按大连市日供水80万立方米计算，碧流河水库现有库存仅能供到2001年8月1日。水资源短缺问题相当严重，成为市委、市政府关心的头等大事。

为给领导决策提供科学依据，大连市气象局增加信息报送数量和内容，将最新的旱情分析和降水过程预报以“气象呈阅件”形式主动报送市委、市政府，并做出“2001年大连地区降水仍偏少，为平沽年”的预测。根据这些资料，市委、市政府于8月24日做出全市节水、压水的决定，同时决定提前1年实施引英入连供水工程，以解决城市用水紧张问题。

【农业气象服务准确无误】　2000年3月，大连市气象台做出4月份降水偏少，5月份降水偏多、气温回暖快的预测，建议播种期在4月8日前后为宜。由于预测准确加上播种及时，全市农作物出苗率达90%以上。秋菜收获前，市气象台建议普兰店、瓦房店、庄河在11月11～13日前，南部地区在11月19～21日前将秋菜收获完毕，并从10月25日开始为秋菜指挥部提供5天滚动预报，使全市秋菜安全收获并销售完毕，未受损失。

当年，全市共发生5次冰雹过程，市气象台均做出准确预报并进行防雹作业，用弹1000余发，使其中3次未形成灾害，2次灾情大幅度减轻（均指防雹作业影响区内）。

【公众气象服务不断发展】　2000年8月20日和10月20日，大连市气象台分别在大连电视台生活频道和公众频道中，首次通过气象节目主持人形式向市民提供气象服务，并增加对天气形式等内容的介绍。另外，从1月1日起与《半岛晨报》合作，开辟《气象之窗》专栏，每天刊发紫外线护肤指数预报、医疗气象、舒适度指数预报、市区天气预报以及气象信息应用、气象与各行各业等系列科普文章；从4月1日起，与大连电信信息股份有限公司合作改版121生活气象热线，还首次开通气象热线寻呼。

【“121”生活气象热线全新改版】“121”生活气象热线是80年代末开通的，其内容已不能适应当今市民的需要。为了使其更加贴近百姓生活，2000年4月1日，大连市气象局与大连电信信息股份有限公司合作，对其进行全面改版。

改版后的“121”生活气象答询热线电话设置10个信箱：121－0键——大连市未来24小时天气预报；121－1键——五天天气早知道；121－2键——上、下班天气预报；121－3键——穿衣指数预报；121－4键——海上客轮航线天气预报；121－5键——防晒指数预报；121－6键——各县区天气预报；121－7键——气象与健康预报；121－8键——气象热点话题；121－9键——舒适度预报。改版后的气象热线不再是单纯的天气预报，它对天气预报进行了加工处理，向百姓提供了更加丰富的信息。

该热线开通后，受到市民的广泛欢迎，至年末已有202.5万人次拨打。

【人工增雨作用明显】　2000年，大连市人工影响天气办公室新引进WR－1型增雨火箭发射装置9套，购置增雨火箭车7台，提高了人工增雨作业能力。

年内，针对旱情严重的实际情况，对3个区域重点进行增雨工作：（1）对瓦房店市、普兰店市、金州区各大中型水库特别是碧流河水库实施人工增雨作业，增加水库蓄水量；（2）在黄海大道精品带、沈大高速公路经济带、旅顺南路和北路经济带实施人工增雨作业，以保证各经济带农作物和林木用水；（3）对城区进行增雨工作，增加城市绿化用水。

全年组织人工增雨作业18次，作业方式以火箭增雨为主，同时进行飞机增雨和大规模高炮增雨，共撒播碘化银催化剂溶液180公斤，发射增雨火箭弹167枚，发射增雨炮弹2000余发，同期自然降水和人工增雨总量为300～400毫米。由于气象部门的紧密配合，当年首次达到对所有可作业天气过程进行人工增雨作业。　（赵　旭）

工　业

责任编辑　周万久

概　述

【工业经济概况】　2000年，大连市全部国有工业和年销售收入在500万元及以上非国有工业（以下简称规模以上工业）有1143个，全部从业人员年平均人数438579人，总资产1481亿元。

2000年大连市全部国有工业和年销售收入在500万元及以上非国有工业的企业和从业人员

	企业（个）	从业人员（人）
全市总计	1143	438579
1.按登记注册类型分：		
国有企业	227	127410
集体企业	176	40342
有限责任公司	52	83734
股份有限公司	24	19468
私营企业	112	20413
联营企业	11	2478
股份合作制企业	50	14336
外商投资企业	388	113253
港、澳、台投资企业	103	17145
2.按轻重工业分：		
轻工业	512	147638
重工业	631	290941
3.按企业规模分：		
大型	144	233795
中型	168	60259
小型	831	144525

注：从业人员为年平均人数。

当年，全市工业经济稳步增长，产销形势看好，各项主要经济指标全面增长。

工业经济发展中存在的主要问题：国有经济比重过大，战线过长；多数国有企业经营机制不活，难以适应市场经济要求；企业内部结构性矛盾及调整任务仍然较重，技术创新能力薄弱，产品竞争能力不强；一部分企业债多人多，经济效益仍然低下；有的企业管理落后，成本、资金、质量缺乏有效控制。

2000年大连市工业主要经济指标完成情况

	单位	实际完成	比上年增长(%)
1.全部工业			
工业总产值（1990年不变价）	亿元	1838	11.8
工业增加值	亿元	473.1	12.2
2.规模以上工业			
工业总产值（1990年不变价）	亿元	905.4	23.0
工业增加值	亿元	266.3	35.7
产品销售收入	亿元	1083.5	32.0
产品销售率	%	98.2	-0.7（百分点）
利税总额	亿元	94.1	64.6
盈亏相抵后利润	亿元	43.6	103.8
出口交货值	亿元	380.7	34.6
资产负债率	%	57.7	-2.5（百分点）

（陈玉君　夏大旺　市统计局）

【35家企业进入全省工业百名利税大户行列】　据辽宁省统计局对全省14个城市2000年独立核算工业企业利税排序结果显示：在全省工业利税大户前100名企业中，大连市有35户企业榜上有名，数量位居14个城市之首。进入全省工业前20名的有7户，其中大连西太平洋石油化工有限公司列第6位，大连大显集团有限公司列第10位，中国石油天然气股份有限公司大连石化分公司列第11位。

这35户企业实现利税总额68.76亿元，占全省100户企业利税总额的20.8%，占全市规模以上工业利税总额的73%。在35户企业中，利税超亿元的企业18户，多于其他城市，其中超10亿元的1户、超5亿元的2户。这些企业年销售收入均超过1亿元，其中超100亿元的2户、超50亿元的1户。

这35户企业按经济类型分：国有及国有控股企业13户，利税总额占全市规模以上工业的45.6%，说明国有及国有控股企业仍在工业经济中发挥主导作用；外商独资及非国控的中外合资合作经营企业17户，利税总额占全市规模以上工业的21.7%；股份合作和非国控的股份有限公司3户，利税总额占全市规模以上工业的3%；私营有限责任公司2户，利税总额占全市规模以上工业的2.7%。

这些企业主要分布于石油、电力等重要基础领域和机车、造船、制冷、普通机械等现代支柱产业及生物制品、电子技术等高新技术领域；集约化程度和资本有机构成相对较高，成为加速构筑大连现代工业支柱产业体系的重要基础。

2000年辽宁省工业企业利税总额排序前100名企业各城市数量及位次

位次	城市名称	企业数
1	大连市	35
2	沈阳市	23
3	鞍山市	9
4	抚顺市	8
5	辽阳市	4
5	盘锦市	4
5	葫芦岛市	4
6	锦州市	3
6	铁岭市	3
7	本溪市	2
7	营口市	2
8	阜新市	1
0	丹东市	0

（陈世荣）

【36家工业企业进入全市50家纳税大户行列】 2000年，大连市政府表彰全市50家纳税大户，其中工业企业36户（前20名均为工业企业），比重为72%。36户工业企业纳税额为39.21亿元，占50家纳税大户总额的87.7%，占全市税收总量的29.7%。这说明作为东北地区重要工业基地的大连工业，在全市国民经济中仍占主导地位。

【中直、省直企业成为支撑全市工业的中坚力量】 2000年，大连市中直、省直企业生产经营取得令人瞩目的成绩。大连石化、新船重工、大连机车、大连柴油机、中国华录电子等5个重点监控的中直、省直企业共完成工业增加值54亿元，在全市工业增加值19.8%的增长率中占7.5个百分点。

中直、省直企业中，大连石化公司建成投产国内最大的国产化攻关项目“三苯”联合装置，生产能力扩张，为全市工业经济增加新的增长点；新船重工集团公司成功承接建造VLCC超大型油轮，填补国内空白；大连造船厂制造的军品舰船，占海军该型舰船装备量的70%；大连机车车辆厂研制成功城市轨道电力机车，批量生产全悬挂快速内燃机车，新产品开发实现重大突破；中国华录电子集团公司产品转型升级，企业迅速摆脱困境；鞍钢集团在连与德国企业合资兴办汽车用热镀锌板项目，推动了本市引进国内大企业资金工作的开展；全国最大的天然醇生产装置生产厂家华能化工厂在停产4年后全部启动，防止了国有资产大量流失；西太平洋石化、东北热电、华能电厂、一汽大柴等企业经济效益大幅度提高，有力地支持了地方经济建设。

【国有企业改革与脱困三年目标实现】 2000年，是国家实施“九五”计划的最后一年，也是实现国有企业改革与脱困三年目标的决战之年。在市委、市政府的正确领导和有关部门的大力支持以及国有企业广大干部、职工的共同努力下，全市国有企业改革与脱困三年目标全面实现。

当年，全市国有及国有控股工业企业实现利税总额47.6亿元，盈亏相抵后利润为13.9亿元，分别比上年增长22%和25.5%；103个大中型企业亏损面为15%，比国家制定的脱困目标低15个百分点。大多数国有大中型骨干企业初步建立起现代企业制度，其中47个大中型重点骨干企业有34个完成改制，改制面达72.3%。在辽宁省确定的100个建立现代企业制度重点企业中，本市的27个企业按照省要求全部完成改制任务。

2000年辽宁省工业企业利税总额排序前100名企业大连市入围企业（35户）

在全省排序	企业名称	在全省排序	企业名称
6	大连西太平洋石油化工有限公司	55	中国华录集团有限公司
10	大连大显集团有限公司	61	盘起工业（大连）有限公司
11	中国石油天然气股份有限公司大连石化分公司	63	大连可口可乐饮料有限公司
13	华能国际电力开发公司大连分公司	64	大连机车车辆厂
14	大连冰山集团有限公司	67	大连浦金钢板有限公司
15	万宝至马达大连有限公司	69	大连爱丽思欧雅玛工贸有限公司
17	大连浮法玻璃有限公司	72	大连珍奥核酸科技发展有限公司
26	中国第一汽车集团大连柴油机厂	73	大杨企业集团
34	大连路明科技集团有限公司	75	富士电机大连有限公司
35	东芝大连有限公司	78	大连新船重工有限责任公司
37	国电电力发展股份有限公司东北分公司	79	利优比（大连）机器有限公司
38	大连创新零部件制造公司	82	大连华农集团有限责任公司
39	大化集团有限责任公司	86	斯大精密（大连）有限公司
40	瓦房店轴承集团有限责任公司	87	万宝至马达瓦房店有限公司
41	大连固特异轮胎有限公司	90	佳能大连办公设备有限公司
44	大连华润渤海啤酒有限公司	92	大连华能－小野田水泥有限公司
52	大连热电集团有限公司	94	三菱电机大连机器有限公司
		100	大连原田工业有限公司

进入2000年大连市50家纳税大户行列的工业企业（36户）

单位：万元

名次	企业名称	纳税额	名次	企业名称	纳税额
1	中国石油天然气股份有限公司大连石化分公司	81599	17	罗姆电子大连有限公司	6566
2	大连西太平洋石油化工有限公司	52286	18	大连华润啤酒有限公司	6536
3	华能国际电力股份有限公司大连分公司	21613	19	大连热电股份有限公司	5969
4	中国东北电力集团公司大连供电公司	17862	20	大连固特异轮胎有限公司	5927
5	日本电产（大连）有限公司	17125	21	辉瑞制药有限公司	5758
6	大连东芝电视有限公司	15614	22	大化集团有限责任公司	5710
7	万宝至马达大连有限公司	14601	23	大连机车车辆厂	5071
8	中国石油天然气股份有限公司东北销售大连分公司	10466	24	大连大显股份有限公司	4693
9	东芝大连有限公司	10150	25	大连钢铁集团有限责任公司	4611
10	大连阿尔派电子有限公司	9828	26	富士电机大连有限公司	4506
11	欧姆龙（大连）有限公司	9694	27	柯尼卡（大连）有限公司	4358
12	国电电力发展股份有限公司	8481	28	TDK大连电子有限公司	4220
13	中国第一汽车集团大连柴油机厂	8306	29	中国华录松下电子信息有限公司	4083
14	斯大精密（大连）有限公司	8105	30	瓦房店轴承股份有限公司	4079
15	三菱电机大连机器有限公司	6745	31	大连三洋制冷有限公司	3780
16	大连创新零部件制造公司	6627	32	大连冷冻机股份有限公司	3733
			33	大连爱丽思欧雅玛工贸有限公司	3608
			34	大连重工集团有限公司	3295
			35	利优比（大连）机器有限公司	3267
			36	大连原田工业有限公司	3227

注：名次为在50家纳税大户中的排名。

【减员增效取得突破性进展】　2000年，大连市市属企业减员分流2.1万人，实现提前1年减员1/3的目标，达到减员增效的目的。其中，市属国有工业企业职工人数由1997年末的33万人减至2000年末的15万人。

一批深层次老大难企业的问题得到解决。有31个共计1.7万人的“破不了，活不成”的工业企业关门走人，整体分流；13个共计9800人的长期无产品、无生产资料、无场地的“三无”挂靠企业关门停产，人员分流；一批长期亏损、多年没有解决的历史遗留问题得到解决；机械行业钢铁锻专业化重组减员1800人，纺织行业压锭减员1.4万人，确保全行业扭亏为盈，走出困境。

【增资减债成效明显】　2000年，大连市国有企业资产负债率由1997年的68%降至55%以下。

争取债转股。全市累计有14个企业被国家经贸委列入债转股推荐名单，并同有关银行和资产管理公司签订债转股正式协议，转股额总计59亿元。其中13个企业的转股方案得到国务院批准，转股额57.8亿元。通过债转股，14个企业平均资产负债率可降低14.3个百分点；财务费用可降低3亿元。大多数债转股企业扭亏为盈，实现脱困目标。

核销呆坏帐。有26个严重亏损、扭亏无望、资不抵债、无法清偿到期债务的市属工业企业实施破产；对14户产品有市场，但债务相对较重，通过“三改一加强”可以好转的国有企业实施兼并，对13户亏损企业给予减员增效政策扶持。在国家及有关银行的大力支持下，累计核销银行呆坏帐准备金26.6亿元。其中，兼并免息4.2亿元；破产核呆13.6亿元；减员增效免息5.8亿元。

企业上市。美罗药业年内向社会发行A股4000万股并上市，融资3.75亿元。截至年末，全市累计有7个国有大型企业的8支股票上市，对社会公开发行股票2.55亿股，募集资金总额11.18亿元。

【招商引资又有突破】　2000年，大连市新批工业利用外资项目451个，合同外资12.72亿美元，分别比上年增长24.2%和7.3%；实际使用外资7.87亿美元，增长14.2%。

全市国有工业完成利用外资项目34项，合同外资1.51亿美元，实际使用外资1.71亿美元。其中，合同外资1000万美元以上的大项目有5个：华能小野田水泥厂增资2000万美元；大诺公司增资1050万美元；华润啤酒厂增资3070万美元；威斯特电机股份公司转股1450万美元；鞍钢钢铁过程自动化项目1325万美元。

瓦轴集团公司与瑞典SKF公司、大连第二电机厂与英国英维思公司、冰山集团公司与日本三洋制冷等3个合资、增资项目，实现当年投资、当年投产的目标。大连固特异轮胎增资扩产子午线轿车胎，年产量由上年的100万条增至150万条。大连耐酸泵厂与瑞士苏尔寿公司的合资项目资金全部到位，生产运营良好。此外，大显集团公司的大屏幕彩电、汽车音响整机开始规模生产，机床集团公司的数控车床项目签约。

通过赴欧洲、日本、韩国等招商洽谈活动，德国戴姆勒·克莱斯勒公司、蒂森·克房伯公司、杜克普公司，日本ALPS电气（株），芬兰富腾公司等一批世界知名大公司与本市企业开展合资、合作洽谈，取得显著成效。

【企业搬迁改造推动结构调整】　2000年，大连市完成15个企业的搬迁改造。其中，大连制药厂的搬迁不仅改善了解放广场周边环境，而且实现当年搬迁、当年建设、当年投产以及产品结构的重大调整；大染、油化等一些老企业也通过搬迁改造，基本实现减人、减债，提升了企业装备水平、产品档次和规模。

截至年末，全市累计搬迁改造污染重、耗能高、效益差的工业企业105个，腾出厂区土地面积300多万平方米，土地出让后已到位资金10亿元；有19个企业就地淘汰，86个企业全面或部分恢复生产。搬迁改造也使全市工业布局发生重大变化。市内三区企业逐渐向城乡结合部、对外开放先导区和北三市推进，形成大显、电子、锦达纺织、碧海服装、盛道玻璃、冰山制冷、大染精细化工、大重铸钢等一批新的工业园区。

【企业专业化重组继续实施】　为改变企业“大而全”、“小而全”的生产组织结构，大连市在1999年对全市铸钢系统进行专业化重组，关闭冰山集团所属橡塑机厂和大起集团所属铸钢分厂，组建大连重工铸钢有限公司并实现盈利后，又于2000年完成锻造系统的专业化重组。将大连重工、大起集团、叉车总厂、高压阀门等4个企业的锻造生产集中到大连锻造厂厂区，组建大锻锻造有限公司，人员比原来减少2/3，并扭转巨额亏损局面。这两项重组消灭了一批位于市中心区的污染源，盘活了大量存量资产。

【企业技术改造加快】　2000年，大连市工业完成技术改造投资37.7亿元，比上年增长9.3%；组织实施技改项目466项，其中竣工投产378项。年初列入考核计划的10个重大工程项目，有5个按计划竣工；被列入国家前3批国债项目计划的14个项目中，有9个已开工建设。经过申报，大连机床集团公司、瓦轴集团公司等企业的6个项目（总投资5.3亿元，其中银行贷款3.76亿元）被列入国家第四批国债项目计划，得到贴息支持。

年内，大显集团公司74厘米彩枪金属零件、盛道集团公司的高级玻璃器皿、大连染化集团公司7000吨/年氯化苦、冰山集团公司二期“双加”技术改造、高等级子午线轮胎关键设备、大连制药厂搬迁改造、瓦轴集团公司新一代铁路轴承等20余项重大技改项目相继竣工投产，生产出一批具有较强竞争力的龙头产品，促进了全市工业产品结构调整。大显、瓦轴、盛道、冰山、大化、大钢、石化等一批重点企业的装备水平和经济效益得到提高，集团化发展规模及国内领先地位不断扩大。

科技进步、技术创新也取得新成绩。至年末，12种市级重点攻关产品及其42个子产品全部实现产业化。

【加快建立现代企业制度】　2000年，大连市加快建立现代企业制度。截至年末，全市47个国有及国有控股的大中型骨干企业中，有34个完成改制，改制面达到72.3%；10个市属重点工业企业集团所属142个子企业中，有103个改制，改制面达到72.5%。

围绕主辅分离，实施各种形式的产权制度改革。有51个市属企业的子企业或辅助部分改制，其中产权出售8个、销号14个、兼并划转4个、破产13个、租赁经营3个、资产重新界定1个。

推进企业内部三项制度改革。全市企业建立起职工能进能出的劳动管理制度；初步建立干部能上能下的人事管理制度，取消企业行政级别，实行干部竞聘上岗制和公开招聘制。市经委草拟《关于大连市建立国有工业企业经营者和有突出贡献技术人员期股期权奖励办法》，并组成联合课题组制定在冰山集团进行试点的工作方案。

【国有企业管理水平有较大提高】　2000年，大连市国有工业企业深入开展以“两整顿、六达标”（采购、销售整顿，管理手段创新、成本管理、资金管理、质量管理、现场管理、法制化管理）为主要内容的企业管理升级达标活动。针对企业采购、销售过程中暴露出的管理问题，市政府制定并下发《大连市国有工业企业物资采购监督管理规定》和《大连市国有工业企业销售监督管理规定》，大力推进比价采购、招投标管理，坚持学习邯钢经验，实行成本否决。市属国有工业企业成本费用利润率达到2.98%，比上年提高1.22个百分点；支出管理费用2.02亿元，下降58.9%；实现利润6.5亿元，增长71.1%。

实施企业形象工程。全市累计建成“花园式工厂”36个，其中“精品花园式工厂”13个。瓦轴集团公司等12个企业厂区道路综合整治14万平方米。

不断加强企业内部信息化建设。有36个国有企业实行计算机辅助物流管理，使国有企业管理水平有了较大的提高。

【工业产品市场占有率提高】　2000年，大连市采取“走出去，请进来”的办法，开发国内外市场。全市国有及国有控股工业企业实现出口供货值138亿元，比上年增长35%，创历史最好水平。

全市国有工业企业参与国内外招投标，中标1009项，中标总额40.4亿元，其中国际中标额7亿元。市经委组织12次大型经贸活动，共签订合同项目96项，合同总金额25.5亿元。其中，参加市政府举办的大规模经贸活动4次，共签订合同65项，合同总金额13.8亿元。

（陈玉君　夏大旺）

石油化学工业

【概况】　2000年，大连市石油加工及其制品业和化学原料及化学制品业在全市国民经济发展中起着举足轻重的作用，是国民经济的重要支柱行业。全市全部国有和年销售收入500万元及以上非国有（以下简称规模以上）石化工业实现工业增加值49.9亿元、利税总额18.8亿元，分别比上年增长27.1%和27.8%，分别占全市规模以上工业总量的18.7%和20%。

2000年大连市规模以上石油加工及其制品业主要经济指标完成情况

	单位	实际完成	比上年增长(%)
企业	个	7	—
从业人员	万人	1.1	—
资产总额	亿元	163.9	19.8
其中:净资产	亿元	44.5	—
工业增加值	亿元	37.9	12.9
产品销售收入	亿元	269.6	89.6
利税总额	亿元	15.9	28.8
其中:利润	亿元	2.2	—
出口创汇	亿美元	7.2	167.5

2000年大连市规模以上化学原料及化学制品业主要经济指标完成情况

	单位	实际完成	比上年增长(%)
企业	个	58	—
资产总额	亿元	127	13.6
其中:净资产	亿元	44.9	18.7
工业增加值	亿元	12	43.6
产品销售收入	亿元	49.7	48.9
利税总额	亿元	2.9	22.9
其中:利润	亿元	0.6	-19.6
出口创汇	亿美元	1.1	45.6

全市规模以上石油加工及其制品业资产得到扩大，经济效益可观。年末资产总额占全市规模以上工业总量的11.1%；产品销售收入和实现利税总额分别占全市规模以上工业总量的24.9%和16.9%；企业盈亏相抵后利润由上年的亏损7200万元转为盈利2.2亿元。

全市规模以上化学原料及化学制品业经济较快增长，年末资产总额增长13.6%，其中净资产增长18.7%；工业增加值、产品销售收入和利税总额均大幅度增长，分别达到43.6%、48.9%和22.9%。农药原药、涂料、油墨、染料及专项化学用品制造业增加值和利税总额均有较大增长。

（市统计局提供　陈世荣执笔）

·大化集团公司·

【生产经营创历史最好水平】　2000年，大化集团公司实现工业总产值19.48亿元、销售收入27.04亿元，创历史最好水平；实现利税1.52亿元，创近10年最好成绩。30万吨合成氨装置全年运行334天，为运行以来最好水平。纯碱、复合肥、合成氨、氯化铵和精铵5种主要产品的年产量均创历史最高纪录；其他主要产品也较大幅度超额完成全年生产计划。

2000年大化集团公司主要经济指标完成情况

	单位	实际完成	比上年增长(%)
资产总额	亿元	82.71	3.1
工业总产值（1990年不变价）	亿元	19.48	7.0
工业增加值	亿元	4.07	22.7
产品销售收入	亿元	27.04	12.7
产品销售率	%	99	-3.1（百分点）
利税总额	亿元	1.52	22.6
其中:利润	万元	1517	10.9
出口创汇	万美元	4033	1.8
出口交货值	亿元	3.43	2.1
资产负债率	%	55	-12.1（百分点）

【投资主体实现多元化】　2000年3月31日，大化集团公司与国家开发银行、中国华融资产管理公司和中国信达资产管理公司签署总额为14.3亿元的“债转股”协议，由过去的国有独资公司变成由国家控股、3家金融机构和资产管理公司参股的较规范的有限责任公司，实现投资主体多元化。12月18日，大化集团有限责任公司股东大会召开，按照《公司法》等有关法律、法规的规定，产生新的董事会、监事会和经理层，进一步

完善了法人治理结构。

【产品结构调整取得阶段性成果】　2000年，大化集团公司确立“从无（无机化工）到有（有机化工）、从低（低附加值）到高（高附加值）、从粗（粗化工）到精（精细化工）”及“跳出化工开拓新领域”的思路，积极调整产品结构，改变了大化历史上形成的以高消耗、低附加值为主要特征的产品结构，为企业走上可持续发展道路创造了良好开端。

引进一批国内外先进项目。与美国兄弟公司合资年产20万立方米粉煤灰承重砖项目建成；与芬兰富腾公司关于热电厂新机组股权转让项目进入商务谈判阶段；与大连理工大学合资成立宝力摩新材料股份有限公司，可年产500吨新型工程塑料产品，此项目被列为国家级尖端项目；与澳大利亚凤凰技术公司合资成立大连凤凰新型建筑材料有限公司，可年产住宅建筑材料10万套；与北京化工大学合作的维生素D2项目被国家计委列入科技示范工程。

自主开发一系列新产品。油漆厂开发研制的2000系列高档木器漆，填补东北地区家俱漆空白；化肥厂开发的冶金焦产品打入日本市场；复州湾盐场开发的融雪剂全部出口日本；磷铵厂根据市场需要开发出系列专用肥；设计院和机械厂联合开发出具有自主知识产权的蒸汽煅烧炉设计、制造和安装一条龙服务等。

【环境治理整顿大见成效】　2000年，大连市政府将治理甘井子工业区及飞机主航道下环境污染作为改善大连对外形象的头等大事。大化集团公司位于甘井子工业区及飞机主航道下，环境治理任务十分艰巨。为此，该集团公司成立环境整治工作领导小组，对厂区环境进行了全面整治，完成了预期目标。全年共投入资金966万元，组织会战1.5万人次，出动运输车辆2.2万台次；清运碱渣6万立方米、粉煤灰12.5万立方米；回填绿化土17.4万立方米，平整土地30.2万平方米；扒小房2万平方米，粉刷厂房8.5万平方米，整顿露天货物4.1万平方米；关闭煤场2个，煤场覆盖3.6万平方米。

【集团公司通过质量体系2000版新标准认证】　2000年10月，经东北质量体系审核中心审核小组审核，大化集团公司通过国际质量体系管理体系新标准（ISO/DIS9001：2000）认证。大化集团大连化工股份有限公司也同时通过认证。质量管理体系2000版新标准是在1994版的基础上修订而成的，大化集团公司是国内首批按新标准试运作的8家单位之一。

【企业改制全面启动】　2000年，大化集团公司确立“经营形式多样化，投资主体多元化”的改制思路，对所属8个子公司进行改制，向完善现代企业制度的目标又迈进一大步。房地产公司、华成监理公司、华迪公司、宏图公司等6个单位完成职工持股的公司化改造，集团公司将清产核资后的资产作为出资额参股，成为上述公司的股东。公司医院改成独立核算、自主经营的模拟企业法人。金州化工厂、宏程公司注销并进行资产重组。　（李天舒）

·中国石油大连石化公司·

【销售收入名列大连市工业领先企业榜首】　据2000年国家、大连市公布的统计资料，以年销售收入1亿元以上为评定指标，中国石油大连石化公司名列大连市工业领先企业榜首；以总资产、销售收入、从业人员3项指标排序，在全国1000家大型企业中名列第42位。

2000年中国石油大连石化公司
主要经济指标完成情况

	单位	实际完成
资产总额	亿元	81.9
资产负债率	%	23.2
工业总产值 (1990年不变价)	亿元	38.2
工业增加值	亿元	13.3
产品销售收入	亿元	127.7
产品销售率	%	100.0
利税总额	亿元	6.7
其中：利润	亿元	-2.7
出口创汇	亿美元	1.76

注：1. 按股份公司一体化内部核算办法，完成内部利润5.12亿元。
2. 公司重组改制后于2000年正式运作，因此指标与上年不可比。

【销售收入首次突破100亿元】　2000年，中国石油大连石化公司生产经营形势十分严峻。前3个季度原油价格持续上涨，大大超过企业成本承受能力，再加上产品顺价滞后，企业出现亏损。对此，该公司积极采取降本增效措施，以市场为导向、以效益为中心调整生产方案，适时增产适销对路、附加值较高的产品。继续实施成本否决和货币化核算，重点控制维修费、管理费、财务费、采购费的支出，收到较好效果。从9月份起开始赢利，全年实现销售收入127.7亿元，首次突破100亿元；产品销售率也达到100%。

【上缴税费名列全市之首】　2000年，中国石油大连石化公司积极拓展销售渠道，开辟国际国内两个市场，扩大产品销量，销售收入比上年增加47.7亿元。企业增值税随之增加2174万元，消费税增加9412万元，城建税、教育附加费、地方教育费等均有增加。全年累计上缴税费8.16亿元，名列全市50户纳税大户之首。

【石蜡基含锌内燃机车四代油获辽宁省优秀新产品金奖】　2000年，中国石油大连石化公司完成5项新产品的研制开发，其中石蜡基含锌内燃机车四代油获辽宁省优秀新产品金奖。该产品能够满足大功率高热强度机车柴油机的使用要求，具有良好的清净、分散、抗氧抗磨和碱保持性，使用性能和质量水平与美国机车维修者协会（LMOA）和通用电器公司GE分类的内燃机车四代油相当，达到国际当代同类产品水平。

【公司被评为全国设备管理优秀单位】　2000年，中国石油大连石化公司开展“大打设备翻身仗”活动，重点抓好装置长周期运行、设备保运及工程质量，严格检查、考核，设备状况明显好转，抢修次数少于往年。设备完好率和主要设备完好率分别达到99.7%和99.6%，均比上年有所提高；静密封点泄漏率0.2‰；6套停检装置全部实现一次开车成功。公司被中国设备管理协会评为第五届全国设备管理优秀单位。

【“三苯”联合装置建成投产】　2000年

国内最大的"三苯"联合装置在中国石油大连石化公司建成投产。　马谊东　摄

12月9日，国内最大国产化攻关项目"三苯"联合装置在中国石油大连石化公司建成投产，完成投资6亿元。该装置工艺水平达到国际先进水平，年可生产苯乙烯5.6万吨、可发性聚苯乙烯4万吨。　　（邹玉华）

·大连西太平洋石油化工公司·

【3项指标跃居全市工业第一位】　2000年，大连西太平洋石油化工公司克服国际市场原油价格不断上涨的不利因素，强化管理，狠抓经营，扩大出口，取得很好的经济效益，超额完成各项经济指标。销售收入、实现利润、出口创汇3项指标跃居大连市第一位，增幅分别达到1.1倍、3倍和1.9倍。

2000年大连西太平洋石化公司主要经济指标完成情况

	单位	实际完成	比上年增长(%)
资产总额	亿元	82.84	4.5
资产负债率	%	75	-5.2（百分点）
工业总产值（1990年不变价）	亿元	125	92.3
工业增加值	亿元	14.9	27.4
销售收入	亿元	130	111.0
产品销售率	%	96.5	-0.5（百分点）
利税总额	亿元	10.5	40.0
其中：利润	亿元	5.31	300.7
出口创汇	亿美元	5.5	189.0

【成品油出口成为国内第一大户】　2000年，大连西太平洋石油化工公司积极实施"立足国内，开拓国际"的经营战略，开拓国际市场成绩显著。产品不仅销往日本、韩国、新加坡、印尼、泰国、香港等亚洲国家和地区，而且远销美国、澳洲，出口量达到205万吨，是上年的2倍，占产品总量的36.3%和液体产品总量的43.5%，约占全国成品油出口总量的1/3，成为国内成品油出口第一大户。

【出口创汇和销售额名列辽宁省外商投资企业第一名】　2000年，在辽宁省政府评出的十大出口创汇外商投资企业和十大高销售额外商投资企业中，大连西太平洋石油化工公司以1999年出口创汇1.9亿美元和销售额61.5亿元的成绩双获第一名。

近年来，该公司在完成国家配置计划的基础上，发挥国内、国外"两种资源、两个市场"的优势，努力提高加工负荷，大力开拓国际市场，增加产品出口，取得显著效益。

【纳税额名列全市第二】　2000年，在大连市首次表彰的50家纳税大户中，大连西太平洋石油化工有限公司名列第二，纳税额高达5.23亿元。自1997年全面投产以来，该公司共向国家缴纳税金23亿元，为大连市和国家的经济发展做出巨大贡献。

【公司获辽宁省"花园式工厂"称号】　自1997年投产以来，大连西太平洋石油化工公司在搞好生产经营的同时重视厂区的绿化美化。至2000年，累计建成绿地17.2万平方米，占公司占地总面积的7%；人均绿地面积156平方米。厂区炼塔林立、管道纵横，地绿天蓝、环境优美，成为大连市著名的工业旅游景点之一，被辽宁省政府授予"花园式工厂"称号。

被辽宁省政府授予"花园式工厂"称号的大连西太平洋石油化工公司。

西太平洋石化公司　供稿

【500 万吨/年炼油工程通过国家竣工验收】 大连西太平洋石油化工公司500万吨/年炼油工程是由中国石油天然气股份有限公司、大连市建设投资公司、大庆市庆大贸易（集团）公司、中国化工进出口总公司、中化（香港）石油国际公司、中国化学工程公司和法国道达尔公司等7家股东共同投资兴建的我国第一个大型中外合资石油化工项目，位于大连经济技术开发区海青岛，占地面积2.5平方公里，总投资10.13亿美元。1987年7月经国家计委批准立项，1992年5月正式开工建设，1997年8月全面投产一次成功。开工3年来，各项指标达到国家规范要求。2000年4月通过国家竣工验收。

【原油加工量名列全国第二】 2000年，大连西太平洋石油化工公司通过技术挖潜及优化运行，实现安全稳定大负荷生产。加工原油622万吨，比上年增长46%，装置负荷率达到设计加工能力的1.2倍（设计年加工原油能力500万吨）。原油加工量在中国石油天然气股份有限公司所属16家大炼厂中仅次于抚顺石化公司，居第二位。 （王国松）

交通运输设备制造业

【概况】 2000年，大连市全部国有和年销售收入500万元及以上非国有（以下简称规模以上）交通运输设备制造业企业数量增加，资产扩大，其中净资产比上年增长34.8%。全行业经济较快发展，工业增加值、利税总额和盈亏相抵后利润额分别增长27.2%、43%和23%。

全市规模以上交通运输设备制造业中，船舶机械设备、机车车辆配件、汽车零部件及配件、客车等制造业形势相对更好。其中：船舶机械设备制造业产品销售收入和利税总额均有增长；机车车辆配件制造业由亏损转为盈利，成本费用利润率比上年提高3个百分点；汽车零部件及配件制造业资本积累增加，企业增加3个，产品销售收入和利税总额均有增长；客车制造业虽未走出低谷，但比上年减亏，减亏幅度为25%，产品销售收入增长38%。

2000年大连市规模以上交通运输设备制造业主要经济指标完成情况

	单位	实际完成	比上年增长(%)
企业	个	88	—
资产总额	亿元	160	16.4
其中:净资产	亿元	52.6	34.8
工业增加值	亿元	23	27.2
产品销售收入	亿元	70.8	-3.5
利税总额	亿元	5.4	43.0
其中:利润	亿元	2.3	23.0
全员劳动生产率	万元/人	5.04	31.4 (按可比价格计算)
出口创汇	亿美元	3.72	13.8

（市统计局提供 陈世荣执笔）

·大连造船厂·

【船舶市场开拓有新突破】 2000年，大连造船厂进一步调整产品结构，坚持国内、国际两个市场并举，坚持高新技术产品开发与批量化相结合。共承接9艘船舶建造任务，总造价20.15亿元。其中：3万吨多用途集装箱船4艘、4.5万吨化学品船3艘、4.6万吨成品油轮2艘；出口船7艘。为塞浦路斯和哥伦比亚承造3万吨多用途集装箱船，标志着中国船舶产品首次进入两国市场；为新加坡和南京长江海运公司承造的4.5万吨化学品船和4.6万吨成品油轮，标志着工厂自主开发的优势产品已形成批量生产态势，使企业生产保证系数再度上升，为"十五"期间的新发展创造了良好条件。修船经营承揽船舶31艘，承接金额达5099.3万元。

2000年大连造船厂主要经济指标完成情况

	单位	实际完成	比上年增长(%)
资产总额	亿元	35.6	6.9
工业总产值(1990年不变价)	亿元	19.02	-10.0
工业增加值	万元	520	-10.6
产品销售收入	亿元	12.73	-23.9
产品销售率	%	100	—
利税总额	万元	3875	-38.8
其中:利润	万元	2664	0.5
出口创汇	万美元	5333	-50.0
资产负债率	%	82.2	2.1 (百分点)

【首制1.2万吨多用途集装箱船交工】 2000年6月9日，大连造船厂为希腊皮尔索斯公司建造的1.2万吨多用途集装箱船首制船"CEC·阿特拉斯"号签字交工。

该型船是我国首次为希腊船东承建的高技术含量船舶，按照美国船级社规范设计建造，在同类型船中自动化程度最高。1999年被评为国家级新产品。

【首制具有世界先进水平的船舶驾驶操纵系统】 2000年，大连造船厂为瑞典建造的1.23万吨滚装船是具有当代世界先进水平的高新技术产品。该船的驾驶操纵系统具有世界先进水平，由该厂与美国利顿电器公司联合设计，旅顺航海电器有限公司制作。其雷达、陀螺罗经、电子海图、自动操舵等300多个部件，组合在20个不同的控制台中，提高了船舶驾驶职能化和操作自动化程度。此前，世界上能掌握该项技术的仅有美、英、德三国。中国是亚洲惟一能够掌握该项技术的国家。

【所建舰船编队首次远涉三大洋】 2000年7月5日~9月7日，由大连造船厂建造的"深圳"号导弹驱逐舰和"南仓"号远洋综合补给船组成的中国海军舰艇编队，首次远涉三大洋，访问亚非3个国家，历时65天，航程1.6万海里。

"深圳"号导弹驱逐舰是我国吨位最大、技术最先进、作战和编队指挥能力最强、现代化和国产化程度最高的水面战斗舰艇，有"神州第一舰"之称，是21世纪前期我国海军主战舰艇之一。这2艘舰船在航行中经历8~9级大风造成的恶劣海况，工作状态始终良好，为扬国威、振军威做出了贡献。

【非船产品首次进入欧美市场】 2000年，大连造船厂与法国艾威绝热工程公司合作生产的工业绝热新产品"隔热套"返销法国；为美国客商研制生产的首批3000件、重达11吨的铧犁档板锻件全部完成，非船产品首次进入欧美市场。全年非船经营承接金额达1.69亿元，比上年增长6%。

【世界最大的古船金属模型落成】 2000年6月22日，由大连造船厂技术中心设计、大连造船厂联营企业华南有色金属铸造厂制造并安装的“郑和宝船”铜质船模，在改造后的大连港湾广场落成。

该船模约按实船的1/4比例设计制造，总长28.8米，型宽11.8米，型深6米，采用钢结构骨架，外壳用5毫米厚的黄铜板焊接而成，总重量90吨。甲板有1根18米高的主桅杆，外加2根副桅杆和6根小桅杆，挂有9张船帆，是世界上最大的古船金属模型。船模周围设有浪涌式喷泉，形成船在大海中航行的逼真效果。（徐金成）

·大连新船重工有限责任公司·

【大连新船重工有限责任公司成立】2000年8月18日，大连新船重工有限责任公司正式成立。江泽民总书记请大连市委书记薄熙来转达他对大连造船新厂建立10周年、大连新船重工有限责任公司正式成立和30万吨超大型油轮开工建造的祝贺。

该公司是由大连造船新厂整体改制建立的。由于造船新厂在建设过程中向国内4家银行借贷，债务总额达10.7亿元，资产负债率高达96%，企业发展受到严重制约。1999年11月经国务院批准，该厂被列为全国首批、船舶行业首家实施债转股的企业，并于2000年3月31日，与国家开发银行、中国东方资产管理公司、中国信达资产管理公司和中国华融资产管理公司签订债权转股权协议书。依据协议，上述4家金融部门将以各自对大连造船新厂的债权（所相当的资产）作为出资，中国船舶重工集团及所属大连造船新厂以净资产作为出资，共同组建资本多元化、管理规范化的有限责任公司。这对企业全面提高经济运行质量，积极参与国际竞争，加大承接高技术、高附加值和超大型船舶与海洋工程产品力度等，具有重大意义。

【主要经济指标全面攀升】　2000年大连新船重工有限责任公司各项经济指标完成情况良好，增长幅度较大。工业总产值、造船总吨位、承接合同总量、出口交货值等指标，居全国同行业前列，其中手持船舶订单15艘、252.6万载重吨，列全国首位、世界各大船厂第21位。实现利税总额比上年有较大增长，超额完成辽宁省政府下达的创利任务。修船生产实现产值1.4亿元，比计划翻了1番多，首次进入全国八强行列。造船生产实现预定目标，提前1个月完成全年交船计划。

2000年大连新船重工有限责任公司主要经济指标完成情况

	单位	实际完成	比上年增长(%)
资产总额	亿元	53.9	128.0
工业总产值（1990年不变价）	亿元	16.5	102.9
工业增加值	亿元	3.8	119.1
产品销售收入	亿元	16.95	82.1
产品销售率	%	100	—
利税总额	万元	6472	290.8
其中：利润	万元	258.5	17.4
出口创汇	亿美元	1.38	50.0
资产负债率	%	66.9	-19.7（百分点）

【公司获国内最大一笔卖方信贷】　2000年3月17日，中国进出口银行为大连造船新厂向伊朗出口5艘30万吨油轮（VLCC）项目提供出口卖方信贷合同和出口信用保险单签字仪式，在北京人民大会堂举行。该项目合同总金额3.7亿美元，创下国内迄今为止单笔金额最大的一笔出口卖方信贷纪录。承接建造VLCC是党和国家领导十分关注的重大涉外工程，表明我国造船水平和造船能力的迅猛提高，也为我国船舶工业更大规模、更大范围地走向国际市场创造了条件。

【“港海1号”钻井平台通过技术鉴定】　2000年3月，“港海1号”自升式气垫组合钻井平台在大港油田通过了由中国石油天然气集团公司和中国船舶重工集团公司联合进行的技术鉴定。鉴定认为：该平台能在国内外常规钻井平台难以进入的0～2.5米极浅海域进行钻探作业，平台桩腿结构合理、高效可靠，薄壁结构强度与刚度设计先进，填补了国内空白，并达到20世纪90年代国际同类产品先进水平。

该平台是国家“八五”期间重大技术装备攻关项目，1998年3月由大连造船新厂建成。投产后分别在渤海西部0米～2.5米极浅海区成功完成2口油井的钻探任务，经受了海上连续作业8个月的考验，总体性能良好，运行安全可靠，取得显著的经济效益和社会效益。

【5618TEU集装箱船建造合同签字】2000年6月6日，大连造船新厂为中国海运（集团）总公司建造4艘5618TEU集装箱船（C5600）合同签字仪式在北京人民大会堂举行。国防科工委、国务院政策研究室、交通部、国家海事局、国家经贸委、国家计委、财政部、外经贸部等有关部门领导出席签字仪式。

5618TEU集装箱船是国际航运市场中最先进的第六代集装箱船，也是迄今为止我国承建的最大的集装箱船，标志着中国船舶工业在高新技术船舶建造领域取得又一项重大突破，对于造船工业调整产品结构，促进产品升级具有十分重要的意义。第一艘集装箱船将于2002年12月31日交工，至2004年6月30日将全部交工。

【中国首艘30万吨超大型油轮开工建造】　2000年8月18日，大连新船重工有限责任公司为伊朗国家油轮公司建造的30万吨超大型油轮（VLCC）正式开工。伊朗国家石油部副部长苏里出席开工仪式，并按动数控切割机切割电钮，为建造VLCC的第一块钢板点火。国防科工委及航空、航天、核工业、兵器4大行业8大集团公司和辽宁省、大连市有关领导出席开工仪式。

【国内最大的内转塔式浮式储油轮开工建造】　2000年3月15日和8月18日，大连新船重工有限责任公司为中国海洋石油总公司建造的2座内转塔式15万吨浮式生产储油轮（FPSO）先后开工。该储油轮采用国际上最先进的内转塔式单点系泊技术，保证10年内可在百年不遇的台风条件下，固定在海区油田进行正常采油作业，是我国自行设计建造的吨位最大、技术含量最高的浮式生产储油轮，将成为我国开采渤海、南海石油资源的关键设备。

【“南海4号”钻井平台改装工程完工】　2000年8月18日，大连新船重工有限责任公司改造完工“南海4号”大型海洋石油钻井平台，正式交付中国海洋石油总公司南方钻井公司。这是该公司继

1998年完成“渤海4号”钻井平台大规模改造工程后，按照当代国际先进技术水平高质量改造完工的又一座大型钻井平台悬臂梁改装工程，并创造了坞内工期65天的新纪录，从而奠定了该公司在国内进行大型钻井平台改装、修理的“龙头”地位，也为我国海洋石油工业的发展增强了活力。

【公司获全国质量管理小组活动优秀企业称号】　2000年，大连新船重工有限责任公司质量管理活动取得丰硕成果，在全国质量管理活动评比中获得全国质量管理小组活动优秀企业称号。

当年，该公司在承建30万吨超大型油轮（VLCC）、15万吨浮式生产储油轮（FPSO）和5618箱集装箱船（C5600）为代表的一批高技术、高附加值产品过程中，全面开展“纠正不良施工习惯”及“五查”活动，启动质量“三级确认制”和质量工作评价，使产品质量始终处于受控状态。质量体系顺利通过DNV（挪威船级社）、中国新时代认证中心年度3次监督审核。由于该公司船舶设计、建造质量日益提高，丹麦马士基航运集团、挪威DSD公司在订购多艘11万吨成品油轮后，又分别签订该型油轮各1艘的建造合同，使该公司承建的该型油轮累计达到11艘。

【船体外板水火加工成型技术研究获国家科技进步二等奖】　（见第250页）

（李　德）

·大连机车车辆厂·

【生产经营创新水平】　2000年，大连机车车辆厂面对日趋激烈的市场竞争形势，负重攻坚，出色完成各项生产任务。

全年新造机车229台、货车561辆，修理（改造）内燃机车34台，生产配件2.9万件，生产钢水1.6万吨。实现全员劳动生产率12.3万元/人，经营资本收益率4.6%；实现利润2218万元，比上年增长0.4%。

2000年大连机车车辆厂主要经济指标完成情况

	单位	实际完成	比上年增长(%)
总资产	亿元	16.82	21.0
工业总产值（1990年不变价）	亿元	12.42	-1.5
工业增加值	亿元	3.97	5.7
产品销售收入	亿元	13.23	0.1
产品销售率	%	94.4	-1.6（百分点）
实现利税总额	万元	8613	-0.01
其中:利润	万元	2218	0.4
资产负债率	%	51.2	16.9（百分点）

【东风4DJ型交直交干线内燃机车研制成功】　2000年6月28日，我国首台干线东风4DJ型交直交干线内燃机车在大连机车车辆厂研制成功。该型机车综合运用大连机车车辆厂和德国西门子公司的成功技术和先进技术，采用世界上交流传动最新发展技术，起动牵引力达555千牛顿，最高时速达到145公里，填补了国内大功率干线交直交内燃机车的空白。它的问世，标志着我国大功率干线内燃机车进入当今世界同类产品的先进行列，也标志着大连机车厂内燃机车制造技术取得历史性突破。

【“毛泽东号”机车第三次换型】　2000年11月2日，大连机车车辆厂举行“毛泽东号”机车换型交车庆典。“毛泽东号”机车1946年10月30日命名，原为蒸汽机车。1978年3月10日、1991年8月29日两次换型，分别换用大连机车厂生产的东风4型0002号、东风4B型1893号内燃机车，换型后安全运行近400万公里，相当于绕地球100圈。第三次换型采用大连机车厂生产的东风4D型1893号内燃机车，该型机车经过1997、1998、2000年3次铁路提速的考验，技术先进，性能稳定，质量过硬。作为一面旗帜，“毛泽东号”机车换型后，将继续为中国铁路运输事业做出新贡献。

第三次换型后的“毛泽东号”机车。　　机车厂　供稿

【“神州号”动车组投入运营】　2000年7月28日，大连机车车辆厂与长春客车厂合作，研制成功“神州号”动车组。该动车组为“两动十拖”，动车由微机控制，全列由动车集中供电，设有空调、立体声广播和全球卫星定位系统等现代化设施；列车装用新型高速转向架、空气弹簧减震等多项新技术。10月18日在北京铁路局京津线上正式投入运营，是中国城际动车组中实际运用速度最快（试验时速180公里）、牵引功率最大、载客数量最多（全列定员1410人）、设计制造最为先进的双层动车。

【首台“大力”牌电力机车研制成功】　2000年12月12日，大连机车车辆厂研制成功首台“大力”牌韶山4改进型电力机车。该型电力机车由2节完全相同的4轴机车重联成8轴机车，功率6400千瓦，时速100公里，拉5000吨货物在6‰的坡道上，时速可保持50公里以上，特别适合铁路货运重载牵引需要。它的研制成功，使大连机车厂成为国内铁路机车制造行业中惟一一家集内燃机车制造和修理为一体，可同时生产内燃机车和电力机车的企业。

【厂技术中心建设评估名列全市之首】2000年，大连机车车辆厂国家级企业技术中心建设经中国科学院评估研究中心评审，各项指标在大连市排名第一，在辽宁省排名第二。

该技术中心建于1993年，1994年被确认为国家级企业技术中心。编制502人，其中高级工程师122人。主要技术带头人中有12名专业主任设计师和7名获国家特殊贡献奖、享受政府特殊津贴的中青年专家。至2000年，累计研制开发了东风4D型客运、货运、调车、牵引发电两用，东风10D型，东风F型，CKD6A、7A、8A、8B型，GKD03、5B、5C、5D型等20余种内燃机车、液力传动机车和电力机车，还研制开发出240系列、280系列多种柴油机，并形成东风4D型、CKD型、GKD型机车系列化。其中，东风4D型机车是我国铁路提速的主型机车；CKD型机车已出口6个国家；“大力”牌机车被命名为辽宁省名牌产品。　　（尹宝雨）

机械工业

【概况】　2000年，大连市机械工业实现稳步较快发展。全市全部国有和年销售收入500万元及以上非国有（以下简称规模以上）机械工业资产总额、工业增加值、利税总额和利润额，分别占全市规模以上工业总量的32.5%、30.2%、31.2%和36.3%，其中资产总额和利税总额的比重分别比上年提高0.03个和4.04个百分点。

全市规模以上机械工业稳步较快发展的主要原因：(1) 周边国家经济复苏，出口形势好转，经济环境有所改善，出口创汇13.15亿美元，比上年增长15.3%。(2) 随着结构调整，部分企业经营形势转好，全行业利润大幅度增长，比上年增长近1倍。(3) 技术装备和经营管理水平提高，带动经济效益水平大幅度提高。全员劳动生产率和成本费用利润率分别比上年提高39.6%和2.5个百分点。

2000年大连市规模以上机械工业主要经济指标完成情况

	单位	实际完成	比上年增长(%)
企业	个	359	—
资产总额	亿元	482	10.3
工业增加值	亿元	80.5	35.1
产品销售收入	亿元	281	13.9
利税总额	亿元	29.4	89.0
其中：利润	亿元	15.8	95.4
全员劳动生产率（按可比价格计算）	万元/人	4.7	39.6
成本费用利润率	%	5.83	2.5（百分点）
出口创汇	亿美元	13.15	15.3

规模以上机械工业中，部分行业发展较快：

普通机械制造业发展较快，完成工业增加值34.9亿元，增长33.6%；实现产品销售收入118.2亿元，增长17.1%；实现利税总额13.7亿元，增长70.5%。其中，内燃机、金属切削机床、锅炉、电动工具和阀门等制造业经济较快增长，增加值增长速度均在10%以上。

专用设备制造业规模扩大。企业数由上年的35个增加到45个；年末资产总额达32.8亿元，比上年扩大26.7%。实现产品销售收入23亿元、利税总额1.7亿元，分别增长21.6%和20.9%。其中，其他机电工业专用设备、纺织服装皮革工业专用设备、渔业机械制造业和工业专用设备修理业等行业经济增长较快，工业增加值和利税总额均有增长。

电气机械及器材制造业快速增长。完成工业增加值14.75亿元、利税总额7.5亿元，分别增长39.1%和3倍多。

仪器仪表及文化、办公用机械制造业进入新的发展时期。年末资产总额扩大，达13.6亿元，比上年增长10.8%；完成工业增加值2.1亿元，增长1.5倍；实现产品销售收入6.7亿元，增长16.6%；经济效益水平提高，实现利税总额1亿元，盈亏相抵实现利润7265万元，分别增长88.3%和55.8%。

（市统计局提供　陈世荣执笔）

·大连市机械工业管理局·

【产品出口持续快速增长】　2000年，大连市机械工业局局属企业产品出口在上年增长10.8%的基础上继续大幅增长。完成出口供货值6.79亿元，比上年增长26.9%；自营出口创汇3349万美元，增长27.7%。

积极参与国际市场投标，扩大产品出口。在国际市场竞标中中标37项，中标额2.81亿元，其中大起集团公司中标4项、2.08亿元。

不断提高自营能力，增加出口创汇额。大连叉车厂、大连电瓷厂自营出口分别比上年增加175万和151万美元。伯顿电机（有）、蒂业技凯（有）等合资企业的产品出口进入收获期，出口量逐年上升，创汇额达到1497.5万美元。

【企业效益大幅增长】　2000年，大连市机械工业企业经济运行呈现良好发展态

2000年大连市机械工业出口创汇超100万美元企业情况

单位：万美元

排序	企业名称	出口创汇	比上年增长(%)	其中：自营创汇
1	大连冰山集团有限公司	3918	130.5	3243
2	威斯特电机有限公司	2437	107.3	2437
3	瓦轴集团有限责任公司	2160	122.3	1738
4	大连重工集团有限责任公司	1570	151.7	361
5	大连大起集团有限责任公司	1790	113.1	41
6	大连机床集团有限责任公司	640	146.6	330
7	大连叉车厂	400	446.3	177
8	大连液压件厂	160	121.6	108
9	大连电瓷厂	520	137.1	216
10	大连高压阀门厂	360	110.3	137
11	大连第二电机厂	225	4140	225

势，生产与销售同步快速增长，产销衔接发展趋势良好。实现工业总产值95.6亿元、销售收入100.6亿元，均比上年增长21.2%。经济效益大幅增长，实现利润5.04亿元，增长1.3倍。市机械局属国有企业扭亏为盈，实现利润5035万元，在消化前期亏损6000余万元的基础上，比上年增加1.18亿元。本市机械工业企业经济效益综合指数在全国17城市排序中位居第四位。

2000年大连市机械工业主要经济指标完成情况

单位：亿元

	实际完成	比上年增长(%)
工业总产值(1990年不变价)	95.6	21.2
其中:国有企业	88.6	20.8
销售收入	100.6	21.2
其中:国有企业	95.1	21.7
利润	5.04	130.0
其中:国有企业	4.83	97.4

2000年大连市机械工业销售收入超亿元企业

单位：亿元

排序	企业名称	销售收入	比上年增长(%)
1	大连冰山集团有限公司	35.8	13.1
2	瓦轴集团有限责任公司	17.6	-2.8
3	大连柴油机厂	14.8	45.3
4	大连重工集团有限责任公司	7.3	44.1
5	大连机床集团有限责任公司	7.2	123.6
6	大连大起集团有限责任公司	4.3	75.6
7	大连叉车厂	1.5	23.0
8	大连电瓷厂	1.2	-11.7
9	大连油泵油嘴厂	1.2	-14.5

【企业实施债转股取得成效】　2000年，大连市机械工业有4个企业实施债转股，转股总金额13.1亿元，其中大重集团公司1.01亿元、大起集团公司2.38亿元、瓦轴集团公司2.34亿元、大机床集团公司7.4亿元（含组合机床研究所）。大重集团公司债转股后组建的华锐公司已挂牌运行。通过债转股，市机械局属企业资产负债率约降低10个百分点。

【进军西部市场】　2000年，大连市机械工业首次组团赴西南、西北地区，开展大规模招商活动。分别于8月、9月在昆明和兰州召开大连市机械工业产品说明暨工程项目洽谈会，整体展示实力，并为加强与西部地区各领域的合作开辟新的途径。招商活动取得喜人效果，共签订产品供货合同14项，合同金额1.22亿元；确定跟踪工程项目30项，金额13.67亿元。

【5个技改项目被列为国家重点贴息项目】　2000年，大连市机械局共实施技术改造项目14个，其中5个被列入国家重点贴息项目。这5个项目是：瓦轴集团公司的冶金矿山配套轴承项目和轿车轮毂轴承技术改造项目、大重集团公司的城市垃圾综合处理技术设备项目和连铸连轧成套设备技术改造项目、大连叉车总厂的正面吊运机技术改造项目，项目总投资5.57亿元，并实现当年审批、当年启动。

【企业搬迁改造全面展开】　2000年，大连市把企业搬迁改造与企业整体规划、工艺布局水平提高及建立全新企业结合起来，促进机械工业结构不断优化。当年有15个企业被列入市搬迁改造计划，实际完成5个：大连机床集团机械分厂、现代轴承公司、大连电机集团一分厂、大连第四仪表厂、大起集团公司铸锻分厂。这5个企业共盘活土地17.6万平方米，可获得土地出让金2.62亿元，至年末已到位7650万元。其他10个企业中，有7个签订土地出让协议，预计盘活土地27.1万平方米，可获土地出让金2.4亿元，至年末已交付预订金1700万元。

【技能大赛和技师评定促进技工队伍素质提高】　2000年，大连市机械工业局组织2次技工技能大赛，共有24个企业、8个工种、529人参加。名列8个工种前10名的80名选手分别获得技术状元、技术能手、大赛优胜者证书并获高级工以上技术等级证书。与此同时，对12个工种的工人技师进行考评，共有119名高级工通过答辩，获得工人技师证书。技能大赛和技师考评极大地调动了职工热爱岗位、钻研技术的热情。截至年末，该局技工队伍中高级技师比重已达2%，技师达5%，高、中级工人达50%，技工队伍的整体素质得到明显提高。

【大起集团公司进军航天市场】　2000年9月，大连大起集团有限责任公司为我国“神舟2号”载人飞船配套工程起重设备改造工程通过国家验收。

该集团公司制造的起重设备曾为我国“神舟1号”载人飞船工程配套。“神舟1号”飞船发射成功后，酒泉卫星发射中心称赞起重设备“稳定可靠、万无一失”，并与大起集团公司签订“神舟2号”载人飞船配套工程起重设备改造的合同。大起集团公司派出技术骨干，认真检测和改造各种起重设备，使设备运行极佳，确保“神舟2号”飞船发射成功。近年来，该集团公司已为我国酒泉、西昌和太原等卫星发射基地提供起重机运输设备上百台，并成为首选产品。

【大重集团公司承包并完成北良国家粮库机电控制项目】　2000年，大连重工集团有限责任公司总承包的北良60万吨国家粮食储备库机电控制项目试车成功，于11月25日通过大连北良公司和中咨监理公司的预验收。

大连北良60万吨国家粮食储备库工程是国家重点工程，其中央粮食储备库机电控制项目是“重中之重”。大重集团公司在强手如林的竞争中一举夺标，取得北良二期工程60万吨中央粮食储备库机电控制项目的总承包权。该项目共9大类、18个子系统，合同金额1.6亿元，是迄今为止我国重机企业和本市工业企业总承包的最大的机电控制项目。该集团公司以总承包北良项目和在国内诸多重点工程建设中创造的业绩，获得国家有关部门的总承包建设项目资质认可，成为我国重机行业和本市工业企业惟一拥有这一资质的企业。　（张晓萍）

·大连机床集团公司·

【主要经济指标全面增长】　2000年，大连机床集团公司主要经济指标全面大幅度增长，其中产品销售收入比上年翻了1番，利润增长21倍。

经济效益大幅提升的主要原因：产品产量的大幅度提高降低了产品成本，使产品价格随之下调，以低成本战略抢占市场；增加销售密度，销售网点由原

35个增至135个；从严管理，挖掘资源潜力，使生产能力得到大的提高；加快技术创新步伐，新产品开发取得可喜成果，共开发新产品11项；实现债转股，增强了企业活力。

2000年大连机床集团公司
主要经济指标完成情况

	单位	实际完成	比上年增长(%)
资产总额	亿元	19.88	0
工业总产值（1990年不变价）	亿元	6.20	68.5
工业增加值	亿元	1.38	8.9
产品销售收入	亿元	7.15	101.5
产销率	%	107.1	18.5（百分点）
利税总额	万元	3355	41.8
其中：利润	万元	583	210.0
资产负债率	%	72.7	6.7（百分点）
出口创汇	万美元	647	48.4

【债转股协议签订】　2000年6月，大连机床集团有限责任公司与中国华融资产管理公司、中国长城资产管理公司、中国信达资产公司签订债转股协议，按照精干主体、剥离辅体、精干高效的原则，重组一个由4方共同出资的新的有限责任公司——大连华根机械有限公司，总资产14亿元。其中：华融公司出资3.2亿元；长城公司出资2536万元；信达公司出资1089万元；机床集团出资3.8亿元。由于机床集团持股比重达到51%，华根公司属机床集团公司的控股子公司。

【新产品开发获佳绩】　2000年，大连机床集团有限责任公司完成新产品开发11项。其中：卧式高速加工中心DHSC500代表当代国际先进水平；5轴联动并联机床DCB510具有现代新概念；柔性组合机床及自动化装备的开发研制被列为国家重点技术创新项目；DKXM002精珩缸孔自动线、DU4670数控可换箱组合机床、TH6250卧式加工中心，被列为国家重点新产品试产项目。

完成7种新产品投产鉴定。DKXM002精珩缸孔自动线、DU4670数控可换箱组合机床2种产品可替代进口，达到国际同类产品先进水平；TH6250卧式加工中心、VD46立式加工中心、DKXM003精镗缸孔自动线等5种产品，达到国际同类产品水平。

完成2种新产品的科技成果鉴定。DX193桑塔纳轿车曲轴轴承盖加工数控自动线获大连市科技进步一等奖，DX210汽车发动机缸套加工柔性自动线获二等奖。申报DX193－C5机床夹具夹紧装置等4项国家专利。

【大连组合机床研究所加盟机床集团】　大连组合机床研究所是国家级科研院所，也是全国组合机床及自动化装备行业惟一的研究机构。2000年，该所整体加盟大连机床集团公司，使机床集团有了强大的科研开发中心和中试基地，真正成为全国组合机床产品科研开发和生产制造的龙头企业。（吴　娟）

·大连冰山集团·

【主要经济指标稳步增长】　2000年，大连冰山集团外抓市场、内抓管理，各项经济指标稳步增长。利用国家拉动内需的契机，大力开拓国内市场，销售收入比上年增长13.1%。在巩固原有市场的同时，全力开拓新市场，扩大加工贸易，出口创汇取得历史性突破，比上年增长30.5%。深挖潜力，强化成本管理，取得显著成效，利润总额比上年增长29.5%，实现速度与效益的同步增长。加大新产品开发力度，全年开发新产品86项，巩固了企业的市场先导地位。

2000年大连冰山集团
主要经济指标完成情况

	单位	实际完成	比上年增长(%)
资产总额	亿元	61.84	10.4
工业总产值（1990年不变价）	亿元	36.08	18.3
工业增加值	亿元	9.49	3.8
产品销售收入	亿元	35.75	13.1
产品销售率	%	98.8	1.2（百分点）
利税总额	亿元	4.42	26.6
其中：利润	亿元	2.36	29.5
出口创汇	万美元	3918	30.5
资产负债率	%	49.5	－0.5（百分点）

【冰山集团公司网站正式开通】　2000年4月1日，大连冰山集团有限公司网站Bingshan.com正式开通。网站分中文版和英文版，由公司简介、领导关怀、组织机构、产品系列、技术设备、质量体系认证、承接工程、国际市场、客户服务9个部分组成。冰山网站的开通扩大了公司知名度，增加了企业与用户网上交流的机会，充分显示出冰山集团的实力，巩固了冰山集团在同行业中的主导地位。

【“大篷车队”巡展大获成功】　2000年4～6月，大连冰山集团用10辆卡车组成“大篷车队”，到上海、南京、杭州、福州、广州、重庆、长沙、武汉、西安和济南10个城市举行产品实物巡展，集中展示企业的整体实力和品牌形象。此次巡回展示行程逾3万公里，投入上千万元，签订合同金额5000多万元，结交和回访新老客户6000多人，有效地拓展了市场空间，增强了“冰山”牌产品的市场影响力。

【博士后科研工作站成立】　2000年12月23日，经国家人事部批准，大连冰山集团博士后科研工作站正式成立，这是继该集团在组建冰山设计研究院后，在技术创新的组织保证上又一重大举措。博士后工作站的建立不仅有利于高校和科研院所的科技成果转化，而且有利于企业引进和培养高层次人才，将在企业的科技进步、技术创新、人力资源开发等方面发挥出重要作用。

【集团所属4个企业实施债转股】　2000年，经国务院批准，大连冰山集团有限责任公司所属金州重型机器厂、大连耐酸泵厂、大连开关总厂、大连保温瓶厂4个企业实施债权转股权。冰山集团于10月与中国华融资产管理公司签署债转股协议，并以4个企业为主体组建大连冰山石化装备有限公司，实现由国有独资公司向投资主体多元化的有限责任公司的转制。实施债转股后，集团资产负债率降低2个百分点。

【第25家合资企业成立】　2000年12月20日，大连冷冻机股份有限公司与香港保安水利工程（中国）有限公司正式签定大连冰山保安休闲产业工程有限公司的合资合同。这是大连冰山集团兴办的第25家合资企业，总投资35万美元，注册资本25万美元。主要从事人造真冰溜冰场和滑雪场的设计，成套设备的供应、安装、维修、保养和相关管理、培训等服务，以及游泳池、水景工程等康体休闲设施的研究开发。该公司的建立是冰山集团实行跨地区、跨行业、跨所有制经营的又一次重大飞跃。

【产品系列又添新成员】 2000年，大连冰山集团新产品研制工作取得新进展，制冷空调、石化通用、橡胶机械、环保、自动控制等产品系列又增加新成员86个。其中：LY型长轴液下泵被评为国家级新产品；DT系列卧式多级筒型泵、RYS系列石化流程泵获国家级科技进步奖；SBS橡胶膨胀干燥器填补国内空白。这些新产品市场空间广阔，其研制成功进一步巩固了该集团的市场先导地位。

【大连三洋制冷公司获国家级企业管理奖】 2000年1月11日，大连三洋制冷有限公司的“自我改善的柔性管理”被国家经贸委、中国企业家联合会评为企业管理创新成果一等奖。这标志着该公司以创新为根本的企业管理模式得到国家的认可。

近年来，该公司凭借管理、技术、质量、服务四大优势，创造出骄人业绩。至2000年，实现利税已连续6年超过1亿元，为投资各方带来丰厚回报。还被认定为大连市高新技术企业，并连续6年获辽宁省十大高效益外商投资企业、大连市纳税大户称号。 （陈治宇）

大连冰山集团第25家合资企业——大连冰山保安休闲产业工程有限公司成立。

冰山集团 供稿

电子工业

【概况】 2000年，大连市全部国有和年销售收入500万元及以上非国有（以下简称规模以上）电子工业资本积累增加较快，经济实现快速发展。年末资产总额占全市规模以上工业总量的8.5%，比上年提高1个百分点。工业增加值、销售收入、利税总额和盈亏相抵后利润均快速增长，增速分别为82.5%、25.7%、78.1%和28.2%。工业增加值、利税总额分别占全市规模以上工业总量的10.4%和13.6%。

全市规模以上电子工业中，电子计算机外部设备制造业实现工业增加值4.6亿元，利税总额和利润额均有增长；电真空器件制造业资本积累增加，经济增长迅速，年末资产总额和工业增加值分别为11.7亿元和47.3亿元，分别增长43.4%和57.5%；交换设备制造业生产扩大、效益提高，年末资产总额达13.7亿元，增加35.3%，全员劳动生产率和工业增加值分别提高53%和66.9%。

2000年大连市规模以上电子及通信设备制造业主要经济指标完成情况

	单位	实际完成	比上年增长(%)
企业	个	36	—
从业人员	万人	2.9	—
资产总额	亿元	125.4	24.3
工业增加值	亿元	27.7	82.5
产品销售收入	亿元	128	25.7
利税总额	亿元	12.8	78.1
其中：利润	亿元	6.1	28.2
出口创汇	亿美元	10.7	26.6

（市统计局提供 陈世荣执笔）

·大连市电子工业管理局·

【三大企业集团跨入全国电子工业百强企业行列】 2000年，大连市电子工业的中国华录、大连大显、大连联星三大集团，加快产业结构调整步伐，在资产重组和资本运营中培育出新的经济增长点，推动了集团经济稳定发展。

中国华录集团拥有控股、参股企业14家，已发展成为拥有数字化视听电子产品关键件、信息家电、录像软件、计算机网络智能机器人及自动化生产系统等多门类产品的高科技产业集团，具备雄厚的资金实力和综合规模优势。全年产品销售收入19.29亿元，实现利润6224万元。

大连大显集团加强产业结构调整，进行卓有成效的资产重组和运营，已拥有全资、控股、参股和关键企业33家，初步形成以关键元器件、零部件、加工为基础，以视听录像产品和通信产品为龙头的新型产业结构。全年产品销售收入57.91亿元，实现利润2.72亿元。

大连联星集团按“市场导向内外结合，以外促内加速发展”的总体思路，实施外向牵动策略，推动规模经济发展，集团核心企业实现投资多元化，不断扩大对外合资合作，一批有潜力的项目正在加紧运作。全年产品销售收入达到7亿元，实现利润1242万元。

中国华录、大显、联星三大集团的形成和发展，标志着全市电子信息产业结构调整初见成效。三大集团全部跨入国家信息产业部（按销售收入排序）2000年全国电子工业百强企业行列，成为行业发展的支撑力量和地区经济发展的重要力量。

【技术改造项目进展良好】　2000年，大连市电子工业实施技术改造项目6个，总投资2.69亿元，当年完成7015万元。电缆调制器、雷达厂房、精密轴扩建项目进展良好；新增CD、DVD光盘生产线当年投产，年产CD光盘3600万片、DVD光盘1200万片；新增摄像机磁头生产线5条，产量由800万对增至1300万对；信息网络产品技改项目被国家经贸委和信息产业部批准立项，列入国家第四批国债项目，投资1.2亿元，完成后可形成50万台的年生产能力。

【新产品开发取得新成果】　2000年，大连市电子工业开发新产品21项，其中市级新产品6项；实现新产品产值10亿元（未包括中国华录），比上年增长67%。

市级新产品中，导航雷达数字信息处理系统软件开发投入电子工业生产发展基金550万元；彩枪零部件与组件项目被列为国家第二批国债项目，总投资1.64亿元，投产后年产量可达3380万套，并可替代进口产品；中国华录·松下公司的液晶投影机属高科技产品，市场前景看好。其他新产品中，数控收款机、家用防盗报警器、数字式温控地毯等，是在消化吸收进口产品的基础上二次开发的新型民用数字化智能产品；机场监控系统、海洋数字通信系统、高速分解定控系统、海洋GPS定位探测系统（全球定位系统接收机）、汉字高亮度导航雷达等7个项目利用计算机技术监控或导航，是数字化技术取得的新成果，均被列入信息产业部科技开发计划。

（刘先发）

·中国华录集团·

【中国华录集团有限公司成立】　2000年6月18日，中国华录集团有限公司在大连正式注册成立。该公司为国有独资有限责任公司，中央直属企业，注册资本10.03亿元，占地面积25万平方米，建筑面积26万平方米，主导产品包括视盘机光头、光驱、机芯及整机；录像机磁头、磁鼓、机芯及整机；高密度光盘复制；计算机软件及软件工程；工业机器人及自动化工程；超硬材料刀具等。

该公司是中国华录集团的核心企业，下属控股、参股公司14家，中国华录·松下电子信息有限公司是其最大的控股公司和主要的生产加工基地。

【集团经营成果显著】　2000年，中国华录集团产品调整基本到位，产业结构布局更趋合理。通过债转股，降低了资产负债率，加大了企业的发展后劲。在继续扩大出口的同时加强国内市场开拓，工业增加值、产品销售收入、利税总额等经济指标比上年大幅度增长，其中利税总额成倍增长。

2000年中国华录集团
主要经济指标完成情况

	单位	实际完成	比上年增长（%）
资产总额	亿元	20.46	-9.0
工业总产值（1990年不变价）	亿元	25.29	39.6
工业增加值	亿元	3.73	87.0
产品销售收入	亿元	19.29	43.0
产销率	%	99.8	7.6（百分点）
利税总额	亿元	1	176.0
其中：利润	万元	6224	145.0
创汇	亿美元	1.7	38.0
资产负债率	%	61	5.0（百分点）

【投资入股软件企业】　2000年11月10日，中国华录集团有限公司投资1000万元入股大连海辉科技开发有限公司合同签字。

大连海辉科技开发有限公司成立于1996年，以大连海事大学及其科研领域优势为依托，主营计算机软件产品的开发、出口，尤其在港口、航运等海事软件方面具有优势。而中国华录集团公司早在1993年建成时就引进全套美国先进的企业资源计划（ERP）计算机辅助管理系统，并成立计算机软件技术公司，开始尝试软件开发。该公司此次入股海辉科技，正值国家和辽宁颁布实施鼓励发展计算机软件与集成电路产业政策之际，标志着中国华录开始全面进军信息产业，揭开中央大型国有企业参与建设辽宁“软件强省”和大连“软件强市”的序幕。

【债转股完成】　2000年8月22日，中国华录集团有限公司与中国长城资产管理公司和中国华融资产管理公司签订债转股协议，债转股金额7.48亿元，其中长城公司股3.91亿元、华融公司股3.56亿元。债权转为股权后，解决了中国华录集团公司长期全贷款经营的状况，为企业发展创造了良好条件。

【华录影音实业公司被批准为高新技术企业】　大连华录影音实业有限公司是中国华录集团有限公司控股子公司之一，2000年8月被市科委和高新技术产业园区管委会批准为大连市高新技术企业。之后，该公司投资2100万元，新增2条光盘生产线，使年生产能力达到CD类光盘3600万片或DVD类光盘1200万片，进一步拓展了业务空间。其高品质的产品和快速高效的服务在光盘行业有一定影响，在北京、广州、上海等地形成稳定的客户网络，并与HP、IBM等世界知名大公司建立合作关系。

【清华大学·中国华录信息技术研究所成立】　2000年11月6日，由清华大学和中国华录集团有限公司共同组建的清华大学·中国华录信息技术研究所在北京成立。该研究所通过研究开发电子、信息技术，最终形成自主知识产权的技术和产品；充分发挥清华大学在人才、技术方面和中国华录集团在生产、市场方面的优势，走产、学、研相结合的道路，推动科研成果向生产力转化，加快企业技术创新和技术进步。

【中国华录·松下公司录像机磁头生产规模居世界之首】　2000年7月，中国华录·松下电子信息有限公司开始扩大磁头产业规模，原由日本松下公司生产的录像机磁头全部改由该公司生产。新增磁头生产线5条，共107台设备。扩产后，该公司磁头年生产能力由原800万对增至1300万对，成为世界上产量最大的录像机磁头生产基地。

【中国华录·松下公司成为我国首家液晶投影机生产企业】　2000年11月，300台合格的液晶投影机首次在中国华录·

松下电子信息有限公司成功产出并销往北京、上海、成都、沈阳等地。

液晶投影机的科技含量、附加值均高于彩电、录像机、VCD、DVD等视频产品，它可与计算机、DVD、电视机连接，广泛应用于会议、教学、娱乐等领域，并开始进入居民家庭。中国华录·松下公司是日本松下液晶投影机在海外惟一的合资生产基地，也是我国首家全套生产液晶投影机的企业。（金　强）

·大连大显集团·

【经济保持快速稳定发展】 2000年，大连大显集团有限公司初步形成以关键零部件为基础，以视像产品和通信信息产品为龙头的新型产业结构。企业主导产品由1995年成立之初的“一管一枪”（显像管、电子枪）发展到上百种产品；总资产由8.9亿元增至50.83亿元；销售收入由8.6亿元增至57.91亿元，成为本市第一个销售收入超过50亿元的市属国有企业。

2000年大连大显集团主要经济指标完成情况

	单位	实际完成	比上年增长(%)
总资产	亿元	50.84	40.9
工业总产值（1990年不变价）	亿元	91.15	19.4
工业增加值	亿元	11.69	66.4
产品销售收入	亿元	57.91	37.2
产品销售率	%	97	4（百分点）
利税总额	亿元	7.13	164.7
其中:利润	亿元	2.72	34.7
出口创汇额	亿美元	3.5	50.9
资产负债率	%	57.6	9.7（百分点）

【快速进入信息产业】 2000年，大连大显集团坚持“在调整中发展，在发展中调整”的经营思想，在继续稳定原有产品在同行业的领先地位并不断进行升级换代的基础上，实施战略性结构调整，快速进入市场巨大的信息产业。6月21日和7月5日，先后在沈阳、大连举行大显IT产业产品暨数字通信产品首发式，正式推出“大显”牌信息产品，展示了高水准的“大显”牌三频录音手机、中国第一部跳/扩频数字无绳电话和电缆调制解调器等尖端产品。

【大连东芝电视公司等3家企业荣登全市50家纳税大户榜】 在大连市政府表彰的2000年全市50家纳税大户中，大连大显集团所属大连东芝电视有限公司、大连阿尔派电子有限公司和大连大显股份有限公司榜上有名。3家企业纳税额分别为1.56亿元、9828万元和4693万元，分别居排行榜第6、第10和第27位。

【大显股份公司新品开发结硕果】 2000年，大连大显股份有限公司依靠自身技术力量和资金实力，不断研制开发新产品，努力培育新的利润增长点。开发出10厘米扁平黑白显像管，该产品市场需求量较大，利润值较高，已形成批量生产。QSG123、Q25SG12－4型高分辩率电子枪和Q238X11－1型电子枪3种新产品通过市级投产验收鉴定，得到高度评价；被确定为大连市重点攻关产品的东芝型64厘米、73厘米和日立型64厘米彩管电子枪用金属零件攻关目标全部完成，通过市级专家验收。

【“大显”牌数字无绳电话问世】 2000年，大连大显集团开发的具有自己知识产权的“大显”牌数字无绳电话正式投放市场。该电话采用90年代世界最先进的跳/扩频技术语音脉码编解码（ADPCM）技术、前向纠错（FEC）技术、智能电池管理技术。经信息产业部上海电话机质量监督检验中心测试，31项技术指标全部合格，其跳频的抗干扰其他通信信号的特点，达到国际领先水平，填补国内空白。

【大显模具制造公司等2家企业通过ISO9001质量体系认证】 2000年7月15日，东北质量体系审核中心正式批准大显模具制造有限公司的质量体系按ISO9001《质量体系设计、开发、生产、安装和服务的质量保证模式》标准认证注册，并颁发了证书。大显模具成为东北地区模具制造行业第一家通过此项认证的企业。为日本索尼公司加工汽车音响放大器的专业生产厂家辽宁电位器厂所属阿萨其工场，于3月17日通过日本品质保证机构的认证，取得ISO9001质量体系认证资格，使其产品加工的地位更加牢固。（于瑞涛）

医药工业

【概况】 2000年，大连市全部国有和年销售收入500万元及以上非国有（以下简称规模以上）医药工业产销衔接较为稳定，劳动生产率提高，经济稳步增长。

大连大显集团生产的电子枪被誉为“中国第一枪”。图为工人们在组装产品。　于瑞涛　摄

全市规模以上医药工业中，生物制品业经济快速发展，年末资产总额扩大99.8%；完成工业增加值1.3亿元，比上年增长1.1倍；实现利税总额8775万元。化学药品原药制造业稳中有增，完成工业增加值1670万元，增长44.4%；实现利税总额1042万元。

2000年大连市规模以上医药工业主要经济指标完成情况

	单位	实际完成	比上年增长(%)
企业	个	13	—
从业人员	人	3866	—
资产总额	亿元	15.5	11.8
工业增加值	亿元	3	11.5
产品销售收入	亿元	8.4	1.3
工业产销率	%	92.3	1.5（百分点）
利税总额	万元	8355	-33.0
全员劳动生产率	万元/人	7.8	21.0
出口创汇	万美元	1079	-32.6

（市统计局提供　陈世荣执笔）

【大连制药厂搬迁改造完成】　2000年12月6日，大连市最大的国有制药企业——大连制药厂搬迁改造工程完成并正式投产。新厂位于高新技术产业园区，占地7.6万平方米，一期工程投资1.32亿元，是一个以化学合成药、生物制剂药和现代植物药生产为主，符合《药品生产质量管理规范》（GMP）要求和环保要求的现代化工厂。该厂搬迁改造的顺利完成，消灭了本市西部最后一个污染源。

12月18日，大药新厂的GMP认证工作开始，其6个剂型的药品一次性通过国家和省药品监督管理局组成的认证小组的认证。

为建立现代企业制度，该厂于3月10日正式更名为大连美罗大药厂，成为大连美罗药业股份有限公司的全资子公司。

【大连美罗药业股份公司股票上市】2000年10月12日，大连美罗药业股份有限公司A种股票在上海证券交易所上网发行，募集资金3.7亿元，为企业的进一步发展壮大奠定了物质基础。该股票发行当日还创造了本市上市股票首日各项指标的最高纪录。11月16日，“美罗药业”开始上市交易。

【核发医疗器械生产经营企业许可证】2000年，大连市有医疗器械生产企业46家、经营企业80多家。

为了规范本市医疗器械市场，大连市医药管理局贯彻国务院颁布的《医疗器械监督管理条例》，成立医疗器械核发《许可证》工作领导小组并组成工作班子，组织企业开展培训，为发证工作做好准备。经企业自查和申请，市医药管理局对企业进行分批验收。至年末，医疗器械生产企业中有8个为免检单位，7个正在申报；经营企业中已验收33个，其中32个通过了验收。

【16个医药大项目立项建设】　2000年，大连市医药工业立项并建设16个新的企业和项目，包括大连制药厂搬迁改造、经济技术开发区北洋X射线管球厂新建、大连万达高新药业公司新建、大连永兴医用材料公司新建等工程；总投资8.1亿元，其中吸引外资2.73亿元。这16个大项目大都具有国际水平和国内领先水平，全部投产和达产后，将使全市医药工业总产值增加30亿元，成为医药工业“十五”期间新的经济增长点。

（于家升）

冶金工业

【概况】　2000年，大连市全部国有和年销售收入500万元及以上非国有（以下简称规模以上）冶金工业市场需求相对不足，但结构调整加快，经济运行稳中有升，实现利税总额比上年增长39.5%。

全市规模以上冶金工业中，黑色金属冶炼及压延加工业完成工业增加值5.7

新建成的大连美罗大药厂。　　市医药管理局　供稿

亿元、利税总额10.9亿元，分别比上年增长12.2%和33.7%。有色金属冶炼及压延加工业扭亏为盈，实现利润总额146万元；完成工业增加值1436万元，增长70.9%。

2000年大连市规模以上冶金工业主要经济指标完成情况

	单位	实际完成	比上年增长(%)
企业	个	28	—
从业人员	万人	1.5	-17.3
资产总额	亿元	66.3	-5.1
工业增加值	亿元	5.9	13.3
产品销售收入	亿元	27.6	-6.1
利税总额	亿元	1.1	39.5
出口创汇	万美元	901	-4.3

（市统计局提供　陈世荣执笔）

·大连钢铁集团有限公司·

【成功开拓资本运营市场】　2000年，大连钢铁集团有限公司以“主业做精做专、集团做大做强”为发展理念，在重点搞好特殊钢生产经营的基础上，拓展资本运营领域业务。3月，由大钢主要优良资产组成的大连金牛股份有限公司的A种股票，在深圳证券交易所上市，募集资金3.8亿元；4月，大钢同华融、东方2家资产管理公司签署6.2亿元的债转股协议，使资产负债率大大降低；7月，在上海成立大龙投资有限公司，进行资本经营；12月，成立大连金利德工贸公司，涉足商贸领域。多元化的投资经营使大钢突破传统经营模式，向现代化企业集团的方向迈进一步。

【公司成为全国冶金企业改革脱困的先进典型】　2000年，大连钢铁集团有限公司胜利完成国有企业改革三年脱困目标，生产经营步入良性循环轨道，在全国同行业中的排名由原倒数二、三名，一跃进入前三名，成为全国冶金行业国有企业改革脱困的先进典型。与1995年相比，资产总额增长76.8%；净资产增长1.4倍；资产负债率降低11个百分点；工业总产值增长100%；销售收入增长45%；钢产量增长30%；钢材产量增长24.2%；全民在岗职工人数减少50%，集体职工人数减少80%；全员劳动生产率增长2.2倍；在岗员工人均年产钢量增长1.8倍。

2000年大连钢铁集团有限公司主要经济指标完成情况

	单位	实际完成	比上年增长(%)
总资产	亿元	44.67	2.9
资产负债率	%	60.63	-10.1（百分点）
工业总产值（1990年不变价）	亿元	12.55	37.2
工业增加值	亿元	2.54	2.1
产品销售收入	亿元	15.63	26.3
产品销售率	%	97.06	-0.7（百分点）
利税总额	万元	4367	-13.6
其中：利润	万元	523	-50.9
出口创汇	万美元	439	21.9

【产品结构调整迈出跨越性步伐】　2000年，大连钢铁集团有限公司的不锈钢、轴承钢、弹簧钢三大主导产品的产量，在上年创出历史最高水平的基础上又大幅提高，成为企业当年生产经营走上良性循环的重要因素。完成不锈钢材年产量3万吨、轴承钢材9.2万吨、合金弹簧钢材1.5万吨，分别比上年增长1.3倍、13%和10.8%，占钢材总量的比重分别达到10.2%、30.8%和5.1%。低效益的碳结钢、合结钢材的生产规模继续以较大幅度压缩，占钢材总量的比重分别比上年降低4个和3个百分点。实现钢材合金比77.9%、高合金比11.3%，分别比上年提高4.8个和5.6个百分点。

新产品开发也有很大突破。开发出5Cr13Mo等9个钢号的不锈钢新品种。共研制新钢号78个，新产品入库量1.1万吨，创效益1.9亿元。特别是首次开发出大于350毫米规格的模具扁钢，增加了一个很有市场前景的新产品。

【在全国同行业率先实行原材料物资招标采购】　2000年，大连钢铁集团有限公司在全国同行业中率先实行原材料物资招标采购，降低了采购成本，减少了串材抹帐对企业的冲击，对企业生产经营走上良性循环轨道起到明显作用。2月，首次召开废钢生铁公开招标采购大会，全国有80家企业参与投标，60家中标，共签订废钢供货合同22.9吨。之后，又先后举行首次铬系铁合金招标采购、第二次废钢生铁招标采购、第二次铬系铁合金招标采购3次大会，均取得圆满成功。4次招标大会共招标废钢30.1万吨、生铁3.7万吨、铬系铁合金1.2万吨，基本满足全年生产需要。此项改革得到中国企业联合会、辽宁省、大连市有关领导的高度评价。

【主导产品获国家冶金工业金杯奖】　2000年，经过严格的质量管理和大力度的工艺改革，大连钢铁集团公司的三大主导产品的实物质量大为提高。其中：不锈钢大盘重线材和轴承钢大盘重线材被国家冶金局产品质量中心评定为产品实物质量达到国际先进水平并获金杯奖；合金工具钢光亮材被国家冶金局质量监督部门认定为综合水平达到国际先进水平。不锈钢大盘重线材供不应求，成为大钢销售回现款的主要产品。轴承钢大盘重线材全国5家重点生产企业年总产量为35000吨，大钢产量占69%；合金工具钢光亮材以产品精度高、质量好、加工使用效率高等优势，成功替代进口产品，并有部分销往国外。

【大连金牛股份公司在全国同行业中业绩突出】　2000年，在全国生产特殊钢长型材的13个重点企业中，大钢集团控股的大连金牛股份有限公司取得不俗业绩。在年产钢量39.7万吨居第六位的情况下，实现利润总额8705万元，居第二位；人均年产钢量104.3吨，居第三位，如按人均生产优质钢计算，居第一位；标志产品技术含量的钢材优质比为100%，钢材合金比为77.9%，均居第一位。

（孔德生）

建材工业

【概况】　2000年，以非金属矿物制品业为主的大连市建材工业，在产品出口稳定增长特别是内需扩大的带动下，经济稳定较快增长。全市全部国有和年销售收入500万元及以上非国有（以下简称规模以上）建材工业经营状况好于上年，销售收入增加，资产得到扩张，行业劳动生产率和成本费用利润率大大提高。企业亏损面比上年降低15.8个百分点，改变了上年全行业亏损8400万元的局面，实现利税总额6.03亿元。

全行业形势明显好转的主要原因：(1)内需增长较快，国内建材市场看好，销售收入21亿元，比上年增长35.5%，有效带动建材工业生产快速增长。(2)国际市场相对好转，建材产品出口比上年增长6.1%。(3)建材产品更新换代加快，企业管理水平大大提高。建材工业总产出比上年增长29.6%，比中间投入增长幅度高16.7个百分点。

建材工业中，发展较快的主要是水泥制品业、砖瓦制造业及建筑用玻璃制品业。水泥制品业年末企业数由上年末的9个增加到13个；从业人员由779人增至2430人；年末资产总额由2.8亿元增至5.8亿元。全年实现利税总额7258万元；盈亏相抵后利润总额为4621万元。砖瓦制造业形势好于上年，企业由上年的4个增至10个，企业盈亏相抵减亏98%，实现利税总额429.5万元。建筑用玻璃制品业销售收入增长，行业经营扭亏为盈，实现利税总额达3.6亿元，其中利润3.3亿元。

2000年大连市规模以上建材工业主要经济指标完成情况

	单位	实际完成	比上年增长(%)
企业	个	74	—
资产总额	亿元	61.2	4.0
其中:净资产	亿元	19.7	53.4
工业增加值	亿元	7.5	102.4
销售收入	亿元	26.2	30.7
利税总额	亿元	6.03	—
其中:利润	亿元	4.3	—
全员劳动生产率	万元/人	3.3	112.8
			(按可比价格计算)
成本费用利润率	%	16.8	25.6
			(百分点)
出口创汇	万美元	5665	6.1

(市统计局提供　陈世荣执笔)

轻工业

【概况】　2000年，由于内需拉动的作用和周边国家经济的复苏，大连市全部国有和年销售收入500万元及以上非国有(以下简称规模以上)轻工业经济全面回升，工业增加值、利税总额和利润额比上年大幅度增长，增幅分别高达47.8%、67.9%和83.7%。国内外市场销售稳中看好，国内市场销售收入增长15%，出口交货值增长24%。

随着技术的不断进步，以非农产品为原料的规模以上轻工业快速发展，企业数由上年的107个增至128个，年末资产总额由120.4亿元增至135.9亿元；实现工业增加值28.5亿元、利税总额8.5亿元，分别增长85.1%和1.1倍。以农产品为原料的规模以上轻工业稳定较快发展，企业数由327个增至384个，年末资产总额扩大10.1%；实现工业增加值46.2亿元、利税总额10.8亿元，分别增长30.1%和45.6%。

2000年大连市规模以上轻工业主要经济指标完成情况

	单位	实际完成	比上年增长(%)
企业	个	512	—
从业人员	万人	14.8	-1.3
资产总额	亿元	337.3	11.2
工业增加值	亿元	74.7	47.8
产品销售收入	亿元	262.5	21.8
利税总额	亿元	19.4	67.9
其中:利润	亿元	10.1	83.7
全员劳动生产率	万元/人	5.06	49.7
			(按可比价格计算)
出口创汇	亿美元	14.4	24.0

(市统计局提供　陈世荣执笔)

·大连市轻工业总公司·

【改革脱困获佳绩】　2000年，大连市轻工业总公司围绕改革脱困目标，减人减债增效。全年减员分流5139人，仅大连皮子窝化工厂就一次性分流1834人，约占该厂职工总数的50%，对减轻企业负担、降低成本起到重要作用。

1998年起，市轻工业总公司开始清理41个企业的不良资产，至2000年末全部结案，涉及资金约1.6亿元，国家、省、市重点考核的大连盛道集团公司、大连铜管乐器厂、大连服装机械厂、金州盐场、金州制革厂等5个企业无一亏损。全系统全面完成市政府下达的各项指标，基本实现国有企业改革与脱困三年目标。有7个企业盈利50万元以上，其中盈利100万元以上的5个。

【中小企业产权制度改革步伐加快】　2000年，大连市轻工业总公司对62个拟进行产权制度改革的企事业单位，分3批进行了改制。至年末，共有35个企事业单位完成改制。其中：出售10个；实施股份合作制4个；租赁2个；销号8个；进入破产程序6个；划转兼并4个；改为公司制1个。

【加强盐业专营管理】　2000年，大连市政府下发《关于理顺全市盐业专营管理体制的通知》，对全市盐业专营管理体制做出明确规定，以进一步强化食盐专营，搞好食盐加碘和消除碘缺乏危害。主要有：(1)全市行政区域内的盐业行业管理、盐政执法和食盐专营管理，授权大连市轻工业总公司(大连市盐务管理局)统一负责；(2)大连市盐政稽查队对区市县盐政稽查队实行垂直领导，统一指挥和归口管理；(3)食盐生产经营按国家规定实行指令性计划管理和食盐专营的"五统"(统一计划、统一调拨、统一包装和仿伪、统一定价、统一结算)、"二定"(定点生产、定点批发)、"三证"(生产许可证、批发许可证、运输准运证)管理；(4)大连市盐业公司改制为国有独资的有限责任公司——大连市盐业有限公司。

根据文件精神，大连市盐政稽查队全面加强食盐市场专营管理。全年查处食盐违法案件232起，没收私盐2958吨，上交罚没款35.9万元，移交司法机关处理盐业违法犯罪分子5人，从而规范了本市食盐专营市场，提高了碘盐普及率。市内碘盐计划完成率和普及率均达100%，庄河、普兰店、瓦房店三市碘盐计划完成率和碘盐普及率由上年的50%提高到60%。全市民用食盐销量比上年增长8%，渔业用盐销量增长37%。

【大连市盐业有限公司成立】　2000年9月17日，大连市盐业有限公司正式挂牌成立。该公司是国有独资有限责任公司，由大连市盐业公司改制；原有各区市县盐业公司和盐业批发部门同时改制为其全资子公司，其全部国有资产及相应债务，全部划归该公司管理。市盐业有限公司的成立，实现了全市食盐销售一体化，标志着全市盐业专营管理体制基本理顺。

【《辽宁省室内装饰工程预算定额》发布实施】 2000年，以大连市室内装饰协会为主编辑的《辽宁省室内装饰工程预算定额》，经辽宁省经贸委、物价局和轻工总会审核批准正式发布实施。这是全省惟一的《室内装饰工程预算定额》，对规范全市乃至全省室内装饰行业的经营行为将起重要作用。

【大连市首届室内装饰设计展】 2000年7月，由大连市室内装饰协会组织的大连市首届室内装饰设计展览在星海会展中心举行，全市有近百幅作品参展。经专家评选，有6幅作品获金奖，7幅获银奖，10幅获铜奖，4幅获优秀奖。有9幅获奖作品被选送参加全国第三届室内装饰设计大奖赛。（贺传江　刘千臣）

·大连盛道集团有限公司·

【现金流量净值首次突破3000万元】 2000年，大连盛道集团有限公司严格资金管理，加大考核力度，活化存量，开源节流。全年现金流量净值达到3817万元，首次突破3000万元，为企业顺利渡过经营难关发挥了重要作用。

【出口产品交货值大幅度增长】 2000年大连盛道集团有限公司积极拓展国际市场，重点开拓欧美市场，扩大了产品出口。全年完成出口产品交货值800万元，比上年增长60%。

2000年大连盛道集团有限公司
主要经济指标完成情况

	单位	实际完成	比上年增长(%)
资产总额	亿元	21.38	0.3
资产负债率	%	54.5	0.2 （百分点）
工业总产值 (1990年不变价)	亿元	8.47	0.3
工业增加值	亿元	1.18	-37.8
产品销售收入	亿元	5.98	5.7
利税总额	万元	3995	-0.4
其中:利润	万元	1314	143.3
产品销售率	%	99.7	3.7 （百分点）
出口产品交货值	万元	800	60.0

产品出口的扩大带动效益增长，实现利润比上年增长1.43倍。

【参股国内首家高新技术新能源企业】 2000年，大连盛道集团股份公司发挥上市公司和集团在技术、人才方面的优势，与中科院大连化物所、兰州长城电工、杭州南都电池、海南新大洲等7家股东，共同投资兴办国内第一家高新技术新能源企业——大连新源动力股份有限公司。该公司位于高新技术产业园区，以质子交换膜燃料电池为主导产品；注册资本5000万元，盛道集团公司占有20%的股份。燃料电池项目是21世纪最有发展潜力的十大高科技项目之一。该公司的成立，标志着盛道集团正式步入高科技、环保、新能源领域。

【水晶世界建成】 2000年，为把大连市传统而优秀的水晶制品创建成国内外知名品牌，大连盛道玻璃制品厂建成一座展示水晶制品生产过程、陈列水晶产品的水晶世界。水晶世界建筑面积1300平方米，设计构思独具匠心，展厅明亮、开放、现代、气派，极富艺术魅力。展出的盛道集团公司生产的水晶器皿、工艺品、摆件、灯饰品，创意上体现实用性和艺术性相结合，或古朴、典雅、传统，或明快、自然、现代，具有很高的艺术欣赏价值和收藏价值。水晶世界融旅游、观光、购物于一体，开业后累计接待国家领导人及国内外各界人士万余人次，成为中国民族工业的窗口和大连市重要的旅游景点。

【第13家合资企业成立】 2000年，大连盛道集团有限公司与美国济丰公司合资兴办的大连济丰盛道纸业有限公司成立，这是该集团公司的第13家中外合资企业。济丰盛道纸业公司以加工印刷瓦楞纸箱包装为主；注册资本900万元，其中盛道集团持有30%的股份。

【产品又添新门类】 2000年，大连盛道集团有限公司加大软包装技术创新力度，成功开发出工业保护膜、红外电热膜、镭射转印防伪包材、香烟外包装膜、F系列膜、商用票证等20多项高技术、高附加值新产品，使软包装主导产品增加了5大系列。在新开发的高新技术产品中，有2项达到国际水平，15项达到国内先进水平，1项属国内首创；2项被认定为国家技术创新项目，3项被确认为国家级新产品。（马嘉兴）

纺织工业

【概况】 2000年，大连市全部国有和年销售收入500万元及以上非国有（以下简称规模以上）纺织工业不断淘汰落后产品，资产总额虽有减少，但产出增加。国际国内市场形势相对看好，产品销售收入和出口均有较大幅度增加。企业管理水平提高，经济效益显著，实现利税总额和利润总额均比上年显著增长。纺织工业中，棉纺织业增长较快，全员劳动生产率比上年提高2倍。

2000年大连市规模以上纺织工业
主要经济指标完成情况

	单位	实际完成	比上年增长(%)
企业	个	30	—
资产总额	亿元	19.95	-20.7
工业增加值	亿元	3.6	24.7
产品销售收入	亿元	11.7	27.4
利税总额	万元	8067	62.3
其中:利润	万元	3708	86.3
全员劳动生产率	万元/人	2.1	31.6 （按可比价格计算）
出口创汇	万美元	7460	17.8

（市统计局提供　陈世荣执笔）

·大连锦达纺织集团有限公司·

【主业实现扭亏】 2000年，大连锦达纺织集团有限公司实现利润总额363万元，按可比口径比上年增长1倍，这是该集团公司1998年成立以后首次实现主业扭亏增盈。主要原因是加大对产品品种结构的调整力度，围绕市场需求开发新产品，坚决杜绝亏损品种上机。产品结构调整共增加毛利1705万元，其中纱的毛利率由上年的12.3%增至17%，布的毛利率由4.8%增至9.8%。该集团公司积极开拓国际市场，发展新客户，提高了对外贸易的效率和效益。全年实现出口交货值1.84亿元，比上年增长10.7%；出口创汇3948万美元，增长16.5%。经济效益的提高为增加职工收入创造了条件，全集团年人均收入7058元，比上年增长 8.6%。

2000 年大连锦达纺织集团有限公司
主要经济指标完成情况

	单位	实际完成	比上年增长(%)
资产总额	亿元	9.92	1.9
工业总产值（1990 年不变价）	亿元	4.61	27.8
工业增加值	亿元	1.20	101.5
产品销售收入	亿元	4.94	21.9
产品销售率	%	87.1	-1.8（百分点）
利税总额	万元	1908	-15.0
其中:利润	万元	363	-40.0
出口创汇额	万元	3948	16.5
资产负债率	%	57.8	-0.1（百分点）

注:因企业户数减少,增长率按实际数计算。

（刘宏伟）

服装工业

【概况】　2000 年，大连市全部国有和年销售收入 500 万元及以上非国有（以下简称规模以上）服装及其他纤维制品制造业资本积累加快，企业数量增加，产品销售收入和利税总额稳定增长，全行业经济实现较快增长

2000 年大连市规模以上
服装及其他纤维制品制造业
主要经济指标完成情况

	单位	实际完成	比上年增长(%)
企业	个	85	—
资产总额	亿元	30.1	18.9
工业增加值	亿元	8.7	9.2
产品销售收入	亿元	30.9	5.3
利税总额	亿元	2.4	44.2
其中:利润	亿元	1.8	43.2
全员劳动生产率	万元/人	2.7	7.4
出口创汇	亿美元	3.3	16.0

全行业经济增长的主要原因：服装出口形势较好，创汇额比上年增长 16%；部分服装产品价格稳中有升，销售收入增长 5.3%；企业管理水平不断提高，使扭亏增盈取得成效，亏损企业亏损额下降 49.2%，盈亏相抵后利润额增长 43.2%；产品结构调整加快，使全员劳动生产率提高 7.4%。

（市统计局提供　陈世荣执笔）

【服装企业在京参展获佳绩】　2000 年 3 月 28～31 日，大连市的 24 家服装企业参加在北京召开的国家级服装交易会——中国国际服装服饰博览会。共租用展位近 1000 平方米并全部进行特装，以全面展示大连城市形象和服装风貌，推出名师名牌，促进大连服装品牌尽快走向全国、走向世界。会上，大连参展企业达成服装代理意向近 1000 家，签订合同金额 6000 多万元。展会期间，大连展团在人民大会堂成功举办大连服装信息发布会暨时装专场展演“大连风”。全国人大常委会副委员长陈慕华、国家经贸委等部委领导，俄罗斯、埃及、冰岛等 10 国驻华使节和商务官员，各界知名人士，首都新闻记者，商家代表共 500 多人出席观看。“大连风”以其特有的神韵，给人留下难忘印象。

【参展香港时装节】　2000 年 1 月 16 日～19 日，大连市 20 个服装企业参加香港时装节，以增加与世界各地服装贸易商的相互了解，宣传大连、宣传大连服装。本次参展，大连服装首次以团队形式整体亮相并获成功。展位以巨大的大连市风景图为背景，汇集了参展企业有代表性的产品。经洽谈，大连展团共签订 410 万件（套）服装的加工制作协议，协议总金额 1979 万美元。

【2000“大连杯”中国青年时装设计大赛】　2000“大连杯”中国青年时装设计大赛是第十二届大连国际服装节的重要组成部分，由日本伊藤忠商事株式会社、香港贸易发展局、国际羊毛局和大连市政府共同主办。日本著名服装设计师古川云雪、香港贸易发展局时装部主管林梓梁、国际羊毛局大中华地区市场推广部经理卢志豪、澳门时装设计学会会长关治平、中国服装协会国际交流部主任李欣、清华大学美术学院染服系主任教授刘元风、广州美术学院艺术设计系副教授胡天虹、上海陈红设计研究所所长陈红和大连莱茉时装有限公司高级设计师刘丽丽等 9 位国内外服装届著名专家担任评委。

本届大赛收到全国各地（除西藏、青海、香港、台湾外）633 位选手的 575 份参赛作品，其中澳门是首次派代表参赛。经过预赛，有 29 个系列作品进入决赛。

9 月 17 日，大赛决赛在人民文化俱乐部进行。大连的自由设计师倪晓东以一组“新世纪旋律——编织之苑”摘得金奖；北京雪莲羊绒有限公司郭瑞平的作品“亲和”与大连碧海企业集团孙海波的作品“融”获得银奖；新疆天山毛纺织股份有限公司白伟的作品“新视觉”、福建南安万家美针织有限公司王玉伟和刘庆的作品“东方冥想”、浙江桐乡芝村职业中学赵曹波的作品“雪域熏香”获铜奖。另外，大连的陈庆权、窦新梅，新疆的符建辉、高蕾，湖北的江莎莉，陕西的张黎俊、冯阳，北京的王洪颖等 8 位选手的作品获优秀奖。

2000 年大连服装知名品牌

品　牌	类别	生产企业
创世	西装	大连创世有限公司
锋	西装	大连锋牌服饰有限公司
富田	西装	大连富田洋服有限公司
碧海	西装	大连碧海企业集团公司
九星	西装	大连九星制衣有限公司
富哥	西装	大连富哥实业有限公司
任平	女装	大连丰艺实业有限公司
美欧岚	女时装	大连美欧岚国际时装有限公司
思凡	女时装	大连思凡时装有限公司
伊普爱神	女时装	大连伊普爱神服装有限公司
莱茉	女时装	大连莱茉时装有限公司
幸福女人	女时装	大连雷盟服饰有限公司
亚瑟王	衬衫	大连衬衫厂
成吉思汗	衬衫	大连成吉思汗时装有限公司
吉德里克	衬衫	大连吉德里克制衣有限公司
莱蔓	休闲装	大连莱蔓服饰有限公司
莱瑞	休闲装	大连皇仕服装有限公司
杰世	休闲装	大连杰世服装有限公司
桑扶兰	内衣	大连桑扶兰时装有限公司
冲击	童装	辽宁辽艺服装有限公司
孔翎	羽绒装	大连孔翎羽绒有限公司

（韩玉斌）

食品工业

【概况】 2000年，大连市食品市场形势稳中看好。全市全部国有和年销售收入500万元及以上非国有（以下简称规模以上）食品工业资本积累和经济增长较快，劳动生产率大幅度上升，经济效益显著。

全市规模以上食品工业企业数比上年增加24个；资本总额增长22.6%，占全市规模以上工业总量的5.9%；产品销售收入、工业增加值、利税总额和盈亏相抵后利润额大幅度增长，分别为37.5%、189.2%、22%和18.7%。

2000年大连市规模以上食品工业主要经济指标完成情况

	单位	实际完成	比上年增长(%)
企业	个	152	—
资产总额	亿元	87.5	22.6
工业增加值	亿元	23.9	189.2
产品销售收入	亿元	97	37.5
利税总额	亿元	4.7	22.0
其中:利润	亿元	1.9	18.7
出口创汇	亿美元	2.8	26.6

全市规模以上食品工业中，食品加工业企业数量增加，出口和内销形势较好，效益稳中有升。产品销售收入和利税总额分别比上年增长40.5%和4.6%；食品制造业销售形势看好，市场稳中趋旺，效益大大提高，产品销售收入和利税总额分别增长74.5%和2.6倍；饮料制造业资本积累增加，效益提高，资产总额、销售收入和利税总额分别增长7.9%、3.2%和28.3%。

（市统计局提供　陈世荣执笔）

电力工业

【概况】 2000年，大连市全部国有和年销售收入500万元及以上非国有（以下简称规模以上）电力生产业经济持续增长。工业增加值、利税总额和利润额分别占全市规模以上工业总量的5%、6.7%和8.3%。

2000年大连市规模以上电力生产业主要经济指标完成情况

	单位	实际完成	比上年增长(%)
企业	个	7	—
从业人员	人	4739	—
资产总额	亿元	67	-7.9
工业增加值	亿元	13.3	19.6
利税总额	亿元	6.3	-26.3
其中:利润	亿元	3.6	-37.1

（市统计局提供　陈世荣执笔）

·大连市电业局·

【主要经济指标完成较好】 2000年，大连市电业局稳步实施企业发展战略，在外部大环境不利的情况下，仍圆满完成各项主要经济技术指标。完成售电量87.27亿千瓦时，比上年增长9.3%，占全省售电量的16%，列全省第二位；售电平均电价407.2元/千千瓦时；售电收入35.5亿元，增长31.8%；趸售收入1.07亿元，增长20.8%；累计欠费2.2亿元，下降30.2%；用户满意率达到96.2%，比目标高1.2个百分点；电压合格率99.1%；供电可靠率99.96%，超过全国一流供电企业标准。

【安全生产创佳绩】 2000年，大连市电业局全面落实岗位安全责任制，加强安全生产考核，安全性评价工作领导小组和指挥小组全过程全方位查找漏洞和隐患，实现事故超前控制、超前预防。截至12月31日，实现跨年度连续安全生产456天、本年度连续安全生产365天，使这一年成为该局历史上少有的安全年。

【东北地区首家电力行业协会成立】 2000年9月18日，东北地区首家电力行业协会——大连市电力行业协会正式成立，实现电力行业由部门管理向行业管理的转变。该协会主要承担行业发展中的一系列政府不宜承担单个企业又难以承担的协调、服务功能，为同行业企业服务，协调同行业间的各种矛盾，在企业与政府间发挥桥梁纽带作用，推动电力工业技术进步和加强科学管理，促进本市电力工业健康发展。

【20条路街电力线路改造完成】 2000年，大连市电业局与有关部门密切配合，落实大连市经济建设和人民生活的19件实事之一的“18条路街和与城市轨道交通相配套的线杆落地”工程。截至年末，顺利完成港湾街、山峦街、仲夏路、友好路、新开路、民康街、玉光街、中山路、五五路、民生街、朝阳街、疏港路、虎滩路、南山日本风情一条街等20条路街的电力线网入地改造工作，并使供电设备以良好的初始状态投入电网运行。改造后的街道更加整洁亮丽，为大连的城市建设又添上光彩的一笔。

【多种经营企业股份制改造结硕果】 2000年，大连市电力工业多种经营企业加大改组改制步伐。继上年对电力电器和电力建设两大集团公司进行股份制改造后，旅顺口区、瓦房店市、普兰店市、开发区、庄河市供电局的多种经营企业均已完成改制，理顺了主业与多种经营的关系，改变了小企业群的格局，为实现集约化经营奠定了基础。年末，大连市电业局有企业86个，比上年减少39个。

主动出击市场，积极开发新产品。多种经营企业与北京ABB公司合作生产的箱式变压器投入运行；ZW23-12/630柱上真空断路器完成关键部件的国产化，通过了国家检测中心1万次机械寿命试验，并被申报为市重点新产品；组合式仿美箱变完成样机并投入运行；自行研制的无触点自动投切低压无功补偿装置填补本市空白。电力建设有限公司中标中美洲国家安提瓜和巴布达输变电三期工程，还经国家经贸委批准，获得承包境外送变电工程和所需设备材料出口及劳务出口权，为开辟国外市场创造了有利条件。

主要经济指标创出新高。多种经营企业全年实现产值9.23亿元，比上年增长24.4%；实现利润3148.9万元，增长44.2%。　（盛葳葳）

乡镇企业·个体私营经济

责任编辑　郑　彬

乡镇企业

【概况】　2000年，大连市乡镇企业在体制创新、结构调整、科技进步和科学管理等方面取得新成果，全面完成各项计划指标。

年内，全市乡镇企业主要经济指标有升有降。乡村集体控股企业产销率94.7%，比上年降低2.2个百分点；工业增加值率27.1%，降低0.4个百分点；全部资产利税率12.6%，提高2.1个百分点；营业收入利润率7.95%，降低4.3个百分点；全员劳动生产率6.18万元/年·人，提高0.3万元/年·人；流动资金周转率6.78次/年，提高0.35次/年。

2000年大连市乡镇企业增加值大户

单位：亿元

排名	增加值	比上年增长(%)
1. 大连金广建设有限公司	3.08	105.1
2. 大连华南企业集团	3.01	21.3
3. 大成食品(大连)有限公司	2.90	62.7
4. 大连华农集团有限公司	2.33	－13.0
5. 大杨集团有限公司	1.95	－2.9
6. 大连亿达集团有限公司	1.53	17.9
7. 万宝至马达(瓦房店)有限公司	1.14	5.7
8. 大连华丰家具有限公司	1.18	7.0
9. 大连中集集装箱有限公司	1.11	73.2
10. 丰源制靴(大连)有限公司	1.09	26.2

至年末，全市乡镇企业中有亏损企业（乡村集体控股企业）453个，比上年减少29个；亏损额1.95亿元，增长9.5%。全市乡镇企业职工工资总额61.8亿元，增长13.6%；人均工资6010.4元，增长8.9%。

2000年大连市乡镇企业利税大户

单位：万元

排名	利税额	比上年增长(%)
1. 大连亿达集团有限公司	13928	142.5
2. 大连华农集团有限公司	12060	－0.4
3. 大连金广建设有限公司	10205	133.1
4. 大连轴承工业公司	7332	103.1
5. 大连华宝房地产开发有限公司	6820	—
6. 大连华农集团有限公司	6320	70.6
7. 大连北大科技集团股份有限公司	6024	—
8. 大连华丰家具有限公司	5945	34.6
9. 大杨集团有限公司	5471	－22.8
10. 金州区光明市场	5394	—

2000年大连市乡镇企业发展基本情况（一）

项目	单位	数量	比上年增长(%)	按所有制类型分：集体控股企业	比上年增长(%)	私营企业	比上年增长(%)	个体工商户	比上年增长(%)
企业数	万个	14.9	－0.1	0.4	－28.5	0.7	27.4	13.8	－1.5
从业人数	万人	103.0	4.5	34.9	－13.3	18.2	36.6	49.9	11.2
企业总产值	亿元	2316.0	8.2	489.7	－9.6	342.2	13.4	1484.1	14.3
企业增加值	亿元	637.9	10.0	125.0	－11.4	94.8	22.1	418.1	15.7
实缴税金	亿元	19.2	16.4	9.4	22.2	3.5	22.3	6.3	6.1
营业收入	亿元	2119.4	8.8	481.8	－9.7	316.3	25.0	1321.3	13.8
利润总额	亿元	168.5	5.7	36.0	－36.2	24.7	26.2	107.8	6.6

2000年大连市乡镇企业发展基本情况（二）

单位：亿元

	按行业分：农业	比上年增长(%)	工业	比上年增长(%)	建筑业	比上年增长(%)	交通运输业	比上年增长(%)	商饮服业	比上年增长(%)
企业总产值	95.7	1.9	1289.5	9.7	283.9	6.1	231.9	5.5	414.9	8.0
企业增加值	26	6.4	349.6	8.1	72.3	16.9	66.4	15.8	123.6	9.5
实缴税金	0.66	－1.1	9.8	15.1	3.7	33.6	1.3	－4.6	3.8	17.7
营业收入	81.3	9.8	1119.4	9.2	240.7	7.5	204.9	13.4	473.1	8.2
利润总额	7.6	10.6	83.0	2.8	18.4	3.1	16.9	4.8	42.4	12.5

【乡镇企业实缴税金连年增长】　2000年，大连市乡镇企业实缴税金19.2亿元，比上年增长16.4%，出现连续5年增长的好势头，年均增长19.3%。甘井子区、金州区、普兰店市、瓦房店市实缴税金分别为4.72亿元、4.11亿元、2.78亿元和2.68亿元，分别比上年增长28.6%、14.8%、15.3%和11.6%。

全市实缴税金超过3000万元的乡镇发展到16个，比上年增加2个，最高的甘井子区红旗镇达到16117万元，继续保持东北地区缴税第一镇称号；超过1500万元的村7个，减少5个；超过1500万元的企业10个，增加2个，最高的大连金广建设有限公司达到8523万元，进入大连市纳税50强企业行列。

2000年大连市乡镇企业纳税大户

单位：万元

排名	纳税额	比上年增长(%)
1. 大连金广建设有限公司	8523	228.9
2. 大连亿达集团有限公司	6698	128.2
3. 大连华农集团有限公司	4487	360.2
4. 大连中集集装箱有限公司	3025	652.4
5. 大连松川日简公司	2625	—
6. 大杨集团有限公司	2340	14.2
7. 大连澳利普公司	2316	—
8. 大连大雪企业集团啤酒有限公司	2213	-13.4
9. 万宝至马达(瓦房店)有限公司	1600	272.9
10. 大连华丰家具有限公司	1513	12.0

大连绿源化工有限公司生产车间。　周劲松　摄

【企业改革】　2000年，大连市乡镇企业的现代企业制度建立、集体资产管理、公司上市、镇村准财政分成等项改革取得较快进展。

大连亿达集团有限公司、华农集团有限公司等13个现代企业制度试点企业普遍进行公司制改造，基本建立产权清晰、权责明确、政企分开、产权主体多元化的企业法人治理机构，企业管理向规范化、现代化发展。

金州区大李家镇等20个集体资产管理试点单位普遍建立集体资产管理委员会、集体资产经营中心和各项规章制度，采取投资、入股、租赁等形式参与市场运营，取得可观的经济效益，有效防止集体资产流失。

旅顺口区北海镇等20个镇村准财政分成试点乡镇根据财政收益制定分成比例，较好地调整了镇、村之间的利益关系，北海镇的返还额由1996年的37万元升至80万元，保证了村级经济和社会福利事业的发展。

大杨股份有限公司年内在上海证券交易所上市。至此，全市乡镇企业已有上市公司3家。北大车行股份有限公司、龙泉股份有限公司年内获准配股。

【科技进步】　2000年，大连市乡镇企业把加快科技进步，提升现有企业的科技、工艺和装备水平作为头等大事。43个厂办科研院所、62个科技攻关联合体进一步充实和完善；大连软件园等五大科技园区、华农集团磷脂分厂等十大高新技术示范企业稳步发展；老企业技术改造、名优特新产品开发和新上科技含量高的项目均取得较好成果。

全市乡镇企业新上技术改造项目577个，高新技术项目28个，其中大连绿源化工有限公司的液晶中间体、北大净化设备有限公司的臭氧发生器、金林辐射技术产品有限公司的同位素放射伽玛射线照射技术等15个项目，被市科委认定为高新技术项目，占全市总数的34%。

丰源制靴（大连）有限责任公司。　周劲松　摄

【外向型经济】　2000年，大连市乡镇企业大力发展外向型经济，企业发展对国际市场的依存度大幅度上升。

全市乡镇企业新批利用外资项目275个，比上年增加50个；总投资10.8亿美元，其中合同外资8.57亿美元，分别比上年增长15%和11.8%；实际使用外资3.97亿美元，增长21.0%。新批项目中，合同外资1000万美元以上的大项目15个。至年末，全市乡镇企业累计兴办利用外资项目2633个；总投资64.51亿美元，其中合同外资46.42亿美元；实际使用外资19.47亿美元。其中，合同外资1000万美元以上项目91个，合同外资共21.14亿美元，实际使用外资5.49亿美元，分别占全市乡镇企业总数的3.6%、45.5%和28.2%，利用外资项目开始向大规模发展。

当年，全市乡镇企业中有出口产品生产企业1170家，出口产品600多种，出口产品实现产值217.5亿元；完成出口产品交货值200.9亿元，首次突破200亿元大关。形成一批出口创汇主导行业，其中食品（含水产）、服装、纺织、机电行业出口交货值分别为54.2亿元、36.4亿元、32.6亿元和27.8亿元，分别比上年增长8.4%、3.1%、54.5%和18.3%。轻工行业出口交货值22.8亿元，下降6.6%。涌现出一批创汇大户，出口交货值5000万元以上的企业达到77家，其中超过1亿元的企业23家。有5个企业出口创汇超过5000万美元。其中：大连中集集装箱有限公司8400万美元，丰源制靴（大连）有限公司8200万美元，大杨集团有限责任公司8100万美元，万宝至马达（瓦房店）有限公司5000万美元，分别比上年增长5.9%、27.5%、13.2%和2%；大连阿尔派电子有限公司7350万美元，与上年持平。

【新产品开发和产品创优】 2000年，大连市乡镇企业共开发新产品250项，其中35项填补国内空白，50项填补省内空白，6项达到国内同类产品先进水平，6项获辽宁省乡镇企业系统优秀新产品三等奖。

乡镇企业全年创市以上名牌产品34项，累计达214项；被评为大连市著名商标13项，累计达44项，占全市总数的53.2%。大连轴承厂、大杨集团有限公司、大连海德利塑胶有限公司、大连南关岭鱼粉厂和大连华龙食品有限公司等5个企业被农业部授予创名牌重点企业。

在乡镇企业中推行ISO9000系列质量体系认证，在食品行业（含水产）中推行FDA（食品药品检测标准）、HACCP（危害分析和关键控制点）和EEC认证，认证企业总数达到136个。

【科技园区建设】 2000年，以五大科技园区为主的大连市乡镇企业科技园区建设稳步发展。其中大连软件园、大连凯金精细化工园被国家农业部授予全国乡镇企业科技园区称号。新规划建设的大连汇宝食品工业园和大连环保产业园完成可行性研究，进入前期筹建阶段。

大连软件园当年完成投资21.6亿元，诺基亚、东大阿尔派等65家大型软件企业入驻区内，引进软件人才1500多人，实现营业收入3亿元，创利税6000万元，创汇1000万美元。以培养软件人才为主的东方信息学院主体教学楼落成。大连软件园已经成为中国乡镇企业最大的IT产业基地和软件人才教育基地。

大连凯金精细化工园一期工程生产高效农药中间体“甲氰菊脂”的6个车间于12月一次试车成功并投入生产；二期工程以生产高效农药中间体“甲氰菊脂”为主的9个生产车间动工兴建。

大连实德建材工业园经过3年发展，形成年产28万吨型材的生产规模，当年实现营业收入20亿元。

大连大宇电子工业园当年投入资金1亿元，新上8条生产线，主导产品硅整流原件的年产量由投产时的1.2亿只增至60亿只，年创汇1200万美元，成为本市电子工业的龙头企业。

大连北大科技工业园一期工程网络终端项目年内奠基，正在筹资和做前期准备。

【结构调整】 2000年，大连市从解决乡镇企业布局分散、规模偏小问题入手，重点发展规模经济和规模企业，引导乡镇企业新上大项目、外向型项目、科技含量高项目并向经济开发小区和小城镇集中，促进了乡镇企业集聚规模发展，带动了小城镇建设。全市乡镇企业新建的3040个项目中，投资额在2000万元以上的项目110个，全部落户在开发小区和小城镇，初步形成规模经济优势。在全市18个经济开发小区中，金州区三十里堡经济开发区、瓦房店市炮台经济开发区等9个小区被农业部授予全国乡镇企业示范区称号。至年末，在全市乡镇企业中，规模（营业收入500万元）以上企业发展到1081家，其中营业收入1亿元以上73家（10亿元以上5家）。

【固定资产投资再创历史新高】 2000年，大连市乡镇企业完成固定资产投资总额72.6亿元，比上年增长13.8%，再创历史新高。其中：用于新建项目47.6亿元、技改项目14.6亿元、高新技术项目5.7亿元、新产品开发4.7亿元，分别占总额的65.5%、20.1%、7.9%和6.5%。投资总额中，外商投资32.9亿元，企业自筹（引进外地资金）31亿元，银行借贷8.7亿元，分别占45.3%、42.7%和12%。

【华农集团打造乡镇企业“航空母舰”】 大连华农集团有限公司是以大豆加工为主，辅以汽车运输、修配、仓储、贸易经营、科研、电脑软件开发、建筑施工等经营项目的乡镇企业集团。经过10年的滚动发展，2000年末总资产达到6亿元，固定资产净值3亿元，主要生产食用油系列和豆粕、磷脂等，产品畅销国内市场，并出口日本、韩国、东南亚等国家和地区。2000年加工大豆总量突破80万吨，营业收入突破20亿元，成为全国最大的油脂加工集团之一。2000年4月16日，华农集团投资8600万元在金州区石河镇建设的华农汇宝制油有限公司建成投产，年加工能力50万吨；12月18日，在广东省湛江市建设的湛江华农制油有限公司建成投产，总投资近1亿元，年可加工大豆50万吨。这些项目的建成投产，使华农集团的规模与实力在大连市乡镇企业中跃居第一位，成为本市乡镇企业第一艘“航空母舰”。

【溶菌酶被评为辽宁省食品行业名牌产品】 2000年，大连生化制品有限公司生产的“绿雪”牌溶菌酶被评为辽宁省食品行业名牌产品和大连市乡镇企业名牌产品。

大连生化制品有限公司是1995年投资1亿元兴建的以生产蛋黄粉、蛋白粉、溶菌酶为主的高科技企业，拥有从丹麦引进的1条年加工2万吨鲜蛋的生产线，年可加工全蛋粉、蛋黄粉、蛋粉4400多吨，实现销售收入1.8亿元，是我国目前规模最大，技术装备、工艺水平最先进的蛋品深加工企业。1998年10月，该公司又从加拿大引进全套溶菌酶生产线和生产工艺，年可加工溶菌酶30吨，1999年2月投入试生产。2000年生产溶菌酶10吨，实现销售收入8000万元，上缴税金120万元。 （田德云）

个体私营经济

【概况】 2000年，大连市个体私营经济继续保持良好的发展势头。新登记注册个体工商户8万户，从业人员14万人，投资额16.2亿元，分别比上年增长17.6%、17.6%和27%。新登记注册私营企业4662户，比上年增长11.1%；从业人员4.6万人，下降13.6%；注册资金26.6亿元，增长19%。

在全市新发展的8.4万户个体私营企业中，从事第一产业的2.2万户、第二产业的1.1万户、第三产业的5.1万户，打破了过去个体私营企业集中在第三产业的格局，产业结构趋于合理。

2000年大连市个体私营经济发展情况

	单位	数量	比上年增长(%)
个体私营企业	万户	29.8	16.7
个体工商户	万户	27.4	15.6
私营企业	万户	2.4	16.7
从业人员	万人	75.2	15.0
个体工商户	万人	42.3	16.2
私营企业	万人	32.9	15.0
投资额(注册资金)	亿元	211.6	42.4
个体工商户	亿元	77.1	16.8
私营企业	亿元	134.5	42.4
工农业总产值	亿元	434.7	11.0
销售额	亿元	641.5	9.0
国内生产总值	亿元	322.3	15.7

全市个体私营企业总户数、总从业人员数、国内生产总值分别比上年增长16.7%、15%和15.7%，实现市政府提出的发展要求。

【私营企业规模进一步扩大】 经过"九五"期间的滚动式发展，至2000年末大连市形成一批规模较大的私营企业。注册资本（金）100万~500万元的私营企业有1577家，500万~1000万元的275家，1000万元以上的114家，超过1亿元的5家，分别比上年增长7.6%、67.7%、1.1倍和4倍。注册资本（金）超过100万元的私营企业共1971家，占全市总数的8%；注册资本（金）合计103亿元，占全市总数的76.58%，是本市发展私营经济的骨干力量。实际投资超过1亿元的私营企业已有28家。全市私营企业户均注册资本（金）54.8万元，比上年增加10.1万元，增长22.7%。全市有私营企业集团21家，比上年增长50%，初步形成以骨干私营企业为龙头的规模经济。

2000年7月7日，市委、市政府召开大连市个体私营经济发展工作会议。
姜国锦 摄

【私营企业出口创汇实现历史性突破】 2000年末，大连市有从事出口创汇的私营企业867家，年创汇41.4亿元，分别比上年增长21.2%和36.6%，其中创汇额占全市总额的9.5%，成为本市外向型经济的重要组成部分。首次出现创汇额超千万美元的私营企业，是本市个体私营经济发展的历史性突破。

当年私营企业外向型经济发展的主要特点：（1）取得自营出口权的私营企业迅速增加。全市具有自营出口权的私营企业23家，比上年增加9家。普兰店市宝元服装有限公司取得自营进出口权后，出口供货额由上年的1100万元增至2300万元。（2）私营企业出口创汇规模迅速扩大。全市出口创汇达500万美元以上的私营企业有37家，其中1000万美元以上的有7家。（3）一批科技含量和附加值较高的产品打入国际市场。大连华信计算机技术有限公司向日本出口软件，出口额达5000万元。大连绿源精细化工有限公司向日本、德国出口药物中间体，已占国际市场1/3的份额。（4）"公司"+"农户"出口创汇企业应运而生，农副产品出口创汇前景看好。瓦房店山成食品有限公司、荣昌食品有限公司与当地2万多农户签约收购山野菜、肉食鸡，经深加工后出口。全市参与此种形式的种植、养殖业户达10多万户，种植面积2.4万公顷。

【个体私营企业向科技领域发展】 2000年，由于市委、市政府高度重视高新技术产业发展的导向作用，大连市从事科技信息咨询业的个体私营企业大幅度增加。年内新发展923户，比上年增长44%，其中尤以信息技术最为突出，共有382户，增长1.3倍，形成新的发展热点。至年末，全市有科技型私营企业2440户，从业人员5.8万人，总资产182亿元，当年实现技工贸收入14.2亿元。

经市科委认定的高新技术企业中，有85%为个体私营企业。一批具有自主知识产权的国际水准项目，如新型农药中间体、核酸保健品、新型发光材料、微生态调节剂等私营企业高科技产品，正在成为本市新的经济增长点。以华信、泰基能源、路明光源等私营企业为骨干的高新技术企业群正在崛起。

【个体私营企业涌现一批名优产品】 至2000年末，大连市个体私营企业累计注册商标964个，其中9个被评为大连市著名商标。有308个产品通过国家ISO9000质量认证体系，11个产品被评为省、市名优产品，其中华丰家具、棒棰岛海参、珍奥核酸、咯咯哒绿色鸡蛋等产品在国内外市场叫响。名优产品的涌现，推动了全市个体私营企业产品结构的优化。

【个体私营企业跃居本市消费品零售业主导地位】 至2000年末，大连市个体私营商业零售网点已达14.2万个，占全市总数的91%，城乡居民粮、油、果、菜、小食品、小百货等消费品80%以上来自个体私营网点。全年个体私营企业实现社会消费品零售额432.9亿元，占全市总额的88%，在本市消费品零售领域居主导地位。

【外地私营企业和自然人来连投资成热点】 2000年，大连市工商局和大连市个体私营协会采取走出去请进来等办法吸引投资，先后组团到郑州、长沙、哈尔滨等地招商，共组织私营企业招商150多人次，达成经济技术合作项目451项，总金额16.7亿元。

全年来连办企业的有1.1万户，投资8.1亿元，分别比上年增长32.8%和57.1%。招商引资力度的加大，拓宽了个体私营经济发展的路子，促进了地区优势互补，推动了全市市场建设和个体私营经济的发展壮大。

【个体私营企业投资精品农业】 2000年，大连市个体私营企业以黄海大道两侧为重点投资区域，兴建一批千亩桃园、千亩葡萄园、千亩银杏园等上档次的精品农业园区，总投资达7亿多元，其中普兰店市个体私营企业投资4.2亿元。围绕建立精品农业，个体私营企业还加大对农业科研的投入，年内投资建立8个农业科研院所和一批科研基地，在农副产品更新换代中起到重要的示范作用。普兰店市的大连种猪厂投资2000多万元，从丹麦、法国、加拿大等国引进优良猪种进行繁殖，为当地猪种升级换代做出贡献。

【个体私营企业人员素质明显提高】 至2000年末，大连市个体私营企业从业人员具有大专以上学历的1.5万人，具有初级以上技术职称的科技人员1万人，聘用博士生、硕士生245人。

私营企业人员素质高于个体工商户。在30778名私营企业负责人中，具有大专以上学历的14316人，占46.5%；具有初级以上技术职称的4630人，占15%；党员1785人，占5.8%。

下岗职工成为个体私营经济的主力军。全市个体私营企业从业人员中有下岗职工23.1万人，占33.9%，其中不少人懂技术、会管理，提高了个体私营经济从业人员的政治素质和业务素质。

【个体私营经济参与国有、集体企业改制】 2000年，大连市继续支持个体私营经济参与国有、集体企业改制，扩大了个体私营经济的发展领域。至年末，全市个体私营企业累计购买、兼并、租赁国有和集体中小企业1623家，盘活国有资产30.6亿元。参与改制的个体私营企业有80%实现扭亏为盈。

【实德集团成为亚洲最大的化学建材生产基地】 2000年，大连实德集团有限公司的龙头企业大连实德塑胶工业有限公司、大连实德塑料建材有限公司，生产PVC（聚氯乙烯）型材28万吨，成为亚洲最大、世界知名的专业PVC型材生产基地。所产塑钢门窗技术先进、质量优良，被中国建筑协会评为用户信得过产品，被国家建设部列为科技成果重点推广项目、国家小康住宅建设推荐产品，被大连市建委评为一级产品，不仅在国内供不应求，而且还远销美国、南非、日本、韩国、俄罗斯等国家。

实德集团是一个拥有多家实体的综合性企业集团，所属企业30家，其中骨干企业15家；总资产42.5亿元；当年实现销售收入36.2亿元、利润3.5亿元。正在规划建设的大连实德化学工业园，占地面积130万平方米，建成后将年产70万吨化学建材，成为世界上最大的化学建材生产基地之一。

【珍奥生物工程公司产品闯出大市场】 2000年，大连珍奥生物工程股份有限公司运用现代生物技术研制开发的珍奥核酸系列营养保健品，获得辽宁省科技进步二等奖、辽宁省医药科技进步一等奖、中国保健科技学会的“学会推荐产品奖”；同时被辽宁省消费者协会和私营企业协会评为1999～2000年度消费者欢迎产品。

近年来，该公司健全营销体系，创新营销模式，在全国设立专卖店近千家，形成经销公司和专卖店相结合、遍布全国各地、纵横交错的销售网络格局，产品销往全国30多个省、市、自治区，并开辟了外销渠道。2000年实现销售收入1.5亿元、利税5341万元。该公司将于2001年在大连高新技术产业园区“双D港”建成一个集科研生产为一体，国内一流的以核酸为主体的生物工程基地。

【《鼓励扶持个体工商户私营企业发展的若干意见》出台】 2000年6月，大连市工商行政管理局出台《鼓励扶持个体工商户私营企业发展的若干意见》，以促进全市个体私营经济快速健康发展。

其主要内容：（1）凡具有完全民事行为能力、非国家法律和行政法规禁止从事经营活动的自然人，均可申办个体私营企业。（2）下岗职工、待业大中专毕业生、军嫂、残疾人申办个体工商户优先办照，并自注册之日起免收6个月工商管理费，年内减半征收。（3）允许在职、在校研究生、博士生、留学归国人员、科研院所科技人员从事科技开发、技术服务。（4）对开办个人独资、合伙企业一律取消资本（金）最低限额，实行出资申报制，不再提交验资证明。（5）有限责任公司以专利、专有技术、商标、高新技术成果作价出资，其出资额占注册资本总额的比例可进一步放宽。（6）凡国家法律法规未作规定的许可证或专项审批，不再作为个体私营企业登记注册的前置条件。（7）个体工商户、私营企业利用自有房屋作为经营场所的，只提交产权证明或购房合同。（8）对从事信息咨询、社区服务、中介服务等行业的工商户和私营企业，经营场所不受面积和楼层限制。（9）下岗职工、失业、特困人员从事一次性经营的，可发给短期营业执照。（10）鼓励个体私营企业通过参股、控股、租赁、兼并、收购等形式，参与国有资产重组和产权制度改革。（11）放宽冠“大连”名称的条件。（12）推行企业年检免于审计制度。（13）个体工商户申办独资企业、合伙企业和有限责任公司，在住所设施不变情况下，原有场地使用证明继续有效。（14）科技型企业拥有生物工程、计算机网络技术方面等专利专有技术，对外累计投资额不受本公司净资产份额限制。（15）为私营企业人员留学、商务出国（境）提供方便。 （任忠显）

建筑业·房地产业

责任编辑　郑　彬

建筑业

【概况】　2000 年，大连市建筑业有企业 923 个，其中纳入统计范围的企业 833 个，从业人员 29.7 万人，总资产 191.34 亿元。

2000 年大连市建筑业企业情况

单位：个

	数量
总计	923
1. 按资质等级分	
一级企业	31
二级企业	137
三级企业	281
四级企业	191
专业级	283
2. 按专业类别分	
工民建	429
设备安装	117
建筑装饰	166
市政工程	41
园林绿化	23
消防工程	20
公路工程	11
电子工程	10
预制构件	18
商品混凝土	26
其他工程	62

当年，全市建筑业走出低谷，发展步伐明显加快。各项主要经济指标均比上年有显著提高，其中产值创历史最高水平，这标志着建筑业进入一个新的发展阶段。除部分国有企业亏损外，其他企业利润均有大幅度上升。全市有亏损企业 124 个，比上年减少 39 个；亏损面为 14.9%（全国平均为 19.2%），降低 4.4 个百分点；亏损额 9289 万元，下降 12.2%。

2000 年大连市建筑业主要经济指标完成情况

	单位	数量	比上年增长(%)		单位	数量	比上年增长(%)
建筑业总产值	亿元	153	26	非国有	万元/人	5	14
其中：竣工产值	亿元	138	43	建筑业增加值	亿元	51.8	43
国有	亿元	45	18	国有	亿元	13.6	34
非国有	亿元	108	30	非国有	亿元	38.2	46
施工面积	万平方米	1806	20	结算收入	亿元	166.6	46
其中：当年开工	万平方米	1141	37.6	国有	亿元	47.6	22
国有	万平方米	341	0	非国有	亿元	119	58
非国有	万平方米	1465	25	利税	亿元	10.8	60
竣工面积	万平方米	966	134	国有	亿元	1.8	27
其中：住宅	万平方米	655	36	非国有	亿元	9	68
国有	万平方米	124	-12	利润	亿元	5.2	70
非国有	万平方米	842	45	国有	亿元	0.4	52
劳动生产率	万元/人	5.5	12	非国有	亿元	4.8	71
国有	万元/人	7.1	11				

注：该表为纳入统计范围的 833 家企业经济指标完成情况。

建筑业快速发展的主要原因是全市固定资产投资结构的进一步调整，住宅建设投资持续增长。当年全社会固定资产投资 268.52 亿元，比上年增长 20.5%，其中房地产开发投资 106.9 亿元，增长 58.1%。

【建筑业企业资质管理】　2000 年，大连市进一步强化建筑业企业资质管理，促进建筑业健康发展。至年末，全市登记注册建筑业企业 923 个，并全部进行年检。年检结果：合格企业 621 个，占总数的 66.1%；基本合格 223 个，占 23.8%；不合格 25 个，占 2.7%；不合格被降级 22 个，占 2.3%；吊销资质证书 48 个（含吊销兼营），占 5.1%。当年，全市有等级内企业 640 个，占全部建筑企业数的 69.3%，其中一级企业 31 个、二级 137 个、三级 281 个、四级 191 个。

【非国有建筑企业迅速发展】　2000 年，大连市非国有建筑企业在建筑市场所占份额不断扩大，经济效益不断增加。非国有建筑企业年末从业人数 22.3 万人，占建筑业总数的 75%；实现产值 108 亿元、增加值 38 亿元、利润 4.8 亿元，分别占总额的 70%、74% 和 92%。涌现出大连电力建设有限公司、大连市金州区阿尔滨建筑工程公司等一批优秀企业。

大连电力建设有限公司是送变电工程建设施工国家一级企业，注册资本金 7859 万元，下属 12 个分公司和 6 个子公司。年内完成建筑业产值 1.6 亿元、增加值 4355 万元，实现利税 1176 万元（其中利润 584 万元），被大连市企业管理协会评为 100 家有突出贡献单位。承建的 220 千伏皮口变电所被国家电力公司东北电管局授予精品工程称号。

大连市金州区阿尔滨建筑工程公司

是国家一级建筑施工企业，总资产2.6亿元，下属12个分公司、17个工程处。年内施工面积60万平方米，完成建筑业产值近4亿元，实现利税3000万元，被国家建设部评为第二届全国先进建筑施工企业，被大连市政府评为“五星”企业。承建的大连理工大学伯川图书馆被国家建设部评为全国建筑工程“鲁班奖”，这是该公司第三次获“鲁班奖”。

获东北电管局精品工程奖的220千伏皮口变电所。　　　　庄　维　摄

【建筑业安全管理】　2000年，大连市建筑业以加强施工现场安全管理、遏制重大伤亡事故的发生为重点展开工作。以贯彻《建筑施工安全检查标准》为主要内容开展培训，共培训各类管理人员6003人。根据《建筑施工安全检查标准》的要求，制定新的施工现场安全管理内业资料。进行5次安全生产大检查，检查在建工程1492项，查出问题隐患6146条，下达指令书446份，查封工地116个。发生事故和查出重大事故隐患的16个企业、19人被予以资质降级及经济处罚。在辽宁省安全达标验收中，代表本市的8个施工现场全部达到优良，名列全省第一。

【大连金广建设有限公司成立】　2000年8月，金州一建经过改制，成立大连金广建设有限公司。该公司是大连市建筑业的龙头企业和国家一级建筑施工企业，下设12个分公司、5个直属工区、3个专业公司、3个中外合资公司，有职工5000余人，总资产9亿元。当年完成建筑业产值15亿元、增加值5.2亿元；实现利税1.2亿元，其中利润7111万元。

（张伯荣　陈　敏）

【大连市建设工程集团有限公司成立】　2000年5月，由大连市建筑工程总公司改制组建的大连市建设工程集团有限公司成立。集团公司注册资本7500万元，企业资质为一级总承包，企业性质为国有独资。下设12个全资企业、4个控股企业、6个参股企业、12个契约企业，还有合资、联营、联建企业上百家。所属企业中：具有一级资质的施工企业5个、装饰企业1个、建筑构件企业1个、安装企业1个，甲级资质工程监理企业2个，甲级资质建筑科研设计院1个，6个企业获得ISO9000标准质量体系认证。9月，大连建设工程集团有限公司也通过ISO9002质量体系认证。集团公司全年竣工工程139项，其中优良项目98项，优良工程总面积5.4万平方米，优良品率85.2%。

【大连建工集团公司拓展外埠市场见成效】　2000年，大连市建设工程集团有限公司加大外埠市场的开拓力度，建立6个驻外埠办事处和分公司，先后中标青岛金帝山庄、根河市世纪广场、根河市文体中心综合楼、根河市体育馆、根河市商服楼、通辽市科尔沁综合楼、山东德州电厂三期办公楼、新疆啤酒花神内生物制品有限公司工程、四川乐山名雅花园等10项施工项目，总价值8800万元。

【大连建工集团公司首次进军海外建筑市场】　2000年，大连建设工程集团有限公司与大连国际经济技术合作公司、中国路桥总公司、中国海外工程总公司、西班牙力豪集团等多家国内外大型建筑公司分别达成意向性协议，共同开发国际工程承包市场。所属一建公司经过与国际合作公司的密切合作，承揽到中国援建巴勒斯坦艾资哈尔大学法学院教学楼、库巴幼儿园、中国医疗中心3项工程，总建筑面积7695平方米，总价值2681万元。

【全球劳务信息网开通】　2000年11月1日，由大连市建设工程集团有限公司组建的全球劳务信息网开通。网站注册了国际顶级域名（www.manpowerinfo.com）和国内顶级域名（www.manpowerinfo.com.cn），同时预注册中文域名，设立会员数据库、招聘库和人才库，并与国内外雅虎、搜狐、网易、新浪等300余家著名网站建立友情链接或数据库加挂。该信息网设劳务新闻、政策法规、出国就业常识、优秀人才推荐、最新招聘信息、国外信息概况、国内机构概览、出国人力资源库、友情链接、会员广告、信息咨询等专栏，提供在线查询劳务新闻、政策法规、出国就业常识，发布国外用工信息及申请出国人员求职信息、信息网站会员简介、优秀人才推荐、友情链接、在线信息咨询等服务。

该网站开通至年末，访问者上千人次。国内外几十家雇主（中介机构）与网站建立劳务资源合作或友情链接关系，有的已与网站开始了实质性劳务外派业务运作；大量有出国工作意向的人员通过网站人力资源库或电子邮件登录发布了个人出国求职信息。

【大连市建筑科学研究设计院通过ISO/IEC导则25认证】　2000年12月，大连市建筑科学研究设计院检测中心正式通过国家实验室认证委员会按国际标准、

ISO/IEC 导则 25（1990）《标准和检测实验室资格的通用要求》进行的认证，取得迈向国际市场的通行证，成为我国东北地区建筑行业第一家正式通过此项认证的单位。根据多边互认协议，该院的80余种建筑材料检测报告在美国、加拿大、澳大利亚等19个亚太地区国家生效，为我国进出口建筑材料提供了新的检验渠道。（刘铁男）

【勘察设计】 2000年，大连市有勘察设计单位150个；职工5524人，其中高级工程师1200人。全市有国家一级注册建筑师105人、二级164人；国家一级注册结构工程师160人、二级23人。全年签订设计合同946项，签订工程勘察合同734项，完成工程测量415平方公里、工程地质10.8万标准米、水文地质1.2万标准米；营业总收入4.35亿元，其中勘察设计收入2.69亿元。

年内，大连市建设委员会制定《大连市工程勘察设计咨询单位体制改革实施意见》。至年末，全市已有26个勘察设计单位建立现代企业制度；计划2001年完成50%，2002年底前在全市基本完成工程勘察设计咨询单位的体制改革。

（张继良）

【工程质量监督管理】 2000年，大连市各级建筑工程质量监督站共接受监督注册工程5897项、建筑面积2669万平方米，其中住宅工程4785项、建筑面积2172万平方米。验核工程质量等级1283项、建筑面积541万平方米。其中：优良工程383项、建筑面积182万平方米；合格工程900项、建筑面积359万平方米。下发停工通知单118份、整改通知单1169份，通报批评建设（开发）、施工、监理单位44家，罚款58万元。消除结构隐患248起、装饰装修隐患118起、使用功能通病170起，保证了主体结构质量。

当年，本市1项工程荣获国家“鲁班奖”，4项工程被评为辽宁省精品工程，2个小区被评为辽宁省质量优良小区，19项工程被评为辽宁省优质样板工程，113项工程被评为大连市优质工程。其中，省精品工程和省优质样板工程数量名列全省第一。

2000年大连市获国家级、省级各类工程质量奖一览

奖项及工程名称	施工单位
1. 国家“鲁班奖”	
大连理工大学伯川图书馆	大连市金州区阿尔滨建筑公司
2. 辽宁省精品工程	
大连理工大学伯川图书馆	大连市金州区阿尔滨建筑公司
北良大厦	大连市金州区第一建筑工程公司
锦绣园小区	大连市安居工程锦绣居住区建设指挥部
大连新市区湾里净水厂	辽宁省建设集团
3. 辽宁省质量优良小区	
锦绣园小区	大连市安居工程锦绣居住区建设指挥部
华乐小区	大连市寺儿沟住宅区建设工程指挥部
4. 辽宁省优质样板工程	
东北财经大学综合教学楼	中国建筑第一工程局
大连市时代大厦	中国建筑第八工程局大连公司
大连南关岭国家粮食储备库工程	大连市建设工程集团有限公司
大连新妇产医院	大连第四建筑工程公司
大连市红旗小区C-1-1楼	大连渤海建筑工程公司
大连市华乐一小区7号楼	大连悦泰建筑工程有限公司
大连市明泽苑小区2号楼	大连华岳建筑工程有限公司
大连市锦绣试点小区S-1号楼	安徽三建集团公司大连分公司
大连市泰华大厦	大连市金州区第一建筑工程公司
大连北良有限控制中心	大连市金州区第一建筑工程公司
中信实业银行大连开发区分行营业楼	大连市金州区第一建筑工程公司
大连经济技术开发区吉田精密拉链厂厂房	大连市金州区第一建筑工程公司
大连经济技术开发区东方花园1号楼	赤峰松山建筑集团公司
大连民族学院图书馆	大连金州区阿尔滨建筑工程公司
大连市金州区阿尔滨金山康乐楼	大连金州区阿尔滨建筑工程公司
大连华信软件大厦	大连金州区阿尔滨建筑工程公司
大连市旅顺黄金山大酒店	大连市旅顺经济开发区建筑安装工程总公司
大连市迎宾道路改造工程	大连市市政设施修建总公司
大连至旅顺一级公路	大连市金州公路工程有限公司
	大连市甘井子区公路工程公司

辽宁省精品工程——湾里净水厂。 市建委 供稿

【竣工验收备案管理制度全面实行】 2000年1月，大连市建设委员会为贯彻国务院颁布的《建设工程质量管理条例》，制订了《条例》实施计划。同时制订了《房屋建筑工程和市政基础设施工程竣工验收备案管理暂行办法》，成立备案机构，制定一整套工程竣工备案管理制度，并于11月起全面实行竣工验收备案管理。该制度的实行，进一步明确了建设主体各方质量责任，为保证工程质量奠定了基础。

获国家“鲁班奖”的大连理工大学伯川图书馆。　　市建委　供稿

【联合检查全市建设工程】 2000年4月，大连市建设委员会组织市建设工程质量监督站、监察大队等部门，联合检查全市建设工程，重点检查主体在建工程和1999年1月1日以后竣工投入使用的工程，对市内四区进行地毯式检查，区市县工程按比例抽检。共检查工程254项、建筑面积123.5万平方米，其中在建工程247项、119.7万平方米，竣工工程7项、3.8万平方米。处罚存在问题较多的工程123项，被处罚单位95个；处罚安全生产、文明施工不合格的施工单位36个；共计罚款141万元。

6月，大连市建设委员会在全市范围内开展地基与基础、主体结构工程大检查。共检查在建地基与基础、主体结构工程399项，建筑面积412万平方米；下发整改通知单82份；处罚施工企业4个，罚款4万元。

辽宁省精品工程——北良大厦。　　郭梅良　摄

【加强建设监理行业管理】 2000年，大连市建设工程质量监督站共举办4期监理工程师培训班，有348人取得建设部核发的培训结业证书；举办4期总监理工程师培训班，369人参加培训；举办全国监理工程师执业资格考试，300多人应考；核发《辽宁省建设监理工程师证书》753件。

对全市监理单位资质进行年检，共检查73家。其中：合格的15家、基本合格的37家、不合格的21家，分别占总数的20.5%、50.7%和28.8%；由乙级资质降为丙级资质4家，撤消资质证书5家。

【伯川图书馆工程荣获国家“鲁班奖”】 2000年12月，大连理工大学伯川图书馆工程荣获国家“鲁班奖”，此前于6月被评为辽宁省精品工程。该工程由中科院院士齐康提出建筑造型方案，大连理工大学土建勘察设计院设计，大连理工建设监理公司监理，大连市金州区阿尔滨建筑工程公司施工，1997年6月8日开工，1998年11月20日竣工，总投资4200万元，占地面积1.9万平方米，建筑面积2万平方米，主体为框架结构，局部设有剪力墙。

【4项工程被评为辽宁省精品工程】 2000年，大连市的大连理工大学伯川图书馆、北良大厦、湾里净水厂、锦绣园小区4项工程被评为辽宁省精品工程。

大连理工大学伯川图书馆（略）。

北良大厦工程由北良有限公司建设，轻工业部武汉设计院大连分院设计，大连铁路分局质量监理处监理，大连金广建设有限公司施工，是集办公、商住、餐饮、娱乐为一体的综合性大厦，建筑面积1.5万平方米，为框架结构，共22层（地下2层、地上20层），总高度62.9米，1996年6月15日破土动工，1997年12月18日竣工，总投资4200万元。

辽宁省精品工程——锦绣园小区。　　市建委　供稿

湾里净水厂（一期）工程由大连经济技术开发区财政投资，东北市政设计研究院设计，辽宁省建设集团施工，占地面积11.1万平方米，建筑面积2.1万平方米，1995年2月24日开工，1998年12月30日竣工。该工程设计合理，厂区平面布局效果良好，功能分区明确，有利于生产并方便管理。建筑群体造型新颖，并与山亭、花木、绿地巧妙结合，突出了水厂洁静的特征。

锦绣园小区是国家建设部第4批城市住宅建设试点之一，由大连市规划设计院进行规划设计，大连市规划设计院、市民用建设设计院和市建筑设计研究所进行建筑设计，北京市建筑设计院进行环境设计，安徽三建、赤峰一建、大连四建、大连五建等7家单位施工，大连市工程建设监理公司监理。该工程位于市内区西北部，占地面积9.5万平方米，总建筑面积10.6万平方米，其中住宅9.1万平方米、公建1.5万平方米，容积率为1.02，绿地率45%，居住户数906户，容纳居民3000余人，是一个园林式、智能化居住区，其设计方案获得建设部全国跨世纪住宅小区规划设计方案竞赛优秀奖。1998年3月开工，1999年10月竣工。1999年10月获国家建设部城市住宅建设优秀试点小区称号，并夺得规划设计、建筑设计、施工质量、科技进步全部4个单项金牌奖。（杨　杰）

房地产业

·房地产开发·

【概况】　2000年，大连市房地产开发业对全市经济增长的贡献份额增大，成为拉动全市经济发展的主力军，较好地突出了市委、市政府关于加大住宅建设步伐，提高人民生活质量的总体思路。至年末，全市人均住宅建筑面积已达18.9平方米，与联合国人居中心提出的中高收入国家城市人均住宅建筑面积22平方米的标准正在接近。

当年，全市共有房地产企业534家；从业人员7236人，其中中级以上专业技术人员3566人；注册资本72.1亿元。

2000年大连市房地产业企业情况

单位：个

	数量
总计	534
1.按资质等级分	
一级企业	14
二级企业	27
三级企业	466
四级企业	17
待定企业	10
2.按企业性质分	
国有企业	52
集体企业	19
有限公司	384
合资独资企业	65
股份公司	14

【房地产业对经济增长的贡献份额日益提高】　2000年，大连市国内生产总值实现1110.8亿元，房地产年增加值达62.8亿元，分别占国内生产总值和第三产业年增加值的5.7%和12.9%；房地产开发投资达106.9亿元，占全市固定资产投资总额的39.8%；房地产业对全市经济发展的拉动系数为10.9%，在全市国内生产总值的增加份额中，房地产业贡献份额达10.4%，房地产业对城市经济的推动作用更加明显。

【商品房继续保持合理空置率】　2000年，在扩大内需，拉动全市经济增长和人居环境渐进国际标准的形势下，结合住宅实际投资额、施工面积和竣工面积迅猛增长的实际情况，大连市加大政府调控力度，采取有效措施，适时颁布《关于进一步加强房地产开发住宅项目管理的通知》等有关规章，严格执行用地计划，从源头控制审批项目。针对工业企业结构调整，急于盘活土地资产的迫

2000年大连市房地产业主要经济指标完成情况

	单位	实际完成	比上年增长(%)
房地产开发投资	亿元	106.9	58.1
其中：住宅	亿元	78.0	44.4
商品房施工面积	万平方米	848.2	32.9
商品房竣工面积	万平方米	447.1	18.6
商品房新开工面积	万平方米	480.5	51.2
经济适用房施工面积	万平方米	65.1	2.1
经济适用房竣工面积	万平方米	52.0	—

切需求，有计划有步骤地安排企业搬迁改造项目，使市区商品房空置面积继续保持在约50万平方米的合理范围内。

【房地产招商引资成效显著】 2000年，大连市房地产开发管理办公室狠抓项目资金到位率。万众花园项目外资到位1400万美元；东海明珠城和锦联商务大厦项目，外资或外省资金到位均达到800万美元；新希望集团资金到位超过1亿元人民币。

拓宽新的招商领域。市开发办组织全市骨干开发企业先后参加市政府举办的赴美、赴港招商活动以及台商洽谈和海外华侨洽谈会，广泛与美国、日本、韩国、东南亚、港、台等国家和地区的知名企业进行洽谈。至年末，正式签订的合资、独资和合作项目有5项（星海国宝、飞通大酒店、圣亚海洋世界二期工程、星海国际金融大厦和星海高级住宅），合同金额3.55亿美元，到位资金5300万美元。

大型公建项目实现既定目标。当年，百年商城、越秀广场、亚太金融中心、王府商厦、新华数码大厦实现主体封顶；长江广场暨希尔顿酒店、大世界商业中心、岁盛大厦、世贸大厦、富源大厦、平安大厦、友好大厦裙楼、中山金融大厦、金福大厦B座、亿达新世界等项目已经竣工或基本竣工或部分投入使用。

【商品房销售市场异常活跃】 2000年，大连市商品房施工面积848.2万平方米，竣工面积447.1万平方米，施工面积与竣工面积的比为1.9：1。全市商品房销售面积为281.01万平方米，其中住宅销售面积239.4万平方米，分别比上年增长16.6%和8.9%；商品房销售额达73.2亿元，其中商品住宅56.7亿元，分别增长31.2%和17.7%。销售额与投资额的比为1：1.3，资金回收和投资回报率较高。

成功举办春、夏、秋3届房地产交易会，其规模之大、档次之高、参加人数之多、交易额之丰创下历史新高，成为东北地区最具代表性的房交会。3届房交会总成交额15.7亿元，意向金额30亿元。另外，在哈尔滨、长沙、成都商品交易会以及大连房市活动上共实现商品房成交额8.3亿元。

【土地出让金收缴力度加大】 2000年8月，为切实加大土地出让金收缴力度，大连市房地产开发领导小组办公室下发了《关于加强土地出让金收缴工作的通知》。《通知》规定：（1）对未按《履约保证书》、《土地出让合同》规定按期缴纳、拖欠出让金的，采取法律手段予以追缴，对确实无力缴纳拖欠出让金的单位，经市房地产开发管理领导小组同意，可以其竣工的商品房折抵方式缴纳。凡以此方式缴纳的，均按低于该商品房成本价计算抵缴土地出让金。（2）对未按本通知限定期限缴齐拖欠土地出让金的开发、建设单位，采取以下措施给予严肃处理：一是不予通过其企业资质年检，不予换证；二是对其在建项目不予结转；三是一律不再审批新的建设用地及开发项目；四是采取法律手段追缴拖欠的土地出让金及滞纳金。至年末，超额完成土地出让金收缴任务。

【各项动拆迁任务圆满完成】 2000年，大连市集中对主要路、街、区进行改造，进一步加大城市基础设施建设。为保证工程顺利展开，大连市房地产开发管理办公室重点完成对人商步行街改造、海军广场建设、麦德隆选址、黑石礁轻轨建设、五四路小学等10所学校的马路操场改造、旅顺北路拓宽改造、快轨交通等16块用地的动拆迁安置工作，总拆迁面积9.8万平方米，共安置动迁户2111户。此外，还完成对泉水居住区中华路、1—4号路、东北路匝道、泉水河及三道沟路的动迁，共拆除建筑面积5.4万平方米，安置住户630余户，工商网点13家。同时，还组织了快轨45公里线路、明泽小学选址、希尔顿酒店北侧用地改造、西岗市场等12个地块的动迁摸底测算和动迁遗留问题的处置工作，为市政府重点工程的顺利实施打下坚实基础。

【积极推进东部居住区建设】 2000年，大连市对东部居住区的总规划面积为155万平方米，新批居住区建设项目5项。其中：在建项目3项，东海明珠城、海之恋花园2项主体工程完工，预计2001年6月交付使用；规划面积32万平方米的海昌欣城已开工25万平方米，且部分主体完工。金海别墅、环海花园尚未开工建设。

【加强房地产开发市场的法制管理】 2000年，大连市住宅投资再创历史新高，且历年结转及新审批住宅开发量达700万平方米之多。为维护健康有序的房地产开发市场，大连市房地产开发领导小组办公室先后制定《关于进一步加强城市房地产开发住宅项目管理的通知》和《大连市房地产综合开发项目及国有土地使用权招标拍卖管理办法补充规定》，有效遏制了盲目投资和开发过热行为，倡导了公平竞争的市场机制。6月，制定颁布《关于调整市内四区土地级别及土地出让金标准的通知》，实现房地产开发土地出让金按楼面地价收取方式的转变，对促进大连市国有土地资产增值和城市规划更趋合理起到举足轻重的作用。年内，还出台《大连市城市房地产开发管理办法》。此外，开发办还加大执法检查力度，在全市范围内对违法违章房地产项目进行清查，全年查处60多项违法项目，追缴土地出让金1000余万元。

（孙　哲）

【市建设控股公司开发量增大】 2000年，大连市建设控股有限公司房屋施工面积37万平方米，竣工面积24万平方米，分别比上年增长14.2%和50%，是近5年来开发总量最大的一年；经营总收入7.1亿元，增长39.2%；工程优良品率为99.8%。

全面启动科技广场、环海公寓、星海大厦等停建多年的半截子工程，总建筑面积20万平方米；承担大连俄罗斯风情一条街一期、金石滩名水温泉、山峦路街区改造、泉水千年城4项市政府重点工程项目；新建怡景花园、北斗家园项目全部竣工，欧洲小镇项目按计划进行。开发建设的华乐小区被评为辽宁省质量优良小区。

（江和伟）

·房地产管理·

【概况】 2000年，大连市城市居民居住条件进一步改善。市内四区共有房屋建筑面积5984.7万平方米，比上年增长8%。其中：市房产局直管房产696.9万平方米，下降22.1%；单位自管房产3413.7万平方米，下降2%；私有房产1874.1万平方米，增长60.3%。城区人均居住面积由上年的9.4平方米增加到10.17平方米。

大连市房地产管理局进一步强化房地产管理职能，放开搞活房地产二、三级市场，全面推进以住房货币化分配为重点的住房制度改革，促进住宅建设和房地产经济持续、快速、健康发展。

加大行政法制工作力度。市政府发布并施行《关于进一步放开搞活房地产市场的若干规定的通知》和《关于在房产测量中统一执行国家房产测量规范的通知》；市房地产管理局、市住房制度改革领导小组等发布《大连市房改房拆迁产权调换（补偿）结算实施细则》、《关于进一步加强房地产中介服务人员和中介服务机构管理的通知》、《关于进一步规范我市经济适用住房销售行为的通知》等规范性文件18件。在行政执法方面，重点查处乱拆乱改房屋结构、擅自转租转借、私自改变用途和无证销售商品房等违法违章案件，有力地打击了房地产领域的违法违章行为，促进了房地产业健康有序发展。

大连市经济适用住房建设项目——锦华园。 市房产局 供稿

【产权产籍管理】 2000年，大连市房地产管理局积极推进产权产籍管理现代化、信息化，进一步提高房地产权属登记管理水平。

加强房地产权属登记管理。按照国家建设部统一部署，在全市开展换发房屋权属证书和确权登记工作，扩大房屋产权产籍管理覆盖面。共受理办结各类房地产权属登记手续9.7万件，确权登记房屋建筑面积1270.9万平方米，换发房屋权属证书1万件。

加强商品房屋销售面积计算管理认证。完成各种产别的房屋权属登记测绘2.7万件，房屋总测绘面积545.6万平方米，核定认证1003栋、422.6万平方米的商品房屋销售面积，维护了房地产市场秩序和权利人的合法权益。

加强房屋产权产籍管理基础业务建设。完成大连市数字化1:500房产地籍图测制，为实现房地产管理信息化、网络化、标准化奠定了基础。

【房屋拆迁】 2000年，大连市房地产管理局严格控制房屋拆迁规模，同时加大对拆迁单位的监控管理，落实拆迁安置责任制，维护拆迁当事人的合法权益。全年颁发房屋拆迁许可证35件，拆除各类房屋821栋、建筑面积41万平方米，动迁住户10370户；回迁安置11242户，一次性定居率达94%。至年末，在外自行过渡户由年初的1712户下降到847户，超额完成年度计划指标。

大连市重点建设项目——民兴花园。 市房产局 供稿

【房屋维修管理】 2000年，大连市房地产管理局不断改进和完善房屋维修三级服务网络，向社会公开各物业管理公司和房管班站的维修电话和负责人传呼号码，落实社会服务承诺制度，使房屋维修服务水平有新的提高。对政府直管公产房屋维修投资6164万元，完成房屋维修562栋、59.1万平方米，其中危房排险加固、翻建改造118栋、9万平方米，使2042户居民住上安全房。

【住房建设和住房解困】 2000年，大连市进一步加强房地产开发建设宏观调控，重点抓好经济适用住房和普通住宅建设，适度控制高档住宅开发建设规模，提高了住宅的有效供给。全市城区配套竣工住宅398.9万平方米，其中市内四区竣工293万平方米，城区人均居住面积由上年的9.4平方米提高到10.17平方米；全市城区经济适用住房配套竣工52万平方米。

加大住房解困工作力度。市内四区安置住房困难户6208户，其中锦绣居住区和泡崖新区提供经济适用住房5088套，社会各有关单位提供房源安置1120

户。至年末，全市累计安置住房困难户5700户。

【住宅小区治理改造】 2000年，大连市以城乡结合部住宅小区和虽经整治但未达到规定标准的住宅小区为重点，狠抓住宅小区治理改造。全市共投资2.5亿元，综合整治212个住宅小区、5854栋住宅楼的配套基础设施，重点解决了市民反映比较强烈的金南路、红旗镇和虎滩新区等生活配套设施欠帐问题，为2.1万户居民送上煤气，为1.7万户居民解决吃水问题，为1.2万户居民安装电话和有线电视，使居民的居住环境、生活质量有较明显的改善和提高。至年末，市内四区累计有131个住宅小区达到国家级或市级优秀示范小区标准，占住宅小区总数的66%，基本实现“走出家园进花园”的目标。

【物业管理】 2000年，大连市有物业管理企业163家，从业人员1万余人；169个住宅小区和27个大厦实行物业管理。

全市物业管理行业加快社会化、专业化、市场化进程。全市有565人通过培训持证上岗，175人取得国家建设部颁发的企业经理上岗证书。新型、万达、益民、万泰等物业管理企业通过ISO9002国际质量体系认证。经国家建设部和中国物业管理协会组织的现场考评，申请全国城市物业管理示范项目的3个小区和1个大厦均达到规定标准，大连也成为建设部新标准实施后第一个通过考评的城市。至年末，本市获全国城市物业管理优秀示范小区（大厦）累计达81个，在全国各大中城市中名列前茅。

物业产权人委员会组建工作取得突破性进展。市内四区新组建物业产权人委员会95个，占实行物业管理住宅小区的56.2%。

住宅小区的物业管理收费覆盖率不断提高。全市有147个小区实行物业管理收费，覆盖率达70%，反映出居民的住房消费意识和物业管理企业的服务水平在不断提高。

前期物业管理进一步加强。在新建住宅小区普遍推行《前期物业管理委托合同》和《前期物业管理服务协议》制度。当年竣工的住宅小区全面实行综合验收。成功进行金盛家园前期物业管理的招投标试点工作。

【城市房屋产权构成发生新变化】 2000年，大连市住房商品化、私有化进程加快，国有房产比重持续下降，私有房产比重迅速上升。至年末，市内四区5984.7万平方米房屋建筑面积中，市房地产管理局直管房产696.9万平方米，占11.6%，比上年降低4.5个百分点；单位自管房产3413.7万平方米，占57.1%，降低5.8个百分点；私有房产1874.1万平方米，占31.3%，提高10.3个百分点。

·房地产市场·

【概况】 2000年，大连市调整房地产市场相关政策，加强对房地产中介服务管理，积极发展住房金融服务，加强房地产交易市场硬件建设，进一步搞活了房地产市场。市内四区各类房地产交易成交额397.9亿元，完成交易税费3.24亿元，各类房屋交易面积2743.9万平方米，分别比上年增长91.2%、85.1%和83.4%。住房消费成为新的经济增长点和消费热点。

【住房制度改革】 2000年，大连市的机关、企事业单位基本完成住房实物分配向货币分配的转换。建立单位职工住房基金，确保补贴资金尽快发放，提高职工购买住房的支付能力。至年末，市内四区有55家机关、企事业单位实行住房货币分配，1142名职工领取住房补贴5290万元并购买住房，购房总面积8.33万平方米。

住房公积金缴交范围扩大，实际归

全国物业管理优秀示范小区——明泽苑。 市房产局 供稿

集率提高。市内四区新增住房公积金8.15亿元，累计归集住房公积金28.3亿元；有75.3万名职工缴交住房公积金，占应缴交人数的99.5%，比上年提高1.5个百分点。

调整公有住房租金和公有住房出售成本价。按公有住房竣工交付使用年份和坐落类区实行差别租金，全市公有住房租金由上年平均每平方米1.36元提高到1.76元，占双职工家庭平均工资的5%。公有住房出售成本价在1998年的基础上提高10%，砖混结构由每平方米1200元上调到1320元，框架结构由每平方米1420元上调到1540元，同时取消房屋折旧、工龄折扣和房屋类区等调剂因素以外的其他折扣政策。至年末，市内四区新出售公有住房1.7万套，累计出售23.05万套，占可出售公有住房的62.9%。

完善房改资金管理办法。至年末，市本级累计归集房改资金83.13亿元，累计为17287户职工购房提供政策贷款5.96亿元，贷款本息回收率为99.17%。

【调整房地产交易政策】 2000年，大连市为进一步搞活住房二级市场，调整了房地产交易相关政策：(1)取消房改房、安居(解困)房自住5年以上方可上市的限制，允许取得个人产权的房改房、安居(解困)房上市出售、出租。(2)适度降低土地出让金或相当于土地出让金价款的征收比例，减轻交易当事人的负担，鼓励居民售小购大、售旧购新，改善住房条件。(3)放开房改不可售公有住房承租权有偿转让市场，给承租居民提供融资购房、改善住房条件的有效途径，实现住房的梯级消费。(4)调整房地产交易税费标准。如：将契税由5%调整为个人购买普通商品住宅按3%减半征收为1.5%，其他按4%征收；个人出售自用普通住宅的综合税暂免征收；个人购买普通商品住宅，暂免征收房地产交易手续费等。

【房地产中介服务管理进一步规范】 2000年，大连市制定《房地产中介服务管理暂行办法》，对房地产中介服务机构实行资质审查认证制度，对从业人员实行执业资格培训、考试和注册制度。至年末，全市有500余家房地产中介服务机构通过前期预审，领取《营业执照》，其中208家通过资质审查，获得房地产中介服务资质证书。

各区成立房地产中介服务专业市场，集中经营管理，使用计算机网络技术汇集房屋信息，方便了市民买卖房屋。

宽敞明亮的市房地产交易大厅为市民提供良好的服务环境。 市房产局 供稿

【个人购买商品房成为房地产市场主流】 2000年，在国家各项利好政策的综合推动下，大连市房地产市场交易活跃，市民个人出资购房持续升温。市内四区共销售商品房21022套，成交面积312.96万平方米，销售金额67.44亿元，其中个人购买19686套、257.76万平方米，购房金额49.68亿元，分别占93.6%、73.7%和82.4%。

个人购买商品房趋热除国家宏观政策作用外，主要原因还有：(1)停止住房实物分配以及住房补贴资金的逐步落实，支持了居民购买住房；(2)国民经济持续增长使居民收入不断提高，有能力承担购房支出；(3)调整房地产交易税费标准，降低入市门坎，鼓励了个人进入房地产市场；(4)经济适用住房建设加快和放开住房二级市场，增加了住房有效供给；(5)金融部门发展购房贷款业务，提高了个人支付能力；(6)简化审批程序，改善了市场环境。

【春季房屋置换月活动成效显著】 2000年5月6日~6月5日，大连市房地产管理局组织开展春季房屋置换月活动，以进一步搞活房地产二、三级市场，改善中低收入家庭居住条件。期间，全市70余家房地产中介机构和开发商共提供房源4万套，其中二手房3.6万套、低价商品房4000套；市民可自己设摊洽谈，调换住房；有关部门减免中介费用，降低交易税费标准。有5万多名市民参加活动，共登记受理置换房屋4651件，达成意向727件，代办手续106件，达成交易184件，交易额1767万元。

【职工个人公积金贷款购房势头强劲】 2000年，大连市职工的住房观念发生深刻变化，特别是在市政府停止住房实物分配，全面推行住房分配货币化后，职工住房商品化、市场化的意识进一步提高，个人贷款购买住房空前踊跃。全市有8437户职工申请公积金贷款购买住房，贷款金额5.96亿元，分别比上年增长1.3倍和2.3倍。累计申请职工1.73万户，贷款金额9.54亿元。

【房改房和经济适用房上市步伐加快】 2000年，大连市采取取消各种限制、调整房地产交易税费标准、规范房地产中介行为、开展居民购买二手房贷款业务等措施，加快房改房、经济适用住房和安居(解困)房上市步伐，进一步放开搞活住房二级市场。至年末，全市有1.2万套房改房、经济适用住房和安居(解困)房上市交易，成交面积65.6万平方米，交易金额6.33亿元。 (尹元江)

城市建设

责任编辑　郑　彬

概　述

【城市建设概况】　2000年，大连市城市建设取得突破性进展，城市功能更加完善。轨道交通试验线路基本建成；大连市中心区经大连经济技术开发区至金石滩国家旅游度假区的全长46.8公里的快速轨道交通开工建设；旅大北路、大工路、五一路西段、山东路南段拓宽改造，中山路地下通道工程等相继竣工；对中山路、疏港路、胜利路等城市道路进行全面整治，城市道路完好率达到95%。加强区域性道路建设，海皮路一期工程竣工通车，全市128个乡镇实现乡乡通柏油路，在全国开展的畅通工程评比中位居首位。引英入连应急供水工程提前开工建设，OECF供水系统改造工程基本竣工，香海热电厂建成投入运营，改造双燃料公交车600台，出租车1000台，城市服务功能显著提高。

环境建设与改造实现历史性突破。继续加快4条绿色长龙建设，新建公共绿地160万平方米，人均公共绿地面积达到8.5平方米，绿化覆盖率达到40.5%，新建海军、秀月、绿之梦等13个广场。环境治理力度进一步加大，马栏河、春柳河、付家庄污水处理厂新建改造工程完成并投入运行。

科、教、文、体、卫、旅游建设项目实现新的突破。市图书馆、科技馆、市委党校、寄宿制学校、海外学子园、旅顺历史博物馆改扩建工程相继完工，大连国际网球中心建成，大连现代博物馆基本竣工；市友谊医院、中心医院、第五医院扩建改造工程完工；南山旅游风情街、俄罗斯风情街建成；占地100万平方米的森林动物园二期建成开园，虎滩极地馆、渔人码头、星海城堡艺术馆、圣亚海洋世界二期工程等已开工建设。　（李利家）

改造后的港湾广场。　　市房地产开发办　供稿

城乡规划

【概况】　2000年，大连市城乡规划土地局圆满完成规划土地审批管理、规划与建筑设计和政府重点工程专项任务。《大连城市总体规划》全面完成，并通过国家建设部和省政府评审，上报国务院。

完成规划审批项目125项，主要有轨道交通、青泥商城改造、海军广场、北部新区、双D港用地、西安路改造、俄罗斯风情街、南山旅游风情街、天津街改造等。同时组织实施并完成友谊科技馆改扩建、港湾广场改造、现代博物馆建设、旅顺蛇岛馆建设等近百项建设工程。

2000年大连市建设用地、建设工程规划审批情况

	单位	数量
1. 建设工程选址意见书	项	229
用地面积	公顷	2178
2. 编制详细规划	项	193
用地面积	公顷	877
3. 发放建设用地规划许可证	件	100
用地面积	公顷	226.8
建筑规模	万平方米	374.4
投资规模	亿元	62.6
4. 发放建设工程规划许可证	件	83
用地面积	公顷	183.7
建筑规模	万平方米	168
投资规模	亿元	58.5
5. 发放临时施工执照	件	42
建筑规模	万平方米	118.8

【《大连市城市总体规划（1999～2020）》完成】　2000年，由大连市政府主持，大连市城乡规划土地局组织指导，大连市规划设计研究院承担的《大连市城市

总体规划（1999～2020）》编制完成。

该规划期限分为近期（1999～2005年）、远期（2006～2020年）和远景（2020年以后）3个部分；规划范围为大连市（指所辖13538平方公里地域）和大连城市规划区（包括市区、近郊区和规划控制区，总面积为4064平方公里）；城市功能定位为区域性国际航运中心、商贸中心、旅游中心、金融中心和信息中心；城市性质为中国北方沿海重要的中心城市和国际性风景旅游城市，将建设成为文化、体育和现代产业协调发展的国际名城。

城市发展目标分为近期、远期和远景3个部分。（1）近期发展目标：进一步完善城市功能，优化城市环境，实现经济和社会可持续发展，建设成为中国北方投资环境最好、最富商机的口岸城市之一，为构筑现代化国际名城奠定基础。（2）远期发展目标：初步形成中国北方航运、商贸、旅游、金融、信息中心，确立现代化国际名城的地位。（3）远景发展目标：建设成为经济繁荣、功能完善、环境优美、科教发达、社会稳定、市风良好、人民生活质量较高的清洁、舒适、文明的现代化国际名城。

同时还对城市发展的对外交通、主城区基础设施、城市综合防灾、风景旅游作了科学详细的规划。

【《大连市环境卫生发展规划》完成】 2000年，大连市城乡规划土地局在系统调查城区环境卫生状况的基础上，依据《大连市城市总体规划》及部、市有关环境卫生管理和设施设计标准等法规，编制完成《大连市环境卫生发展规划》。规划重点是城市生活废弃物的收运处置、市域主要卫生设施布局及主城区环境卫生设施建设；规划期限为近期2005年、中期2010年、远期2020年；发展目标是创建现代化国际名城环境所需要的高效、系统管理体系和配套完善的设施体系；发展方向是实现生活垃圾收集分类化，生活垃圾中转、运输压缩化、集装箱化，垃圾处置资源化、产业化，道路清扫资源化，环卫科技现代化，管理法制化，信息网络化，环卫作业社会化、市场化。

规划确定大连城市生活垃圾处理采用以焚烧发电为主，填埋、制肥、回收资源为辅的多元化处理方式，逐步建立以资源化为主体的综合处理体系；清转运系统将采用垃圾压缩车直运与压缩车收集加中型或大型垃圾中转站转运两种形式相结合的清转运体系。全市毒菌垃圾集中焚烧处理，从根本上清除其对城市造成的环境污染。

规划期内建设的大型环卫设施有垃圾焚烧热电厂、制肥厂、垃圾中转站、垃圾终处置场、垃圾回收利用中心等。

【小城镇建设规划加快】 2000年，大连市城乡规划土地局调整修编28个建制镇、12个乡、240个中心村的规划；完成420栋新型农民住宅规划，推广7个农村示范住宅小区（甘井子区南关岭姚家村、金州区魏家后石村、旅顺口区龙塘盐厂村、庄河市许岭镇宫洼村、长海县獐子岛镇、普兰店市皮口镇和复州城镇），总建筑面积25万平方米。全年小城镇建设总投资6.8亿元，重点用于村镇基础设施、公共设施建设和绿化美化，使村容镇貌得到极大改善。

【天津街改造规划完成】 天津街地处市中心，是大连市重要的商业街区。2000年，市委、市政府决定对天津街商业区进行大规模改造，市城乡规划土地局、市规划设计研究院承担并完成该项工程的规划设计。

规划面积28.6公顷；规划范围：北至吉庆街、长江路，南至中山路、同兴街，东至大连火车站、胜利广场，西至33中、民意街；功能定位、定性：国内一流、具有国际水准、现代化、功能齐全的，集旅游、购物、娱乐、餐饮为一体的大型商业街区。

【北部泉水居住新区规划完成】 2000年，大连市城乡规划土地局根据新的城市总体规划，完成北部泉水居住新区规划。该居住区总占地面积22.4平方公里，其中一期规划用地17.3平方公里。居住用地分为中密度、中低密度、低密度、别墅4种开发强度，居住建筑高、中、低层结合，有良好的天际线及景观变化。商业中心沿海边形成，环境优美，并与轻轨站相连。快速路及主干道两侧设较宽的绿化带，形成绿色通廊，原有小山丘保留做集中绿地，既保护环境又节省投资。道路系统由快速路、主干道、次干道、支路及轻轨交通组成。

【轻轨3号线规划完成】 2000年，大连市城乡规划土地局完成轻轨3号线规划设计。轻轨3号线起点香炉礁，终点金石滩，中间设9个站台，全程45.7公里，设计最高时速每小时100公里，平均旅行速度每小时65公里。3号轻轨线的建成，将大大缩短市内至市郊的运行时间，缓解市内至市郊交通压力，对市民旅游观光以及金石滩国家旅游度假区、大连经济技术开发区及其沿线的旅游资源开发，将发挥重要作用。

【勘察测绘工作实现新飞跃】 2000年，大连市勘察测绘基础工程建设总投资达900万元。完成城区1:500数字化地形图300平方公里，测绘成果获辽宁省科技进步三等奖。完成大连地区1.25万平方公里1:10000数字化地形图，实现勘察测绘工作新飞跃，为全市总体规划资源开采、耕地保护和经济发展提供了准确、快捷的保障服务。 （张喜柱）

土地管理

【概况】 2000年，大连市城乡规划土地局积极推进土地使用制度改革，全面加强土地管理。完成乡级土地利用总体规划137个，为依法管理和使用农村土地奠定基础。发放国有土地使用证667宗、集体土地证527宗，完成土地证年检6445宗。办理土地抵押11宗，面积6.9公顷，抵押金额4000万元。处置土地资产总额14.1亿元。完成建设项目用地权属审核136件。

完成全市土地变更调查。成立地籍信息中心，完成地籍信息系统的软件升级和数据转换，实现局域内土地登记业务网络办公。对外开展土地登记资料公开查询业务。在甘井子区和旅顺口区建立农村土地变更调查信息系统，实现微机化管理。相继完成泉水居住新区、双D港、海皮公路、轻轨、英纳河水库扩建等重点工程项目的用地手续及上报。

【加强城市用地管理】 2000年，大连市城乡规划土地局审批国家重点项目南关岭国家粮食储备库等各项城市建设用地

117件，用地面积236公顷。完成大连染料厂、大连冶金机械厂、大连针织厂、大连纺织厂、大连油化厂、大连起重机器厂、大连重机厂、大连机床厂等重大项目的搬迁改造选址用地手续报批工作。清查补办用地手续13件、用地面积3公顷，补交土地费合同金额1900万元。调整和修改市内四区地价。加强外商投资企业用地管理，补交土地租金330万元。

【加强农村建设土地管理】 2000年，大连市城乡规划土地局受理各项非农建设用地239件，经市以上各级政府审批的151件，批准农用地转为建设用地388公顷，其中耕地248公顷。全市征用集体土地795公顷。依照土地利用总体规划，严格控制农用地尤其是耕地转为建设用地，实行“占一补一，先补后占”的原则，共开垦耕地470公顷。

（张喜柱）

市政建设

·道桥设施管修·

【概况】 2000年，大连市内四区有道路996条，比上年减少19条；总长度548.8公里，减少27.6公里；总面积961.6万平方米，与上年基本持平。新建、养护维修和挖掘修复道路总面积44.7万平方米，其中新建7.1万平方米、养护维修20.3万平方米、挖掘修复17.3万平方米。解放广场定向立交桥、轻轨辅助路道路（富国街—功成街）、大工路等新建工程以及滨海路中段道路升级改造、疏港东桥道路维修、中山路和人民路覆盖等工程竣工。养护维修桥梁设施35座，更新修复地下通道部分照明系统。完成全市1000多条道路、桥梁设施完好率普查。处罚各种损坏市政设施违法行政案件4942起。 （郭文海 韩连兴）

【椒金山隧道贯通】 2000年12月25日，快速轨道椒金山隧道正式贯通。该隧道为双轨铁路隧道，是大连市快速轨道工程的重点部位，全长1123米，净高7.1米，净宽5.6米。9月3日开工，由中铁十三局施工，总投资3090万元。该隧道的贯通，为快轨交通工程建设奠定重要基础。

2000年大连市内四区道桥设施情况

	单位	数量
1.道路	条	996
总长度	公里	548.8
总面积	万平方米	961.6
其中:主干道	条	80
三、四级道路	条	916
2.广场	座	37
总面积	万平方米	61.4
3.城市桥梁、隧道和地下通道	座	125
总长度	万米	1.94
总面积	万平方米	28.4
其中:车行立交桥	座	98
人行立交桥	座	11
隧道	座	3
跨河桥梁	座	8
地下通道	座	5

（郭文海 韩连兴）

【解放广场定向立交桥竣工】 2000年7月30日，大连市城市建设重点工程解放广场定向立交桥竣工。该桥东起五一路，西止五一桥，主桥全长572米，桥面标准段宽度9.5米、异型段宽度21米，采用钢筋混凝土连续梁结构。3月17日开工，由大连市政设计研究院设计，大连市政工程总公司施工，造价1190余万元。该桥的竣工，对缓解解放广场交通压力起到积极的作用。

【轻轨辅助路道路建设（富国街—功成街）完工】 2000年6月25日，轻轨辅助路道路工程富国街—功成街一段全线完工。该工程全长750米、宽7米，道路面积6000余平方米。全线共有5个轻轨过道口，最宽的12.3米，最窄的4.1米，路口施工均采用沥青混凝土。6月10日开工，由大连市政工程总公司施工，总投资186万元。该工程的完工，为轻轨工程建设打下良好的基础。

【引进道路改造新设备】 2000年，大连市政工程总公司从德国维特根公司引进国内第二台W2000型冷铣刨机，为进一步提高城市道路改造的速度和质量创造了条件。该机宽度2米，铣刨深度320毫米，可一次性对行车道全厚度沥青砼结构层进行铣刨；其自动找平装置可精确控制铣刨深度，使铣刨面平整；421千瓦卡彼勒直列发动机的强劲功率可保证高效率生产；四履带转向装置实现全履带转向，可在复杂路面上进行调度。

（韩 冰）

【滨海路中段道路升级改造完工】 2000年9月20日，由大连市道桥修建总公司承建的滨海路中段道路升级改造工程竣工通车。该工程自十八盘至付家庄，共覆盖道路15.7万平方米，新建边石3871米，造价942万元。改造后的滨海路中段，路面厚度均匀，平整度好，道路加宽，车辆通行能力增强，成为一条高标准的旅游观光路。

【疏港东桥道路维修完工】 2000年8月27日，大连市重点工程——疏港东桥道路维修工程完工。疏港路东桥全长2639米、宽16.5米，是沈大高速公路与大连港的连接纽带，1996年11月建成通车。维修前桥面道路破损，严重制约车辆通行速度。大连市道桥修建总公司在市政府招标中，中标承建该项工程，造价380万元。利用切削设备处理桥面，采用边部控制卧石高度的新工艺进行沥青混凝土桥面摊铺，共完成桥面道路面积4.6万平方米，均达到平整度要求。该工程的竣工，使疏港路这一城市货运干线交通更加顺畅、快捷。

【13个国有大企业厂区道路维修完工】 2000年10月27日，由市政府投资，市经委和市城建局组织，大连市道桥修建总公司承建的金州重型机械厂、瓦房店轴承厂、金州纺织厂、大连染料厂等13个国有大企业的道路维修改造工程竣工。该工程造价692.8万元，6月24日开工，共完成道路面积10.3万平方米、边石8741米、方砖225平方米，改善了国有大企业的厂区环境。

【中山路、人民路覆盖完工】 2000年4月20日，大连市中心交通主干道中山路、人民路的覆盖工程竣工。该工程由大连市道桥修建总公司承建，造价587万元，4月21日开工，共完成道路覆盖面积11.1万平方米，铺设方砖6597平方米。改造后的中山路、人民路，路面厚

改造后的中山路。　　于京华　摄

度均匀，平整度好，工程质量达到优良。

【大工路竣工通车】　2000年5月，连接由家村和苗岭村的主干道路大工路竣工通车。该路全长825米，造价193万元，1999年10月10日开工，由大连市政设施修建总公司承建。该路的建成通车，解决了大连理工大学、大连软件园、苗岭小学等单位职工上下班行路难的问题。（于亚琴　赵凤华）

【星海广场中央大道改造完工】　2000年6月，星海广场中央大道改造工程完工。该工程于当年3月28日开工。大道全长1公里、宽6米，新建喷泉水池26处，总占地面积9600平方米；设有喷泉114组，共有喷头3430个、水下灯2092盏、水泵604台，水型以涌泉、雪松、拱喷为主。水池及步道为钢筋混凝土结构，面层为花岗岩铺装。改造后的中央大道得到游客的广泛好评。（王行言）

·排水管理·

【概况】　2000年，大连市内四区有排水管道1000条、666.91公里，排水管道服务面积94万平方公里，占市区面积的87%。另有暗渠121条、54.07公里，涵管130处、2.77公里，明沟83条、64.07公里，检查井1.2万座，雨水井2.8万座，调蓄池4座，排水口44个。当年新建排水管道9796米、暗渠20米、检查井337座、雨水井680座。城市排水设施单元合格率为98.1%。

市内四区有城市污水处理厂3座，其中当年建成投用2座；污水深海净化排放泵站5座，其中当年建成投用2座。

城市污水处理未受春柳河污水处理厂因改造停运近半年影响，总量仍比上年增加12.5万吨，其中二级污水处理量623.7万吨、三级污水处理量96.8万吨。

市内四区日排放污水80万吨。5个泵站全年向深海排放污水1.03亿吨。马栏河污水处理厂、春柳河污水处理厂、虎滩和凌水河污水深海排放工程、星海2号泵站、棒棰岛污水处理站等新建或改造工程竣工或通水。

【城市排水设施维修养护】　2000年，大连市排水管理处组织掏挖检查井2万个次、雨水井5.8万个次；维修检查井、雨水井591座；补充、更换检查井盖254个、雨水井箅1474个；疏通管道2.9万延长米；清理明沟305延长米；疏浚暗渠234米；清运污泥1.4万立方米；实现产值372万元。彻底疏通淤堵严重的长春路、新生路等148条主次干道的地下排水管道；更新改造柳四街、协助街等25处因排水管道腐蚀老化造成污水外溢、路面塌陷路段的排水设施，更换管线280延长米。

【城市排水监察、监测】　2000年，大连市加大对违章排水的处理力度，发现违章案件73件，处理69件。加强产权单位排水设施的管理，协调解决产权单位排水设施污水外溢30起。审批城市排水新、改、扩建工程47项。

全面开展城市排水监测。共监测945个排水用户的水质，取得数据6500余个。对其中246个水质超标单位限期整改；对不履行行政处罚决定的21个单位

改造后的星海广场中央大道。　　市房地产开发发　供稿

申请法院强制执行。发放和审验《排水许可证》352份。勘验排水户设施，建立《城建行政勘验笔录》档案。定期监测全市44个排污口的水质水量，取得数据200个。详细调查马栏河、自由河沿岸及大中型企业的污水处理装置、运转情况、排水管网和水质水量，并建立档案。连续50天监测和化验分析进入马栏河污水处理厂的污水水质、水量及入海口污泥，取得各类数据348个。完成虎滩乐园海豚馆和附近海域海水水质监测，三道沟、泉水等明沟水质水量24小时连续监测，以及排入梭鱼湾的沟河和大钢、大化等企业的水量的监测调查。

【马栏河污水处理厂通水试运行】 2000年9月4日，大连市利用世界银行贷款兴建的本市最大的污水处理厂——马栏河污水处理厂通水试运行。该厂是二级城市污水处理厂，规划占地7公顷，位于市区西南部马栏河入海口东侧。近期日处理能力12万吨，其中4万吨出水可回用于城市绿化、建筑施工、工业等行业；远期日处理能力19万吨。工程总投资2.65亿元，其中包括污水截流、深海排放和征地动迁的费用。该工程1998年11月开工。

该厂污水处理工艺由德国菲利蒲·缪勒公司设计；自控系统由德国西门子公司设计、安装；大连第三、第四建筑工程公司、大连市政工程总公司、大连市排水事业总公司、大连机电安装公司等承担土建工程或机电设备安装。

【春柳河污水处理厂改造完工】 春柳河污水处理厂改造工程分厂内工艺设备改造和厂外污水截流工程两部分，重点是利用国内外先进的污水处理工艺代替传统的污水处理工艺，更换耗能大、噪音大的设备，改造污泥处理系统，完善监测自控系统，使处理能力从每日6万吨增加到8万吨。工程投资9166万元，其中包括征地动迁的费用。厂内改造工程1999年12月开工，2000年9月3日通水试运行；污水处理系统工程11月末完成；自控系统工程12月末完成。该项工程的完工，减轻了大连湾海域的污染，改善了春柳河流域的环境，同时为工业、建筑、园林绿化开辟了新水源。

【凌水河污水深海排放工程竣工】 2000年6月23日，大连市城市建设重点工程、凌水地区污水处理一期工程——凌水河污水深海排放工程竣工。工程总投资3353万元，1999年3月1日开工，由大连市排水设计所和大连理工大学设计院设计。敷设截流管道810米，截流大工沟、凌水河沿线的学校、科研单位、企业和居民的生活污水，通过提升泵站、排海泵站及2125米的海底钢管排入深海，日排污水量近期为3万吨、远期为6万吨，对改善凌水地区环境、保护近海资源和海滨浴场起到重要作用。

【虎滩污水深海排放工程通水】 2000年4月28日，大连市城市建设重点工程——虎滩污水深海排放工程通水。工程总投资2050万元，由大连理工大学设计院和大连市政设计院设计，1999年2月12日开工。新建陆地截流管道1580米和截流构筑物3个，改造排海泵站1座，敷设海底钢管1171米。工程通水后，将虎滩近海区域的生活污水和工业废水直接排入深海，日污水排放量为7万吨。 （武永琦）

·路灯建设·

【概 况】 2000年，大连市内四区有路灯灯具、灯型近百种，共有路灯7.3万盏，比上年增加23.7%，其中钠灯3.3万盏、汞灯1951盏、白炽灯2160盏、节能灯3.7万盏；线路总长1142公里。城市路灯总盏数居东北地区之首。

加强日常管理，确保路灯设施良好运行。共更换灯泡5.3万个、各类导线3.2万米、镇流器2.2万个。春、秋两季对全市所有灯具彻底进行清洗。路灯亮灯率达到98%，主次干道亮灯率99%，设备完好率97%，事故处理及时率98%。

市政府投资2000万元，新建、改造39条路街路灯，主要有滨海路、五一路西段、石葵路东段、白山路南段、朱棋路、宏业街、五五路中段、新开路、玉光街、民康街等路段，共安装路灯2101基，其中水晶灯57基、16米高杆灯8基、钢杆路灯2009基，灯盏数总计1.2万盏，敷设电缆11.5万米，安装箱式变压器、台式变压器41台。

【滨海路结束无灯历史】 大连市著名的游览观光路滨海路自建成以来，一直摸黑无灯。为提高该路的游览观光档次，为市民和游客夜间游览提供方便，大连市路灯管理处于2000年3月11日开始实施滨海路路灯工程，4月30日竣工。共安装路灯376基、投光灯15盏，线缆亘长2.7万米，新设箱式变压器7台、台式变压器5台，工程总造价840万元。该工

滨海路夜景。 程 琳 摄

程的完工，结束了滨海路无灯的历史，数百盏风格简洁、色彩亮丽的路灯成为这条路上一道亮丽的风景线。

【中山广场路灯升级换代】 由大连市路灯管理处承建的中山广场路灯改造工程于2000年3月2日开工，4月20日竣工，总造价33.4万元。广场内共安装68火水晶柱灯32基、2176盏；广场外人行路内侧安装10米400瓦礼帽灯22套、44盏，外侧安装12米400瓦环型组合灯22套、44盏。线缆亘长840米。夜间，改造后的中山广场笼罩在各款新灯的流光异彩之下，更加温馨恬静，令人流连忘返，吸引了众多市民在此游乐嬉戏。

【华东路成为光明之路】 华东路是大连市内四区通往开发区的必经之路。为方便往来开发区的行人及车辆，大连市路灯管理处承建的华东路路灯工程于2000年10月31日开工，11月30日竣工，总造价155.3万元。共安装13米、400瓦双光源钠灯256基，线缆亘长1.5万米。采用北京长安街的灯具灯型，不仅风格简洁流畅，还比普通的12米路灯高出1米、亮度增加1～3倍。该工程的完工，使通往开发区的北出市口不再摸黑，同时也标志着大连的城市路灯开始向市政界以外延伸。

【路灯监控系统开始运作】 2000年，经大连市政府批准，大连市路灯管理处开始安装和调试路灯监控系统，以增强城市照明的可靠性和可控性，最大限度地实现资源合理配置，降低成本，提高工作效率。该系统将于2001年4月正式运行，届时将改变市内四区路灯分散控制、人工巡视的落后状况，标志着本市城市路灯管理进入到现代化、高科技时代。 （何中平）

园林绿化

【概况】 2000年末，大连市内四区及大连经济技术开发区、金州区和旅顺口区共有公园25个，总面积628万平方米；有广场51个，总面积90万平方米；有公共绿地1765万平方米。

城市绿化再上新台阶。城区植树420万株，栽植花卉1044.6万株，垂直绿化41.3万株。新建海军、秀月、风景、莲花和文苑等13个广场，改造港湾、山峦2个广场，增加广场面积近16万平方米。更新37条、新补植53条道路的行道树。加快4条“绿色长龙”建设，共植树95.37万株，铺草坪32.5万平方米，栽植花卉410万株。新建公共绿地160万平方米。全市绿化覆盖率达到40.5%，比上年提高0.5个百分点；人均公共绿地面积达到8.5平方米，增加0.7平方米。

城区绿化以栽大树为重点，大树的栽植数量超过以往任何一年。大规格的苗木增加了绿地层次和景观内容，明显提高城市绿地系统生态效益。广场建设手法一改过去铺装与绿化的简单组合，增加雕塑和水景，植物造景更加精细，广场环境建设更具有实用性，体现了以人为本的建设理念，为市民提供了更加优美的游览、休闲环境。 （韩连兴）

【本市最大的现代化草坪生产基地建成】 2000年9月，由大连花木总公司兴建的本市最大的现代化草坪生产基地建成并投用。该基地位于普兰店市泡子乡鞍子山村，占地16万平方米，年生产能力为50万平方米，主要机械设施均从美国、意大利引进，总投资632万元，是全国四大草坪生产基地之一，以生产冷季型优质早熟禾和黑麦草为主。该草生产周期短、抗逆性强、越冬率高而且耐践踏，平均绿期为250天左右，适合我国北方地区栽种。当年生产优质草13万平方米。 （林 瑛）

【大连森林动物园野生放养园试开园】 2000年9月12日，大连森林动物园野生放养园试开园。该园是森林动物园的二期工程、本市城市建设重点工程之一，1999年12月16日开工建设，总投资1.7亿元，规划面积200万平方米，建成面积100万平方米。

该园变动物笼养为散养，更加突出

大连森林动物园野生放养园门前广场。 邹士伦 摄

野趣，增强人与野生动物的交流。动物放养区分为非洲食草动物、高山动物、非洲野狗、亚洲食草动物和熊、狮、虎7个分区，共放养动物50多种2000余头（只）。园内还设有全长2.1公里的单轨车交通观赏线路和总长1250米、海拔259米、挂有166个吊厢的本市最长的跨山索道，将野生放养园与大连森林动物园连为一体；建有造型优美新颖的热带雨林馆，展出植物1000余种；建有大连市内区惟一的斜拉式结构桥——单塔斜拉桥，主塔高44米，桥长98米；栽植树木11.5万株，铺设草坪17万平方米，栽种花卉5.1万株。

至年末，野生放养园总收入达465万元。

【大连森林动物园动物引进数量猛增】2000年8月15日，大连森林动物园首次包租新加坡航空公司波音747飞机，将野生放养园引进的5个品种、146头（只）野生动物运抵大连。至年末，大连森林动物园共引进动物1073头（只），其中从国内引进700头（只）、国外引进373头（只），主要有跳羚、黑斑羚、白脸牛羚、长角羚、长颈鹿、白犀牛、羊驼、斑马和白虎等珍稀动物。大规模的动物引进，提高了森林动物园的档次和知名度，也使其成为科普教育和科研教学基地。

【大连森林动物园等单位开展动物认养活动】 2000年5月2日，大连森林动物园、大连名人协会、大连交通台和《半岛晨报》在胜利广场联合主办以《伸出你的手——关爱我们共同的朋友》为主题的动物认养大型义演晚会，为热爱野生动物，关心野生动物事业的单位和个人提供了奉献爱心的机会。至年末，彼得汉堡、74中学等单位以及中大集团董事长张建超、彼得汉堡中国区总经理李正大等近2000人，认养了森林动物园的东北虎、大熊猫、长颈鹿、小熊猫、袋鼠、马来熊、蓝孔雀等多种珍稀动物。

【海军广场竣工】 （见第312页）

【绿之梦广场竣工】 2000年9月18日，由大连市风景园林处承建的绿之梦广场建设工程竣工。该工程是东海公园二期工程、本市城市建设重点工程项目之一，2月20日开工兴建，总面积7000平方米，其中中心广场5500平方米；护坡及绿化面积1万平方米。广场主体为1株特大仿真榕树，高20米，由7根树干组成，其中主干平均直径为5米；绿荫面积达1000平方米，由10万枝经过阻燃、防风、防老化等特殊处理的仿真树叶组成。它喻示着美丽的大连如榕树一样生机勃勃，体现出人与自然和谐共存的理念。

【神斧岩瀑布竣工】 2000年9月18日，由大连市风景园林处承建的神斧岩瀑布工程竣工。该工程是东海公园二期工程、本市城市建设重点工程之一，2月20日开工兴建。瀑布总高40米，宽100米，为钢筋混凝土框架结构，二层叠水，水流量每小时可达1500立方米；周边绿化改造面积1000平方米。它的建成为闻名遐迩的海之韵广场增添新的情趣，收到较好的景观效果，同时还达到整治裸岩、固土护坡的目的。

【星海公园拆迁改造工程竣工】 2000年3月，大连市风景园林处对星海公园的叠水池、海豹池及原工人疗养院进行拆迁改造，7月末竣工。工程占地面积1.1万平方米，拆迁面积5640平方米；兴建感应式喷泉鲸鱼、螃蟹等雕塑小品，建成涌泉广场；铺装花岗岩、鹅卵石路面4000平方米，新增砼路面1636平方米；绿化改造总面积8160平方米，其中铺装精品绿地5000平方米，栽植各种树木1.8万株，栽植花卉8000盆。

【2000年荷兰郁金香花卉暨秦始皇陵兵马俑展】 2000年4月20日~5月7日，由大连市风景园林处在劳动公园举办。此次花展首次采用室外大面积、大色块栽种的方法，郁金香品种达20多种共30余万株。同时展出的还有500多座栩栩如生、威武雄壮的秦始皇陵兵马俑及铜车马二架套的仿制品。期间，公园还举办园林小品展、花卉知识咨询讲座、名贵鱼展、趣味钓鱼及文艺演出等活动。

【南国热带植物暨中华仿真蝴蝶艺术展】 2000年5月20日~7月20日，由大连市风景园林处在劳动公园举办。共展示30余个品种的大型热带植物及3万多株仙人球，其中最大的金虎球直径达45厘米。与热带植物相伴的仿真蝴蝶艺术展绚丽多彩，5万余只彩蝶空中吊挂，包括由10余种彩蝶组成的“彩蝶长廊”、“双龙戏珠”、“孔雀开屏”、“梁祝化蝶”等30余个仿真蝴蝶组团造型，将劳动公园装扮一新，营造出南国园林风情中彩蝶飞舞的景象。

【南国精品花卉及植物展】 2000年5月20日~7月20日，由大连市风景园林处

改造后的星海公园。 程 琳 摄

绿化升级改造后的滨海路。　　于京华　摄

在星海公园举办。在30米长的精品花卉展示长廊中，共展出花卉100余种，包括红花炬木、百花炬木、金钢铁等名贵盆景以及多头铁树、酒瓶兰、千里红等珍奇品种，很多品种是首次在本市亮相。

【滨海路沿线绿化升级改造】　2000年3月20日~7月31日，大连市风景园林处对滨海路沿线的十八盘、蒙古包、西段道北、新辟防火路等进行升级改造，绿化改造总面积3万多平方米，其中垂直绿化6.4万株、更换草坪1.7万平方米、栽植树木30.9万株、栽植宿根花卉76万株，大大改善了滨海路的景观效果，使其成为一条色彩丰富、风景亮丽、造型自然新颖、服务设施基本齐全的风光游览路。　（于爱谊　宫彩霞　李秀英）

环境卫生

【概况】　2000年，大连市进一步深化环境卫生管理体制改革，构建适应市场经济的管理体制框架。通过开展让“城市里里外外都干净起来”活动和“公交车辆乘客、司乘人员爱护环境卫生”活动，使广大市民的环境卫生意识进一步提高。加强环境卫生管理，加大资金投入，城市环境卫生质量在国内继续保持领先水平。

2000年大连市环境卫生事业基本情况

	单位	数量
环卫职工(含临时工、承包工)	人	4500
专用车辆	辆	251
其中:生活垃圾清运车	辆	167
城市粪便清运车	辆	52
其他专用车	辆	32
管理公共厕所	座	155
管理居民旱厕所	处	10044
城市生活垃圾处理场	处	1
粪便处理场	处	1
设置垃圾箱(桶)	个	1830
设置果皮箱	个	1000

2000年大连市环境卫生主要指标完成情况

	单位	实际完成	比上年增长(%)
道路清扫面积	万平方米	1662	3.4
除运生活垃圾	万吨	50.3	-17.5
清运粪便	万吨	10.7	0
公厕水冲率	%	95.5	5.7
生活垃圾处理率	%	90.3	0

【环境卫生管理体制改革初见成效】
2000年，大连市环境卫生管理体制改革进一步深化。市环卫处所属固体废弃物管理办公室、环境卫生服务中心、城肥处理场、道路桥梁清扫所和环卫科研所合并，组建大连市环境卫生服务中心；中山区环卫处、西岗区环卫处分别成立垃圾清运公司、废弃物收集公司和清扫保洁公司。用工制度、分配制度的改革也有重大突破。至年末，全行业竞聘任职的干部占在职干部总数的54%，竞争上岗的工人占职工总数的61%。通过改革，逐步实行作业单位企业化管理和“管干分开”的体制。

【毛茔子垃圾填埋场改造工程竣工】
2000年7月30日，利用世界银行贷款改造的毛茔子垃圾填埋场工程竣工。工程占地面积20万平方米，1998年12月10日开工，总投资3000万元，可日处理生活垃圾2000吨。改造后的垃圾填埋场，解决了生活垃圾在处理过程中渗滤液和甲烷对周边土壤、地下水、海洋和大气污染的问题，也使本市生活垃圾处理达到国家规定标准。

【50座公共厕所建成】　2000年，为解决大连市公共厕所少，群众如厕难的问题，市政府投资400万元，建设公共厕所50座。这是建国以来本市建设公共厕所最多、标准最高的年份，对完善城市功能，改善环境卫生状况发挥了重要作用。

【生活垃圾分类收集范围继续扩大】
2000年，大连市在上年市内四区32个住宅小区、1个街道实行生活垃圾分类收集的基础上，又对中山区枫林街道、西岗区白云街道、沙河口区白山路街道、甘井子区金家街道范围内的生活垃圾实行分类收集。至年末，市内四区实行生活垃圾分类户数已由上年的3.3万户发展到7.7万户，占城市总户数的11%，进一步提高了生活垃圾的利用率，为实现垃圾资源化奠定基础。

【整顿城市车辆清洗站】　2000年，为加强城市环境卫生管理，大连市环境卫生管理处整顿全市84家车辆清洗站（点）。其中，30家单位达标并获得营运证，8家不符合标准被取缔，46家被限期整改。同时，出台《大连市城市车辆清洗站管理标准》，将城市车辆清洗站由无序管理纳入法制管理。　（李宝发　苏　琦）

公用事业

·城市供水·

【概况】 2000年，大连市用水人口223万人，用水普及率100%。人均日生活用水量（含大生活用水）175.33升，比上年增长9.95%。

2000年大连市自来水集团有限公司供水情况

单位：万立方米

	数量	比上年增长(%)
供水总量	31300	-2.5
日均供水量	85.6	-2.7
市内四区	67.8	-4.2
经济技术开发区	8.7	10.1
金州区	6.9	0
旅顺口区	2.2	-8.3
销售水量	24174	4.4
工业用水	6676	-10.2
大生活用水	14310	11.5
经济技术开发区用水	3188	10.9

年内，自来水集团公司投资170万元，购置国外先进的管道检漏仪器并对城市管网进行探测，查漏准确率在98%以上；采用先进的快速抢修剂止水、堵漏，大大提高抢修速度，缩短了管道漏水时间。市政府投资1500万元，集团公司自筹资金500万元，对市内四区35条路街的20.6公里供水管网进行升级改造，水压普遍提高0.05~0.1兆帕。市政府拨款1000万元，改造漏水阀门1.7万个；将1999年3月开始的报漏有奖活动的奖励标准自8月24日起从30元增至50元，以调动市民报漏的积极性。至年末，奖励第一报漏属实人共计1.2万元。

（高梅姿）

【全市实施限量用水】 2000年，大连市再次出现严重干旱，城市供水形势十分严峻，并出现用水危机。为确保大旱之年城市用水的基本需求，市政府于8月24日召开动员大会并下发《关于在全市进一步开展节约用水压缩用水量工作的通知》，在全市实施压水节水。市公用事业管理局向全市4000多个工商企业、大生活用水单位下发《临时限量用水通知》，压缩用水量10%，对超量用水按现行水价征收20倍水费；城市居民用水以每户每月用水量6立方米为标准，对其超量部分按现行水价征收10倍的水费；除大众浴池及涉外宾馆、酒店外，其他桑拿洗浴场所一律关停。

为切实落实压水措施，市公用局联合市城市管理综合执法局、市工商局等部门，专项整治桑拿洗浴场所的经营用水，拆除违规经营的91家桑拿洗浴场所的供水设施；压缩准许经营的大众浴池用水指标，并限期更换非节水型器具。

【城市节水量大幅增加】 2000年，大连市在限量用水的同时，千方百计节约用水。共实施节水措施82项，形成日节水1.2万立方米的能力；推广使用节水型卫生洁具、改造非节水型卫生洁具共4万套（件）。城市工业用水重复利用率87%，比上年提高4.9个百分点；冷却水循环利用率96%，与上年持平；万元产值取水量25立方米，减少27立方米。

加强水的回收利用。华润啤酒公司、可口可乐饮料有限公司等5家企业的工业污水经处理后，每日向社会提供绿化、施工等用水5000立方米。香格里拉大酒店、迈凯乐大连商场、希尔顿饭店等6家企业的中水设施配套建成并全部启动，日处理量2020立方米。

大力开展海水替代淡水资源工作，海水日均用量400多万立方米。

全市全年完成节水量3000万立方米，比上年增加50%。（闭德华）

【安装公用饮水栓】 2000年，大连市自来水集团出资21万元，在奥林匹克广场、星海广场、劳动公园、森林动物园等处安装艺术型公用饮水栓13台，以完善城市基础设施，加快与国际都市接轨。饮水栓造型为蘑菇状，台座高0.75米，喷水柱高0.26米，儿童和残疾人使用都很方便；提供的自来水经过小型净化装置处理，达到直接饮用的标准。

【大连市自来水集团有限公司成立】 2000年3月20日，大连市自来水公司正式改制为大连市自来水集团有限公司，并组建大连市自来水集团。集团组建后，建立由董事会、经理层、监事会组成的法人治理结构；缩编机关职能部室；试行竞聘上岗、末位淘汰以及“助理制”等用人制度。同时，进一步精干主业，剥离辅助部门。至年末，辅助部门剥离完毕，18个经济实体中有14个正在按照《公司法》的要求进行改制。水表厂、机电处等剥离单位由过去亏损转变为盈利。

（高梅姿）

【地下水开采量下降】 2000年，大连市城市供水管理处建档管理的水井有1195眼（包括大口井和机井），比上年增加191眼。其中在用水井301眼，封停、报废水井894眼。城市地下水开采量927万立方米，比上年下降8.3%，其中工业开采量739万立方米、生活开采量188万立方米，分别下降6.1%和16.1%。尽管开采量减少，但由于严重干旱，市内地下水水位仍比上年下降0.595米。地下水水质有所好转，氯化物含量的平均值每升降低1.795毫克，细菌总数降低60.8%。（闭德华）

·城市供热·

【概况】 2000年，大连市市内四区有民用供热单位270家，比上年减少6.9%；有城市民用供热站（点）871个，其中集中供热交换站（点）73个，锅炉供热站（点）798个。年供生产、公用建筑用热总产值2.58亿元，民用供热总收入4.75亿元。年内，供热期用户室温合格率98.6%，用户报修处理及时率98.5%，运行事故控制率1.4‰，均达到或超过国家规定标准。

【新建一批城市供热工程】 2000年，大连市新建供热工程115项，供热建筑面积418.7万平方米。其中：并入热电联产热网80项、248.5万平方米；并网改造原有锅炉房30项、95.2万平方米；新建锅炉房5项、75万平方米。年内竣工供热工程77项，其中住宅57项、公共建筑20项，总供热面积353万平方米。

【大连香海热电厂正式投产】 2000年11月26日，大连香海热电厂正式点火投产。一期工程年设计售汽量110万吨，供热建筑面积160万平方米；供热区域北起火车站、南至武昌街，西起东关街、东到中山广场；投产时实际售汽量25万吨，供热建筑面积110万平方米。香海热电厂的投产，实现城市中心区的集中供热，消除了分散锅炉对这一区域环境的污染。

【撤销并网小锅炉房】　2000年，大连市开始实行“蓝天碧海工程”。为减少城市污染源，市内四区共撤销并网分散小锅炉房114处，自上年起累计撤并219处，使集中供热或联片供热建筑面积达到127万平方米，改善了城市环境质量。

【城市供热系统实行分户控制按表计量】　2000年，大连市根据国家有关精神，积极推进以用户为单位按用热量计价收费的新体制。市城乡建设委员会印发《大连市建筑采暖系统实行分户控制和按表计量的通知》和《大连市新建建筑采暖系统实行分户控制和按表计量的补充通知》，制订《大连市住宅采暖（分户计量）工程技术暂行规定》，确定了城市旧宅供热系统分户控制改造要在8年内（2007年前）完成，新建住宅供热系统全部实行分户控制按表计量的目标。

至年末，全市新建住宅工程实行分户控制的竣工总量达到150万平方米，其中投入运行69万平方米；完成旧宅分户控制改造68万平方米。

【城市热费收缴清欠力度加大】　2000年，大连市集中供热办公室在市、区两级法院的配合支持下，共向欠费用户下达《责令限期缴款决定书》2328份，追缴金额3286万元，其中经协调以物顶帐、抹帐1170万元，申请市、区两级法院强制执行446万元。热费清欠追缴处结率达到81%，热费陈欠额比上年下降15%，为保证冬季城市供热质量打下良好基础。　（兰荣青）

2000年大连市内四区供热情况

	单位	实际完成	比上年增长(%)
供热总建筑面积	万平方米	5033	7.2
住宅	万平方米	2956	9.7
公共建筑	万平方米	2077	3.9
城市集中供热建筑面积	万平方米	2823	31.9
其中:住宅	万平方米	2021	36.1
新增供热建筑面积	万平方米	358	14.3
城市住宅集中供热热化率	%	62.4	12.9（百分点）
城市住宅供热普及率	%	91.3	1.4（百分点）

（兰荣青）

·城市供气·

【概况】　2000年，大连市城市燃气供应满足社会需求，气源厂逐渐向花园式工厂过渡，职工作业环境得到很大改善。

年内，市政府投入2000万元资金，改造地下煤气管网21公里。年末管网总长度1857公里，比上年增加83公里。

（李庆涌）

2000年大连市城市燃气供应情况

	单位	实际完成	比上年增长(%)
全市煤气供应总量	亿立方米	2.04	-1
其中:大连煤气公司自产	亿立方米	1.79	0.9
日均供应量	万立方米	55.5	-1.8
大连煤气公司液化气销售量	万吨	2.1	8.9
新发展燃气民用户	万户	3.4	12.2
管道煤气用户	万户	2.7	17.4
液化气用户	户	7624	-7.1
年末全市管道煤气用户	万户	49.1	—
年末全市液化气用户	万户	16.4	—
城市燃气普及率	%	98.0	-0.5（百分点）

（李庆涌）

·城市公共客运·

【概况】　2000年，大连市城市公共客运车辆更新速度加快，车况得到明显改善，城市公共客运事业发展前景良好。

2000年大连市城市公共客运情况

	单位	数量	比上年增长(%)
线路	条	64	0
有轨电车	条	3	0
无轨电车	条	1	0
汽车	条	60	0
营运车辆	台	2645	13.6
有轨电车	台	93	-5.1
无轨电车	台	63	3.3
汽车	台	2489	14.7
公交线路总长度	公里	821.8	13.9
公交车辆总行驶里程	亿公里	1.45	40.6
日均客量	万人次	320.5	22.0
每万人拥有公交车辆	标准台/万人	19.8	10

年内，各公交企业自筹资金1.2亿元，更新改造公交车辆528台，大中修和三级保养578台，治理汽车尾气污染643台。有21条公交线路延长，总延长里程72.1公里；6条线路营运时间延长，

2000年大连市城市公交社会参营、中外合资合作经营情况

	单位	数量	比上年增长(%)
1.社会参营			
专营线路	条	14	0
营运车辆	台	630	9.7
营运线路总长度	公里	227.4	5.3
总行驶里程	万公里	3644	23.1
日均客量	万人次	50.9	7.6
2.中外合资合作经营			
专营线路	条	13	0
营运车辆	台	483	20.8
营运线路总长度	公里	155.8	2.4
总行驶里程	万公里	2650.1	13.3
日均客运量	万人次	49.9	15.5

均为延长3小时；新增公交站点27个。

至年底，全市共有小公共汽车382台（含联营公司参营车辆），比上年减少6台；小公汽线路21条，减少14条；小公汽线路全部实行无人售票。

【100台环保公交车投入运营】 2000年10月31日，由大连市公共汽车联营公司自筹资金2500万元购置的100台新型环保公交车投入710路运营。该型车采用长春一汽生产的EGR废气再循环装置CA6102型汽油机，并选装美国原装进口电子燃油喷射装置，尾气排放接近欧洲Ⅱ号标准，是国内理想的绿色环保汽车；外观造型新颖、典雅，内饰高档，座椅舒适，还安装了下客车门和尾部电视监控装置，确保乘客后门下车和驾驶员倒车安全。由二七广场至民航机场的710路是本市最长的公交线路，纵贯市内四区，环保车投入该线路运营后，人民路、中山路等主要道路的公交车尾气污染将明显降低。

大连市公共汽车联营公司710路更换新式汽车。 公汽联营公司 供稿

【DL6WA型有轨电车试运行】 2000年5月17日，我国首台低地板现代有轨电车——DL6WA型有轨电车正式出厂上线试运行。该车由大连市现代轨道交通有限公司（原大连市公共电车公司）电车工厂与铁道部大连机车研究所以及国内28家科研院所联合开发研制。（王恩元）

·城市客运出租汽车·

【概况】 2000年，大连市内四区和金石滩国家旅游度假区共有出租汽车客运经营单位191家，比上年减少2家；共有客运出租汽车6588台，减少30台，其中个体车辆1634台。

全市累计改造既可以燃烧汽油，又可以燃烧液化石油气的双燃料车1100台。大连市出租汽车行业被辽宁省委、省政府授予文明行业称号。

【客运出租汽车调价】 2000年9月26日，经市物价局批准，大连市出租汽车调整基本公里租价，起步价由8元4公里调整为8元3公里。这次调价是因石油价格多次上调而造成的。调价后，客运出租汽车市场仍保持稳定。（刘 广）

【“蓝灯的士”品牌建设再上新台阶】 2000年，大连市出租汽车运营的龙头企业——大连大汽企业集团继续加强“蓝灯的士”品牌建设。更新换型油气两用环保型出租车470台，使该型车数量达到700多台，占客运出租车总量的70%。在全国率先推出“星级服务”并取得良好效果，出租车司机做好事688件，受到新闻媒体及有关方面表扬100多次，义务出车1600多台次。特别是同辽宁省陆军预备役高射炮兵第二师第三团共同组建的“预备役军人号”出租车，开国内同行业先河，受到社会广泛好评。

年内，该集团荣获全国第六届职工职业道德建设先进单位和全国“保护消费者杯”先进单位称号，“蓝灯的士”当选辽宁省消费者协会组织评选的“我最喜爱的地方品牌”。（江和伟）

大汽企业集团更新换型油气两用环保型出租车。 大汽企业集团 供稿

·公用事业联合收费·

【概况】 2000年，大连市公用事业联合收费处共有收费网点29个，比上年减少3个；月代收费户数29万户，与上年持平；代收费项目为水、电、煤气、房租、卫生和排污共6项。全年代收水、电、煤气和房租费总金额4亿元，比上年增长9.5%；水、电、煤气费实收率97.6%，与上年基本持平。

完成昌平、东北路等6个收费网点的安全装修，全市收费网点基本达到国家安全四级防范标准。（刘 言）

环境保护

责任编辑　郑　彬

概　述

【概况】　2000年，大连市以经济建设为中心，以建设现代化生态城市为目标，全面实施以改善大气和海域环境为主要内容的“蓝天碧海工程”，继续调整产业结构和工业布局，控制污染物排放总量，综合整治城市环境，加强环境监督管理，使环境质量明显改善，污染加剧的趋势得到有效遏制，在全国城市环境综合整治定量考核中仍位居前列。全市环境保护总投资为25.83亿元，环保投资占国内生产总值的2.3%。

同上年相比，全市空气环境质量进一步好转，水环境质量和声环境质量基本持平。大气环境功能区5个测点的二氧化硫、一氧化碳、二氧化氮、总悬浮颗粒物、自然降尘达到相应功能区标准，地面水环境功能区15个测点的化学需氧量和溶解氧也达到国家标准要求。

【水环境】　2000年，大连市水环境质量与上年持平。全市废水排放量4.7亿吨，比上年增加0.9%。其中：工业废水3.3亿吨，占总量的70%；生活废水1.4亿吨，占30%。

近海海域水质保持良好，主要污染物为无机氮、油类和磷酸盐。(1)大连湾海域。除无机氮、油类外，各项监测指标年均值符合二类海水标准。与上年相比，无机氮年均值有所下降，油类年均值基本持平，磷酸盐年均值略有升高。(2)南部沿海海域。各项污染物年均值均符合二类海水标准，与上年相比，无机氮、油类年均值基本持平，磷酸盐年均值略有上升。(3)大窑湾海域。各项监测指标一次值及年均值均符合二类海水标准，与上年相比，油类、无机氮年均值有所下降，磷酸盐年均值基本持平。(4)其他海域。复州湾、普兰店湾、金州湾二类海域功能区悬浮物年均值以及红土堆子湾二类海域功能区无机氮、活性磷酸盐、悬浮物年均值，超过国家二类海水标准。其他各海域功能区主要监测指标年均值符合所在功能区标准。

地表水环境质量有待提高。在监测的5条河流中，碧流河、大沙河水质较好，各项指标年均值均符合国家地面水三类标准；庄河氨氮超标0.3倍；复州河石油类超标5.1倍，氨氮超标9.8倍；登沙河高锰酸盐超标0.2倍，油类超标14.4倍，氨氮超标2.8倍。

【空气环境】　2000年，大连市空气环境质量进一步好转。全市空气污染仍为煤烟和机动车尾气混合型污染。主要污染物是二氧化硫、烟尘和粉尘。全年二氧化硫排放量13.1万吨，比上年减少13%；烟尘排放量8.6万吨，减少22.9%；粉尘排放量2.2万吨，减少56.5%。市区全年无酸性降水出现。市区主要空气质量指标中，自然降尘均值比上年增加1.4吨/平方公里·月，超出省定标准1.2倍；二氧化硫、二氧化氮、

1999、2000年大连市区近岸海域主要污染物监测结果

单位：毫克/升

	年度	化学需氧量	油　类	无机氮	磷酸盐	悬浮物
大连湾	1999	1.51	0.050	1.199	0.014	7.3
	2000	1.67	0.051	1.10	0.0158	5.3
南部沿海	1999	1.15	0.029	0.102	0.011	4.5
	2000	0.86	0.027	0.105	0.0125	4.2
大窑湾	1999	1.09	0.023	0.074	0.007	4.4
	2000	0.64	0.018	0.0632	0.0102	3.6

1999、2000年大连市区环境空气质量监测结果

单位：毫克/立方米（自然降尘：吨/平方公里·月）

年度	二氧化硫	氮氧化物	一氧化碳	总悬浮颗粒物	自然降尘
1999	0.038	0.046	1.35	0.146	15.8
2000	0.024	0.049	0.77	0.137	17.2

1999、2000年大连市区功能区噪声监测结果

单位：分贝

	测点名称	昼间		夜间		标准	
		1999	2000	1999	2000	1999	2000
0类标准区	棒棰岛宾馆	49.1	47.6	40.0	40.4	50	40
一类标准区	干部疗养院	56.8	59.8	45.9	50.4	55	45
二类标准区	山水楼饭店	57.0	60.3	48.1	51.7	60	50
三类标准区	大连起重机厂	60.5	60.9	52.9	52.2	65	55
四类标准区	东北路、中山路	69.5	69.0	63.5	63.6	70	55
城区平均值	—	58.6	60.9	50.1	51.5	—	—

一氧化碳、总悬浮颗粒物4项污染物均符合国家环境空气质量二级标准。与上年相比，二氧化硫、一氧化碳、总悬浮颗粒物有不同程度下降。因受沙尘暴影响，本市全年共发生3次扬沙浮尘天气，这期间的自然降尘比正常情况下增加5.2倍，总悬浮颗粒物增加12倍。

【声环境】 2000年，大连市声环境质量与上年持平。市区功能区噪声加权均值昼间和夜间均比上年略有上升。其中：昼间年均值一类、二类标准适用区超标，其他各功能区均符合国家标准；夜间除三类标准适用区不超标外，其他各功能区均超过国家标准。市区交通噪声加权均值为69.7分贝，与上年基本持平，低于国家标准值0.3分贝。全市道路交通噪声污染范围主要分布在66～75分贝之间，其中超过70分贝的干线长度为62.34公里，占干线总长度的39.97%，与上年基本持平。区域环境噪声等效声级均值为55.9分贝，与上年基本持平。

【建设项目环境管理】 2000年，大连市环保局认真贯彻国家《建设项目环境保护管理条例》，狠抓项目的规范管理，统一审批手续，规范项目审批和验收程序，统一审批档案和报表格式，建立审批、验收、跟踪检查、否定、处罚等5本台帐。进一步明确审批权限，规定工程前期环保受理条件。加大对建设项目的跟踪检查和管理力度，对在建重点项目的跟踪检查每项达10次以上，并建立跟踪检查台帐。同时，组织各区市县开展市级水源建设项目自查工作。全年共审批建设项目4161项，总投资163.7亿元，其中环保投资4.3亿元，占2.7%；验收项目2571项，总投资28.5亿元，其中环保投资0.6亿元，占2.3%。否定建设项目127个，环评执行率100%。

【环境法制建设】 2000年，市政府发布《关于控制社会生活噪音污染的通告》和《关于进一步控制大气污染的通告》2部政府规章；大连市环保局制定并发布《关于进一步加强锅炉烟尘排放管理的通告》、《关于禁止尾气超标机动车上路行驶的通告》、《大连市房屋开发暨建筑施工环境管理的通告》、《关于控制冬季锅炉烟尘污染的通告》等6部规范性文件，使地方环境法规体系不断完善。在《大连日报》发布3家企业环保资质认证和《大连市环保局关于支持私营经济发展的承诺》。加大行政执法监督力度，强化行政执法责任制考核，进行3次执法大检查，查验档案卷宗2600余卷。监督检查排污单位14544个，处罚违反环境保护法律、法规的行为2097个。同时，加强案件强制执行力度，共审核申请法院强制执行案件48件。

【环境监理】 2000年，大连市在大气污染控制中，重点拆除市区内不符合环保要求的燃煤设施，共拆除4吨以下锅炉517台，扒掉大小烟囱380根。完成沈大高速公路、黄海大道、旅顺南北路等主要干道烟尘整治的验收。关闭甘井子区4家白灰厂点，清理小炭厂11家，拆除小炭窑150座。监督检查白色污染，检查单位和摊点2000余个，处罚单位214个。加强废动植物油和工业废油的管理，取缔和捣毁非法收集和加工废油脂黑加工点30余个。受理环境信访、热线电话和热线寻呼6576件，处理率达100%，信访满意率达98%。

【机动车尾气污染管理】 2000年，大连市环境保护局和市公安局交通警察支队联合开展机动车尾气污染检查。共对5万余台机动车进行路检和巡检，处罚超标车辆9000余台，罚款256万元。深入企业义务检测机动车300余台。同时，检测参与交易的旧机动车2560台，制止384台超标车辆交易。全市机动车尾气合格率达到83%，比上年提高3个百分点。

【环境宣传教育】 2000年，大连市围绕全面实施“蓝天碧海工程”，加大环境宣传力度，不断增强市民的环境意识。

组织“张裕杯”首届大连环保十佳景点评选、环保主题摄影大赛和“久久合家欢特别节目——蓝天碧海看大连”专题文艺晚会等环保主题的系列活动。“六五”世界环境日期间，围绕“2000年环境千年——行动起来吧”的纪念主题，开展90余项环保法规咨询宣传活动，发放宣传单7万余份、环保购物袋4万余个。配合市人大开展“中华环保世纪行在大连”活动，市委宣传部、市人大规划建设环境保护委员会等17个单位和部门共同参与，10家新闻单位参加采访，通过法律监督和舆论监督，使一些单位环境污染问题得以解决。组织大学生召开环保专题座谈会；在中小学开展形式多样的环保活动，如组织环保专家接受小记者采访，与市教委、团市委、新闻单位等联合开展“争做滨城环保小卫士”主题教育、暑期中小学生环保征文比赛等环保公益活动，收到较好效果。全年在各级新闻媒体上播发环保宣传稿件900余篇。 （王清茹）

大连市环保局组织开展“六五”世界环境日宣传活动。　　市环保局　供稿

工业污染防治

【概况】 2000年，为巩固“双达标”（工业污染源达标排放和环境功能区达标）成果，大连市继续加大治理工业污染的力度，对老污染源下达限期治理任务。加强全市水泥行业粉尘治理，共有6个企业12座机立窑改为布袋除尘。贯彻落实市政府《关于禁止销售和使用高硫、高灰分煤炭的通告》，对全市70个用煤单位进行抽样调查，对其中不合格单位提出警告，并责其采取消烟固硫措施实现达标。在大化、大水泥、机车、二煤气、石灰石矿等20余个企业就环境管理进行现场办公。开展排污口整治，为64家企业的废水排污口安装了污染物排放监视仪，对废水排放口自动监视和自动测流的计算机网络进行试验。

至年末，全市工业废水处理率达98%，工业废渣综合利用率62.9%，工业粉尘去除率98%，分别比上年提高3个、1.9个和11个百分点；工业废气处理率89%，降低1.5个百分点。全市评选出10个环境保护模范企业。

大连市10个环境保护模范企业

序号	单位
1	大连机车车辆厂
2	大连新船重工有限责任公司
3	大连海洋药业有限公司
4	大连乳胶厂
5	中国华录·松下电子有限公司
6	大连大显股份有限公司
7	大连华农集团有限责任公司
8	中国人民解放军第4810工厂
9	佳能(大连)办公设备有限公司
10	东芝大连有限公司

【工业废水污染防治】 2000年，大连市有废水处理装置445套，正常运行430套，运转率96%。全年工业废水达标排放量3.2亿吨，达标排放率99%；处理量2.4亿吨，处理率为98%；处理回用量4042万吨，比上年增长1.2%。年去除主要污染物：重金属0.98吨、挥发酚786吨、氰化物0.4吨、化学需氧量1.9万吨、石油类3464吨、悬浮物20.2万吨、硫化物525吨。

【工业废气污染防治】 2000年，大连市有废气治理装置1482套，正常运行1434套，运转率96%。全年工业废气经消烟除尘或净化处理排放量为964亿标立方米，排放处理率89%。年去除烟尘69万吨、工业粉尘36万吨。

【工业固体废物污染防治】 2000年，大连市工业固体废物产生量233万吨，比上年减少11.1%，其中危险废物56.2万吨，减少44%；排放量9800吨。工业固体废物历年累计贮存占地面积97.7万平方米。

全市工业固体废物综合利用量146万吨，比上年减少9.5%，综合利用率62.9%；处置量为43万吨，减少20.4%。

【危险废物管理工作全面启动】 2000年，大连市环保局全面启动对医院临床废物、多氯联苯废物、含铬废物等47种危险废物的全过程动态管理，即从危险废物的产生、运输、贮存到危险废物处置及综合利用实施日常的监督管理。对全市614家产生危险废物的企业进行登记，并建立全市危险废物管理数据库。核查固体废物产生量大、毒性强的100家企业审报情况，摸清危险废物的类别、产生量和最终去向。清理整顿危险废物经营企业，并向5家通过考核的企业发放《危险废物经营许可证》，查处1家非法经营企业。正式实施危险废物转移联单制度和危险废物月报制度。

【污染企业搬迁改造】 2000年，大连市有15家企业整体搬迁，共腾出土地60万平方米，每年可减少排放工业废水189万吨，削减化学需氧量9815吨、石油类5吨；减少向大气排放工业废气3万标立方米，削减二氧化硫978吨、烟尘89吨、粉尘251吨；减少产生工业固体废物1万吨。大连制药厂、大连轧钢厂搬迁后，彻底清除了市中心区西部地区主要的工业污染源。至年末，全市累计搬迁污染企业105家。（王清茹）

自然生态环境保护

【概况】 2000年，大连市坚持污染防治与生态保护并重的方针，全面推进自然生态环境保护工作，自然保护区建设、生态建设与保护均取得新进展。全市森林覆盖面积47.7万公顷，其中天然林67公顷，其余大部分为次生林和人工林；森林覆盖率38.2%。有自然保护区9个，其中国家级3个，省级2个，市级4个；总面积9400平方公里，其中陆域228.2平方公里，占全市土地面积的1.8%。有国家级森林公园8个，省级以上风景名胜区3个，地面水水源保护区12个。各自然保护区（含森林公园、风景名胜区及水源保护区）陆域总面积1093.6平方公里，占全市土地面积的8.7%。建成国家级生态示范区1个（金州国家级生态示范区），面积1200平方公里；市级生态建设试点乡镇10个，总面积828平方公里。

全市水土流失面积46.3万公顷，比上年减少4.4万公顷。累计海水倒灌面积（氯离子含量高于250毫克/升）418.4平方公里。全市全年化肥施用量（折纯）12.4万吨，其中氮肥7.2万吨、磷肥1万吨、钾肥1万吨、复合肥3.1万吨；农药使用量（折纯）8993吨。化肥、农药对生态环境危害加重的趋势得到进一步控制。

【自然保护区建设】 2000年，大连市政府批准海王九岛海洋景观自然保护区和老偏岛海洋生态自然保护区为市级自然保护区，使市级自然保护区增至4个。加强旅顺蛇岛老铁山自然保护区蛇类和鸟类的保护。清理距岸1000米以内的近岸海域养殖场，共清理浮筏1700多台，使近岸海域环境得到改善。配合省环保局完成辽宁省渤海“碧海行动”计划。

【生态建设与保护】 2000年，大连市环境保护局编制完成《大连市生态保护建设规划》。

旅顺口区被国家环保总局批准为国家级生态示范区建设试点单位，黑岛镇等6个乡镇被大连市确定为大连市生态建设试点乡镇，生态示范区、乡镇的建设规划编制工作已完成。

加大封山育林、小流域水土流失治理和农村生态环境保护与建设等工作的力度。至年末，全市建成国家级无公害蔬菜基地面积33.3公顷，市级无公害蔬菜基地总面积1.5万公顷；建成绿色食品基地23个，其中绿色食品加工基地和鸡蛋生产基地13个、种植业绿色食品生产基地10个，总面积1200公顷；宜林荒山绿化率达到100%。

全面开展矿山污染、生态破坏和复垦情况的调查，强化自然资源开发活动中的环境管理。

加强城市饮用水源保护区的环境治理。对5个饮用水源一级保护区内的15家企业做出限期整治的决定，其中2家企业年内完成整治，1家企业被取缔。

【加强矿山企业污染物排放管理】 2000年，大连市环保局、市矿管办联合开展对大连市行政辖区内所有从事金属、非金属、流体矿产、地势资源、矿泉水资源、沙石、粘土等资源开采、选矿和加工的单位和个人进行排放污染物调查登记。通过调查，了解掌握了大连市矿山开采、生态破坏和环境污染的现状，并在此基础上制定了大连市矿山环境保护、污染治理和生态修复规划，明确矿山环境整治工作目标，为下一步矿山环境治理整顿打下基础。同时，加强矿山生态环保工作，严把环保审批关，把环境影响报告书（表）作为采矿申请办理采矿许可证和矿山建设项目审批的主要依据，坚持“一票否决”制；严格执行环保“三同时”制度，对环保设施未经环保部门验收或验收不合格的项目不得投产使用；对国家明令应取缔或关停的，或不符合产业政策、工艺落后、资源浪费严重、治理无望的，坚决予以关停或限期治理，对超标排放污染物的实施限期治理。

【《大连市生态保护建设规划》出台】 2000年，大连市出台了《大连市生态保护建设规划》。该规划的总体目标分为近期、中期和远期3个阶段。

近期目标是：到2005年，力争达到基本遏制生态环境破坏趋势，建成一批生态功能保护区，重要生态功能区的生态系统和生态功能得到保护与恢复；建设一批新的自然保护区，使各类良好自然生态系统及重要物种得到有效保护；建立健全生态环境保护监管体系，使生态环境保护措施得到有效执行，重点资源开发的各类开发活动严格按规划执行，生态环境破坏恢复率有较大幅度提高；加强生态示范区和小城镇环境建设，努力实现山川秀美、自然生态系统良性循环。

中期目标是：到2020年，力争全面遏制生态环境恶化趋势，使全市重要生态功能区、物种丰富区和重点资源开发区的生态环境得到有效保护，各项生态指标均超过前期水平，基本实现大连市生态环境良性循环，山川秀美。

远期目标是：2020年以后，力争到本世纪中叶，从根本上遏制大连市生态环境恶化的趋势，建成经济持续发展、城乡环境清洁优美，生态良性循环体系，实现山川秀美的宏伟目标。

【无磷洗涤用品的推广使用和管理】 2000年，大连市对78个生产单位的348个品牌无磷洗涤用品进行排污申报注册，并公布首批获得无磷洗涤用品排污申报注册证的159家企业和550个产品。市环保、工商、技术监督、公安等部门联合对无磷洗涤用品市场进行3次联合检查，查处违法单位6个。大连市从1999年7月1日起，在全市禁止销售、使用含磷洗涤用品，推广使用无磷洗涤用品，目的是为控制近岸海域富营养化加重的趋势，保护水体环境，保障人民群众的身体健康。

无磷洗涤用品包括无磷洗衣粉、无磷液体洗涤济、无磷皂粉、无磷洗衣膏以及其它无磷洗涤辅料等。无磷洗衣粉执行国家GB/T13171—1997洗衣粉标准，其它无磷洗涤用品执行相应的产品标准，其中五氧化二磷（P_2O_5）的总含量必须低于1.1%，洗涤效果（相对标准粉对油污布的去污力比值）必须大于1.0。（王清茹）

城市环境综合整治

【概况】 2000年，大连市城市环境基础设施建设投资13.24亿元，比上年增加

2000年大连市城市环境综合整治定量考核结果

指标类别	考核项目	计量单位	指标值	得分值	总分值
环境质量	大气总悬浮微粒年日平均值	毫克/立方米	0.137	4.00	28.72
	二氧化硫年日平均值	毫克/立方米	0.024	2.85	
	氮氧化物年日平均值	毫克/立方米	0.029	3.00	
	饮用水源水质达标率	%	100.00	6.00	
	城市地面水水质达标率	%	100.00	6.00	
	区域环境噪声平均值	分贝(A)	55.90	4.00	
	交通干线噪声平均值	分贝(A)	69.70	2.87	
污染控制	烟尘控制区覆盖率	%	100.00	4.00	21.65
	环境噪声达标区覆盖率	%	61.81	4.00	
	工业废水排放达标率	%	98.82	4.00	
	汽车尾气达标率	%	81.26	3.00	
	工业固体废物综合利用率	%	59.68	2.65	
	危险废物处置率	%	99.99	4.00	
环境建设	城市污水处理率	%	30.24	3.02	19.02
	城市集中供热率	%	54.33	3.00	
	城市气化率	%	98.46	3.00	
	生活垃圾处理率	%	90.31	4.00	
	建成区绿化覆盖率	%	40.50	3.00	
	自然保护区覆盖率	%	8.88	3.00	
环境管理	环境保护机构建设	%	100.00	3.00	15.94
	城市环境保护投资指数	%	2.33	4.00	
	“三同时”合格执行率	%	100.00	3.00	
	排污费征收面	%	399.91	3.00	
	污染防治设施运行率	%	99.01	2.94	
总计分					85.33

5600 万元，占全市环保总投资的51.3%。全面启动 2000～2002 年“蓝天碧海工程”。建成马栏河、付家庄污水处理厂，完成春柳河污水处理改造工程，开工建设旅顺、长海污水处理厂，使全市二级污水处理能力由每日 22 万吨提高到 37 万吨，城市生活污水处理率已达70%。香海热电厂建成并投入运行，市内四区新增供热面积 358 万平方米，城市住宅集中供热率 62.4%，比上年提高12.9 个百分点。新增公共绿地面积 160 万平方米，新建成秀月、绿之梦、莲花、机车、东华等 13 个广场，城市绿化覆盖率由上年的 40% 提高到 40.5%，人均公共绿地面积由 7.8 平方米增加到 8.5 平方米。城市生活垃圾处理率为 90.3%，与上年基本持平。机动车尾气路检合格率达 83%，比上年提高 3 个百分点。

当年，本市在全国城市环境综合整治定量考核中取得好成绩，位居前列。全部 4 大类 26 项考核指标中，得分比上年提高的有 3 大类 4 项，其中提高幅度较大的有环境质量、环境建设 2 大类指标。

【新一轮飞机航线下环境综合整治全面展开】　2000 年，大连市继 1998 年整治飞机航线下脏乱差环境之后，又展开新一轮飞机航线下环境综合整治，重点解决甘井子区环境综合整治区域内 21 项污染治理难点。共取缔煤场 19 个，覆盖煤场11 个；拆除临时性建筑 1525 处，改造棚户区 1 处，动迁居民 110 户；绿化面积15 万平方米，植树 6.1 万棵；拆除 25 米以上烟囱 5 根，1 吨以下燃煤设施 85 台；粉饰建筑物 5.8 万平方米；绿化广场4800 平方米，植树 7 万棵。对飞机航线下环境进行综合整治后，使大连的城市形象和甘井子区的环境状况得到明显改善。

【“蓝天碧海工程”全面启动】　2000 年6 月 12 日，大连市政府发布《关于实施大连市“蓝天碧海工程”的通知》，决定从 2000 年起到 2002 年，利用 3 年时间在全市全面实施以改善大气和海域环境质量为主要内容的“蓝天碧海工程”，完成5 大类 35 项治理任务。

该工程的总目标是：到 2002 年，大气环境质量有明显改善，基本解决城市中心区煤烟型污染问题；主要污染物排放总量进一步削减，遏制近岸海域富营养化加重的趋势，使本市大气、水体环境质量达到中等发达国家城市水平，为建设现代化生态型城市创造条件。

主要指标是：大气环境质量优于二级标准，二氧化硫均值控制在 0.04 毫克/立方米；二氧化氮均值控制在 0.05 毫克/立方米；大气飘尘控制在 0.10 毫克/立方米；自然降尘年均值控制在 15 吨/平方公里．月。

主要措施是：（1）调整工业布局。已列入搬迁计划的企业在 2002 年前基本完成全部搬迁改造工作，对锻造、铸造、炼钢、轧钢等冶金行业进行专业化重组，搬迁改造污染严重的大连玻璃厂及布局不合理的大起、大重等企业。到 2002 年，全市建成 20～30 个环保模范工厂。（2）继续实行污染物排放总量控制。到2002 年，全市主要污染物排放量要比2000 年减少 20%。（3）调整能源结构。大力提倡用电、用气；在市中心区和部分新建小区开展创建无燃煤区活动；推广使用低硫低灰粉煤和洁净煤，建立洁净煤配送中心。（4）提高城市环境综合整治水平。全市集中供热面积增加 600 万平方米，逐步取消分散供热。到 2002 年，全市集中供热率达到 55% 以上，城市气化率达到 98% 以上；生活污水处理率达到 80%，中水回用率达到 30%；全市森林覆盖率达到 39.5%，建成区绿化覆盖率达到 41.5%。（5）建设环境优美工业区。彻底改造甘井子工业区，开展航线下的环境综合整治，对大钢、大化、大水泥进行大规模工艺改造；专项整治区域内的建材行业；严格管理矿山开采，采取有效措施禁止无度开采，做好土地复垦。

至年末，本市西部污染大户——大连制药厂完成整体搬迁任务；关闭甘井子区 4 家白灰厂点，清理 11 家小炭厂，拆除 150 座小炭窑；拆除 4 吨以下锅炉517 台，扒掉大小烟囱 380 根；全市机动车尾气合格率达 83%。空气环境质量达到 20 年来最高水平。　　（王清茹）

环境监测

【概况】　2000 年，大连市环境监测能力与水平进一步提高，于 6 月 5 日成为全国首批在中央电视台发布空气质量日报（API）的 42 个重点城市之一。

大连市环境监测中心全年完成监测数据近 50 余万个，其中空气自动监测系统数据 25 万个、气象数据 20 万个。新建金州、旅顺、经济技术开发区、金石滩国家旅游度假区、高新技术园区 5 个空气环境质量监测子站，使空气自动监测子站达到 10 个，形成全市空气环境质量监测网络。进一步加强应急监测工作，对 12 次污染事故和 7 次海域赤潮及时做出监测分析，共发出各类环境监测快报280 余份。年内市环境监测中心获得国家有关部门联合颁发的“国家认可实验室”证书。

【市环境监测中心得到国家认可】　2000 年 10 月 3 日，大连市环境监测中心通过由国家技术监督局和中国实验室国家认可委员会组织的专家评审，成为我国继深圳之后第二个被国家认可的环保实验室，标志着本市环境监测达到国际水平，可参与国际间实验室的双边和多边合作。

该中心申请认可的项目有环境质量及污染物排放标准、各种参数测量及分析方法等 188 项。评审组认为，该中心实验室的组织管理符合要求，体系运行基本有效，现场评审基本符合国家认可实验室的条件和要求。　　（王清茹）

环境科研

【概况】　2000 年，大连市环境科研取得一定成果。完成并通过鉴定的科研课题11 项，获国家环保重点实用技术 1 项。完成生态城市指标体系、城市生活垃圾处理技术、生态城市指标体系等技术报告。开发研制废水处理车、粉煤灰承重空心砖等多项环保实用技术。实施ISO14000 标准工作取得新进展，有 2 家企业通过 ISO14000 认证，大连经济技术开发区成为全国经济技术开发区中第一个 ISO14000 国家示范区。

【中日合作大连环境示范区建设】　2000 年，历时 3 年的中日技术合作大连环境示范区开发调查工作圆满完成。大连春海热电厂二期、盐岛化工区热电厂扩建工程、大连制药厂环保一期治理工程等3个中日合作大连环境示范区项目与日方正式签约，贷款为53.15亿日元。

【大连经济技术开发区成为ISO14000国家示范区】 2000年5月16日，大连经济技术开发区被国家环保总局批准为ISO14000国家示范区，成为我国第一个获此荣誉的国家级经济技术开发区。

大连经济技术开发区ISO14000国家示范区创建工作始于1998年。为了提高环保工作的综合决策、科学管理等软件建设水平，开发区积极参照ISO14000环境管理系列标准，引入符合国际惯例的管理标准，建立起一套科学的环境管理体系，并获得中国华夏环境管理体系审核中心的认证。同时，开发区管委会还出台政策，鼓励区内企业实施ISO14000认证，在区域内创造良好的环境保护氛围，全面提高了区域环保工作水平，也为我国深入推广创建ISO14000国家示范区提供了成功的实践经验。

【本市被国家推荐为环境“全球500佳”备选城市】 2000年10月29～30日，在国务院总理朱镕基推荐下，中国环境与发展国际合作委员会一行9人来连，考察大连市城市环境建设与管理和经济、社会与环境协调发展的基本情况。考察组认为，大连规划建设得好，是一座干净美丽的城市，完全有资格申请参加环境“全球500佳”评选。大连因此成为首座被国家推荐的环境“全球500佳”备选城市。

环境“全球500佳”评选是联合国环境规划署开展的一项具有较大影响力的评选活动，始于1987年。该活动每年从世界各国评选出100个对保护环境有特殊贡献的个人或集体，5年为1期，共评选出500个优秀个人和集体。其评选标准是：成功地解决一个具体的环境问题或对环境及可持续发展做出有益贡献；成功地使公众关注重大环境问题，从而推动地区或国家解决该问题；在有关环境的科学研究、技术、理论等方面做出突出贡献。 （王清茹）

环保产业

【概况】 1998～2000年，大连市环保产业以每年25%的增长速度迅速发展，成为新的经济增长点。至2000年末，全市从事环保产业的企事业单位有198家，从业人员1.9万人，当年完成产值20亿元。大连宏信防火科技股份有限公司、大连东泰产业废弃物处理有限公司、大连东达环境工程有限公司等一批高科技环保骨干企业具有较大市场潜力和发展前景。

年内，市政府批准在甘井子区朱棋路建设5.06平方公里的大连市环保产业园区。该园是国家环保局批准的全国2家环保产业园之一，起步区分为环保产品制造区、环保设备制造区、清洁生产和绿色产品区、高科技产业区等4个功能区。

8月11日，本市被国家环保总局列为首批国家环保产业发展及设施运营产业化示范城市。

【本市成为国家首批环保产业发展及设施运营产业化示范城市】 2000年8月11日，大连市继荣获国家环境保护模范城市、中日环保示范城市称号后，又被国家环保总局确定为首批2个环保产业发展及设施运营产业化示范城市之一（另一个是重庆市）。

国家环保局要求大连市在环境保护技术装备方面，以开发工业垃圾处理成套设备，环境在线监测仪器设备，清洁能源、技术及设备为重点；在环境保护设施运营方面，以城市污水处理、工业废弃物处理和城市垃圾处理以及污梁源监测的社会化服务为重点，逐步向城市环境建设领域扩展，建设起社会化运营的管理模式、运营机制及政策支持体系。这将对有效地保护城市资源，提高城市环境质量和推动经济社会可持续发展起到积极的推动作用，为我国环保产业在市场经济条件下快速发展起到综合示范作用。

【2000年中国国际环保博览会】 2000年9月6～9日在大连星海会展中心举办。由国家环境保护总局、大连市政府主办，大连市环境保护局、中国国际贸易促进委员会大连市分会承办。

本次博览会是国家环保总局第一次在北京之外举办的国际环保展，共设展位400多个，按环保专业划分为大气、水、固废治理、仪表监测、绿色包装产品、环保型建筑产品等展区，展出面积1.2万平方米，签订合同116项，成交金额19亿元，达成合作意向700多项。

期间，国家环保总局与大连市政府达成协议，确定该项展会在北京和大连隔年轮流举办。 （王清茹）

2000年，中国国际环境保护博览会在大连举行。 市环保局 供稿

交通·邮电

责任编辑　孙　颖

港　口

【大连港概况】　2000年，大连港务局共有生产泊位73个，其中万吨级以上泊位39个，另有万吨级浮筒泊位3个；铁路专用线150.3公里；输油管线89.6公里；生产用仓库33.3万平方米；堆场192.4万平方米；圆筒仓2座，容积13.7万立方米；储油罐108.1万立方米；港作船舶48艘；铁路机车16台；装卸机械798台，其中生产用装卸机械560台。全民在册职工总数19844人。

2000年大连港主要经济指标完成情况

	单位	实际完成	比上年增长(%)
货物吞吐量	万吨	9084.1	6.8
其中:外贸吞吐量	万吨	3371.1	39.8
船平均每装卸千吨货在港停时	天	0.16	-15.8
全员劳动生产率	吨/人	4016	20.1
实现利润	万元	2856.1	9.5
装卸单位成本	元/千吨	7938	16.7
营业总收入	亿元	14.6	17.9
旅客吞吐量	万人次	564.4	-14.0
其中:出港旅客	万人次	291.2	-12.1

这一年，大连港生产、经营、建设呈现良好的发展态势。港口生产继续稳定增长，货物吞吐量突破9000万吨大关，特别是外贸吞吐量增幅较大；集装箱吞吐量突破100万标准箱大关，成为中国内地第七个集装箱吞吐量超过100万标准箱的港口；旅客吞吐量9年来首次下滑。

港口信息化建设速度加快，大连港计算机集成管理系统一期工程通过国家验收，港务局财务计算机管理网络投入运行，货运调度、库场管理和费收结算网络系统试点成功。

基本建设和技术改造取得重大进展，新港2座5万立方米油罐建成投入使用，大连湾铁路试通车，大窑湾海关查验中心配套工程交付使用，大港区16号滚装泊位改造工程竣工投产，大窑湾散粮泊位续建工程、黑嘴子总体改造工程等重点项目开工建设。

港口生产经营中存在的主要问题：(1) 生产增长速度相对其他港口仍然不

2000年，大连港集装箱吞吐量突破100万标准箱，集装箱码头蝉联亚洲“最佳集装箱码头”大奖。　张春亮　摄

快，货物吞吐量在全国主要沿海港口中的位次由上年的第四位下滑到第六位，集装箱吞吐量与青岛、天津等港口的差距加大；（2）应收账款虽比上年减少，但仍高达1.45亿元，对港口正常的生产经营影响很大；（3）随着周边港口的发展，原有的效率、服务、设备设施等优势逐渐弱化，货源分流加剧。

【货物吞吐量突破9000万吨】 （见第31页）

【集装箱吞吐量突破100万标准箱】 （见第31页）

【外贸吞吐量止跌回升】 大连港作为我国最重要的外贸口岸之一，在20世纪90年代以前，外贸吞吐量长期位居中国内地沿海港口首位。自1992年起，由于腹地经济结构调整等原因，大多年份外贸吞吐量下滑，1999年仅完成2412万吨，为近8年来最低。

2000年，大连港外贸吞吐量呈现强劲回升态势，全年完成3371.1万吨，比上年增长39.8%，达到1995年以来的最高点。增幅较大的货种主要是对市场、政策敏感的货种，如出口玉米、进口原油、进口大豆等，分别完成566.5万吨、691.6万吨和215.4万吨，增幅均超过1倍以上。

【旅客吞吐量首次下滑】 多年来，大连港凭借得天独厚的区位优势，旅客运输在全国沿海旅客运输明显萎缩的态势下，始终保持稳定增长。但到2000年，由于铁路增开列车和全面提速、航空运输发展迅猛，加之国家整顿水上客运市场等因素，大连港旅客吞吐量出现9年来首次下滑。全年完成旅客吞吐量564.4万人次，比上年下降14%。旅客减少较多的航线有：大连——上海，减幅为27.4%；大连——塘沽，减幅为16%；大连——烟台，减幅为13.1%。

【大窑湾二期工程预可研报告通过交通部审查】 大连港大窑湾港区一期工程1987年开工兴建，经过十几年建设，到2000年底全部完工，共建成散粮泊位1个、散杂货泊位4个、集装箱泊位5个；散杂货年通过能力490万吨，集装箱年处理量150万标准箱。

为适应国民经济发展需要，一期工程在建时，二期工程的前期工作就已开始。2000年11月，国家交通部在连召开审查会，审查通过《大连港大窑湾港区二期工程预可行性研究报告》和《大窑湾南岸物流园区配套工程可行性研究报告》。二期工程拟建水深16.2米的集装箱泊位3个、3~5万吨级多用途泊位2个，设计年吞吐能力850万吨、集装箱90万标准箱。大窑湾二期工程及其后方物流园区的建设，对大连港优化港口布局、提高港口适应能力和竞争能力，促进大连及东北腹地的经济发展将起到重要作用。

2000年，大连港粮食转运量超过1200万吨。图为粮食码头正在对外轮进行卸船作业。 张春亮 摄

【大连新港成为我国第三个进口原油中转港】 近年来，为满足腹地石化企业降低进口原油运输成本的需求，进一步拓宽港口功能，大连港务局投资近亿元改造鲇鱼湾新港的码头设施设备。新建2个总容积达10万立方米的储罐，使新港的原油码头靠泊能力由10万吨级提高到20万吨级，罐存能力达到65万立方米，具备了开展原油中转业务的条件。2000年4月，国家交通部批准新港开展原油中转业务。5月，满载13万吨中转至天津的进口原油的赛浦路斯籍油轮“瓦西里”号靠泊新港码头作业，标志着新港成为继宁波、青岛之后的我国第三个进口原油的中转港。当年新港作业中转油轮4艘，中转作业量100多万吨。

【大连港计算机集成管理系统一期工程通过验收】 大连港计算机集成管理系统（简称DP—CIMS）是国家“863计划”CIMS主题立项项目，1997年8月通过初步设计。一期工程完成网络平台建设、通信配套工程、局中心机房改造、数据库购置等工作，基本建立起企业Intranet/Internet信息服务系统，开发完成网上售票、生产管理、货运管理、物资管理、财务管理系统，建立了港口EDI中心。2000年9月，大连市科委代表国家863/CIMS主题办专家组，对DP—CIMS一期工程进行验收。验收委员会认为，DP—CIMS是我国港航运输业的首家CIMS工程，对促进我国港口企业的信息化建设具有示范意义和推广价值。

【大连口岸物流网有限公司成立】 2000年9月21日，大连港务局、新加坡港务集团、大连集装箱码头有限公司共同出资成立大连口岸物流网有限公司，以发挥电子商务在现代物流业中的作用。该公司将充分利用大连作为港口城市在物流配送上的区位优势，建立一个现代化、网络化的电子大物流系统，成为以大连为中心、以东北为依托、以环渤海为纽带，辐射全国、服务世界的第三方电子商务中心，为用户提供运输单证电子报文的存储、转换、翻译和报文交换等客户化的口岸物流信息服务，促进大连口岸集装箱运输业务迅速发展。

【大连集装箱码头有限公司蝉联亚洲“最佳集装箱码头”奖】 2000年4月，香港《亚洲货运》杂志社第十四届货运业大奖评选揭晓。大连集装箱码头有限公司（简称DCT）蝉联亚洲“最佳集装箱码头”大奖，并再次成为中国内地惟一获此殊荣的集装箱码头，排名也由1999年的第十一位跃至第六位。该奖项每年在全球范围内组织评选，此次有1.4万名世界各地与货运业务相关的专家、承运人员及客户参加投票，颇具权威性和专业性。

DCT是大连港务局和新加坡港务集团合资经营的大连口岸最重要的集装箱码头公司，1996年开业以来生产经营取得巨大进展，2000年完成集装箱吞吐量81万标准箱，比上年增长29%，作业效率、管理水平均居国内领先地位，并创造了单船作业效率的国内最高纪录，在国内外港航界享有很高声誉。（赵济普）

【航务三公司承建工程获“詹天佑大奖”】 2000年5月，由中港第一航务工程局第三工程公司承建的大连港大窑湾一期工程前4个泊位荣获首届“中国土木工程詹天佑大奖”，成为全国2项获奖港口工程之一，大连市建筑行业惟一获奖建筑工程。

大连港大窑湾一期工程建有2.5万吨级多用途泊位2个、3万吨级集装箱泊位2个，1992年底完工，1993年1月18日通过国家验收，1993年7月2日正式投入使用。此次获得的奖项是该公司继1995年获国家交通部水运工程质量奖、1996年获国家建设部“鲁班奖”和国家优质工程奖之后，获得的又一殊荣。

该公司为国家骨干航务工程施工企业，资质等级为一级，具有雄厚的技术、设备、经济实力以及较强的施工能力和丰富的设计经验。自1953年成立以来，已承担数百项工程，包括大连及周边地区大部分的港口工程。其中有全国最大的干船坞——大连造船新厂30万吨级船坞、亚洲首例采用湿法施工的大连中远有限公司6.5万吨船坞、曾经是全国最大的鲇鱼湾油港、曾经是亚洲最大的大连湾渔港等。（宫振伟）

2000年大连市10万吨级以上地方港口客货吞吐量

	旅客吞吐量（万人次）	比上年增长（%）	货物吞吐量（万吨）	比上年增长（%）
航运集团	35	9.4	331	1.8
旅顺港务局	35.8	-4.3	560.5	6.8
普兰店市港务局	49	16.4	27.2	23.1
庄河港务处	13.4	-5.6	10.2	108.2
大连湾新港港务公司	17	-70.0	279.4	-62.8
新船港务公司	34	—	245	-12.5
长海獐子岛港务公司	8.8	—	11	—
523厂港务公司	—	—	39.9	93.7
松辽厂港务公司	—	—	28.8	35.2
大连邮政港务公司	—	—	11	-92.1
大连京谷燃化有限公司	—	—	17.6	66.7
大化港务公司	—	—	90.7	-5.5
大连渔轮港务公司	—	—	16	45.5
北良有限公司	—	—	71	—
石化港务公司	—	—	567.7	—

（刘　芳　卢　华）

【地方港口和企业码头】 2000年，以大连港为枢纽港发展起来的地方港口和企业码头有35家，拥有各类生产泊位101个，其中万吨级以上深水泊位16个，有16个地方港口、企业码头准予停靠国际贸易船舶，从事国际贸易货物装卸作业。最早纳入地方交通行业管理的港口是1971年建成投产的庄河港。大连地方港埠企业有客货（滚装）综合码头、大件（滚装）运输专用码头、石油化学品专用码头和专门从事海上旅游运输的码头。地方港口和码头年货物吞吐能力3000万吨，当年实现货物吞吐量2325万吨，旅客吞吐量22万人次，分别占全市水路货物吞吐量和旅客吞吐量的24%和31.9%。（刘　芳　洪全海）

海　运

【概况】 2000年，大连市交通局按照“控制总量，调整结构，加强管理，提高效益”原则，将本系统在陆岛航线运营的木质客船全部淘汰，使运输船舶总量有所减少，但船舶质量明显提高。地方航运部门新增运力17艘、322客位、933载重吨；更新运力3艘、138客位。

全地区运输船舶比上年减少0.4%，其中客位减少2.4%，吨位增长16.5%。

全地区海上客货运量均比上年有不同程度增长，实现客运量598万人次，货运量2934万吨，分别比上年增长3.3%和21.3%。客运量的增加主要得益于市地方交通和非交通部门；货运量增长则主要靠部属交通企业和市非交通部门所属企业的带动。从客货周转量看，市交通部门所属企业旅客周转量比上年增长18.7%，部属企业和市非交通部门所属企业旅客周转量则分别下降15.6%和11.7%；部属企业货物周转量比上年增长41.5%，大大高于市交通和非交通部门所属企业。

根据国务院水上安全监督管理体制改革要求，市地方水上安全监督机构于年内划归中央水上安全监督机构管理。

2000年是国家交通部确定的“水上运输安全管理年”，市交通局以客船、客货滚装船及旅游船的安全管理为重点，加强水上安全及船舶监督管理，进行船舶抗风等级核定，并确定大连市船舶抗风等级标准。共对各类船舶进行安全检查492艘次，查出安全隐患309起，责令停航整顿9艘次。

【地方水上安全监督机构划归中央直属】 根据国务院关于水上安全监督管理体制改革实施方案，经国家海事局批准，大连市地方水上安全监督机构于2000年7月28日划归中央水上安全监督机构

——辽宁海事局管理，以确保水上安全监督工作的统一性，避免重复设立机构，真正实现“一水一监、一港一监”。原市及区市县交通局水上安全监督机构职能全部划转。

【陆岛航线船舶结构形成新格局】 近年来，大连市交通局根据水运市场发展需要，适度控制市场投入，优化运力结构，淘汰老旧船舶，使水运企业逐步走出运营低谷。2000 年，市交通局又投资 400 万元，淘汰陆岛航线所有木质客船，全部更新为钢质客船，从而结束本市陆岛航线木船运客的历史，形成常规客船与豪华客船并存、旅客运输与客货滚装运输竞相发展的陆岛客运新格局。

【大连航运集团所属企业均获国际航运通行证】 2000 年 2 月 25 日，经国家海事局审核批准，大连航运集团所属的大连海运总公司一次性通过国际海事组织制定的营运船舶国际安全管理体系审核（SMS 外审），获得符合证书（DOC）和船舶安全管理证书（SMC），这标志着辽宁省最大的地方航运企业大连航运集团其所属的海运企业全部通过 SMS 外审，拿到国际航运通行证。 （刘 芳）

【大连远洋运输公司新造的 3 条油轮投用】 2000 年，大连远洋运输公司 3 条新油轮造毕投入运营。其中，6.4 万吨原油轮“吉利湖”号由大连造船厂建造，于 1 月 12 交船；6.8 万吨原油轮“玄武湖”号和“班公湖”号由大连新船重工有限责任公司建造，分别于 10 月 26 日和 11 月 21 日交船。此 3 条油轮及上年下水的另一条 6.4 万吨原油轮的建造合同，是中国远洋运输集团总公司在国际航运市场和造船市场长期低迷的状态下，于 1999 年与大连造船厂和大连造船新厂（即后更名的新船重工公司）为增强合作打开市场而签订的。3 条油轮的投入运营，为中远集团打造油轮船队奠定了坚实基础。

【大连远洋运输公司与日签订 30 万吨原油轮建造合同】 2000 年 12 月 11 日，中远集团大连远洋运输公司与日本日立船厂在北京签订 30 万吨原油轮的建造合同。这是该公司首次订造超大型原油轮（VLCC），由此成为国内首家订造 VLCC 的航运企业。

（葛 涛）

2000 年大连地区海上客运情况

	客运量（万人次）	比上年增长（%）	旅客周转量（万人公里）	比上年增长（%）
全地区	598	3.3	102672	-11.3
交通部属企业	320	-5.0	72626	-15.6
市交通部门	101	14.8	14843	18.7
市非交通部门	177	14.9	15203	-11.7

2000 年大连地区海上货运情况

	货运量（万吨）	比上年增长（%）	货物周转量（亿吨公里）	比上年增长（%）
全地区	2934	21.3	563.48	27.0
交通部属企业	2393	21.7	446.79	41.5
市交通部门	228	1.8	21.41	-26.0
市非交通部门	313	37.9	95.28	-3.8
其中：个体	21	50.0	0.41	36.7

（刘 芳 卢 华）

【中海客轮公司扭转多年亏损局面】 由于 90 年代初期渤海湾水运市场放开一度出现运力过剩和无序竞争局面，加之航空、铁路、公路竞争的严重冲击，以及企业市场适应能力较弱等原因，中国海运（集团）总公司所属中海客轮有限公司·大连海运（集团）公司自 1994 年以来一直亏损。

2000 年，该公司抓住国家经济形势好转的机遇，加快调整船舶结构和航线布局结构，大力开展市场营销，克服企业包

2000 年，大连远洋运输公司投资新造的“班公湖”油轮下水。 远洋运输公司 供稿

袱重、负债率高以及长期亏损所带来的种种困难，在运输组织、安全体系、成本控制、资本运行监督、目标责任制等管理方面取得显著成绩，一举摆脱亏损局面，实现利润24万元。当年共营运7条客运航线和部分远洋货运航线，投入船舶20艘，完成客运量320.2万人次，旅客周转量7.26亿人公里；完成货运量718.4万吨，货物周转量19.5亿吨公里；完成车运量17.87万辆。

【中海客轮公司引进国内最大的客/车滚装船】 2000年5月，中海客轮有限公司·大连海运（集团）公司投资7960万元，引进国内最大的客/车滚装船“长兴岛”轮。该轮1982年由意大利建造，1.8万总吨；总长148.26米，宽22.7米，深7.5米；实际航速16节；可载旅客1508人，载车线卡车650米、小车880米，具有技术设备优良、载客货量大、服务设施齐全等优点。该轮的引进与运营，改善了渤海湾整体客运船队的结构，提高了船舶安全运输水平。

（孙福岭）

2000年7月17日，中海客轮有限公司引进的国内最大的客车滚装船“长兴岛”轮首航连烟航线。 张文生 摄

公 路

【概况】 **公路建设** 2000年，大连地区公路通车总里程4389公里（不含沈大高速公路大连段126公里），比上年增加68公里。其中：晴雨通车里程4264公里，增加68公里；黑色路面里程2259公里，增加198公里。共有公路桥梁2123座、总延展长度5.6万米，比上年增加113座、2280米。

公路建设跃上新台阶。海皮公路一期工程、旅顺北路机场段南移工程、黄海大道路面二次摊铺工程相继完工。大连至金石滩快速轨道交通工程动工。全面实行市交通重点工程及基础设施建设项目法人制、招投标制、合同制及监理制等管理制度，为工程项目优质达标提供基本保证。提前5年完成“乡乡通油路”公路建设目标，全市128个乡镇（规划时乡镇数）全部通上油路。

公路养护水平进一步提高。县级以上公路平均好路率81.4%，比上年提高0.1个百分点，其中干线公路好路率85.1%，县道好路率79.7%。高标准完成公路绿化587.96公里，绿化里程比上年增加473.06公里。路政管理进一步加强。全年发生路政案件227起，比上年减少109起，破、结案率达100%。

公路运输 全地区客货营运车辆总数比上年增加3.2%。公路客运量和旅客周转量、货运量和货物周转量均比上年略有增长。

由于推行道路客运集约化、规模化经营以及新辟客运线路专营管理，全市客运市场无序竞争局面大有改观。继续规范货运市场经营行为，零担货物运输市场发展势头良好，全市已有发往全国各地零担货运班线40条，日均货运量700吨。

根据国家交通部和省交通厅运输管理局的有关要求，市交通部门对231台营运客车进行等级划分，确定高级车辆4台、中级车辆227台。

为维护运输市场经营秩序，市交通部门组织开展交通执法稽查，共检查车辆25.5万台次，查处违章车辆2.6万台次。

11日，辽宁省汽车综合性能检测中

2000年大连地区公路客运情况

	客运量（万人次）	比上年增长(%)	旅客周转量（亿人公里）	比上年增长(%)
全地区	8766	2.0	26.67	2.2
市交通部门	4474	23.8	11.85	24.7
非交通部门	4292	-13.8	14.82	-10.7
其中:个体	3641	3.0	10.82	2.1

2000年大连地区公路货运情况

	货运量（万吨）	比上年增长(%)	货物周转量（亿吨公里）	比上年增长(%)
全地区	15368	1.4	34.48	1.6
市交通部门	665	-5.4	1.69	1.8
非交通部门	14703	1.7	32.79	1.6
其中:个体	3626	1.4	7.25	1.7

（刘 芳 卢 华）

心站在本市正式挂牌投入使用，成为继上海、南通、济南之后全国第四家国家级汽车综合性能检测中心站。全市交通系统已建成汽车综合性能检测站8个。

【快速轨道交通工程正式启动】 （见第32页）

【海皮公路一期工程提前竣工】 2000年6月28日，被列为2000年大连市经济建设和人民生活19件实事之一的海皮公路一期工程竣工，成为继黄海大道、旅顺南路之后，本市修建的又一精品大道。

该公路西起沈大高速公路海湾大桥南3.9公里处，东至普兰店市九七立交桥收费站，全长15.15公里。按城市平原微丘一级路标准设计，路面宽24米，双向四车道，设计时速每小时100公里。经省、市工程质量监督部门验收，工程质量全部达到部颁优良级品标准，其路面平整度平均差值为0.546毫米，创本市修路史最高水平，低于部颁标准1.2毫米。该公路的竣工，将普兰店市直接与沈大高速公路相连，并为沈大高速公路与黄海大道连接打下基础。

2000年6月28日，大连海皮公路一期工程竣工通车。 王勤玉 摄

【旅顺北路机场段南移工程竣工通车】 被列为大连市政府重点工程之一的旅顺北路机场段南移工程于2000年3月22日破土动工，6月13日竣工通车。

该工程起于大连周水子国际机场东侧，与城市道路迎宾路相接，止于甘井子区大辛寨子镇国际商务学院北侧，全长2.25公里；按平原微丘一级路标准设计，双向4车道，两侧设人行步道和5米绿化台，路面宽21.5米，设计时速每小时100公里。经市工程质量监督部门验收，工程质量达到部颁优良级品标准。该工程的竣工通车将大大缓解机场前道路拥挤状况，对美化城市周边环境，改善本市投资软环境起到积极作用。

2000年6月13日，旅顺北路机场段南移工程竣工，极大地缓解了机场前道路拥挤状况。 贾晓虹 摄

【黄海大道路面二次摊铺工程竣工】 黄海大道自1998年9月2日竣工通车、1999年6月1日实施封闭收费后，运行情况良好。为加强高等级公路养护，大连市交通部门于2000年5月20日开始对全长117.82公里（从缸窑收费站开始）的黄海大道实施二次路面摊铺、路面标线、浆砌工程，到8月31日工程完工。该项工程率先在本市公路路面工程建设中实行优质优价、优监优酬管理办法，工程全过程实行项目法人制、招投标制、监理制及合同制。工程质量经检测达到部颁优良级品标准。 （刘 芳）

【本市提前5年实现“乡乡通油路”】 “乡乡通油路”是辽宁省“十五”计划公路交通建设目标之一。2000年末，大连市128个乡镇（规划时乡镇数）已全部通上油路，提前5年实现“乡乡通油路”目标。

本市从1998年末开始实施“乡乡通油路”工程。市交通部门先后投资1.45亿元，用2年时间完成“乡乡通油路”工程83项，其中新建沥青路面21条、234.8公里，新建桥梁74座、延展长度1809.4米，完成路基改造2条、11公里。工程合格品率达100%，优良品率达95%以上。全市公路总里程由1998年末的4267公里增加到2000年末的4389公里，其中黑色路面里程达到2259公里。

“乡乡通油路”工程建设的全面完

成，使全市公路网整体功能日趋完善。

（刘　芳　贾晓虹）

【大连交通运输集团有限公司成立】 2000年8月9日，经市体改委批准，由原大连运输集团、大连长途客运公司、大连汽车站和大连中转货运公司的部分优良资产组成的大连交通运输集团有限公司正式挂牌成立，实现了本市国有大型道路运输企业的强强联合，建立起东北地区最大的国有道路运输企业，也标志着本市交通系统企业改制基本完成。

该集团公司是大连交通运输集团的核心企业，属国有独资企业。业务以客货运输为主，同时经营机械车辆维修、货物装卸堆存、国际货运代理、汽车配件经销、汽车租赁和经销、汽车检测、国际劳务、国内旅游、餐饮服务、汽车驾驶培训等。拥有营运车辆1505台，资产总额6.8亿元。（刘　芳）

2000年8月9日，大连交通运输集团有限公司成立。　　市交通局　供稿

【辽宁省汽车综合性能检测中心站挂牌】 2000年11月3日，辽宁省汽车综合性能检测中心站在大连正式挂牌投入使用。该站在原市汽车综合性能检测站基础上成立，是省内第一家国家级汽车检测站，也是继上海、南通、济南之后全国第四家国家级汽车性能检测中心站。该站设3吨级和10吨级2条检测线，全部检测设备实行微机联网、自动化封闭检测，设计年检车能力3.5万台。该站主要负责对省内机动车辆维修行业内发生的重大质量纠纷进行检测和技术鉴定；并负责对省同业的业务指导，提供技术咨询，开展检测技术交流等。

（刘　芳　郭卫东）

【旅顺南路落杆收费】 2000年4月15日经辽宁省政府批准，大连大庄公路发展有限责任公司依法对改扩建后的旅顺南路实施收费管理，以偿还贷款。收费执行省道路运输统一收费标准：客货车2吨以下收费10元，5吨以下收费15元，10吨以下收费20元，10吨以上收费25元。

2000年11月3日，国家级汽车综合性能检测中心站——辽宁省汽车综合性能检测中心站投用。　　王勤玉　摄

【黄海大道无线通信网全线开通】 大连大庄公路发展有限责任公司无线电移动通信网于2000年1月始建，5月投入试运行，9月1日正式开通。该通信网由24部手持式对讲机、8部车载式对讲机、8个无线中继台、1个有无线转接器共4个主要部分组成。它的开通实现了黄海大道有线电话与无线通信网的手机、车载式对讲机的对接。经市无线电管理委员会专家测试，手持机、车载机在黄海大道全线通话语音清晰、无盲区。

【机动车驾驶员培训管理走在全国前列】 2000年，大连市经市交通部门审批的机动车驾驶员学校39所，教练车774台，从业人员1326人；经营性封闭教练场4处，占地面积127.5万平方米，训练路线总长59.5公里，可同时容纳500台车辆训练。全年培训驾驶员2.9万人，比上年增长20%。

3月1日起，本市率先在全国同行业中实行持交通部门核发的《机动车驾驶员培训结业证书》到公安部门报考《机动车驾驶证》制度，进一步提高了机动车驾驶员的培训质量。（刘　芳）

铁　路

【概况】　2000年，大连铁道有限责任公司管内铁道线路总延展长度为1502.7公里，其中正线807.879公里；营业里程543.5公里。长大干线1条、总延展长度941.832公里；支线9条、536.7公里。固定资产总额41亿元。

在运输市场竞争激烈的情况下，铁路客货运输生产任务超额完成，客货运收入有不同程度增长，货物到达量和换算周转量创历史最高水平。

2000年大连铁道有限责任公司主要经济指标完成情况

	单位	实际完成	比上年增长(%)
旅客发送量	万人次	1838	1.7
货物发送量	万吨	2246	4
旅客周转量	百万人公里	3259	8.8
货物周转量	百万吨公里	12690	9.8
实现利润	万元	1360.3	-55.6
上缴利润	万元	729.1	-20.2
客运收入	亿元	5.34	11
货运收入	亿元	6.8	5.4

连续实现无行车重大、大事故4507天，消灭火灾爆炸、责任旅客伤亡、重大路外交通事故，连续实现第12个安全年，继续保持在全国铁路安全运输先进分局行列。在24个行车站段中，实现安全行车4000天以上的有金州站、大连水电段、大连工务段、大石桥车辆段4个站段。

全国铁路于12月21日实行火车大提速，大连运行线路中有4线火车随之提速。新开行大连——上海旅客快速列车。

【全面调整铁路运输思路】　2000年，大连铁道有限责任公司根据运输市场特点，将T83/84次票价上浮10%，增收1200万元；完善日间客票计划制度，调整所有售票联网站的日间客票票额，尤其是大连地区与中间站的剩余票额；根据季节客流流向、流量和流程的变化，随时调整图定客票。开行临时客车174列，加挂客车1815辆；开行球迷专列4列、旅游专列6列。与大连港、鲅鱼圈港联手营销，保证进口金属矿石、粮食到达大连港、鲅鱼圈港后即经铁路转运，共转运金属进口矿石296.4万吨、进口粮食133.1万吨、出口粮食30万吨。完成集装箱发送量78万吨，比上年增长36.8%。

【大连——上海快速列车开通】　2000年7月10日，由大连铁道有限责任公司担当的大连——上海T131/132次旅客列车首次开行临时客车，全程运行时间为35小时50分。10月21日，该列车改为快速列车，由大连到上海为24小时零7分，由上海到大连为23小时53分。沿途经过天津、济南、泰山、南京、无锡、苏州等18个城市和地区。

【4线火车提速】　2000年10月21日，全国铁路第三次火车大提速。此次提速中，大连运行图发生变化的有4条线路：大连——北京2531/2次列车改线，运行时间压缩2小时11分；大连——大庆2019/20次列车，运行时间压缩1小时35分；大连——牡丹江2051/2次列车，运行时间压缩1小时零4分；大连——图们4223/4次列车改线，运行时间压缩25分钟。

【铁路客运联网异地售票】　2000年，大连铁路管内有16个车站实行计算机客运联网售票。其中：大连、沙河口、周水子、革镇堡、营城子、旅顺、城子坦、南关岭、甘井子、金州、普兰店和瓦房店站，通过大连中心联网售票；营口、大石桥、盖州和熊岳城站，直接与沈阳铁路局票务中心联网售票。同时，大连地区8个、山东半岛6个计算机终端代理售票业务。　（王东升）

民用航空

【概况】　2000年，大连周水子国际机场开通国内外航线82条，比上年增加11条。其中：国内航线72条，与48个城市通航；国际航线10条，与日本的东京、大阪、富山、福冈、仙台、广岛，韩国的汉城，朝鲜的平壤，泰国的曼谷，俄罗斯的伊尔库茨克等5个国家的10个城市通航。

全年旅客吞吐量、货邮吞吐量、航班起降和飞越架次均比上年大幅增长。“五一”和“十一”旅游黄金周期间出现旅客运输高峰，共起降航班1430架次，运送旅客16.17万人次，日均运送1.2万人次。

航空安全形势平稳。由于实施一系列安全措施，加强安全教育，设立安全奖励基金，实现自开航以来连续28年航空安全无事故。全年保障各类飞行8万

2000年7月10日，由大连铁道公司担当的大连——上海快速列车开通。
铁道公司　供稿

架次，检查旅客138.5万人次、货物60.7万件，监护飞机1.8万架次，地面行车1.7万台次、64.3万公里，杜绝了严重差错以上问题的出现。

开展以"奉献优质服务，建设最佳空港"为主题的优质服务年活动，制定并实行《大连机场窗口岗位行为标准》，机场先后被评为省市春运工作先进单位、市文明单位标兵、口岸系统先进单位、服装节保证模范单位等称号。

2000年，中国北方航空公司大连分公司开通新航线10条。　　王有勉　摄

2000年大连周水子国际机场主要经济指标完成情况

	单位	实际完成	比上年增长(%)
旅客吞吐量	万人次	275.2	16.5
进港人数	万人次	136.7	15.4
出港人数	万人次	138.5	17.8
货邮吞吐量	万吨	7.6	24.5
航班起降	万架次	3.56	7.9
航班飞越	万架次	4.54	5.6
日高峰起降	架次	126	12.5
平均每周航班	次	652	—
其中：国际航班	次	84	—

【开通空中新航线】 2000年，大连周水子国际机场开通新航线10条，分别是：北方航空公司承运的大连——连云港、大连——张家界、大连——南宁、大连——南昌、大连——济南——黄山、大连——曼谷（包机）航线；山西航空公司承运的大连——秦皇岛——石家庄航线；四川航空公司承运的大连——济南——成都航线；海南航空公司承运的大连——北京航线；取得大连——石家庄——银川航线通航权。恢复航线1条，大连——俄罗斯伊尔库茨克国际航线。

【创建机场品牌服务】 2000年，大连周水子国际机场全面开展"我为旅客送方便，满意在大连"活动，并确定免税店、服务科、机务工程部为机场服务"品牌单位"，全面接受社会各界的监督与检验，带动了机场总体服务水平全面提升。6月，在由省精神文明建设办公室和国家统计局、省社会经济调查队联合举办的辽宁省行业信誉度问卷调查活动中，机场综合评价指数达到80%以上，被认定为交通类企业中的高信誉单位。

【加快机场配套服务设施建设】 2000年，大连周水子国际机场投资5000余万元，用于提高配套服务设施水平。投资2600万元，建成1万多平方米的货运仓库及其配套货坪、理货大棚，彻底改变了货运设施老化、落后的局面；投资1500万元，建成5355平方米特种车及消防车车库，解决了长期以来特种车辆露天停放问题；投资200万元，完成航管二次雷达更新部分工程；投资465万元，更新货运设备；投资170万元，改造、大修候机楼登机廊桥；投资350万元，购置气象遥测仪和安检X光机，完成候机楼宇自控系统。　（魏利典）

【北航大连分公司扭亏为盈】 2000年，在国内航空市场竞争日趋激烈的情况下，中国北方航空公司大连分公司克服航油上涨等不利因素影响，科学计划航班，强化市场营销，加强经营管理，全面扭亏为盈。运输周转量首次突破1亿公里大关，其他运输指标也比上年有不同程度增长。

全年经营航线90条，其中当年新开航线10条，分别是：大连——曼谷（包机）、大连——连云港——成都——昆明、大连——北京——张家界、大连——济南——黄山、大连——西安——成都——昆明、大连——合肥——深圳、大连——青岛——南昌——桂林、大连——天津——武汉——南宁、大连——南京——武夷山——汕头、北京——福州。大连——南昌航线为东北地区和南昌之间的第一条空中航线。

2000年中国北方航空公司大连分公司主要经济指标完成情况

	单位	实际完成	比上年增长(%)
旅客运输量	万人	90.49	12.9
货邮运输量	万吨	1.63	22.6
运输周转量	亿吨公里	1.04	—
航运班次	次	7999	4.8
运输时数	小时	19860	13.6
飞机日利用率	小时	7.8	18.2
客座利用率	%	61.2	5.8（百分点）

为提高航空信息化管理水平，中国北方航空公司与中国民航总局合资兴办了东北凯亚公司大连办事处并于1月1日正式挂牌成立，负责大连地区民航客货运商务数据网的管理。

开展品牌和特色服务。推出空陆全顺中转旅客服务及2818858机场出票柜台服务；成立特殊服务室，专门负责中转旅客以及特殊旅客的服务工作。（任　伟）

邮　政

【概况】 2000年，大连市邮政局（所）224

处(含委托代办所29处),比上年减少7处,其中市区邮政局(所)103处,县市局(所)121处。信箱、信筒999个,邮政储蓄点(含委托代办所)221个,市内报刊零售亭、点152个,集邮门市27处;邮政综合计算机网点91处,电子化局(所)110个。全市邮路单程总长度5.3万公里,服务面积1.3万平方公里,服务人口约543万人。全局有职工2913人。

2000年大连市主要邮政业务完成情况

项　目	单位	实际完成	比上年增长(%)
国内函件	万件	3518	13.6
国内特快专递	万件	93	17.0
国际特快专递	万件	15.28	14.0
国内包裹	万件	68.66	-2.0
国际包裹	万件	1.95	62.5
订销报刊	万件	9838.6	-15.0

进一步深化邮政体制改革,打破按行政区划组建邮政机构的格局,成立投递服务总公司、邮政物流总公司。按照国家邮政局统一部署,从9月1日起实行邮件全面提速。积极发展电子商务,邮政物流配送服务系统被市计委确定为市电子商务试点工程项目。邮政储蓄绿卡加入"金卡工程",使绿卡网系统功能更加完善。户箱工程和报刊亭建设取得新进展,设立新式报刊亭100个。

新的邮政体制和现代物流方式的建立,为邮政业务发展提供了新的发展机遇。当年完成邮政业务总量1.72亿元,实现业务收入3.4亿元,分别比上年增长14.7%和9.7%。

【邮政体制改革全面深化】 2000年,大连市邮政局以建立和完善适应社会主义市场经济需要的企业运行机制为重点,继续深化邮政体制改革。

管理体制改革。打破按行政区划组局的模式,将原8个市内邮政分局合并为1个营业局,原邮政分局的投递业务划出,成立投递服务总公司;将原开发区分局一分为四,分别划入市内相关单位管理;分别组建金州、旅顺速递广告分局。通过改革,作业组织得到优化,人员和生产设备的配置更加合理,形成窗口服务、邮件集散、物流配送、技术支撑、监督检查、专业营销、后勤保障和职工福利8条经营管理线。

经营体制改革。建立起3个级别、六大专业的市场营销体系:由市场开发部和各专业局构成一级营销网,主要负责制定业务结构调整和整体营销策略,并对市一级社会大用户进行公关工作;由营业局和区市县局构成二级营销网,主要负责落实各项经营指标和营销策略,对大用户进行业务拓展;由营业厅(局所)、各部门揽收人员和投递人员构成三级营销网,主要通过向社会用户提供优质服务,更加广泛深入地进行揽收创收。3个级别的营销网络均负责对储蓄、广告、速递、报刊、集邮、邮购六大专业进行全面的市场拓展营销。

【邮件全面提速】 根据国家邮政局统一部署,从2000年9月1日起,国内各类邮件传递速度全面提升。为确保提速工作一步到位,大连市邮政局重新核定、调整了一级干线汽车运行时限和内部作业组织。在邮件处理中心增设夜班,日工作时间延长至15小时,保证接收的邮件当天全部处理完毕。扩招投递员150人,切实保证投递时限和投递质量。提速后,邮件全程传递时间比提速前缩短1~2天。

【邮政物流配送业务启动】 近年来,电子商务的广泛应用为邮政业的发展和变革带来机遇,现代物流配送产业随之产生。2000年,大连市邮政局利用规模庞大、功能齐全的服务网络,抓住机遇,大力发展物流配送业务。8月23日,经市计委批准,邮政物流配送服务系统正式列入市电子商务试点工程项目。9月20日,大连邮政物流总公司成立,该公司设立配送中心1个、配送站23个,服务网络覆盖全地区。12月28日,市邮政局投资500万元建设的邮政185智能客户服务系统投入试运行,用户可通过拨打电话185和访问183电子商务网站,订购邮政物流配送中心的产品。邮政物流配送系统承担了青岛海尔产品、市放心早餐工程和市商贸网网上交易等物流配送,并承接了啤酒、饮料、香烟、海产品、矿泉水、牛奶、大米、色拉油、图书、音像制品、各种电话卡和通讯器材等物资的派送。

【大连邮政立达快递公司成立】 2000年3月20日,大连市邮政局成立立达快递公司,使速递同城业务更加专业化、规模化。该公司相继开办了高考录取通知书、身份证、房屋产权证、行车证、驾驶证、仲裁文书等一系列便民专递服务项目以及送机票、民航到货通知单等同城业务,并在邮政礼仪服务方面拓展业务,方便了百姓生活,扩大了邮政服务范围。

2000年3月20日,大连市邮政立达快递公司成立,图为该公司为高考学生专递录取通知书。
市邮政局　供稿

【邮政储蓄绿卡加入“金卡工程”】 2000年4月，大连邮政储蓄计算机系统与大连信用卡公司实现联网，用户可持绿卡在大连地区“金卡工程”联网银行的ATM上进行交易。11月，邮政储蓄计算机系统开始全天候营业。至年末，全地区邮政储蓄网点达219个，其中122个与全国31个省市区的1189个县市的近万个储蓄网点实现联网；累计发放绿卡10.2万张，绿卡月均交易8.5万笔。

（毕　丽）

电　信

【概况】 随着国家电信经营体制改革的不断深化，到2000年，大连市电信经营企业已增至5家，分别是：辽宁省电信公司大连市分公司、大连移动通信公司、联通大连分公司、吉通大连分公司和网通大连分公司。全年完成电信业务总量52.4亿元，比上年增长50.1%，增幅提高11.7个百分点。

作为曾经独家经营电信业务的“中国电信”旗下的市电信分公司，面临多家竞争局面，依靠通信基础设施实力，巩固发展固定电话等传统业务，不断发展互联网等新的业务经营领域，并与金融机构合作开通“公众交费通”自助交费系统。全年完成电信业务总量19.28亿元，实现电信业务收入16.68亿元，分别比上年增长12.2%和16.6%。

联通和移动通信公司年内分别上市后，带动了大连分公司业务的快速发展。随着193固定长途电话和165国际互联网业务的开通，联通大连分公司已成为本市惟一一家经营综合电信业务的企业。吉通大连分公司开通网上支付和开户业务，标志着电子商务向前迈进一大步。年内新加盟电信业务经营的网通大连分公司也展示出良好的发展前景。

（钟　和）

【辽宁省电信公司大连市分公司成立】 2000年9月19日，原大连市电信局经公司化改制，正式成立辽宁省电信公司大连市分公司，隶属中国电信集团辽宁省电信公司。原来具有的电信行业管理职能由辽宁省大连市通信管理局承担。

市电信分公司是本市通信基础网络实力最强的电信运营商，固定资产原值66亿元，辖8个县（市）电信局、区电信分局，员工总数2900人。该分公司以“中国电信”为统一标志，向全市提供国内国际各类固定电信网络与设施；基于电信网络的话音、数据、图像及多媒体通信与信息服务；与通信及信息业务相关的系统集成、技术开发、技术服务、信息咨询、广告、通信设备销售、设计施工等。

【固定电话用户大幅增长】 2000年，大连市有固定电话用户125万户，比上年增加23万户，增长22.5%。电话新放号比上年增加18.5%。全市每百人拥有电话29.3部，比上年增加3.9部。其中城市47.5部，增加4.3部；农村11.9部。城乡住宅电话102.6万户，比上年增长23.8%；住宅电话普及率达55.7部/百户，其中城市75.3部/百户、农村34.3部/百户。全市公用电话3.7万部，201卡用户3.9万户。

【互联网用户增势迅猛】 随着国民经济的持续发展和信息时代的到来，大连市办公、商用和家用电脑迅速普及，因特网用户迅猛增加。据不完全统计，仅辽宁省电信公司大连市分公司互联网用户就有16.06万户，比上年增加12.8万户，增长3.9倍。4月，该分公司改变传统的用户号码与交换机设备一一对应关系，在全国大中城市率先实现安装ISDN（“一线通”）不换号。至年末，“一线通”用户已由上年末的158户增至7658户。

【加大通讯基础设施建设投资】 2000年，辽宁省电信公司大连市分公司固定资产投资10.7亿元，比上年增长52.9%，完成部、省、市通信建设项目253个。主要有：（1）新建、扩建、改造电话交换机及接入网总容量71万线，新增本地网交换机容量39.9万门，使交换机总容量达167.6万门，基本满足用户需求，电话待装户始终控制在2000户以下。（2）扩大GSM（全球移动通信体制）、多媒体、本地DDN/CFR骨干网、智能网等重要网络的容量，新增光缆1860皮长公里，在全市形成较大规模的中继、环形、用户3个光缆网，光缆总长达260点，具备了出租2M和155M电路的实力。（3）加大N—ISDN网（窄带综合业务数字网）投资和建设力度，安装ISDN（2B＋D）用户端口2.45万个、ISDN（30B＋D）用户端口140个，使N—ISDN网初具规模。（4）启动网络宽带化建设，ADSL（非对称数字用户线）试点进展顺利，下年将全面向用户推出。

【利用ISDN（6B＋D）技术开通国际远

2000年9月19日，原大连市电信局公司化改制成辽宁省电信公司大连市分公司。

市电信分公司　供稿

程医疗系统】 2000年3月23日，由市政府投入专项经费，利用中国电信和法国电信的通信网络，采用世界先进的ISDN（6B+D）技术传输的大连市国际远程医疗系统正式开通。

ISDN（6B+D）技术是集数据、语音、图像于一体的宽频道、大通路的传输技术。借助“一线通”，可从本市传送病人的X光片和病历，由远程医疗专家进行会诊、治疗；远程医疗专家也可对本地手术现场的病案进行会诊；还可实现医疗信息资源的共享。将此项技术实际应用于国际远程医疗，实现清晰、稳定、快速、实时传递，这在中国电信业尚属首创。

【推进政府和企业上网工程全面实施】 2000年，为加快大连信息化进程，辽宁省电信公司大连市分公司大力支持“政府上网工程”，优惠提供虚拟主机、主机托管及专线接入等业务。至年末，市政府已有32个部门上网。

为推动“企业上网工程”，该分公司提供了安全畅通的网络环境和高速的数据接口，并配备专人负责全天候网络维护，以保证系统的正常运行。至年末，全市有5740多家企业上网。其中5700多家是在“辽宁企业在线”的企业主页发布系统上发布信息，由市电信分公司为其提供三级域名并免费发布信息1年；还有40多家企业利用该分公司免费提供的64KDDN专线接入互联网。

·名词解释·

“企业上网工程” 由中国电信集团联合国家经贸委、中国贸促会以及有关国家机构共同发起，旨在广泛联合软硬件厂商、ISP/ICP、系统集成商、新闻媒体、各行业协会组织、大型企业集团，为企业上网营造网络、商业和社会服务环境，推动企业在中国电信各级电子商务平台上建立主站点，建成21世纪的网上企业园区，最终实现上网企业广泛应用电子商务，从而大幅度提高企业竞争力。

【“公众交费通”开通】 2000年，辽宁省电信公司大连市分公司与市内多家银行及邮政储蓄机构合作，于4月25日开通自助交费系统“公众交费通”，以解决电话用户“交费难”问题。至年末，已有市工商银行、市农业银行、省中国银行、市建设银行、中信实业银行大连分行、邮政储蓄6家金融机构与其合作。

“公众交费通”采用银行转账方式支付电话费，固定电话用户在终端输入所持有的上述各金融机构信用卡的密码和电话号码，即可查询或交纳话费。该系统以其终端分布广、不受营业时间限制、交费直观方便快捷、安全性能好等特点，一经推出就受到用户的广泛关注和好评。全市已有91台“公众交费通”终端机分布在电信、银行、邮政储蓄的营业场所及繁华路街、大型商场等处。（刘　伟）

【大连移动通信公司用户快速增加】 2000年，中国移动通信公司上市，大连移动通信公司业务由此快速发展起来。当年新增移动电话用户24万户，新增GSM移动电话交换机容量36万，无线接通率达到99.8%。开通了手机银行、全球通IP电话、信息点播、全球通WAP、移动上网、手机炒股等移动新业务。

（金春红）

【联通大连分公司成为本市惟一经营综合电信业务企业】 2000年，根据国务院关于中国电信业改革的总体部署，中国联合通信有限公司大连分公司与国信寻呼大连分公司整体融合，并于6月22日在香港联合交易所成功上市。中国联通大连分公司从此步入国际资本市场，成为国际性电信运营企业，并更名为中国联通有限公司大连分公司。

在1997年开通130移动电话网、1999年开通IP电话业务基础上，该分公司于4月和7月又先后开通193固定长途电话和165国际互联网业务，成为本市惟一一家经营综合电信业务的企业，能够同时提供130数字移动电话，126/127、128/129、198/199、191/192无线寻呼，193固定长途，17910/17911IP电话，165国际互联网等电信业务服务。

130移动电话网质量明显改善。新建1个10万门交换局和109个基站、20个扩容基站，新建光缆管道70公里，敷设光缆23公里，架设杆路80公里，扩大了网络容量，提高了网络覆盖能力。当年网上新增用户超过16万户。（吴　斌）

【吉通大连分公司业务快速发展】 2000年，为配合吉通总公司上市需要，吉通通信有限责任公司大连分公司更名为吉通网络通信股份有限公司大连分公司。5月17日，吉通大连分公司与辽宁省移动通信公司合作，开通17921手机拨打IP电话业务，至年末已覆盖全国17个城市及170多个国家和地区。10月1日，在本市电信行业率先开通固定电话IP主叫识别业务，用户经过登记申请，公司对其主叫电话号码在开户系统上进行确认后，可直接拨打IP电话，不再需要输入密码与账号。11月，开通帧中继业务，为高速宽带网的建立进一步打下基础。与招商银行大连分行合作，于7月3日开通网上支付和开户业务，凡持有招商银行“一卡通”的吉通网络拨号用户，均可在该网络交费和开户。根据国家信息产业部和省邮电管理局有关通知精神，于3月21日将电话拨号上网特服号167通话费由0.15元/3分钟改为0.15元/6分钟。

加快网络与通信建设。3月，开通大连——北京光纤链路，实现“天地一网”管理，使网络用户可快速上网，网络的稳定性及安全性也大大增强。7月，IP电话系统割接完成，电话接通率和通话质量明显提高，至年末已开通国内100多个、国际200多个城市。新建微波站2处，并扩容改造微波中继站，年末有微波基站8处，微波城域网覆盖范围可达至市内6区及周边地区。（邹凤丽）

【网通大连分公司成立】 中国网络通信有限公司是国家信息产业部直接领导，由中科院、铁道部、广播电视总局、上海市政府四方股东共同投资建设的电信经营企业。2000年6月18日，中国网通大连分公司正式成立，为东北大区总公司，负责辽宁、吉林、黑龙江3个省的骨干网、城域网的基础建设和运营维护。主要业务有：宽带批发、高速互联网接入、数据中心、VPN（虚拟专网）、IP长途电话和国际长途电话等。（王　雪）

口　岸

责任编辑　周万久

概　述

【口岸概况】　2000年是大连口岸快速发展、取得重大成就的一年，海港货物吞吐量、集装箱吞吐量，空港客、货吞吐量，大连口岸进出口商品总值等5项口岸生产主要指标创历史最好水平。其中：海港货物吞吐量居全国第六位；海运旅客吞吐量居全国第一位；空港旅客吞吐量居东北地区首位、全国第十二位；空港货邮吞吐量居东北地区首位、全国第十位。口岸查验业务工作也取得好成绩。

2000年大连口岸主要生产、业务指标完成情况

	单位	实际完成	比上年增长(%)
进出口商品总值	亿美元	190.7	40.1
其中:出口	亿美元	104.1	33.7
进口	亿美元	86.7	48.6
海港货物吞吐量	万吨	9084.1	6.8
其中:外贸	万吨	3371.1	39.8
集装箱吞吐量	万标箱	101.1	37.4
海运旅客吞吐量	万人次	564.4	-14.0
其中:大仁航线	万人次	7.4	7.5
空港旅客吞吐量	万人次	275.2	16.5
其中:国际、地区	万人次	50.0	8.5
货邮吞吐量	万吨	7.6	25.4
其中:国际、地区	万吨	3.6	20.4
海港船舶到港数	艘次	9607	8.9
其中:外贸船舶	艘次	4131	8.0
船舶离港数	艘次	9615	10.0
其中:外贸船舶	艘次	4140	8.5
日均船舶在港数	艘/日	32.7	3.8
其中:外贸干货船	艘/日	12.4	13.8
船舶在港停时	天/艘	1.7	-5.6
监管进出境船舶	艘次	9006	7.8
进出境飞机	架次	4026	0.5
海空港共检查进出境旅客	万人次	63.8	23.0
承修国际航行船舶	艘次	307	34.1
其中:外籍船舶	艘次	217	26.9
海上过鲜	航次	251	9.6
出口鲜活海产品	万吨	1.5	12.8

【口岸基础设施建设步伐加快】　2000年，大连口岸建成一批新的基础设施项目。大窑湾8、9、10号泊位建成投入使用，7、9、10号泊位正式对外开放。大连——仁川航线通道改造一新。大连口岸第一个燃供专用码头建成。北良港建设工程竣工试运营，可临时停靠国际航行船舶，从事对外作业。旅顺北路南移工程竣工，为机场扩建创造了条件。周水子边防检查站办公楼竣工投入使用。大连口岸电子商务应用正式启动。

一批计划建设的基础设施项目进展顺利。周水子国际机场二期扩建项目取得明显进展，首都机场决定投资3.5亿元参与扩建，双方签订了意向书，空军原则同意机场扩建规模。火车站改造项目方案通过铁道部初步设计审查，过渡车站建成。《30万吨进口原油码头项目工程可行性研究报告》完成并上报国家计委。《大连港大窑湾二期工程预可行性研究报告》通过交通部专家审查，项目前期工作进入新阶段。20万吨级进口矿石码头项目开始分步实施。烟大火车轮渡项目筹建项目公司、确定法人和股份等前期工作有新进展。

口岸基础设施招商引资工作取得良好成效。通过网上招商和参加市政府赴美国、香港等国家和地区的招商活动，签订合作意向2个，总投资2.84亿元。大连港务局、新加坡港务集团和大连集装箱码头共同投资280万美元，成立大连口岸物流网有限公司。

【集装箱运输快速发展】　2000年，大连口岸集装箱吞吐量大幅增长，突破100万标箱。大连集装箱码头公司单船作业效率和岸桥单机作业效率又创全国新纪录，分别达到每小时装卸150自然箱和51.2箱。该公司第二次荣获《亚洲货运》评选的“亚洲最佳集装箱码头”奖，是中国内地惟一获奖单位，其管理和服务水平得到国际航运界更多的认可和信赖。

这一年，大连口岸把加快发展集装箱运输放在建设区域性国际航运中心的首位来抓。进一步加强和密切与腹地和环渤海地区以及国内外著名船公司的合作关系，拓宽箱源渠道，巩固和扩大了大连的出海口地位。集装箱班列按国际惯例运作，提高了运营和服务水平。内陆港功能、口岸集疏运网络和东北经济区域物流网络逐步完善。市政府连续4年组织海港、海关、检验检疫局、铁路、集装箱码头公司、部分船公司等口岸有关单位，赴哈尔滨、长春、吉林、延吉等地，登门走访客户单位，开展系列宣传服务活动，为腹地解决许多实际问题，取得明显效果。

【开辟海空新航线取得良好成效】 2000年，大连口岸新开大连——波斯湾、大连——美国西海岸2条国际集装箱远洋班轮航线。国际集装箱班轮航线已达52条，其中远洋班轮航线8条。有内贸集装箱航线8条，初步形成干支线相结合的内贸集装箱运输网络。

空港新开大连——伊尔库茨克、大连——曼谷包机2条国际航线和大连——西安——西宁等7条国内航线。大连——北京航班密度每周增加36班，旺季时航班每周可达92班。截至年末，空港有国内外航线80条，其中国际（地区）航线12条，列北京、上海、广州之后，居全国第四位。

【口岸投资软环境明显改善】 2000年，大连口岸开展“改善投资软环境年”活动，广泛征求意见，采取有效措施，深化改革，认真整改存在的问题，使口岸软环境进一步改善，受到口岸各类服务对象的肯定和好评。《辽宁日报》也两次对此进行了专题报道。

口岸各单位在巩固完善“六个一次”（一次报验、一次取样、一次检验检疫、一次卫生除害处理、一次收费、一次发证放行）检验检疫模式和已出台的改革措施的同时，又推出50余项改善软环境的新举措，缩短通关时间，提高服务质量和工作效率，降低收费，极大地方便了船东、货主，增强了口岸的竞争力。海关的通关作业改革受到国家海关总署的肯定并在全国推广。口岸查验机关对大连湾港区国际航行船舶进出口岸手续同时进行办理，改变了多年来只能办理船舶出口岸手续的传统做法；并可凭船方电传单证，提前办理国际航行船舶进大连口岸手续；还在空港国际货运验放中心实行集中联合办公。海港采取多项措施，合理调配拖轮，规范并降低了港口拖轮使费。铁路解决了货物发运和领取手续烦琐的问题。机场推出“国内出港航班再推迟5分钟截止办理乘机手续”、“无人陪伴儿童乘机‘一条龙’服务增加全程跟踪内容”等24项便民服务措施。

【口岸综合管理得到加强】 2000年，大连口岸综合管理得到加强。主要有：（1）认真吸取山东航运集团烟大汽车轮渡公司“大舜”轮“11.24”特大海难事故的经验教训，采取加强组织领导、开展安全大检查、建立并完善各项规章制度和操作规程、强化管理等有效措施，保障了口岸客滚运输安全。（2）强制清除了大连港水域前清后养的非法养殖物2.19平方公里，有力地遏制了反弹，保障了通航安全。（3）依法管理口岸，修改完善并印发4项口岸管理规定，其中《口岸系统保持廉洁的若干规定》以市政府文件印发，使口岸管理逐步规范化、制度化。（4）促进非开放水域企业对外业务，长海县二类口岸在国家清理整顿中得以保留。（5）进一步加强仓储管理，注销了64个设施条件差、企业管理混乱和缺乏经营能力的仓储企业的《仓储许可证》，提高了货物的储存质量。

【共建文明口岸活动效果显著】 2000年，大连口岸各单位把精神文明建设与改善投资软环境相结合，强化服务意识，取得显著效果。

海港、铁路、机场等口岸窗口单位加强旅游服务工作，创造良好的环境秩序，增加航班和运力，丰富文化娱乐服务内容，保障旅客安全，服务水平明显提高。在春运和“五一”、“十一”旅游黄金周期间，保障了口岸安全畅通和旅客及时疏运，受到旅客欢迎和好评。“五一”期间，大连陆、海、空口岸共运输旅客80余万人次，创历史同期最高纪录。“十一”期间，空港加班98架次、包机9架次，加班次数比上年同期增长36%。铁道公司开行临时旅客列车40列、延长旅客列车8列，共加挂各种车体107辆，还联系外局开往大连车体加挂硬卧45辆。大连港增开22个航次，增加至烟台、威海、天津等航班。

圆满完成第十二届大连国际服装节、烟花爆竹迎春会、赏槐会、马拉松比赛、大连出口商品交易会和全国旅游博览会等大型活动的口岸窗口接待服务工作，尤其是重要内外宾接待和货物通关等重要任务，多次受到市领导的表扬和中外宾客的好评。服装节期间，口岸海、陆、空四大客货站（场）迎送中外宾客近35万人次，其中中外贵宾2500多人次；安全接卸和发运参展物品共1200多件，滚装车6881台次；海关监管进口货物236件，价值65万多元。大连海关、大连口岸管理委员会被服装节组委会授予特殊贡献奖；周水子机场、北航大连分公司、海港客运总公司、铁路大连站等12个口岸单位被评为口岸优质服务竞赛先进单位。

当年，口岸系统涌现辽宁省文明单位（行业）6个；大连市先进单位3个、先进集体3个；大连市特等劳动模范1名、劳动模范21名；大连市文明单位标兵1个、文明单位23个、精神文明建设积极分子7名。 （王少成）

口岸管理

·水上交通安全管理·

【概况】 2000年是全国“水上运输安全管理年”。辽宁海事局以此为契机，进一步完善安全管理措施，水上安全监督管理工作取得新进展。

2000年大连口岸水上交通安全监督管理情况

	单位	数量	比上年增长(%)
办理国际航行船舶进出港签证	艘次	9006	7.8
组织船员适任证书考试	名	33488	33.9
签发各类证书	本	41257	2.3
船舶安全检查	艘次	371	2.2
调查处理海事案件	起	47	34.3
组织指挥搜救遇险船舶	艘次	45	275
救助遇险人员	名	409	38.6
处理船舶违章	艘次	91	-51.1
办理海事声明签证	件	124	-1.6
审批船舶动火申请	件	800	22.7
回收船舶机舱污水	吨	16165	294.0

【加强船舶安全监督管理】 2000年，辽

辽宁海事局监督人员对外轮实施港口国监督检查。　　辽宁海事局　供稿

宁海事局认真汲取山东航运集团烟大汽车轮渡公司“11.24”特大海难事故教训，全面加强船舶安全监督管理。辖区水域无重大责任事故发生，安全形势稳定。

加强对客货滚装船及危险品运输船的现场监督管理和安全检查。对船舶装载、车辆绑扎、消防设施、适航风级标准等重要环节严格把关，禁止不符合车辆和货物承载要求的船舶离港并限时纠正。对客货滚装船现场签证检查率达到100%。还开展船舶集中检查会战、2000年统一执法行动、安全生产周和反“三违”月等专项治理，有效地促进水上运输安全。

严把船舶登记关。对船舶登记实施初审、复审、重批三级审核制度，层层把关，保证了船舶登记质量。

完成5家客货滚装船公司管理评估和16家国际安全管理规则重核，有效地推动了相关公司安全管理体系的运行。在大连地区首次进行客货滚装船船员特殊培训评估，提高了船员的应急、消防、安全意识等素质。

加大船舶的港口国监督检查力度。对170余艘次国际航行船舶进行开航前检查，检查率达到100%，使检查过的船舶在国外的滞留率仍保持为零。

【继续抓好海上清障和通航环境治理】 2000年，辽宁海事局配合有关部门组织5次海上强行清障行动，共清除非法养殖物海域2.19平方公里，有力地打击了非法养殖和前清后养的势头。加强对锚地和航道内违章捕捞作业渔船的治理，使港区内通航秩序有所改善。加强海区巡航，扩大巡航范围，辖区及港区内巡航共993艘次、2705小时，航程1.7万海里。

【加强船舶防污染和危险品管理】 2000年，辽宁海事局利用“六五”世界环境日和“反违章指挥、违章作业和违反劳动纪律”活动等时机，大力开展船舶防污宣传，取得良好的社会效果。加强现场监督，严格控制可能污染海域的各种污染源，大大减少船舶污染事故的发生。继续开展危险货物申报员、装箱检查员培训，举办培训班3期，培训学员160余名。

【开通“12395”公众海上求救电话】 根据国家海事局的有关要求，辽宁省海上搜救中心（辽宁海事局）于2000年7月1日正式开通“12395”（谐音“123救我”）公众海上求助专用电话，以使遇险船舶和人员简便、快捷地报警。求助电话设立后，收到海上求救报告8起，成功救助遇险船员40多人。

【成功救助“银波”轮】 2000年12月25日8时35分，浙江省乐清市七里港运输公司所属油船“银波”轮在大连港外锚地发生火灾。辽宁海事局接到报告后立即组织救助。由于施救及时果断，确保该轮未爆未沉，17名船员无一伤亡，而且避免了重大海域污染，火灾损失也降到最低程度。“银波”轮的救助成功，得到辽宁省领导的高度评价。（赵　阳）

·海关监管·

【概况】 2000年，大连海关深化通关制度改革，推动海关监管业务发展，促进大连口岸进一步对外开放，关税征收额和查获走私案件总额2项指标达到历史最高水平。

2000年大连海关监管情况

	单位	数量	比上年增长(%)
进出境货物	万吨	4304	6.3
进出境运输工具	万辆、架、箱次	76.8	17.5
出入境人员	万人次	116.3	16.8
进出邮递物品	万件	359	2.9
征收关税和代征税	亿元	92.7	62.0
查获走私案件	起	385	1800.0
私货总值	亿元	4.7	270.0

【关税征收额再创历史新高】 2000年，大连海关实施通关作业机构改革，形成以信息化技术和海关专用技术装备为依托的新的通关管理模式，同时加强征税作业规范化，使关税税收再创历史新高。全年征收关税、进口环节代征税共计92.7亿元，比上年增长62%，其中内销补征关税1.79亿元、进口环节代征税2.33亿元。

【运用科技成果进行通关改革】 2000年，大连海关先后启动审单作业系统、风险信息平台、办公自动化网络等最新科技成果，为通关改革提供了可靠的技术保障。审单作业系统的启动，实现审单作业的集约化、专业化、规范化，在有效受理的58万份货物通关申请中发现370余起违规案件，其中构成走私行为并移交立案侦察的19起。风险信息平台与新通关模式相适应，设立参数信息数万条，存储数据支持子系统近20个，是新通关模式的有效管理手段。办公自动化网络的运行，为海关实施以电子数据为基础、以信息流为依托的物流监控创造了条件。

年内，大连海关利用海关先进的技术装备和稽查软件，稽查企业340余家；查获非法入境宣传品390余件。

【在对外开放先导区全面启动进出口物流监控系统】　2000年，大连海关为推进对外开放先导区的发展，制定并实施大连保税区封闭管理区域型、大窑湾码头集装箱海运作业区型、开发区出口加工贸易型通关货物物流监控系统实施方案，配置GPS卫星定位系统、H986集装箱检查系统等先进科技装备，形成以信息化技术为保障的新通关管理模式。年内，上述监控系统在保税区、开发区、大窑湾港区启动，共监管进口货物880万吨、出口货物1300万吨、集装箱59万箱次、集装箱货物555万吨。

【严厉打击走私活动】　2000年，大连海关调查局、侦察分局与稽查处合署办公、联合缉私，先后4次重拳出击，实施打击关区内水域走私汽车、香烟、非法出版物、不锈钢等专项斗争，取得重大战果。共查获走私案件385起，比上年增加18倍；私货总值4.7亿元，增加2.7倍，货值为历史最高。其中包括本市首例一次性走私50万美元大案、一次性走私10万克“冰毒”大案、全国最大的镁砂出口走私案等。

与辽宁省文物局签订关于收缴走私文物的鉴定和移交办法等法律文书，将历年查获的3694件走私文物全部上交国库。

【查获首例一次性走私50万美元大案】　2000年7月10日，香港籍旅客程某在搭乘CA106大连——香港航班时，走私50万美元出境，被大连海关查获。

（郭宗保）

·出入境检验检疫·

【概况】　2000年是辽宁出入境检验检疫局组建后，实行“三检”合一的第一年。按照“精减、统一、效能”的原则，通过实行“六个一”（一次报验、一次取（采）样、一次检验检疫、一次卫生除害处理、一次计收费、一次发证放行），从根本上保证了进出口商品质量以及出入境货物和人员的卫生安全，解决了口岸检验、检疫、查验政出多门的弊端，避免了检验检疫工作的重复和交叉，使执法力度增强，工作效率提高，加快了口岸通关速度，有力地促进了对外经贸的发展。全年检验进出口商品总值78.1亿美元，比上年增长39.6%；查验出入境船舶3236艘次；查验体检出入境人员11.8万人次；检验出入境食品7.4万吨；检验检疫出入境动物22.2万吨、植物货值1.19亿元。

加大对违法案件的查处力度。查处12起没有进口安全许可、伪造检验检疫印章证书、商品未经检验检疫擅自销售使用等违法案件，对有关单位和当事人分别进行通报批评、警告、罚款等处罚。

积极开展“管理服务年”和改善软环境活动。向工贸企业、各外贸口岸管理部门发出征求意见函35份；召开大连地区外商投资企业代表座谈会，邀请18家外商投资企业代表参加会议，共征求意见和建设30余条，并及时作出工作上的改进。

【进出口商品检验】　2000年，辽宁出入境检验检疫局坚持依法施检，做好进出口商品品质、数量、重量的检验、鉴定和监督管理，较好地完成国家赋予的检验检疫把关职能。完成进出口商品检验12万批次，总货值78.1亿美元，分别比上年增长48.6%和39.6%。衡器计重790.6万吨，水尺计重199船次/484.3万吨，容量计重883船次/3550.7万吨，验舱950船舱，残损鉴定64批，提赔金额28万美元，集装箱验箱46795标箱，一般包装检验19404批，7097（桶、箱、袋），危险品包装性能检验593批，135万（桶、箱、袋），危险品包装使用鉴定758批，74万（桶、箱、袋）。

完成外商投资财产鉴定126批，外商报价4561万美元，经鉴定价值为4368万美元，降值193万美元，平均降值4.23%。

对外签发普惠制产地证书3.1万份，受惠商品金额9.27亿美元，分别比上年增长18%和36%；签发一般产地证5936份，商品金额4.58亿美元，分别增长61.4%和62%。

2000年大连口岸进出口商品检验情况

	单位	货值	比上年增长（%）
总计	亿美元	78.1	39.6
出口商品	亿美元	51.4	39.5
其中：不合格商品	万美元	633	－0.25
进口商品	亿美元	26.7	39.7
其中：不合格商品	万美元	6704	－3.8

【卫生检疫】　2000年，辽宁出入境检验检疫局将卫生检疫的重点放在涉及人员健康及疫情预防上来，严格出入境人员、交通工具及食品的卫生检疫。重点检验检疫来自疫区的1876艘次船舶，对其生活垃圾作了卫生处理和监督。封存43艘次船舶装载的来自口蹄疫疫情区牛羊猪肉类食品及其相关肉类。签发《运输工具检验处理书》等各种卫生监督证书共756份。查出无效健康证232人次，截获旅客携带禁止入境物53批，均作了退回或销毁处理。对40艘次染有虫害、15艘次染有鼠害的船舶和24109吨进口废旧物品进行了卫生处理和监督。在对港区的卫生监督中，发现和证实境外侵入的新鼠种黑家鼠。

2000年大连口岸出入境卫生检疫情况

	单位	数量
查验出入境船舶	艘次	3236
查验出入境体检人员	人次	118070
卫生监管出入境船舶	艘次	1423
卫生处理监管出入境船舶	艘次	875
卫生监管入境废旧物品	万吨	2.4
入境船舶除鼠除害	艘次	15
入境船舶蒸熏处理	艘次	16
入境船舶消毒处理	艘次	1

2000年大连口岸出入境食品检验情况

	批次	重量（吨）
总计	3356	74433
出境食品检验	3206	68354
入境食品检验	150	6079
其中：不合格食品	14	140

【动植物及其产品检验检疫】　2000年，辽宁出入境检验检疫局将动植物检验检疫的重点放到来自疫区的动植物及其产品上。

加强对来自疯牛病、口蹄疫疫区的动物及其产品的检验检疫和监督管理，对来自上述疫区非法入境的36吨牛皮作出退货处理，对检疫中发现问题的400余吨肉骨粉进行了无害化处理。完成输港动物和大连动物园入境野生动物的检疫监管。

对2批共64.9吨无植物检疫证书、签证不符、来自非经认可地区的美国进口柑桔，签发禁止入境证书。大连湾办事处检出含有玉米象、印度谷蛾、赤拟谷盗、扁谷盗、米扁虫等仓储害虫的出口植物产品共19批39万吨，均作了熏蒸消毒处理。大窑湾局和开发区局从进口木质包装中分别检测出国家二类危险性有害生物松材线虫和活寄生性线虫。

2000年大连口岸出入境动物检验检疫情况

	批次	重量(万吨)
总计	11172	22.2
出境水生动物	569	1.1
出境水产品	7560	14.3
出境动物产品	2273	3.5
入境动物	55	2.2(万只)
入境水产品	487	7.9
入境动物产品	528	3.3

2000年大连口岸出入境植物检验检疫情况

	批次	货　值（万美元）
总计	25622	11941.8
出境植物及其产品	25306	83185
其中：不合格	25	64
入境植物及其产品	316	36233
其中：不合格	21	17014

【推行ISO9000质量管理体系】 2000年，辽宁出入境检验检疫局完成48家企业的ISO9000质量管理体系认证，监督评审30家，复审换证8家，换证审核5家。认证评审企业累计已达118家。

【科研制标有新突破】 2000年，辽宁出入境检验检疫局完成国家检验检疫局科研项目、本局重点项目“PCR技术测定转基因玉米方法的研究”等5项科研项目鉴定，经专家评审，5项成果均达到国内先进水平。完成国家标准样品“液体石油产品硫含量标准样品的制备”项目和1项行业标准的审定。　（李立成）

中国船级社大连分社监造检验的6.8万吨原油轮“玄武湖”号。

新船重工　供稿

·船舶检验·

【概况】 2000年，中国船级社大连分社从严务实，确保检验安全质量。认真做好入级船舶现场检验和管理，同时成立安全质量工作小组，对重大安全、质量技术问题实行集中管理。对1992年以来的初次入级船进行排查；对港口国的重点检查船舶和老龄特种船的全部案卷进行集中审查；向船舶管理公司翻译发放巴黎备忘录国家进行油轮结构检查及300吨以上船扩大检查的各项要求，有效地控制了现场检验质量。相继开发试行船舶检验流程管理系统和产品检验流程管理系统软件。全年无一艘被检船舶因检验责任而滞留港口国，确保了安全质量。

2000年大连口岸船舶检验情况

	单位	数量	比上年增长(%)
检验船舶	艘	646	-1.0
其中：国际航行船舶	艘	304	-16.0
国内航行船舶	艘	202	-2.0
外轮代理	艘	55	511.0
ISM认证	艘	59	28.0
船舶审图	艘	15	25.0
新造船舶	艘	5	—
海上设施	台	6	-50.0
检验船用材料	万吨	1.6	-43.0
检验机电产品	台/件	6500	-87.0
检验集装箱	标准箱	900	224(倍)

年内，该分社的质量体系顺利通过中国船级社内审和国际船级社IACS的年度审核。

【渤海湾客货滚装船检验工作移交中国船级社大连分社】 1999年“11·24”“大舜”轮特大海难事故发生后，国家交通部要求所有跨省航行的客滚船由中国船级社统一检验发证。按此要求，自2000年起，渤海湾客货滚装船的检验工作由地方船检部门移交中国船级社大连分社。

中国船级社大连分社成立客滚船移交工作小组，组建国内船舶检验部，抽调经验丰富的验船师认真开展客滚船接收前各项检验工作，并于4月末顺利完成12艘客滚船的检验交接工作。5月末~8月初，派员参加国家交通部组织的客滚船运输安全评估大连地区评估委员会，与辽宁海事局共同登轮检查大连地区的17艘客滚船，共提出缺陷及整改意见180余项，并下发整改项目通知单。至年末，有缺陷船舶结合厂修基本整改完毕，技术条件得到较大改善，保证了船舶运行安全。　（毛永平）

·边防检查·

【概况】 2000年，大连边防检查总站按照国家公安部边防管理局和辽宁省公安厅的要求，开展“树公安新风”和“执勤质量年”活动，坚持依法行政、文明执勤，较好完成以公安出入境边防检查为中心的各项任务，有力地维护了口岸的安全与稳定。

2000 年大连边防检查情况

	单位	数量	比上年增长(%)
进出港外轮	艘	3092	-1.0
中国籍船舶	艘	924	21.0
中外籍旅客	人次	85010	27.5
抓获偷渡分子	人次	127	8.5

【偷渡分子增多】 2000 年，大连边防检查总站抓获偷渡分子 127 人，比上年增长 8.5%。主要偷渡目的地是韩国。由于韩国摆脱了亚洲金融危机的影响，经济形势开始好转，一些人便通过伪造证件、高价购买邀请函以及假借旅游、考察、探亲等名义，采取偷渡形式去韩国打工。 （王景义）

·进口药品检验·

【概况】 2000 年，大连市药品检验所检验进口药品 725 件（价值 3022.6 万美元），比上年增长 4.6%，其中不合格药品 6 件（价值 14.5 万美元），不合格率 0.8%。不合格药品中，韩国 LGCHEMICALLTD 生产的头孢曲松钠溶液（4 批）的澄清度不符合规定；台湾生达化学制药股份有限公司生产的磷酸铝凝胶（2 批）细菌总数不符合规定。当年，全所有 1 项科研成果鹿源系列中药材真伪鉴定与质量研究获大连市科技进步三等奖，1 项科研成果 SPE 级实验动物实验室通过辽宁省专家委员会鉴定；24 篇论文在国家级杂志及学术会议上发表和交流。

2000 年大连进口药品检验情况

	件数	比上年增长(%)
合计	725	4.6
化学药品	484	-10.7
抗生素药品	169	39.7
生化药品	6	200.0
中成药	65	983.0
药材	1	-95.4

（张海涛）

·仓储管理·

【概况】 2000 年，大连市有经营性仓储库点 256 个，比上年减少 23.3%，其中储粮库 118 个，减少 24.8%；仓库占地面积 1003 万平方米，减少 19.9%，其中库房面积 146 万平方米、露天货场面积 592 万平方米，分别减少 14.6% 和 18.9%。

2000 年大连口岸仓储经营情况

	单位	数量	比上年增长(%)
仓储货物吞吐量	万吨	1203.9	-25.6
年周转次数	次	2.6	-21.9
仓库平均利用率	%	40.3	-2.2（百分点）
行业总收入	亿元	2.5	-7.4
利税	万元	3000	-7.4

当年，大连仓储市场不景气状况没有得到缓解，口岸仓储业处于弱势经营，仍在低谷中运行。其原因：除出口货量有所减少外，主要是由于运输能力增强，许多货物不需落地储存即可直接上港，特别是北良粮食专用码头投入营运和一批立筒仓储粮设施投入使用后，社会储粮库缺货源或无货可存的情况较为显见。

【规划布局五大储运基地】 2000 年，大连市仓储事业管理局根据大连市把大连口岸建成区域性国际航运中心的目标，初步确定了“十五”期间行业管理的指导原则：以港口功能为依托，调整布局结构，提高设施档次，加强服务管理，建设现代物流集散地。

根据这一指导原则，在全市规划布局大窑湾集装箱储运基地、旅顺羊头洼仓储基地以及周水子、南关岭、革镇堡 3 个仓储老区共五大储运基地。其中，重点发展大窑湾集装箱储运基地和的旅顺羊头洼仓储基地，使其成为具有国际标准，连接我国南北物资交流的集散基地；重点调整周水子、南关岭、革镇堡等仓储老区，将其改造成期货、现货交易市场，成为内外贸易和东北腹地货物配送服务基地。

【清理仓储企业】 2000 年，大连市仓储事业管理局会同市物价部门，对仓储企业《仓储许可证》和《经营收费许可证》进行“两证”联合年审，清理并淘汰弱势企业，以抑制仓储业的过剩发展，使仓储业的规模与临港产业的要求逐渐趋于合理。有 64 个仓储企业因设施条件差、企业管理混乱和缺乏经营能力被注销《仓储许可证》。

【仓库办市场再显活力】 2000 年，大连宏业物资储运公司顺应市场规律，创新经营理念，充分利用金属材料储存场地和经营管理优势，开办钢材现货交易市场，吸纳全国钢材生产厂家和经营客户 96 家长驻市场。客户带货进场交易，实现仓储服务市场、市场带动仓储的良性循环。全年，该公司完成仓储吞吐量 32 万吨、市场成交量 19.4 万吨、成交额 6.16 亿元、利润 133 万元，经济效益连续第四年增长。 （姜伍益）

口岸服务

【对外供应】 2000 年，大连外轮供应公司全面开展“满意在船上”星级服务活动，向大连口岸承诺 24 小时全天候服务，在供船服务中做到“三满意，四及时（船东满意、船长满意、口岸满意；及时登船、及时报价、及时供货、及时结账）”，受到中外海员的一致好评，树立了企业的新形象。

该公司是大连市开辟港口外轮供应业务最早、经营规模最大、服务水平最高的外软供应企业，下设大连分公司、新港分公司和免税商品供货商店等单位，曾多年荣获大连市政府授予的“大连口岸服务先进单位”称号，免税商品供货商店也曾被评为全国免税系统的先进单位。该公司全年共接待来自世界 40 多个国家的 920 艘次到港船只，对船供应商品 2000 多种，其中最高单船交易额达 18 万元。

2000 年大连口岸对外供应情况

	单位	数量	比上年增长(%)
接待船只	艘次	920	-13.0
接待海员	人次	21970	-8.2
供应商品	万元	2032	24.0
单船销售	元	22088	42.6
营业收入	万元	5688	32.8
利润	万元	740	35.0

该公司利用国际互联网开展网上订

货和销售，与30多个船公司建立长期合作关系，逐步实现与国际接轨。业务辐射到东北地区丹东、营口、鲅鱼圈港等各大口岸。（戚　辉）

【外轮理货】　2000年，中国外轮理货总公司大连分公司进一步强化生产管理，提高理货水平。

大力开展岗位练兵活动，以满足需求为基本原则，及时合理调整现场理货工作，建立建全相应的管理制度。

2000年大连口岸外轮理货情况

	单位	数量	比上年增长(%)
理货船舶	艘次	6225	11.3
其中:进口船舶	艘次	3368	10.7
出口船舶	艘次	2857	12.1
理集装箱	万标箱	85.7	28.1
理货量	万吨	1129	31.2
理货数字准确率	%	100	—
服务满意率	%	100	—

大连外理公司理货人员对进口钢材实施现场理货。　　外理公司　供稿

建立健全管理制度和与市场经济相适应的经营机制。制定理货工作管理规定和操作办法，进一步规范现场理货工作。对理货现场进行24小时监控，各级管理责任人实行层次管理，做到管理到位、组织有序、安全生产，保证理货生产顺利进行。打破现场理货传统班次作业管理法，实行弹性工作制，使平均工时利用率翻了近1番。在大窑湾理货站首次推行限额计件工资制，以逐步取代现有计时工资制，进一步提高生产效率。

加强优质服务，保证理货服务质量。积极开展“规范服务，满意窗口”活动，推行首问责任制和“引导服务、限时服务、承诺服务”，加强理货名牌货种和精品航线建设，保证了理货服务质量。年内，全公司制单达标率为99.97%，服务满意率和理货数字准确率均达到100%，在客户中树立起优质、高效的服务形象。

大连外轮供应公司所属免税品商店员工为外轮游客送货到船边。　　外轮供应公司　供稿

1月21日，公司顺利通过中国船级社的质量体系换证审核，再次获得ISO9002国际标准质量体系证书。

（牟　刚）

【船舶燃料供应】　2000年，中国船舶燃料供应大连公司建立标准化、文件化、规范化的服务保障体系，使服务水平更上一层楼。全年供应燃油31.4万吨，为10年以来的最高纪录；质量计量盈亏率控制在3‰，客户满意率达到98%以上。年内，该公司被评为中国远洋运输（集团）公司系统双文明企业，辽宁省、大连市重合同守信用单位。

基础设施建设取得突破性进展。寺儿沟东海头储供油基地2.5万立方米储油罐续建工程，当年开工建设、当年建成投用。至此，东海头储供油基地建设工程总计4.8万立方米储油罐及配套设施全部建成投产。新建“连油十号”轮下水。东海头储供油基地码头顺利通过市有关部门5000吨级靠泊能力的可行性论证，使外轮可直接靠泊作业。

2000年大连口岸船舶燃料供应情况

	单位	数量	比上年增长(%)
供应船舶	艘次	6922	8.1
供应燃油	万吨	31.4	15.2
供应淡水	万吨	27	-10.2
供应润滑油	吨	4727	3.1

（王家仁）

对外经济贸易

责任编辑　周万久

对外贸易

【概况】　2000 年，大连市具有外贸经营权的企业有 288 家，其中外贸公司 33 家、自营生产企业 212 家（高新技术企业 6 家、私营生产企业 8 家、国营生产企业承包 178 家、其他 20 家）、商业物资企业 4 家、中直企业 35 家、科研院所 4 家。

当年，全市进出口总额首次超过 100 亿元。进出口总额和出口额的增长幅度创历史最高纪录。

2000 年大连市对外贸易
主要指标完成情况

	单位	实际完成	比上年增长(%)
出口商品供货值(实际价)	亿元	460.9	10.9
自营进出口总额	亿美元	102.1	46.4
其中:进口	亿美元	49.95	71.4
自营出口	亿美元	52.14	28.4
自营出口中:			
外商投资企业	亿美元	41	36.0
国有外贸企业	亿美元	5.8	13.7
自营生产企业	亿美元	4.3	4.4
其他各类外贸企业	亿美元	0.9	57.8

当年外贸进出口大幅增长的主要原因：（1）全球经济贸易形势总体趋好，国际及地区间贸易日趋活跃。（2）国家实施积极的财政政策，增加投资，扩大内需，使经济保持快速增长势头。（3）本市采取一系列鼓励与支持出口的措施，为扩大企业出口成交提供了良好的政策环境。

【出口总额增幅创历史最高水平】　2000 年，国内外经济贸易形势好转。大连市抓住这一有利时机，及时调整出口目标，采取有利措施，调动企业出口积极性，促进了贸易出口。全年出口总额达 52 亿美元，比上年增长 28%，增长幅度为历史最大。

当年出口的主要特点：（1）外商投资企业出口比重继续加大，占全市出口总额的 78.8%，比上年提高 5.3 个百分点。（2）大宗出口商品持续增长。成品油、计算机、零部件、录入设备零部件、微电机、船舶、彩电、冰鱼片、运动鞋、集装箱、服装 10 种商品的出口额，占全市出口总额的 48%。（3）市场多元化取得新进展，对亚洲、欧盟等主要贸易伙伴出口进一步增长。其中：对亚洲出口增长 24.8%；对欧盟增长 41.2%；对美国增长 37.3%；对俄罗斯增长 1.5 倍；对大洋洲增长 71.9%；对非洲增长也达到 30.7%。（4）出口商品进一步优化。机电产品出口 25.8 亿美元，占全市自营出口总额的 49.5%。其中：技术含量较

2000 年大连市出口前 50 名企业

单位：万美元

序号	企业名称	出口额	序号	企业名称	出口额
1	大连西太平洋石油化工有限公司	54124	26	柯尼卡(大连)有限公司	3672
2	大连新船重工有限责任公司	21236	27	中国石化国际事业大连公司	3342
3	日本电产(大连)有限公司	17178	28	中国化工建设大连公司	3230
4	中国华录·松下电子信息有限公司	16250	29	中国包装进出口大连公司	3053
			30	辉瑞制药有限公司	2974
5	大连东芝电视有限公司	14715	31	大连进道集装箱有限公司	2965
6	大连阿尔派电子有限公司	12151	32	日本微型电机大连有限公司	2960
7	万宝至马达大连有限公司	11699	33	大化国际经济贸易公司	2722
8	大连日通外运货运公司	9831	34	大连杰迪高电器有限公司	2650
9	东芝大连有限公司	9782	35	大连宝利德超级层压板有限公司	2565
10	斯大精密(大连)有限公司	9464	36	大连中太水产有限公司	2550
11	佳能大连办公设备有限公司	8548	37	大连原田工业有限公司	2475
12	丰源制靴大连有限公司	8402	38	大连同盛实业总公司	2467
13	欧姆龙(大连)有限公司	8179	39	光洋日电产(大连)精密轴承有限公司	2452
14	大连中集集装箱制造有限公司	8048			
15	大连松下通信工业有限公司	6031	40	大连金阳进出口有限公司	2437
16	罗姆电子大连有限公司	5988	41	中国长城工业大连公司	2434
17	大连爱丽思欧雅玛工贸有限公司	5900	42	大连威斯特电机有限公司	2383
18	大连华轻国际贸易有限公司	5415	43	富士电机大连有限公司	2345
19	大连造船厂	5322	44	大连日立宝原机械设备有限公司	2311
20	大连华孚进出口集团有限公司	4886	45	大连晶亚电器有限公司	2248
21	三菱电机大连机器有限公司	4797	46	大连泰盟国际贸易有限公司	2209
22	大连纺织品进出口有限公司	4243	47	大连华丰木业有限公司	2099
23	利优比(大连)机器有限公司	4233	48	大连三垦变压器有限公司	195
24	大连瑞兴国际贸易有限公司	4190	49	大连凯美进出口集团有限公司	1935
25	TDK 大连电子有限公司	4014	50	大成食品(大连)有限公司	1889

高的电器及电子产品和仪器仪表出口14.6亿美元，占机电产品出口额的56.6%。计算机与通风技术和计算机集成制造技术出口6.2亿美元，占全市高新技术产品出口额的79%。

为扩大出口采取的主要措施：（1）实施“引进来”、“走出去”双向开放战略，开拓国际市场。参加境外展销会、博览会共成交1440万美元；参加国内各类交易会也取得较好效果，仅春秋两季广交会就成交2.9亿美元。（2）用好、用活国家鼓励出口政策。落实出口贴息和赴境外参展补贴等具体政策，修订和完善出口目标责任制，并制定全市统一的出口考核奖励办法，调动了企业的积极性。（3）大力推进电子商务。启动和建设大连出口商品市场和国外促销网，加强外经贸信息数据库建设，开拓对外贸易新渠道。（4）加速外贸企业改革。部分外贸企业改制重组，8家严重亏损企业整体托管，从根本上解决了外贸企业亏损问题，使市直外贸企业进入良性发展阶段，出口创汇和经济效益同步增长。

2000年大连市出口前50名外商投资企业

单位：万美元

序号	企业名称	出口额	序号	企业名称	出口额
1	大连西太平洋石油化工有限公司	54124	27	大连经济技术开发区华星服装有限公司	847
2	中国华录·松下电子信息有限公司	16249	28	大连爱路安时装有限公司	819
3	大连东芝电视有限公司	14715	29	大连日富食品有限公司	779
4	大连阿尔派电子有限公司	12151	30	大连绿源精细化工有限公司	758
5	大连日通外运货运公司	9830	31	大连舒派丽服装有限公司	748
6	大连中集集装箱制造有限公司	8048	32	大连宁日食品工业有限公司	686
7	大连松下通信工业有限公司	6031	33	大连兴叶海产有限公司	683
8	辉瑞制药有限公司	2974	34	大连海友有限公司	679
9	大连宝利德超级层压板有限公司	2565	35	大连华盈服装有限公司	666
10	大连中太水产有限公司	2550	36	大连浦金钢板有限公司	649
11	大连威斯特电机有限公司	2383	37	大连中宏家俱有限公司	637
12	大连日立宝原机械设备有限公司	2310	38	大连兰德玛克制衣有限公司	621
13	大连晶亚电器有限公司	2248	39	大连杉和制衣有限公司	613
14	大连华丰木业有限公司	2098	40	大连通远食品有限公司	611
15	大连华能小野田水泥有限公司	1831	41	大连大龙鞋业有限公司	600
16	大连环球木业有限公司	1712	42	大连纽思达服装有限公司	598
17	大连阿尔卑斯电子有限公司	1600	43	大连经济技术开发区鸿怡服装有限公司	593
18	大连浮法玻璃有限公司	1284	44	大连经济技术开发区大湖服装有限公司	585
19	中日淑美制衣(大连)有限	1194	45	北方联合玩具有限公司	577
20	大连宇宙电子有限公司	1067	46	大连三喜时装有限公司	573
21	大连建昌制靴有限公司	1052	47	大连光明家具有限公司	547
22	大连大通服装有限公司	1041	48	大连东日服装有限公司	543
23	大连魅梦制衣有限公司	985	49	大连富田洋服有限公司	535
24	大连精工电子有限公司	967	50	大连大和木业有限公司	532
25	大连太平洋多层线路板有限公司	949			
26	大连筑岛食品有限公司	888			

【广交会上出口成交活跃】　2000年，随着国际经济环境趋好及我国加入世界贸易组织的步伐加快，大连市交易团在广州进出口商品交易会上的出口成交趋于活跃，效果理想。春秋两季广交会共成交2.9亿美元，比上年增长17%。

春秋两季广交会的主要特点：（1）布展构思新颖，设计独到，档次进一步提高。其中瑞兴公司日用品展位，工艺品公司日用品展位、华轻公司玻璃器皿展位、纺织和华孚公司的服装展位分别被春秋两季交易会评为优秀布展摊位。（2）参展商品结构进一步优化。专利性商品、款式新颖和工艺独特的高新特商品参展比例明显提高，极大地吸引了客商，促进了出口。（3）欧美、日本仍为主要出口国家和地区。出口成交额位居前三名的为欧盟、美国和日本，其中秋交会与欧盟成交5394.5万美元，占总成交额的36%。

春季交易会　全市有26家企业参展，其中外贸企业13家、自营生产企业9家、外商投资企业3家、高科技民营企业1家。各参展企业优化商品结构，精心布展，共成交1.4亿美元，比上年增长21.7%。

2000年广州春季交易会大连市成交500万美元以上企业

单位：万美元

序号	企业名称	成交额
1	中石化大连公司	1626.9
2	大化国际经济贸易公司	1433.3
3	大连华轻国际贸易有限公司	1070
4	大连瑞兴国际贸易有限公司	1055.8
5	大连金阳国际贸易有限公司	1025.8
6	瓦房店轴承厂	711
7	大连华孚进出口有限公司	962
8	大连纺织品进出口有限公司	702
9	大连同盛实业总公司	650
10	大连泰盟国际贸易有限公司	641
11	大连凯美集团进出口有限公司	576.2

2000年广州秋季交易会大连市成交500万美元以上企业

单位：万美元

序号	企业名称	成交额
1	中石化大连公司	2490
2	大连瑞兴国际贸易有限公司	1204.2
3	大连华轻国际贸易有限公司	1124
4	大连纺织品进出口有限公司	944.9
5	大连华孚进出口有限公司	919
6	大化国际经济贸易公司	893.2
7	大连工艺品进出口公司	748
8	大连凯美集团进出口有限公司	687.4
9	瓦房店轴承厂	680
10	大连金威国际贸易有限公司	565.5
11	大连金阳国际贸易有限公司	541.5
12	达凯染化	504.4

秋季交易会　全市有28家企业参加秋交会，其中外贸企业14家、自营生产企业及乡镇企业（集团）10家、外商投资企业3家、高科技民营企业1家。参展主体进一步扩大，自营生产企业、外商投资企业和民营企业的参展比例达到50%。共成交1.5亿美元，比上届增长13.6%。

从成交商品类别看，以纯碱、烧碱、石蜡为主的化工产品成交额最多，为4215.1万美元，占总额的28.1%；其次是五金制品及机械设备，成交1793.5万美元，占12%；第三是服装1653.8万美元，占11%。

【外贸企业改革加快】 2000年，大连市对外经济贸易委员会对部分外贸企业实行改制重组，特别是对8家严重亏损企业实行整体托管，分离不良资产。将被剥离的1.1亿固定资产交中国银行东方资产管理公司，以冲抵市属外贸企业所欠中行的15.3亿元债务。减债后，市外贸系统企业资产负债率由350%降至89%。

由于减轻了债务负担，全市专业外贸企业开始进入良性发展轨道。12家专业外贸公司全年出口3.5亿美元，比上年增长24%，占全市国有外贸企业出口额的61%。 （赵成武）

利用外资

【概况】 2000年，国际经济环境逐渐好转，大连市投资环境进一步改善，利用外资工作持续发展。截至年末，全市累计批准外商投资企业8162家，合同外资187.9亿美元，实际使用外资91.5亿美元，外资到位率48.7%。

2000年大连市新批利用外资项目情况

	单位	数量	比上年增长(%)
利用外资项目	项	706	-54.1
合同外资	亿美元	24.3	-1.6
实际使用外资	亿美元	13.3	-0.7
利用外资项目中：			
外商投资企业	个	697	12.2
合同外资	亿美元	23.85	-2.8
实际使用外资	亿美元	13.06	11.2

当年利用外资的主要特点：（1）利用外资大项目持续增加。新批合同金额1000万美元以上项目74个，比上年增加1个。（2）投资形式仍以中外合资为主，占总数的51%；合作、独资项目各占6.4%和42.6%。（3）企业增资速度加快。共有225家外商投资企业增资，增资额8亿美元，比上年增长1.1倍，其中增资超过1000万美元的企业达20家。（4）高新技术项目比重加大。新批外商投资企业中有高新技术项目95项，占的13.6%；合同外资3.7亿美元，占总额的15.5%。（5）利用外资领域得到扩大和突破。新批中小企业信息担保、房地产中介服务、海上集装箱服务和铁路集装箱转运输服务等项目；同时，高等教育、医疗、养老院、保安公司等服务项目利用外资亦取得积极成果。（6）吸引跨国公司投资取得新进展。又有20家世界知名跨国公司来连投资，其中4家属世界500强企业。

2000年大连市新批合同外资前20位项目

单位：万美元

序号	项目名称	合同外资	实际使用外资
1	大连建超仙岛度假有限公司	6000	6000
2	大连平岛旅游度假区有限公司	5400	5400
3	佳云造船(大连)有限公司	5000	3000
4	光洋轴承大连有限公司	3854	2004
5	大连利伟达农业开发有限公司	3850	2450
6	大连海华电子有限公司	3500	3500
7	大连优玛购物中心有限公司	3081	1148
8	长兴大地塑胶管(大连)有限公司	3000	1200
9	大连顺鑫都市农园有限公司	3000	3000
10	广财肥丹开发(大连)有限公司	2998	1200
11	大连怀中赛车场体育器材有限公司	2920	1140
12	大连怀中赛车展览有限公司	2920	1140
13	大连洁特纸业有限公司	2800	2800
14	大连现代轨道电车有限公司	2600	600
15	大连龙成新型建材有限公司	2540	1050
16	金牛养殖(大连)有限公司	2500	2500
17	大连恒达科技网管有限公司	2235	2235
18	大连旅顺建超乐园有限公司	2000	2000
19	东大诺基亚通信技术有限公司	2000	500
20	大连金湾高尔夫生态园有限公司	1928	771

【采取切实措施，促进招商引资】 2000年，大连市制订并落实相关措施，促进了利用外资持续发展。主要有：（1）加强专业招商队伍建设。各区市县外经贸委和对外开放先导区的招商部门均通过招聘、竞聘等方式，选拔高素质招商人员。（2）建立兼职招商员队伍。各区市县采用不同形式在境内外设立招商代理机构，选派兼职招商人员，使全市招商引资工作走向企业化、市场化。（3）成立招商项目专门机构。各专门机构进一步自主开发项目，加快了在谈大项目的推进速度。（4）制定并落实《大连市招商代理暂行规定》、《大连市进一步鼓励外商投资的若干规定》和《大连市利用外资目标管理考核奖励办法》，充分调动了各方面招商引资的积极性。

【改善投资软环境】 2000年是大连市投资软环境年。市委、市政府把改善投资软环境纳入重要议事日程，并采取一系列切实有效的措施：（1）通过召开外商座谈会、进行问卷调查等形式，听取外商意见，并对其合理意见逐一解决；（2）涉外部门进行自查和整改；（3）实行一把手负责，一站式办公，一个窗口服务的“三个一”工程，提高了办事效率；（4）实行重点项目领导包干负责制；（5）进一步简化项目审批程序，下放审批权限。1000万元以下项目审批下放给区市县、委局及总公司；经济技术开发区、保税区、金石滩国家旅游度假区、高新技术产业园区及星海湾开发建设管理中心的审批权限为3000万元。（6）加紧解决经济技术开发区的日本工业团地、振鹏工业团地等历史遗留问题，使团地招商取得新进展。

【境外招商】 2000年，大连市共组织10次由市领导带队的境外招商活动，其中规模较大的有赴美国、日本、香港的3次招商；共推进在谈项目280项，其中签约133项，合同外资10.82亿美元；新开发项目242个。

【全球著名跨国商业公司麦德龙落户大连】 2000年继美国沃尔玛、法国家乐福等大型连锁超市进入大连后，全球著名的跨国商业连锁公司——德国麦德龙集团又落户大连。3月30日，德国麦德龙集团与大连信诺威投资有限公司合资的麦德龙大连西岗商场项目在连举行合同签字仪式。

德国麦德龙集团是世界著名跨国商业连锁公司，1998年销售总额514.78亿美元，1999年在全球百强企业中排名第32位，在全球19个国家中建有现付自运制商场327个。麦德龙大连西岗商场项目是该集团在中国设立的第七家现付自运制商场，总投资3000万美元，其中外商投资1500万美元；占地面积4万平方米，建筑面积1.2万平方米。

【诺基亚落户大连】 2000年6月19日，大连东大诺基亚通信有限公司在大连高新技术产业园区注册，正式落户大连软件园。

该公司由沈阳东大阿尔派股份有限公司和芬兰诺基亚公司合资兴建，总投资2500万美元，注册资本1000万美元。主要面向全球电信运营商、网络提供商和服务提供商，营销无线应用产品和相关产品并为其提供相关服务。

【赴美国招商】 2000年4月3～16日，大连市市长薄熙来率大连市经贸代表团一行115人赴美招商。在美期间，先后在旧金山、休斯顿、奥克兰、华盛顿等地举行10多场大型市情说明会、经贸洽谈会；与1800余位经贸界人士进行接触，拜会一批著名的高科技企业、跨国公司的企业家及知名人士；成功举办人才招聘说明会，有近百名中国留学生表示将来来连工作。共与美国企业界达成合同意向30个，合同金额10多亿美元。

赴港招商的大连经贸代表团举办"双D港"、"软件园"及高新技术项目推介会。 刘国良 摄

【赴香港招商】 2000年10月23～29日，市委书记薄熙来、代市长李永金率大连经贸代表团355人赴香港招商，这是1993年以来本市在香港举办的规模最大的一次招商活动。20个招商分团分别举办说明会和座谈会，市经委、旅游局、出口加工区、开发办、科委及信息产业局等部门还分别组织工业、旅游、房地产、产品进出口加工、双D港等专项推介会。各招商分团共拜访香港企业400余家，发放各类宣传材料、项目册共1.2万余份，整体宣传大连的城市形象和经济实力，极大地吸引了香港、台湾、澳门和东南亚地区一些国家的企业和客商，有许多台湾同胞和东南亚侨胞组团专程赴港参加招商会。

此次招商共推进在谈利用外资项目150项；签订合同92项，其中与港商签约51项；合同外资8.3亿美元；达成意向协议68项。 （赵成武）

【赴日本招商】 2000年5月17～27日，由常务副市长李永金率领的大连市经贸代表团赴日招商。期间，举办20多场说明会、恳谈会及交流会，接触外商2000人，拜访日立、三井物产、东芝等200余家企业。共推进项目71项，合同外资3.38亿美元，其中签订合同20项，合同外资8600万美元。合同中，有土地出让合同4项，出让土地4.3万平方米。新接触洽谈项目73项。其中：大显集团和NEC株式会社签订合作生产彩电合同，年产彩电20万台；签订贸易合同7项，合同金额1000万美元。

对外经济技术合作

【概况】 2000年，大连市为适应加入世界贸易组织新形势的需要，进一步发展对外经济技术合作。

工程承包和外派劳务规模扩大。新签订工程承包和劳务合作合同877项，比上年增长4.6%；合同金额2.3亿美元，营业额1.7亿美元，均增长4.5%；外派劳务1.82万人，增长21.3%。同时规范外派劳务市场，整顿收费问题，加强对外派人员的培训，进一步提高其素质。

境外加工贸易企业又有增加。共推进境外投资项目32个，其中9个企业获得批准，包括2个加工贸易企业，进一步带动产品和设备出口。

远洋渔业规模不断扩大。新派41艘远洋渔船到南美和南非从事渔业生产，累计已有146艘远洋渔船在国外生产。

年内又有4家公司获得对外经济技术合作经营权。全市累计已有22家公司拥有外经权。

【大连远洋劳务合作公司获对外劳务经营权】 2000年，大连远洋对外劳务合作公司获得对外劳务经营权。该公司充分发挥海员外派劳务优势，积极开拓国际劳务市场，建立起“多渠道，全方位，海陆劳务并举”的外派劳务新格局。注重塑造企业形象，利用一切机会扩大宣传自身优势，先后参加大连市外派出国留学暨洽谈会、中远总公司举办的第二届中国国际劳务员和培训洽谈会等活动，扩大了企业在国内外航运界的知名度。当年完成外派劳务1200余人，实现利润1000余万元，超额完成中远总公司及市政府下达指标。（赵成武）

由大连国际合作（集团）股份有限公司援建，被评为国家优质工程的尼日尔社会住宅小区。 曹毅摄

【大连国际合作集团公司援外工程项目被评为国家优质工程】 2000年，中国大连国际合作（集团）股份有限公司承建的尼日尔社会住宅项目工程竣工并通过国家验收，被评为国家优质工程；在国家外经贸部对援外项目的评比中综合排名第一。

该项目位于尼日尔首都尼亚美市北部，占地8万平方米，包括145套住宅、变电所、道路、路灯工程等，住宅总建筑面积8600平方米，是中国对外工程承包史上第一个全面贯彻ISO9000国际质量体系标准的试点项目。设计和施工人员按照国际标准对项目建设的全过程进行监控，圆满完成建设任务。该小区被尼日尔政府命名为“中国城”，从而大大提高了大连国际合作集团公司在非洲建筑市场的知名度。（国际合作公司）

【大连技术出口网开通】 2000年，由大连市外经贸委主办、大连国际电子商务中心支持的大连技术出口网正式开通。该网建立高新技术产品信息数据库及企业黄页等，全市有100余家高新技术企业入网，展示高新技术项目和科研成果共200多项。有30多个国家和地区的企业通过该网络与本市有关企业及科研院所建立联系并进行洽谈，成交一批出口项目。

2000年大连市对外十大工程承包项目

单位：万美元

序号	项目	合同金额	承包单位
1	苏里南道路工程	4100	大连国际合作(集团)股份有限公司
2	尼日尔社会住宅工程	475	大连国际合作(集团)股份有限公司
3	巴勒斯坦住宅工程	350	大连国际合作(集团)股份有限公司
4	世行贷款——大连春柳河污水改造工程	350	大连国际合作(集团)股份有限公司
5	巴勒斯坦艾资哈法学院大楼、库巴幼儿园、中医医疗中心工程	315.4	大连市建设工程集团有限公司
6	俄罗斯纳霍德卡捕鱼基地车间改造工程	160	大连国际合作(集团)股份有限公司
7	中国驻加蓬使馆经商处工程	139	大连国际合作(集团)股份有限公司
8	日本J2钢结构加工项目	80.9	大连市建设工程集团有限公司
9	日本HKI钢结构加工项目	15.4	大连市建设工程集团有限公司
10	日本TTK钢结构加工项目	6.6	大连市建设工程集团有限公司

2000年大连市主要境外企业

序号	企业名称	地区	兴办单位
1	喀麦隆海达渔业有限公司	喀麦隆	大连旅顺北海远洋渔业公司
2	寮国针织制衣厂有限公司	老挝	大连针织厂
3	韩国连阳物资再生利用(株)	韩国	大连物资再生利用总公司
4	尤代克渔业有限公司	俄罗斯	大连雁山渔业公司
5	新大责任有限公司	俄罗斯	大连中大集团
6	金海渔业投资有限公司	加纳	大连金海远洋渔业开发有限公司

【对外经贸交往不断扩大】 2000年，大连市共接待日本、美国、港澳等78个国家和地区的客商13.9万人次，其中高规格的经贸代表团105个。举办10多次对口洽谈会，促进了一批企业与外商合作。新批外国及港澳台驻大连办事处69家，累计批准外商驻大连办事机构1705家。

【实施“科技兴贸”战略】 2000年，大连市积极实施“科技兴贸”战略，并取得显著成效。出口高新技术产品8.53亿美元，比上年增长36.3%，占全市出口总额的16%。计算机与通风技术、电子技术、光电技术等出口7.65亿美元，占高新技术产品出口总额的91%。高新技术产品出口涉及日本、美国、荷兰、香港、新加坡等69个国家和地区。外商投资企业是高新技术出口的主力军，出口高新技术产品8.1亿美元，占全市高新技术产品出口总额的97%。（赵成武）

国内贸易

责任编辑　郑　彬

概　述

【商品流通业概况】　2000年，大连市有商业网点15.6万个，总面积751.6万平方米，分别比上年增长0.9%和4.1%；从业人员63.3万人，人均网点数0.03个，人均网点面积1.38平方米。

年内，大连市商品流通业继续保持较好的发展势头。全市实现社会消费品零售总额488.71亿元，比上年增长9.1%，扣除物价因素，实际增长11.6%。其中：批发零售贸易业358.61亿元，餐饮业63.98亿元，分别增长9.7%和19.8%；制造业3.16亿元，其他62.96亿元，分别下降1.3%%和2.5%。

国有商业运行质量进一步提高，特别是粮食、物资、供销三大系统减亏、扭亏，步入良性发展轨道。商委系统实现利润1.22亿元；粮食系统减亏954万元，其中市直企业在上年扭亏为盈的基础上，实现利润2345万元；供销社系统整体实现扭亏为盈，其中市直企业实现利润1228万元；物资系统在上年扭亏的基础上，实现利润99万元，其中市直企业实现利润171万元；烟草系统实现利润1.19亿元，比上年增长81.6%，继续保持良好的发展势头。

【资产重组和资本运作不断深化】　2000年，大连市商品流通系统重点实施国有资产重组和资本运作，不断壮大企业规模和实力。

进一步推进跨地区发展。大商集团通过低成本扩张，成功兼并黑龙江、辽宁的4家商业企业，使所属外地企业增至34家；友谊集团南下上海开拓资本市场和高科技产业；渤海集团进军首都房地产市场。

加快资产重组。市粮食局对原3个粮油公司实施合并重组，成立明天集团，推动便民连锁店规范快速发展。市燃料总公司与中国海洋石油公司、新西兰麦喜顿公司联合投资开发调合油项目，产品已进入市场。

【减员减债，盘活资产】　2000年，大连市商业系统继续实施减员分流和减债增效，盘活存量资产。

年内，商业、粮食、物资、供销系统共减员分流8978人。粮食、物资、供销系统通过以资抵债、破产、出售、清欠、核销等办法，共减债3亿多元。特别是区市县商业减债工作力度很大，仅庄河商业系统就减债近7000万元，资产负债率降到44%，开始步入良性发展轨道。

各系统还通过变现、置换、抵债等多种途径，加大盘活存量资产的力度，仅商委系统就变现3亿多元。大连粮食工业总厂利用地级差价，成功实现异地搬迁改造，既盘活了资产，又调整了产品结构。

【商业大项目建设进展顺利】　2000年，大连市不断提升商都形象，强化商都氛围，加强商业设施的建设和改造。

推进商业大项目建设。全年建设商业大项目16项，总建筑面积达110万平方米。其中：奥林匹克购物广场（沃尔玛）、家乐福、肉联厂改造、长江广场、华联超市等8个项目建成投用；友好大厦、华南国际商城部分竣工营业；大商新玛特购物中心、南山宾馆改造工程、和平商业广场、联合大厦、新世界广场、百年商城正在进行内外装修并开始招商。

推进商业街改造。青泥洼商业步行街改造主体工程基本完成。同时，对人民路、中山路、胜利路、高尔基路等14条路街的商业门面进行新一轮高标准改

重新装修的大连商场。　　市商委　供稿

造，重新设计装修150多个店铺门面，改造面积达4.45万平方米。

【招商引资数量和质量稳步提高】 2000年是大连流通领域的开放年和招商年。年初，市政府与各部门和区市县签订招商引资责任状。各单位高度重视，积极落实。至年末，市商委、物资总公司、沙河口区、金州区、庄河市分别完成合同外资9351万美元、1000万美元、6100万美元、1360万美元和585万美元，分别为计划的156%、100%、610%、272%和195%；实际使用外资分别为8228万美元、640万美元、3645万美元、660万美元和260万美元，分别为计划的229%、107%、608%、220%和144%。市工商局在保税区引进外资项目9个，总投资1158万美元。

商贸业招商引资的重点已由传统业态向新型业态、商流业向加工业、引进来向走出去转变，优化了引资结构，提高了引资质量。沃尔玛奥林匹克店、家乐福大连店等连锁超市建成开业，沃尔玛山姆会员店和华南店项目正在推进。大连啤酒厂等商办工业利用外资项目取得重大进展。渤海集团在俄罗斯发展了餐饮、娱乐和贸易业务。

【开拓市场成效显著】 2000年，大连商业系统根据消费市场的走势和特点，不断创新营销方式，积极开拓市场。

适应假日经济蓬勃兴起的形势，大力培育旅游、假日市场。各大商场双休日的销售额超过其余5天的销售额。春节、"五一"和"十一"期间销售额分别比上年增长27.3%、50%和12.7%，均创历史同期新高。继续开展四季"旅游购物到大连"活动，15家商场经过经营结构调整，被确定为旅游定点购物店，活动期间旅游购物销售额比平常增长31%。各商家不断创新营销方式，与银行联手开展大额耐用消费品信贷消费，贷款销售额比上年增长1.5倍。

积极开展外展活动。由市经协委牵头，市商委、粮食、物资、供销、烟草等部门共同参与市政府组织的成都、郑州、哈尔滨、长沙4次商品展销暨经贸洽谈会，共实现成交额289亿元。

积极培育大市场。充分利用大连口岸优势，形成粮食、汽车、石油、石化、木材等辐射东北乃至全国的大型商流物流集散基地，已有年交易额10亿元以上批发市场14个，扩大了吸纳和辐射能力。

【电子商务取得突破性发展】 2000年，大连市为促进传统商业与网络技术的结合，加快了电子商务的发展。10月，大连商贸网开通，至年末完成网上交易额近4000万元，成为全市电子商务示范工程的重点项目。大商集团与美国国际商用机器公司结成战略合作伙伴关系，为实现集团管理一体化和现代化奠定基础。友谊集团友谊网、天百集团天伦网、胜利广场胜利网、巴黎之春网正式开通，成功实现网上产品展示、购物以及库存、销售的电脑化管理。

【市场秩序整顿取得明显效果】 2000年，大连市采取多种措施，全面整顿和规范市场秩序。市工商局以打击制售假冒伪劣商品、反不正当竞争、商标侵权和虚假广告、传销或变相传销等违法违章行为为重点，共立案查处万元以上各类经济违法案件1591件，是上年的4.2倍；罚没款3000万元，创历史最高纪录。

市物价局加强和改善价格调控，清费治乱减负，规范价格行为，整顿价格秩序，取得很大成效。市烟草局以打击假冒商标卷烟、走私烟的非法流通为重点，加大打击力度，规范卷烟流通秩序，净化卷烟市场；与近2万个卷烟销售户签订卷烟网络购销管理协议书，进一步规范全市卷烟市场管理。市酒类专卖局加大市场检查力度，全年共换发、补发许可证3000余份，取缔无证业户100余户，组织市场检查2000余次，捣毁制售假酒黑窝点3处，没收各种假冒伪劣酒类商品1.5万公斤。

【食品放心工程启动】 为进一步推动便民商业向纵深发展，为市民提供更多卫生、优质的放心食品，市政府于2000年8月1日召开大连市食品放心工程工作会议，成立由市政府主管领导挂帅、市商委牵头、有关部门参加的全市食品放心工程领导小组，正式启动此项工程，并于10月18日出台《大连市食品放心工程实施办法》。

至年末，该工程先后推出3批70个放心食品品牌、200个放心柜台、100辆放心早餐车。与此同时，还整顿规范熟肉食品市场，建成开业大连熟肉制品交易中心；全面改造大连肉联厂，以建成国内一流的大型肉类加工企业，使食品放心工程成为政府的民心工程、百姓的放心工程和企业的形象工程。

2000年大连市放心食品（70个）

	品牌	生产企业		品牌	生产企业
去皮（带皮）带骨白条肉	海浪	大连肉类联合加工厂	主食面包	旺达	大连旺达食品厂
			豆沙包	晓龙	大连晓龙食品有限公司
猪血豆腐	益	大连食品集团配送中心	切片面包	桃李	大连桃李食品有限公司
盐水火腿	益	大连食品集团配送中心	五香腐乳	华夏	大连华通味食品厂
速冻水饺	群英楼	大连群英楼食品有限公司	鱼卷	百家	大连百佳食品有限公司
棒棰岛馒头	棒棰岛	大连棒棰岛食品厂	鱼饼	百家	大连百佳食品有限公司
速冷水饺	棒棰岛	大连棒棰岛食品厂	生拉面	寿贺	大连寿贺食品有限公司
放心豆腐	棒棰岛	大连棒棰岛食品厂	乌冬面	寿贺	大连寿贺食品有限公司
三叶馒头	三叶	大连面包厂	素香肠（肚）	八公山	大连八公山豆食品有限公司
山水楼太子包	山水楼太子	大连山水楼太子食品有限公司	豆腐干	八公山	大连八公山豆食品有限公司
春和蒜味肠	春和	大连春和市场食品加工厂	腐皮王（腐皮）	八公山	大连八公山豆食品有限公司

品名	品牌	生产企业	品名	品牌	生产企业
诚信烤肠	诚信	大连诚信食品有限公司	寿桃馒头	旺达	大连旺达食品厂
豆腐	三源	大连海源豆制品厂	花卷	旺达	大连旺达食品厂
芽苗菜	豆豆豆	大连业达行(私人)有限公司	花色面包	先一达	大连先达食品有限公司
鲜牛奶	金龙	大连乳制品厂	西点蛋糕	先一达	大连先达食品有限公司
五味酱油	卫光	大连调味食品厂	蛋卷	先一达	大连先达食品有限公司
白醋	卫光	大连调味食品厂	核桃酥	利尔佳	大连市中山区信和食品厂
袋装酱油	棒棰岛	大连调味食品厂	蛋白(黄)蛋糕	利尔佳	大连市中山区信和食品厂
袋米醋	棒棰岛	大连调味食品厂	巧克力馒	寿童	大连寿童食品有限公司
特制大酱	棒棰岛	大连调味食品厂	西式奶油蛋糕	寿童	大连寿童食品有限公司
辣酱	棒棰岛	大连调味食品厂	听话大芝麻面包	听话	大连听话食品有限公司
猪大肠	味源	大连市甘井子区味源熟食品厂	瓜子酥	听话	大连听话食品有限公司
猪肚	味源	大连市甘井子区味源熟食品厂	褂肉	升宝	大连宝华食品有限公司
真空肉排	海康	大连市旅顺口区食品公司海康肉制品厂	宝宝乐	升宝	大连宝华食品有限公司
			纯肉干烤肠	凯云	大连凯云肉食品加工厂
猪蹄	江华	大连华鑫沟帮子江华薰鸡有限公司	瘦肉火腿肠	凯云	大连凯云肉食品加工厂
薰鸡	江华	大连华鑫沟帮子江华薰鸡有限公司	八珍大排	八珍	大连正珍食品有限公司
台式火腿	安大妈	大连安记食品有限公司	八珍猪肘	八珍	大连正珍食品有限公司
酒仙香肠	安大妈	大连安记食品有限公司	御香猪蹄	天源	大连天源御香食品有限公司
香肠	砒明	大连明兴畜产有限公司	御香童子鸡	天源	大连天源御香食品有限公司
童子鸡	知了	大连瑞安八珍食品有限公司	铭良台湾风味肠	铭良	大连铭良食品有限公司
猪头肉	知了	大连瑞安八珍食品有限公司	铭良烤肠	铭良	大连铭良食品有限公司
丹麦面包	兴麦	大连经济技术开发区食品厂	新马泰风味香肠	灿辉	大连灿辉食品有限公司
蛋卷蛋糕	兴麦	大连经济技术开发区食品厂	特制风味酱油	华夏	大连(庄河)华通味食品工业厂
速冻水饺	北方明珠	大连佳益食品有限公司	加锌牛奶	奥乐	大连渤海乳品厂
馒头	旺达	大连旺达食品厂	消毒鲜牛奶	奥乐	大连渤海乳品厂

（杜平昌）

批发零售业

【概况】　2000年，大连市批发零售业完成社会消费品零售额为358.61亿元，比上年增长9.7%；占全市社会消费品零售总额的73.4%，比上年提高0.5个百分点。传统的批发商业逐步向新的流通体制转变，形成一批现代化商品配送中心。

大型商业集团专设商品配送中心。大商集团物流配货中心实行统一进货、统一结算，统一配送，降低了流通成本，增加了效益，年配送额达12亿元，比上年增长50%。

兴办外商投资物流企业。为了规范新型批发业态，借鉴国外先进经验，双兴商品城与日本合资兴办佳菱物流有限公司，主要经营食品、小食品、饮料等4500个超市商品，年成交配送额8000万元，比上年增长30%。中日合资大连友和物流有限公司年配送额1000多万元，比上年增长20%，配送日用工业品达3800个品种。

2000年大连市社会消费品零售情况

单位：亿元

	数量	比上年增长(%)
社会消费品零售总额	488.71	9.1
吃的商品	266.53	6.3
穿的商品	77.09	17.7
用的商品	137.64	9.3
烧的商品	7.45	24.0

专业化配送体系逐步形成。进一步完善鲜肉、果菜、豆制品等配送体系，配送品种和配送额都比上年有大幅度增长。双兴菜果配送中心实行菜果净包装上市，年配送额27万元。全市生猪和牛羊实行集中检疫，定点屠宰，统一配送，使市民吃上放心肉，全年配送生猪46万头，配送网点100多个。

2000年大连市大中型商厦零售额前10名

单位：亿元

排名		零售额	比上年增长(%)
1	大连商场	10.6	9
2	大连天河百盛购物中心	5.4	13
3	迈凯乐大连商场	5.3	19
4	天百大楼	5.0	2
5	胜利百货公司	3.17	-10
6	友谊商城	3.0	31
7	中兴大厦	2.6	-3
8	新友谊商店	1.8	-
9	国泰大厦	1.68	-33
10	天伦商厦	1.6	—

【物价总水平降势减弱】　2000年，大连市消费品价格指数为99.6%，与上年相比，下降0.4个百分点，这是继上年出现22年来首次降势后，再次呈现下降态势，但与上年0.5个百分点的降幅相比，降势有所回调。全市商品零售价格指数

为97.8%，与上年相比，下降2.2个百分点，与上年的4.7个百分点的降幅相比，也有回调。穿、用工业品消费价格降幅偏大，包括衣着类、家庭设备及用品类、医疗保健品类、交通和通讯工具类、娱乐教育文化用品类，平均价格比上年下降3.4个百分点。食品类价格仍为降势，但降幅明显缩小，比上年下降1.1个百分点。在17类食品中有11类价格下降，6类价格上涨。

【新型业态快速发展】 2000年，大连市积极推进流通产业示范工程，促进了连锁、超市、代理、配送、信贷消费，电子商务等新型经营业态的快速发展。至年末，全市有各种新型业态780个，其中购物中心（含在建）6个，特大超市4个，各类超市105个，各类连锁店、专营店、专卖店665个。全市新型业态销售总额50亿元，占全市社会消费品零售总额10.2%。

年内，沃尔玛、家乐福、北京华联（大连）等3大超市开业，大商集团新玛特购物中心、百年商城等大型商业设施正在抓紧兴建；配送业快速发展，仅大商集团物流配货中心年配送额就达12亿元，比上年增长50%；信贷消费进一步推进，全年银行累计发放个人消费信贷50.4亿元，比上年增长42.6%；电子商务发展顺利，大连商贸网正式开通，全年完成网上交易额4000万元。

【商家竞争日趋激烈】 2000年，随着外商零售企业的进入和零售网点的不断增多，大连市各商家竞争趋于白热化，尤其是在节假日、换季前，往往出现群体效应，所有商家都展开力度相仿的营销活动，主要通过穿着商品“买就送”以及实行“店庆价”、“贵宾卡”等手段进行促销。当年“十一”黄金周期间，十大商场销售额达1.17亿元，比上年增长12.7%。另外，各商场还开展了丰富多彩的旅游购物到大连活动，对游客实行多种优惠服务。当年来连国内外游客达2134万人次，旅游收入74亿元，创汇2.34亿美元，均比上年有较大幅度增长，这在很大程度上促进了商品销售额的增加。据统计，活动期间，全市15家商场销售额比平时增长31%。

2000年大连市超市、连锁店基本情况

	销售额(万元)	经营面积(平方米)	店铺数量(个)
大连民勇集团	26000	38000	85
大连旺达连锁商业公司	24000	8000	29
大连昌临旺客隆连锁公司	15000	10400	14
大连天河百盛购物中心超市	14800	2000	1
大连药房有限公司	11300	5250	26
北京华联大连金子三角店	21500	12000	1
大连天百集团食品超市	7000	2000	1
大连大荣超市有限公司	6000	2200	2
大连胜利广场量贩超市	6000	1500	5
大连东方快车有限公司	4500	2200	10
大连大商集团新生活超市	4150	1000	2
大连丽宇眼镜连锁有限公司	3900	3400	26
大连联惠实业有限公司	1700	5000	10
大连米利海辰有限公司	1200	2500	1
大连全景超市综合有限公司	400	6500	1
大连巴黎之春食品超市	200	3000	1
家乐福	30000	8000	1
沃尔玛	—	16811	1

【大商集团异地购并又有大举措】 2000年，大连大商集团以创建世界知名大公司为目标，积极推进资本扩张，大规模进行异地购并。

收购东北同业。继上年收购抚顺、锦州、营口3个市百货大楼后，又收购了齐齐哈尔百货大楼、牡丹江百货大楼、大庆百货大楼和本溪商业大厦。9月5日在哈尔滨签署上述4商家加入大商集团协议书，并于年内完成对本溪商业大厦的购并。本次收购使该集团增加资产7.1亿元、建筑面积17万平方米（其中营业面积12万平方米）、年销售额13亿元，标志着该集团实施东北战略再次取得重大突破。

【沃尔玛奥林匹克店开业】 2000年4月27日，全球最大的连锁零售商美国沃尔

位于奥林匹克广场的沃尔玛超市。 市商委 供稿

玛连锁店公司在中国开设的第七家、在大连开设的首家连锁店——沃尔玛购物广场奥林匹克店开业。

该店位于奥林匹克购物广场地下一层，营业面积1.7万平方米，其商品结构中，食品占38%，服装占22%，其他商品占40%，包括家庭服饰、保健和美容用品、家用日杂、电子设备、音像制品、玩具、珠宝、鞋类以及多种名牌产品和当地生产的杂货。该店以“天天平价”、品种齐全的优质商品及友善周到的服务，一开业即受到市民欢迎。当年5月1日，该店以3.3万的交易次数，至今保持沃尔玛全球4000多家店单天服务顾客最多的纪录。

年内，沃尔玛公司在连建立北方总部，将以大连为业务拓展中心，辐射中国北方地区。

位于西安路与黄河路交汇处的家乐福超市。　　市商委　供稿

【奥林匹克购物广场开业】　2000年4月27日，多功能、现代化、综合性的街景式购物中心——奥林匹克购物广场开业。

该广场位于奥林匹克广场地下，由大连友谊集团投资2.6亿元兴建，总建筑面积近4万平方米。设计上采用国际最先进的室内街景式购物中心风格，1条全长280米、宽和高均为12米的商业大街横贯东西，备有自动扶梯12部，购物环境为国内一流。

该广场集购物、餐饮、娱乐休闲、摄影、美容、储蓄、求医问药等为一体，符合世界流行的“一站式”消费模式，除设有营业面积1.7万平方米的沃尔玛超市外，中央大街两旁还设有多家店铺，荟萃中外品牌200多种。开业当年即赢利500万元。

【家乐福大连店开业】　2000年1月28日，世界第二大连锁零售商法国家乐福公司投资兴办的连锁超市——家乐福大连店开业。

该店坐落在市中心区的西部，位于繁华的西安路与黄河路的交汇处，总投资3000万元。卖场由一层和地下一、二层组成，营业面积8000多平方米，经营服装、鞋帽、家用电器、图书文具、休闲百货、清洁用品、食品、饮料和各种生鲜食品等2万多个单品。地下二层有6800平方米的免费停车场，可同时泊车195辆。该店确定的“低价位、免费停车、自助式服务和新鲜的品质”的经营理念，得到市民的广泛认可，当年实现销售额3亿元。

位于金三角的北京华联（大连）金三角超市。　　市商委　供稿

【北京华联（大连）金三角超市开业】　北京华联（大连）超市有限公司是北京华联集团投资2亿元开设在东北地区的分公司，是国内贸易局中商集团所属企业，主要从事大型综合超市的连锁经营。

北京华联（大连）综合超市有限公司第一个门店——金三角店于2000年7月29日正式开业，经营面积1.2万平方米，经营商品包括生鲜、食品、百货等品项2万余种，以其价格低廉、品种齐全为特点，在甘井子区形成稳定的消费群体。公司自开业到2000年底，不断调整经营策略，业绩稳中有升，日平均销售额80万元，年创利税近千万元。

大连华联的发展战略是“以人为本，以销售为中心，以生鲜为重点，建设一流超市”为目标，力争在2002年后形成多店规模、共同成长、永续发展的局面。

【批发市场建设加快】 经过多年大力推进，大连市批发市场建设有长足发展。至2000年末，全市有各类批发市场57个，其中交易额10亿元以上的大型批发市场14家，实现交易额最多的是大连双兴商品城，达80亿元。大型批发市场的建立，为全市经济发展注入了活力，满足了人民生活需要。到2005年，本市还要在县（市、区）建设15个专业农副产品市场，以活跃城乡物资交流，促进北三市经济发展。

【大连熟肉制品交易中心建成开业】 2000年1月9日，国内规模最大、功能最全的现代化熟肉制品批发市场——大连熟肉制品交易中心开业。该中心是市政府确定的大连市惟一一家熟肉制品批发市场，是大连市重点放心工程之一，由大连三寰集团投资近亿元兴建。中心总占地面积6万平方米，建筑面积7万平方米，集生产、加工、交易、储藏和客商住宅为一体。交易大厅装有先进的监控报警系统和大型电子屏幕，计算机参与管理，并配有大型熟肉制品质量检测站和专业质量检查化验员，负责熟肉制品质量的跟踪检测。至年末，中心已吸纳业户400余家；日均交易量超百吨、交易额达30余万元；日客流量超万人，节假日高峰时可达10万人次。

【大连肉联厂改造一期工程竣工】 2000年，大连食品集团与市政府共同投资1650万元对其所属的大连肉类联合加工厂进行一期改造，至12日，完成了生猪屠宰加工生产线及附属设备配套技术等改造工程，并试投产。改造后，大连肉联厂的生产功能和自动化程序均达到屠宰行业国内先进水平，年可屠宰生猪72万头，冷冻储藏能力达5000吨，为保证大连市民吃上放心肉奠定了基础。

（于政广）

餐饮服务业

【概况】 2000年，大连市餐饮业实现营业收入63.98亿元，比上年增长19.8%；占全市社会消费品零售额的13.1%，提高1.2个百分点。宾馆、美容美发，摄影等行业营业收入也有较大增幅提高。

餐饮业快速发展的主要原因：（1）假日经济和旅游业的发展，提供了大量客源。“五一”、“十一”假日期间，各宾馆、酒店家家爆满，生意红火。（2）大众化经营的兴起，刺激了消费。随着市场竞争的深入，餐饮业价格上更加贴近普通消费者。（3）居民收入增长和生活水平的提高，使家务劳动社会化成为趋势。婚宴、生日宴、年夜饭、平安夜、亲朋聚餐到酒店包席，已成普通市民的日常所为。

社会服务业向专业化发展。美容美发、修理业、洗染业、洗浴业等行业随着居民消费水平的提高，得到长足发展，为保证其健康有序发展，各行业协会制订了行业标准，规范了企业行为，从而保护了消费者权益，对服务业发展起到了积极作用。至年末，大连市有美容美发店2900家，洗浴场所500余家。

【快餐成为饮食市场热点】 2000年，快餐已成为大连市饮食市场热点。

中式快餐如亚惠、美食王、东方快车把连锁经营作为发展方向，面向大众，面向工薪阶层，降低价位，活跃了餐饮市场；西式快餐如肯德基、麦当劳也深受青少年消费群体喜爱。

位于奥林匹克购物广场内的亚惠快餐店。 市商委 供稿

【红星美发厅获全国十佳美发美容院称号】 红星美发厅隶属于大连友谊集团天富公司，主店位于天津街，是一个拥有84%社会认可率的名店，是集美发、美容护肤、美甲、补发、瘦身、梳子专卖、发型化妆培训为一体的多功能专业店，曾多次获得辽宁省文明美发厅、大连市消费者信得过单位、辽宁省卫生先进单位等殊荣。多名高级美发师曾在国内大赛中获得全国发型化妆大赛金奖、辽宁省美发状元、辽宁省美发美容大赛冠军等称号。全国美发大师刘桂华多次在国际、国内发型化妆大赛中获奖，并获得亚洲发型化妆大赛评判资格。2000年，红色美发厅被国家国内贸易局评为全国十佳美发美容院。 （于政广）

医药商业

【概况】 2000年，大连市有药品批发企业64个，分属20个行业和部门；有药品零售企业500余个。

当年，全市医药商业经营指标出现前所未有的高增长。共完成销售额12.16亿元，比上年增长24.3%；商业库存为2.22亿元，增长48%；实现利税2766万元，增长19.3%，其中利润980万元，

增长2.3倍。

医药商业高速增长的主要原因：（1）价格改革因素造成的负面影响正逐步减弱；（2）国际、国内经济环境的好转提高了群众的购买力，使消费需求大幅度增长；（3）医疗体制改革进入实施阶段，客观上促进了药品消费；（4）各医药商业企业转变经营方式，理顺进货渠道，成立配货中心，在“三优”（优异的质量、优惠的价格、优质的服务）上下功夫，从而扩大了销售，降低了成本。

【大连医药集团公司拓展外埠市场】 2000年，大连医药集团公司在搞好本市市场开发的同时，积极向外埠拓展市场，先后在沈阳、锦州等地开展批发业务并取得初步成效。全年完成销售收入7.38亿元，实现利润1483万元，分别比上年增长31.3%和19.3%，成为本市医药商业的龙头企业。

【医药商业企业改革取得新进展】 2000年，大连市医药商业企业改革又有新进展。

市内4家医药商业公司改制进展顺利。辽东医药公司改制工作于3月全部完成，新公司辽东医药有限公司正式运营，全年完成销售收入9170万元，实现利税73万元，分别比上年增长61.8%和23.7%。大连药材集团有限公司对所属部分企业进行股份制改革，变单元投资主体为多元投资主体，消灭了亏损企业。同时，建立全新的用人和分配机制，组织实施企业定位、定员、定编工作，共有85人与集团脱离劳动关系，内退60人。大连医药集团有限公司改制后经营稳步发展，继续保持医药商业的龙头地位。大连医药物资总公司改革方案正在探索中。

区市县医药公司改制基本完成。区市县医药公司改革的目标是建立一个城乡一体、以企业为主体的药品流通区域网络。至年末，庄河市、长海县、旅顺口区、瓦房店市4个医药公司已划归大连药材集团有限公司，并进行股份制改造，分别组建有限责任公司；普兰店市医药公司交由普兰店市政府管理，双方协议已经达成；金州区医药公司与大连经济技术开发区医药公司正式分离管理，并分别进行股份制改造，建立全新的企业经营机制。

【4家医药零售连锁店建成】 2000年，大连市医药商业全面推广医药连锁经营模式，加速零售连锁店的建设。至年末，全市已建成4家连锁店。

大连药房连锁店。全省第一家、本市惟一一家GSP达标的零售单位，全资连锁店已发展到30家，销售额占本地市场零售额的60%以上，当年销售收入达到1.13亿元。于7月取得国家首批跨省连锁经营试点单位资格。

大仁堂连锁店。共有12个分店，当年销售额1635万元，比上年增长33%；利润90万元，增长80%。

大连药材集团国药大药房连锁店。系药材集团为建立城乡一体的药品流通网络而成立，已有庄河、长海等地的20个药房加盟。该网络将以全新的营销观念，较快地扩大市场，力争2001年销售额增加1倍。

大连辽东医药连锁店。系辽东医药有限公司于12月注册成立，有分店16个。辽东医药公司原以批发为主，其连锁店的成立，使其向批发零售一体化的现代经营模式迈进了一大步。同时，市医药管理局还在该公司进行大连市医药电子商务的首家试点，开展网上售药，取得初步成效。 （于家升）

粮油业

【概况】 2000年末，大连市有粮油加工企业22个，其中市区8个；有国家粮食储备企业12个，其中市区5个。全市粮食企业拥有粮食储存能力283.5万吨（露天储存能力107.7万吨，库房储存能力175.8万吨），其中市区粮食储备能力121.4万吨。全市有国有及国有控股粮食企业144个；职工9359人，比上年减少22.8%；总资产76.8亿元，下降2.5%。

当年，国家敞开粮食收购政策得以全面落实；粮食顺价销售、减员分流超额完成任务；粮食企业改制、改组得到积极推进；粮食产业发展速度加快；扭亏增盈取得较好效果，市直粮食企业自粮食价格放开后首次全部实现盈利。

【在全国率先提出发展粮食产业思路】

2000年大连市粮食系统主要经济指标完成情况

	单位	实际完成	比上年增长(%)
粮食总经营量	万吨	326.4	59.3
粮食收购量	万吨	12.5	53.2
水稻	万吨	8.46	82.7
玉米	万吨	4.04	14.4
粮食销售量	万吨	158.9	58.9
其中:小麦	万吨	20.3	-6.0
水稻	万吨	20.7	101.0
玉米	万吨	72.2	159.7
工业总产值(当年价)	亿元	13	10.9
工业销售值(当年价)	亿元	13.8	4.4
工业利润	万元	758	178.4

2000年，大连市委八届十次、十一次全会提出，要“加快发展粮食仓储贸易业，把大连建成国际性的粮食贸易中心和东北地区的粮食走廊”；“把粮食产业做强做大”，使其“成为全市支柱性产业之一”。把粮食作为一个产业来发展，这在国内尚属首次。其主要依据是大连的口岸优势和已形成的粮食加工能力、仓储实力、交通运输能力、较完善的粮食贸易体系等基础设施优势和环境优势。

市粮食局根据上述精神，确定了发展粮食产业的总体思路和目标：以大连北方粮食交易市场为龙头，以东北三省和内蒙古东部产粮区为腹地，以现有仓储设施、交通、口岸为基础，以大连商品期货交易所为纽带，加快向南方和国际市场拓展，抓住国家即将加入WTO的机遇，加快产业结构调整的步伐，发展高新技术，搞活经营，做大粮食贸易，把大连早日建成粮食仓储基地、粮食中转基地、粮油加工基地、粮油贸易基地和粮油信息中心。

当年，全市仓储能力已达753.5万吨，而且仓储设施先进，特别是亚洲最大的大连北良码头和南关岭国家粮食储备库的竣工投用，为本市发展粮食仓储中转业提供了广阔空间。大连口岸全年实现粮食吞吐量1222.8万吨；大连铁路实现粮食运输量1518万吨；大连北方粮食交易市场实现交易量210万吨，交易额达21亿元，均比上年增长50%，居全国粮食批发市场第三位，正在成为辐射东北乃至全国的粮食交易中心和信息中心；东北地区最大的成品粮油批发市场

——大连金三角粮食批发市场粮食成交量15万吨，成交额达4亿元，均比上年增长40%。

【市直粮食企业首次消灭亏损】 2000年，大连地区粮食企业亏损2666万元，比上年减少954万元，减幅为26.4%，其中购销企业亏损190万元，减少1423万元，减幅为88.2%。

当年，市直级粮食企业努力减亏，实现利润2345万元，超过市政府下达指标345万元。这是自粮食价格放开后，市直粮食企业首次消灭亏损。特别是大连粮食工业总厂、大连油脂工业总厂2个市直亏损大户彻底扭亏为盈，分别实现利润1205万元和507万元，并成为全市的创利大户。

【南关岭国家粮食储备库成为全国重要的粮食储备基地】 至2000年末，国家于1998年投资4.5亿元扩建的大连南关岭国家粮食储备库，已完成新增项目建筑面积9.9万平方米，增加仓容量63万吨，至此，该库总占地面积已达63.5万平方米，总建筑面积达16万平方米，库区内铁路专用线达9.5公里，绿化带6万平方米，总仓容量达93万吨，实现新库装新粮达50多万吨，成为全国最大的花园式国家直属粮食储备库，同时也成为国家重要的粮食储备基地。

【大连北良港正式投入使用】 2000年11月23，位于大孤山半岛西侧，与大连市区隔海相望的大连北良港铁路专线首次开通，同时散粮专用码头正式建成并投入使用。它既是东北地区及内蒙古东部地区等我国商品粮生产区粮食外运的主要出海口，也是我国粮食进出口和国内粮食中转的重要枢纽港和集散地。

北良港工程是经国务院批准的世行贷款粮食流通项目。该项目自1996年11月开工建设，于2000年6月底基本建成并投入试运转。这一总投资达27.78亿元的散粮专用码头和散粮中转设施工程，其港口中转库加中央储备粮库，总仓容达100万吨；购置新型散粮火车皮1483辆；建成2万吨级以上的现代化粮食码头5个，可接卸8～10万吨级的进口粮船，其散粮装船能力达每小时4000吨，卸船能力达每小时2000吨，年中转散粮能力达1100万吨以上，是目前亚洲规模最大、仓容居世界第二的现代化粮食专用码头。该项目从1998年11月开港和2000年6月底基本完工投入试运营以来，已累计中转粮食67.2万吨，其中装卸进出口粮食58.6万吨，向南方发运玉米8.6万吨，取得了良好的效益。

【大连明天集团有限公司成立】 2000年，为加快落实大连市委、市政府提出的“便民工程”和“放心工程”，大连市粮食局对市第一、第二、第三粮油供应公司进行了资产重组和优化。经市体改委批准，大连明天集团有限公司于11月30日成立并正式运营。

该公司为股份制企业，是集便利连锁、餐饮服务、食品生产、粮谷加工、饲料加工、仓储、畜牧养殖、期货贸易、汽车客运、房地产开发、进出口贸易等多种生产经营功能为一体，产供销一条龙、商工贸一体化的综合性集团公司，总资产1.59亿元，净资产1.14亿元，辖11个子公司、375个零售网点，有员工1422人。

该公司确立了以全面塑造“三叶”品牌、创建便利连锁第一品牌“明天便利”、建设大型现代化连锁商业企业为目标的总体发展战略，经过2～3年的发展，在市内建立直营店260个、加盟店100个，使明天便利连锁店总数达到360家以上，同时以此为载体，启动社区便民工程。至年末，已发展便利连锁店20家。

【“三叶”牌食品深受市民喜爱】 2000年，大连三叶食品有限公司的“三叶”牌食品再次被评为大连市民喜爱的著名品牌。

该公司生产设施先进，技术力量雄厚，管理方式科学，1999年在东北地区食品生产企业中首家通过ISO9002质量体系认证。其生产的馒头、速冻食品、面包、糕点四大系列200余种“三叶”牌食品，在大连市民中享有较高信誉，2000年共销售1930吨，实现利润46万元，分别比上年增长15%和20%。

【辽宁省陈化粮竞价拍卖交易会在连举行】 2000年6月19～21日，辽宁省陈化粮竞价拍卖交易会在大连北方粮食交易市场举行，来自全省14个市及其他省市共1000多人到会。交易会计划拍卖陈化粮1042万吨，实际成交80.4万吨，成交额5.5亿元。其中，大连市陈化粮计划交易11.4万吨，实际成交11.2万吨，成交额达7000万元。此次交易会的举行，进一步扩大了大连北方粮食交易市场在全国的影响力，减轻了本市陈化粮的销售压力。

顾客在明天便民连锁店前摆起长队。　　市商委　供稿

【油脂工业总厂二分厂改制后利润成倍增长】 1999年8月，大连油脂工业总厂二分厂实行股份制改造，成立大连天乐制油有限公司，总股本金280万元，其中职工出资180万元，占64.3%，成为本市粮食系统第一家由国有企业改制的股份制企业。

2000年，该公司加工大豆9.8万吨，比上年增长19.5%；每吨大豆的加工成本为99.84元，下降18.6%；实现利润505万元，增长7.3倍。

【粮食顺价销售超额完成任务】 2000年，大连市政策性粮食实现顺价销售和按顺价政策销售共计31万吨，分别超额210%和55%完成省政府、市政府下达的销售任务。至此，本市政策性库存粮的顺价销售和压库工作除新收购粮外已经完成，大大减轻各级财政和粮食企业的负担。 （盛兴忱）

烟草专卖

【概况】 2000年，大连市烟草公司自有下伸批发网点62个，其中名烟总汇卷烟自选批发超市20个，农村卷烟批发部42个。

当年，全市烟草行业经济效益大幅度增长。共销售卷烟24.9万箱，比上年增长7%；销售额16.45亿元，下降0.6%；实现利润1.19亿元，创下本市烟草行业有史以来的最高纪录，比上年增长81.6%。

当年，大连市烟草专卖局按照专销一体化的思路，细化市场管理措施：(1)落实市场管理责任。组建专卖管理网络，向基层网点派驻稽查分队（专卖管理所），实行分区划片管理。(2)强化重点打击与日常管理相结合。对零售户实行按户籍式等级化管理，基本规范了各类集贸市场内的卷烟经营行为。(3)加强专卖队伍及专卖稽查队伍建设。对烟草专卖行政执法部门统一执法标志服装；将大连市烟草专卖稽查支队改编为大连市烟草专卖稽查总队，充实力量，增加设备。专卖管理工作的加强，为本市烟草经济健康运行创造了良好的市场环境。

【大连市烟草专卖稽查总队成立】 2000年，根据国家烟草专卖局的要求，大连市烟草专卖稽查支队改编为大连市烟草专卖稽查总队。总队下设直属支队和金州、旅顺口、开发区、普兰店、瓦房店、庄河等6个区市支队；6个支队下辖19个大队、24个分队、19个管理所，负责管理大连地区卷烟市场。其中直属支队下辖5个大队、13个分队，具体管理市内四区卷烟市场。

【城乡卷烟销售网络进一步完善】 2000年，大连市烟草公司继续加大城乡卷烟销售网络建设工作力度，调整完善卷烟销售网络布局，发挥网络功能，优化卷烟品牌结构，精心组织市场营销，同时加大投入，增加网点数量，改善网点经营条件。至年末，公司自有下伸批发网点由40个增至62个，并形成由20个名烟总汇卷烟自选批发超市和42个农村卷烟批发部组成的卷烟批发体系，以及由90余台配送车辆、200余名访销配送人员组成的卷烟配送体系，为全市城乡2万余个卷烟零售户提供服务。全地区烟草系统各经营单位市场覆盖率达98%，为经济效益大幅度增长奠定了基础。

【“9·29”特大贩运私烟案被破获】 2000年9月28日，大连市烟草局根据举报线索，在相关地段进行严密布控，查询车号为鲁F05850、鲁F05839的违法贩运走私烟的车辆。9月29日4时20分，目标车辆从烟台——大连港“海洋岛”轮下船，行至中山区疏港路段时被大连市烟草专卖局稽查总队截获。现场勘验，2个司机无任何运输手续，均提供不出合法的罚没走私卷烟准运证明，是一起典型的贩私案件，由此，全部走私烟被依法扣押并立案查处。此案查获“三五”牌等3个牌号、6个品种、共计1867件走私烟，案值420万元，是该局组建以来查获的最大一起贩运私烟案。

（张延英）

供销合作商业

【概况】 2000年，大连市供销合作社系统有市直公司9个、区市县（市、区）供销社7个、县属公司72个、基层供销社113个，经营网点2700个；职工总数14982人；总资产23.82亿元，比上年增长4.4%。

当年，市供销合作社联合社修订完善扭亏增盈方案，通过改革调整、减员清债、开拓经营等有效途径狠抓落实，使全系统实现扭亏增盈，与上年相比减亏2561万元，减亏幅度为105%，结束全系统连续6年亏损的局面。综合经济效益连续4年居全省同行业首位，再次获得全国总社扭亏增盈先进单位二等奖。

2000年大连市供销合作社系统主要经济指标完成情况

	单位	实际完成	比上年增长(%)
销售营业总收入	亿元	75.0	11.1
1.商品销售收入	亿元	20.5	0
专业市场营业额	亿元	49.0	19.2
工业销售收入	亿元	5.5	17.0
2.市直公司	亿元	58.0	5.5
区市县社	亿元	17.0	3.6
费用总支出	亿元	1.8	18.9
利润	万元	123.0	105.0
其中：市直公司	万元	1228.0	118.0
进出口总额	万美元	5400.0	28.0
出口创汇	万美元	1200.0	144.0

【减债工作有新突破】 2000年，大连市供销合作社系统继续采取建立目标责任制、层层分解任务、指标落实到人等措施，大力清理债务，并结合重点经济包袱列出个案11个，涉及金额3亿元。至年末，全系统通过以资抵债、破产减债、划转出售、清欠核销等办法，共减债2.2亿元，全面完成当年减债任务。2年来，累计消化债务及经济包袱5.4亿元。此外，还有5.5亿元不良资产被列入长城资产管理公司的剥离计划。

【为农服务体系初步形成】 2000年，大连市供销合作社系统初步形成农资商品供应、“三产”系列化服务等为农服务体系。

初步建立农资商品供应网络和连锁经营体系。以市农资公司为龙头，以北三市供销社和基层社为依托，组建农资商品连锁经营体系，同时组织网点下伸，使全市农资供应基本形成“一条龙”销售网络，确保农业生产需求。全年供应化肥36万标吨，市场占有率保持在85%

以上。

巩固完善“三产”系列化服务体系。以庄稼、果树医院为依托，以测土施肥为重点，形成县乡村三级服务网络，提供产前、产中、产后系列化服务，深受农民欢迎。

实施基层社改造，创办专业合作社。年内调整基层社的布局、服务功能、管理方式等，并围绕当地主导产业，大力组织创办专业合作社。至年末，全市已成立各种专业合作社55个，入社社员近万户，其范围涉及种植、养殖、加工制造、科技服务等诸多领域，农民全年增加收入1600多万元。

【对外经济贸易有新进展】 2000年，大连市供销合作社系统在招商引资、发展进出口贸易、兴办外商投资企业3个方面取得良好业绩。全系统完成利用外资合同金额320万美元，超过市政府计划6%；完成进出口总额5400万美元，比上年增长28%；出口创汇1200万美元，增长1.4倍，创历史最好水平。外商投资企业实现主营业务收入5.5亿元，利润5500万元，分别比上年增长28.5%和54.4%。其中大连可口可乐饮料有限公司完成销售收入5.2亿元，实现利润5321万元，居全国同行业首位。

【国产化肥首次出口】 2000年，大连市农业生产资料公司面对国内农资市场放开，多家竞争的严峻形势，主动调整经营方向，积极开拓化肥出口业务。全年向越南、菲律宾等国出口尿素6.5万标吨，创汇800万美元，开创大连市国产化肥出口的先河。

【清理社员股金工作完成】 大连市供销合作社联合社根据《国务院关于解决当前供销合作社几个突出问题的通知》中要求清理社员股金，消除金融隐患的指示精神，本着“以退为主、以转为辅”的原则，从1999年8月起，对社员股金进行全面规范和整顿，至2000年末，此项工作全面完成。共清退社员股金870万元、集资款1100多万元。经清理整顿后，全市供销社系统有社员股金3183万元，其中市公司1515万元、县公司795万元、基层社873万元。这些股金都分布在效益较好，管理较规范，具备定期分红能力的公司、县社或基层社，没有大的风险。

【烟花爆竹经营再创历史最好水平】 大连市日杂总公司是本市惟一的烟花爆竹专营企业。2000年，该公司通过办理“三证”（指定销售单位购货许可证、爆炸物品销售许可证、爆炸物品贮存许可证）、定点销售、集中组织进货等有效措施，整顿销售秩序，规范市场管理，使烟花爆竹年销售收入达1300多万元，继上年之后再创历史最好水平，也使公司整体经营实现扭亏为盈。（李 琳）

物资流通

【概况】 2000年末，大连市物资系统有直属企事业单位12个，职工4400人，总资产13亿元，分别比上年下降14.3%、10.2%和0.8%。

当年，在全省物资系统效益普遍下滑的情况下，本市物资系统继续保持盈利，并仍为全省惟一盈利市局。

2000年大连市物资系统主要经济指标完成情况

	单位	实际完成	比上年增长(%)
销售额	亿元	7.0	-26.0
其中：市直企业	亿元	6.6	-22.0
批发交易市场成交额	亿元	25.4	11.0
其中：市直企业	亿元	17.8	14.8
营业收入	万元	4316.0	-4.0
代理销售	万元	5002.0	-56.5
利润	万元	99.0	-89.0
其中：市直企业	万元	171.0	-81.0
上缴税金	万元	3682.0	-16.0
其中：市直企业	万元	3504.0	-17.0

【确定发展思路，实施产权制度改革】 2000年，大连市物资系统确定以优势企业、优良资产为基础，通过改组调整，形成大型物流企业（集团）的发展思路。根据这一思路，已初步实施产权制度改革的11个小企业重新确定改革的形式和办法，以真正成为自主经营、自负盈亏、自我约束、自我发展的实体；124个县（市、区）企业也有70%实行了产权制度改革。市物资总公司直属物资再生利用公司和信息中心被整体出售。

【批发市场建设稳步发展】 2000年，大连市物资系统加强批发市场的建设。投资2600多万元扩建大连家具市场，增加营业面积2.2万平方米；投资50余万元加强钢材现货交易市场硬件设施，使其成为辽南地区经营最规范、最有影响力的市场之一。橡胶轮胎批发市场年末开业，“风神”、“双福”等全国知名品牌的生产厂家进驻，推进了市场发展。机电产品批发市场开业1年来，摊位出租率已达80%。宏业储运公司筹划的大连北方物流中心被省政府确定为辽宁省新业态示范工程。至年末，全系统批发交易市场实现成交额25.4亿元，取得较好的经济效益。

【大力拓宽经营领域】 2000年，大连市生产资料市场竞争异常激烈。面对严峻形势，市物资系统企业在加强对重要生产资料经营的同时，及时调整经营策略，寻求新的经济增长点。

大连燃料公司与新西兰麦喜顿公司、中国海洋石油公司合作，开发研制出新型节能产品调和油，被辽宁省质量技术监督局鉴定为新型节能产品，首批2万吨成品油年内投入使用。大连物资总公司物业管理公司在全市首次小区物业管理公开招标中一举中标，成为金盛花园小区的物业管理单位，使企业向社会化发展迈出可喜一步。物华酒店7月投入使用，其服务质量得到顾客好评。国际商品拍卖中心首次与房产管理部门合作拍卖“二手房”，与市经委清欠办联手公开拍卖清欠物资，均取得较好效益。大连市物资经贸公司捕捉商机，扩大销售，仅向“引英入连”工程就供应钢材6000多吨。

【减员减债取得新进展】 2000年，大连市物资系统继续精简机构、压缩人员，并取得较好效果。各企业定岗定编，对干部职工实行招聘制、末岗制，严格考核，竞争上岗。市物资总公司直属企业年内减员567人，县（市、区）企业减员近千人。

年内，市物资系统加大减债力度，经努力，全系统全年减债1.5亿元，清回现金和各种物资1100万元。（井永胜）

集市贸易

【概况】 2000年，大连市新建各类市场41处，总建筑面积54.6万平方米，总投资7亿元。至年末，全市有商品交易市场742处，总建筑面积466.6万平方米，总投资32.3亿元，分别比上年增长5.8%、13.2%和27.6%。按市场类型分：生活资料市场639处，生产资料市场77处，生产要素市场26处；批发市场57处，零售市场685处。

全市城乡商品交易市场年成交额826亿元，比上年增长13.7%。其中，生产要素市场成交额最高，增长幅度最大，反映了市场对资源配置的作用和国民经济增长的速度；生活资料市场交易额也有较大增长，反映了城乡居民生活水平进一步提高。

2000年大连市城乡商品交易市场成交额

单位：亿元

	成交额	比上年增长(%)
总计	826	13.7
生活资料市场	267	8.9
生产资料市场	126	5.8
生产要素市场	433	14.0

2000年大连市成交额超10亿元的市场

单位：亿元

	成交额
大连双兴商品城	80
保税区石化产品交易市场	60
大连国际车城	50
大连国际水产品交易中心	20
大连旧机动车交易市场	16
大连水产品批发市场	10
大连长兴农副产品市场	10
大连中国家饰城	10
大连金三角粮食批发市场	10
大连北方粮食现货批发市场	10
大连贸易大世界	10
大连木材交易市场	10
大连兴业装饰材料市场	10
大连金州陶瓷批发市场	10

全市有52处商品交易市场年成交额超亿元，虽比上年减少7处，但形成一批年成交额10亿元以上的大市场，达14处，其中20亿元以上的4处。

【五大支柱市场形成】 近年来，大连市努力实施市政府“建设大市场、构筑大流通”的市场发展战略。至2000年末，全市形成五大支柱市场：以大连水产品交易中心、大连国际水产品交易中心为骨干的水产品市场；以大连旧机动车交易市场、保税区国际车城为骨干的机动车交易市场；以北方粮食现货批发市场、金三角粮食批发市场为骨干的粮食市场；以大连木材市场、大连原木市场为骨干的木材市场；以保税区石化市场为骨干的石化市场。

当年，五大市场成交额合计192亿元，占全市城乡商品交易市场总成交额的23.2%，成为全市商品交易市场的骨干。五大市场的形成，对其他市场起到示范作用，引导各类市场向专业化、集约化、规模化发展，提高竞争能力；同时拉动了内需，扩大了大连对周边地区经济的辐射作用。

【市场建设趋于大型化、专业化】 2000年，大连市商品交易市场建设规模趋大、专业化程度趋高、市场设施趋于完善。

全市新建41处市场平均建筑面积1.1万平方米，比上年新建市场增加3165.8平方米；平均投资1384.3万元，增加126.3万元，标志着市场向大型化发展又迈进一步。新建市场中，零售小型市场11处，占26%；专业市场30处，占74%，呈现出专业市场发展渐强的特点。

【集贸市场成交额增长，价格回落】 2000年，大连市城乡生活资料市场成交额267亿元，比上年增长8.9%。其中，农村集贸市场成交额43亿元，城市集贸市场成交额106亿元，农副产品专业市场成交额53亿元，日用工业品市场成交额65亿元，分别增长19%、3.9%、17%和6.6%。

集贸市场价格水平继续回落。全市生活资料价格指数为94.6，其中粮食92.7，肉食禽类93.5，棉烟麻类96.6，水产品类99，干鲜果类80.6，鸡蛋89。蔬菜价格指数一直高于100运行，全年平均为102.2。

【双兴商品城被确定为国家级定点批发市场】 2000年，大连市最大的商品交易批发市场——大连双兴商品城，被国家内贸部指定为农副产品定点批发市场，是本市惟一一家。该市场有固定摊位5000多个，以批发农副产品为主，兼小商品批发，年成交额80亿元。成为农副产品定点批发市场后，将得到国家内贸部农业司优先配货农副产品等政策扶持。

【商品市场交易秩序进一步规范化】 2000年，大连市各级工商行政管理部门加大对商品交易市场的监管力度，共查处违法违章案件7103件，罚没款362.2万元。治理食品市场，共检查市场313处，重点业户4365个，没收“三无”食品上千种、假伪商标标识10万张。整顿市场环境，共查处无证业户597户，对26处市场主办单位下发了限期整顿通知书。以规范市场主体资格为重点，加强粮食市场管理，狠狠打击了不法粮商违法收购、运销以及粮食经营企业未经批准擅自收购粮食的行为，从产地到运输、从平时到秋收、从批发到零售，严把各个关口，共查处粮食案件14起，查扣粮食146.6吨，罚没款8.5万元，净化了粮食市场。

开展经纪人资格认证工作，规范经纪行为，至年末，全市登记持证的经纪人达到1823人。建立健全市场自律组织，大力推行市场承诺制，全市承诺制市场由去年的29处增加到69处，进一步提高了市场规范化管理水平。年内培训市场主办单位市场管理人员1375人次，发培训合格证书1340份，使市场管理人员的素质得到进一步提高。

【农资市场专项治理】 2000年，大连市有经营农业生产资料企业1512个，其中经营化肥602个，经营农药592个，经营种子137个，经营农机具181个。为规范农业生产资料市场，保护农民利益，市工商局集中开展“红盾打假护农”活动，对农资市场进行专项治理，进一步规范农资市场秩序。同时在农资市场继续实行档案管理、信誉卡、定点挂牌和市场巡查等4项制度，以达到确认资格、规范秩序、挂牌公示、维权护农的目的。

（任忠显）

会 展 业

责任编辑 郑 彬

展览业

【概况】 2000年，大连市有展览公司58家，其中具有举办国际展会资格的9家。

年内，在大连星海会展中心共举办经贸展览会52个，比上年减少1个，其中展出面积1.5万平方米以上展会11个，与国外著名展览公司合办展会5个，分别比上年增加1个和2个；展出面积、参展国家和地区、参展企业、参展客商、参观人数、成交额及外汇成交额均比上年增长。

展会的国际化、专业化水平和档次有明显提高。举办国际性展会33个，专业展会46个，分别占展会总数的63%和87%，分别比上年提高14个和3个百分点。

2000年大连市举办经贸展览会情况

	单位	数量	比上年增长(%)
展会总计	个	52	-1.9
展出面积	万平方米	36.8	1.7
参展国家和地区	个	64	—
参展企业	万个	1.3	18.2
参展客商	万人次	10	-23.1
观众	万人次	360	-21.7
交易额	亿元	300.4	0.8
其中：外汇	亿美元	12.4	—

展览业的发展日趋成熟，新型专业展会崭露头角。国际服装博览会、国际汽车暨零部件展览会、国际信息技术暨设备展览会、国际家具暨木工机械展览会、进出口商品交易会、建材卫浴设施展览会等一批定型展会日趋成熟；国际旅游商品博览会、化妆洗涤商品交易会、国际环境博览会等展会系与国家有关部委合作举办，规模大、档次高、社会效益显著；国际海事博览会、工业原材料暨零部件加工展览会、钓鱼用品等展会有海外知名展览企业参与办展，使展会整体水平提高；水产品配套设备展、电工电力展、艺术博览会等一批新型专业展览会崭露头角。

【出国参展势头良好】 2000年，大连市企业重视开拓外销市场，积极出国参展，在国际展会上展示企业和产品形象。当年出国参展企业107家，共设展位154个。金凌床具、韩伟集团的有机肥料、三永包装、珍奥核酸、崔岩豆画等产品，在国外展会上成交良好，平均每个展位贸易成交40万美元。

【大连星海会展中心】 2000年，大连星海会展中心紧紧围绕展览主业，一手抓营销，一手抓管理。全年展场销售面积37.3万平方米，比上年增长13%；实现营业收入4467万元，增长16.7%。

充实自办展会策划力量，承办风景区展、儿童用品展、海事展、水产展、高教展共5个展会，实现收入810万元，展出面积5.3万平方米，分别比上年增长5倍和3倍。加强对外交流合作，与国际著名展览公司英国ITE公司达成合资经营协议。提供优质便捷服务，接待各类会议235个，其中国际性会议2个，国际会议区场地出租率由上年的53.7%提高到83.5%。抓住旅游旺季促销良机，星海食府完成收入257万元。成功接待印度总统那拉亚南、刚果总统萨苏和国际展览局主席瑞尔·诺盖等贵宾。

【2000中国大连进出口商品交易会】 (见第33页)

【第十二届大连国际服装博览会暨中国服装出口洽谈会】 2000年9月16～26日大连国际服装节期间在大连星海会展中心举行，由中国国际贸易促进委员会、香港贸易发展局、国际羊毛局、华润(集团)有限公司、中国服装协会、中国纺织品进出口公司、中国服装集团公司、中国纺织品进出口公司、中国百货纺织品公司和大连市政府主办。

本届展会分两期展。一期展9月16～19日举行，展会分设服装馆与面料辅料馆，展览面积1.7万多平方米，还在迈凯乐大连商场和奥林匹克广场设立分会场。共有20个国家、地区和国内40个城市的410家企业参展。来自法国、意大利、美国、德国等制衣大国的参展企业比上届增多；由香港贸易发展局组织的香港馆已连续第10次参展，展位多达120个；澳门贸易投资局和法国罗纳阿尔卑斯地区服装协会也分别第三次和第二次组团参展，从而使博览会形成稳定的海外参展群体和国际市场网络，在国内同类展会中形成自己的优势和特色。

共接待美国、法国、英国、俄罗斯、日本、韩国、印度、马来西亚等12个国家、地区和除西藏以外的全国100多个城市的贸易商和服装业内人员6万人次。国内贸易商中有来自北京燕莎、赛特、百货大楼以及上海第一百货、天津劝业场、武汉广场、昆明西南商业大厦、深圳贸易大厦、济南银座等著名大型服装商场的代表；国外贸易团体和贸易商中有法国大使馆商务专员以及马来西亚时装批发商工会、印度出口组织联合会、日本服装协会等的代表。博览会的交易方式完全摆脱了服装展销的模式，发展成为符合国际惯例的服装交易会，交易范围也正式由服装延伸到纺织面料辅料。

期间，举办8场参展企业时装拓销表演和服装流行趋势发布表演和6场参展企业商贸新闻发布会，法国罗纳阿尔卑斯地区服装协会带来10名法国模特，举办了法国风情专场时装表演。展会评选出20个男装、女装、童装、休闲装、皮装、面料等最佳品牌，大杨集团的“创世”男装、中兴郡产的“富田”洋服等榜上有名。

二期展9月21～26日举行，展出面积1.5万平方米，设服装服饰、服装机械两大展区，标准展位546个，来自美国、法国、意大利、瑞典、土耳其、德国、荷兰、泰国、日本、韩国及香港、台湾十几个国家地区的企业和相关品牌参展。国内来自北京、上海、广州、天津等387家服装生产企业和服装经销商参加。

展会总成交额达72.2亿元，比上年增长28%。其中一期展成交额达52.9亿元（服装成交额46.8亿元，比上届增长12.5%；面料成交额6.1亿元。），二期展成交额达19.3亿元，分别增长27.2%和30%。（阎树华）

第十二届大连国际服装博览会展会一角。 崔 跃 摄

【2000年中国旅游风景区度假区博览会】 2000年4月20～23日在大连星海会展中心举办。由国家旅游局、大连市政府共同主办，大连市旅游局、大连市城建局、大连星海会展中心和香港工商业展览有限公司承办。

本届博览会首次将旅游风景区、旅游度假区、国家森林公园、大型主题公园、旅行社、旅游饭店、旅游车船公司、旅游工艺品、纪念品和酒店用品生产企业汇于一体，覆盖旅游业吃、住、行、游、购、娱六大要素。室内共设展位886个，展出面积2万平方米；室外设置旅游汽车、轻型飞机、轻体房展场。参展企业1003家，合同成交金额8339万元。本市设立展位130多个，为参展城市中展位最多；合同成交金额8339万元。

【第二届大连国际制冷空调供暖及通风设备展览会】 2000年6月7～10日在大连星海会展中心举办。由大连国际商会展览实业发展公司承办。

展会共设展位150个，其中海外展位50个，霍尼韦尔、新晃制冷、丹佛斯、德鲁美特等海外企业参展。北京清华同方、上海连成泵业、天津百得锅炉、浙江国祥制冷等企业展示最新产品。合同成交金额3800万元。

【大连国际水产品及配套设备展览会】 2000年6月14～17日在大连星海会展中心举办。由大连市政府主办，大连市水产局、大连星海会展中心、香港工商业展览有限公司共同承办。

展会将专业展会与大连海鲜大会有机结合，展出面积5000平方米，国内120家企业、海外10家企业参展。签订合同140项，成交金额3.4亿元。

第二届中国大连国际海事展览会开幕典礼。 星海会展中心 供稿

【第二届中国大连国际海事展览会】 2000年6月27～30日在大连星海会展中心举办。由大连市政府、中国船舶工业行业协会主办，大连船舶工业公司（集团）、大连港务局、辽宁省造船工程学会、大连星海会展中心和香港工商业展览有限公司共同承办。

展会展示船舶制造、港口设备及海运技术、设备，展出面积1万平方米。法国阿尔斯通、英国凯文－休斯、德国STN等240多家国内外企业参展，成交金额2亿元。

期间，中国船舶工业行业协会召开第二届全体会员代表大会；辽宁省造船学会组织召开技术交流会。

【2000 大连国际信息技术暨设备展览会和大连国际电子通信产品展览会】 2000 年 7 月 5～8 日在大连星海会展中心举办。由中国国际贸易促进委员会、大连市政府主办，中国国际贸易促进委员会大连市分会、大连市信息产业局、大连市电信局共同承办。

两展会展出面积 7500 平方米，佳能、三洋、东芝、爱普生、诺基亚以及我国著名 IT 产品制造商联想集团、长城计算机集团、大显集团等 350 家中外企业参展。设置大连市 IT 产品工程和大连市政府及企业上网展区，重点推出高速宽带信息网络基础平台建设、电子商务支付网关、电子安全认证中心建设、8 个领域电子商务示范工程建设、城市一卡通工程。展会成交金额 5.1 亿元。

期间，展会承办单位组织 13 场关于 21 世纪信息产业发展趋向的专题演讲。在大连电子商务新闻发布会上，国家信息产业部负责人宣布大连为全国惟一的国家电子商务示范城市；中国人民银行总行批准大连建设电子商务支付网关和金融安全认证中心大连地区登记注册中心的文件也在会上公布。

【第五届大连国际家具及木工机械展览会和第三届大连国际办公家具及设备展览会】 2000 年 7 月 12～16 日在大连星海会展中心举办。由大连北方国际展览有限公司承办。

两展会展出面积 1.5 万平方米，共设展位 800 个，展示实木家具、藤木家具、卧房家具、办公系列家具及各类木工机械、电动工具、灯饰，385 家国内企业和 45 家海外企业参展，成交金额 32 亿元。

【2000 首届大连国际艺术博览会】 2000 年 8 月 9～13 日在大连星海会展中心举办。由中国美术家协会、大连市文联主办。

博览会展出面积 7500 平方米，展示中国绘画、西洋绘画、雕塑、陶艺工艺品、美术印刷品、艺术用品等。俄罗斯、日本、法国、冰岛、朝鲜、乌克兰、南非等国家和地区，以及国内 25 个省、市、自治区近千名艺术家的近万幅作品参展，其中包括本市 90 多位画家的作品；成交金额 600 万元。

期间，展会主办单位组织举办 21 世纪美术创作与市场研讨会暨优秀作品颁奖会。

【第五届大连国际医疗仪器、卫生设备及医药保健品展览会】 2000 年 8 月 31 日～9 月 3 日在大连星海会展中心举办。由中国国际贸易促进委员会大连市分会、中国国际商会大连商会、大连市卫生局、大连国际医学交流协会主办。

展会展出面积 4000 平方米，展示医疗器械、仪器、设备和医护管理系统及保健品，海内外 168 家企业参展，成交金额 3000 万元。

展会主办单位与美国尼亚拉加系统及软件公司于会后合办大连——美国西纽约在线医疗洽谈会，本市 8 家医院与美国纽约州 20 多家医疗单位、医疗器械和药品厂商进行在线交流洽谈，扩大了合作。

【2000 中国国际环保博览会】 （见第 165 页）

【第七届国际工业原材料及零部件加工展览会、第二届大连国际机床工具、刀具及模具展览会和大连国际机床展】 2000 年 10 月 9～11 日在大连星海会展中心举办。由中国国际贸易促进委员会大连市分会、日本贸易振兴会大连事务所、大连市经济委员会主办。

三展会共设展位 213 个，展出面积 5000 平方米，签订协议 602 项，成交金额 5 亿元。南通、大连、杭州、沈阳、泰州的参展机床全部售出。

【2000 全国秋季化妆洗涤商品（大连）交易会】 2000 年 10 月 14～16 日在大连星海会展中心举办。由中国百货商业协会主办，大连大商集团承办。

交易会展出面积 2 万平方米，设展位 786 个；国内 460 家企业参展，订货商 1.3 万人到会；成交金额 27.5 亿元，比上届增长 10%。

【大韩民国商品展览会】 2000 年 10 月 25～29 日在大连星海会展中心举办。由韩国大韩贸易投资振兴公社主办，中国国际贸易促进委员会大连市分会承办。

展会展出面积 3000 平方米，95 家韩国企业参展，展示机械、电器、化工、纺织、食品和日用品，成交金额 3054 万元。

【第五届大连国际汽车暨零部件展览会】 2000 年 8 月 24～28 日在大连星海会展中心举办。由中国国际贸易促进委员会、中国汽车工业协会、中国国际贸易促进委员会汽车行业分会、中国汽车工业进出口总公司、大连市政府主办，中国国际贸易促进委员会大连市分会、中国汽车工业协会、中国国际贸易促进委员会汽车行业分会、中国汽车工业进出口总公司展示分公司、大连保税区管理委员

2000 首届大连国际艺术博览会开幕典礼。 宣传部 供稿

会承办。

展会展出面积2.3万平方米；有211家海内外企业、349辆整车参展，其中进口车辆272辆，占参展车辆的78%；成交额6.82亿元。

展会协助银行推出购车贷款，共办理贷款购车46辆，销货金额841.5万元。

（葛玉广）

第五届大连国际汽车暨零部件展览会。 市贸促会 供稿

国际会议

【概况】 2000年，大连市举办了一系列国际性会议。其中包括：太平洋经济合作理事会2000年第一次常委会、第十七次亚洲海员高峰会议、东亚六城市经济人会议、2000年中国海外学子辽宁（大连）创业活动周暨科技论坛、首届中国北方企业二板市场上市暨国际风险投资基金融资洽谈会、2000年大连国际信息技术论坛、中美（大连）高级网络技术研讨会、中国—东盟高官磋商行为准则工作组会议、第三届中日律师交流大会、中国经济发展论坛、中印经贸洽谈会、南非经贸洽谈会、国际草坪大会暨第八次全国草坪学术研讨会、第二届中国船员劳务配员和培训国际会议、第五次中日产业研讨会。

西门子、微软、施乐、爱普生、吉田等海外著名公司也在大连举办产品展示会。

（葛玉广）

【太平洋经济合作理事会（PECC）2000年第一次常委会】 2000年4月12～14日在大连香格里拉大饭店召开。中国、澳大利亚、加拿大、美国、新西兰、中国香港等24个国家和地区的百余名PECC领导人、政府官员、知名企业代表参加了会议。PECC以推进亚太地区各经济体之间技术与贸易合作为主要宗旨，每年举行两次常委会，本次常委会主要是研究确定2000年工作目标和协调多边经济合作事宜。PECC中央基金会也同期召开会议。会上，中国PECC向大会推荐大连市作为“PECC城市软环境建设示范点”。

【第十七次亚洲海员高峰会议】 2000年5月8日在大连香格里拉大饭店举行。由中华全国总工会主办。这是首次在中国举行的亚洲国家海员工会首脑会议。来自亚洲10个国家和地区的12家海员工会组织领导人参加了大会。

亚洲海员高峰会议创建于20世纪80年代初期。中国海员工会自1997年参加亚洲海员高峰会议后，对维护亚洲海员的团结和促进合作发挥了积极作用。本次会议主要是讨论国际运联对国际劳工组织最低工资的解释和《海员宪章》以及亚洲海员工会间的协调与合作等。

【2000年中美（大连）高级网络技术研讨会】 2000年6月2日在大连富丽华大酒店举行。由大连市政府主办，中科院计算机网络中心、市信息产业局承办，大连城域网络中心协办。该会议每年在美国或中国举办一次。本次会上，中科院网络中心主任任保平、Internet主席道格拉斯·豪维林、旅美科技协会主席肖水根、MCI技术负责人宋成等中美著名网络专家作了演讲和学术报告。与会代表还参观了大连软件园、大连高新技术产业园区和大连城域网络中心。

【2000年大连国际信息技术论坛】 （见第214页）

【“中国经济发展论坛”大会】 2000年9月7日在大连香格里拉大饭店举行。会议主题是中国的投资机会。来自北美、欧洲、新加坡、日本等国家和地区的海外机构的投资者、中国在海外上市或即将上市公司的高层负责人以及中国有关机构的研究人员近200人参加了大会。

本届论坛大会由法国巴黎百富勤有限公司主办。该公司行政总裁梁伯韬认为，中国巨大的市场潜力给外国投资者带来越来越多的机会。

【国际草坪大会暨第八次全国草坪学术研讨会】 2000年10月8日在连举行。由中国草原学会草坪学术委员会主办，大连汉枫（集团）公司协办。来自美国、加拿大及中国香港、台湾和其他省市自治区的200多位专家、学者参加了会议。会议将研讨会和展示草坪、花卉、水土保持、园林绿化等领域的最新科研成果和实用技术结合起来。会议认为，21世纪，环境问题已被提上重要的议事日程，草坪业作为环境的重要组成部分，必将得到更广泛的关注。

【第二届中国航员劳务配员和培训国际会议】 2000年10月12日在连举行。由中国船东协会主办，中远对外劳务合作公司、大连远洋运输公司承办。BIMCO、ISF等国际著名组织以及国际航运和劳务外派公司的代表，以及来自美国、瑞典、希腊、日本等10多个国家和地区的代表160多人参加了会议。与会代表一致认为，大连有条件成为中国外派海员的基地。

（郑 重）

旅 游 业

责任编辑 郑 彬

概 述

【旅游业概况】 2000年，大连市旅游业依靠稳定的政治和社会条件、开放和快速发展的经济形象以及优美的城市环境，外抓促销，内抓管理和服务，取得了新的进步和发展。全市接待海外旅游者33.8万人次，比上年增长29.5%；旅游创汇2.34亿美元，增长28.6%，分别占全省总数的55.3%和61.2%，在东北地区排名均为第一，在全国各大城市中分别排名第十五和第九。全市接待国内旅游者1800万人次，比上年减少200万人次。

全市实现旅游总收入90亿元，比上年增长21.6%，占全省总数的31%；占全市国内生产总值的8.1%，比上年提高0.7个百分点。旅游业已成为本市国民经济和社会发展重要产业之一。

全市有已开发的景区、景点、度假村160余处，其中自然保护区9个（国家级3个、省级2个、市级4个）、国家级森林公园6个、省级以上风景名胜区3个。

年内，各景区（点）、口岸等单位顺利通过优秀旅游城市复核，有5家景区（点）被评为国家AAAA级景区，列全国副省级城市第一名。旅游纪念品发展到200余种，主要地方工业商品发展到30多个品种。

全市有较大的旅游汽车公司3家：大连外事旅游汽车服务公司、大连联营汽车公司奔驰大巴车队和大连旅游汽车服务中心，共有不同档次的旅游大巴和中巴150多台。

年内，本市争办2001年中国北方十省市旅游交易会获得成功，届时将有2万余人来连旅游、参展。

【旅游基础设施得到加强】 2000年，大连市政府以建设海滨花园城市为思路，把整个城市做为一个大的旅游景点来规划、经营又有新的发展。大连城市环境建设项目荣获迪拜国际改善居住环境最佳范例称号，在全国地产高级论坛会上被评为“全国十佳人居城市”，良好的城市环境为旅游业的发展奠定了基础。

年内，森林动物园二期工程野生动物园、俄罗斯风情一条街、具有日本特色的南山旅游风情街、海军广场、金石国际会议中心、市民网球馆、热带雨林馆、星海蹦极跳、成园山庄温泉浴、希尔顿酒店、旅顺博物馆、旅顺水上人间、金州阿尔滨戏水宫等旅游设施建设和改造项目相继完工并投入使用，新开工建设了金石高尔夫球场二期、现代博物馆、虎滩极地馆、旅顺蛇展馆等较大型的旅游项目。

【海外旅游市场拓展有成效】 至2000年末，大连市海外客源市场已覆盖世界近170个国家和地区，但主要客源市场仍是日本、韩国、台湾地区和港澳地区，与上年相比，位次也未发生变化。

2000年大连市国际旅游市场主要客源

位次	国家或地区	游客人数（万人次）	比上年增长(%)	占海外游客比重(%)
1	日本	15	49.7	44.0
2	韩国	8	23.1	23.0
3	台湾	3.4	30.8	10.0
4	港澳	2.9	16.0	7.6

大连市旅游局全年共派出10批海外促销团组，分赴东南亚及港澳台地区、日本、韩国、俄罗斯、美国、加拿大等地进行促销；邀请台湾、日本、泰国、新加坡、韩国、香港等国家和地区20多批旅行商和代理商来连考察。此外，还在日本、美国、香港等国家和地区的媒体作广告宣传。全年共接待海外包机69架、国际豪华游船5艘。

【“旅游大篷车”促销效果好】 2000年，由大连首创并成为大连旅游宣传品牌象征的“旅游大篷车”共出访9次，出行17个省、市、自治区共60座城市，行程1.7万公里，招徕游客330万人次，实现旅游综合效益18亿元。“旅游大篷车”出行最远、影响最大、条件最为艰苦的一次是沿兰州、西宁、张掖、嘉峪关、敦煌、哈密、吐鲁番抵达乌鲁木齐的第6次远征。《中国旅游报》盛赞此行是我国旅游史上的创举。

【旅游实行网上促销】 2000年，大连市充分利用“浪漫之都——大连旅游商务网”开展系列促销活动，并将大连国际服装节、中国旅游风景区度假区博览会及各种旅游行业动态制成400多条（幅）网页在国际互联网上发布。大连旅游商务网于1998年7月开通，网址是www.daliantourism.com，共设大连旅游、景区景点、网上预订、电子地图等30多个栏目。利用电子业、信息化、多媒体等现代化手段进行旅游宣传促销，对传统的宣传媒体是一个重要的补充，并收到较好效果。

【5个景区（点）被评为国家AAAA级景区（点）】 2000年11月，大连金石滩国家旅游度假区、虎滩乐园、森林动物园、冰峪沟省级旅游度假区和圣亚海洋世界5个景区（点），被国家旅游局首批评定为AAAA级景区（点），列副省级城市第一名。此次全国共评出AAAA级景区（点）187个。

AAAA级景区（点）是国家旅游局评定的软硬件档次最高的景区（点）。

【假日旅游势头强劲】 2000年，大连市的假日旅游红红火火。“五一”期间来连的海内外游客约40万人，市内各大公园门票总收入1477万元；“十一”期间又有50万人来连，各大公园门票总收入达到1558万元。

假日旅游还带动本市相关行业经济效益增长。7、8、9月旅游高峰期间，周水子国际机场每天70多个航班全部满员，每天进出旅客1万多人次；火车站进出旅客6万多人次，还加开开往北京、上海等车次；海港进出旅客2.5万人次；100多家星级宾馆、涉外宾馆基本满员。

（王岩松）

旅行社

【概况】 2000年，大连市有旅行社184家，比上年增加28家。其中：国际旅行社15家，与上年持平；国内旅行社169家，增加28家。全市旅行社共接待国内外游客73.3万人次，其中国内游客60.5万人次、海外游客12.8万人次，分别比上年增长40.9%和49%。

年内，大连市旅游局开展以旅行社为重点的整顿旅游市场活动，规范旅行社经营秩序，处理违规经营的旅行社。共吊销8家旅行社的许可证，通报批评和处理了一些旅行社，给1家旅行社挂了黄牌；吊销14名导游员的导游证。

整顿旅游市场取得阶段性成果。东来旅行社被中央电视台“东方时空”节目表扬；5家旅行社进入全国旅行社百强行列。在辽宁省导游大赛中，大连选手获得个人第二、第三名和团体第一名的好成绩。

【旅游连锁，优势共享】 2000年12月12日，由大连铁道国际旅行社、大连（海港）交通国际旅行社、大连电力国际旅行社和大连北航旅行社等4家旅游企业组成的旅游联合经济组织——铁路、海港、民航、电力旅游联合体正式成立。联合体统一传输处理各种旅游信息，统一线路，统一报价，并在车辆、导游、翻译的使用上互相补充，从而增强联合体内各旅行社的市场竞争力。

【8家旅行社组成联合体】 2000年12月7日，大连市的金桥旅游大连公司、大连国际妇女旅行社、大连和光旅行社、大连航空国际旅行社、大连建设旅行社、大连七星国际旅行社、中国光大旅游大连公司和大连旅顺口国际旅行社等8家旅行社正式组成联合体，与北航共同开发大连出游线路，这标志着大连市旅行社由过去的各自为战，变为整体出击，共同做大旅游市场。联合体组成后，将共同做广告，费用平均分摊，并统一报价、统一合同内容和统一游览行程。同时，坚持利益同享，风险共担，经确定的旅游线路，因各种原因达不到成团人数而造成的亏损，由各家旅行社平均承担；而达到成团人数且盈利的团队，在扣除一切必要的开支后，利润由各家旅行社平均分配。

【东来旅行社为大连旅游业赢得荣誉】 2000年“五一”黄金周期间，中央电视台“东方时空”栏目记者以游客的身份随大连东来旅行社的旅游团出行，对旅游线路包括吃、住、行、游、娱、购进行了全面考察，并于5月5日予以报道。大连东来旅行社以其规范的经营、优质的服务和文明的言谈举止，赢得了赞誉，树立了大连旅游业的良好形象。大连市旅游局为此奖励该社1万元，表彰其为大连旅游业赢得了荣誉。

大连东来旅行社成立于1999年，2000年接待游客8000人，实现销售收入550万元，被评为大连市知名企业、特殊贡献单位和十佳旅游单位。

【5家旅行社进入全国同业百强行列】 2000年，大连市海外旅游公司、大连中国国际旅行社、大连中国青年旅行社和大连市中国旅行社在综合经济效益方面进入1999年度全国国际旅行社百强行列；大连方舟旅行社进入全国国内旅行社百强行列。

【大连中国国际旅行社接待5艘国际游船】 2000年，大连中国国际旅行社共接待游客3.13万人次，其中海外游客2.38万人次。接待国际游船5个：3月，接待世界最大游船美国“鹿特丹”号，美国游客1400多名；4月，接待欧洲豪华游船“天空公主”号，欧洲游客700余名；5月，接待日本北九州“东方维纳斯”号，日本游客400名；7月，接待英国“皇家公主”号，欧美游客1600余名；8月，接待日本“太平洋维纳斯”号，日本中学生400名。

【大连国际商务旅行社接待“跨世纪友好之船”】 2000年12月30日，大连国际商务旅行社接待了来自北京的1艘游船，揭开新世纪大连旅游业的序幕。由于该船是20世纪最后一天来连，21世纪第一天离连，因而被称为“跨世纪友好之船”。船上1000余名游客在连期间游览了市容，参加了在海军广场举行的支持北京申奥的万人签名活动。 （王岩松）

旅游饭店

【概况】 2000年，大连市有旅游涉外星级饭店80家，其中五星级3家、四星级7家、三星级31家，另有待评星级饭店近30家；星级饭店（含待评）共有床位2.9万张。

全市有旅游涉外饭店110家，比上年增加24家；营业收入15.34亿元，增长9.7%；客房出租率57.1%，提高2.85个百分点；平均房价317.65元，增加62.13元。

年内，全市有5家酒店进入辽宁省最佳星级饭店行列，12家酒店进入辽宁省优秀星级饭店行列。

全市有旅游定点单位80家，其中餐馆48家、购物场所24家、娱乐场所8家。各区市县均有星级饭店和旅游定点单位。

【5家酒店被评为辽宁省最佳星级饭店】 2000年，在辽宁省旅游局开展的“达标创优”活动中，大连市的富丽华大酒店、瑞士酒店、东方大厦、凯伦饭店和博览大酒店等5家酒店以较高的软硬件建设水平和服务质量被授予2000年辽宁省最佳星级饭店称号（全省仅评出10家）。另外，香格里拉大饭店、国际酒店、九州饭店、丽景大酒店、北方大酒店、天富大酒店、民航大厦、银帆宾馆、华日酒店、恒元大酒店、国际海员俱乐

部、邮政宾馆等12家饭店被授予2000年辽宁省优秀星级饭店称号（全省共评出41家）。（王岩松）

【瑞士酒店成为五星级酒店】 2000年5月28日，大连瑞士酒店被国家旅游局授予五星级酒店称号，成为大连市第一家由国际酒店管理集团管理的五星级酒店。

该酒店于1998年11月8日开业，楼高37层、136.85米，总占地面积1.2万平方米，建筑面积11万平方米，坐落于市中心高速发展的商业区和购物区，交通十分便利，从酒店乘车到机场需要20分钟，到火车站、长途客运站及客运码头均只需10分钟。拥有327间豪华客房及套房、108套高级公寓、33间写字间；餐饮设施有中餐厅、西餐厅、日餐厅和时尚酒吧；健身中心位于酒店9楼。同时拥有可容纳450人、面积为460平方米的大宴会厅，适合接待大型会议，并可根据要求分隔成3部分，以满足不同会议需要。另外还有3间多功能厅，可作会议及宴会厅使用。（田 荒）

四星级饭店——大连良运大酒店。 良运 供稿

【心悦大酒店成为四星级酒店】 2000年12月3日，经辽宁省旅游局批准，大连心悦大酒店成为四星级酒店。

该酒店是中美合资的涉外商务酒店，坐落于大连商务、金融中心的人民路上，总建筑面积2.9万平方米，楼高32层，拥有223间高级客房、套房和写字间以及可同时容纳300~400人的大宴会厅和桑拿休闲中心；还拥有一支高素质的专业管理人才及员工队伍，运用国际最先进的电脑管理系统，为海内外宾客提供高效满意的服务。

位于青泥洼桥的五星级酒店——瑞士酒店。瑞士酒店 供稿

【良运大酒店成为四星级酒店】 2000年5月25日，经辽宁省旅游局批准，良运大酒店成为四星级饭店。

该酒店由大连粮食进出口接运总公司与香港华贸亚洲有限公司共同投资兴建，是集客房、餐饮、多功能厅、交易市场、写字间、康乐中心等为一体的综合性酒店。坐落于市中心港湾广场南侧，总建筑面积3.4万平方米，楼高26层，拥有266套不同类型房间以及多功能厅、会议大厅和7个中小型会议室，并配有先进的会议设施，以满足各种规模的会议、宴会的需要。（郑 重）

专项旅游活动

【概况】 2000年，大连市定期举办大连国际服装节、烟花爆竹迎春会、赏槐会、旅游购物到大连活动等各种专业、商务等大型旅游活动十余项。还开辟了购房之旅、服装节之旅、旅顺樱花之旅等，并都各具特色，吸引了不少游客。

年内，各区市县也推出各具特色的旅游线路。如旅顺之旅、金石滩之旅、开发区体育之旅、金州大黑山之旅、甘井子大黑石之旅、长海钓鱼之旅、瓦房店仙浴湾——长兴岛之旅、普兰店温泉之旅、庄河黄海大道——冰峪之旅、市内三区的城市风光之旅等。

【第十二届大连国际服装节】 （见第32页）

【2000年大连烟花爆竹迎春会】 （见第33页）

【第十二届大连赏槐会】 （见第34页）

【旅游购物到大连活动】 2000年，大连市继上年后再次举办“冬季旅游购物到大连”活动并获成功，期间接待海外游客6.5万人次、国内游客360万人次，分别比上年同期增长33.2%和22.7%；市内5大商业集团和商场实现零售额26.9亿元，增长16.1%。新推出的“世纪之旅——四季旅游购物到大连”活动也获成功。

【2000年中国旅游风景区度假区博览会】 2000年4月22日，在大连星海会展中心举行，由国家旅游局和大连市政府联合举办。全国31个省市自治区和香港、澳门特别行政区以及新加坡、马来西亚、泰国等国家的参展团参展，共有正式代

表近4000人、非正式代表近5万人；共设展台876个。大连展团阵容强大，共设展台131个。组委会评出6个最佳展台奖，其中大连展团2个。博览会共达成意向协议3800份，协议金额4.5亿元；签订合同1237份，合同金额9000万元。会议期间，1000余名欧洲游客参观了博览会。

【“海上看大连”旅游线路开通】 2000年4月20日，大连开辟了“海上看大连”旅游线路。该线路共有6条，共投入游船48艘、1371个客位。至年末，共完成客运量26万人次，营运收入730万元。

【《大连之夜》旅游文艺专场推出】 2000年4月，为更好地宣传大连，展示大连市专业艺术团体的舞台艺术风貌，推动旅游事业的发展，大连市旅游局于“2000年中国旅游风景区度假区博览会”期间首次推出《大连之夜》旅游文艺专场，之后定期演出。主要演出场所为市广电中心剧场和金石滩金石剧场。至年末，共演出36场，累计有2.2万人次观看了演出。朱镕基、彭珮云、布赫、胡启立等党和国家领导人曾观看过演出。旅游文艺专场的推出，填补了大连旅游的一个空白。 （王岩松）

景区景点

【人民广场】 位于大连市区中心，建于20世纪20年代，始称长者广场。1953年改称斯大林广场，1994年更名人民广场。总面积12万平方米，是市区最大的绿地广场，也是东北地区最早的绿地广场。市内主要交通干道中山路横贯广场东西。

广场由4块舒展开阔的大草坪构成，周边有长青松柏和古银杏树环绕，交叉步道由彩砖和大理石铺成。广场是大连市的行政、司法中心，市人大常委会、市政府、市中级人民法院、市人民检察院和市公安局分布在周围。南部设有长70.8米的欧式柱廊，柱廊上6米高的水帘宛如银河落入池中，近千平方米的主喷泉和四周喷泉伴着音乐起伏跳跃，给广场带来灵气和生机。四周设有一串串“槐花灯”，给美丽的“东方槐城”平添了神韵和浪漫。

【百年城雕】 位于星海广场南部海滨，是1999年为纪念大连建市百年而建。占地5000平方米，长100米，宽50米，形同一本打开的大书平铺在海岸边，刻有各界人士足迹的青铜浮雕由北向南延伸，同城雕主体相接后，又通向由两个孩童组成的雕塑。孩童面向浩瀚大海，手指无际远方，期待着更为美好的未来。整个设计打破常规的立式雕塑手法，开创国内卧式雕塑的先河，匠心独运，寓意深邃，令欣赏者驻足遐想回味无穷。

【大连圣亚海洋世界】 坐落在大连著名的风景区——星海公园内，1995年6月6日开业，由中国、新西兰、香港三方共同投资1亿元兴建，是中国第一座海底通道式水族馆、中国首家通过ISO9002国际质量管理体系认证的水族馆和首批国家AAAA级旅游景区（点）之一。

馆内拥有亚洲最长的118米海底通道，放养来自世界各地的海洋动物近300种、1万余只，游人无需潜水即可置身于美丽神奇的海底世界，漫游于群鱼之中，目睹号称“海中王”的鲨鱼迎面掠食以及“人鲨共舞”的刺激景象，拉近了海洋与人类的距离。游人不但可贴近海洋、回归自然，从海底世界的神奇中感受到精神的愉悦，还获得丰富的海洋知识。馆内还设有舰船模型展厅、热带珊瑚鱼展厅、海豹池、海洋多功能展示厅、极地风光、触摸池、海底通道、放映厅、儿童涂鸦室、西式快餐厅、海洋礼品商店等多个功能区。

【星海公园】 位于大连市南部海滨风景区，是大连市最著名的海滨公园，早在20世纪初就被辟为风景旅游区。“星海”一名由来于公园南面大海深处一座名为“星岛”的小岛，据说那岛是由远古时分天上陨落的星辰化成。

公园总面积20万平方米，是集娱乐、休闲、观光、餐饮为一体的多功能性公园，风景秀丽，景色怡人，设施齐全。分为海水浴场、儿童游乐、高台滑水、观赏休闲四大功能区。700米长的海水浴场是半月形海湾，沙滩均匀细腻，海水清澈，设有水上快艇、划船和大型近海旅游船等项目。休闲活动区草坪宽阔、树丛茂密，活动空间开阔，是散步、晨练及休息的最佳场所，每年都举办各种花卉展和游园会，还经常举办风筝展、龙舟赛、夜泳、冬泳等活动。西部还设有度假村、高台滑水、露天海水游泳池等，供游客充分享用。

公园景观资源丰富、独具特色。其中东山观海、西岫听潮、涌泉溪流、岩崖垂钓、探海幽洞、银湾碧月、驯海归帆、日月星石、玉妆朝阳、槿亭藏秀为十大传统景点。经近年来的规划建设，又形成栈桥挽浪、乐园新姿、松映碧野等8处新景点，使公园充满活力。

【大连森林动物园】 位于市区南部白云山风景区内，依山傍海，环境优美，景色宜人，犹如镶嵌在都市中的一颗滴翠明珠。

总占地7.2平方公里，分一、二期工程。1997年5月一期工程完工，园区面积80万平方米，展出各种动物150余种、1500多头（只），以圈养为主。有花园式的草食动物区、亚洲象馆等，依山营造的猴园、熊山、狮虎山、灵长类展区，处处体现着“动物是人类永远的朋友”这一主题。二期工程野生动物放养园于2000年9月正式开园，园区面积100万平方米，放养动物60余种、2000多头（只），包括从南非引进的跳羚、黑斑羚、石脸牛羚等140多头珍稀动物，这些动物在国内动物园中为该园独有。大种群野生动物放养突出了自然野趣以及人与野生动物亲近的关系。

一、二期工程之间有高空索道相连，缆车经过市区最高山——海拔259.6米西大山，游客可居高临下俯瞰满园景色，饱览全市风光。公园入口处至中心广场建有占地80公顷，具有东方造园特色的园外园，雁水湖内天鹅游戈、鸳鸯戏水，鸟园、孔雀园、鸵鸟园、杏花园和银河广场绿地葱郁、鲜花织锦、流泉鸣弦、鹤鸣幽谷，园内亭台小榭、草庐茅舍无不师法自然。将于2001年1月竣工的我国最大的热带雨林馆占地1万平方米，6000株热带雨林和热带沙漠植物枝繁叶茂、五彩斑斓，煞是壮观，使游人置身于生机盎然、千姿百态的植物王国之中。

公园以自然风光为主，将自然景观与人文景观有机结合，被联合国环境保护专家称为“让人类生活在没有污染的城市环境中，让动物生活在没有人类干扰的自然环境里”的“高品位的动物园”。2000 年被评为国家首批 AAAA 级旅游景区（点）。

【虎滩乐园】 坐落于国家级著名风景名胜区——大连南部海滨风景区的中部，包括北大桥、秀月半拉山、菱角湾和虎滩湾，占地 118 万平方米，有着 4000 余米曲折海岸线，是集游览、观赏、娱乐、科普、休闲和购物于一体的多功能、综合型乐园，是大连市重要的对外旅游窗口。园内花草繁茂，绿树成荫，亭阁错落，曲径通幽，虎牙礁、老虎洞、美人鱼（雕塑）、百虎亭等天然景观与人工景观搭配成趣，使游人流连忘返。

乐园还包含数处各具特色、相对独立的景观。虎雕广场占地 1.5 万多平方米，建有全国最大的花岗岩石雕——群虎。虎雕由我国著名画家、雕塑家韩美林设计，长 35.5 米、高 6.5 米、重 2000 吨，由 500 块花岗岩和大理石雕塑而成 6 只下山猛虎。鸟语林坐落在虎滩湾西南侧、菱角湾北部的山谷里，占地 4.5 万平方米，鸟笼占地 1.8 万平方米，是国内最大的半自然状态的人工鸟笼之一。有鸟禽 80 余种、2000 余只，妙趣横生的孔雀东南飞表演，被称为“虎滩三绝”之一绝。海洋生物展览馆（又称水下世界）是我国第二代水族馆的佼佼者，展出 110 余个品种、2000 多尾（只）海洋生物。这里的“美人鱼表演”被称作“虎滩三绝”的又一绝，令游人感受到人类遨游水下的特别情趣。海洋动物表演馆的海狮表演是“虎滩三绝”的第三绝，开创了我国内地驯化海狮的成功先例。

乐园海边小码头有游艇，可乘船游览大连海上风光。还建有我国第一条跨海缆车索道，供游人从空中俯瞰大海风光和虎滩乐园全貌，居高临下尽享游兴。

2000 年，乐园按照美国专家的设计，开始新建或改造极地馆、海兽馆、渔人码头、东山景区等，将于 2001 年起陆续与游人见面。2000 年被评为国家首批 AAAA 级旅游景区（点）。

【极地海洋动物馆】 坐落在虎滩乐园内，占地 2 万多平方米，将于 2001 年 7 月竣工，秋季对外开放。

全馆分为三大部分：第一部分是极地动物展示，人们可在模拟的极地环境中观赏北极熊、白鲸、海象、企鹅、海豹、海狗、海狮等十几种极地海洋动物，还可通过声光电等高科技手段，真实领略极地风光，感受冰雪世界的魅力；第二部分是海洋动物表演，建有大型海洋哺乳动物的表演剧场，可供虎鲸、海豚、海狮等海洋动物表演，令游客流连忘返；第三部分是鲨鱼展示，可观赏到几十个品种、300 余条鲨鱼的千姿百态，以及惊险刺激的人鲨共舞的场面。

从极地海洋馆出来进入水中广场，经过海洋通道可体验鱼翔海底的快乐。

【海之韵广场】 位于大连市东部海滨，旧时属寺儿沟贫民区，称为东海头。1999 年整治一新，建成海滨广场，总面积 3.8 万平方米，是本市惟一的临山观海广场。

广场由铺装广场、神斧苑绿地、雕塑、瀑布溪流等部分组成。铺装广场地面 5 个变化圆形与海马、海星构成的图案，组合活泼有趣、富于韵律；神斧苑绿地由图腾园、水杉地、溪流、木屋等组成；落差 60 米的瀑布溪流是全市最大的人造瀑布，源头由人工塑造的小桥、流水、木栅栏构成一幅独具特色的江南小景。

广场的主雕塑“海之韵”由 5 根曲率不同的白钢主管为主体，主管 19.9 米、高 9.9 米，象征 1999 年 9 月 19 日大连建市百年，21 只飞翔的海鸥象征飞向 21 世纪，12 个球体象征 12 亿中国人民。《一家三口》、《少先队员》、《母子情》、《垂钓》、《下棋》等写实主义雕塑和数十件雕塑小品造形逼真，呼之欲动，令人赏心悦目。这些作品使海之韵广场成为国内写实雕塑最多的广场，提高了广场的文化品位。

【中山广场】 位于大连市中心，是本市最早的欧式广场，始建于沙俄侵占时期，时称尼古拉耶夫广场。日本统治时期改称大广场。1945 年大连解放后更为现名。广场直径 200 余米，周围 10 幢建筑物与 10 条放射状街道相间排列，是一个文化娱乐兼交通道路引向的星形广场，也是大连市东部文化娱乐、交通、商贸金融活动的中心区域之一。

广场周围建筑风格各异，竞相比美。中国人民银行大楼正面 6 根巨柱，表现了古希腊、古罗马的典型建筑风格；辽宁省外贸大楼的尖塔式建筑体现出哥特式建筑特点；中国银行大楼反映了欧洲文艺复兴时期别致、匀称、细腻的建筑特点，给人们带来建筑艺术的享受。

改革开放以来，广场进行了大规模改造。广场中心玉石铺装的圆台典雅醒目，四周绿地环绕，造型新颖独特的路灯点缀其中，使整个广场充满生机。作为国内第一个音乐广场，广场的文化作用得到充分发挥。夏日夜晚华灯初上，广场上欢声笑语飘荡，歌声舞曲悠扬，洋溢着时代风情。

【星海广场】 位于大连南部海滨风景区，竣工于 1997 年，总面积 4.5 万平方米，是大连市最大的城市公用广场。她的设计充分展示了古老的民族传统与现代文明。广场中央设有全国最大的汉白玉华表，高 19.97 米，直径 1.997 米，以此纪念香港回归祖国，华表底座和柱身共饰有 9 条巨龙，寓意九州华夏儿女都是龙的传人。广场中心由 999 块四川红色大理石铺设而成，红色理石的外围是黄色大五角星，红黄两色象征着炎黄子孙。大理石上雕刻着天干地支、24 节气及 12 生肖。广场周边还设有 5 盏高 12.34 米的大型宫灯，由汉白玉柱托起，光华灿烂，与华表交相辉映。广场四周，按照四周、东周以来的图谱，雕刻了造型各异的 9 只大鼎，每只鼎上以魏碑体书有一个大字，共同组成“中华民族大团结万岁”，它由 9 支鼎托起，象征着中华民族的团结与昌盛。从中心广场南行，便是“百年城雕”。百年城雕的尽头是打开的书形广场，面对无垠的大海，寓意着百年后的大连又翻开了新的一页。从中心广场北行，则是会展中心，它是集展览、会议、贸易、金融、娱乐为一体的具有国际一流水平的现代化建筑，呈半环形，气魄宏大，巍峨凝重。贯穿广场南北的中央长廊，建有喷泉水景大道。整个广场绿草茵茵，每隔 20 米的航标石柱灯一线排开直通大海，典雅肃穆，宁静致远。

【劳动公园】 位于大连市内绿山之下，始建于 1898 年，时称虎公园。1905 年日本侵占大连后进行了扩建，改称西公园、中央公园。解放后，政府发动群众义务劳动整修公园，于荷花池旁竖一石碑，上书“劳动改造世界”，并将公园更为现名。

1995年，市政府决定对劳动公园进行彻底改造，“还园于民，还绿于民”，使百年老园旧貌换新颜。打开1000余米长的围墙，改造和恢复绿地30多万平方米，其中新植草坪26万平方米、乔灌木20万株、应时花卉30万株。新设荟芳园、孔雀牡丹园、鹿鸣谷、竹秀园、台地园、樱花园、观景台、观赏性高尔夫球场、游乐场等景区，还驯养了孔雀、梅花鹿、丹顶鹤、鸽子等动物，增加人与动物的交流，为公园增添一道流动的风景。矗立于公园最高处的巨大的红白相间的足球，则是大连这座足球城的象征。站在公园的制高点绿山观景台，可将滨城美景尽收眼底。

改造后的劳动公园还是举办大型活动的极佳场所，一年一度的赏槐会、服装节游园会，元宵节、“五一”、“六一”、“十一”等节日游园会，以及荷兰郁金香花展等，都在这里举行。

劳动公园内的仿真大榕树。　　程 琳 摄

【旅顺口风景区】　旅顺口是大连市的一个行政区，距市中心区约40公里，地处辽东半岛最南端，濒临渤海、黄海，是国家重点风景名胜区、国家级自然保护区、国家森林公园和历史文化名城。元朝时称狮子口，明朝时因企盼海上旅途一帆风顺而改称旅顺口，沿用至今。

旅顺口是著名的花园城市，有8大景区72个景点。因其独有的奇特自然景观和丰富的近代文化遗址，故有“半部近代史”和“来大连不游旅顺等于没来大连”之说。

太阳沟景区。位于旅顺口西部市区，北依群山，南临海湾，是该区的文化艺术中心。主要景点有旅顺博物馆、中苏友谊塔、胜利塔、苏军烈士陵园、蛇岛自然博物馆等。旅顺博物馆是一所历史艺术博物馆，为国家级近代优秀保护建筑，馆藏古今中外文物和资料10余万件。中苏友谊塔是国家级文物保护单位，建于1955年，是中苏两国人民团结和友谊的象征。胜利塔塔高45米，象征着中苏人民粉碎日本侵略者的伟大友谊和强大力量。苏军烈士陵园埋葬着1945年以来为保卫中苏两国人民共同利益牺牲的苏联红军烈士。

老铁山景区。位于旅顺口区最南端，主峰海拔466米，是旅顺口区最高峰，山势险峻，树木茂密，是候鸟南北迁移的重要停歇地，有“鸟栈”之称，为国家级自然保护区。老铁山前的岬角石岩与山东蓬莱登州头隔海相望，黄、渤两海在此相汇，波激浪涌，形成一道自然界流，十分壮观。清代建造的老铁山灯塔，仍对海上航行起着重要作用。

蛇岛。位于旅顺口区西北部7海里的渤海中，面积0.8平方公里。岛上有黑眉蝮蛇1.8万条，是世界上惟一生存单一蝮蛇的海岛。1980年被国务院批准为国家自然保护区。为使不能上岛的游客了解蛇的生存状态，旅顺新建蛇类生态博物馆，将于2001年4月竣工。

黄金山风景区。位于旅顺黄金山南麓，海岸线900余米，滩洁水清，是理想的海水浴场。岸上建有儿童戏水池、露天游泳池、避暑长廊、淡水淋浴等设施，并有游艇、摩托艇海上观光等项目。

旅顺军港。当年曾被称作世界五大天然良港之一。港湾出口处东西两山对峙，中间航道每次仅可通过1艘舰船。老虎尾半岛横在港湾中间，呈一夫当关、万夫莫开之势，同时又挡住外海的风浪，使港内风平浪静。港口形势险要，易守难攻，日军两次攻陷旅顺都未能从海上攻进来。

【大连经济技术开发区】　位于大连市东北部大孤山半岛金州区境内，距市中心17公里。1984年经国务院批准成立，是我国第一个国家级经济技术开发区。至2000年末，开发面积40平方公里，人口达22万人，38个国家和地区的外商前来投资，全区经济每年以30%左右的速度增长，昔日的荒岛渔村已发展成为一座欣欣向荣的现代城区，成为全国开发区中开发面积最大、城市功能最完备、最有经济实力和影响力的开发区之一。

登上开发区的制高点——炮台山公园观景台，放眼四望，可以纵观开发区全貌，工业区、商业区、行政区、居住区、游览区尽收眼底。造型各异的楼房鳞次栉比，交通网络四通八达，鲜花点缀的草坪比比皆是，处处洋溢着现代化城市的气息。

【金石滩国家旅游度假区】　位于大连市金州区境内，毗邻经济技术开发区，距市中心50公里。1984年开发建设，1988年被国务院批准为国家重点风景名胜区，1992年10月被国务院批准为国家旅游度假区。三面环海，海岸线长29.9公里，陆地面积61平方公里，海域面积58平方公里。6亿年前的地壳变动，在这里的海岸上形成数百处地质奇观，因此被专家和游人称为“中国独一无二、极其罕见、地球不能再生的神力雕塑公园”、“天然的地质博物馆”。

近年来，经过开发建设，一批高档次的旅游项目和景点相继启动和开放，形成由“绿色中心”、“蓝色中心”、“银色中心”和“彩色中心”为骨干的旅游网络。以金石高尔夫球场为主体的“绿色中心”，背依青山，三面环海，草坪如茵，环境幽雅。高尔夫球场水准高，设施齐备、服务全面，已跻身世界著名高尔球场之列；金石高尔夫俱乐部也被中国高尔夫球协会、美国高尔夫球协会和世界旅游协会接纳为会员。国际游艇俱乐部被称为“蓝色中心”，是一个集海滨游乐和高档次综合娱乐于一体的多功能旅游区，海滩沙细波平，阳光充足，碧波荡漾。国际狩猎俱乐部建在“银色中心”，这里植被繁茂，冬季银装素裹，是东北地区著名的集狩猎、餐饮、娱乐、休闲于一体的旅游观光胜地。“彩色中心”有鲜花大世界、生态旅游区和旅游商品市场，一年四季万紫千红，将成为国内著名的花卉生产与集散地。

金石滩还设有标准的国际会议中心、婚礼殿堂、中华武术馆、模特学校，无论是建筑风格、文化品位还是实用功能，都值得一看。金石滩曾连续举行三届世界女子沙滩排球公开赛大连站比赛，并推出“赏金石美景，看沙滩排球，感受夏日风情”为主题的旅游套餐。在1997年辽宁省50佳景评选中，金石滩名列首位；2000年又被评为国家首批AAAA级旅游景区（点）。

【庄河冰峪沟省级旅游度假区】 位于大连市所辖庄河市城北，距庄河市区40公里，总面积130多平方公里，是以奇特秀美的自然山水为主调的山岳型风景区，号称“辽南小桂林”。区内奇峰林立，古木参天，沟谷幽深，溪潭荡漾，禽兽出没，洞奇石异，碧泉雪瀑，四季斑斓。有各种动植物2000多种，堪称“天然的植物王国”，保持完整的原生型赤松、麻栎林生态系统为世界罕见。英纳河、小峪河穿流其间，河水清澈，水质优良，含有多种对人体有益的微量元素。山、河、林、溪、泉的有机结合，形成原始幽静，返朴归真的天然风光。

近年来，度假区依山临水，建造不同档次的别墅群和普通客房，可同时容纳1200名宾客。2000年被评为国家首批AAAA级旅游景区（点）。

【安波温泉】 位于大连市所辖普兰店市安波镇，距大连市内区140公里，距大连经济技术开发区120公里，距金石滩国家旅游度假区100公里。

安波温泉属高温的淡水泉，平均水温70℃以上，其物理性质无色透明，微具硫化氢味，化学成份含可溶性硅酸、高氟重碳酸。温泉治疗作用广泛，对类风湿关节炎、颈椎病、坐骨神经痛、脑血栓形成的后遗症、慢性骨炎、慢性肠炎、重症鱼鳞癣等36种慢性病有较好的浴疗效果。据不完全统计，以温泉为主进行的综合治疗总有效率达94.6%。

【滨海路】 位于大连市南部海滨，是依山傍海的著名景区，西起黑石礁，东至寺儿沟王家屯，全长35公里，宛如一条璀璨的金色项链，镶嵌在连绵起伏的翠绿山岚与浩瀚的大海之间，将南部海滨各大景区连为一体，是观赏南部海滨风光的游览线。沿途有12个景区48个景点，层峦叠嶂，路转峰回，岩岸陡峻，礁岛突兀，姿态万千，美不胜收，青山绿树，郁郁葱葱，山花烂漫，绿茵芬芳。碧海蓝天、青山岛屿、沙滩礁石、崎岖山路与多彩建筑，烟波浩森，惊涛拍岸，燕欧与落霞齐飞，海水共长天一色，恰似一幅优美的大自然长卷。 （景 色）

【大连俄罗斯风情街】 位于大连市西岗区胜利桥北团结街。100年前，俄罗斯人在这里建立起大连第一条街道。2000年，为再现异国风情，市政府决定重新翻建这条街的所有建筑，使其成为集旅游、购物、休闲、娱乐为一体的俄罗斯风情一条街。街长430米，占地3.7万平方米，建筑面积3万平方米，由20栋俄式、欧式建筑组成，绿化率达34%，总投资1.7亿元。街道彩砖铺路，绿地成片，各种俄式、欧式雕塑点缀其中，并有1座露天表演场和俄罗斯风情广场，体现出俄罗斯乃至欧洲的风土人情以及文化、娱乐风格。2000年10月1日竣工并投用。由大连市建设控股有限公司建设。至年末，共接待来自俄罗斯、日本、加拿大、马来西亚、韩国、香港、台湾等国家和地区以及国内的旅游团200个，游客2万余人次。 （江和伟）

【南山旅游风情街】 位于大连市区南山脚下，规划占地面积11.02公顷，建筑面积4万平方米，绿化率30%，总投资4亿元。总体布局突出日本风情特色，追

由大连市建设控股有限公司建设的俄罗斯风情街。 王德辉 摄

求具有代表性的历史人文居住环境。街内设有酒店、旅游综合商店、咖啡店、日本料理店、茶道、花店和文艺表演场所等，是集餐饮、茶道、表演等诸多项目为一体的精品旅游一条街。2000年竣工投用，由新型集团建设。（景 色）

海水浴场

【星海公园浴场】 位于星海公园内，是大连市四大海水浴场之一。海岸线长800余米，沙滩总面积2.2万平方米，为沙粒卵石混合。滩底近岸多为沙砾，约100米以外则为岩石。浴场东西两端各有一座海拔15米深入海面的半岛，形成一钳形海湾，湾内滩平浪稳。浴场实行综合性管理，服务设施齐全，环境优美。

【付家庄公园浴场】 位于大连海滨风景区中部付家庄公园内，海岸线长450米，两端为小丘所夹，中央腹地平坦开阔。经数次改造，沙滩平均宽度31.5米，沙滩广场回填粒沙面积4.7万平方米，沙质柔软。海底近岸为沙砾，约100米以外为岩石。海水污染少，水质清澈，表层水温较低，变化平稳，7～9月达20℃左右。2000年新建3000平方米大型海水多功能游泳池1个、用鹅卵石铺成的按摩路260米、高杆喷泉18个，改造绿地10万平方米，使浴场面貌焕然一新。

【棒棰岛浴场】 位于大连海滨风景区东部，对面海中有一形同棒棰的小岛即棒棰岛。海滩长750米，平均宽度26米，由均匀的小卵石组成。水质清澈，无污染，潮流平稳，潮间带宽约50米。浴场周围山峦起伏，树木茂密，环境幽雅，风景秀丽。浴场实行综合性封闭管理，更衣、淋浴等服务设施齐全。

【星海湾浴场】 为人造浴场，位于大连市星海湾广场南部海岸，由3个海湾组成，湾内由本地砾沙垫底，上铺厚达3米的来自北戴河的细沙。海岸总长1957米，沙滩平均宽度75米。海滩后是花岗岩砌筑的弧形护岸，护岸两头的防波堤使湾内波平浪静。浴场实行综合性封闭式管理，各种服务设施齐备。

【金沙滩浴场】 位于大连市滨海路西段，海岸线长450米，沙滩平均宽度为34.6米，海水碧透，水质优良，人工筛制的细沙滩柔软宜人。晚间设灯光浴场，游客可享受夜游之美。

【东海公园浴场】 位于大连市南部海滨风景区的东海公园内，浴场总面积3.5万平方米，水质优良无污染，沙滩多为鹅卵石。除游泳外，还可以参与快艇、手划船、脚踏船等娱乐活动。

【夏家河子浴场】 位于大连市甘井子区北部渤海边，距市中心16.2公里。海岸线长1.2公里，其最大特点是沙滩广阔平坦细沙均匀，海面风平浪静，海底为柔软的细沙泥质，离岸10米水深也只齐腰，适合初学者游泳，被称为“天然的游泳池”。更衣室、淋浴室、饭店、冷饮店、海上用品租借处等各种服务设施齐备。

【金石滩浴场】 位于金石滩国家旅游度假区内，有“黄金海岸”之称。浴场绵延4.5公里，宽200米，是中国北方最长、最大的浴场和第一个灯光浴场，可同时容纳10万人。浴场水质清澈，清洁度达到国家一级海域标准，沙滩色泽金黄，沙粒圆润。浴场服务设施齐全，设有上千个凉亭、帐篷和阳伞，形成一道沙滩美景。

【黄金山浴场】 位于旅顺港口东部，背依青山，面向黄海，东为模珠礁，西为黄金山电岩炮台，风景秀丽，环境幽静，为夏季旅游避暑之胜地。浴场沙滩长达600余米，沙滩总面积为2.4万平方米，水域面积约10万平方米。岸上为鹅卵石，下部为粗沙，沙滩较平缓，海水清澈，无污染。

浴场有长度为252米的防波提，面积为1050平方米；建有8条泳道的标准游泳池，并设有高度分别为1米、3米、5米3个级别跳水台，四周还设有4个高架灯，即使在夜晚，人们也可以在这里纵情畅游。浴场还建有避暑长廊、儿童戏水池、泳池休息室、更衣室、淋浴室、风景楼饭店、小卖部、停车场等服务设施。浴场北侧还建有旅顺最高档的酒店——黄金山大酒店。每年夏季，这里游人络绎不绝。

【世界和平公园浴场】 位于旅顺开发区杨家村，是大连市鲜有的零污染浴场，2500米的沙滩非常平缓，海水湛蓝，鱼儿成群，欧影点点。这里设有浴场服务室、海边商店、帐篷及泳具出租室、淋浴室、更衣室、停车场等服务设施。望海楼为游客提供餐饮及住宿服务。同时，还有海上游艇等游乐设施。

【大黑石浴场】 位于旅顺口区营城子镇西部，距大连市中心30公里，是大黑石度假村的组成部分。海岸线长3.5公里，水质清澈、滩缓沙纯，游客最多时年达50万人。

【仙浴湾浴场】 位于瓦房店市仙浴湾镇，距大连市区100公里，距瓦房店市区60公里，是仙浴湾旅游风景区的组成部分。浴场沙滩平坦，水质洁净，可容纳20万游客。浴场沙细且均匀，不含粉粘土，特别适宜沙浴。经国家旅游局和辽宁地质所认定，仙浴湾水洁沙优堪称全国之最，海阔景美东北少有，是集海浴、沙浴、旅游、度假为一体的游乐胜地。

【长海县浴场】 长海县是东北地区惟一的海岛县，由112个岛、坨、礁组成。众多的海滨浴场分布在全县大小20多个岛屿中。大长山岛的北海浴场、杨家浴场、鸳鸯湾浴场，小长山岛的庙底浴场、金沙滩浴场，广鹿岛的柳条湾浴场，獐子岛的沙包浴场，海洋岛的苇子沟浴场，石城岛的南海浴场、石林浴场，王家岛的苏家屯浴场，哈仙岛的小李圈浴场，格仙岛的南海浴场等一批优质浴场，以滩缓沙细、海域宽阔、海水清澈、环境优雅深得国内外游客青睐。其中，北海浴场是长海县投资兴建的重点海滨游乐场所，浴场内基础设施完善。

【金光浴场】 位于庄河市黑岛镇东端的黑岛村，是黑岛旅游度假区的重要组成部分。沙滩东西宽300米，南北长约500米，滩平沙细，落潮后平如镜面且踏而无痕，可同时容纳数千人。水质清，无污染，是理想的游泳场所。（于 畅）

信息化与信息产业

责任编辑　郑　彬

概　述

【信息化建设和信息产业发展概况】 2000年，大连市信息化建设和信息产业取得可喜的成绩。

城市信息网络环境和应用水平进一步改善和提高。通过增加新设备和采用新技术，保证了全市各网络互联互通，使信息同城访问速度大幅提高。大连电信163、169四期扩容工程实施后，使大连至省网的出口带宽由155M增至2.5G，网络处理能力大大增强。信息资源的开发建设取得突出进展，启动农业、统计、物价、审计等15个行业信息系统建设。信息网络应用走向普及，全市互联网年末用户数由上年末的5万户增至20万户。政府上网工程进展顺利，有95%的政府部门上网。

电子商务迅速起步，形成良好基础。市政府提出把大连建成东北地区电子商务中心和现代化物流中心的目标，组织实施发展电子商务的“1248”工程。大连被国家信息产业部批准为国家电子商务示范城市。大连电子商务支付网关和地区金融登记注册中心建设完工，电子商务试点项目全面启动。

信息化重点项目取得重要进展。城市“公交一卡通”项目正式启动。多媒体信息查询站项目启动，摆放100个查询亭，为市民提供信息查询服务。

信息产业发展态势良好。全市软件业实现产值9.8亿元，软件产品出口产值4000万美元，信息服务业产值39.55亿元，分别比上年增长78.9%、1.7倍和42%。

【《大连市“十五”国民经济和社会信息化发展专项规划》编制完成】 2000年，大连市计划委员会和大连市信息产业局共同牵头，在组织人员对电信、有线电视等企业以及多家政府部门进行深入调查研究的基础上，编制完成《大连市“十五”国民经济和社会信息化发展专项规划》。《规划》明确提出2001～2005年本市信息化建设的重点任务、重点工程和相关措施，确定了2005年本市信息化综合评测指标达到世界中等发达国家水平的发展目标。

该《规划》是大连市“十五”计划中的第一个专项规划，是本市信息化建设的纲领性文件。它的编制完成，标志着政府在信息化建设中将发挥十分重要的主导作用。　（新国卫）

市委书记、市长薄熙来视察信息产业发展情况。　市信息产业局　供稿

信息技术应用

【概况】 2000年，大连市信息技术的推广应用取得突出进展。政府上网工程进展顺利，95%以上的政府部门实现上网；“城市一卡通”项目启动，组建经营实体，建设网络系统，筹建结算中心，进行试验运行，取得良好效果；多媒体信息查询站项目正式启动，在全市布置多媒体查询亭100处；农业信息网等重点项目也投入建设。

【电子信息技术推广应用成果评优】 2000年，大连市信息产业局组织大连市电子信息技术推广应用成果评优。申报成果近百项，从中评出一等奖20项、二等奖35项、三等奖29项。获奖成果的特点：（1）水平高。有4项达到国际领先水平、7项达到国际先进水平、15项达到国内领先水平、2项填补国内空白。大连高新技术产业园区渔航电脑有限公司研制的船舶导航、卫星通讯、监控指挥综合系统，在支持全球手写中文或英文卫星通信、显示渔区海底障碍物及拖网报警、在电子海图上实现岸对船动态监控指挥，以及实现电子海图、GPS、航海信息和卫星通讯系统的集成等方面，均属世界首创，达到世界先进水平。（2）应用范围广。已由办公自动化、传统产业改造、管理信息系统，发展到EDI（电子数据交换）应用、电子商务、决策支持系统、行业软件的产业化应用、招商引资等，并涉及到各行各业。许多项目的应用体现网络经济与传统经济相结合的优势。如：中国华录松下电子信息有限公司60%的材料采购单发行实现EDI化，并与大连海关联网；大连盛鸿软件有限公司研制的航运系列软件，在全市航运界占90%的市场份额。（3）经济和社会效益显著。据对可计算经济效益的24项成果的统计，2000年可获直接经济效益8527万元。大连石化分公司催化裂化装置模式识别在线闭环自动化优化控制项目运行后，可分别提高汽油、柴油收率0.73个和0.4个百分点，年可增加经济效益900万元以上。

【政府上网工程全面展开】　2000年，大连市政府上网工程全面展开。市政府办公厅、市信息产业局制定《实施政府上网工程推动政务公开的意见》、《实施大连市政府上网工程工作计划》和《政府上网工程技术标准及域名注册管理办法》，积极推进政府上网工程。至年末，全市共有86个政府部门完成网站建设，达到应上网总数的95%以上，居全国前列。

·名词解释·

政府上网工程　由中国电信集团与国务院有关部门策划和统一规划，联合信息产业界的各方面力量（ISP/ICP、软硬件厂商、新闻媒体），推动我国各级政府各部门建立正式网上站点，向全民提供信息和服务。此项工程要求争取2000年有80%的政府部门上网，构建我国的“电子政府”；实施范围涉及国务院各部、委、办、局和各省、自治区、直辖市政府。

【“城市一卡通”工程启动】　2000年，作为大连市“城市一卡通”启动工程的“公交一卡通”，被列为大连市经济建设和人民生活的19件实事之一。经大连市体制改革委员会批准，以大连市第一公共汽车公司、大连市第二汽车公司、大连市公共电车公司和大连市公共汽车联营公司等4家公司为主体，成立大连明珠卡股份有限公司，具体运作“公交一卡通”项目，并与市商业银行达成合作关系。至年末，完成网络系统建设，筹建清算中心、结算中心、充值售卡网点；在公交系统内部发卡2万张，选择有代表性的11条公交线路、260多台运营车辆进行实验测试，为项目的全面铺开奠定了基础。

【多媒体信息查询站项目启动】　2000年，大连市正式启动多媒体信息查询站建设项目，以推进城市信息化，方便市民及外埠来连人员的生活和商务活动。至年末，在全市繁华商业区、码头、车站、大专院校、旅游景点以及居民小区设立多媒体信息查询亭共100处，提供电子地图、购物指南、就医救援等信息。同时通过网络化手段，使信息查询内容随录随新。

【大连农业网开通】　2000年12月，大连市政府确立的农业信息化重点工程项目——大连市农业网(www.dlagri.com)项目全面启动，由市农村工作委员会和市信息产业局共同组织实施。建有农业产品行情、新产品新技术、招商引资、政策法规、市场动态等六大数据库系统，设专家论坛等栏目10多个，50个农业大户、农业科技服务中心、精品农业示范户成为首批上网用户。该网站的建立，缩短了农产品生产者与经销者之间的距离，有利于加速农产品流通，促进农业科技与经济紧密结合，提高本市农产品在国际市场上的竞争力。

【2000年大连国际信息技术论坛】　2000年7月5~6日，2000年大连国际信息技术论坛在大连星海会展中心成功举行。由国家信息产业部信息化推进司和大连市政府主办，大连市信息产业局、大连理工大学和大连市科学技术协会承办。主题是“二十一世纪的城市信息化和电子商务”，旨在促进国际间IT（信息）产业的技术交流和经贸合作，更好地把握信息技术发展的最新趋势。论坛由政府报告和专家论坛两部分组成，重点围绕城市信息化和电子商务发展趋势等议题进行交流，一批国内外资深专家和学者以及IBM、康柏、首信等国内外著名IT企业的高层负责人发表了演讲。

（新国卫）

电子商务

【概况】　2000年，大连市提出“把大连建设成为东北地区的电子商务中心城市”的目标，全面发展电子商务。成立大连市发展电子商务工作领导小组，制定《大连市电子商务发展规划纲要》，提出实施“1248”工程计划，并被国家信息产业部批准为国家电子商务示范城市。

全市电子商务工作进展顺利。电子商务支付网关和地区金融登记注册中心建设完工，几十个电子商务试点项目全面实施，总投资额达数亿元。辽宁省电子商务培训中心和辽宁师范大学电子商务培训中心等培训基地成立，为电子商务发展提供了有力的人才支撑。

【电子商务“1248”工程实施】　2000年，大连市在制定和落实电子商务发展总体框架的基础上，提出实施电子商务“1248”工程：建设1个统一的高速宽带信息网络基础平台；建设2个电子商务关键环节（支付网关、RA中心）；建设4个重要的软环境（管理运营模式、法律法规、技术研发与国际合作、人才培养和舆论宣传）；进行8个重点领域（外贸、口岸物流、商贸、旅游、政府采购、工业、农业、展览业）的电子商务试点。

当年，该项工程进展顺利。大连电子商务支付网关和地区金融登记注册中心建设完工，几十个电子商务试点项目全面启动，全市电子商务工作已初具规模。

·名词解释·

电子商务　是指企业利用当代网络和电子技术从事的一切商务活动，包括内部的协调与沟通，企业之间的合作及网上交易等内容。一方面，企业通过互联网与客户实现充分的交流，实时了解客户的需求；另一方面，企业内部及企业与其合作伙伴之间又通过网络实现高效协同，紧密合作，以最低成本、最快速度满足客户需求。

【大连市被定为国家电子商务示范城市】

2000年6月12日，国家信息化推进工作办公室批准大连市为国家电子商务示范城市，成为全国惟一一个综合性电子商务示范城市。

建设国家电子商务示范城市，就是要按照本市电子商务发展规划，充分利用已有的信息网络，完善相关基础设施和电子支付体系，在进出口贸易、旅游等重点行业开展试点工作，把电子商务示范工作作为推进企业信息化建设的重要内容；同时发挥大连市作为东北经济发达地区和重要的港口城市的优势，通过电子商务示范工作，带动周边地区的经济发展。

【大连市电子商务支付系统建设完工】 经中国人民银行总行批准，大连电子商务支付网关建设项目于2000年10月20日正式启动，年末基本完工，进入调试阶段。支付网关的建设，使本市以“金卡”中心系统为依托，将电子商务的应用真正扩展到网上；可同时实现多种银行卡在网上支付购物，为购买者和销售者提供安全便捷的网上支付服务，对全市电子商务的发展将起到重要的促进作用。

·名词解释·

支付网关 是银行金融系统和因特网之间的接口，是网上交易的中间环节和最基础的设施。建设电子商务支付网关的最终目的是为电子客户和商户提供完善的金融服务，同时支持多种银行卡的网上支付。

【RA认证系统建设完工】 经中国人民银行总行批准，大连电子商务认证工程RA系统建设于2000年10月20日正式启动。该项目遵循中国金融认证中心认证体系，属于国家金融根CA（CFCA）下的大连地区金融RA认证审批中心，将实现颁发CFCA的个人普通证书、Web站点证书、个人高级证书、企业高级证书、DirectServer证书等安全认证功能，为本市电子商务、网上交易提供安全性保证。工程基本建设年末完工，进入调试阶段。

【大连企业协作网正式开通】 2000年12月，由大连理工大学CIMS中心开发，并与大连城域网络中心合作的大连企业协作网(http://dalian - industry. com. cn)正式开通，是市科委、经委、信息产业局组织建设的大连市名牌企业集成化专业网站。该网站集网上资源中心、信息中心、技术交流中心、企业合作中心、电子商务中心等多种功能于一身，深入挖掘全市企业、研究院所、金融机构的人、财、物、技术等资源能力，实现企业间资源共享和优化利用，降低企业资产的总投入；推进企业间协作，实现优势互补并在市场竞争中双赢；提供产购销网上一条龙服务，促进企业的网上营销和宣传。

【辽宁省电子商务培训中心在连成立】 2000年10月22日，辽宁省电子商务培训中心在东北财经大学揭牌。这是全省惟一经省政府正式批准的电子商务培训基地，其前身是1999年8月成立的东北财经大学电子商务教育中心。中心成立以来，举办培训班9期，为政府部门、驻连部队和企事业单位培养电子商务人才280余人，培训空间已从大连延伸到整个东北地区，内容也从电子商务的基础知识深入到其尖端技术。

【中国饲料行业首家电子商务系统在大连开通】 2000年8月18日，中国饲料行业首家电子商务系统——中国饲料在线网站(http://www.chinafeedonline.com)电子商务平台在大连开通。该系统由大连捷讯网络科技有限公司和中国饲料网络有限公司共同投资，是国内惟一的以电子商务为主体和惟一的包含人民币（国内）和美元（国外）市场的行业网站，因此受到国内外业内人士的广泛关注。其电子商务系统可在饲料原料的进口、饲料行业资源的合理分配和产品出口等方面起积极的促进作用。 （新国卫）

支付网关系统工程招投标会开标。 市信息产业局 供稿

信息产业

【概况】 2000年，大连市信息产业呈现出快速发展态势，尤其是软件产业和信息服务业保持着较快的增长速度。全市软件业实现产值9.8亿元，比上年增长78.9%，成为城市经济新的增长点。信息服务业尤其是信息网络服务业发展迅猛，机构大量增加，信息服务业实现产值39.55亿元，比上年增长42%。

【软件业发展迅猛】 2000年，大连市有软件企业200余家。软件业呈现高速度发展态势，实现产值9.8亿元，比上年增长78.9%，其中出口产品产值4000万美元，增长1.7倍，为本市创建国家级软件出口示范城市奠定基础。启用大连软件园创业中心，为软件业发展营造了良好的硬件条件，已有东大阿尔派、中软集团、芬兰诺基亚、日本松下等50多家中外软件企业落户园区，全年园内软件产值达3亿元，其中出口产品产值达1500万美元。

【信息服务业收入创新高】 2000年，随着信息网络环境的改善，大连市出现大量的各类信息服务机构，信息网络服务业蓬勃发展。至年末，全市有信息咨询服务企业2800多家；上网用户20万户，比上年增长4倍；行业收入达到39.55亿元，增长42%。

大连软件园东大分园。 市信息产业局 供稿

【软件产品在国家、省级评选中获奖】 2000年，大连市软件企业根据市场需求，研究开发出一批拥有自主知识产权的产品。在北京举行的2000年中国国际软件博览会上，大连博菲特科贸有限公司的《文献管理集成系统V6.0》、大连同洲电脑有限责任公司的《工程项目管理集成系统V7.2》和大连元极软件技术有限公司的《房地产销售系统V1.0》共3个软件产品获博览会金奖。在辽宁省信息化工作领导小组办公室和省软件产业发展领导小组联合举办的2000年辽宁省优秀软件产品评选中，本市有10家企业的12项产品当选。

【网吧实行许可证管理】 2000年，大连市的网吧从年初的几十家迅速发展到年末的500余家，遍布各区市县。网吧的规模、档次不断提高，从几台电脑发展到几十台电脑。以每家网吧平均20台电脑计算，全市用于网吧的电脑达万余台。网吧的兴起，为普及上网知识、增强市民上网意识、提高市民上网率和繁荣计算机市场做出了贡献，但也存在一些问题。为规范网吧管理，大连市信息产业局等单位依据《大连市公共信息网络管理暂行规定》和《大连市公共信息网络运营许可证管理暂行办法》，从6月份开始，对全市网吧实行许可证管理。11月21日召开大连市网吧工作会议，总结网吧发展状况，肯定其对信息化建设的贡献，同时要求经营者严格执行有关法律、法规和安全保密制度，严禁在网吧内浏览、传播反动不法言论，严禁在网吧内玩游戏，严禁未成年人在没有家长陪同下上网等，以保证网吧健康有序发展。

2000年9月28日，大连数码科技股份有限公司正式成立。
市信息产业局 供稿

【中国网通东北分公司在连成立】 2000年6月18日，中国网通东北分公司在大连成立，负责中国网通在东北地区的基础网络建设和业务经营活动。至年末，中国网通东北分公司已组建黑龙江（哈尔滨）分公司、吉林（长春）分公司、沈阳分公司和大连分公司，其中沈阳和大连分公司负责辽宁全省的网络建设和业务工作。

该公司成立以来，重点加强东北地区的基础网络建设，确定未来3年的多个建设项目，对大连市乃至东北地区的信息化建设和信息产业发展发挥重要作用。

【大连数码科技股份有限公司成立】 2000年9月28日，大连数码科技股份有限公司成立。该公司由市信息产业局、市电信局、市电业局、市广播电视局所属IT企业联合重组，它的成立标志着这些部门打破原有各自为政的局面，开始全面走向联合，实现现有网络资源的整合重组，形成发展合力，是全市信息化建设和信息产业发展过程中的一次重要突破。该公司的发展目标是成为本市信息产业的主力军，创建国内一流、国际知名的高科技企业。 （新国卫）

金 融 业

责任编辑 孙 颖

概 述

【金融业概况】 2000年，大连市金融系统认真贯彻执行国家稳健的货币政策，金融运行态势平稳，对地方经济的持续健康发展提供了有力支持。

信贷总规模呈稳步增长态势。全市金融机构各项存款年末余额1609.7亿元按可比口径计算（下同），比上年增长15.4%，其中人民币存款增长12.2%；各项贷款年末余额1316.9亿元，比上年增长9.2%，其中人民币贷款增长16%。从存款结构看，人民币企业存款呈大幅增长势头，储蓄存款则由于定期存款严重分流而大幅少增；外币储蓄存款增长迅速，增幅达31.4%。从信贷投放看，人民币投放量明显增大，重点启动了个人消费信贷业务，并确保重点工程和项目的贷款；外币贷款呈持续下降趋势。

2000年大连市金融机构类别

	数量(个)
一、银行类	31
1. 国有商业银行	4
2. 国家政策性银行	2
3. 股份制商业银行	9
4. 外资银行	10
5. 农村信用社	1
6. 资产管理公司	4
7. 财务公司	1
二、证券、期货类	3
1. 证券公司	2
2. 商品交易所	1
三、信托投资公司类	5
四、保险类	4

注：表中机构为市及市以上金融机构，不包括分支机构、代表处或营业部。 （钟 和）

2000年大连市金融机构网点情况

	合计	本部	支行	分理处	储蓄所	办事处
工商银行	216	1	16	32	167	—
农业银行	369	1	15	139	213	1
中国银行	117	1	17	22	77	—
建设银行	197	1	18	43	135	—
国家开发银行	1	1	—	—	—	—
农业发展银行	9	1	8	—	—	—
交通银行	65	1	13	25	25	1
中信实业银行	23	1	10	9	3	—
光大银行	12	1	11	—	—	—
广东发展银行	6	1	5	—	—	—
招商银行	5	—	1	4	—	—
民生银行	3	1	2	—	—	—
华夏银行	4	1	—	3	—	—
深圳发展银行	1	1	—	—	—	—
市商业银行	30	1	29	—	—	—
城市信用社	7	5	—	2	—	—
农村信用社	535	144	—	176	215	—
船舶财务公司	1	1	—	—	—	—
信托投资公司	8	5	—	—	—	3
邮政储蓄	219	—	—	—	219	—
外资银行	16	10	—	—	—	6
全市总计	1844	179	145	455	1054	11

注：1. 本部指市分行（中国银行为省分行）和法人金融机构；
2. 单独领取《经营金融业务许可证》的营业部统计在支行项目中。

2000年大连市金融机构主要经济指标完成情况

	单位	年末余额	比上年新增额	比上年增长(%)
总资产	亿元	2109.6	149.0	7.6
总负债	亿元	2104.5	275.8	15.1
存款	亿元	1609.7	215.1	15.4
其中：人民币	亿元	1374.7	149.8	12.2
外币	亿美元	28.1	5.2	22.7
贷款	亿元	1316.9	121.7	9.2
其中：人民币	亿元	1162.5	176.9	16.0
外币	亿美元	18.7	-6.7	-24.4

注：人民币及外币贷款年末余额按国家金融统计口径有所调整，不包含国有商业银行剥离及划转不良资产数字，与上年比较时按可比口径计算。

金融改革继续稳步推进，金融秩序良好。银行、证券、保险各业实现分业经营、分业监管新格局；新设立资产管理公司；地方性金融机构全面进行清理整顿，改组成立农村信用社联社，信托投资公司清理整顿基本完成，清理方案已经实施。

【人民币存款结构变化明显】 2000年，大连市金融机构人民币存款总量稳定增长，结构变化明显。

企业存款增势迅猛。企业存款年末余额501亿元，比上年增加110.7亿元，增长28.4%，尤其是活期企业存款增量较大，年末余额369.6亿元，增加94.8亿元，增量占人民币各项存款全年增量的63%。其主要原因：（1）经济形势向好，企业产销衔接顺畅，销售回笼货款较多；（2）年内贷款投放增多，带来新的派生存款；（3）企业通过股票、债券等形式的直接融资增多；（4）储蓄存款实名制政策的实行，使部分公款私存资金回流。

储蓄存款大幅少增。储蓄存款年末余额777.6亿元，比上年仅增加21.9亿元，同比少增44.9亿元，增长率仅为2.9%。主要是定期储蓄存款分流严重，年末余额616.8亿元，比上年减少9.8亿元，同比少增多降52.6亿元。其主要原因：（1）实行储蓄实名制、征收储蓄利息税以及近年连续7次下调利率等宏观调控政策的作用，使储蓄收益减少；（2）年内发行3期国债、深沪两市综合指数连续攀高、消费市场持续升温等因素的影响，分流了储蓄存款。

对公存款和储蓄存款短期化趋势增强。活期企业存款占企业存款的比重由年初的70.4%升至年末的73.8%；活期储蓄存款占储蓄存款的比重由年初的17.1%升至年末的20.7%。主要是经济趋于活跃、景气状况持续回升，使货币流动性增强。

【信贷投放与国民经济发展同步增长】 2000年，大连市金融机构信贷投放量增加较大，投向重点突出，结构明显改善。人民币各项贷款年末余额1162.5亿元，比上年增加176.9亿元，按可比口径计算增长16%，增幅提高2.8个百分点。其增长速度与当年全市国内生产总值11.8%的增速同步，基本满足本市经济增长的合理资金需求。

贷款的主要投向：（1）满足个人信贷需求，累计发放消费贷款50.4亿元，年末余额比上年增长2.1倍；（2）向商业企业发放流动资金贷款，支持商业购销和网点建设，进一步改善消费环境；（3）配合鼓励投资的宏观政策，增发中长期基本建设贷款，确保大连火车站改造、城市轨道交通、城市电网、引英入连等重点工程的施工进度；（4）以效益为导向，向西太平洋炼油厂、固特异轮胎公司等有发展前景、效益好的外商投资企业增发贷款。

【现金收支呈持续投放态势】 2000年，大连市现金收支相抵仍为投放态势，但投放量比上年减少。全市金融机构现金收入2568亿元，比上年增长15.8%；现金支出2601亿元，增长15.5%。收支相抵，累计投放32.5亿元，比上年减少8.3亿元。其主要原因：（1）消费市场持续见旺，商品回笼比上年多增56.8亿元，服务业比上年多回笼19.6亿元，增幅分别达到24.5%和16.4%；（2）国债销售量比上年增加较多，而兑付量少于上年，有价证券收支比上年多回笼现金8.1亿元；（3）随着银行代收代付业务不断拓展，现金工资支出比上年减少4.7亿元。

【外币存增贷降】 2000年，大连市外币存款保持较快增长，外币贷款持续下滑，存差不断扩大。

外币储蓄存款增速迅猛。全市金融机构外币存款年末余额28.1亿美元，按可比口径计算，比上年增加5.2亿美元，增长22.7%。其中：外币储蓄存款余额18.1亿美元，增加4.3亿美元，增长31.4%；外币单位存款余额8亿美元，增加0.5亿美元，比上年多增0.3亿美元。外币储蓄存款大幅增加的主要原因：（1）5月25日和9月21日2次调整外币储蓄利率后，外币储蓄利率高于人民币储蓄利率1倍多，引发居民产生持有外币的动机；（2）居民的金融风险防范意识增强，开始注重持有国际化货币以减少单一货币的风险；（3）银行金融服务功能增加，如开办本外币一本通、个人实盘外币买卖等业务，带动外币储蓄存款的增长。

外币贷款持续下降。各项外币贷款年末余额18.7亿美元，按可比口径计算，比上年减少6.7亿美元，下降24.4%。由于贷少于存，年末外币资金出现9.4亿美元存差。其主要原因：（1）外币贷款利率明显高于人民币贷款利率，造成企业对外币贷款的需求下降；（2）外资银行因收缩业务减少外币贷款4.75亿美元，占全部外币贷款减少额的71.3%，由于年底科目调整引起的外币贷款减少约2亿美元。

【金融改革】 2000年，大连市金融系统稳步推进金融改革，加大地方性中小金融机构的清理整顿力度，社会公众信心稳定，金融秩序良好。

分业经营、分业监管格局基本形成。人民银行将保险市场的监管职责移交至保监会；信托机构将证券业务剥离出去，成立大通证券公司。银行业、证券业、保险业分业经营，分别接受中国人民银行、证券监管委员会、保险监管委员会派出机构的监管。

设立华融、长城、信达、东方4家资产管理公司的分支机构。全年剥离国有银行不良贷款98.7亿元，实施债转股35.4亿元，改善了银行资产质量，支持了国有企业改革脱困。

清理整顿地方性金融机构。经过改组成立大连市农村信用社联社，增强了全市农村信用社整体抵御风险的能力。信托投资公司清理整顿进展顺利，大连国际信托公司和大连信托投资公司等机构的外债、个人债务兑付工作基本结束，保留的大连华信信托公司增资扩股5亿多元。

【金融服务】 2000年，大连市各商业银行积极以市场为导向，转变经营观念，开发业务新品种，为客户提供优质服务。市工商银行、农业银行、建设银行共有4家营业网点提供24小时服务。各商业银行减化贷款手续，缩短贷款审批时间，将贷款、开立信用证、进出口押汇、开立银行承兑汇票业务纳入统一授信管理体系，共对2640户优质企业实行综合授信，授信总额度达150亿元。开办住房、汽车、电脑、耐用消费品、教育、旅游等多种类消费信贷，新增消费贷款42.6

亿元，有力地刺激了消费需求。成立中小企业信用担保中心。金融电子化建设步伐加快，有11家商业银行实现通存通兑。各商业银行发行信用卡19种、271万张，发卡量比上年增长94%。全市支付清算秩序正常，汇路畅通，票据信用提高。各金融机构所有业务系统均顺利通过闰年日，计算机2000年问题圆满解决。

2000年大连市国有商业银行主要经营指标完成情况

单位：亿元　万美元

	人民币存款年末余额	比上年增长(%)	人民币贷款年末余额	比上年增长(%)	外币存款年末余额	比上年增长(%)	外币贷款年末余额	比上年增长(%)
市工商银行	335.8	5.0	314.3	14.4	48220	16.1	20897	1.7
市农业银行	165.3	14.3	123.6	14.8	9407	68.4	5778	-32.1
省中国银行	101.6	8.7	125.1	16.3	113083	18.1	34488	-2.3
市建设银行	184.9	10.6	123.4	21.9	28691	41.9	4785	-15.3

注:表中数字与上年比较时均按可比口径计算,即包含其剥离出去的不良贷款数字。（姜凤旭）

【金融市场】　2000年，大连市金融市场发展迅猛，市场容量明显扩大，辐射能力显著增强。

票据市场。2月，以光大银行大连分行和招商银行大连支行为主办行的票据贴现市场成立，再贴现政策工具的作用得到充分发挥，增加了地方经济发展的资金来源。各金融机构办理贴现165亿元，人民银行办理再贴现122.4亿元，分别比上年增长5.2倍和6.7倍。

融资市场。5月，以华夏银行大连分行为主体的融资代理市场成立，全年办理资金拆借业务309笔，发生额132亿元。

外汇市场。大连外汇交易中心办理外汇交易5811笔，成交金额11.9亿美元，成交金额比上年增长16%，居全国第五位，列计划单列市首位。（姜凤旭）

银　行

·国有商业银行·

【概况】　2000年，大连地区国有独资商业银行4家，其中一级分行1家、直属分行3家；下辖支行66家、分理处236家、储蓄所592家；从业人员1.5万人。

国有商业银行资金运行平稳，经营管理良好，经营效益有所回升。年末资产总额1188亿元，其中实施不良资产剥离和债转股后，各项贷款余额745亿元，比上年下降5.3%；负债总额1183亿元，其中各项存款余额952亿元，比上年增长7.2%。（姜凤旭）

【市工商银行经营规模居全市同业首位】　2000年，中国工商银行大连市分行人民币存贷款等多项主要经营指标在全市同业中名列前茅。人民币各项存款年末余额335.8亿元，比上年增加16亿元，其中对公存款余额112亿元，增加21亿元，余额及增量分别占本市4家国有商业银行的41%和36%。同业存放年末余额27亿元，比上年增加6亿元，增量占4家国有商业银行的58%。人民币各项贷款年末余额314.3亿元，比上年减少0.2亿元，若剔除剥离不良资产和债转股因素，增加45亿元，其中用于支持地方重点建设项目和拉动消费的个人消费贷款的增量占全部贷款增量的76%。个人消费贷款先后推出个人住房、汽车消费、大额耐用消费品、国家助学、个人旅游等多项贷款业务，成为全市开办个人消费贷款品种最齐全的金融机构。个人住房贷款年末余额达19亿元，其中增量15.5亿元，比上年增长5倍，增量在4家国有商业银行中占比达45%，首次位居全市同业第一，并带动个人消费贷款增量居全市之首。9月18日向大连海事大学37名学生发放本市首批无担保国家助学贷款。结算业务量占本市4家国有商业银行的40%，继续成为本市最大的清算银行。

【市工商银行开展市级银行间首次合作】　2000年12月11日，中国工商银行大连市分行与大连市商业银行签订支付结算业务的代理协议，这是本市银行同业之间首次合作。其主要内容是：市工商银行利用遍布全国的营业网点为市商业银行代理汇票签发、资金清算等业务，双方还可共享信息资源，共同防范恶意逃废银行债务等金融风险。

【市工商银行金融电子化建设在全市同业领先】　2000年，中国工商银行大连市分行电子化覆盖率达到100%，自动取款机ATM和服务终端POS装备数量分别达

2000年，中国工商银行大连市分行积极推介个人消费贷款业务。

市工商银行　供稿

到120多台和900多台，数量居全市同业之首。计算机网络整体水平的不断提高，使竞争能力进一步增强。全行新开发科技项目46项、中间业务品种115项。在东北地区率先推出银证通业务，使股民可就近在工商银行联网的储蓄网点办理多种证券交易和查询业务。与市电信分公司等单位联合推出新一代自助式公众交费通系统，并在本市首批开办网上银行、手机银行、代理国税电子扣税等新业务品种。首家开通面向市民的95588电话银行服务系统。 （厉雪峰）

2000年9月4日，中国建设银行大连市分行与大连理工大学签署开办助学贷款合作协议。
市建设银行 供稿

【市农业银行人民币存款增量居全市国有商业银行首位】 2000年，中国农业银行大连市分行进一步加强与本市证券、保险等金融同业间合作，并与香港东亚银行大连分行签订合作协议，优势互补，共同发展。新增代收公共事业费、代企业理财、代证券法人资金清算等业务28项；首家推出无折存款业务；开办教育储蓄、旅行支票、信用卡加载保险、世纪通宝卡等新业务；开办夜间银行和一站式、电话预约上门等特色服务项目，带动各项存款大幅增加。本外币各项存款年末余额达172.9亿元，比上年增加23.8亿元，其中人民币存款余额165亿元，增加20.6亿元，增量居全市4家国有商业银行首位。

【市农业银行继续实施信贷“双优”战略】 2000年，中国农业银行大连市分行继续发展优势产业，拓展优良客户，信贷质量和效益稳步提高。新发放人民币贷款21.68万元，居全市国有商业银行第二位；新发展优良客户34户。共向优良客户增加贷款14.9亿元，占增量贷款的68.7%。新增贷款主要投向基础设施建设、高科技产业、房地产开发等项目和农业产业化龙头企业、小额存单质押贷款客户，如顺迈房地产公司、实德集团、大杨集团、韩伟集团、瑞泽农药公司等一批规模大、实力强、信誉好、效益佳的优良客户。 （闫寒竹）

2000年，中国农业银行大连市分行与香港东亚银行大连分行签署合作协议。
市农业银行 供稿

【省中国银行开发完善长城卡功能】 2000年，中国银行辽宁省分行充分依靠科技优势，拓展长城卡业务范围。

开通长城卡公众交费通系统。与大连电信部门合作推出新一代自助式交费业务——公众交费通，用户可利用长城信用卡、长城电子借记卡在公众交费通终端上进行自助式查询，交纳各类话费及上网费用。至年末，长城卡持卡人已在该系统办理业务700多笔。

首开长城卡持卡人综合保险业务。与市人民保险公司和人寿保险中山支公司联合推出这一专为长城卡持卡人设计，集信用卡意外责任、家庭财产、人身意外伤害、医疗各保险于一体的特殊优惠保险。至年末，已有500余户持卡人办理此项综合保险。 （龙开洲）

【市建设银行住房金融业务全面发展】 2000年，中国建设银行大连市分行政策性住房存款年末余额36.18亿元，比上年增长29.2%，占全市4家国有商业银行和交通银行大连分行同业的54.3%，其中公积金余额15.1亿元，占同业市场份额的89.2%。累计发放个人住房贷款余额24.1亿元，其中当年发放14.1亿元，比上年增长1.4倍，余额同业占比48.2%。

推出个性化、差别化金融服务项目。在本市率先推出住房贷款“零首付”和对高额首付款比例的客户建立“绿色通道”等新举措。“零首付”面向大专院

2000年，国家开发银行大连分行贷款3.3亿元支持建设大连香海热电厂工程。
国家开发银行大连分行 供稿

校、科研院所具有副教授以上职称和获得博士学位的高素质、高学历人士，在评定其信用等级后，提供100%的个人住房贷款。“绿色通道”是对住宅首付款比例达到50%、公建房首付款比例达到60%的客户，凭有效材料于5个工作日内办理完全部贷款手续。

实行房地产开发信贷项目全过程封闭管理。与开发商组成项目组，共同对项目的开发、施工、销售实行全过程管理直至收回信贷资金，使信贷资金的管理由间接、被动变为直接、主动，实现了贷款风险最小化、投资效益最优化、社会效益最大化。共为海昌房屋开发公司等7家房地产公司提供全过程金融服务，发放贷款5.1亿元。

【市建设银行为教育事业提供金融服务】 2000年，中国建设银行大连市分行与大连市7所高校签订开办助学贷款协议，共向602名特困生发放国家助学贷款和一般商业性助学贷款241万元。为解决长期以来高校新学期学生交费排长队问题，开发完成代收学杂费、代发奖学金软件系统，为部分高校的学生发放具有代扣学杂费、代发奖学金功能的龙卡储蓄卡2万余张。此举在本市尚属首次。全年共为教育行业提供信贷资金3.3亿元。

【市建设银行拓展与保险业合作领域】 2000年，中国建设银行大连市分行与市人民保险公司、平安保险大连分公司、太平洋保险大连分公司签订银保合作协议，内容包括开办银行保险代理业务、开发保险资金清算系统和银行网络售单系统等，使居民可以在该行的营业网点购买保险和缴纳保险费。当年该行代理的保险业务已占全市银行代理保险业务市场份额的74%。

【市建设银行中标财政代发工资项目】 2000年，大连市政府改革财政供养费用发放制度，决定通过招标选择为其代发工资的银行，代发工资的范围是市政府公务员、教育部门以及事业单位的在职员工和离退休人员，代发工资总额1.5亿元。12月18日，市建设银行与其他5家商业银行在开标大会上竞标，最终以科技、效益、服务等总体综合实力一举中标。 （林 源）

·国家政策性银行·

【概况】 2000年，大连市政策性银行分行2家、代表处1家；所辖支行8家，均为农业发展银行市分行的分支机构；从业人员269人。

各政策性银行整体经营情况良好，资产质量有所改善，收息率上升，经营效益提高，较好地支持了国家与地方经济的发展。年末资产总额74.6亿元，比上年增长5.6%，其中各项贷款余额67.4亿元，增长1.8%；负债总额72.7亿元，增长4.3%，其中各项存款余额2亿元，增长1.4倍。 （姜凤旭）

【国家开发银行大连分行重点支持“两基一支”项目建设】 2000年，国家开发银行大连分行继续以支持大连市地方基础设施、基础产业、支柱产业项目的基本建设和技术改造为重点，为香海热电厂、大窑湾港一期工程后6个泊位、双D港主环路3个工程项目提供贷款4.7亿元，年末贷款余额达23亿元。加之历年

2000年，中国农业发展银行总行行长何林祥考察大连北良国家粮食储备库。
市农业发展银行 供稿

支持的引碧入连供水、大化年产30万吨合成氨、大窑湾港一期、大连造船新厂新建船坞等工程项目，累计为本市“两基一支”项目提供贷款70多亿元。当年还受理大连实德集团PVC门窗型材生产线扩建、英那河水库扩建、台山热电厂建设等项目贷款规模总计60多亿元，涉及水利、电力、化工、造船、城建等国民经济重要行业，为本市经济结构调整、城市基础设施建设提供了有力支持。同时为大化、造船新厂（新船重工有限公司）的项目贷款实施12.4亿元的债转股，加快了国有骨干企业脱困进程。

（孙纬新）

2000年大连市股份制商业银行主要经营指标完成情况

单位：亿元　万美元

	人民币存款年末余额	比上年增长(%)	人民币贷款年末余额	比上年增长(%)	外币存款年末余额	比上年增长(%)	外币贷款年末余额	比上年增长(%)
交通银行	76.3	14.9	82.8	19.6	21379	19.8	14992	-21.1
中信实业银行	61.1	14.7	45.9	10.0	6068	32.1	2431	-9.9
光大银行	34.6	16.6	30.3	8.8	9591	63.9	11179	-46.3
广东发展银行	17.8	16.2	11.7	3.7	4136	18.3	1222	58.5
招商银行	24.1	59.9	15.1	5.6	9427	36.0	1610	-6.0
民生银行	11.8	427.6	8.2	666.9	1899	10.2	184	—
华夏银行	11.4	220.3	4.6	237.9	952	—	952	—
深圳发展银行	5.2	—	1.9	—	—	—	—	—
市商业银行	111.4	14.0	72.5	15.0	—	—	—	—

注：交通银行、中信实业银行、广东发展银行均为分行本部数字，不包括下辖外埠分支机构数字。

（姜凤旭）

【市农业发展银行粮油收购资金实现当期封闭运行】　2000年，中国农业发展银行大连市分行按照国务院粮油收购资金封闭管理的政策规定，实现当期收购资金封闭运行。年末各项贷款余额44.77亿元，比上年增加2.1亿元，其中农副产品贷款余额44.47亿元，增加3.81亿元；新发放收购贷款与粮油企业新增库存值比率、销售货款归行率、销售货款收贷率均达100%；贷款利息收回率98.3%，比上年提高1.8个百分点；其他不合理占用贷款下降率6.9%；信贷资金运用率98%。

严格把握贷款投放政策。对保护价粮油，实行“收多少粮、贷多少款”的收购资金报账制度，支持国有粮食购销企业按保护价常年收购，共发放粮食收购贷款5.27亿元，收购粮食53.8万吨；对保护价以外粮油，严格按照“购得进、销得出”和“以销定贷、以效定贷”的收购原则，择优支持企业改善经营，提高经济效益。共发放调销贷款6.19亿元，调销粮食60万吨。　（于　笋）

·股份制商业银行·

【概况】　2000年，大连市股份制商业银行9家，比上年增加1家（深圳发展银行大连分行）；所辖分支机构及网点149家；从业人员3900人。

各股份制商业银行以安全性、流动性、盈利性为原则开展经营活动，积极开发新品种，提高服务质量，竞争实力不断增强，支持了地方经济的发展。年末资产总额510.2亿元，其中人民币各项贷款余额272.8亿元，比上年增长24.9%；负债总额500.5亿元，其中人民币各项存款余额353.7亿元，比上年增长33.8%。

（姜凤旭）

【交通银行大连分行大力发展国际业务】

2000年，交通银行大连分行实行本外币一体化经营，国际业务发展迅速。分行本部国际结算额29.26亿美元，其中贸易结算额13.11亿美元，非贸易结算额16.15亿美元。个人外汇买卖业务规模不断扩大，实现交易5300笔，交易额1.12亿美元，占全市金融机构交易总额的50%以上。为扩大外汇买卖业务，开辟外汇买卖交易室，为个人外汇买卖提供自助交易区；设置路透系统，为客户及时提供外汇牌价、外汇动态等信息；举办经常性外汇买卖专题讲座，从而促进外汇买卖交易量稳步增长。

【交通银行大连分行加快电子化建设步伐】　2000年，交通银行大连分行先后开通与各分支行间的电子邮件系统、报表传输系统，加快了公文和报表传送速度；开发与地税局联网的代扣税系统和银证转账系统；开通本外币一体化实时

2000年，交通银行大连分行在全市首家引进CRS（自动存取款机）并投入使用。　张道滨　摄

电子汇兑系统，提高了资金汇划速度；新购置15台自动取款机（ATM）、4台现金存取款机（CRS）、5台多媒体自助终端（POS）等银行自助设备并投入使用。

（许大海　刘志远）

【中信实业银行大连分行经济效益居全市同业前茅】 2000年，中信实业银行大连分行全辖各项存款年末余额83.5亿元，各项贷款年末余额57亿元；资产总额112.83亿元，实现利润9028.6万元，分别比上年增长9.5%和69.7%，经济效益居全市各商业银行前列。

国际结算业务量创建行以来历史最高纪录。全辖累计进出口结算量4.55亿美元，比上年增长66.8%；实现国际业务收入3055万元人民币，比往年平均收入翻近1番。而且全年未发生一笔信用证项下垫款或押汇逾期不良贷款。

2000年2月29日，大连票据贴现市场成立，光大银行大连分行和招商银行大连支行成为票据贴现市场指定银行。　　招商银行大连支行　供稿

【中信实业银行大连分行推出系列金融零售业务新品牌】 2000年，中信实业银行大连分行推出同时包含活、定期存款的复合型存款账户——中信理财宝。这是银行卡业务的一大创新，其主要特点：（1）活期的便利，定期的收益。运用高科技手段，对客户的大部分资金作定期处理，而将活期账户余额保持在最低水平。（2）灵活支取，利息损失最小。客户使用时如活期账户余额不足支付，计算机系统将按最小的利息损失在定期存款账户中选择一笔或几笔提前支取。（3）智能透支，享用“免费午餐”。如果客户当天用款当天营业结束前存入足够款额，系统将不支取定期账户余额，客户不会损失任何利息。

2000年，中信实业银行大连分行推出“贺禧存单”系列金融产品。　　中信实业银行大连分行　供稿

推出代收美国非移民签证申请费、代传递签证材料业务。凡申请美国非移民签证者，都可凭护照到该行直接缴纳签证费，由该行出具签证申请费收据并发给签证申请表；因私再次赴美人员的签证申请可由该行传递到美国领事馆，同时代领美国领事馆审核后的签证申请材料交还申请人，成为因私再次赴美人员的“绿色通道”。

此外，还推出“贺喜存单”系列品种，开办速汇即付等一批中间业务。

至年末，该行中信卡累计发放9.8万多张，卡均余额2372元，卡均余额在中信银行系统名列第一。　　（杨建辉）

【光大银行大连分行和招商银行大连支行成为大连票据贴现市场指定银行】 2000年2月29日，大连票据贴现市场正式成立，中国光大银行大连分行和招商银行大连支行成为票据贴现市场2家指定银行。

光大银行大连分行年内办理各类票据贴现32.1亿元、转贴现15.8亿元、再贴现33亿元，招商银行大连支行办理各类票据贴现30.7亿元、再贴现28.1亿元，充分发挥了票据市场以大连为中心辐射东北的融资作用，拓宽了企业融资渠道。　　（石新俊　王　漳）

【国内首张公益性金融卡——阳光爱心卡发行】　阳光爱心卡是中国光大银行阳光卡的一种，是光大银行与中国青少年基金会和全国少工委办公室联合发行的我国首张具有公益性的电子化金融支付工具。在不增加持卡人任何负担费用的情况下，光大银行将按持卡消费金额的2‰捐献给社会公益事业。阳光爱心卡集本外币于一体，具有定活期储蓄、转账结算、购物消费等多种用途，还享有阳光卡网上银行、电子汇划等特色服务。11月，阳光爱心卡在大连外国语学院首次发行，至年末发卡逾千张。由于其具有特殊的社会公益功能，深受广大市民尤其是中小学生的青睐。　（石新俊）

【广东发展银行大连分行在东北地区设立外埠支行】　2000年1月，广东发展银行大庆支行成立并正式开业。这是广东发展银行大连分行继沈阳支行后在东北地区开办的又一家异地支行，标志着该分行业务范围已扩展至整个东北地区。至年末，该支行人民币存款余额12.6亿元，日均存款7.58亿元；外币存款余额526万美元；人民币贷款余额1.88亿元；利息收入131.6万元，利息回收率100%；发外币卡47张；实现利润764万元。

【广东发展银行大连分行国际业务发展迅猛】　2000年，广东发展银行大连分行全辖外币存款年末余额4638万美元，比上年增长32.4%，其中储蓄存款余额2064万美元，增长1.5倍；外币贷款年末余额1219万美元；外汇结算业务量6.19亿美元，比上年增长1.2倍，占全市国际业务结算量的7.6%，比上年提高3个百分点；实现外汇利润194万美元，占该行利润总额的41.9%。国际业务已成为该行新的效益增长点。

【广东发展银行大连分行首家推出国际标准的信用卡】　2000年，广东发展银行大连分行推出本市首家按国际标准制作的广发VISA卡，包括外币卡和人民币卡2种。持此卡可在全球200多个国家和地区1700多家商户和50多万台POS机和ATM机上消费、提取现金，也可在网上购物。另外还推出“奥运珍藏版”VISA卡、“奥运明星版”理财通卡等多个卡种。截至年末，共发行各类银行卡4.6万张；人民币信用卡在大连消费77万元，美元信用卡在国际消费30万美元（折合人民币约250万元）。　（贾锰铁）

【招商银行大连支行获ISO9002会计质量体系认证】　2000年10月，招商银行大连支行通过英国BSI太平洋有限公司和中国船级社的质量认证，获得ISO9002会计质量体系认证证书。这是该支行继1998年获ISO9001储蓄服务质量体系认证后再次获得的又一项国际质量体系认证，成为大连市金融业惟一同时获得2项国际认证的商业银行。

【招商银行“一卡通”开发新功能】　2000年，招商银行“一卡通”在一卡多户、自助存取款、通存通兑、商户消费、查询服务、网上支付等服务功能基础上，又增加自助缴纳手机话费、IP网通长话服务、自助贷款、证券买卖、全国统一号码95555电话银行服务等新功能。至年末，“一卡通”累计发卡33.9万张，列大连同业发卡量第三位。　（王　漳）

【民生银行大连分行业务成倍增长】　2000年12月19日，中国民生银行在上海证券交易所挂牌上市，成为继深圳发展银行、浦东发展银行之后的全国第三家上市银行。

中国民生银行大连分行抓住银行股票上市的机遇，将业务重点确定在民营企业、中小企业和高科技企业中优势企业的授信业务、个人金融业务、外汇业务和票据业务方面，并在票据业务、个人金融业务上实现较大突破。与上年相比，资产总量增长2倍，各项存款余额增长2.6倍，各项贷款余额增长6.8倍。

【民生银行大连分行成立个人金融服务中心】　2000年11月13日，中国民生银行大连分行率先在本市金融同业及民生银行系统成立个人金融服务中心，为客户提供汽车消费信贷、二手房按揭等一站式金融服务。在个人金融服务中心，客户的需求在业务窗口一经提出，业务人员就会全面协调经办，客户无需在每个窗口参与银行流程。至年末，共推出个人金融业务品种20余个，贷款户达980户。其中汽车消费贷款抵押登记制度，因业务程序简单、收费合理，受到广泛欢迎。该行还推出集存取款、购物消费、转账结算功能于一体，并具备通讯、保险、代理收付等新功能的民生借记卡，提供更加方便的个人金融服务。至年末，民生借记卡发卡总量突破5万张。　（王丽华）

【华夏银行大连支行成为东北地区融资代

2000年7月18日，深圳发展银行大连分行成立。　陈　忠　摄

理行】 2000年5月，经中国人民银行批准，华夏银行大连支行取得东北地区融资代理行资格，成为大连市惟一办理融资业务的银行。至年末，共办理融资拆借业务309笔，累计发生额132.04亿元，其中从市外为本市金融机构融入资金43.69亿元，初步形成一个立足大连、面向辽宁、辐射东北三省的融资网络，有效地解决了东北地区区域性融资渠道不畅、资金周转不灵，特别是中小金融机构融资难的问题。 （王 凡）

【深圳发展银行大连分行成立】 2000年7月18日，深圳发展银行大连分行成立。这是深圳发展银行在东北地区开设的首家一级分行，下设支行2家。

深圳发展银行大连分行开业后，充分发挥股份制商业银行的优势，稳步扩大业务规模，呈现良好的业务发展态势。至年末，各项存款余额5.23亿元，其中储蓄存款余额5280万元；各项贷款余额2.83亿元。未发生一笔不良贷款，欠息率为零。 （陈弋弋）

【市商业银行个人消费信贷活跃】 2000年，大连市商业银行积极引导个人信贷消费，推出住房、汽车、电脑、钢琴、旅游等个人消费信贷品种，当年发放个人消费贷款2亿多元。特别是汽车消费贷款以其政策灵活和手续办理快捷在车贷市场上引起较好反响，全年发放汽车消费贷款6916万元，占全市车贷市场份额的50%左右，有435户家庭实现购车愿望。当年发放电脑消费贷款1458万元，与联想、方正、海尔、TCL等多家电脑经销商建立合作关系，帮助1466户家庭贷款购买了电脑。

【市商业银行成为全国最大的代保管经营商之一】 2000年3月28日，大连市商业银行代保管中心正式对外营业。该中心实行专业化、自动化管理，确保存放物品安全可靠。引进的活体指纹识别保管箱设备坚固精密，共有6个规格，年租金在230～2680元不等，可保管金银首饰、现金存折、有价证券、古玩字画、邮票、合同契约等。至年末，代保管中心已拥有保管箱2万门，已销售5800门，实现收入130万元，成为全国最大的代保管经营商之一。

2000年，大连市商业银行汽车消费贷款占全市车贷市场份额的50%左右。
市商业银行 供稿

【市商业银行成为东北地区惟一公开市场业务一级交易商】 大连市商业银行自1998年10月参与货币市场运作以来，业务发展迅速。2000年成为东北地区惟一的中国人民银行公开市场的业务一级交易商，国家财政部国债和国家开发银行、中国进出口银行金融债券承销团成员。全年债券结算量达328亿元，比上年增长6倍，居全国金融同业第三十二位、城市商业银行第十五位、东北地区首位；信用拆借资金成交量5.3亿元，比上年增长3.5倍；承销各类国债、金融债券11亿元。通过参与货币市场运作，提高了融资能力，拓宽了融资渠道，资产的流动性明显增强。 （赵兰乾）

·外资银行·

【概况】 2000年，大连市外资银行分行10家，外资银行代表处6家，外资信用卡公司代表处1家；从业人员319人。

经过东南亚金融危机之后，本市外资银行采取稳健的经营策略，贷款发放更为谨慎，资产和贷款规模呈下降趋势。至年末，10家外资银行分行资产总额13.5亿美元，比上年下降35.7%，其中贷款余额7.3亿美元，比上年下降39.2%；负债余额12.5亿美元，比上年下降36.5%，其中存款余额2.4亿美元，增长20%。 （姜凤旭）

农村信用社·邮政储蓄

【农村信用社】 2000年，大连市农村信用社有市级联社1家，区市县级联社8家；具有独立法人资格的农村信用社135家、分社176家，所辖储蓄所共215家。年末各项存款余额146.2亿元，比上年增长8%，其中储蓄存款余额128.7亿元，占88%；各项贷款余额107.6亿元，比上年增长9.3%；存贷比例为73.6%。

当年市农村信用社发放农业贷款20.9亿元，比上年增加2.7亿元，主要用于高科技、高附加值农副产品的生产。

【邮政储蓄】 2000年，大连市邮政储汇局1个，下设邮政储蓄专柜219个，从业人员618人。年末资产总额39.4亿元，比上年增长18%；储蓄存款余额37.6亿元，增长20.1%；实现利润1.1亿元。

（姜凤旭）

【大连市农村信用合作社联合社成立】 2000年5月，大连市农村信用合作社联合社正式成立。这是根据国务院《关于农村金融体制改革的决定》，农村信用社与中国农业银行脱离行政隶属关系3年后，农村信用社管理体制改革的进一步深化。

市农村信用合作社联合社在本市金融机构中网点最多，各项存贷款年末余额均列全市同业第四位，全市 90% 以上的农户贷款和 70% 以上的乡镇企业贷款来自于此。为更好地为农民、农业和农村经济服务，该社调整服务方式和内容，制定切实可行的支农政策，支持农村产业结构调整、农民致富和农业增收。全年发放贷款 9.2 亿元，比上年增加 3.2 亿元，其中农业贷款 3.7 亿元，增加 2.9 亿元，农业贷款占新增贷款的 40.2%；各项贷款年末余额 107.6 亿元，其中农业贷款余额 43.8 亿元，占 40.7%。

（姜　波）

大连市上市公司基本情况一览表

股票名称	上市时间	总股本(万股)		流通股本(万股)		募集资金(万元)		
		上市初	2000 年	上市初	2000 年	首发	配股	合计
大商股份	1993	7175	22616	3500	12013	15500	40152	55652
大冷股份	1993	10100	35002	2700	A：9837 B：11500	A：12800 B：36274	23819	72893
北大科技	1995	7030	28443	1881	8864	4545	6400	10945
大连热电	1996	9750	20230	2500	7597	11658	18109	29767
新太科技	1996	7850	20818	2400	8112	11307	48724	60031
辽宁成大	1996	6200	24757	1550	9781	9936	6600	16536
大显股份	1996	8558	24803	2500	9851	12733	22590	35323
大连渤海	1996	5000	9464	1250	4394	5830	10210	16040
大连友谊	1997	11000	23760	3500	10800	32900	—	32900
国电电力	1997	5100	45827	1280	11502	4145	81700	85845
瓦轴 B	1997	33000	33000	13000	13000	40658	—	40658
盛道包装	1997	10300	18540	4050	8057	25254	—	25254
大化 B	1997	27500	27500	10000	10000	23713	—	23713
铁龙股份	1998	9539	19078	2500	5000	16357	—	16357
大连国际	1998	9543	19307	3500	7350	23625	21300	44925
大龙泉	1998	5000	6100	1872	2246	2835	—	2835
大连金牛	2000	27053	27053	8750	10000	38800	—	38800
大连创世	2000	11000	11000	3500	3500	26950	—	26950
美罗药业	2000	11500	11500	4000	4000	37516	—	37516
辽宁时代	2000	10600	10600	3000	3000	20421	—	20421

（王召华）

资产管理公司·财务公司

【资产管理公司】　1999 年 11 月，中国信达资产管理公司沈阳办事处大连业务部成立。随后，中国长城资产管理公司、中国华融资产管理公司、中国东方资产管理公司相继于 2000 年 2 月、4 月、5 月成立大连办事处。至此，全国 4 家资产管理公司均在大连设立分支机构。

截至 2000 年末，4 家资产管理公司累计接收银行剥离的资产 246.8 亿元，办理债转股 45.8 亿元。其中：信达资产管理公司大连业务部分别为 46.2 亿元和 5.3 亿元；长城资产管理公司大连办事处分别为 49.7 亿元和 7.6 亿元；华融资产管理公司大连办事处分别为 70.6 亿元和 27.8 亿元；东方资产管理公司大连办事处分别为 80.3 亿元（大连地区）和 4.7 亿元。

【财务公司】　2000 年，大连市财务公司 1 家，即大连船舶工业集团财务有限责任公司，负责为集团成员单位提供金融服务。年末资产总额 2.4 亿元，其中各项贷款余额 9632 万元；总负债 1.16 亿元，其中各项存款余额 1.12 亿元；所有者权益 1.21 亿元，利润总额 978 万元。公司经营状况良好。　（姜风旭）

信托投资公司

【概况】　2000 年，大连市信托投资公司 5 家，分别是大连国际信托投资公司、大连信托投资公司、大连开发区信托投资股份有限公司、中国建设银行大连信托投资股份有限公司、大连华信信托投资股份有限公司，年末资产总额 82.9 亿元，负债总额 72.9 亿元，所有者权益 10 亿元。

按照国务院清理整顿信托投资公司的精神，本市开始实施信托投资公司清理方案。大连华信信托投资股份有限公司得以保留，其余 4 家信托投资公司清理整顿工作基本完成，将于 2001 年予以撤销。

【华信信托成为全市惟一保留的信托投资公司】　大连华信信托投资股份有限公司 1987 年经中国人民银行总行批准成立，其前身是中国工商银行大连市信托投资公司，1997 年改制为现名。在 2000 年信托投资公司清理整顿中，成为经中国人民银行总行批准的大连市惟一保留的信托投资公司。2000 年 12 月，经中国人民银行沈阳分行批准，公司实施增资募股，资本金增至 5.01 亿元。年末资产总额 25.3 亿元，负债总额 19.8 亿元，所有者权益 5.5 亿元。　（姜风旭）

证　券

【概况】　2000 年，全国证券市场增资扩容速度加快，股市交易火爆。上证指数年初开盘 1368.69 点，1 月 4 日出现全年最低点 1361.21 点，11 月 23 日出现全年最高点 2125.72 点，年末收盘为 2073.47 点。深证指数年初开盘 3374.11 点，1 月 4 日出现全年最低点 3360.20 点，8 月 1 日出现全年最高点 5062.28 点，年终收盘为 4752.75 点。

受沪、深股市的影响，大连证券市场规模进一步扩大，市场活力持续增强，全年行情始终坚挺，交易活跃。全市新增开户 18.06 万户，比上年增加 12.03 万户，增长 2 倍，累计开户 56.24 万户；证券交易额 1326.29 亿元，创历史最高水平，比上年增长 21.6%，占全国市场份额的 0.99%，其中股票（含基金）交易额 1199.16 亿元，增长 73.8%。

全市有证券公司 2 家，兼营证券业务的信托投资公司 5 家，证券营业部 38 家；具有证券执业资格的会计师事务所及律师事务所各4家，资产评估机构1家，投资咨询机构1家。

全市有上市公司20家，比上年新增4家，其中在上海证券交易所挂牌12家、深圳证券交易所挂牌8家；工业类7家、商业类3家、外贸类3家、公用事业类3家、医药类1家、综合类3家。20家上市公司共有上市股票21只，股本总额43.94亿股；流通股本17.04亿股，其中A股13.59亿股、B股3.45亿股。市属上市公司有15家，上市股票16只，股本总额31.83亿股；流通股本13.30亿股，其中A股9.85亿股、B股3.45亿股。

大连板块证券市场表现良好，资本市场融资额、总体经营业绩等指标在全国位于前列。年内新上市公司4家，总股本6.02亿股；6家上市公司获准配股，其中3家已实施配股，募集资金13.57亿元。全市资本市场融资总额22.06亿元。另有4家老基金合并为金元证券投资基金并上市。截至年末，全市20家上市公司通过发行新股和配股，累计募集资金69.34亿元；加权平均每股收益0.30元，加权平均净资产收益率为10.3%，分别比沪、深两市平均值高出0.09元和2.36个百分点。（于　路　梁　岩）

2000年6月8日，大杨创世股票在上海证券交易所上市交易。　高安斌　摄

【清理规范原有投资基金与非法远程交易网点】　2000年，根据中国证监会《关于大连市原有投资基金清理规范方案的批复》精神，大连市顺利完成原大连利民证券投资基金、工行大连信托可转换债券基金、建行大连信托共同投资基金、大连信托投资收益证券基金4家投资基金的资产置换、合并重组及移交上市工作，重组后的基金命名为“基金金元”，于7月11日挂牌上市。农行大连信托投资证券基金由中国农业银行负责摘牌置换、重组上市，正在运作之中。

按照中国证监会《关于大连市清理规范远程证券交易网点方案的批复》要求，大连证券监管特派员办事处会同政府各有关部门，清理并撤销了辖区内擅自设立的6家非法远程证券交易网点。

（于　路）

【4家公司上市】　2000年，大连金牛、大连创世、美罗药业及辽宁时代4家公司股票上市，总股本6.02亿股；其中大连创世、美罗药业、辽宁时代为年内发行并上市，共募集资金8.49亿元，大连金牛为上年12月获准发行，本年上市。

大连金牛　公司法人股东为大连钢铁集团有限责任公司，主营钢炼、钢压延加工，法人股60.99%。1999年12月7日在深圳证券交易所向社会公众发行A股7500万股，向基金配售2500万股，发行价4.08元，募集资金3.88亿元（扣除发行费用），2000年3月1日上市交易。上市年度每股收益0.274元，净资产收益率为10.03%。发行后公司总股本2.71亿股，流通股本1亿股。

大杨创世　公司法人股东为大杨集团有限公司，主营服装制造，法人股54.55%。4月24日在上海证券交易所发行A股3500万股，发行价8元，募集资金2.695亿元（扣除发行费用），6月8日上市交易。上市年度每股收益0.27元，净资产收益率为7.45%。发行后公司总股本1.1亿股，流通股本3500万股。

美罗药业　公司法人股东为大连医药集团公司，主营药品的生产、批发和零售，国有法人股63.39%。10月12日在上海证券交易所向社会公众发行A股4000万股，发行价9.8元，募集资金3.75亿元（扣除发行费用），11月16日上市交易。上市年度每股收益0.25元，净资产收益率为5.71%。发行后公司总股本1.15亿股，流通股本4000万股。

辽宁时代　公司法人股东为辽宁时代集团有限公司，主营服装及服装面料辅料的进出口和代理业务，国有法人股66.04%。11月6日在上海证券交易所向社会公众发行A股3000万股，发行价7.02元，募集资金2.04亿元（扣除发行费用），11月28日上市交易。上市年度每股收益0.30元，净资产收益率为9.11%。发行后公司总股本1.06亿股，流通股本3000万股。

【6家上市公司配股】　2000年，大连市新太科技、大连国际、国电电力、大龙泉、大连渤海和大显股份6家上市公司获准配股，合计募集资金20.77亿元（扣除发行费用），其中国电电力、新太科技及大连国际3家已实施配股，募集资金13.57亿元。其中：国电电力10配8股，每股16元，募集资金8.17亿元；新太科技10配3股，每股18元，募集资金3.27亿元；大连国际10配1.667股，每股10元，募集资金2.13亿元。

【金元证券投资基金上市】　2000年7月11日，大连市4家原有投资基金经过清理规范后，合并为金元证券投资基金，并在上海证券交易所挂牌上市。

大信收益、建信基金、工信可转、大证利民4家老基金设立于1992年，经过历年送配，至清理规范上市前规模已达2.02亿基金单位。根据国务院清理原有投资基金的要求，中国证监会于1月16日批准同意将4家老基金合并为金元证券投资基金上市，南方基金管理公司为新任基金管理人，湘财证券为上市推荐人。

4家老基金的规范上市，有效地利用市场手段解决了历史遗留问题，化解了金融风险，维护了广大投资者的利益。

（王召华）

【拟上市企业培育】 2000年是我国资本市场发展的重要一年，各项旨在建立和完善资本市场基本框架制度的政策措施纷纷出台，由此带动大连市拟上市企业培育工作取得明显进展。至年末，全市已有拟上市后备企业80家，其中工业23家、商业旅游5家、农业3家、电子3家、房地产5家、高新技术23家、交通运输3家、其他15家。市政府上市办从中筛选出19家企业重点培养，其中拟申请主板上市8家、创业板上市10家、香港创业板上市1家；达到申报标准的13家，6家已按新的核准制要求正式进入辅导程序。

（张 兵）

【大连证券有限公司在深沪证交所综合排名大幅提升】 2000年，大连证券有限责任公司证券经纪代理业务再度实现大幅度跨越式增长，各项经济指标再创历史最高水平，在深圳、上海2个证券交易所中的综合排名已由上年度的第四十八位和五十一位跃升至第三十三位和三十九位。

2000年大连证券有限责任公司主要经济指标完成情况

单位：亿元

	实际完成	比上年增长(%)
证券交易额	760.6	107
手续费收入	2.38	10.7
证券投资开户数(万户)	23.9	47
股民保证金存款额	27.6	120
上缴税金	0.43	82
净利润	0.41	7.8
资产总额	35	78

业务快速发展的主要原因：（1）宏观经济的持续回暖向好，为证券市场的发展营造了良好的外部环境。尤其是大量资金的涌入和大批机构投资者的入市，形成了资金充裕的局面，推动了行情步步走高；（2）公司发挥证券经纪业务主业，并加大证券经纪营业网点的延伸和铺设力度，为业务发展奠定了坚实基础。通过清理规范并报经中国证监会批准，公司所属的柳州的来宾、鹿寨，成都的资阳、新津等7个远程证券交易网点改制为证券交易服务部，有效地扩大了市场占有份额；徐州营业部当年净增股民1万户，继续保持当地“龙头”地位；天津营业部被中国证券业协会评为全国优秀证券营业部；柳州营业部经济效益跃升当地6家营业部首位。

（黄明德）

期 货

【概况】 2000年末，大连商品交易所有会员162家，比上年增加14家；客户2.1万人。全市有期货经纪公司5家、异地期货经纪公司大连营业部4家。

随着大豆交易品种的日趋成熟，大连期货市场在全国的地位愈发举足轻重。大连商品交易所根据市场需要，从4月3日起由半天交易改为全天交易。7月17日，开通豆粕品种交易。虽然受到上年市场低迷惯性的影响，年成交额仍比上年略有提升，达到7817亿元，占全国市场份额的48.6%，由上年的全国第二位跃至第一位。

【期货公司增资复审及从业人员资格认定】 2000年，根据中国证监会《关于期货经纪公司变更登记等有关问题的通知》精神，大连证券监管特派员办事处对大连辖区的辽宁中期、大连万恒、大连北方、辽粮及渤海5家期货经纪公司进行严格初审，5家公司全部通过中国证监会的增资复审，注册资本均由1000万元增至3000万元，并取得变更后的《期货经纪公司许可证》。

5家期货经纪公司的19名高级管理人员在经过严格初审后，也顺利通过中国证监会的复审，取得《期货经纪公司高级管理人员任职资格证书》。此外，东北地区大连考点共有1233人参加全国第一届期货执业资格考试，大连辖区有227人通过考试，获得《期货从业人员资格证书》。

（于 路）

【大连商品交易所成交量跃居全国同业首位】 2000年，在全国期货市场继续萎缩，成交总量和成交总额比上年分别下降25.9%和28.0%的情况下，大连商品交易所市场交易规模和辐射范围不断扩大。全年成交期货合约3496万手，成交额7817.23亿元，分别比上年增长15.2%和21.7%，占全国总量和总额的比重分别由上年的41%和29%提高到64%和49%，成交量跃居全国各期货交

2000年，大连商品交易所成交量居全国各商品交易所首位。图为出市代表正在紧张交易。

大连商品交易所 供稿

易所首位。大豆成交量是美国芝加哥期货交易所大豆成交量的9%，比上年提高1个百分点，是日本东京谷物交易所大豆成交量的1.7倍，巩固了该所世界第二大大豆期货市场的地位。日最高成交量70.7万手，日最高成交额159亿元，均为该所历史最高水平；日均成交量14.5万手，日均成交额32.44亿元，分别比上年增长16%和22%；银行日均存款余额10.5亿元，比上年增长17%。

7月17日，豆粕合约在该所正式上市交易，成为国务院对期货市场进行治理整顿后第一个上市交易的品种。虽然由于国家调整豆粕进出口关税以及粮改政策，导致大豆、豆粕价格一度出现大幅波动，但经过严格的交易规则运作，该品种已初步得到投资者认可，年末持仓量和成交量分别达到1.08万手和1.14万手，是上市之初的8倍。

交易规模持续见旺的主要原因：（1）市场开发力度加大，共组织推介、研讨会56次，培训客户6650人次；（2）大幅降低场内会员增加席位的费用和免收远程交易席位使用费，减轻了会员负担；（3）交易应用系统实现即时结算；通讯方式除采用卫星和DDN专线外，新推出帧中继技术进行异地交易，采用这一技术进行交易的异地会员已有48家，占异地会员总数的50%；（4）增加新的交易场所和席位，开通沈阳和长春交易分厅，远程交易席位由年初的20个增至90个，场内增加的席位由20个增至37个。

5月，该所获共青团中央、中央金融工委授予的全国青年文明号称号，成为全国证券期货系统中惟一获此称号的单位，也是全国金融系统惟一一家以单位整体入选的单位。

【大连商品交易所博士后科研工作站成立】 2000年11月，经国家人事部批准，大连商品交易所设立我国期货行业第一家博士后科研工作站。博士后工作站成立后，将有利于该所吸引高素质优秀人才，提高人才层次、行业地位和科研项目的攻关能力。 （李 强）

保 险

【概况】 2000年，大连市保险业加快管理体制和运营机制改革步伐，积极向国际惯例靠拢，以增强竞争能力，为迎接入世做准备。全市共有金融性保险公司4家，年承保额4458.7亿元，比上年增长24.6%；保费收入23.96亿元，比上年增长10.4%，其中财产险保费收入9.48亿元，人身险保费收入14.48亿元；赔款和死伤医疗给付7.12亿元。财产险综合赔付率为48%。

2000年大连市各保险公司主要经济指标完成情况

	承保额（亿元）	保费收入（亿元）	赔 案（件）	赔给付额款（万元）	赔付率（%）
一、财产险	2710.6	9.48	50059	50763	—
市人民保险公司	1969.9	7.18	36517	40711	56.7
平安保险大连分公司	382.3	1.12	6260	4393	39.3
太平洋保险大连分公司	358.4	1.18	7282	5659	47.9
二、寿险	1748.1	14.48	71660	20321	—
市人寿保险公司	1289.0	4.8	49608	13317	64.3
平安保险大连分公司	427.7	8.76	18811	5191	—
太平洋保险大连分公司	31.4	0.91	3241	1813	—

改革和完善经营管理体制。太平洋保险大连分公司于11月顺利完成产寿险业务分业经营体制改革，实现机构、人员、财务三分离。至此，平安、太平洋2家综合性保险机构均实现分业经营。进一步完善管理体制，市人民保险公司和市人寿保险公司新成立业务管理部门，对业务实行统一集中管理，市人民保险公司开始启动ISO9001：9002国际质量认证体系；太平洋保险大连分公司建立了完善核保、核赔“岗位分设、职能分离、相互监督、相互制约”的管理体系。

全面提升保险服务理念。各保险公司先后成立客户服务中心，开通24小时免费咨询服务电话，太平洋保险大连分公司还开通电子商务网站，全天候提供保险咨询、理赔受理、投诉报案等服务。平安、太平洋保险大连分公司建立起理赔“绿色通道”，承诺简易赔案做到即报即审即赔，复杂赔案报案审批时间快则三五天。市人民保险公司总结20多年经营经验推出保险服务“三段论”理论。

拓展保险业务新的增长点。市人民保险公司推出公众责任保险、医疗责任保险等新险种20多个；太平洋保险大连分公司推出“安居综合保险”等新险种，还针对旅游城市特点扩大人身意外伤害险业务，并为3000名市人大代表承担了人身意外伤害保险；市人寿保险分公司上年推出的“康宁终身保险”以缴费低而灵活性保障性高等特点而广受欢迎，本年保费收入占新单保费收入的46.8%；平安保险大连分公司推出“新世纪系列家庭保险”等新险种。 （钟 和）

【市人民保险公司推出保险服务“三段论”】 2000年6月15日，《中国消费者报》以《中国保险要下好服务棋子》为题，总结推广了中国人民保险公司大连市分公司保险服务“三段论”理论。即：首端服务的成功率，过程服务的满意率，末端服务的到位率。

首端服务的成功率，是指对客户进行广泛宣传，强化其保险意识，从而卓有成效地开展业务，让更多的人自觉接受保险服务。过程服务的满意率，是指保户在正常情况下，对保险公司服务的满意程度。由于保险产品的功能或价值作用是事后显现的，平时客户对它的感受性较差，因此要让客户除了续交保费外，保险公司应该提供过程性服务，使客户在过程中得到满足。末端服务的到位率，是指一旦出险，保险公司应该及时到位，依法理赔。这一阶段的服务需要极强的时效，它关系到客户保险利益的最终实现，同时也可以衡量出保险公司信誉度的高低。保险服务“三段论”推出后，《人民日报》、《金融时报》等报刊给予广泛报道，得到社会各界的充分肯定。在市工商局开通的“12315”消费者投诉电话中，涉及保险服务的投诉较多，而迄今为止对人保大连分公司的投诉仍为零。

【市人民保险公司大力发展责任险】 相对发达国家保险责任险占总保费业务80%以上的比例而言，我国保险业责任险在保费收入中的比例很低，但有着广阔的发展前景，是保险公司业务增长的重要支持力量。自2000年6月起，中国人民保险公司大连市分公司根据总公司统一部署，确定了“以规模效益险种为龙头，以点带面，消灭空白”的思路，并采取系列措施发展责任险业务。一是开展集中宣传，提高社会对责任险的认识，增强投保意识；二是按行业、分系统进行展业，条块结合，上下协同；三是在资金使用、人员培训、物资保障等方面加大投入力度；四是加强指导。机关有关部门重点搞好分析和预测，充分发挥指导和协调作用，针对市场变化，拿出具体对策和措施。先后推出公众责任保险、医疗责任保险、餐饮场所责任保险、旅行社责任保险、产品责任保险、雇主责任保险等20多个责任险险种，使责任险所占比例快速上升，承担社会风险总额2.5亿元。（王加志）

2000年，中国人民保险公司大连市分公司全面启动ISO9001：9002质量认证体系。 市人民保险公司 供稿

【市人寿保险公司开通24小时免费咨询服务热线】 2000年12月14日，中国人寿保险公司大连市分公司开通全市第一条24小时免费咨询服务热线电话，全天候为百姓提供保险咨询、报案、投诉、查询、续收服务等各项服务，并配备了高素质的业务席代表。全年接听咨询电话3200余人次，接待客户上门咨询40余人次，登门服务150余人次，传送保险资料百余份，处理投诉案件30余起，出险报案38人次。

【市人寿保险公司积极发展青少年保险业务】 近年来，中国人寿保险公司大连市分公司积极扩展业务领域，针对学生和青少年的特点，陆续开办了子女教育婚嫁备用金保险、独生子女两全保险、国寿英才少儿保险等八大类20多个适合广大学生和青少年投保的险种。2000年共为全市92万名学生和青少年提供了366亿元的风险保障，收取保费5750万元，为9441人次提供了32万元的伤残给付保险金，为23225人次提供了1004万元的医疗给付保险金，为124人次提供了58万元的死亡给付保险金。（王 刚）

中国人寿保险公司大连市分公司常年设立咨询站向市民宣传保险知识。 刘书法 摄

【平安世纪理财投资连结保险在连发行】 平安世纪理财投资连结保险是国内第一个集投资和保障于一身的非传统个人寿险，于1999年10月23日在上海率先推出。其特点是：（1）产品灵活性高，可以部分领取投资帐户资产；（2）透明度高，可知保费如何分配；（3）专家理财。2000年4月28日，该险种开始在大连发行。因由保险公司专业投资部门对客户投资账户中的资金进行管理和运用，投资账户实行专户管理，资金运作具有规范性和安全性，故一经推出，市场需求不断扩大，购买人数超过4万人，保费超过2亿元。（崔行豫 廖志坚）

【太平洋保险大连分公司完成分业经营体制改革】 2000年下半年，根据中国太平洋保险总公司关于财产保险和人寿保险业务经营体制改革的要求，结合大连的实际情况，太平洋保险大连分公司于11月末顺利完成分业经营体制改革，实现产、寿险正式分业经营。分业经营后的产、寿险分公司分别在市区和瓦房店、庄河市下设8个支公司，实现专业化经营。（孟凡彦）

财政·税务

责任编辑　孙　颖

财　政

【财政收支概况】　2000年，大连市地方财政收入77.61亿元，比上年增长14.2%。其中：市本级收入34.25亿元，增长7.9%；区市县级收入（含开发区，下同）43.36亿元，增长19.8%。加上不构成地方财政收入的上级专项拨款、税收净返还、同财政部结算资金以及调入资金，市地方财政预算执行总财力为95.13亿元。

市地方财政支出95.05亿元，比上年增长12.2%。其中：市本级支出41.56亿元，增长5.2%；区市县级支出53.49亿元，增长18.4%。

2000年大连市预算内财政收支情况

单位：亿元

	金额	比上年增长(%)
财政总收入	228.56	24.3
市地方收入	77.61	14.2
其中：各项税收	72.3	14.6
企业计划亏损补贴	-2.17	-3.6
中央级收入	150.57	33.7
省级收入	0.38	-5
财政总支出	115.7	-2.4
市地方支出	95.05	12.2
其中：基本建设和城市维护费	32.68	17.7
支农支出	3.48	6.1
科技三项费	3.53	34.5
社会保障和抚恤社救事业费	7.53	11.7
价格补贴	1.34	1.5

注：按国家财政部规定，从2000年起，土地有偿使用收入不在一般预算中反映。因此，财政收支中有关数字与上年比较时均按可比口径计算。

收支相抵，市地方财政连续第八年实现收支平衡并结余800万元。其中：市本级结余300万元；区市县级结余500万元。

【重点支持城市建设】　2000年，大连市继续加大公共基础设施建设资金投入。（1）市地方财政拨付建设资金32.68亿元，保证了城市道路综合治理、大连大学扩建、图书馆改造、友谊医院和中心医院改扩建、北三市引水工程建设、森林动物园二期工程建设、先导区基础设施建设、城市自来水管网改造等重点工程资金需要。同时，追加支出实施引英入连供水工程和城市快速轨道交通工程建设。（2）利用国家转贷资金，改造城市供水系统，并扩建马栏河污水处理厂。（3）利用低息日元贷款，建设大钢、大化粉尘处理项目和瓦房店市、庄河市城市供水及污水处理项目。城建支出的加大，改变了市容市貌，解决了制约大连经济发展的瓶颈问题，提高了市民生活质量，并为大连招商引资创造了条件。

【促进工业企业扭亏增盈】　2000年是大连市国有工业企业实现改革脱困目标的最后一年。为确保目标实现，大连市各级财政部门积极推进企业技术进步和产业升级，增加产品科技含量，提高了国有工业企业的技术装备水平和市场竞争能力。市地方财政全年拨付科技三项费3.53亿元，比上年增长34.5%。同时，灵活运用财税政策，通过技改贴息、以奖代补等方式，敦促国有工业调整产业结构和产品结构，扶持企业做大、做强、做优。当年全市国有工业企业资产负债率大幅下降，经济效益明显提高。

【帮助粮食企业脱困】　2000年，为鼓励粮食企业扩大出口和促进陈粮消化，大连市各级财政部门根据国家优惠政策，拨付资金1900万元，专项用于粮食企业出口补贴。全市实现玉米出口6.6万吨，比上年增加5.1万吨。同时，采取顺价销售奖励措施，解决粮食长期压库问题，政策性粮食库存由年初的48.8万吨降至年末的18.2万吨。全市粮食企业当年减亏1100万元，市本级粮食企业实现利润2500万元。

【着力扶持农业发展】　2000年，大连市地方财政支农支出3.48亿元，比上年增长6.1%。主要用于：引进和推广农业新品种、新技术930多项；发展精品农业，加大对黄海大道、沈大高速公路两侧精品农业的资金投入；全面开展造林绿化及农业综合开发项目建设；促进中低产田改造，积极发展节水农业；扶持果品业、水产养殖业和乡镇企业；注重科技兴农，积极推进农业产业化；开发农业旅游资源优势，促进旅游农业的发展。

【加大社会保障事业投入】　2000年，大连市地方财政拨付社会保障和抚恤社救事业费7.53亿元，比上年增长11.7%。其中2亿元用于安置下岗分流职工，为国有企业改革脱困目标的如期实现提供保障；2.15亿元用于补充企业养老基金，保证了全市离退休人员养老金的及时足额发放；3800万元用于城市最低生活保障线资金发放；6200万元用于在城乡开展社会互助和扶贫帮困活动（不包括社会捐助）；还投入资金4500万元，改善了570多个居民委员会的办公条件。

【支持教育和公检法事业发展】　2000年，大连市财政部门多方增加教育事业投入，支持教育事业发展。共拨付教育事业费、教育费附加以及用于教育事业的基本建设费等9.56亿元，其中教育事业费8.4亿元，比上年增长6.5%。此外，安排1000万元建立人才专项发展基金，用于培养、吸引和奖励优秀人才。为保证公、检、法、司部门顺利开展工作，在其他行政事业经费零增长的情况下，公、检、法事业费支出继续保持8.8%的增长率。同时，设立“科技强检”等专项资金，加强检察系统信息化建设，确保全市“扫黄打黑”专项斗争的全面开展。

【支持北三市经济与社会事业发展】 2000年，为支持瓦房店、普兰店和庄河市的经济和社会事业发展，大连市本级财政安排专项资金4亿多元，用于改善小型水利基础设施建设，修建大型水利工程和城市供水系统改造，以及增加农业综合开发投入。还帮助北三市建立健全社会保障体系，解决拖欠公办教师工资问题，争取国债转贷项目6个，利用国债转贷资金1亿元。

【规范预算外资金管理】 2000年，大连市财政部门继续严格预算外资金收支两条线管理，大力清理单位小金库，并对行政事业性收费、政府性基金、罚没收入实行“票款分离”、“罚缴分离”，有效地制止了滥收费、乱罚款现象，防止了财政收入的流失。为规范行政事业单位银行账户的开设和使用，市政府制定并下发《大连市行政事业单位银行账户管理暂行规定》，对市本级605个行政事业单位的1551个银行账户进行清理登记，取消不符合规定的账户221个。

（王家永）

税　务

【2000年大连市纳税50强】 经大连市统计局、市工商局、市国税局、市地税局等单位共同参与评选，评出2000年大连市50强纳税企业大户（见表）。这50家企业共纳税44.7亿元，占全市税收总收入的33.8%。按经济所有制类型分：国有企业13户，外商投资企业22户，股份制企业11户，其他类型企业4户；按行业类型分：工业企业36户，金融企业5户，房地产开发、建筑企业5户，商业企业3户，电信企业1户。

·国家税务·

【税收概况】 2000年，大连市实现国税收入75.73亿元（不含海关代征），按可比口径计算，比上年增长20.1%。其中国内两税（增值税、消费税）收入64.8亿元，增长20.9%。国税收入占全市国内生产总值的比重达到11.8%，比“八五”期末1995年的8.6%提高3.2个百分点，实现国税收入与国内生产总值同步增长。国税收入大幅增长的主要原因：（1）国民经济的稳定发展和企业经济效益的好转为税收增长提供了税源；（2）政策和价格因素带来一次性收入较多，主要是外商投资企业超税负返还、校办企业优惠政策到期、企业期初存货已征税款抵扣减少、恢复征收储蓄存款利息个人所得税等政策性增收加大；（3）税务部门加强征管，打击偷骗税的不法行为，促进了收入增加。

【出口产品退税大幅增长】 2000年，由于受国际经济形势好转、国家出口产品退税率提高、企业自营出口扩大等因素影响，大连市出口退税大幅增长，达到30亿元，比上年增加11.3亿元，增长60.1%，占全国退税总额的3.7%，有力地支持了本市和通过大连口岸出口的外贸企业的发展。

【开展两漏户专项清查】 2000年2～5月，大连市国家税务局集中3个多月时间，在全市开展税收漏征漏管户专项清查。共查出两漏户2783户，跨区管理户710户，未纳入管理的企业分支机构81户，清缴税款和课征滞纳金以及罚款共计391万元。

2000年度大连市纳税50强企业受到市政府表彰并与市领导合影。　李居昌　摄

【建立涉外税收征管新规程】 2000年，大连市国家税务局根据国家税务总局的要求，并结合大连地区实际，制定《大连市涉外税收征管工作规程》，在全市外商投资企业中全面实施涉外税收审计工作规程和审核评税工作制度。对462户企业进行审计检查，查补税款5100万元；对372户企业的纳税申报资料进行审核评税，补税1748万元；启动反避税工作程序，调查16户外资企业转让定价问题，调整企业所得额1.25亿元，查补税款129万元。

【加大税收执法刚性】 2000年，大连市国家税务局坚持依法治税方针，运用税收稽查保全和强制执行手段，加大税收稽查力度，侦破一批涉税大案要案，打击和震慑了涉税犯罪行为。全年查处偷逃税案件1846件，为国家追回税款2亿多元。 （梁振业）

·地方税务·

【税收概况】 2000年，大连市地方税务局组织收入56.34亿元，为历年最多，比上年增长11.3%，若剔除投资调节税停征减收1.11亿元因素，收入实际增长13.8%，增幅为历年最大。

2000年大连市地方税务局组织收入情况

	金额（亿元）	比上年增长（%）
各项收入总计	56.34	11.3
其中：地税收入	49.69	8.2
农业四税	4.56	39.6
教育费附加	1.47	18.2
文化事业建设费	0.16	17.2
地方教育费	0.43	800

从收入级次看，市本级收入26.3亿元，增长5.2%；区市县级收入30.04亿元，增长17.2%。区市县级收入增幅高于市本级收入12个百分点，市本级收入占总收入的比重由上年的49.4%降至46.7%，降低2.7个百分点。

从税种情况看，组织征收的18个税种中有16个比上年有不同程度增长，其中主体税种营业税的增幅达到19.1%，土地增值税增长2倍，农业四税、印花税分别增长39.6%和19.2%。

2000年大连市纳税50强

序号	单位	序号	单位
1	中国石油天然气股份有限公司大连石化分公司	25	大连机车车辆厂
		26	大连金广建设有限公司
2	大连西太平洋石油化工有限公司	27	大连大显股份有限公司
3	华能国际电力股份有限公司大连分公司	28	大连钢铁集团有限责任公司
4	中国东北电力集团公司大连供电公司	29	富士电机大连有限公司
5	日本电产（大连）有限公司	30	柯尼卡（大连）有限公司
6	大连东芝电视有限公司	31	TDK大连电子有限公司
7	万宝至马达大连有限公司	32	中国华录·松下电子信息有限公司
8	中国石油天然气股份有限公司东北销售大连分公司	33	瓦房店轴承股份有限公司
		34	中国工商银行大连市沙河口支行
9	东芝大连有限公司	35	辽宁省电信公司大连分公司
10	大连阿尔派电子有限公司	36	中国工商银行大连市中山广场支行
11	欧姆龙（大连）有限公司	37	中国工商银行大连市甘井子支行
12	国电电力发展股份有限公司东北分公司	38	大连三洋制冷有限公司
13	中国第一汽车集团大连柴油机厂	39	大连冷冻机股份有限公司
14	斯大精密（大连）有限公司	40	大连爱丽思欧雅玛工贸有限公司
15	三菱电机大连机器有限公司	41	大连市烟草公司
16	大连创新零部件制造公司	42	中国工商银行大连市青泥洼桥支行
17	罗姆电子大连有限公司	43	大连天兴新家园有限公司
18	大连华润啤酒有限公司	44	大连重工集团有限公司
19	大连热电股份有限公司	45	利优比（大连）机器有限公司
20	大连固特异轮胎有限公司	46	大连原田工业有限公司
21	辉瑞制药有限公司（中国·大连）	47	大连友谊（集团）股份有限公司
22	大化集团有限责任公司	48	大连海昌房屋开发有限公司
23	大商集团股份有限公司	49	大连万达房地产有限公司
24	中国银行辽宁省分行	50	大连万佳房地产开发有限公司

注：按独立纳税单位缴入市国税局和市地税局的入库税额确定。

2000年，大连市地税局利用多种渠道，开展多种形式的税法宣传活动。图为地税干部向少年儿童普及宣传税法知识。 刘广彬 摄

地方税收增加的主要原因：（1）国民经济稳定发展为税收收入增加奠定了基础。当年全市经济运行情况较好，国内生产总值、社会消费品零售总额、固定资产投资额、进出口商品总额等主要经济指标分别比上年增长 11.8%、9.1%、20.3%和43.5%；（2）财税体制改革促进了税收增加。从年初开始进行的财税体制改革，促使各区市县政府加大清理企业欠税力度，进而使区市县级收入增加4.42 亿元，占地方税收总增加额的77.1%；（3）主体税种营业税的拉动。主要营业税与上年相比，除交通运输业下降2.7%、金融保险业持平外，建筑安装业、服务业、餐饮业分别增长13%、11.8%和13.3%，其他行业增长62.2%。营业税增收额在地方税收总增加额中所占比重达到67.3%，从而拉动地方税收收入比上年提高6个百分点。

【契税收入又创新高】 2000 年，大连市实现契税收入2.81 亿元，又创历史新高，比上年增收1.12 亿元，增长67%。主要是由于本市住房分配货币化改革进一步深化，购房贷款手续更加简化，各类税费又有降低，使本地人购房和外地来连购房踊跃。全市当年销售商品房281万平方米，销售额73.2亿元，分别比上年增长16.6%和30.5%，由此扩大了契税税源。

【不同经济类型税收结构发生变化】2000年，大连市私营、涉外经济税收持续增长，国有、集体经济税收有所下降，私营和涉外经济税收分别实现3.11 亿元和7.26 亿元，分别比上年增长1.2倍和4.2%，尤以私营经济税收增幅较大；而国有和集体经济税收分别实现15.18亿元和7.88 亿元，分别比上年下降14.9%和7.3%。

【严格税收征收管理】 2000 年，大连市地方税务局采取“以票管税”、“定额公开”等办法严格征收管理。

进一步完善发票管理体系。坚持实行发票领购、交验、处罚等“一条龙”管理，严把“验旧供新”关。对欠税大户停供发票，交税后再售发票；在发票检查中发现纳税申报不实时即停供发票，完税后再予恢复。“以票管税”办法的实施，提高了纳税申报率和税款入库率。年内，将交通局、中海客轮有限公司的发票，市各大公园景点、展会的门票，交通公司联合售票处的月票等收据，以及四大保险公司的保单票据全部纳入发票管理体系。

实行核定征收和定额公开制度。对个体私营经济税收实行“一卡通”定期定额管理，并以电子屏幕显示、张榜公布、下发文件等方式公开定额，有效遏制了“人情税”、“关系税”问题的发生。对个体私营经济大户由市局和基层局共同确定税收定额，避免了核定征收的盲目性和随意性。

【积极培育和挖掘新的税收增长点】2000年，大连市地方税务局按照国家财政部和税务总局的要求，结合本市实际，制定并下发《关于进一步明确房地产市场有关税收政策的通知》。按规定对空置商品房免征营业税280万元，对启动房地产市场起到一定作用，并拉动房地产营业税、契税等相关税种收入增加，分别达到5亿元和2.8亿元，分别比上年增长1倍和67%。将纳税申报、代扣代缴、核定征收等征管模式引用到印花税的征收管理中，促进印花税收入持续高速增长，首次突破亿元大关，达到1.04亿元，比上年增长19.2%，是建局初期1995年的3倍。

【强化税源监控】 2000 年，大连市地方税务局重点加强税源管理，不断加大监控力度。

管好税源大户。对全市30多家企业所得税税源大户实行专人直接管理。对上市公司进行3次税源调查，为税源分析和税收决策提供了依据。

完善个人所得税税源监控网络。市局对209家年扣缴税款50万元以上的税源大户、基层局对年纳税10万元以上的重点税源户建立征收档案，科、所对5万元以上的纳税户实行重点管理。分层次逐级监控堵塞了税收漏洞，促进了税收增长。

完成土地使用税税源普查。8月至年末，在全市开展城镇土地使用税的税源普查。普查结果显示，全市城镇土地使用税纳税人共有20016户，应税面积8036万平方米，税源1.71亿元，应税面积和税源分别比普查前数字增加66%和1.6倍。其中：外商投资企业应纳税888户，应税面积1976万平方米，税源3800万元；长期享受免税优惠政策的铁路系统应纳税36户，应税面积1314万平方米，税源4284万元。该项普查摸清了全市土地使用税的税源底数，建立起税源数据库，尤其是为实行内外资企业统一税负的税制改革和对铁路系统恢复征税做了充分准备。

【加大税收执法力度】 2000 年，大连市地方税务部门强化税收执法，有力打击了偷逃税行为。

全面加强税务稽查。共对19473户纳税人进行税务检查，占全部企业的15.5%，查补地方各税（含滞纳金和罚款）4.56亿元，已组织入库3.77亿元。依法采取税收稽查保全和强制执行措施，对37户纳税人暂停支付存款，金额1113万元；对465户企业扣押查封财产，总值701万元，其中5户通过拍卖其财产抵缴税款159万元，确保查补税款及时足额入库。与公安机关联手办理涉税案件361件，已结案325件，结案率达90%；向司法机关移送案件12件，追缴税款846.2万元，课征滞纳金75.8万元，罚款28.8万元。

加强反避税、偷漏税核查，受理国税总局提供的税收情报137份。

【建立地税干部队伍监督机制】 2000年，大连市地税局加强干部队伍建设，建立起内外并举的监督机制。在内部监督方面，实行超前监督、跟踪监督和集中监督，先后3次对市内12个基层局领导班子廉政和行风建设情况进行集中检查考核；在外部监督方面，将办事程序、政策规定、廉政制度、纪律要求、举报电话向社会公布。

8～10月，开展“全市公民评地税”活动，召开座谈会195次，向人大代表、政协委员发放公开信2.5万封、征求意见书4800封，在办税服务厅向纳税人发放征求意见表4500份，走访社会各界人士950余人。根据建议，实行个体税收定额公示制；制定改善外商投资软环境工作的具体方案，取消5个收费项目。

（崔　杰）

经济管理

责任编辑　周万久

综合计划管理

【完成大连市2001年国民经济和社会发展计划编制】　2000年，根据中央经济工作会议和全国计划会议精神，大连市计划委员会在深入调查研究的基础上，编制《大连市2001年国民经济和社会发展计划》，经市十二届人大四次会议审议批准实施。

该项计划安排的总体要求是：巩固和发展经济增长的好势头，抓住机遇，加快发展，乘势而进。依靠体制创新和科技创新，以信息化带动工业化，深化国有企业改革，大力推进经济结构战略性调整。加快区市县经济发展，加大北三市开发力度，努力增加农民收入。积极发展开放型经济，做好加入世贸组织的各项准备工作，扩大就业，完善社会保障体系，进一步提高人民生活水平。促进国民经济持续快速健康发展和社会全面进步。计划提出全市2001年国内生产总值预期目标为1220亿元，比上年增长11%。

【完成大连市“十五”计划纲要编制】　2000年，大连市计划委员会圆满完成《大连市国民经济和社会发展第十个五年计划纲要》的编制。

制定“十五”计划总的指导思想是：以加快发展为主题，以实施经济结构战略性调整为主线，以改革开放和科技进步为动力，以显著提高人民生活水平、改善生活质量为根本出发点。着眼于建设现代化国际城市和基本实现现代化，深入实施四大经济发展战略，全方位推进改革，多层次扩大开发，切实依靠体制创新、科技创新，把环境优势和口岸优势转化为强大的经济发展优势，实现跨越式发展。坚持物质文明和精神文明共同进步，人口、经济、社会、资源、环境的协调发展，增强综合竞争力。既要强市也要富民，大幅度提高城乡居民生活质量，保障人民安居乐业。到2005年，按2000年价格计算的国内生产总值达到1835亿元，年均增长10%以上，人均国内生产总值突破4000美元。

“十五”计划编制过程中，市计委广泛征求社会各界意见，多次征求国家、省、市的人大、政协部分代表和委员，以及政府领导、部分专家学者的意见，并在报纸、电视等新闻媒体上开展大讨论，广泛吸纳各方好的意见和建议。先后十易其稿，最终经市十二届人大四次会议审议通过，开始进入实施阶段。

此外，市计委还组织编制信息化、城镇化、城建与基础设施建设、人口就业与社会保障、高新技术产业、生态建设与环保、水资源保障等7个重点专项规划，也将与“十五”计划同步实施。

【增加市财力投资项目】　2000年初，大连市财力建设投资项目计划安排10.98亿元。年中，根据市委、市政府决策精神，市计划委员会对计划做了调整，主要增加了引英入连应急供水工程、快速轨道交通和北三市的项目建设投资。

全年市财力建设投资的主要投向：基础设施，占26.1%；公用事业，占20.2%；环境整治，占15.3%；社会事业，占22.6%；公检法司，占1.6%；区市县补助，占9.5%。

市财力建设投资计划项目中，现代博物馆主体、国际网球中心、海外学子创业园、海湾广场、海军广场建设和市图书馆、市委党校、市中心医院、市友谊医院、市第五医院改造工程竣工；道路大修工程完工投用；城市轨道电车试验线、海湾大桥至皮口路建设和森林动物园扩建按计划完工。区市县的项目进展顺利。庄河市城西区基础设施、新华路南段、普兰店市城镇供水应急、皮口镇平岛码头、长海县獐子岛海水淡化、金州大黑山道路、大连湾北海路建设和旅顺启新街拓宽改造等完工。引英入连应急供水、英那河水库扩建、城市快轨交通、瓦房店公铁立交桥、长兴岛引水等跨年度的市重点工程项目全面展开，部分工程提前完成建设任务。

【加强市财力投资项目管理】　2000年，大连市加强市财力投资项目的管理工作。(1) 加强项目的招投标管理。进一步完善招投标工作的组织机构，修改招投标工作实施细则，实际执行成效明显，绝大多数财力投资项目都按照程序实行规范的招投标，并取得良好经济效果。(2) 严格控制财力投资的使用。在落实项目管理责任制和自筹资金等条件后，由市计委和财政局会签下达执行计划和预算指标，将预安排的投资额做为控制指标，实际执行计划根据项目招投标中标结果下达；资金包干使用的项目必须在包干额度内完成规定的建设内容；一次性补助项目严格控制投资规模和建设内容，市财力不追加投资。(3) 严格实行建设项目管理责任制。由市计委、建委、财政局、审计局和主管部门、建设单位签订《市财力建设投资项目管理保证书》，项目实施后按责任状所规定的责任进行严格的检查落实。(4) 严格按照基本建设程序组织建设。对不落实建设条件、手续不完善、资金留有缺口的项目不下计划、不拨款、不批准开工建设。

【争取国家资金工作成绩显著】　2000年是国家增发国债投资，加快基础设施建设的第三年。大连市计划委员会和市有关部门积极工作，新争取到国债投资

3.39 亿元，其中中央财政债券 1.29 亿元、地方财政债券 2.1 亿元。至此，本市（地方）3 年累计争取到国债投资 14.18 亿元，其中中央财政债券 3.45 亿元、地方财政债券 10.73 亿元。利用这些资金，安排农林水利、公路、城市基础设施、公检法司、旅游基础设施、高科技产业化等方面项目 72 个。项目实施总体情况良好，一大批项目建成或部分建成投产并发挥效益。

2000 年大连市国有资产总量及构成

金额单位：亿元

	户数	资产总额	其中		
			国有资产	负债总额	总资产负债率(%)
合计	3894	1581.1	564.0	969.0	61
企业	728	985.9	326.6	611.2	62
预算单位	2455	134.4	93.6	40.8	30
建设单位	700	202.4	129.7	72.7	36
金融单位	11	258.4	14.1	244.3	95

注：此表为 3894 户占有国有资产汇编统计单位的统计。

【推进重点基础设施项目前期工作】 2000 年，大连市一些重大项目的前期工作有所突破。20 万吨矿石码头、30 万吨原油码头前期工作进展顺利；烟大火车轮渡项目建设的合资公司即将成立；现代有轨电车改造项目前期工作顺利进行；英那河水库扩建工程可研报告已通过国家计委审查，引英入连应急工程初步设计通过审查。有 6 个高新技术产业项目通过国家计委评审，成为国家支持的示范项目，获得国家资金支持。大连水厂转让、现代液晶显示器等直接利用外资项目，大药、春海热电、盐岛热电等 9 个中日环保示范城间接利用外资项目，以及地下水库、垃圾焚烧等资源和环保项目，正在谈判或取得阶段性进展。

（于　青）

国有资产管理

【国有资产概况】 2000 年，大连市国有资产总量继续增加。全市 3894 户占有国有资产汇编统计单位资产总额 1581 亿元，其中国有资产 564 亿元，比上年增长 1.1%。

【经营性国有资产管理改革】 2000 年，大连市继续对经营性国有资产进行授权经营，建立出资人体系。审批热电、自来水、华晟、交运、航运、建工、民政等国有资产委托和授权经营集团公司家。截至年末，累计批准市级国有资产委托和授权经营集团 28 家、区市县级 3 家。

【首家行政事业单位国有资产委托监管】 2000 年，大连市对非经营性国有资产进行委托监管的试点改革，确立行政事业单位国有资产监管责任主体。大连市国有资产管理局与市广播电视局签定国有资产委托监管协议，委托该局监管其系统内国有资产，并对国有资产负有保值增值的责任。这是全市首家行政事业单位国有资产实行委托监管。

【资产评估机构完成脱钩改制】 2000 年，大连市 42 家资产评估机构在人员、财务、职能、名称等 4 个方面，彻底与原挂靠单位脱钩。其中：15 家改制为合伙制或有限责任制的专营评估机构；27 家改制为兼营评估机构。至此，本市资产评估机构脱钩改制任务全面完成。

当年，全市资产评估立项 570 项，审核评估报告 528 项，评估总值约 173 亿元。

【国有资产保值增值】 2000 年，大连市国有资产管理局继续对列入考核范围的 124 户企业进行 1999 年度国有资产保值增值指标考核。被考核企业国有资产平均增值率为 100.1%，其中 22 户增值率在 105% 以上；有 7 户企业减值率超过 3%，其法人代表受到经济处罚。

【国有资产流失查处】 2000 年，大连市国有资产管理局调查 17 件举报案件，查处大连水产集团唐永增擅自转让"海峰 201"船案、大连商业银行解放路支行信贷资金损失案等国有资产流失案件，纠正了侵害国有资产权益的行为，并对有关责任单位的责任人进行了处罚。

【预算单位清产核资】 2000 年，大连市国有资产管理局对全市 1778 户预算单位进行清产核资，摸清预算单位的家底，为加强全市预算单位资产管理奠定了基础。上述预算单位资产总量 128.2 亿元，其中预算外资金 16.6 亿元，占 12.9%。

2000 年大连市预算单位清产核资基本情况

单位：亿元

	资产总量	待处理财产损失
合计	128.2	0.51
行政单位	23.9	0.07
事业单位	89.8	0.39
企业化管理事业单位	14.5	0.05

（杨俊杰）

物价管理

【价格概况】 2000 年，大连市物价稳定，价格总水平与上年比有所下降，但降幅呈减弱趋势。居民消费价格指数 99.6%，下降 0.4%，是 1999 年出现 22 年来首次降势后，再次呈现下降态势，但比 1999 年 0.5% 的降幅回缩 0.1 个百分点。商品零售价格指数 97.8%，下降 2.2%，比 1999 年 4.7% 的降幅回缩 2.5 个百分点。

食品类下降 1.1%、衣着类下降 2.8%、家庭设备及用品类下降 6.7%、医疗保健品类下降 1.1%、交通和通讯工具类下降 2%、娱乐教育文化用品类下降 0.8%。

当年价格运行的主要特点：（1）穿用工业消费品价格降幅偏大。包括衣着类、家庭设备及用品类、医疗保健品类、交通和通讯工具类、娱乐教育文化用品类，平均价格比上年下降 3.4%（其中家庭设备及用品类降幅达 6.7%），拉动消费价格总指数下降 1.1 个百分点，是总指数呈降势的主要因素。（2）食品类价格仍为降势，但降幅明显缩小。在被调查的17类商品中，价格比上年下降的有11类。其中粮食、食用油、肉禽及其制品、蛋、干鲜瓜果等居民重要消费品价格降幅分别为9.3%、18.8%、2.9%、14.1%和9.0%，是食品类总水平下降的主要原因；价格上涨的有6类，水产品和鲜菜涨幅较大，分别上涨12.8%和8.0%。食品类平均价格比上年下降1.1%，拉动消费价格总指数下降0.5个百分点，与上年4.0%的降幅比，缩小2.9个百分点。据分析，影响食品类降幅缩小的原因主要是水产品价格和鲜菜价格上涨所致。水产品类和鲜菜价格的较高涨幅分别拉动食品类价格指数上升1.69和1个百分点，是食品类价格降幅明显缩小的主要影响因素。(3)居住和服务项目价格呈上涨态势。这两个项目价格分别比上年上涨12.5%和1.0%，影响居民消费价格总指数上升1.05和0.14个百分点。1999年对平信邮寄、托幼费、房租以及部分医疗服务费等价格和收费标准的上调，对2000年居住和服务项目价格指数产生较大的翘尾影响。2000年4月份再次上调房租，又推动居住价格继续走高。

当年价格总水平呈现降势的主要原因：(1)供给的增长超出了需求的增长。尽管国家调高公务员工资、提高城市低收入人员的收入水平，但城市居民购买力的增长仍较缓慢。对本市500户家庭抽样调查资料显示，1～11月人均消费支出为5592.02元，低于全国6306.14元的平均水平。与此同时，不少商品生产的增长速度较大幅度地超出需求的增长速度。肉、禽、蛋、鱼、菜、果等农产品产量逐年增加，已明显过剩；家电、家具等家庭耐用消费品和日用工业品市场饱和并严重过剩。(2)城市居民购买力继续向消费品以外的领域分流。对本市500户家庭抽样调查资料显示，居民购买有价证券、保险费、旅游、医疗保健、交通和通讯支出分别比上年增长1.2倍、31.7%、51.2%、19.9%和30.8%，而食品支出仅增长9%，衣着类支出则下降11.5%，使商品价格回升乏力。(3)重要食品及工业消费品价格持续走低。粮、油、肉、蛋、果等主要食品价格的降幅共下拉总指数1.43个百分点；家电、家具、家庭日用品等家庭设备及用品类价格的降幅下拉总指数0.64个百分点。

2000年大连市居民消费价格指数

项　目	指数(%)	比上年指数上升(百分点)
总指数	99.6	0.1
1. 食品类	98.9	2.9
2. 衣着类	97.2	4.4
3. 家庭设备及用品类	93.3	-3.6
4. 医疗保健类	98.9	-4.5
5. 交通和通讯工具类	98.0	4.2
6. 娱乐教育文化用品类	99.2	5.7
7. 居住类	112.5	6.6
8. 服务项目类	101.0	-17.5

2000年大连市商品零售价格指数

项　目	指数(%)	比上年指数上升(百分点)
总指数	97.8	2.5
1. 食品类	99.7	3.9
2. 饮料烟酒类	94.4	-0.7
3. 服装鞋帽类	95.5	0.4
4. 纺织品类	99.2	7.9
5. 中、西药品类	99.1	6.1
6. 化妆品类	95.3	-7.6
7. 书报杂志类	112.2	8.3
8. 文化、体育用品类	98.8	-3.9
9. 日用品类	94.4	-1.9
10. 家用电器类	92.3	-2.6
11. 首饰类	91.9	-0.2
12. 燃料类	120.9	22.0
13. 建筑装潢材料类	94.9	-0.1
14. 机电产品类	98.9	2.5

(郭振湖)

【价格调整】　2000年，大连市调整部分商品和服务项目价格，适度疏导价格矛盾，促进基础产业和公用事业发展。市物价局组织完成国家、省出台的铁路货运、成品油、药品价格等重大调价项目，并从本市实际出发，调整房租、出租车、旅游景点及部分公用事业等10余项商品及服务项目价格，年调价总额13.5亿元。

【深入清理不合理收费】　2000年，大连市物价局深入清费治乱，重点解决合法不合理收费，切实改善投资软环境，减轻企业负担。取消外来劳动力管理费，降低超标排污费和卫生审查竣工验收费标准，共减轻企业负担4500余万元。为使已取消和降低的收费标准落到实处，在加强检查的同时，将收费项目、收费标准公布于众并明码标价，接受社会、企业和群众的监督，有效地制止了一些乱收费行为。

【降低药品虚高价格】　2000年，大连市物价局针对群众药费负担过重的问题，降低药品价格。按照国家和省的部署，降低264种药品价格，可减少居民支出2500余万元。根据国家和省药品价格管理办法，调查分析本市药厂的产品，按照生产成本和市场需求，降低19种药品价格，可减轻患者负担1000余万元。

加强对药品价格的规范管理。在对外埠药品实行登记备案制度的基础上，新建药品价格台帐登记制度和药品成本定期审核制度，并编辑医药价格专刊，及时向社会发布医药价格信息，以便群众了解并监督药品价格及执行情况。

【依法治价】　2000年，大连市各级价格监督检查机构清费治乱减负，深入整顿市场价格秩序，在全市开展农资价格和涉农收费、农村中小学收费、公安收费、电价、房地产价格和物业管理收费、药品价格和医疗收费、旅游市场价格等专项和行业检查，共查处各类价格违法案件2142件；查处违法金额790.6万元，罚款229.9万元，经济制裁总额为1020.5万元，其中退还用户77.57万元。特别是对国务院和辽宁省政府明令取消的903项收费，采取联合检查、下查一级的方法，共检查收费单位202个，查出违法收费单位43个，有效地遏制了乱收费行为。

加强明码标价的普及和规范。为减少和制止部分商家在让利、优惠、打折价格宣传中存在的误导消费者的行为，在全市开展"诚实文明标价"活动，举办"明码标价展示会"，开展明码标价大检查，表彰"诚实文明标价"先进单位56家。同时，统一规范旅游、医疗医药、成品油3个行业的价格标示，增加酒水、服装等6类商品价格标示内容，使明码标价更加合理和规范。

进一步完善价格投诉举报制度。实行热线电话坐班制，及时查处和反馈群众举报案件。接待投诉电话和来信来访1730人次，对群众举报的价格违法案件罚没款130余万元。同时，利用新闻媒体宣传物价政策和法规，公开曝光价格违法典型案件，共发稿300余篇。

【价格调节基金征收额创历史新高】2000年，大连市各级物价部门积极征收价格调节基金，通过落实责任、以查促收、赏罚并举等措施，使价调基金年征收额达到2767万余元，为历史最高水平，比上年增长18.8%。

市级价格调节基金投入890余万元，用于调控市场、促进生产。其中：投入63万元，用于春节期间7个品种蔬菜免收市场交易费的补贴，吸引了货源，保障了供应；向市肉联厂投入537万元，用于无害化处理和设备改造，保证广大市民吃上放心肉。

【价格评估、认证质量进一步提高】2000年，大连市完成各类价格评估案件9317件，评估标的额3.6亿元。新增交通事故车辆、物品损失价格评估项目，制定并下发《大连市道路交通事故车辆、物品损失价格评估规定》及实施细则，为公安交警部门处理车损事故提供了法律依据，保障了公民、法人和其他组织的合法权。提高评估质量，当年价格评估案件中复议案件仅5件，案件复核率为2%，大大低于省5%的控制目标。

市价格认证中心进行价格认证17件，给本地产品打入外埠市场和外埠产品进入本地市场提供了价格保护。

【运用价格杠杆引导种植结构调整】2000年，大连市农产品种植结构面临新一轮调整。为此，大连市物价局加强农产品成本调查，发布主要农副产品生产成本的最低警戒线，汇总上年农产品成本收益对比表，引导农民根据市场供求关系及时调新调优品种结构。其中对糯玉米、油桃和草莓等特色产品成本效益的调查分析，对农民调整种植结构起到重要的指导作用，金州区扩大糯玉米种植面积，每亩可增收300~400元。

（王培智）

工商行政管理

【企业登记注册】 2000年，大连市新登记注册各类企业7912户，注册资本（金）178亿元。实有登记注册企业72770户，注册资本（金）2068.9亿元。

2000年大连市实有登记注册企业

	单位	数量	其中:当年新登记
企业总数	户	72770	7912
注册资本(金)总额	亿元	2068.9	178
其中:1.内资企业	户	41874	2639
注册资本(金)	亿元	890.3	77.1
2.私营企业	户	24514	4662
注册资本(金)	亿元	134.4	26.6
3.外商投资企业	户	6382	611
注册资本(金)	亿元	1044.2	74.3

注：外商投资企业户数不含分支机构。

2000年大连市新登记内资企业情况

	单位	数量		单位	数量
企业总数	户	2639	3.股份合作企业	户	363
注册资本(金)	亿元	77.1	注册资金	亿元	2.3
其中:1.国有企业	户	627	4.公司制企业	户	1092
注册资金	亿元	3.8	注册资本	亿元	69.6
2.集体企业	户	554	5.其他企业	户	3
注册资金	亿元	1.4	注册资金	万元	700

为加强企业登记工作，提高效率，大连市工商局于2000年9月成立了大连市工商行政管理局企业注册分局，将原来分散在企业处、个体处、外资处的登记职能集中，专门负责登记注册工作。企业注册分局成立后，进一步统一、规范、改进了企业登记工作。特别是设立特事服务窗口，专门为国有企业改制、下岗职工再就业等提供特殊服务，急事急办，特事特办，受到社会各界的普遍欢迎；改进名称登记办法，统一内、外资名称登记标准、程序、表格，并将部分名称登记由三级审批制变为独立注册制，即由名称登记员直接审批核发，缩短了名称登记的时间，由原来的7天缩短为2天。

【内资企业管理】 2000年，大连市工商行政管理局新登记内资企业2639户，注册资本（金）77.1亿元。全市年末实有内资企业41874户，比上年下降15.1%；注册资本（金）890.3亿元，增长5.5%。

内资企业发展的特点：（1）企业数量继续减少。全市实有企业数比上年减少15.2%，其中国有、集体、联营企业分别减少14.3%、24.4%和28.8%。其主要原因：继续加大对“三无”企业、离散企业的清理力度；军队和政法机关与所办企业脱钩，特别是国有和集体企业改制，使一部分内资企业转为私营企业或办理注销登记。（2）企业实力进一步增强。在企业数量持续下降的情况下，实有企业注册资本（金）达到890.3亿元，比上年增长5.5%，户均212.6万元，增长24.4%。（3）公司制企业发展迅速。实有公司制企业6032户，注册资本372.8亿元，分别比上年增长18.2%和40.4%。发展最快的是国有独资公司，户数比上年增加37.1%。

当年，市工商局的内资企业管理把支持国有企业深化改革放在首位，为496户国有企业改制办理了登记手续，大连造船新厂成为全省首家完成债转股的企业。同时，以规范市场主体资格为重点，清理无场地、无资金、无人员“三无”企业660户，吊销查无下落企业5312户；注销和吊销“五小”企业、军队武警办企业160户；理顺产权关系822户。审查清理事关人民群众生命财产安全的烟花爆竹、压力容器、液化气、医药等22个行业，补齐各类许可证3218件。规范市场主体经营行为，查处企业违法违章案件3600件，罚没款869万元，分别是上年的1.8倍和3.5倍。

【外商投资企业管理】 2000年，大连市工商行政管理局新登记外商投资企业611户，注册资本（金）8.97亿美元。至年末，全市累计登记注册外商投资企业6382户，总投资226.7亿美元，注册资本126.1亿美元，外方认缴82.2亿美元，分别比上年增长10%、9%、10.2%和11.2%。

2000年大连市新登记
外商投资企业情况

项　目	单位	数量
企业总数	户	611
注册资本(金)	亿美元	8.97
其中:1.中外合资企业	户	283
注册资本(金)	亿美元	5.78
2.中外合作企业	户	58
注册资本(金)	亿美元	1.02
3.外商独资企业	户	270
注册资本(金)	亿美元	2.17

外商投资企业发展的特点：(1) 新企业数量增多，投资大户增加。新登记注册户数比上年增加22.9%，投资总额在3000万美元以上的大户增加1倍。(2) 制造业成为外商投资的热点，金融等行业有所突破。新登记制造业企业户数、投资总额、注册资本、外方认缴出资额分别占全市总数的66.3%、48%、48%和47%。年末实有制造业企业户数和认缴出资额也居各行业之首，分别占全市总数的61.6%和53.1%。金融业和房地产经纪与代理业外商首次投资。(3) 日本、香港、加拿大、台湾等国家和地区在连投资增加。新登记企业前八位的国家和地区是：日本、韩国、美国、香港、台湾、加拿大、德国、新加坡；认缴出资额前八位是：香港、美国、韩国、日本、比利时、台湾、加拿大、沙特阿拉伯。同上年比，美国投资额减少。土耳其和坦桑尼亚为首次来连投资国。至年末，已有73个国家和地区来连投资。(4) 外商独资企业成为外商更为热衷的投资方式。新登记外商独资企业比上年增长44%，增长率为其他企业类型之首；数量占新登记外商投资企业总数的44.2%；主要涉及制造业（占63.2%）、批发和零售贸易餐饮业（占29.3%）、农林牧渔业（占2.8%）。

进一步改善和优化外商投资软环境。市工商局与市政府26个部门合署办公，实行“一站式”对外服务，并在局登记大厅建立特设服务窗口，从受理到发执照的平均时间比向社会承诺的时间缩短一半。加强对外商投资企业的日常监督管理，查实无场地、无资金、无人员企业800户，查处违章违法案件108起；罚款29万元，是上年的2.2倍。

大连市著名商标

序号	商标	企　业	序号	商标	企　业
1	圣亚	大连圣亚海洋世界股份有限公司	39	泛美	大连泛美制药有限公司
2	天乐	大连油脂工业总厂	40	大地	大连瑞泽农药股份有限公司
3	珍奥	大连珍奥核酸科技发展有限公司	41	三大	大连钢铁集团有限责任公司
4	创世	大杨企业集团公司	42	枫城	大连长城焊丝有限公司
5	红果	庄河市东方农庄	43	黄海	大连印刷机器厂
6	金海	大连金海置业有限公司	44	DV	大连高压阀门厂
7	云山	大连云山机械厂	45	三六	大连耐酸泵厂
8	虎威	大连北方酿酒有限公司	46	大橡塑	大连冰山橡塑股份有限公司
9	WZNW	瓦房店冶金轴承厂	47	犀牛	大连叉车总厂
10	三马	大连长兴水泥有限公司	48	彩桥	大连互感器厂
11	金凌	大连金凌床具公司	49	大宇	大连油泵油嘴厂
12	美欧岚	大连保税区美欧岚国际时装公司	50	三箭	大连电瓷厂
13	SCP	大连经济技术开发区东源水产品加工厂	51	HDL	大连海德利塑胶工业有限公司
14	龙塘	大连市旅顺华龙食品厂	52	海鸥	大连水泥集团公司
15	三叶	大连市第三粮油食品供应公司	53	图形商标	大连华丰家具有限公司
16	康壮	大连韩伟企业集团有限公司	54	海燕	大连建筑防水材料厂
17	JSH	金州石油化工机器厂	55	方圆	大连梦乡家具有限公司
18	得胜	大连得胜钢管有限公司	56	FEIYUE	华铜渔网具工业公司
19	鑫	大连特殊钢总公司	57	亚瑟王	大连衬衫厂
20	法伏安	大连经济技术开发区法伏安电器有限公司	58	锋	大连锋牌服饰有限公司
			59	迷妹	大连内衣总厂
21	格乐	大连长城格栅有限公司	60	bihai	大连碧海企业集团公司
22	双锤	瓦房店非标准轴承厂	61	奥乐	大连渤海乳品厂
23	横山	瓦房店市小型阀门厂	62	汇宝	大连华农集团有限责任公司
24	店花	瓦房店市炮台外贸加工厂	63	雁鸣	大连雁鸣食品有限公司
25	龙泉	大连龙泉股份有限公司龙泉酒厂	64	善岛	大连善岛食品有限公司
26	花儿山	普兰店市花儿山花炮厂	65	图形商标	大连金山水产有限公司
27	白玉山	大连第二油漆厂	66	棒棰岛	大连棒棰岛海产品有限公司
28	DZ	大连轴承厂	67	辽金	大连盛泰海化实业有限公司
29	大人	大连人民机器厂	68	黎光	大连市蜂产品公司
30	黑岛	大连包装机械厂	69	麦花	大连食品厂
31	獐子岛	大连獐子岛渔业集团有限公司	70	三发	大连三发粮食集团有限公司
32	明亮	普兰店41市生物有机肥料厂	71	天发	庄河市庄河粮库面粉厂
33	海鸥	大化集团大连油漆厂	72	樱花	旅顺龙塘农业公司
34	天牛	大连东方油漆厂	73	真爱	大连真爱果汁有限公司
35	碧山	大连碧龙山化工有限公司	74	海浪花	大连黄海啤酒厂
36	飞燕	旅顺砂布厂	75	辽海	大连酒厂
37	七星	中国石油大连石油化工公司	76	金州	大连市金州酒厂
38	丰太	大连市旅顺口区江西化工业总公司	77	亚惠	大连亚惠美食专门公司

注:1~31号是2000年新认定和续认定的。

【商标管理】 2000年，大连市积极推进“名牌兴市”战略。市工商行政管理局新认定和续认定大连市著名商标31件，累计达到77件。驰名商标和著名商标代表的商品和服务项目年营业额超过220亿元，占全市生产总值的20%以上。新注册商标1686件，累计达到8000件。

举办“呼唤商标意识，实施名牌战略”理论研讨会，开展“我喜爱的商标”评选活动，制订大连市驰名商标、著名商标3年发展规划等，引导企业增强商标意识和品牌意识。以保护商标专用权为重点，收缴、清除侵权商标标识16.2万张（套），销毁假冒伪劣商品23种，打掉造假黑窝点14处。查处商标违法案件142件，罚没款265.1万元。

【合同管理】　2000年，大连市工商行政管理局颁发《大连市合同文本管理办法》和《大连市合同监督管理办法》，增强合同监管执法的操作性。制定发布《工矿产品购销合同》、《农副产品购销合同》、《柜台租赁合同》、《供水合同》、《装饰装修合同》等19种合同示范文本，进一步规范企业签约行为。举办合同法培训班140期，核发《企业法定代表人证明书》和《合同管理人员培训合格证》1.7万个，使合同监管法规进一步普及。

拓展监管领域。办理企业动产抵押登记1113份，比上年增长4.2%；合同鉴证工作取得历史性突破，共鉴证合同12.5万份，比上年增加4.9倍，鉴证金额118.2亿元。

继续开展“重合同守信用”活动。新发展“重合同守信用”单位287户，撤销263户。新发展单位中有私营企业109户，占38%。年末，全市“重合同守信用”单位累计1908户，其中省级320户、市级1588户。严厉打击合同欺诈行为。依法查处违法案件572件，罚没款391.8万元，分别是上年的1.6倍和2.4倍。

【广告管理】　2000年，大连市有广告经营单位528户，从业人员5762人，广告经营额5.6亿元。新注册广告经营单位97户，比上年增长22.5%。

规范广告经营行为和发布行为，检查各类广告2万多条（次），查出违法广告729条（次），收缴违法印刷品广告26万份，责令改正陈旧的广告路牌347块。查处广告违法案件430件，罚没款126.7万元，比上年增加53.3%。建立和完善广告监测体制，监测广告1.3万多条（次）。开展“树立新风尚，迈向新世纪”为主题的公益广告活动，发布各类公益广告1600余条，推荐优秀公益广告217条，经专家评定，评出金奖4条、银奖8条、铜奖15条。

2000年大连市国家级广告经营单位

	资质等级
大连太平洋广告(创想)有限公司	国家一级
大连万恒影视广告有限公司	国家一级
大连铁道广告有限公司	国家一级
大连非凡影视制作技术有限公司	国家一级
大连经纬传播有限公司	国家一级
大连汤臣广告有限公司	国家三级

【工商行政执法】　2000年，大连市严厉打击制假售假、不正当竞争、商标侵权、虚假广告、合同欺诈、传销或变相传销、流通领域里走私贩私等严重破坏经济秩序，损害经营者、消费者合法权益的违法行为，开展“打假护农”、“打假护优”、整治药品回扣和商业贿赂、反公用企业限制竞争等专项执法行动，有力地维护了市场经济秩序。共立案查处各类经济违法违章案件1万余件，罚没款3156万元，分别比上年增加1.3倍和1.9倍，其中万元以上大要案1591件，增加3.2倍。开通12315申诉举报热线，受理消费者投诉1.4万件，为消费者挽回经济损失374.8万元。

【《关于支持企业改革和发展的若干意见》出台】　2000年3月7日，大连市出台《关于支持企业改革和发展的若干意见》。《意见》共25条，主要内容：（1）支持国有企业改革、改制和改组。为增强企业竞争力，支持国有大中型企业使用不含行政区划的企业名称，放宽冠“辽宁”省名企业的条件；支持国有企业在公司制改造中实行债权转股权；鼓励和支持国有企业实现主辅分离和分块改制等。（2）扶持企业集团发展。对需特殊支持的，组建集团条件可放宽；允许事业单位法人、社会团体法人成为企业集团成员。（3）放宽市场准入条件。对法律法规未作规定的许可证、登记证、资格审查和专项审批，不再作为工商管理登记注册的前置审批条件；对不具备法人资格的独资企业、合伙企业，提交投资人或全体合伙人同意投资入股的文件，可作为有限责任公司的股东；设立集体性质的股份合作制企业，出资人可放宽到3人以上。（4）支持外地企业来连投资。外地大企业来连投资办企业，可直接在市局登记注册；外地企业可直接兴办各类企业或设立分支机构；外地企业兼并、购买大连市企业，可按变更登记程序办理。（5）加快政府机关与所办企业脱钩。由自然人出资挂靠在党政机关和群团组织的假全民、假集体企业，在清产核资、产权界定的基础上，经国有、集体资产管理部门确认，可持挂靠单位出具的批文变更登记为无主管企业。

【推出企业免检制度】　2000年，大连市工商行政管理局改革市场主体监管方式，首次推出企业年度免检制度，对大连造船厂、大连机车车辆厂、大连远洋运输公司等43家国有大型企业和骨干企业实行免检，支持国有企业改革发展。此举在全市产生较大反响，中央电视台、辽宁电视台作了专题报道。免检企业的基本条件是：具有一定规模；遵纪守法；经营情况较好；商事信誉较高。

【工商监管方式改革】　2000年，按照国家工商局关于基层改革的总体思路，大连市在市区和乡镇全部成立了基层工商所。在管理模式上，全面实行市场巡查制；在管理区域上，实行属地化管理；在管理权限上，将商标、广告、合同、消保以及企业日常监督管理等职能下放给基层。基层监管执法初步实现了由驻场制向辖区巡查制、静态的条线管理向动态的综合管理的战略性转变。基层执法力度明显加大，执法水平明显提高，对各类市场主体行为的监管更加及时、经常和有效。配合基层改革，全市工商系统投资2500万元，新建和改造工商所70个，并充实办案装备，改善了基层办公和生活条件。

【2000年大连市民喜爱的地方商标（品牌）评选】　为贯彻落实市委、市政府的“名牌兴市”发展战略，大连市工商局、统计局、经委、乡镇局及大连日报社、大连晚报社、大连电视台、大连人民广播电台、大连市商标事务所、大连市城市社会经济调查队联合开展“2000年我喜爱的地方商标（品牌）”调查活动。《大连日报》、《大连晚报》于11月

10日以30万份的发行量刊登调查问卷；市城调队分行业组织进行1万份问卷的重点调查。经统计汇总、综合测评，有36件商标（品牌）被评为“2000年大连市民喜爱的地方商标（品牌）”。

（任忠显）

2000年大连市民喜爱的地方商标（品牌）

商标(品牌)	产品(项目)	所属单位
棒棰岛	啤酒	大连棒棰岛啤酒股份有限公司
赛德隆	电热水器	赛德隆国际电器(中国)有限公司
远洋	烤鱼片	辽宁省大连海洋渔业集团公司渔品加工厂
TRANDS(创世)	服装	大连大杨企业集团公司
bihai(碧海)	服装	大连碧海企业集团公司
戚秀玉	职业介绍所	戚秀玉职业介绍所
三叶	食品	大连明天集团有限公司
辽海	雄蚕蛾养生酒	大连酒厂
CH(春和)	蒜味肠	大连春和食品加工厂
双盛园	餐饮	双盛园餐饮有限公司
础明	冷却排酸鲜肉	大连础明实业发展有限公司
大显	手机	大显集团
奥乐	牛奶	大连渤海乳制品厂
恒和	电器	大连恒和电器有限公司
桑扶兰	女士内衣	大连桑扶兰时装有限公司
欣美罗	抗菌消炎药	大连美罗大药厂
圣亚	海洋世界	大连圣亚海洋世界股份有限公司
珍奥	核酸基因营养素	大连珍奥生物工程股份有限公司
TOMIDA(富田)	服装	大连富田洋服有限公司
亚瑟王	衬衫	大连衬衫厂
海之韵	广场	大连市风景园林处
大汽	蓝灯的士	大连大汽企业集团
棒棰岛	馒头、豆腐	大连棒棰岛食品厂
亚惠	快餐	大连亚惠美食专门公司
方圆	床垫	大连梦乡家具有限公司
三发	面粉	大连三发面粉工业公司
八珍	熟肉制品	大连正珍食品有限公司
麦花	食品	大连食品厂
Hualu(中国华录)	录放像机	中国华录集团
三山岛	海参海产品	大连三山岛贸易有限公司
九星	服装	大连九星制衣有限公司
七里香	烤鸡	民勇商场七里香烤鸡加工厂
天兴花园	住宅小区	大连宏大房地产有限公司
十五条龙	商业服务	大连天百集团有限公司
咯咯哒	绿色鸡蛋	大连韩伟企业集团有限公司
天狗	面粉	大连粮红食品加工有限公司

（任忠显）

矿产资源管理

【概况】　大连市已发现能源矿产、有色金属、非金属等矿产资源56种，其中形成矿床的49种、开发利用的43种、探明储量的28种。金刚石、石英岩等4种非金属矿产经济价值较高。其中：金刚石占全国总储量的54%；石英岩保有储量达16亿吨以上；石英砂岩储量达3亿吨以上；花岗岩分布面积占全市陆地面积的28%。此外，大理石、水泥、砖瓦用粘土、页岩、菱镁矿、透闪石、金、矿泉水、地热等也具有开采价值。

2000年，大连市有矿山企业623个，比上年增加16个；从业人员1.8万人，减少1339人。年产矿石2862.3万吨，比上年增长9%；实现工业总产值6.5亿元，增长16%；实现工业销售产值4亿元，下降9%。全市征收资源补偿费605万元，入库172万元。

当年，在大连地域内勘查矿产资源的有辽宁省地勘局第六地质大队、辽宁省地质勘查院、辽宁水文地质工程地质勘查院等4家，共勘察有关地热、金刚石、金矿等项目12个。

【采矿许可证更换全面完成】　2000年，根据国土资源部和辽宁省政府的总体部署，在上年的基础上，大连市矿产资源管理办公室全面开展换发采矿许可证工作。至年末，全市应换证企业全部换证，共换发新证579个。

【矿产储量管理】　2000年，大连市矿产资源管理办公室加强矿产储量管理，全面调查大连地域内矿山矿区的矿产利用、综合回收利用、各矿区范围、矿石类型、品级排号、保有储量、可采储量等情况，并实地考察个别情况不明的矿山。共完成56个矿山、矿区的调查工作，取得第一手资料，为全市矿产储量套改工作的顺利进行奠定了基础。

【地质环境管理】　2000年，大连市矿产资源管理办公室于4月22日“世界地球日”，在全市开展保护地质环境的宣传活动，散发宣传书籍200余册、报刊1000余份、宣传画200套，出宣传板报10期。成立大连市地矿系统“蓝天碧海”工程领导小组，制定实施方案，治理全市矿山环境，共关闭矿山143个。

（宋　捷）

海域管理

【概况】　大连市地处黄渤海之间，海岸线长1906公里，岛屿226个，岛岸线长618公里，领海基线以内属本市管理的可开发利用的海域面积为2.3万平方公里。

2000年，大连市以振兴海洋产业，繁荣海洋经济为工作思路，加强海洋综合管理。

海洋开发规划与功能区划工作成果显著。“十五”海洋开发建设规划编制完成，待市政府公布实施。推行海域有偿使用和海域使用证制度工作力度加大，征收海域使用金超过1000万元目标。海洋行政执法能力明显增强，有50名海洋监察执法人员持证着装上岗，查处违反《大连市海域使用管理暂行规定》，未经批准擅自填海等违规行为4起，加强海洋环境污染事件的监察和海洋使用纠纷及违章事件的处理。

早在1997年，为进一步完善海域使用管理的政策法规，市财政局和市海洋局联合制定《大连市征收海域使用金实施意见》；市海洋局制定《关于核发〈海域使用证〉的实施意见》；市海洋局、市物价局、市财政局联合制定《大连市海洋倾废管理实施意见》。这3个《实施意见》与1995年在全国率先以政府规章的形式出台的《大连市海域使用管理暂行规定》相配套，对全市海洋资源开发实施综合管理起到重要作用。

【推行海域有偿使用和海域使用证制度】从1997年起，大连市海洋局开始推行海域有偿使用和海域使用证制度，此项工作一直走在全国前列。截至2000年末，全市累计颁发《国家海域使用许可证》2150套，批准用海面积57.6万亩，其中当年颁发235套、批准16万亩；累计征收海域使用金2100万元，约占全国征收总额的42%，其中当年征收1206万元，突破计划征收1000万元的目标。

【海域使用普查登记】 2000年，大连市海洋局对市直管220公里长海岸线的海域使用状况进行普查登记，逐户落实并详细登记用海单位（个人）名称、用海面积、使用性质、用海时间、办证与否等基本情况。至年末，共有156家用海单位进行登记。按用海类别划分：养殖用海81家；工程用海62家；旅游用海13家。

【建立2个海洋自然保护区】 2000年8月，大连市政府批准建立2个市级海洋自然保护区：长海海王九岛海洋景观自然保护区和大连老偏岛——玉皇顶海洋生态自然保护区，填补了本市海洋自然保护区的空白。

长海海王九岛海洋景观自然保护区总面积2143公顷。其中核心区范围是：大王家岛海岸线向陆200米及周围礁盘景观，其他8个岛坨海岸线以上向陆部分及其周围景观，面积为461公顷。主要保护对象是：岛礁型基岩海岸；海蚀柱、海蚀洞等海滨地貌；黄嘴白鹭、海鸥等鸟类；海岸景观。

大连老偏岛——玉皇顶海洋生态自然保护区位于星海湾南约4.7海里，总面积1580公顷。其中核心区范围是：玉皇顶海岸线向外延伸100米范围内，大坨子、二坨子、三坨子、四坨子海岸线向外延伸200米范围内，老偏岛海岸线向外延伸50米范围内，面积为270公顷。主要保护对象是：刺参、皱纹盘鲍、紫海胆、紫石房蛤、香螺、魁蚶、马尾藻及周围海洋生态系统；老偏岛的喀斯特地貌；玉皇顶及大坨子、二坨子、三坨子、四坨子的海蚀地貌景观。（刘坚力）

统　计

【概况】 2000年，大连市统计局围绕市委、市政府中心工作、本地区经济发展战略、编制本市“十五”规划和市委市政府重点调控决策，向市党政领导机关提高统计分析报告170多篇，其中8篇受到市领导的批示。

咨询服务水平进一步提高。围绕扶强作大，监测优势企业，组织评定156个全市工业领先企业。对全市纳税大户进行排序，为市政府表彰2000年纳税大户提供了依据。监测人民生活水平，对本市贫困居民收入、城乡居民收入结构、农村流动人口、职工养老保险进行专项调查。监测企业与社会公众需求，开展“畅通工程”和“我喜爱的地方商标（品牌）”等20项专项调查。会同市旅游局进行“黄金周”监测，被市政府授予旅游工作特殊贡献奖。

积极推进属地统计，加大为地方党政领导决策服务力度。增加反映区市县经济发展状况和新兴产业的统计指标，扩大了超级汇总抽样调查范围。

依法加强统计基础工作，不断提高数据质量控制水平。加大对基层统计基础工作的考核、检查力度，进一步控制住源头的数据质量。加强对各专业定期报表和主要数据的审核评估，进一步提高统计数据水平，各专业定期报表和年报工作均被辽宁省统计局评为先进。

圆满完成统计“三五”普法任务和考核验收工作。全市近3万人获得统计普法结业证书，普法面达90%以上。市统计局被评为全国“三五”普法工作先进集体。

【统计咨询服务】 2000年，大连市统计局注重提高统计咨询服务效能，咨询服务水平进一步提高。

围绕地区经济发展战略进行咨询。针对市委提出的创建国际名城和发展环境经济的思路，测算全市环境投入与产出，收集并对比分析15个副省级城市和2000多个县（市）资料，为编制大连市“十五”规划、确定加快北三市发展政策提出一系列咨询建议。

围绕新的经济增长点进行咨询。针对市政府大力发展高新技术产业的决策，专题分析研究全市高新技术和新兴产业发展情况，及时提供决策咨询；调查汇总10万户居民住宅状况，为市有关部门调控房地产规模提供了可靠依据。

围绕“扶强做大”，对企业进行监测。坚持每月定期向市政府报告国有大中型企业脱困情况，为实现国有企业脱困起到推动作用。

围绕人民生活保障进行调查。市统计局城调队、农调队专项调查贫困居民收入、城乡居民收入结构、农村流动人口、职工养老保险落实情况等，及时为市政府宏观调控提供决策咨询。

围绕企业与社会公众需求开展专项调查。发挥3支调查队的“轻骑兵”优势，开展“大连畅通工程”、“我喜爱的地方商标（品牌）”、国有企业股份制改造和高效农产品等专项调查近20项，获得良好的社会效益。

【统计制度方法改革】 2000年，大连市统计局大胆的探索和改革统计制度方法并取得突破性进展，以满足地方党政领导机关决策需要，为经济建设和社会发展服务。

统计制度方法改革取得新进展。积极推进属地统计，建立和增加区市县GDP、财政、金融、外经外贸、商业、固定资产、工业、农业、运输业、邮电业、乡镇企业、私营、个体经济、人民生活、土地面积、人口等11大类57项反映大连市和各区市县经济发展状况的综合性统计指标体系。增加了信息咨询、旅馆、旅游、科研服务、综合技术服务、文化教育、体育、环保及社区服务等业态指标。建立重点房地产开发企业联网上报制度。

扩大超级汇总和抽样调查的范围。工业科技统计由大中型企业扩展到全部限额以上工业企业；实行工业生产总值及销售总值超级汇总和主要经济指标月报的超级汇总；积极开展全市工业生产指数试算。首次制定大连市教育投入情况统计监测指标体系；调整扩大教育统计的调查范围；继续完善高等院校科技统计。新增医疗卫生科技统计。补充完善社会调查指标体系，社会统计指标由1862个增加到2276个。重新建立小型企业、私营企业和个体批发零售贸易业的抽样调查。建立亿元以上交易市场的定期调查制度。完成居民消费定基价格指数统计方法制度改革。完成农村固定资产抽样调查点和农产量样本的轮换；重新建立畜牧业抽样调查网点。

大连市常务副市长刘长德与普查员一起到居民家中进行人口普查调查登记。
市统计局　供稿

【进行第五次全国人口普查】　2000年，大连市成立由市统计局等15个市直部门组成的第五次全国人口普查领导小组，下设办公室，负责全市人口普查工作。由于流动人口、超计划生育、人户分离等情况大量增加，第五次人口普查的复杂程度和工作难度前所未有。为保证普查质量，各级政府建立强有力的普查机构，签订人口普查责任状，逐级落实领导责任制。普查工作克服抽调普查人员难和经费不足等困难，扎实地完成普查试点、普查宣传动员、户口整顿、普查员和普查指导员选调、普查业务培训、普查区域划分、普查区域地图绘制、地址编码、调查摸底等各项准备，按时进行入户调查登记，较好地完成主要数据的快速汇总，并及时发布《2000年大连市第五次全国人口普查主要数据公报》（主要内容见第30页）。

【统计执法】　2000年，大连市两级统计部门从增强执法自觉性入手，建立和完善规范化管理制度。建立统计行政执法责任制，实施统计执法一把手工程，市局与各区市县统计局和市局有关专业处一把手签订统计执法责任状，明确目标和责任。建立统计执法工作汇报制度和统计违法案件查处情况通报制度，随时掌握执法中的新情况、新问题，强化监督指导。强化统计执法检查，成立大连市统计执法检查工作领导小组，开展全市统计执法检查。以查处迟报、拒报等统计违法行为为突破口，加大各类统计违法案件的查处力度。全市立案查处各类统计违法案件128件，结案121件。

【市统计信息一期工程通过验收】　2000年4月28日，大连市统计信息一期工程通过了大连市信息产业局组织的国家、省、市专家验收。该工程已建成百兆局域网，初步建成大连统计信息网站，并接入大连城域网、联结中国统计信息网，开通统计系统内部的电子邮件系统。市信息产业局还将该网站作为城域网在中山广场的中心结点。

【开展“畅通工程”、“平安大道”调查】　2000年10月16日～11月6日，大连市城市社会经济调查队对本市实施“畅通工程”、建设“平安大道”、交通警察执法执纪、市民文明交通意识等进行社会调查。走访和现场实地测量“畅通工程”20项指标，有90%达到国家公安部、建设部《城市道路交通管理体系》规定的一等指标，市民对“畅通工程”实施后市区交通堵塞、交通违章、交通警察执勤形象的改善和满意率分别高达95.5%、99.9%和99.3%。访问调查“平安大道”20项具体指标，均达到创建方案的要求。市民对公路巡逻交警形象和工作的满意率达95%以上；对国道、高速公路交通秩序和治安情况的满意率为95.7%；对交通警察外观形象、执法工作、服务意识、交通管理情况的满意率达90%以上；对交警执法满意率高达97%；市民对交通安全常识问题回答的正确率均在90%以上，市区主干道行人的违章率低于10%。

调查后形成的《大连市交通管理情况社情民意调查报告》和调查数据库，成为国家评比“畅通工程”城市的基础资料。

【开展“迈向21世纪工业领先企业”评比活动】　2000年，大连市统计局按照以销售收入作为评价指标的国际上权威的企业排序方法，分析对比本市石油、电力、冶金、机械、交通运输、设备、电子、建材、食品、纺织、服装等30多个大类行业企业的统计资料，进行“迈向21世纪工业领先企业”评比。在全市工业企业中，以1999年销售收入1亿元以上的企业为评定范围，评出中国石油大连石化公司等100户企业为大连工业领先企业；在国有及国有控股工业企业中，以年销售收入5000万元以上企业为评定范围，评定出中国石油大连石化公司等66户企业为大连国有工业领先企业；在乡镇工业企业中，以年销售收入2500万元以上的企业为评定范围，评定出大连华农集团有限责任公司、大杨企业集团等60户企业为大连乡镇工业领先企业。前两类企业年销售收入最高的均为80亿元，乡镇企业最高为8.4亿元。

（林　毅）

审计监督

【概况】　2000年，大连市两级审计部门共对864个单位实施审计，比上年增加46个；查处违规行为金额42.2亿元，增加2.2%；应上缴财政1.34亿元，下降47.8%；已上缴财政1.25亿元，下降36.5%；归还原渠道资金1.4亿元，增长64.7%；减少财政拨款996万元。

向各级党政领导呈报综合性审计报告及信息684篇，其中370篇次被领导批示和有关部门、新闻单位采用。完成审计调查66项，其中“企业职工基本养老保险扩大覆盖面调查”、“挤占挪用养老保险基金典型问题调查”被辽宁省审计厅评为优秀审计项目。投入占全年工作量一半以上的时间和人力完成领导交办事项270项，审计金额达120多亿元。

【财经法纪审计】　2000年，大连市两级审计部门持续开展财经法纪审计，共查出各种经济案件线索39件，涉嫌犯罪金额2.6亿元、1733万美元，全部移送纪检部门和司法机关。市审计局在对某商业银行审计中，翻阅长达7年的帐本和凭证，查出帐外资金1.1亿元、经济案件线索5起，挖出一批给本市经济造成严重损失的蛀虫。瓦房店市审计局在对该市物资系统所属43个单位审计中，查出10余人涉嫌贪污、挪用公款，造成国有资产流失1100万元等严重问题。

【任期经济责任审计】　2000年，大连市任期经济责任审计步入法制化、规范化轨道。市委、市政府联合下发《关于党政领导干部和国有企业及国有控股企业领导人员任期经济责任审计的实施意见》；建立纪检、组织部、监察局、人事局、审计局、工业党委6个部门的经济责任审计联席会议制度；召开首届全市任期经济责任审计工作会议。

当年，两级审计部门共对111名党政领导干部和国有企业领导人员进行经济责任审计，为干部管理部门客观评价和使用干部提供了重要依据。庄河市审计局对44名党政领导进行经济责任审计，其中6人得到提拔使用，7人因工作平庸受到告戒，12人因虚报政绩被取消和下调奖金，10人受到戒免、降职等组织处理；查出5起经济案件线索，8人被纪检、检察机关立案查处。

大连市审计局工作人员在进行财经法纪审计。　　市统计局　供稿

【财政预算执行审计】　2000年，大连市两级审计部门重点加强财政预算执行审计，共审计295个单位，查出违规行为金额18.6亿元；应上缴财政9583万元，已上缴财政9537万元，分别是上年的1倍和2.6倍。被市人大财经委员会评价为“历年财政预算执行情况审计中最全面、反映问题最深刻的一次”。

市审计局在该项审计中，查出国库监管不严、国税部门违规提取代收代扣手续费等违规行为金额4300多万元；查出预征税款9688万元、漏征税款449万元；首次曝光挤占挪用市级财政收入等问题；查出部分区市拉税或挤占市级收入8000多万元。各区市县的预算执行审计也有突破性进展，查出应列未列预算收入、挤占挪用专项资金、虚增预算收入、虚列预算支出等问题。

【专项资金审计】　该项审计是2000年市政府19件实事中重点审计项目之一。大连市审计局先后完成农业综合开发资金、水利资金、环保资金、住房资金和企事业单位职工养老保险基金、医疗保险基金、国有企业下岗职工基本生活保障和再就业资金等10项专项资金审计。其中：农业专项资金审计4项，实现全覆盖审计，审计金额4.26亿元，查出违规行为金额4800万元；社会保障资金审计，审计金额13.5亿元，查出部分资金未纳入专户管理、挤占挪用基金、欠缴养老保险基金1.6亿元等管理使用上的问题，提出加强和完善基金管理的建议。

【国有企业审计】　2000年，大连市审计局对重工、航运、冰山、大显、大运等10个企业集团和交通、电子、冶金、机械、轻工等10个行业，共56个单位进行了审计和调查，审计资金总额达150多亿元。查出违规行为金额12.38亿元，查明不良资产4.53亿元，提出许多合理化建议。金州区、开发区、瓦房店市审计局在对47户企业审计中，揭示了企业资产负债损益不实、严重亏损、欠税漏税、会计资料不真实等5个方面的问题，查出违规行为金额620多万元。

【重点投资建设项目审计】　该项审计是

2000年市政府19件实事中重点审计项目之一。大连市两级审计部门共完成重点投资建设项目审计25项，审计项目投资总额28.6亿元。查出违规行为金额8.8亿元，其中：多结算工程款4793万元；挤占工程成本1512万元；挪用侵占建设资金400万元；核减工程造价7335万元；应归还原渠道资金4465万元。普兰店市审计局对该市1997年以来完工的45个工程项目进行审计，审计金额2.9亿元，核减工程造价7900万元，核减率达27%，并将审计结果向社会公开，引起强烈反响。（陈　虹）

技术监督

【概况】　2000年，大连市技术监督局围绕经济发展和现代化国际城市建设，突出质量工作中心地位，强化标准化、计量工作。完成企业质量体系及产品质量认证16个，采用国际和国外先进标准50项，检定各类计量器具31.9万台件。

产品质量总体水平稳步提高。年内，国家产品质量监督抽查共抽查本市54家企业的20类、63个批次的产品，平均合格率90.5%，高出全国平均水平11个百分点。

市产品质量监督检验所新建实验室大楼年内投入使用。市计量检定测试所技改项目被列入大连市国民经济计划，市政府拨专款200万元，高标准、高起点更新了各专业实验室的仪器设备。

【产品质量监督检验和检查】　2000年，大连市技术监督局依法定期监督检验2053家企业的3079批次的产品质量，批次合格率为85.6%。

依法监督抽查铝塑门窗、建筑用钢筋、煤炭、一次性输液（注射）器、纯净水、啤酒瓶6大类产品质量。共抽查111个企业的198批次产品，合格率分别为铝塑门窗58.8%、建筑用钢筋24.5%、煤炭58.3%、一次性输液（注射）器70.8%、纯净水81.3%、啤酒瓶64%。

配合节水和环境治理，专项抽查卫生洁具、煤炭和洗涤用品。2种坐便器因一次排水量超标被责令停止销售；抽查16个单位的27个煤炭样品，合格率74.1%；抽查洗衣粉、洗涤剂319批次，其中35批次的洗涤用品因含磷超过1.1%而被没收并禁止销售。经过连续2年的治理，市场销售的洗涤用品95%以上达到环保标准要求。

对假冒伪劣问题较为严重的酒水、食品、建筑材料、电子电器、汽车配件、轻工纺织品、化妆洗涤用品、粮油制品、塑料制品、服装、儿童食品、消防产品等12类重点产品进行专项市场监督抽查，共抽查1109批次，合格率为41%，其中纺织品纤维含量、电器产品、节能灯、皮鞋、玩具的问题较为严重，合格率都低于30%，均依法予以严厉处罚。

农资产品执法检查。出动执法人员3354人次，检查生产企业229家、商业企业638家、专业市场24个，抽样检验产品456批次，批次合格率为86.4%；查处假冒伪劣产品总值347.7万元。立案查处行政案件71件，端掉制售假冒伪劣商品窝点2个，处理投诉53起，挽回经济损失82.6万元。

【烟花爆竹生产企业和游乐设施安全质量检查】　2000年，大连市技术监督局检查本市烟花爆竹生产企业和游乐设施的安全质量。共检查烟花爆竹生产企业28家，抽样检验样品19种，除多数样品的单个产品最大装药量超标外，其他指标均符合标准要求；只有1家生产企业具备质量检验机构和检验设备手段，其余企业均不具备。共检查城乡23个游乐园（场）正在运营中的32种、439台（套）游艺机和游乐设施，其中瓦房店东山公园的木马、金州动物园的飞椅和木马质量不符合要求，存在安全隐患，被停止营业。多数游乐园（场）比较重视游乐设施的安全运营，安全保障系数和设备完好率比以往有较大提高。

【工业企业“五查”】　2000年，根据国家质量技术监督局的部署，大连市技术监督局选择本市121家各类工业企业，进行以质量意识、质量水平、质量体系、现场管理和售后服务为主要内容的“五查”工作。

经检查发现，本市工业企业质量意识明显增强，企业主要领导参与质量决策和管理的有120家；质量水平稳步提高，企业生产执行国际先进标准、国际一般标准、国家标准的比例依次为8.3%、15.7%和66%，没有无标生产现象；质量体系日趋健全，大型企业多数通过GB/T19000和ISO9000认证，中小型企业的认证意识也普遍提高；现场管理较为规范，生产设备完好率90%以上的企业占79.3%，建立原材料入厂检验制度的企业达100%，其中执行较好的占83.5%；售后服务尚需加强，12.4%的企业没有提供产品使用说明，19.8%的企业对维修人员没有进行定期培训。

【标准实施监督】　2000年，大连市技术监督局监督检查《消费品使用说明》系列标准、《食用标签通用标准》、《安全标志》、《啤酒瓶》等国家标准贯彻实施情况。共检查生产企业395家、经销企业617家。其中：211家企业因不符合标准要求被罚款；275家企业被限期整改；74万多只非“B”瓶被销毁。举办《家用空调器安装规范》国家标准培训班，培训210人，经考核发放相关资格证书。

【查处假冒瓦轴轴承案】　2000年，大连市技术监督局与瓦轴集团联合查处河北省定州市东方轴承器材供应站制售假轴承并向军工企业提供伪劣产品的案件。现场发现假冒成品轴承价值50余万元，仅假冒瓦轴的产品就有12个规格、477套（不包括未组装的散件），价值11万余元，还查出大量假冒瓦轴集团产品注册商标（ZWZ）的半成品包装物、合格证等。更为严重的是，有些假冒产品用在国防领域，给国家安全带来极大隐患。此案得到国务院领导高度重视，国务院副总理吴邦国亲自批示要予以严肃处理。国家质量技术监督局责成河北省质量技术监督局组织查处。

【建立外资企业举报投诉联络制度】2000年11月16日，大连市技术监督局召开日清制油、辉瑞制药、博格曼、可口可乐、华润啤酒等12家外商投资企业座谈会，正式建立大连市外商投资企业举报投诉联络制度。上述企业均指派专人担任联络员，与政府有关部门定期沟通。市技术监督局承诺，把外资企业举报投诉的制假售假案件作为查处重点，把假冒外商投资企业产品的违法行为作为打击重点，坚决维护外商和投资者合法权益；设立投诉热线电话并由专人负责，认真查处调查外商投资企业举报投诉的制假售假案件。这些措施得到外商的一致好评。年内，先后查处假冒博格曼（中德合资）、爱普生（日资）、泰松合板（中新合资）、百仕福（中美合资）、昌利阀门（中日合资）等外资企业名牌产品的案件7起，查获假冒外资企业产品货值金额120多万元。

【打假联合行动】 2000年11月1日起，大连市工商、技术监督、卫生、医药、烟草、酒类专卖、公安等部门进行打假联合行动。此次行动把建筑用钢材及其他建筑装修材料、电子电器、汽车配件、一次性输液（输血、注射）器、化妆洗涤用品、烟酒、食品7类商品作为重点打假的产品；把瓦房店地区的轴承、水泥、水泵市场和位于西岗区的双兴商品城作为重点治理整顿的市场。截至年末，共出动执法人员1.6万人次，查获假冒伪劣商品货值1230万元，销毁假冒伪劣商品货值19万元；捣毁制假售假窝点120个，其中制假窝点53个；立案查办制假售假案件1204起，结案637起，其中大案要案25起，已结案12起，移交司法机关4起；罚没款总额188万元。

【标准备案】 2000年，大连市技术监督局备案企业标准1602项，注册登记1034个企业、2678种产品执行标准。截至年末，本市已有4482个企业、11625种产品注册登记产品执行标准，其中执行国家标准的3707种、执行行业标准的3290种、执行地方标准的20种、执行企业标准的4608种。审核备案食品标签2052项、饲料标签633项。

【农业标准化】 2000年，根据市政府加快发展县域经济的决定，大连市技术监督局大力推进农业标准化工作。与有关部门合作，调整部分土地用于发展名、优、特蔬菜，扩大优势品种，推广无公害无污染农产品种植面积。新发展绿色食品11个品种，已拥有绿色食品标志产品21个，占辽宁省总数的29.6%。国家质量技术监督局、农业部确定，由本市负责果树花粉质量标准、雏鸡检疫技术规程和大樱桃苗本繁育标准的制定。

【信息技术标准化】 2000年，大连市积极推进信息技术标准化。办理组织机构代码证书11197户，审核换发组织机构代码证书4102户。发展商品条码系统成员186户、复审180户，累计发展商品条码系统成员934户。与14家出版社建立信息标准资料直供关系，新增各类标准文本1546种，使馆藏标准资料达到3.5万种；为450个企业、2300多人次提供标准文本资料4495册。

大连市技术监督局执法人员现场接待消费者投诉，并讲解识假、辨假的知识。

市技术监督局　供稿

【汽车液化石油气转换装置选型】 2000年，为推广节能、环保型液化石油气（LPG）汽车应用，大连市技术监督局会同计委、交通、环保、公用、劳动等部门，审核、评鉴10余家生产、安装汽车LPG转换装置企业的产品，并确定意大利罗瓦托公司、大连绿源公司、韩国昌源净化器公司、大连北方顺达工贸公司、辽宁森驰汽车节能转换装置制造厂5家企业的产品，为大连市首批选用的汽车LPG转换装置。

【定量包装产品计量监督】 2000年，大连市技术监督局依法开展以商品量为重点的计量监督。监督抽查生产领域粮食、食品、建材、化工、饮品等31家企业、84个品种的定量包装产品计量，平均合格率为89.3%；监督抽查流通领域150多家商店、超市、摊点共4500批次的定量包装产品计量，平均合格率为71%。还会同有关部门，治理整顿成品油批发、煤炭、液化气、加油站等行业。

【计量器具监督管理】 2000年，大连市技术监督局根据国家关于“住宅建设中使用的电能表、水表、燃气表、热量表安装使用前进行首次强制检定”的要求，首次强制检定住宅建设中安装的电能表、水表、燃气表共3.5万余块；抓好计量器具产品质量和强检工作计量器具的管理，抽检33家企业生产的658批次的压力表、水表和煤气表，合格率为88%；清理整顿计量器具制造、修理企业，70家制造企业和4家修理企业通过了审核，28家企业因不具备生产条件和未按期申请复查被吊销制造计量器具许可证。

【企业计量】 2000年，大连市依法复查和考核企业建立的最高计量标准。完成32家企业、221项最高计量标准的复核，有4家企业未通过复核被限期整改；分类指导企业建立健全计量保证体系，有11家大中型企业通过了国家级体系审核，3家小型企业通过了计量合格确认；在经济技术开发区建立计量测试分支机构，为外商投资企业提供计量测试服务，检测各类计量器具1万多台件，改善了投资软环境；会同市国税局推行加油机税控装置，有397个加油站的753台加油机安装了税控装置。（刘　哲）

科学技术

责任编辑　周万久

概　述

2000年大连市自然科学独立研究开发机构情况

	数量	从业人员	高级技术职称人员	院士	博士	硕士
1. 市属以上科研院所	38	5744	1017	8	163	731
其中：中央属	8	3173	627	8	159	272
省属	4	402	92	—	1	15
市属	26	2169	298	—	3	41
2. 区市县属科研院所	29	521	—	—	—	—
3. 信息文献机构	1	44	15	—	—	—

【概况】　2000年，大连市有市属以上自然科学独立开发科研机构38个，从业人员总数5744人。另有区市县属科研机构29个、信息文献机构1个。

全市科技工作以加快发展高新技术产业为主线，突出招商引资、加快大连软件园发展、建立多元化投融资体系、健全各类创业服务中心和中介服务机构、推进重大高新技术产业化项目发展等重点工作。全市累计认定高新技术企业443家，其中新认定48家；高新技术产品产值达435.9亿元，比上年增长26.2%。累计登记、审批民营科技企业2440家，当年技工贸总收入80亿元，增长37.9%。专利申请量1173项，增长22.1%。组织实施各类计划项目268项，引进推广农业新品种100个，有74项成果通过了技术鉴定。认定登记技术合同3400项，成交金额7.5亿元，比上年增长7%。列入国家和市级聘请国外专家重点项目310项，邀请外国专家来连4900人次，派出培训科技人员650人次。

【重大高新技术产业化项目进展顺利】2000年，大连市在电子信息、生物工程、新材料和节能环保等重点领域，重点选择10个具有自主知识产权和国际先进水平的民族高科技项目实现产业化，并在制定专项政策、引进人才、多渠道投融资、企业上市等方面给予重点支持。至年末，各重点项目进展顺利，成为本市高新技术产业的亮点。特别是以新型农药及中间体、氟碳漆、第三代液晶显示器、珍奥核酸保健药品、新型自发光材料、微生态调节剂、超高分子量聚丙烯酰胺为代表的高科技产品极具潜力，市场前景十分看好，可望在短期内成为本市的拳头产品和知名品牌，形成新的经济增长点。

【软件产业实现跳跃式发展】　2000年，大连市把软件产业作为新兴支柱产业加快发展。确定“以大连软件园快速发展为基础，走软件产业国际化的发展路线，实现‘三步走（加速大连软件园的发展；创建全国第一个软件产业国际化示范城市；把大连建成中国软件产业特区）’战略目标”的工作思路；制定《大连市创建软件产业国际化示范城市纲要》，组织编制《大连市创建软件产业国际化示范城市可行性研究报告》，邀请国家科技部及国内著名专家30人次、召开3次大型论证会进行论证。这一项目经“863”主题专家组评审，被正式立项，并一次拨款90万元。当年，全市软件产业呈快速发展态势。软件产业实现产值9.8亿元，比上年增长78.9%。

这一年，大连软件园进入快速发展轨道。新启动东北大学东软信息技术学院、大连东大诺基亚通信技术有限公司、中国计算机软件与技术服务公司、中国网通东北枢纽中心、大连软件园创业中心2号楼、“软件知音”生活配套区等6大建设项目，投资总额近7亿元。东大诺基亚、中软集团、中国网通等知名软件企业进入软件园，入园软件企业累计52家。当年软件销售收入3.5亿元，出口创汇1500万美元。

【科技招商引资成效显著】　2000年，大连市重点抓好科技领域的招商引资。

国外招商。先后4次组织科技代表团赴香港、美国和日本招商，签订合作项目18个，合同外资1.1亿美元，协议外资1.4亿美元。在美国华盛顿和日本东京成功举办大连海外人才招聘会、大连科技项目招商暨辽宁省东京留学人员恳谈会。

国内招商。组织全市高科技企业参加北京高新技术产业国际周、深圳高新技术产品交易会和郑州、哈尔滨、长沙商品展销暨经济合作洽谈会，并分别与当地政府合作组织科技合作洽谈会，签订项目协议金额16.6亿元。

【创业服务体系进一步完善】　2000年，大连市形成由高新技术产业园区创业服务中心、大连软件园创业服务中心和大连市民营科技企业孵化中心组成的创业服务中心群体，建筑面积达到10万平方米，孵化企业300多家。

【多元化高科技融资体系基本形成】2000年，大连市加快风险投资与中介服务体系的市场化建设。成立大连科技风险投资有限公司，一批有前景的高新技术产业化项目已与国内外的风险投资结合。推进高科技企业上市，大连凯飞化学股份有限公司通过了国家科技部和中科院的评审，进入上市程序；还有10多家企业争取在国内外创业板上市，其中有2～3家有望首批上市，将对引导高科技企业与资本市场结合起到示范作用。

【大连科技信息网日趋完善】 2000年，大连科技信息网二期工程完成1000兆以太网升级和多媒体视频系统建设，在全市率先正式开通视频点播节目，内容有国内外最新科技动态以及大连科技、科技普及等专栏。自建容量为400G的国内科技期刊全文库和218G的视频科技资料库，在全市信息化战略发展过程中起到了示范作用。（科 志）

【现代生物农业创新体系初步形成】 2000年，大连市以农业新品种引进、繁育、推广为主线，建设生物工程种苗基地和人才队伍，初步形成新品种、基地、人才三位一体的农业创新体系。全市引进、推广农业新品种280个，比上年增加80个，其中从国外引进新技术21项；创办阳光高科技农业开发园区、大连旅顺长城园艺园、科源农业生物种苗繁育基地等高科技生物育苗基地7个。

10月16日，市科委、市农委等部门及各区市县在市科技馆共同举办2000年大连市农业名特优新品种展示品尝会，展示7大类600种农产品，其中234种可现场品尝，促进了农业新品种的推广。（张际春）

【科技体制改革继续深入】 2000年，大连市出台《大连市人民政府关于进一步扶持高新技术产业发展的若干规定》、《大连市软件开发生产企业、软件产品认定暂行办法》、《大连市市属科研机构管理体制改革实施意见》、《大连市发展高新技术产业招商引资奖励办法》、《大连市科技中介服务机构管理办法》等一系列政策法规，促进了科技体制改革的深入。

为加快科技体制改革的步伐，成立由市科委、体改委、财政局、国资局、劳动局、工商局、人事局、国税局、地税局等10个部门组成的改制工作联合办公室，具体指导、协调院所的转制工作。同时，在借鉴外省市经验的基础上，市科委协调有关部门，起草《大连市市属科研机构管理体制改革的补充意见》，解除了科技人员机构转制的后顾之忧。当年，市属科研机构转制工作进展顺利，已有14家科研院所进入转制程序，激发出新的生机和活力。

2000年大连市从国外引进的农业新技术

序号	项目名称	引进单位	引进国家
1	草莓病虫害诊断技术	市科委科源农业生物工程公司	荷兰
2	草莓栽培土壤线虫防治	市科委科源农业生物工程公司	荷兰
3	温室栽培草莓白粉病防治	瓦房店市科委、庄河市科委	荷兰
4	草莓节水栽培技术	庄河市科委	荷兰
5	蓝莓栽培系列技术	市科委科源农业生物工程公司	美国
6	郁金香栽培新技术	金石滩花卉管理中心	荷兰
7	郁金香种球繁育技术	金石滩花卉管理中心	荷兰
8	兰花栽培技术	金石滩花卉管理中心	荷兰
9	兰花病虫害防治技术	金石滩花卉管理中心	荷兰
10	玫瑰栽培技术	金石滩花卉管理中心	荷兰
11	氯化苦在农业中的应用技术	大连染料化工有限公司	日本
12	樱桃V字型栽培技术	金州区果树管理服务中心	日本
13	桃子V字型栽培技术	金州区果树管理服务中心	日本
14	红鳍东方豚与车虾混养技术	大连佳信国际贸易公司	日本
15	俄罗斯鲟鱼种鱼培育技术	大连仙浴湾企业集团	俄罗斯
16	鲜切花技术	金石滩花卉管理中心	日本、荷兰
17	山葵种植技术	瓦房店市农业科学研究所	日本
18	山葵病虫害防治技术	瓦房店市农业科学研究所	日本
19	加拿大晚熟大樱桃栽培技术	金州农业良种示范场	日本
20	佐藤锦与天香锦杂交技术	金州农业良种示范场	日本
21	大樱桃快速扩繁技术	金州农业良种示范场	日本

【引智工作成绩斐然】 2000年，大连市通过各种渠道和形式聘请国外专家4900多人次，比上年增加900多人次。其中：列入本市聘请国外专家重点项目213项，聘请272人；列入国家聘请国外人才重点项目97项，聘请149人，包括50多名具有国际水平、知名度高的专家。项目执行率达99%，比全国平均水平高10多个百分点。

农业方面。先后聘请日本、美国、荷兰、法国、以色列、俄罗斯、澳大利亚等国农业专家30余人次来连进行技术指导。全年引进农业新品种60余个、地被植物20种、7个品种的美国蓝莓共250余株苗木、大菱鲆鱼卵16万粒、美国大口胭脂鱼12万尾、有“天下奇果”之称的冬枣树苗1.5万株、金丝小枣树苗500株等。

在软件业、生物制药、基因工程以及新材料新技术等方面，采取引进专家和出国学习、培训相结合的方法，促进了这些项目的研究、开发及产业化进程。市科委聘请美国著名蓝莓专家来连进行技术指导，建立蓝莓引进科研基地。大连轻工业学院生物食品科研所聘请朝鲜的植物学家、韩国和日本的微生物及人参专家，成功制备出高抗癌的RH2皂甙，使RH2的生产达到国际领先水平，试生产的RH2皂甙保健品正在开发为国家一类新药。美国和日本生物技术专家来连进行基因工程制药技术攻关和基因药物载体的提取、制备研究，取得重大进展。俄罗斯专家来连指导、交流利用等离子体阴极和双等离子进行表面强化处理技术，使本市科技人员掌握了这项高新技术。大连理工大学工程塑料开发公司在加拿大专家的指导下，生产出具有自主知识产权的用于航空航天的耐高温、耐磨擦的新材料，已通过国家计委审查立项，将建成一个年产值上亿元的新材料生产基地。中科院大连化物所邀请美国生物化学专家来连，讨论关于激肽释放酶分离纯化与基因治疗的合作研究工作，取得收效。中日学者合作研究碳钢腐蚀性机理取得丰硕成果，双方决定将这个研究协议延续2年，为新的研究提供更多依据。

【本市研究成果入选“2000 年中国和世界十大科技进展新闻”】 2000 年，中国科学院大连化学物理研究所沙国河院士及其研究小组在一氧化碳分子碰撞传能的实验中，首次观察到物质波干涉现象，同时在钠分子碰撞实验中也观察到这一效应。这不仅使国外科学家 10 多年前的理论预测得到证实，而且进一步丰富了量子理论。这一研究成果发表在《美国化学物理》等权威杂志上，受到国际同行的关注和高度评价。2001 年初，该项成果入选由中国科学院学部联合办公室、中国工程院学部工作部、科学时报社联合主办，有 485 名中国科学院和中国工程院院士投票的“2000 年中国和世界十大科技进展新闻”。

【45 个项目获国家、省、市级科技成果奖】 2000 年，大连市有 27 个项目获国家和省部级科技成果奖，其中国家级奖 3 项、部级奖 8 项、省级奖 16 项。有 90 个项目获大连市科技进步奖，其中一等奖 16 个、二等奖 36 个、三等奖 38 个。

（科 志）

2000 年大连市获国家级科技成果奖项目

序号	项目名称	奖励类别	获奖人	获奖单位	奖励等级
1	分子束和激光束反应动态学研究	国家自然科学奖	韩克利	中科院大连化学物理研究所	二
2	亲和膜、分离器及膜亲和色谱分离系统	国家发明奖	商振华	中科院大连化学物理研究所	二
3	船体外板水火加工成型技术研究	国家科技进步奖	纪卓尚	大连理工大学 大连造船新厂	二

2000 年大连市获省级各类科技成果奖项目

序号	项目名称	奖励类别	获奖人	获奖单位	奖励等级
1	千瓦级质子交换膜燃料电池	辽宁省科技进步奖	衣宝廉	中科院大连化学物理研究所	一
2	大连市社会保险管理信息系统	辽宁省科技进步奖	王秀坤	大连市劳动保险公司	一
3	亲和膜、分离器及膜亲和色谱分离系统	辽宁省科技进步奖	商振华	中科院大连化学物理研究所	二
4	茎瘤固氮根瘤菌微生物肥料的研制与应用	辽宁省科技进步奖	卜宗式	中科院大连化学物理研究所	三
5	多功能航行安全仿真系统	辽宁省科技进步奖	贾传荧	大连海事大学	一
6	海上搜救决策支持系统研究	辽宁省科技进步奖	赵德鹏	大连海事大学	二
7	港口装卸机械针对性维修体制与维修决策支持系统的研究	辽宁省科技进步奖	朱清河	大连海事大学	三
8	小鼠围着床期子宫内膜及胚胎细胞表面寡糖抗原的阶段特意表达、调控及功能	辽宁省科技进步奖	朱正美	大连医科大学	二
9	同种异体肋软骨外耳道后壁重建方法和实验研究	辽宁省科技进步奖	吕宏光	大连医科大学	二
10	实验性骨质疏松症对种植体周围骨组织的影响	辽宁省科技进步奖	潘巨利	大连医科大学	二
11	壳聚糖生物膜的基础研究及临床应用	辽宁省科技进步奖	吕德成	大连医科大学	二
12	带血蒂大转子骨瓣及髂骨（膜）瓣转移治疗股骨头缺血性坏死的实验、解剖学和临床系列研究	辽宁省科技进步奖	赵德伟	大连医科大学	二
13	大型多功能化学品船总统综合技术研究	辽宁省科技进步奖	王泰荣	大连造船厂	二
14	一种用于去除内毒素的亲和膜分离器	辽宁省发明创造奖	商振华	中科院大连化学物理研究所	二
15	用电——多项催化处理啤酒厂废水、用电——多项催化反应处理二硝基苯酚工业废水的方法	辽宁省发明创造奖	谢茂松	中科院大连化学物理研究所	二
16	一种小型医疗保健用富氧机	辽宁省发明创造奖	沈光林	中科院大连化学物理研究所	二
17	超大型船舶通过虾峙门外浅水域时富余水深的研究	浙江省科技进步奖	孙立成	大连海事大学	二

基础性研究

【工程结构随机振动精确高效算法研究】 从工程应用的角度看，该项研究早已建立起线性随机振动的基本理论框架，但其成果在许多工程领域并未得到充分应用，其原因是计算方法的复杂性和低效率。以大连理工大学林家浩、钟万勰为首的课题研究组对其计算方法进行了长期研究，建立随机振动的高效算法系列虚拟激励法，使随机振动理论成果方便有效地应用于多种工程领域，解决了困扰工程界几十年的难题。虚拟激励法在国际上独树一帜，许多功能已远远超越该领域的传统方法，具有很强的创新性。2000 年获中国高校科学技术奖（自然科学）二等奖。

【污染物扩散输移的湍流模式研究】 该项研究始于 1994 年，由大连理工大学沈永明教授等人进行，并得到大连理工大学近海工程国家重点实验室的支持以及国家自然科学基金、国家教委留学回国人员基金的资助。全面系统开展水环境中污染物扩散、输移、转化规律及其湍流模式研究，提出一整套实用、有效的理论模式和计算方法，并成功应用于营口电厂的水域热污染数值模拟以及大连湾、香港维多利亚港和日本博多湾的三维水质模拟。其研究成果系统性强，具有显著的开创性和实用性，达到同类研究的国际领先水平。2000年获中国高校科学技术奖（自然科学）二等奖。

【随机与时变信号处理系列研究】 该项研究由大连理工大学王宏禹教授承担。其研究内容比较系统、完整，基本形成系列化；包括研究者与国内外学者许多最新研究成果，具有先进性和创新性；密切联系实际，许多内容有实际应用背景，例如自适应噪声抵消是与语声增强方面应用相结合，自适应时延估计是与地下水管检漏等应用相结合。2000年获中国高校科学技术奖（自然科学）二等奖。

【飞秒激光控制化学反应的研究】 中国科学院大连化学物理研究所分子反应动力学国家重点实验室于1994年开始飞秒（飞秒是100亿亿分之一秒）激光化学的研究，与美国加州大学伯克利分校化学系合作，研制飞秒激光器和建立飞秒激光化学实验室，同时在飞秒激光控制化学反应方面开展初步理论研究和实验准备。并取得较好进展。该项研究用飞秒激光器、时间飞渡质谱、光电子能谱等多种现代实验技术，从飞秒尺度上探索控制化学反应及其相关的重要科学问题，具有重要的科学价值，是大连化物所2000年取得的重要的研究成果。

【中德催化纳米技术伙伴小组在连成立】 2000年10月，经中国科学院和德国马普学会批准，德国马普学会弗利兹·哈伯（Fritz－Haber）研究所在中国科学院大连化学物理研究所设立催化纳米技术伙伴小组。弗利兹·哈伯研究所所长、著名催化研究专家埃文尔特（G. Ertl）教授专程来连，向伙伴小组组长、大连化物所所长包信和研究员颁发由马普学会主席签署的任命书。 （科 志）

·名词解释·

纳米 是一种度量单位，1纳米为1/100万毫米（即1毫微米）、1/10亿米。纳米结构通常是指尺寸在100纳米以下的微小结构，在这种水平上对物质和材料进行研究处理的技术称为纳米技术。纳米技术其实就是一种用单个原子、分子制造物质的科学技术。纳米技术在新世纪将推动信息技术、医学、环境科学、自动化技术及能源科学发展，给人类的生活带来深远影响。

2000年大连市获部级科技进步奖项目

序号	项目名称	获奖人	获奖单位	奖励等级
1	从活性染料到反应性染色的理论与实践	杨锦宗	大连理工大学	一
2	烷基糖苷的合成	杨锦宗	大连理工大学	二
3	工程结构随机振动精确高效算法研究	林家浩	大连理工大学	二
4	随机与时变信号处理系列研究—自适应与非平稳随机信号处理教育	王宏禹	大连理工大学	二
5	污染物扩散输移的湍流模式研究	沈永明	大连理工大学	二
6	计算机数值方法	施吉林	大连理工大学	二
7	有机化学实验系列教材	高占先	大连理工大学	二
8	HK－40炉管超声检测技术	李喜孟	大连理工大学	二

2000年大连市科技进步奖一等奖项目

序号	项目名称	获奖人	获奖单位
1	海上石油平台动力控制技术及仿真技术研究	姜培元	大连海事大学
2	乳腺肿瘤的微血管密度与彩色多普勒血流显像的相关性研究	杨 光	大连医科大学
3	液压伺服多向不规则波造波机	李木国	大连理工大学
4	冷水机组分布控制系统	仲崇权	大连理工大学
5	亲和膜、分离器及膜亲和色谱分离系统	商振华	中科院大连化学物理研究所
6	活性寡聚糖生物农药制备及生产技术	杜昱光	中科院大连化学物理研究所
7	正痹合剂治疗骨不愈合、骨无菌性坏死、慢性骨髓炎临床与实验研究	周成刚	大连中医骨伤科研究所
8	大豆活性物质系列产品综合生产技术	李振铎	大连绿峰天然生物制药有限公司
9	多肽营养豆奶	朱蓓薇	大连轻工业学院
10	STR复合扩增技术在法医学上的应用	王立铭	大连市公安局刑事科学研究所
11	桃新品种——丰白	王逢寿	大连市农业科学研究院
12	大连市名特优新品种集锦	曲晓飞	大连市科委
13	DUX193曲轴轴承盖加工数控自动线	薛克寰	大连机床集团有限公司
14	祛脂化瘀丸治疗脂肪肝的临床与实验研究	石志超	大连市中医医院
15	提高机车牵引齿轮寿命及可靠性的优化方法	何卫东	大连铁道学院
16	包覆焊接法铜包铝线	吴云忠	大连开发区通法新材料开发有限公司

科技成果转化

【火炬计划的实施】 2000年，大连市列入国家级火炬计划项目7个，其中重大项目1个；项目贷款8000余万元；投入科技三项费用150万元。有2个项目获国家中小科技企业创新基金的无偿资助110万元，4个项目争取科技部火炬中心拨款140万元。火炬计划项目的实施实现销售收入6亿元、税后利润1.2亿元，出口创汇800万美元。

【星火计划的实施】 2000年，大连市共安排星火计划项目51项，其中国家级13项、市级38项。有农业产业化项目11项，占总数的20%。这些项目的实施坚持了以促进大连市的农业产业化发展为着眼点，按照市场经济机制运行，同时加强调控和指导，取得初步成效。全市举办各类培训班1804期，培训人员37.8万人次。其中农业科技管理培训班74期4921人次、农业科技师资培训班38期3199人次、农业科技技术培训班1508期37万人次；投入农业科技培训经费160万元；播放各种农业科技录像教材264套，编写教材9套，发放各类技术资料52万册。国家《华夏星火》杂志辟专版介绍了本市实施星火计划的经验和做法。

【化物所2项科研成果用于“神舟2号”飞船发射】 2000年，中国科学院大连化学物理研究所的姿态控制肼分解催化剂和人体代谢模拟装置中的拟人耗氧反应器组件2项科研成果，被成功应用于“神舟2号”飞船发射。姿态控制肼分解催化剂是飞船的姿态控制系统的核心材料，曾20多次成功运用于我国自行研制的运载火箭、通讯卫星等各类空间飞行器的姿态控制系统，包括“神舟1号”和“北斗”导航实验卫星等。人体代谢模拟装置是飞船载人的前期模拟系统，用于模拟人在太空密闭环境中的吸氧、产热等生理特点，其中是人体代谢模拟装置的核心部件之一，为下一步飞船载人提供技术数据。

【燃料电池新技术通过国家级鉴定】 燃料电池是新的发电方式，对环境没有污染。中国科学院大连化学物理研究所研制的电极、膜/电极三合一的制备的性能略优于美国E-TEK公司同类电催化剂，制作成本是后者的1/5，已小批量生产。在电池组关键技术上有一系列重大突破，形成独立的知识产权。在电池系统工程开发方面，成功组装100瓦至30千瓦的系列电池组系统，组装总量累计超过120千瓦，其中5kW与65kW=30kW系统与中科院北京电工所研制的电控制及电推进动力系统成功联试，并于2000年末与二汽集团进行电动汽车装车实验获成功，开创了国内电动汽车以燃料电池为动力源的先例。用于水下机器人电源的千瓦级电池系统正在进行水下试验。质子交换膜燃料电池基本完成实验室研制，具备产业化开发能力，在国际上也产生一定影响。在第十六届国际电动汽车会议暨展览会上，该所的燃料电池受到普遍赞誉，其新技术被认为属世界一流。2000年，该所研制成功的Pt/C电催化剂通过国家级鉴定。

【船体外板水火加工成形技术大幅度提高生产效率】 船体外板水火加工成形技术由大连理工大学和大连造船厂共同开发，被列入国家国防科工委船舶工业科研计划，研究目标是摆脱水火加工成型对人工经验的依赖。课题组应用数学力学理论方法和现代计算机技术，成功地解决了这一难题，使复杂的水火加工成型工艺变为简单工作，极大地提高了生产效率，在国内外船舶制造工艺方面具有突破性意义，已成功应用于大连造船厂15艘出口船舶产品的建造，可提高生产效率1倍以上，平均缩短船台周期19天。2000年获国家科技进步二等奖，还获得中国船舶重工集团科技进步一等奖、大连市发明创新奖。

【海上石油平台电液控制技术试用效益明显】 自升式海洋平台动力起升装置的液压传动及控制系统的制造技术的研究由大连海事大学进行，2000年全部完成并获大连市科技进步一等奖。该项技术经辽河油田“辽海试采2号”平台试用，年均降低维护费用10万元，节约建造费用784万元，平台增值1056万元，累计实现产值707万元。与之匹配的控制技术的研究也达到国内领先水平，特别是自动平衡控制技术达到同类产品国际先进水平。

【HK-40炉管超声检测技术普遍推广】 由大连理工大学研究完成的HK-40炉管超声检测技术，成功地解决了高温耐热炉管材料的超声检测这一攻关课题，自1990年起在我国到石油、化工行业普遍推广应用。课题组先后为13个省（直辖市）的20多个石油化工企业进行现场技术服务及技术咨询，共检测转化炉70个炉次，确保被检装置安全运行。仅盘锦辽河化肥厂、齐鲁第二化肥厂、扶顺石油三厂等5个企业近3年的效益统计，共节约开支1373.4万元，新增利润3358.2万元。2000年，该项目获中国高校科技进步二等奖。

【理工大学产学研合作实现新突破】 2000年，大连理工大先后与辽宁省、大连市的数十家企业联合成立辽宁省511校企合作委员会、大连理工大学校企合作委员会（大连）。参加全国性科技成果展10次、地方成果展22次。访问地方政府及企业进行科技对接活动25次，接待各地来访者达500余人次。首次在校内举办理工大学与辽宁省部分大中型国有企业技术合作洽谈会，签订技术合同9项，合同金额727万元；签定协议17项，协议金额1031万元。在辽宁省第八届产学研合作项目洽谈会上，签订技术合同10项，合同金额808万元；独立组团参展第二届中国国际高新技术成果交易会，共签订合同、协议和意向23项，项目总金额突破2亿元。

在与企业的合作中，该校不断地将最新科技成果应用到生产实际中，使企业取得较好的经济效益。与北京燕山石油化工公司联合开发的我国第一套工业化规模的吸收式热泵装置，废热回收率可达40%以上；与中远船务公司签订设计、开发2台门座起重机的总承包合同，工程总造价850万元，仅用5个月时间就制造出第一台整机，各项技术指标均达到合同要求。

【催化裂化干气与苯烃化制乙苯技术在大连石化公司成功应用】 2000年，大连石化公司成功投产我国国产化规模最大的10万吨/年干气制乙苯和乙苯脱氢装置。该装置选用中国科学院大连化学物理研究所和抚顺石化公司联合开发，达到世界先进水平的催化裂化干气与苯烃化制乙苯技术，采用不需特殊精制的催化裂化干气作为烃化原料，生产出纯度大于99.9%的合格苯乙烯，产品质量达到设计要求，经济效益和社会效益可观。

（科　志）

专　利

【概况】 2000年，大连市鼓励发明创造，加强知识产权保护。市政府制定下发《大连市鼓励专利申请专项经费管理办法》。全市申请专利件数比上年增长22.1%；授权专利增加28.7%。分两批受理申请资助的专利项目296个，首批67个项目已下发专项资金10万元，其中列入各级科技计划的专利（申请）项目46个，占资助项目的69%，起到了鼓励专利申请，促进企事业单位和发明人建立自主知识产权的作用。

【大连参展项目在中国专利技术对接洽谈会上获金牌】 2000年9月26日，由国家知识产权局、辽宁省政府共同举办的2000年中国专利技术产业化对接洽谈会在沈阳召开。大连市组织15个企业的30个技术含量高、市场前景好的专利项目和技术成果参展，成交额3600万元，有

8个项目获金牌。

【甲氰菊酯专利技术经济效益良好】 2000年，中国科学院院大连化学物理研究所开发研究的甲氰菊酯农药生产技术，申请并取得多项中国专利，成为具有我国知识产权的生产技术。甲氰菊酯是第三代新农药拟除虫菊酯中的一个优良品种，杀虫面广，施药量小，对人畜安全低毒，深受农民欢迎。已覆盖全国80%以上的农村，杀虫除害累计增加农业产值约50亿元，成为农民信得过的农药；生产企业累计增加产值约10亿元、利税近2亿元。

【"珍奥核酸"畅销世界】 "珍奥核酸"是大连珍奥生物工程股份有限公司运用国家发明专利，从天然食品中制取核酸原料，研制开发出核酸系列营养保健品，适宜体乏无力、体弱多病、免疫力低下者。自1997年投入市场以来，得到广大消费者的认同，2000年实现销售收入1.5亿元、利润5341万元。该公司也成为国内最大的核酸产业化基地，年产核酸原料400吨，占全国总产量的90%；年出口110吨，销往意大利、法国等国家和地区。

【硅酸盐长余辉发光材料专利项目增收上亿元】 新型硅酸盐长余辉发光材料是大连路明科技集团有限公司的专利产品，色谱范围宽并具有良好的耐久性。路明公司以其为基质，开发出发光膜板、发光塑料、发光油墨、发光陶瓷等8大系列、90余种产品，带动新型发光产业的兴起。该公司拥有年产自发光材料500吨、发光膜板30万平方米的现代化配套生产线，2000年实施此项专利增加收入1.06亿元，产品远销美国、日本、欧洲、东南亚等40多个国家和地区。（科　志）

【专利试点企业运转良好】 2000年，全国70家首批专利试点企业之一的大连石油化工公司，修订和完善有关专利的管理办法，大力宣传普及专利法。该公司1985年以来已申请专利37项。当年先后引进干气制乙苯技术和乙苯脱氢反应器专利技术，年增产值6亿元以上；实施MTBE催化蒸馏、润滑油基础油液相脱氮、FCC进料新型雾化等10多项专利和专有技术，加快了技术改造和发展速度，提高了企业的竞争力。

2000年大连市专利申请量和授权量

单位：件

专利分类	申请		授权	
	数量	所占比重(%)	数量	所占比重(%)
总量	1173	—	775	—
1. 发明	326	27.8	67	8.7
实用新型	678	57.8	574	74
外观设计	169	14.4	134	17.3
2. 非职务专利	796	67.9	537	69.3
职务专利	377	100	238	30.7
其中：大专院校	46	12.2	22	9.3
科研单位	126	33.4	25	10.5
工矿企业	202	53.6	185	77.7
机关团体	3	0.8	6	2.5

大连获2000年中国专利技术对接洽谈会金牌的项目

序号	项目名称	获奖单位
1	钢模板修复机	大连旅顺钢模板修复机设备厂
2	大棚增湿燃料	瓦房店生光染料厂
3	海参胶囊	大连国益房地产开发公司
4	生物粉体种子包衣剂、超微粉体植物杀虫剂	大连泰达粉体有限公司
5	铸件浸渗设备	大连旅顺浸渗设备厂
6	雅特冲剂	大连海宝保健品有限公司
7	纸浆模塑文明棺	大连非凡专利事务所
8	圆筒形逆变电焊机	大连白云机电设备厂

【增强市民专利意识】 2000年"3·15消费者权益日"期间，大连市专利管理处设立咨询台，宣传《专利法》，解答有关专利申请、专利技术转让及专利广告出证的问题，使消费者直接得到专利保护的知识和信息。在《专利法》实施15周年纪念日，召开大连市专利工作座谈会；《大连日报》发表《大连市专利工作15年》、专利常识、《大连市专利之最》等；大连电视台以典型企业为切入点，重点宣传专利工作。

为进一步增强本市专利发明人的知识产权保护意识，深入探讨中国加入WTO所面临的挑战以及如何发挥专利制度在经济发展中的作用等问题，邀请国家知识产权局及北京市高级人民法院的有关专家，来连举办4次学术讲座，介绍我国知识产权体系的建立、发展历程及保护现状，还以大量生动的案例讲解相应的知识产权保护策略，有800多人参加讲座。《中国知识产权报》报道了本市专利工作，发表"政府牵线搭桥，企业大显身手"、"大连：专利打假成为新热点"等12篇文章。（于小丹）

【打击商品流通领域冒充专利的行为】 2000年8月，大连市成立由市商委、工商局、技术监督局、消费者协会组成的市联合检查小组，在全市商品流通领域开展冒充专利行为的检查活动，以加强专利商品的营销管理，保护专利权人和广大消费者的合法权益。

在对20家商场报送的1180种标有专利标记的商品登记表进行专利检索后确认：合格的专利商品974项，占82.7%；不合格的206项，占17.4%。不合格商品中，专利权失效的23项；专利号不详的81项；将专利申请号标注为专利号的102项。重点检查经营规模较大商业企业9家，查出一些尚未登记的带有专利标记的商品并进行撤柜处理。大连天百大楼股份有限公司、迈凯乐大连市场、大连友谊商城被市联合检查小组授予无假冒专利商品商场称号。（科　志）

技术市场

【概况】 2000年，大连市技术市场交易蓬勃发展，呈现出国际化、高新技术化和产业化的特点。全市实现交易项目3410项，成交额7.5亿元，比上年增长5.6%。技术开发合同成交额较大，占总量的44.7%，位居4种技术合同首位，体现了本市开发新产品、新技术的能力和规模有所提高。

2000年大连市技术市场成交情况

	签订合同（项）	金额（亿元）	比上年增长(%)
合计	3410	7.1	5.6
技术开发	486	3.3	32
技术转让	363	1.7	21.4
技术咨询	871	0.8	-11.1
技术服务	1690	1.7	-26

（于凤科）

2000年大连市技术市场交易额前10名企业

序号	项目名称	项目(个)	交易额(万元)
1	大连华信计算机计算机技术有限公司	40	5266
2	大连东大士通软件有限公司	9	5015
3	大连理工大学	271	3499
4	大连船舶设计研究所	19	2831
5	大连电子研究所	28	2349
6	大连华阳工程有限公司	3	2290
7	中船重工集团公司第七研究院760所	8	1929
8	中科院大连化学物理研究所	41	1897
9	大连爆炸加工研究所	49	1777
10	沈阳东大阿尔派软件公司大连分公司	6	1724

【光明化工研究设计院成功转让超临界CO2萃取技术】 超临界CO2萃取技术是新一代化工分离技术，符合“绿色工程”潮流。大连光明化工研究设计院的该项技术及设备装置均达到国内领先水平，受到国内外企业界、学术界的瞩目。超临界CO2萃取技术及成套装置已成功地向国内外转让：清华紫光集团用于开发大豆卵磷脂、葡萄籽油；哈尔滨透平集团用于加工中草药；甘肃阿尔康生物工程公司用于加工紫苏籽油；新疆大学用于生产开发啤酒花浸膏；山西爱心生物技术中心用于生产沙棘籽油等。

当年，该院将超临界CO2萃取装置出口韩国，并与韩国建立长期技术合作关系。这种以中国为技术方的国际间合作，在我国超临界技术史上尚属首次。

（郭维娜）

【大连（哈尔滨）商品展销暨经济合作洽谈会科技项目成交良好】 2000年9月5～8日，大连市政府在哈尔滨市举行大连（哈尔滨）商品展销暨经济合作洽谈会。市科委组织了36个单位参加的科技展团，共展示生物技术、农业技术、电子信息、医疗、节能环保等高科技领域的最新成果近200个，成为展会的亮点。其中，大连三仪动物药品公司的生物兽药和饲料及食品添加剂、大连明辰振邦氟涂料股份有限公司的振邦氟碳漆、大连路明光源公司的自发光制品等具有较高的科技含量，有的达到国际先进水平。

科技展团共有10个项目签约，合同总金额1.82亿元。其中，大连三仪动物药品有限公司与黑龙江泰达集团签订的生物兽药、饲料及食品添加剂合作生产与销售项目，合同金额5500万元。有100多家科研院所和企业与本市参展单位建立了联系，为今后进一步的合作奠定良好基础。

（张　嘉）

科学技术普及

【概况】 2000年，大连市科学技术普及工作成效显著，被国家科技部列为全国3个科普工作重点联系城市之一，对全市经济发展和社会进步起到了积极的促进作用。

科普网络和队伍建设不断加强。年末，全市有市级自然科学学会（协会、研究会）99个；有区市县科协11个、乡镇街道科协190个（城区63个街道，区市县127个乡镇全部成立）、厂矿科协133个，高校和研究所科协25个；有市级、县级青少年科技辅导员协会12个、会员500多名，建立起1500多个青少年科普活动小组。沙河口区等5家单位当年获辽宁省科普工作先进集体称号，陆儒德等9人获辽宁省科普工作先进工作者称号。

农村科普活动十分活跃，“科普之冬”、“科普之春”活动广泛开展。共推广实用技术198项、新品种185个；举办科普大集475次、科普报告312次、科普展览320场次，散发各类科技资料数十万份，培训人员65万人次；组织科技下乡活动368次，下乡科技人员1750人次。会同市委宣传部、市科委、市农委等联合开展农村“三个一”活动（读一本书、学一门技能、做一名新型农民），取得良好效果。航海学会组织专家开展“送科技下海岛进渔村”活动，充分利用休渔期为渔民“充电”。

青少年科普活动内容丰富。通过科技展览、科技夏令营、科普知识竞赛、“三模”运动会等形式，在青少年中开展“小发明”、“小制作”、“小论文”、“生物百项”等生动活泼的科普活动。市科协承办并组织选手参加第十届辽宁省“盼盼杯”青少年科技发明创新大赛，获奖46项；选派14名选手代表辽宁省参加第十届全国青少年科技创新大赛，获奖4项，市科协获优秀组织奖。会同市教委举办第二届中小学科技节，组织丰富多采的活动，培养学生的创新精神和实践能力，增强中小学生学科学、爱科学、讲科学、用科学的意识。

城市科普工作渠道多。根据区街经济发展的实际情况，全市城区积极开展创建科普示范区、科普示范街道、科普文明楼院活动，建立科普楼道、科普画廊、科普活动室。开展创建“科普进社区、进楼院、进家庭”科普示范街道活动，全市已创建科普示范街道5个。“科技之光”、“科普之夏”等活动，提高了市民的科技意识、文化修养和科学素质。针对社会上一些迷信、愚昧、反科学、伪科学等行为开展了宣传教育活动。

科普宣传出版力度大。全市各新闻媒体加大科普宣传力度，科普报刊、科普画廊、科普墙报已在城乡各地建立，一批科普影像制品、科普读物受到社会广泛欢迎。科技场馆作为科普宣传教育的重要阵地，由点到面，逐步在各区市县建立或列入基础设施规划之中。科普宣传已形成全方位、多层次的格局。

美航天专家卡洛尔·鲍佰考与参加科普报告会的听众交流。　市科协　供稿

【“崇尚科学文明，反对迷信愚昧”宣传日活动】　2000年5月21日，由中共大连市委宣传部、大连市科学技术协会在中山广场举办，同时举办《崇尚科学文明，反对迷信愚昧》展览。薄熙来等市委、市政府领导参加活动并参观展览。

展览由中央精神文明建设办公室和中国科协联合设计制作的，于3月在北京中国革命军事博物馆首次展出，取得轰动效果。展览主要分为“维护稳定，严惩邪教——坚决打击法轮功邪教组织”、“深信愚昧，贻害无穷——迷信、伪科学和邪教的表现与实质”、“掌握科学，识假辨伪”和“坚信科学，迈向未来”4个部分。在本市举办的展览中除上述内容外，还增添了中共中央总书记、国家主席江泽民等中央领导在京参观展览的内容。

【趣味科普展览】　在中国科技馆的大力支持下，于2000年9月28日在大连科技馆开展，展期2个月。该展览通过让青少年进行动手操作来了解生动的物理现象，演示物理定理的存在，其实践性弥补了学校教育的欠缺，激发和提高了青少年对自然科学的兴趣和对各种自然现象的观察力，受到他们乃至广大市民的热烈欢迎。“十一”7天假日期间参观人数超过万人，最多时每天2000多人，创大连科技馆建馆以来最新纪录。中央电视台“新闻联播”报道了这一展览活动，进一步扩大了展览在社会上的影响。

【中国科技馆向市委赠送科普展品】　2000年12月19日，中国科技馆将一套精工制作的科普展品“双曲线槽”赠送给中共大连市委，并在市委大楼举行了赠送仪式。展品上写有全国人大常委会副委员长、中国科协主席周光召为大连科普工作的题词“大连科技之光”。中国科技馆馆长、研究员王渝生专程从北京赶来出席仪式并讲话。这件科普展品由一根可旋转的直杆和一块刻有弯曲的槽的塑料板组成，当直杆以一个固定的角度绕轴旋转时，恰好能穿过塑料板上的弯槽，其主题是“看似不能，其实可行”。展品将在市委大厅长期展示，以便广大机关干部感悟其中的科学内涵，辩证地认识和解决工作中遇到的问题。

市委书记薄熙来等与机关干部一起观看科普展品“双曲线槽”。　市科协　供稿

【美航天专家来连作科普报告】　2000年9月15日，作为大连市第十二届国际服装节延伸活动之一，大连市科学技术协会邀请美国太空探者协会主席卡洛尔·鲍佰考作了一次别开生面的报告。

卡洛尔·鲍佰考在美国宇航局服务18年，3次参加宇航飞行，在太空停留时间超过386小时。报告会不设中文翻译，从会议主持者、报告人到现场提问的听众均使用英语。鲍佰考生动诙谐的演讲以及与会者竞相提出的各种探讨性问题，使会场气氛十分活跃。

这次科普报告会是一次高水平的航天科普活动，使大连市民了解了世界科技前沿的最新发展情况，也使外国学者了解了大连人的文化水平和精神风貌。

（陈诗媛）

社会科学

责任编辑　周万久

【概况】　2000年，大连市社会科学界围绕市委、市政府中心工作，认真开展理论研究、学术交流和社会科学知识宣传普及，为全市经济发展和社会进步提供理论服务。

深入学习、研究和宣传邓小平理论和江泽民“三个代表”重要思想。组织广大社会科学工作者学习座谈“三个代表”重要思想，加深对这一思想的理解；有重点地开展专题理论研讨会、学术报告会，组织力量撰写一批有较高学术价值的理论文章、著作和教材。

把握经济工作中的热点、难点问题，发挥社会科学特有的认识、论证、预测、咨询等功能，开展应用与对策研究。针对环境保护、高新技术、劳动就业、建设人才高地等问题确定课题，其中10余项被列为市级软科学项目。一些学术团体深入社会实践，为企业进行营销策划、品牌设计、企业文化设计等。

广泛开展社会科学知识的宣传普及活动。利用报告会、科学讲座等形式宣传科学理论，传播先进文化，在全市营造一种学科学、学知识的氛围。特别是积极配合各种宣传媒体，宣传科学知识，深入揭批“法轮功”邪教的反动本质，把“崇尚科学、反对迷信、倡导文明”的科学理念渗透到整个社会。

市社科联组织进行大连市第九届社会科学优秀学术成果评奖活动，获奖成果265项。承担辽宁省第七届社会科学优秀学术成果评奖大连地区的申报工作，征集成果257项，其中169项获奖，申报量和获奖率均居全省第一。

【大连市第九届社会科学优秀学术成果评奖活动】　2000年，由大连市社会科学界联合会组织进行。参评学术成果的时间范围限定在1998年8月～2000年8月间，评选过程分为个人申报、学会初评、

大连市第九届社会科学优秀学术成果

（1998年8月～2000年8月）

	奖级	作　者
著作：		
《邓小平理论与当代中国》	一等	曲庆彪等
《城市经济学》	一等	饶会林
《中国史图》	一等	李　克等
《帝国主义侵略大连史丛书》	一等	方　军等
《大连百科全书》	一等	大连市史志办公室等
《中日关系全书》	一等	关　捷等
《思想政治教育接受学》	一等	王　卫
《思想学》	一等	赵言舟等
《中国最有资格讲人权》	一等	鲜开林
《马克思主义哲学的经典阐释——〈费尔巴哈论〉研究》	二等	毕志国
《社会科学交叉科学学科辞典》	二等	王续琨等
《依法行政》	二等	于沛霖等
《跨国公司法律问题》	二等	张琮霖等
《中国与东北亚区域经济合作战略对策》	二等	李靖宇
《走向明天的国有企业（中国国有企业改革备忘录）》	二等	朱乐尧等
《个体私营经济发展指南》	二等	李才生等
《新合同法》	二等	翟云岭等
《大连改革开放20年大事纪略》	二等	单文俊等
《大嘴子——青铜时代遗址1987年发掘报告》	二等	大连市考古研究所
《大连年鉴（1999）》	二等	大连市史志办公室
《古俗钩沉》	二等	高　宇
《俄国政治制度史》	二等	赵振英
《21世纪中国军人的爱国主义》	二等	杨永德等
《语言学探索》	二等	刘乃仲
《鲁迅作品新论》	二等	王吉鹏等
《笔记小说史》	二等	苗　壮
《商魂》	二等	黄　瑞
《世纪中国：百年文化思辩录》	二等	皇甫晓涛
《幼儿素质教育探索》	二等	王　鑫等
《党风廉政建设常用法规》	三等	市纪委
《深入学习邓小平理论60题》	三等	李福源等
《新时期加强和完善党对军队绝对领导研究》	三等	王贤章等
《思想政治教育方法论》	三等	张志刚等
《思想政治课教学论》	三等	刘修春等
《社会转型期的道德价值观》	三等	张德民
《马克思主义哲学原理》	三等	冯文华等
《社会相对论》	三等	苑世强
《社会主义市场经济理论与实践》	三等	马仁典等
《大学生入党导读》	三等	魏晓文等
《税务稽查实践与思考》	三等	刘太明等

专家复评、评委会终评4个阶段。初评入选的成果分为专著、论文两大类别和经济、政法、文史、马列科社、哲学5大学科，由专家学者组成评审委员会进行分组评审，最后由全体评委对入围作品进行投票，确定获奖等级。共评出获奖成果265项，其中一等奖15项、二等奖50项、三等奖100项、优秀奖100项。

此次评选的主要特点：（1）入选成果多，达546项，比上届多6项，是历届最多的一次；（2）入选成果更加贴近实际，有50%以上是联系大连实际的，特别是在市科委等有关部门立项的课题报告有20多项；（3）首次采用打分制，改变了过去直接评等的办法，使评选结果更加科学、公正；（4）首次采用微机管理，使评选工作进入规范化轨道。

【建立社会主义市场经济体制基本框架研讨会】 2000年1月15日召开，由大连市社会科学界联合会、大连市体制改革委员会共同举办，专家学者、企业代表和有关部门近60人参加会议。与会者认为，大连市建立社会主义市场经济体制的具体目标应是：2000年，基本解决计划经济体制遗留下的深层次矛盾和问题，初步完成新旧体制的过渡，构建起社会主义市场经济体制的基本框架；2010年，建立起与现代国际城市相适应的比较完善的社会主义市场经济体制。

【学习江泽民“三个代表”重要论述座谈会】 2000年4月29日，由大连市委宣传部、大连市社科联共同召开，全市宣传思想工作部门的负责人和社会科学界的专家、学者30余人参加座谈。

与会者一致认为，江泽民总书记提出的关于“三个代表”的重要论述，从历史唯物主义的高度，深刻揭示了中国共产党的根本性质，指出了党的根本任务，是对马克思主义建党学说在新的历史条件下的创造性运用和发展，对于党在复杂的国际、国内环境下保持先进性，带领全党和全国人民全面推进建设有中国特色社会主义的伟大事业，实现中华民族的振兴，提供了新的锐利的思想武器。始终代表先进社会生产力的发展要求，是中国共产党的根本使命。始终代表先进文化的前进方向，是对党加强精神文明建设指导思想的新发展。代表最

	奖级	作　者
《市场价格理论与实务》	三等	刘庆元等
《寿险启动与管理》	三等	赵中山等
《企业经济学——原理与案例》	三等	阙澄宇
《国际贸易实务》	三等	侯铁珊等
《世界经济概论》	三等	张抗私
《台湾基本情况概论》	三等	贾燕玲等
《俄罗斯联邦税制》	三等	郭连成
《法学概论》	三等	吕凤英等
《经济信息检索与利用》	三等	张　丽等
《实用写作通论》	三等	王洪斌等
《现代文化素质教育概况》	三等	王　军等
《实用商务英语写作》	三等	胡英坤等
《中国民族文献导读》	三等	包和平等
《旅顺历史与文物》	三等	韩行方等
《绘图清代骗术奇谈》	三等	张本义
《旅顺口区志》	三等	旅顺史志
《大连市志——劳动志》	三等	市劳动局
《大学生心理健康教程》	三等	黎树斌等
论文：（一、二等奖）		
《建设可持续发展的生态城市》	一等	达　轩
《知识经济学与知识价值论》	一等	刘则渊
《大连市区域创新系统培育的理论基础与战略选择》	一等	刘凤朝等
《建立和健全干部管理监督机制问题的研究》	一等	刘生德等
《制度生命周期与制度效率递减》	一等	李　怀
《大陆亟需建立自己的“二板”市场》	一等	董　藩
《新时期党性修养的行动指南》	二等	闫振存等
《毛泽东“安定团结”与邓小平“稳定”思想比较》	二等	吴长春
《重构中国现代家庭伦理道德体系刍议》	二等	柳中权
《当前大连经济发展若干对策与建议》	二等	刁成宝等
《大连市发展知识经济的基本思路》	二等	邢良忠等
《大连市国有资产管理体制改革研究》	二等	赛自威等
《我国加入WTO对大连市经济的影响及对策研究》	二等	张少颖等
《关于大连市“十五”时期房地产业发展思路研究》	二等	陈秀忠等
《关于促进大连市个体私营经济快速发展的思考》	二等	李德和
《治理“滞缩型”特种萧条需要产业政策配合》	二等	杜　辉
《企业降低竞争行为的产业经济学分析》	二等	宋　晶
《我国货币政策的实效分析》	二等	刘凤芹等
《经济的知识化与教育的全面化》	二等	丛大川
《公平：按要素分配必须认真对待的课题》	二等	于文军
《论现代化企业审计的重点和方法》	二等	大连市审计局
《新增长理论对知识经济的几项研究》	二等	肖洪钧等
《基于“三性”分析的商业银行经营绩效综合评价模型》	二等	迟国泰等
《对企业产权制度改革的民法思考》	二等	王利民
《大连生态旅游初探》	二等	仲桂清等
《关于大连环保产业发展思路研究》	二等	王连生等
《课程概念的一个阐释》	二等	孙宏安
《交叉科学与教育教学比较五论》	二等	姜继渭
《历史运动中的跳跃性规律与历史发展的基本趋势》	二等	张俊芳
《战后日本缘何美化侵略历史》	二等	王江鹏
《面向21世纪的中日俄经济合作》	二等	林治华
《简评欧美的“第三条道路”》	二等	何　剑
《海洋国土——国防和国家建设的新领域》	二等	陆儒德
《20世纪西方文化哲学的演变》	二等	洪晓楠
《少子化时代幼儿家长教育观念的研究》	二等	杨丽珠
《戏剧精品的市场意识》	二等	张　军

广大人民的根本利益。既是党的宗旨，也是党的力量所在，应成为党一切工作的出发点和归宿。

【纪念抗日战争胜利55周年和大连解放55周年座谈会】 2000年8月21日，由大连市社会科学界联合会、大连市史志办公室联合召开，全市近40位史学专家和实际工作者参加座谈。

会议从政治、经济、文化、教育和社会各方面进行回顾和论证，揭露日本帝国主义对大连人民的政治压迫、经济掠夺、文化侵略和奴化教育，弘扬中国人民反侵略反压迫的斗争精神。与会者强调，总结历史是为了开创未来，我们一定要汲取历史教训，强化爱国主义和国防意识教育，提高全民的国家利益观念。要发愤图强，把祖国建设得更加强大，真正从思想上、物质上筑起牢不可破的钢铁长城，防止历史悲剧重演。

会议提出，纪念抗日战争胜利和大连解放55周年，就是要不忘过去的耻辱，进一步激发全市人民的爱国主义热情。要以纪念抗日战争胜利和大连解放55周年为契机，从自己城市发展的历史中汲取智慧、勇气和力量，高举邓小平理论伟大旗帜，以江总书记"三个代表"的重要思想为指导，认真贯彻落实市委八届十一次全会精神，努力开创大连市经济发展和社会进步新局面。

【建设现代化国际名城研讨会】 2000年9月28日，大连市社会科学界联合会、市政府经济研究中心、市城市经济学会和大连日报社联合召开大连市建设现代化国际名城研讨会。来自全市的专家学者和市委、市政府有关部门负责人及日本在连企业经营者30余人就大连市如何实现国际名城的思路进行了研讨。

由大连市史志办公室等单位编辑出版的《大连百科全书》，获市第九届社会科学优秀学术成果一等奖。 曹加利 摄

与会者认为，要把大连建设成现代化国际名城，首先要确定大连的城市性质、功能及与此相关的产业结构、环境质量。国际名城是一个动态概念，包含城市经济、运行机制、行销方式、城市化水平等诸多要素。大连要打破常规，运用创新思维，突破瓶颈产业，建设人才高地，才能跻身于国际名城的行列。在具体怎样建设国际名城问题上，与会的专家学者们各抒己见。与会者还从住宅建设、产品质量、旅游、博览、高新技术等方面对大连建设国际名城进行了广泛深入的探讨。

【《邓小平理论与当代中国》获市社科成果一等奖】 由曲庆彪主编的《邓小平理论与当代中国》，既有邓小平理论科学体系研究的本体论，也有邓小平理论对毛泽东思想及中国传统文化的继承发展的渊源论，还有对邓小平理论与政治稳定、经济发展等关系研究的实践功能，体现出编著者较为深入的理论思考，实现了邓小平理论研究的全方位突破。

编著者对邓小平理论开创的有中国特色的社会主义道路区别于传统社会主义模式所作的三点界定颇具新意：一是它的包容性，能够包容资本主义一切优秀成果；二是它的"中和"的制高点，能够注入当代资本主义发展优秀成果的基因；三是它作为"最佳选择"的"必须"性，是社会主义国家发展方向重新定位相比较中的必然产物。

该书打破以往以邓小平理论自身组成部分的内容阐释为主要视角的研究角度，从中国社会主义建设若干主要任务的角度来探讨邓小平理论，研究视角充分开放且创新。在2000年大连市第九届社会科学优秀学术成果评选中获一等奖。

【《大连百科全书》获市社科成果一等奖】 由大连市史志办公室等单位编辑出版的《大连百科全书》是一部全面反映大连基本知识、基本情况的历史文献性工具书，它涵盖大连的历史，侧重大连建市百年的变迁，以概述、条目和图片相结合的方式，从纵横两方面把大连的地理、历史、政治、经济、科学、教育、文化、卫生、体育、民俗、名胜等情况荟萃于一书，全面反映大连的历史和现状，展现大连人民的精神风貌和在社会主义建设中取得的成就，特别是展示了改革开放以来大连发生的巨大变化。

该书是"大连知识文库"，对全市人民了解大连的历史和现状，进行革命传统教育和社会主义教育，激发热爱大连、建设大连的热情，是一部极好的教材。在2000年大连市第九届社会科学优秀学术成果评选中获一等奖。 （陈丽华）

教　　育

责任编辑　周万久

概　述

【教育事业概况】　2000年，大连市教育事业继续健康发展。

学前教育　全市3～6岁幼儿入园率达85.1%，比上年提高3.2个百分点。有省级示范幼儿园14所、市级示范幼儿园24所、市级标准化乡镇中心幼儿园118所。

中小学教育　全市适龄儿童少年入学率，6岁为80%左右，7～12岁为99.7%，13～15岁为99.8%，残疾儿童少年达95%。全市初中毕业生升学率达74.7%，比上年提高9.9个百分点。农村初中年辍学率为2.4%，3年巩固率为90.9%。普通高中普遍扩大招生，新生数比上年增长9.9%，其中城区高中招生录取打破区界限制，52.2%的初中毕业生升入普通高中，提高10个百分点。

职业教育　大连职业技术学院和民办万成经贸职业学院的招生，使全市初步形成以中等职业教育为主体的多层次职业教育体系。高等职业技术院校在校生4088人；中等职业学校在校生67327人，与普通高中在校生保持1：1的比例。全市有国家级重点职业学校11所、省级27所。

普通高等教育　普通高等学校继续扩大招生，招生数比上年增长25%。全市19～22岁适龄人口高等教育毛入学率达25%。高等学校后勤社会化的改革全面启动，新建大学生公寓13万平方米。

成人教育　普通高校所办函授部、夜大学、成人脱产班招生数比上年增长51.6%，在学人数增长25.8%；成人高等学校招生数增长26.6%；成人中等专业学校招生数下降9.8%。全市有108所乡镇职业学校达到原国家教委规定的建制标准，其中5所进入国家级先进学校行列，6所被命名为辽宁省示范学校。职工年岗位培训量34.5万人次，农民成人学校年培训量96万人次。

2000年大连市各级各类学校基本情况

	学校数(所)	毕业生数(人)	招生数(人)	在校生数(人)	教职工数(人)	
					计	其中:专任教师
1.普通高等学校(研究生)	9	1453	2575	6229	1512	1512
2.普通高等学校	15	13327	28428	79541	16300	6832
其中:市属	2	2299	1702	13332	1846	854
3.普通中等专业学校	22	4865	5774	22988	2871	1352
其中:师范	2	517	196	626	468	236
4.普通中学	276	75987	122750	298996	23100	18753
其中:初中	201	58152	97834	231074	17401	14459
高中	75	17835	24916	67922	5699	4294
5.职业中学	59	11751	9714	34008	2860	1999
6.小学	1383	97864	68030	455569	26344	22338
7.特殊教育学校	9	183	200	1394	391	284
其中:盲聋哑学校	5	121	125	833	285	204
弱智儿童学校	4	62	75	561	106	80
8.工读学校	1	46	47	118	53	28
9.幼儿园	1874	—	50324	126911	7935	5155
10.中等技工学校	65	4809	4574	10331	2344	1365
其中:城区	62	4460	4532	9979	2281	1316
11.成人高等学校	6	3864	4774	10407	1524	787
其中:职工高等学校	4	1698	2408	4779	634	308
管理干部学院	—	809	—	365	—	—
广播电视大学	1	788	1743	3633	491	298
教育学院	1	569	623	1630	399	181
12.成人中等专业学校	35	4273	3570	11649	1750	1076
其中:职工中专	19	1071	894	3741	652	347
广播电视中专	1	2565	1802	5293	105	68
教师进修学校	10	—	—	—	773	521
农民中专	5	637	874	2615	220	140
13.成人中学	8	149	109	169	62	31
14.成人技术培训学校	921	702309	726269	337708	2401	1648

【办学体制改革取得新进展】　2000年，大连市大力发展民办、社会力量办、中外合作办教育教学机构。新建5所民办普通高中，总数达17所，在校生7500人，占普通高中在校生总数的11%。社会力量办的非学历教育机构由665个增至734多个，在学人数达23万余人。与国外学校结为友好学校的中小学由20所增至40余所，派出与聘进教师110余人，师生互访近1000人次。

【办学条件进一步改善】　2000年，大连市城区校舍建设开工项目16个，总建筑面积14.8万平方米。至年末，有12个项目、12.8万平方米建筑面积投入使用。北三市实施农村校舍危房改造项目55个，总建筑面积3万平方米，改造后建筑面积增为7.5万平方米。

城区普通高中校舍建设有显著突破，出现大连二十高中、大连二十三中、大连南洋学校、北京师范大学大连附中、大连阳光学校等一批高标准、现代化的大型寄宿制高中。大连三中等5所中小学率先铺设塑胶操场。大连大学启动总规模为4万平方米的二期校建工程。大连职业技术学院夏家河子校舍改造工程开工，竣工后可增加校舍建筑面积4万平方米。

【地方教育经费大幅增加】　2000年，大连市地方教育经费总收入18.72亿元，比上年增长17.4%。其中，预算内教育经费拨款、社会团体和公民办学经费、事业收入（含学杂费）3项，有较大幅度增长。

全市地方教育经费总支出19.34亿元，比上年增长26.4%。预算内教育经费（包括教育事业费、基建和其他教育经费）支出11.91亿元，占财政支出的比例为12.5%，比上年提高0.3个百分点。其中预算内教育事业费支出8.42亿元，增长8.4%。

【“十五”期间乃至2010年教育发展目标确定】　2000年4月15日，中共大连市委、大连市政府出台《关于深化教育改革全面推进素质教育的决定》，提出“十五”期间乃至2010年大连市教育发展的总目标和阶段目标。

总目标：基本形成各类教育结构和布局合理、相互衔接和沟通、开放性的终身教育体系，不断提高各级各类教育的质量和水平；基本形成有利于学生德智体美全面发展、以培养学生创新精神和实践能力为重点的素质教育模式，不断提高受教育者思想道德、科学文化、身体心理和劳动技能素质；基本形成符合社会主义市场经济体制，包括多元化办学体制和投资体制以及用人制度在内的教育发展机制，不断提高教育发展以及各级各类学校办学的活力。

阶段目标：到2003年，基本完成地方高等学校和中等职业学校布局结构调整；在保证儿童少年就近入学的前提下，完成中小学校布局结构调整。到2005年，建立起0～6岁托幼一体化的学前教育新体制；使50%人口覆盖地区的九年义务教育基本实现包括办学条件、师资质量和管理水平在内的“区域均衡化”；全市19～23岁适龄人口高等教育毛入学率由23%提高到30%；80%以上的农村劳动力掌握2～3项致富技术；建成1所万人规模的民办高校；非学历教育从每年15万人次增加到30万人次。到2010年，全市高中阶段教育普及率达90%以上；19～23岁适龄人口高等教育毛入学率达到40%；90%的年满18岁公民初步掌握1门外语，并具有运用现代信息技术获取信息的能力；民办中小学及民办中等职业学校在校生由8000人增至2万人，其中高中阶段在校生占全市高中阶段在校生总数的25%左右。

【减轻中小学生过重课业负担】　2000年3月，大连市教育委员会对进一步减轻中小学生过重课业负担问题再次做出严肃规定。主要有：未经教育行政部门的批准，学校和教师个人不得组织学生订购各种书刊和教学辅助用书；严格控制学生在校时间和活动总量，如早晨到校时间不得早于7点30分，放学时间小学不得晚于15点30分、初中不得晚于16点30分，严禁占用节假日组织学生集体补课；学校不得自行增删学科课时和提高教学要求，不得挤占活动课、艺体类课时间，增加其他学科课时；严格控制学生作业量，小学一、二年级不留书面家庭作业，其他年级控制在1小时内，初中各年级不超过1.5小时；小学除语文、数学外，其他课程不得组织考试，初中取消期中考试，期末考试禁止校际间联考，严禁按成绩排列学生名次。对违规的学校和个人，除全市通报外，由主管部门视情节分别给予处罚和行政处分。

【基础教育深化教育教学改革】　2000年，大连市全面推进素质教育，取得新的进展。

各学校探讨以学生为本、注重于培养学生创新精神和实践能力的素质教育课堂教学新模式。瓦房店市开展的农村小学课程整合改革实验和大连市区小学开展的课程约合改革实验已取得成效，在全市小学全面推开。小学、初中开始探讨活动课和研究性学习，在内容和实施形式方面积累了经验。在此基础上，市教委颁发《大连市中小学研究性课程实施指导意见》。全市小学全面推行取消百分制、实行等级评价制和“谈心式评语”。各级教育行政部门强化减轻中小学生过重课业负担的工作，中小学的课外作业、在校时间、征订教学资料、编班、排名次、课外补课等方面的问题，基本得到有效控制。初中毕业和升学考试加试理化实验和外语口试，在旅顺口区进行了“两考分开”试点。大连城区普通高中招生录取打破了区界限制。这些改革措施促进了素质教育的实施。

【高考、中考再创佳绩】　2000年，大连市有16973人报考高校，文、理科总平均分高踞全省14个城市之首。被高校录取14782人，录取率87.1%，其中被省属以上本科录取人数首次突破1万人。全市有48330人参加初中毕业和升学考试，A卷（毕业试卷）5门学科全部及格的29934人，占报考总人数的61.9%，比上年有明显提高。其中，市内四区全科及格率为63.6%，A卷200分以下的考生数锐减，由市内的4030人减至1605人，占考生总数比重也由17.1%降至7.6%。

【《建立新型师生关系意见》出台】　2000年4月，大连市教育委员会出台《关于在全市中小学建立新型师生关系的若干意见》。《意见》提出：教师尊重学生是建立新型师生关系的前提，教师应做到尊重学生受教育的权利，不随意责令学生停课或将学生撵出课堂、班级；尊重学生的人格，在任何情况下都不伤害学生的自尊心；尊重学生的个性，不以个人的好恶而不适当地强调共性和统一；尊重学生的主体地位，转变“教师为中心”的观念；尊重学生的理想抱负，不限制学生有益的兴趣、爱好和特长；尊重学生的需要和意愿，对学生做出的选择不横加干涉；尊重学生的民主权利，特别是发言权；尊重学生的隐私权，对学生本人及家庭某些不宜他人知道的事情（包括学生的成绩）要保守秘密。

全市各学校认真贯彻该《意见》，组织教师结合学习大连市劳动模范、四十六中教师董大方的先进教育思想和事迹，加强师德师风建设，使师生关系明显好转，出现教师尊重学生人格、承认学生个性差异、注重学生的情感体验、落实学生的主体地位、班级工作注重于学生自我教育与自我管理等变化。为推进教师了解与研究学生，市教科所指导28所学校构建“学生个性发展档案”，取得可在全市推广的成果。

【本市被定为全国中小学课程改革实验区】 2000年，大连市被国家教育部定为全国中小学课程改革实验区。市教委在总结中小学活动课和研究性学习经验的基础上，推出《大连市中小学研究性课程实施指导意见》。

《意见》提出：开设研究性课程，小学3～6年级和初中各年级每周1课时、高中各年级每周3课时，学生个人或小组可自定课题，利用课余时间开展研究性学习；研究性课程的内容，主要来源于学生的学习生活、社会生活、自然界和人类自身发展的各方面，其具体课题可由教师提出，也可由学生自己选取；在实施上，可采取3～6人合作研究、个人独立研究、个人研究与集体讨论相结合等形式；对研究性课程的评价，主要看学生参加研究活动的态度，提出问题、分析问题和解决问题的能力，创新精神的发展，学生研究成果的质量等；评价的结果，小学生可用等级表明，初高中学生记作学分，3年累计取得10个学分的应准予毕业或升学。 （汤启贤）

普通高等教育

2000年大连市普通高等教育情况

	单位	数量	比上年增长(%)	项 目	单位	数量	比上年增长(%)
1.研究生教育				毕业生	人	13327	4.6
学校	所	9	—	其中:本科	人	10211	17.4
毕业生	人	1453	18.0	招生	人	28428	25.0
其中:博士生	人	127	－18.6	其中:专科	人	21325	19.3
招生	人	2575	40.9	在校生	人	79541	22.4
其中:博士生	人	376	18.2	其中:本科	人	64462	20.5
在校生	人	6229	26.5	3.教职工	人	16300	0.3
其中:博士生	人	1173	26.1	其中:教师	人	6832	4.2
2.本专科教育				其中:研究生指导教师	人	1512	10.3
学校	所	15	—				

2000年大连市普通高校专任教师学历、职称情况

	学历				职称				
	博士	硕士	本科	其他	正高级	副高级	中级	初级	未评级
人数(人)	515	2488	2847	982	914	2486	2340	821	271
比重(%)	7.5	36.4	41.7	14.4	13.4	36.4	34.3	12.0	4.0

2000年大连市各普通高等学校学生情况

单位:人

	招生				在校生			
	总计	本专科生	博士生	硕士生	总计	本专科生	博士生	硕士生
大连理工大学	4726	3479	255	992	14960	11919	827	2214
大连铁道学院	2102	2035	6	61	5558	5430	8	120
大连学	2680	2361	40	279	7873	7101	126	646
东北财经大学	2938	2430	58	450	8341	7063	170	1108
大连轻工学院	2271	2230	—	41	6062	5979	—	83
大连水产学院	2033	2001	—	32	4341	4272	—	69
大连医科大学	1467	1319	12	136	4276	3916	35	325
辽宁师范大学	2972	2800	5	167	9061	8661	7	393
大连外语学院	1582	1541	—	41	4042	3944	—	98
大连民族学院	1011	1011	—	—	2543	2543	—	—
辽宁税专学院	798	798	—	—	2192	2192	—	—
辽宁警官专科学校	740	740	—	—	2065	2065	—	—
大连大学	2784	2784	—	—	10368	10368	—	—
大连职业技术学院	1918	1918	—	—	2964	2964	—	—
民办万成经贸职业学院	641	641	—	—	641	641	—	—
大连海运学校高职班	340	340	—	—	483	483	—	—

注:大连海运学校高职班不计高校校数。

【概况】 2000年，大连市有普通高等学校15所，其中市属2所。经国务院学位委员会批准，本市高校及研究所新增一级学科博士点6个、二级学科博士点9个，高校博士点累计70个；经国务院学位委员会办公室、省学位委员会办公室组织审核和各单位自行审核，高校新增硕士点34个，累计201个。

普通高等学校继续扩大招生。各高校共招生31003人。研究生招生数比上年增长40.9%，其中博士生增长18.2%；本专科招生数增长25%，其中本科生增长19.3%。各高校在校生总计85770人。全市19～22岁适龄人口高等教育毛入学率达25%。

【后勤社会化改革有较大进展】 2000年，大连市高等学校后勤社会化改革出现多种模式：（1）“一体两制”。东北财经大学的总务处一方面代表学校管理后勤事务，一方面作为大承包经济实体为学校服务，并逐步实行收费制的校内服务社会化，为最终实行后勤社会化作准备。大连海事大学将后勤服务经营人员从学校行政管理系统中剥离，逐步建立起自主经营、独立核算、自负盈亏的后勤法人实体，并改革相应的人事、财务、分配等制度。（2）“小机关，多实体”。大连理工大学等近10所学校只保留精干的后勤管理部门，其他的改变为饮食服务中心、交通服务中心等服务实体，逐渐向企业化、半企业化过渡。（3）引进社会力量。大连民族学院与五联工贸公司签订协议，将学生公寓交由该公司管理。

【加强学生公寓建设】 2000年，大连市各高校在进行后勤社会化改革中，根据扩大招生的需要，分别采取与社会联建、挖潜新建或改造等办法建设学生公寓。大连理工大学与大连鑫园房屋开发公司联建学生公寓3.6万平方米。辽宁师范大学通过挖掘内部潜力，新建学生公寓1.9万平方米、改造6400平方米。到年末，已有8所学校建成学生公寓共13万平方米。

【“寒窗基金”正式启动】 2000年，大连市正式启动以资助贫困大学生为目的的“寒窗基金”。该基金由省、市、区（市县）共同筹集，其中省、市资助金按审批程序下拨，各区市县按规定比例配套到位。市教委和市财政局组成大连市“寒窗基金”工作办公室，负责基金管理。

该基金实行专款专用，采取同学评议、学校认定、区市县教委审核、资助对象公开的办法进行审批。限定每人借款3000元，毕业后3年内还清，回原地区工作的可减免。当年，全市发放资金142万元，有463名学生得到资助。

【大连理工大学与沈阳军区签订后备军官培养协议】 2000年11月，大连理工大学与沈阳军区签订后备军官培养协议。

协议规定：从2001年起，理工大学作为沈阳军区的定点单位，每年培养输送一定数量的优秀大学毕业生和研究生到沈阳军区所属部队工作；沈阳军区在理工大学在校生中设立国防奖学金，每人每年按5000元标准发放，要求国防奖学金获得者在完成学业的同时接受必要的军政训练，毕业后择优选拔担任军队干部。

根据双方协议，理工大学从2001年起，将从普通高中应届毕业生中招收享受国防奖学金的部队定向生。

【大连海事大学研究生教育快速发展】 2000年，大连海事大学招收研究生320人，比“九五”初期1995年的106人增长3倍，年均增长24.7%，超过全国年均增长15%平均水平。其中新招硕士生281人、博士生39人，分别增加188人、26人。

年末在校研究生772人，比1995年的257人也增长3倍，年均增长24.6%，超过全国年均增长12%的平均水平。其中硕士生646人、博士生136人，分别增加413人、102人。

学位授权点达到17个，比1995年增长1.9倍。其中，博士学位授权点7个，增长1.8倍；一级学科博士学位授权点1个，实现零的突破。

有省部级重点学科6个，比1995年增长2倍。部级重点实验室2个，实现零的突破。有博士生导师23人，硕士生导师159人，分别比1995年增长3.8倍和1.7倍。有学术带头人45人，学术梯对成员130人，分别比1995年增长2倍和2.8倍。

【大连大学建国外实习基地效果良好】 2000年5月，大连大学旅游学院酒店管理专业首批被选送到新加坡酒店实习的97级36名学生完成实习任务，陆续返校。6月，市旅游局在该校举行97级毕业生招聘会，36名毕业生全部与用人单位签约。

近年来，大连大学注重在教学实习中实行开放性办学，旅游学院率先到国外建立学生实习基地，每年选送部分品学兼优的学生到新加坡各大酒店实习半年，主要学习酒店管理经验。

【大连职业技术学院老年服务与管理专业受到社会重视】 为适应我国进入老龄化社会对人才的需求，大连职业技术学院于1999年在全国率先创设老年学类专业——老年服务与管理。

该专业开设老年产业管理概论、老年人权益保障法、老年心理学、老年健身、老年产业开发、养护技术、老年心理护理与康复咨询、社会福利概论、市场营销学等16门课程，拥有教学实验室等专业教学设施，还在旅顺口区社会福利院等处建立专业教学实训基地。其毕业生可从事社会福利院、敬老院、老年公寓等老年产业的高级护理与管理，还可从事家庭高级护理、老年产品开发与营销等。1999年招收第一批学生44人，2000年又招收45人。

该专业的开设受到社会广泛重视。2000年4月，中央电视台“夕阳红”栏目采访组对其进行了专题采访；12月，教育部高等职业教育专业考核组和辽宁省教育厅有关领导，对其进行了专业试点考核，充分肯定开设这一专业的创新

中央电视台“夕阳红”摄制组在大连职业技术学院老年服务与管理专业的校外实习基地——旅顺口区社会福利院采访。 市教委 供稿

精神，并提出改进意见。（谢谷林）

基础教育

·普通中学·

【概况】 2000年，大连市有普通高中75所、初中201所。农村初中年辍学率为2.4%，3年巩固率为90.9%。全市初中毕业生升学率达74.7%，比上年提高9.9个百分点，其中市内城区（中山区、西岗区、沙河口区、甘井子区城市部分）升学率为97.9%。

城区普通高中办学规模继续扩大，又有5所大型现代化寄宿制普通高中建成。办学设施标准化的首批验收，促进了城乡中学办学条件的改善。

“初升高”考试命题、录取改革取得新进展。初中毕业考试低分段学生数量大幅度减少。高考又获得优异成绩，共有14782人被市属专科与省属专科以上学校录取，录取率为87.1%。文、理科总分和平均分居全省首位。省属以上本科院校在本市录取人数首次超过1万人。

2000年大连市普通中学基本情况

	单位	数量	比上年增长(%)
1.高中	所	75	8.7
毕业生	人	17835	6.9
招生	人	24916	9.9
在校生	人	67922	10.1
教职工	人	5699	7.8
其中:专任教师	人	4294	10.1
2.初中	所	201	-2.9
毕业生	人	58152	-17.3
招生	人	97834	29.4
在校生	人	231074	17.9
教职工	人	17401	-1.2
其中:专任教师	人	14459	-0.3

【2所重点高中迁入新校舍】 2000年9月1日，大连市采取换建形式，吸纳社会资金，为2所公办重点高中建设的大型现代化寄宿制新校舍基本竣工并交付使用。

大连市第二十三中学新校舍位于甘井子区华东路。占地7.3万平方米，总建筑面积3.5万平方米。建有教学实验综合楼、学生宿舍、学生食堂、体育馆、拥有400米跑道的标准运动场等教学设施，校园周边进行了绿化、美化。

大连市第二十高级中学新校舍位于甘井子区泉水小区，占地7.4万平方米，总建筑面积3.7万平方米，建有教学楼、实验楼、学生宿舍、学生食堂、办公楼、图书馆、体育馆、拥有400米跑道的标准运动场等教学设施，校园周边进行了整体绿化、美化。

这2所重点高中的易地重建，为普通高中教育继续扩大办学规模、提高办学层次创造了良好条件。

2000年大连市15所辽宁省重点中学基本情况

	所在地区	建立年份	在校生数（人）	教职工数(人)	
				计	其中:专任教师
大连市第一中学	西岗区	1952	1487	119	96
大连市第八中学	沙河口区	1952	1499	115	93
大连市第二十高级中学	甘井子区	1947	1355	123	100
大连市第二十三中学	甘井子区	1948	1719	151	119
大连市第二十四中学	中山区	1951	1687	138	120
大连育明高级中学	沙河口区	1998	1935	151	118
辽宁师范大学附属中学	沙河口区	1952	1659	133	107
大连市旅顺中学	旅顺口区	1945	993	96	68
大连市金州高级中学	金州区	1946	1877	140	112
大连市一〇三中学	金州区	1948	1451	132	119
普兰店市第二中学	普兰店市	1952	1593	155	106
瓦房店市第一高级中学	瓦房店市	1948	2100	185	123
庄河市高级中学	庄河市	1911	1774	165	113
长海县高级中学	长海县	1958	560	79	46

【新增民办普通高中5所】 2000年，经市教委批准，大连市新增民办普通高中5所：大连南洋学校、北京师范大学大连附属中学、大连尚立艺术高级中学、大连科技高级中学、大连兴华高级中学。其中大连南洋学校、北师大大连附中的成立在社会上反响较大。

大连南洋学校计划投资1.5亿元，集高中、初中、小学于一体，办学总规模为72个班、2520人（其中高中24个班、840人），面向全省及周边省市招生。有专任教师62名，包括一批特级教师、学科带头人、优秀班主任、科研能手。

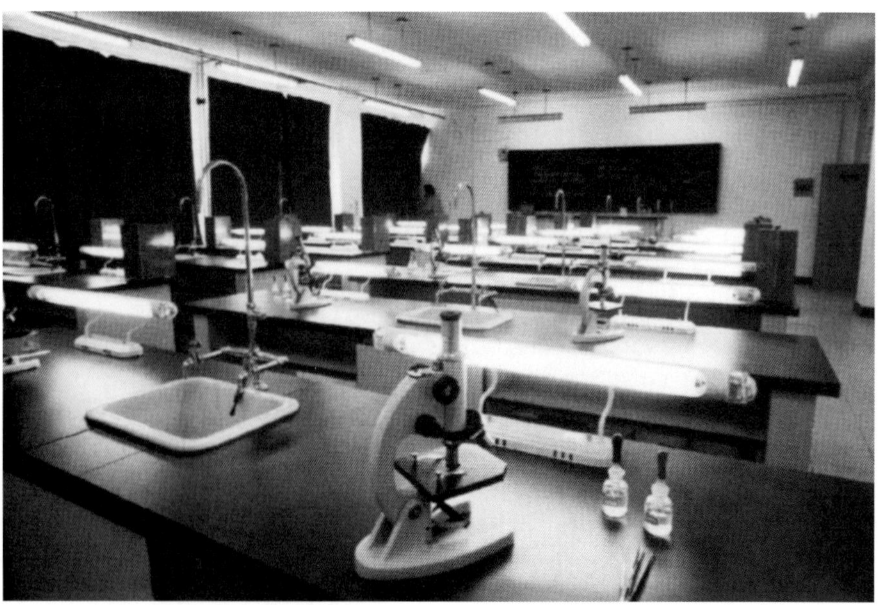

大连第二十三中学新校舍的实验室。　市教委 供稿

大连第二十高级中学的新校舍。　　　　市教委　供稿

2000年有在校生1423名，其中高中在校生182名。

北京师范大学大连附属中学总投资6393万元，设高中、初中，办学总规模为36个班、1440人（其中高中18个班、720人）。有专任教师31人，其中除由北师大选派外，还公开招聘国内高素质的教师和外籍教师。推行北师大教育科研最新成果及其各附中先进的教学管理经验和教学模式，2000年有在校生281人，其中高中生126人。

【开办新疆高中班】　为了加强对少数民族优秀人才的培养，教育部于2000年初颁布《关于内地有关城市开办新疆高中班的实施意见》。规定：在12个沿海城市开办新疆高中班，学制4年（含预科1年）；从2000年起连续招生4年，每年招生1000人，其中80%以上应是少数民族农牧民的子女；学生毕业后，即在当地参加全国高等学校统一招生考试；办学经费，由中央、新疆及所在城市财政补贴；学生每年缴纳学习、生活及医疗费900元，特困学生可以减免。根据上述精神，大连市教委决定由大连市第二十高级中学承办新疆高中班。当年招收2个班，共80人（其中女学生38人），绝大部分是来自伊犁、喀什、阿克苏等地区的维吾尔、哈萨克和克尔克孜族的农牧民子女。二十高中加强对新疆班的生活和教育教学管理，从多方面为学生们的健康成长创造了条件。

【办学设施标准化验收】　2000年，大连市教育委员会成立评估验收组，首次对各区市县申报市办学设施标准化学校和乡镇进行评估验收。共确认大连市办学设施标准化学校116所，占教育部门办中小学校总数的7.2%，其中普通高中（完中）9所、初中35所、小学72所；确认大连市办学设施标准化乡镇9个，即：甘井子区的辛寨子镇、凌水镇、红

2000年大连市民办普通高中基本情况

单位：人

	办学性质	班数(个)	毕业生数	招生数	在校生数	专任教师
合计	—	185	518	3497	7502	250
大连市中山高级中学	事业单位办	10	—	230	373	31
大连私立东方实验学校	个人办	14	200	165	609	13
大连教育学院附属高级中学	事业单位办	18	—	313	896	27
大连女子职业技术专修学院附属高级中学	事业单位办	12	—	290	555	7
民办大连阳光学校	企业办	12	—	201	377	26
大连木兰女子高级中学	个人办	10	—	166	438	—
大连华文高级中学	企业办	15	—	170	576	7
大连私立华南中学	企业办	28	300	281	1137	10
大连科技高级中学	民主党派办	4	—	154	154	—
大连尚立艺术高级中学	企业办	1	—	49	49	6
大连兴华高级中学	企业办	3	—	91	91	—
北京师范大学大连附属中学	企业办	4	—	126	126	12
大连南洋学校	企业办	6	—	182	182	13
金州育才高级中学	企业办	8	—	192	402	22
大连枫叶国际学校	中、加两国企业合办	16	18	269	345	24
大连新世纪高级中学	事业单位办	14	—	340	718	47
瓦房店市博源高级中学	个人办	10	—	278	465	5

旗镇；旅顺口区的江西镇、长城镇、双岛镇；金州区的得胜镇、石河镇、大李家镇。旅顺口区有22所中小学校通过验收，达标率为39.3%，居各区市县之首。

【高考再创佳绩】　2000年，大连市有16973名高中生报考普通高等学校，其中文科6191人、理科10782人。文科总分平均分444.91分，高出全省平均水平23.67分，居全省之首；学科平均分，语文列全省第二，其余4科均居全省第一；学科及格率，5科均为全省第一。

理科总分平均分457.78分，高出全省平均水平21.99分，居全省之首；学科平均分：语文列全省第二，其余4科均居全省第一；学科及格率，外语、物理为全省第一，语文、数学列第二，化学居第三。

全市被省属专科以上学校录取的有12293人，占考生总数的72.43%，居全省第一位，其中被省属以上本科院校录取人数首次超过1万人。被市属专科与省属专科以上录取的合计为14782人，占考生总数的87.1%，与上年基本持平。

2000年大连市高考录取情况

单位：人

项　目	数量	占考生总数(%)
1.考生总数	16973	—
其中：文科	6191	36.5
理科	10782	63.5
2.被录取总数	14782	87.1
省属以上本科院校录取数	10070	59.3
其中：本科一批高校录取	4345	25.6
大连大学录取	1655	9.8
省属以上专科录取	2223	13.1
市属专科录取	2489	14.7

【高考高分段考生比例仍列全省前茅】　2000年大连市理科考生总分600分以上的338人，占理科考生总数的3.1%，占辽宁省600分以上考生的21.8%，其中育明高中毕业生林成义以680分高踞全省理科榜首。

全市文科考生总分600分以上的13人，占文科考生总数的2.1%，占全省600分以上考生的17.3%。

尖子考生优势仍存。北京大学、清华大学在全省分别录取115人和101人，

2000年大连市各区市县
高中毕业生升学情况

地　区	毕业生数	升学人数	升学率(%)
合计	17835	14486	81.2
中山区	1714	1437	83.8
西岗区	1595	1339	84.0
沙河口区	1942	1597	82.2
甘井子区	1828	1330	72.8
旅顺口区	897	755	84.2
金州区	1873	1623	86.7
开发区	407	315	77.4
瓦房店市	2980	2313	77.6
普兰店市	2186	1799	82.3
庄河市	2209	1870	84.7
长海县	204	108	52.9

注：大连市第二十高级中学迁入甘井子区，高中毕业生316人统计在甘井子区，升学率仍计入中山区。

其中在本市分别录取37人和23人，各占全省录取总数的32.2%和22.7%。被两校录取数与报考数之比，均列全省14个城市之首。

【市一中支持学生自主管理活动】　2000年，大连市第一中学以“让学生成为校园主人”的新观念，大力培养学生自主管理的意识，支持学生的创新活动。该校积极为学生自我教育、自主管理提供更多的机会。每周的升国旗仪式、校“星空广播站”、学生篮球对抗赛、“校长杯”乒乓球大赛、校园文化艺术节等活动都由学生自主组织。学生们建立自主管理的募捐救助组织“爱心社”，从拟定章程、组织成员、募集捐助、财务管理、到有关部门办理手续，都由学生自己完成。高一学生自己设计方案，建立“为了我们共同的未来”青年环保志愿者协会，开展问卷调查、绿化校园、环保讲座、环保承诺等活动。高二·八班学生还在西岗区北京街道成立社区服务站。学校还在财力和设施上为学生自主管理活动提供尽可能的支持。学生们还在全校自主举办“爱这一片热土”系列活动，包括大连城市建筑摄影展、“跟我游大连——百年大连”知识竞赛、“大连的故事”讲演比赛、为大连的发展献计献策外语小品剧比赛等活动。

【市二十四中率先开展研究性学习】　2000年，大连市第二十四中学在总结1998年以来开设活动课经验的基础上，在全市率先开展研究性学习活动。为推动这项活动，学校成立研究性学习小组，探索构建研究性学习的教学模式；聘请上海等地专家来校讲学，为教师阐明有关研究性学习的内容、一般程序及教育评价等问题。

该校进行研究性学习活动的主要途径：（1）学科教学全面渗透研究性学习的内容。各学科分别设计与学科相关、同实践结合的课题共30多个，有的教师还引入“合作教学法”，使师生、同学之间在语言和情感的交流中实现教学目的。（2）结合学科课程，组织学生普遍参与调查、研究、实验、操作等活动。成立近百个课题研究小组，每个学生都在课余、假日参加课题小组活动，在教师指导下进行研究性学习，并完成开放性作业。如有的学生调查大菜市的菜价、自然博物馆的教育效益等问题并写出报告；有的学生设计海水淡化、家庭节约用水装置等。学校还为学生举办课题实验演示会，由学生用流体力学分析海浪和风力对船体的影响，评价渤海沉船事件；围绕“21世纪建设海洋城市”的构思，分析中国建立海洋城市的地理位置，并对防风、防海浪腐蚀以及社区规划提出了有创意的见解。

【辽师附中推行计算机辅助教学】　2000年，辽宁师范大学附属中学采取有效措施，推行计算机辅助教学技术。

加快硬件配备。为各教师办公室和职能部门配备计算机并联成局域网，实现教育教学网络管理办公现代化；建立2个多功能教室，配备液晶投影仪、大屏幕、VCD机等设备；建立2个计算机教室，配置98台奔腾Ⅲ型计算机并接入互联网；建立教师电子备课室、音像资料室和多媒体制作室，为教师学习、使用计算机提供了优良环境。

加强软件建设。成立现代教育技术中心，承担全校教育技术的规划、管理。引进先进的教学软件，提高自制课件质量。与其他地区先进学校横向联合，分学科进行计算机辅助教学课件制作并进行交流展示，取得共同提高。

当年，该校在大连市高中CAI课件展示表奖大会上演示课件2个，在全市计算机辅助教学学术研讨会上作专项发

言，12名教师的计算机辅助教学论文分别在国家、省、市级刊物和年会上发表或获奖。

【初中“两考”改革】 2000年，大连市教育委员会落实国家教育部有关指导意见精神，改革初中毕业考试和升学考试。

主要措施有：（1）在旅顺口区进行初中毕业、升学“两考分开”试点。（2）市内四区的考生可任意选报市内四区的重点高中和一般高中，不受毕业学校与本人户口的区界限制。（3）按照素质教育的要求改革考试命题，重视考查学生运用所学基础知识和技能分析问题、解决问题的能力，加强与社会实际和学生生活实际的联系，以助于学生发挥想象力和创造性。试卷仍分为A、B卷。A卷为毕业试卷，属水平性测试，依教学大纲、教材基本要求命题；B卷为升学试卷，属选拔性考试，侧重考查考生的能力和思维过程。

【初中毕业生升学率有较大提高】 2000年，大连市应届初中毕业生58152人，实际参加毕业、升学考试的有48330人，其中5个学科A卷及格的29934人，占61.9%。市内四区全科及格率为63.6%。其中：A卷总分在200分以下的占考生的比重由上年的15.4%降至6.8%；100分以下的比重由上年的1.7%降至0.8%。

全市初中毕业生升学人数43462人，升学率为74.7%，比上年提高9.9个百分点，其中市内城区（中山、西岗、沙河口、甘井子的城市部分）升学率为97.9%。

2000年大连市普通初中毕业生升学情况

区市县	初中毕业生数	升学人数					升学率（%）
		合计	升高中	升职高	升中专	升技校	
合计	58152	43462	24916	9714	5496	3336	74.7
其中：1. 市内三区	20016	19604	10447	5331	2900	926	97.9
2. 市内四区	21740	20509	11352	5331	2900	926	94.3
旅顺口区	2533	1794	1134	134	349	177	70.8
金州区	5495	4334	2401	1079	699	155	78.9
开发区	1278	2140	928	1084	63	65	167.5
长海县	946	511	177	111	194	29	54.0
瓦房店市	9942	6371	4012	1179	513	667	64.1
普兰店市	7188	3732	2494	480	309	449	51.9
庄河市	9030	4071	2418	316	469	868	45.1

说明：开发区升学人数超过考生人数主要是职高在外市县招生所致 （汤启贤）

2000年大连市内四区重点中学录取分数线

学校	统招生	自费生	扩招生
大连一中	596	573	549.5
大连八中	603.5	585	562.5
大连二十高中	570	555	527
大连二十三中	588	562.5	537
大连二十四中	611	588.5	565.5
大连育明高中	583.5	555	535.5
辽师大附中	584	567	537

普通高中普遍扩大招生，比上年多招新生2248人，增长9.9%。其中，城区高中招生录取打破区界限制，初中毕业生升入普通高中的比率达52.2%，提高10个百分点。

市内四区一般普通高中录取最低控制分数线是：公费统招生469分，自费生430分，计划外扩招生408.5分。

·小学·

【概况】 2000年，大连市有小学1383所，比上年减少46所。全市学龄儿童入学率为99.7%，其中市内四区和旅顺口区为100%。大连市实验小学、沙河口区东北路小学、旅顺口区九三小学、长海县广鹿岛小学4所学校被市教委评为大连市模范学校。

2000年大连市小学基本情况

项目	单位	数量	比上年增长（%）
学校数	所	1383	—3.2
毕业生数	人	97864	28.5
招生数	人	68030	6.1
在校生数	人	455569	—5.8
教职工数	人	26344	—3.1
其中：专任教师	人	22338	—3.4

【小学课程改革实验】 2000年，大连市作为国家教育部的课程改革实验区，在全市小学全面实施素质教育，进行多项课程改革。

在普遍采用全国统编全日制小学语文、数学新教材、新大纲的同时，有57所小学的115个班开展低年级语文集中识字实验，采用市教委组织编写的《九年义务教育小学实验课本语文》，旨在通过多个途径，使儿童在小学低年级识字2500～3000个左右，以期尽早独立阅读。中山区采用国家教育部组织编写的小学数学实验教材，进行课程改革实验。市内四区小学一年级以“综合实践活动·生活课”取代原有的小学思想品德、自然、健康教育、劳动等课。农村小学常识类课程整合实验从秋季开始在普兰店市、瓦房店市、庄河市区域性推进。

2000年大连市7～12周岁儿童入学情况

单位：人

	适龄儿童	已入学儿童	入学率（%）
合计	405063	403827	99.7
中山区	21987	21987	100
西岗区	19438	19438	100
沙河口区	32532	32532	100
甘井子区	41064	41064	100
旅顺口区	17758	17758	100
金州区	41979	41855	99.7
开发区	11899	11897	99.98
瓦房店市	80504	80026	99.4
普兰店市	61635	61127	99.2
庄河市	68149	68120	99.96
长海县	8118	8023	98.8

【减轻小学生课业负担】 2000年，大连市各小学认真落实市教委《关于进一步减轻中小学生过重负担的若干规定》。普遍实行一、二年级不留书面家庭作业；考试科目只限语文、数学；学习成绩评定实行等级制，取消百分制等措施。中山区“减负”取得实效，据区教委对该区小学一、二年级按等级进行质量抽查

的结果显示，基础知识、基本能力、创造能力3项均获A级的“3A生”占被抽查学生总数的70%。

【调整农村小学布局】　根据大连市人口出生率降低、农村人口向城市流动、农村小学在校生高峰逐渐回落等情况，2000年7月，大连市政府决定在过去3年布局调整的基础上，计划再用3~5年时间完成全市农村小学布局调整，使农村小学校数减少40%左右，并实行按学区设置学校的新模式，改变“一村一校”的格局。10月19日，市委、市政府在金州区召开全市农村小学布局调整现场会，代市长李永金在会上提出要加强领导、合理规划、统筹安排、分批实施等6点要求。

1998~2000年9月，通过重组、合并等形式，全市累计撤销农村小学124所，占调整前学校总数的9.7%；精简教师1700人。

2000年大连市农村小学调整情况

单位：所

	1997年	2000年	撤销数
合计	1284	1160	124
甘井子区	43	39	4
旅顺口区	39	36	3
金州区	139	107	32
瓦房店市	390	350	40
普兰店市	297	266	31
庄河市	339	326	13
长海县	37	36	1

【写字教育再结硕果】　2000年8月9日，中国教育学会书法教育专业委员会第三次会员代表大会暨写字教育现场会在瓦房店市召开，来自全国30个省、自治区、直辖市的教育行政部门的领导以及全国写字教育实验区、实验基地、实验学校的代表等共500余人参加会议。会上，大连市被评为全国写字教育先进实验区；瓦房店市、沙河口区获全国写字教育先进实验基地称号；庄河市山南头小学等15所小学被评为全国写字教育先进实验学校。

近年来，全市各级教育行政部门把小学写字教育和书法艺术作为弘扬中华优良文化传统，全面实施素质教育的一项重要内容列入教育教学计划，在庄河市首先取得区域性成效。该市涌现出一大批写字无差生的班级和学校，1998年就获得全国写字教育先进实验基地称号，江泽民总书记、朱镕基总理等党和国家领导人曾观看庄河市山南头小学的书法表演，并给予高度评价。

大连市实验小学学生兴趣盎然地在上自然实验课。　　实验小学　供稿

【实验小学实施创新教育】　2000年，大连市实验小学实施创新教育取得明显成效。

该校创新教育立足于培养学生敢想、敢说、敢做、敢于创造，从小树立起“我能行、我能成才”的信心。在课堂教学中，教师做学生创新思维的开发者，重点引导学生发现问题、分析问题。其基本模式是：把自学引进课堂，让学生汇报自学所得，提出自学中遇到的问题；对共性问题进行分组讨论、师生对话交流并由学生进行总结。

对部分创新能力较强的高年级学生，该校实行作文开卷考试，允许学生带参考资料进考场。学生还可要求免考作文，自选课题撰写论文并作出论文答辩。上学期期末，有51名学生通过调查论证，撰写了《武则天功过辨析》、《莫等闲，枯了淡水源——关于我市水资源的调查》等论文。为鼓励学生的创新精神，该校将这51篇论文编成《童心无忌——大连市实验小学2000年小博士论文集》一书。

【旅顺九三小学推行“融合式”美育】　旅顺口区九三小学1996年提出“融合式”美育的构想并予以实施。

“融合式”美育将德育、智育、体育等各项教育教学活动与美育相融合，促使学生德智体美全面发展，逐步形成健全的人格。该校也发展成为美育特色学校。近年来，大课间操活动2次被评为省、市优秀单位；多年开展的“小版画”活动发展成为“小画家乐园”，并与中央电视台“小书画家乐园”共同举办夏令营等活动；校合唱队、舞蹈队、管弦乐队发展成为“小槐花艺术团”，连年获得省、市演出大奖，并与日本NHK合唱团同台演出。

学校先后获得辽宁省美育先进示范校、东北三省美育示范基地等称号。2000年因全面实施素质教育成绩显著，被市教委授予大连市模范学校称号。“立美导学”教学模式也被中央教育科学研究所评为一等优秀教学模式。（李浩田）

·幼儿园·

【概况】　2000年，大连市有幼儿园1874所，比上年减少2.1%；城乡3~6周岁幼儿入园率85.1%，提高5.1个百分点。其中：城市97.9%、县镇93.1%，分别提高0.4个和降低1.1个百分点，可满足3~6周岁幼儿的入园要求；农村78.8%（含季节性入园人数），提高4.6个百分点。农村学前2年、3年教育率分别达到90%和78.8%，比上年提高4个和4.8个百分点。

城乡幼教管理和教育水平进一步提高。又有16所乡镇幼儿园达到市级标准化乡镇中心幼儿园的要求，使市级标准化乡镇中心幼儿园增至118所，全面完成乡乡建1所市级乡镇中心幼儿园的指标。有3所城市幼儿园通过市级示范幼儿园的达标验收，使全市省、市级示范幼儿园累计达到38所，其中省级14所、市级24所。甘井子、金州、旅顺口3个区通过省级学前教育达标区市县验收。中山区教师幼儿园、西岗区教师幼儿园、甘井子区教委幼儿园、大连理工大学（校部）幼儿园、解放军三七〇〇一部队机关幼儿园、金州区第一幼儿园、金州区第三幼儿园等7所幼儿园，被评为辽宁省首批幼儿素质教育教学模式研究与实践基地。

2000年大连市幼儿园基本情况

	单位	数量	比上年减少(%)
幼儿园数	所	1874	2.1
招收幼儿数	人	50324	8.4
在园幼儿数	人	126911	1.6
教职工数	人	7935	1.2
其中:教师	人	5155	1.3

大连市14所辽宁省示范幼儿园

	评定年份
西岗区教师幼儿园	1992
沙河口区教师幼儿园	1992
甘井子区教委幼儿园	1992
市妇联六一幼儿园	1997
解放军三七〇〇一部队机关幼儿园	1997
解放军三七〇〇一部队后勤部幼儿园	1997
大连石油化工公司幼儿园	1997
大连理工大学(校部)幼儿园	1997
金州区幼儿园	1997
中山区教师幼儿园	1999
市人民政府机关幼儿园	1999
大连机车车辆厂幼儿园	1999
甘井子区海辰集团中心幼儿园	1999

【城市办园体制改革继续推进】 2000年，大连市教育委员会提出建立0~6岁托幼一体化的学前教育新体制，体现以社区为依托，公办、民办相结合，适应社会发展的学前教育新思路。并在旅顺口区召开大连市幼儿教育办园体制改革现场会，推广该区探索国有民办、联办、民办公助等办园模式，利用社会资源、吸纳外资改善办园条件的经验，在全市起到一定的推动作用。

2000年大连市3~6周岁幼儿入园情况

单位：人

	幼儿总数	在园幼儿数	入园率(%)	其中:农村		
				幼儿总数	在园幼儿数	入园率(%)
合计	149165	126911	85.1	96637	76140	78.8
中山区	6250	5950	95.2	—	—	—
西岗区	6521	6431	98.6	—	—	—
沙河口区	9368	9134	97.5	—	—	—
甘井子区	13504	12965	96.1	6408	6011	93.8
旅顺口区	6394	6073	94.9	3623	3302	91.1
金州区	16106	13881	86.2	12477	10320	82.7
开发区	3534	3527	99.8	—	—	—
瓦房店市	31138	22180	71.3	25899	17008	65.7
普兰店市	27403	22949	83.8	23928	19683	82.3
庄河市	25448	21088	82.9	21312	17558	82.4
长海县	3499	2733	78.1	2990	2258	75.5

【理工大学幼儿园“娃娃鼓”舞获全国和省大奖】 2000年4月，大连理工大学（校部）幼儿园的“娃娃鼓”舞参加由中国文联、中国舞蹈家协会等在京共同举办的第二届“小荷风采”——中国少年儿童舞蹈比赛，获铜奖；5月，参加由首都老艺术家协会、大连市文化局联合主办的中国青少年艺术新人选拔大赛第八届全国“推新人”大奖赛辽宁赛区的比赛，获少儿组舞蹈十佳第一名

【4项省级幼教教改实验通过验收】 “九五”期间，大连市共有25所幼儿园和2所小学参加了7项辽宁省幼教教改实验项目。其中：关于幼儿社会性发展教育模式的研究、关于幼儿园小学教育衔接的实验研究、关于幼儿脑功能开发与思维训练的实验、关于幼儿实践活动的实验研究4项课题，从1999年起陆续完成，并于2000年通过省级专家组验收。

获全国和省大奖的大连理工大学（校部）幼儿园的“娃娃鼓”舞。

市教委　供稿

【举办幼儿艺术和体育成果展演、展示活动】 2000年“六一”期间，市教委与大连电视台、市青少年宫等部门联合举办大连市幼儿园艺术教育成果展演、展示活动。从全市幼儿园近千幅幼儿美术作品中筛选出来的300幅优秀作品，以及从7个区市县幼儿园近百个节目中选拔出的优秀节目参加展示、展演。美术作品题材广泛、主题鲜明、想象丰富；文艺节目内容丰富多彩、贴近幼儿生活、形式活泼多样、服装道具新颖别致。

年内，市教委与市体委、市足协联合举办大连市“黑狮杯”幼儿足球表演赛，沙河口区教师第二幼儿园、万达足球幼儿园等4所幼儿园派代表队参赛；万达足球幼儿园应邀参加日本福冈市第十六届私立幼儿园新人足球大赛，获得冠军。。 （李浩田）

·特殊教育·

【概况】 2000年，大连市有特殊教育学校9所，比上年减少1所。在校生1394人（其中初中265人、小学1129人），比上年增加111人。全市7~15岁残疾儿童少年入学率为95%。

依据教育部《面向21世纪教育振兴行动计划》有关要求，各学校更加重视为残疾儿童少年提供受教育的良好机会，积极试办残疾儿童学前班、开展早期康复训练活动；适应残疾儿童少年的实际，改革课程结构与教学内容，创设多元教育因素的环境，通过课堂教学、活动训练、社会与家庭实践，着力培养其自主自强精神和生存发展能力。大连盲哑学校、中山区培智学校实施融学前训练、义务教育、职业技术培训为一体的办学模式，取得良好的教育质量和社会效益。

各校“科研兴校”意识进一步增强，教研课题的科研含量明显增加。西岗区辅读学校、中山区培智学校分别完成《培养弱智学生生存能力研究报告》、《弱智学校劳动教育实验研究》；大连盲哑学校校长马振强与美国盖洛得大学教授S. Martin共同完成《教授聋人认知战略的国际比较研究》。

2000年大连市特殊教育学校基本情况

	单位	数量	比上年增长(%)
1. 盲聋哑学校	所	5	0
毕业生	人	121	-15.4
招生	人	125	3.0
在校生	人	833	7.3
教职工	人	285	3.9
其中：专任教师	人	204	10.3
2. 弱智儿童学校	所	4	-20.0
毕业生	人	62	12.7
招生	人	75	2.7
在校生	人	561	10.7
教职工	人	106	-12.4
其中：专任教师	人	80	-5.9

西岗区辅读学校五年级学生在接受购物能力训练。 市教委 供稿

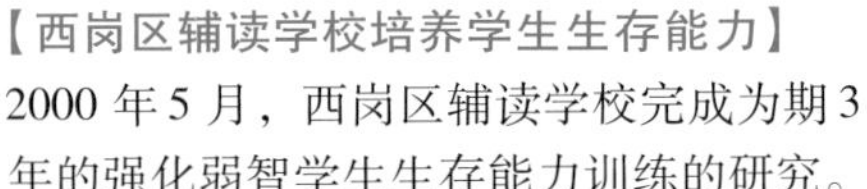

【西岗区辅读学校培养学生生存能力】 2000年5月，西岗区辅读学校完成为期3年的强化弱智学生生存能力训练的研究。

这项训练包括自理能力、社会适应能力和职业能力3个方面，共18项内容；有65名学生接受训练。学校组织编写系列教材，确定学科课、活动课、社会实践课三位一体的课程结构模式，采取学科入门、活动课达成、社会实践课强化的基本途径，把生存能力的培养融于各学科课堂教学之中，同时搞好有关内容的家庭训练。

对接受训练的弱智学生进行全面检测的结果显示，其生存能力有显著提高：（1）自理能力提高。包括自我修饰、自我保健、家居安全等能力，而整理房间和洗衣热饭两项尤为突出。（2）社会适应能力提高。包括独自行动、就医、购物、储蓄、社交礼仪、时间运用等能力。（3）职业能力提高。包括求职介绍、劳动纪律、听从指挥、使用工具、劳动技能、劳动安全等能力。

对学生生存能力的培养，为其成为残而不废的劳动者打下良好基础，使绝大多数毕业生得到安置。

【市盲哑学校改革办学模式】 1999~2000年，大连盲哑学校实行抓“两头”、促“中间”、实施“三个分流”的办学模式。

抓“两头”：一头是办学向3~6周岁幼儿延伸，抓好学前聋童的语言训练康复教育和学前盲童的基本定向移动与生活自理能力培训，每年在训聋幼儿40人左右；另一头是办学向初中后延伸，设置职业高中班，对盲、聋生进行系统职业技术培训。

促“中间”：在适龄盲聋童中全面普及九年义务教育。对语言发展好、学习能力强的聋生班级，选用普通学校的语文、数学教材，其余的使用九年一贯制聋校教材。

实施“三个分流”：（1）经语训教育的聋童，达到康复标准的选送到普通学校随班就读，其余的在聋校接受义务教育；（2）受完九年义务教育的盲、聋生，能继续接受教育的升入职业高中，不能继续读书的准予毕业；（3）对职业高中二年级个别有特殊才能的学生给予指导、培训，使之升入高等学校深造，其余的进行专业技能实习，准备就业。

这一办学模式取得可喜成效。2年累计学前语训聋童135人，其中60人达到康复标准，被选送到普通学校随班就读，文化课及格率为95%；接受义务教育的聋童看口、读书和写作的能力不断提高，有58%的学生在学校举行的读说写比赛中获奖；职业高中毕业生中有11人考取大学，其余的全部就业。（汤启贤）

中等职业教育

·普通中等专业学校·

【概况】　2000年，大连市有普通中等专业学校22所。大连市教育委员会调整市属中等职业学校布局结构：大连市卫生学校、大连市皮口卫生学校、大连市人民警察学校3所市属普通中专停止招生；省属辽宁省农业工程学校并入大连水产学院，办五年制高等职业教育班；新建沈阳音乐学院附属大连音乐舞蹈学校。

普通中专学校面对近年来招生困难等问题，实行一系列改革措施，其中大连铁路卫生学校、大连电子学校等取得良好效果，招生数量有较大增加。

2000年大连市普通中专学校基本情况

	单位	数量	比上年增长(%)
学校	所	22	0
其中:部属	所	3	0
省属	所	4	0
市属	所	15	0
毕业生	人	4865	-25.0
招生	人	5774	-21.0
在校生	人	22988	2.7
教职工	人	2871	9.5
其中:专任教师	人	1352	9.1

【普通中专资源利用率不高】　大连市普通中等专业学校综合办学实力较雄厚。2000年末，学生人均校舍建筑面积达30.9平方米，其中部属学校87.8平方米、省属学校16.4平方米、市属22.6平方米；教职工与学生数之比为1：6，其中部属学校1：3、省属学校1：13、市属学校1：8。

2000年大连市7所国家级重点职业中专专业设置情况

	开设专业
大连市女子中等职业技术专业学校	幼艺师、美容美发、文秘与报关、涉外文秘、展销艺术与公关、酒店管理与计算机、旅游与办公自动化、外事服务与导游
旅顺口区第一中等职业技术专业学校	幼师、财会、旅游服务与管理、烹饪、服装工艺与设计、计算机文秘、艺术、机电
普兰店市第二中等职业技术专业学校	计算机与园艺、电子技术与家电维修、机电、现代企业管理、互感器生产与营销、印刷与计算机排版、武术与汽车驾驶、武术与骨伤推拿
瓦房店市第一中等职业技术专业学校	音乐、美术、体育、机械、计算机财会、机电、烹饪与面点
瓦房店市第二中等职业技术专业学校	汽车修理与驾驶、畜牧兽医、日语、计算机营销、园艺、家电维修、幼师、法律
大连开发区中等职业技术专业学校	计算机文秘、计算机应用、商贸计算机、机械电子电工、烹饪、服装工艺、计算机财会
金州区第二中等职业技术专业学校	电子技术、汽车维修与驾驶、商贸计算机、商业(2000年已停止招生)

近年来，各校办学规模逐年减小，2000年末平均每校有在校生838名，其中部属学校885名、省属学校801名、市属学校838名，总体办学规模比上年降低3个百分点。办学效益较低，特别是部属学校资产大量闲置，学校发展面临困境，省属学校经过1年调整初见成效。

普通中专学校教育资源没有得到充分利用的问题引起市政府的重视，当年，在调整中等职业学校布局结构工作中，对3所市属普通中专学校采取停止招生的措施。

【大连铁路卫校走自我发展办学道路】近年来，大连铁路卫生学校在铁路企业用人需求逐年减少，中等职业学校招生困难的情况下实行一系列改革措施，发挥办学条件优势和专业特色，千方百计扩大办学规模。

争取主管部门和省有关部门批准，除完成铁路内部招生计划外，还面向社会扩大招生，并把招高中生的药剂、检验专业改招初中生，学制由3年改为4年，使2000年全日制中专办学规模由1997年的1150人增至1700人，扩大48%。同时根据社会需求，举办各类培训班、辅导班，培训近800人次。发挥了资源优势。

全面提高教育质量，创“品牌”声誉与效应。建立以技能标准为主体、技能训练为主线、职业道德为先导的演练目标责任制教学模式，实施达标教育，以适应人才市场需求，赢得较高的社会声誉。

【大连电子学校增强办学活力】　近年来，大连电子学校面对中等职业学校招生难的问题，以质量求生存，以适应市场需要求发展，使办学规模不断扩大。2000年招生近1000人（其中中专553人，高职班近400人），比上年增长2倍；招生范围扩大到黑龙江、吉林、河北、山东、广东、内蒙古等7个省区。

为吸引生源，该校调整、优化课程内容，做到对路、更新、适用。同时，投资建成有17个终端站的“校园网”、由98台计算机组成的2个多媒体教室和1个有400个光盘的电子阅览室，不断完善现代化教学设施。由于教育教学质量不断提高，在企业减员的形势下，2000年毕业生就业率仍达到97%%。

【沈阳音乐学院附属大连音乐舞蹈学校成立】　2000年，沈阳音乐学院附属大连音乐舞蹈学校成立。该校为省教委属公办普通中等专业学校，位于甘井子区七贤岭，占地2.8万平方米，校舍建筑面积1.2万平方米；有教职工91人，其中教师50人。开设中国舞表演、芭蕾舞表演、键盘乐器演奏、管弦乐器演奏、声乐、音乐理论基础6个专业，招收初中毕业生，实行寄宿制。当年招生166人。

·职业高中（中专）·

【概况】　2000年，由于社会经济结构调整、就业竞争加剧和普通高等学校扩大招生，大连市的中等职业教育招生生源数量减少，生源质量下降的问题更加突出。

对此，大连市教育委员会与市体制改革委员会、市劳动局等部门联合推出《大连市中等职业教育布局结构和管理体制调整方案》，要求运用政府调控和市场调节机制，优化利用教育资源，提高办学质量和效益，有步骤地调整中等职业教育布局结构。年内，全市共撤销职业高中19所，保留59所（含新建职业中专、职业高中各1所）。平均每校有在校生576人，比上年增长22%，其中教育部门办学校增长5%、高等院校办学校增长39.4%。厂矿企业办学校和民办职高规模仍很小。

2000年大连市职业高中基本情况

	单位	数量	比上年下降(%)
学校	所	59	22.4
其中:教育部门办	所	21	—
大学中专办	所	9	—
厂矿企业办	所	22	—
民办	所	7	—
毕业生	人	11751	10.9
招生	人	9714	16.3
在校生	人	34008	5.3
教职工	人	2860	6.0
其中:专任教师	人	1999	6.7

【《关于深化中等职业教育教学改革全面实施素质教育的意见》出台】　2000年，大连市教育委员会制定并出台《关于深化中等职业教育教学改革全面实施素质教育的意见》。主要有：(1) 树立以全面素质为基础，以学生综合职业能力为本位的教育教学观；(2) 加强和改进德育工作，增强思想教育的针对性和实效性；(3) 改革课程结构和教学内容；(4) 加强文化基础和实践教学；(5) 改革教学方法，改进教学手段，推广应用现代教育技术；(6) 针对学生实际状况，采取分层次教学、学分制和弹性学制等可行措施，面向全体学生，全面实施素质教育；(7) 加大教科研工作力度；(8) 提高教师实施素质教育的能力和水平。

为贯彻落实该《意见》，市教委制发《教学大纲汇编（二）》，对6门共同课的教学要求、24个专业的教学计划和80个学科的教学大纲提出指导意见；还制发《中等职业学校实习教学常规》，从实习教学计划、实习基地建设、实习考核与评定等7个方面规范实习教学。

【实施职业教育信息化建设工程】　2000年初，大连市教育委员会提出并实施大连市职业教育信息化建设“3331工程”，用3年时间，在硬件建设、软件建设、师资培训3个方面迈出3大步，构建1个职业教育信息网络。

至年末，全市有37所学校实现每个教研室1台计算机，占总数的62.8%，其中女子商业职业中专每名教师1台计算机，金融、旅游职业中专等校每2名教师1台计算机；各职业高中（中专）共有计算机近8000台，其中586型以上5226台；有30余所学校计算机超过200台。

年内，市教委选定10所学校作为职业学校教师计算机应用能力培训基地，并建立督导制度。至年末，共组织3期计算机考试，有19所学校的620名教师参加，其中577人取得中级合格证书。

大连职业教育网框架基本建成，开辟栏目30多个，有网页近400页，30余所学校可浏览互联网信息，少数学校已有校园办公网。

【进行职业高中骨干专业现代化建设试点】　2000年，大连市教育委员会依据《职业高中骨干专业评估标准》，组织复评全市职业高中的37个专业，确定27个专业为市级职业教育骨干专业。为增强骨干专业实力的示范性，确定在7所学校的6个骨干专业进行现代化建设试点。有关学校根据社会对人才规格需求的变化，大力改革各专业现行教学内容、教学方法、设备设施及教学评价等，形成现代化建设方案并予以实施，推动了骨干专业的建设。

【中职毕业生升入高职人数增加】　2000年，大连市教育委员会利用新闻媒体等手段，加大高等职业教育招生的宣传力度，各中等职业学校也加强高等职业教育的宣传，使中职学校毕业生报考高职学校的积极性进一步提高。全市报考高职人数达936人，被录取909人，比上年增加近300人，增长49%。

【改进职高（中专）招生工作】　2000年，为扩大高中阶段教育规模，增强职业教育招生能力，大连市进一步改进职业高中（中专）的招生工作。(1) 加强宣传。在奥林匹克广场举行大规模职业高中招生咨询活动，接待学生和家长2万余人次。组织47所职高学校学生在奥林匹克广场举行职业技能表演，展示了厨艺、微机操作、插花、美发、时装表演等多种职业技能，提高社会对职业教育的认识。(2) 调整专业结构。为适应本市产业结构调整需要，增加了计算机多媒体技术、电子商务、环境艺术设计、智能化建筑管理等新专业，压缩了部分社会需求减少、设置标准过高的专业。(3) 实行在控制招生总量前提下，学校自主招生的办法，并放宽入学年龄，允许条件好的学校跨地区招生。年内，职业高中和职业中专共招生9714人，下降幅度比上年略有缓和。但考生升学考试分数明显降低，300分以上考生比上年降低10个百分点左右。

【公安部前卫金州体育学校成立】　2000年，由公安部所属中国前卫体育协会兴办的公安部前卫金州体育学校成立，为公办民助职业中专。位于金州区先进街道八里村，占地7.6万平方米，建筑面积1.5万平方米（已建成9800平方米），有教职工70人，办学规模1200人，开设足球、篮球、搏击、田径4个专业，面向全国招收应届初中毕业生，学制3年，实行寄宿制。当年招生288人，其中大连17人，辽宁、北京、山东、内蒙古等18个省市区271人。

【大连西瑞克外国语职业高级中学成立】　2000年，由大连海昌花园有限公司兴办的大连西瑞克外国语职业高级中学成立，为民办学校。办学规模18个班，开设英、日2个语种，有国际贸易英语、电子旅游英语、电子商务3个专业，学制3年，面向各区市县招收应届初中毕业生，兼收走读和寄宿生。当年招生180人。

（谢谷林）

·技工学校·

【概况】　2000年，大连市有技工学校65所。全市技工学校教育适应社会经济发展实际，稳定发展。技工学校有4943

人参加社会化职业技能鉴定，4507人获市劳动局颁发的《职业资格证书》，其中获中级证书2524人、初级证书1983人。

教师队伍一体化建设有了加强，整体素质得到提高。有58人参加教育学或心理学培训并获得结业证书；经辽宁省劳动和社会保障厅高级讲师评审委员会评审，16人获得高级讲师资格；104人参加专业技术等级晋级考核并取得《职业资格证书》，全市技工学校教师持“双证”上岗率达到90%，比上年提高8.3个百分点。

继续加强教研活动。召开全市教学研讨会49次，教学论文被评为省级优秀论文的13篇、市级优秀论文74篇。大连市职业技术培训考核指导中心组织开展优质课评选，共有3堂课被评为市级优质课。

2000年大连市技工学校基本情况

	单位	数量	比上年增长(%)
学校	所	65	4.8
校办实习工厂和校办企业	个	13	-89.0
在校生	名	9702	-14.9
当年招生	名	4544	6.9
毕业生	名	4481	-9.4
教师	名	1365	-53.1

【一批学校、教师被评为辽宁省技校名校、名教师、名校长】　2000年，在辽宁省劳动和社会保障厅组织的全省技工学校名学校、名教师、名校长评比活动中，大连市房产技工学校和大连市电子技工学校进入全省13所技校名校行列，被授予辽宁省技工学校名学校称号；那延玉、万桂秋、王建伟、马永成等4人被评为辽宁省技工学校系统名教师；李彦修、王振歧等2人被评为名校长。这些学校和教师的入选，提高了本市技工学校的社会声誉，为促进技工学校提高教学质量，在市场经济条件下健康发展，起到促进作用。

【评定大连市优秀技校】　2000年，大连市劳动局认真贯彻《中共中央、国务院深化教育改革，全面推进素质教育的决定》精神，全面检查全市技工学校管理制度、建设规划、学习纪律、文明行为等5方面工作，以促进各校提高办学水平和人才培养质量。经检查评定，大连市房产技工学校、大连市电子技工学校、大连市电力工业学校、大连市公用事业技工学校、大连经济技术开发区技工学校、大连船舶技工学校、大连工人大学职业技术学校7所学校被评为大连市优秀学校；滕连澍被评为大连市技工学校名校长。　（陈　明）

成人教育

【概况】　2000年，大连市各级各类成人教育学校发展到1000余所，在学人数达33.7万人。

2000年大连市成人教育学校基本情况

项　目	单位	数量	比上年增长(%)
1.成人高等学校	所	6	0
毕业生	人	3864	14.7
招生	人	4774	26.6
在校生	人	10407	1.5
教职工	人	1524	1.3
其中：专任教师	人	787	3.3
2.普通高等学校所设成人教育学院	所	14	0
毕业生	人	8043	-6.7
招生	人	14782	51.6
在校生	人	33446	23.8
3.成人中等专业学校	所	35	0
毕业生	人	4273	-6.7
招生	人	3570	-9.8
在校生	人	11649	-9.7
教职工	人	1750	-0.2
其中：专任教师	人	1076	1.5
4.成人中学	所	8	0
毕业生	人	149	62.0
招生	人	109	-86.2
在校生	人	169	-78.5
教职工	人	62	-25.3
其中：专任教师	人	31	24.0
5.成人技术培训学校	所	921	-10.1
毕业生	人	702309	-16.2
招生	人	766269	-13.8
在校生	人	337708	-1.0
教职工	人	2401	-30.8
其中：专任教师	人	1648	-5.6

普通高校所办函授部、夜大学、成人脱产班招生数比上年增长51.6%，在学人数增长25.8%；成人高等学校招生数增长26.6%；成人中等专业学校招生数下降9.8%。

【高等教育自学考试创历史新纪录】　2000年，大连市高等教育自学考试有较大发展，是“九五”时期最好的一年。在辽宁省2次高等教育自学考试中，全市共有13万名考生参加考试，其中上半年6.5万名、下半年6.6万名；报考科次40.1万个，报考人数和科次均是历史上最多的。当年毕业5551人，创历史最高纪录，比以往最高的1998年增长11.6%。

当年自学考试的主要特点：（1）报考人数、科次稳中有升，分别比上年增加804人和1109科次；（2）考生继续呈低龄化，其中25岁以下考生5.3万人，占总数的81%；（3）考生原有学历层次提高，有专科以上学历者2.1万人，占总数的33%；（4）考生追求的学历层次不断提高，其中报考本科的2.1万人，占总数的32%；（5）实用型专业报名人数继续增加，外语、财会、计算机、法律、旅游、文秘、中文等是考生选择的热门专业。

【职工教育改革走向深入】　2000年，大连市的职工教育以岗位培训和继续教育为重点，以提高企业职工全面素质为核心，以增强企业的整体适应能力、开发能力、创新能力为目标，继续深化改革，取得新的进展。

职工教育的战略地位得到落实，已成为实实在在的企业行为。大连远洋运输公司树立职工教育是生产力再生产条件的新观念，先后投资300多万元加强职工学校建设；大连柴油机厂重视人才培训，把职工教育做为企业生产经营的“第一道工序”，实行全员培训；大连造船厂把人才当作兴业之本，教育视为人才之源，全厂上下建立起规范、有序的培训网络。

初步形成现代企业教育培训机制，建立起与社会主义市场经济体制要求相适应的办学体制。如大商集团开展技能比赛、万人学外语、规范窗口行业服务标准培训；大连石油化工公司开展星级操作员培训；大连机车车辆厂进行售后技术服务综合技能培训等。

企业教育要为企业生产经营服务的观念深入人心，初步建立起育人与用人相结合的运行机制。“九五”期间，全市参加职工岗位培训的职工达140余万人次，职工技师比例由“九五”初期的1.1%增至期末的5.3%，有30余家国有大中型企业进行ISO9000质量体系的培训，使企业顺利通过验收。大连石化公司、大化集团公司、大连造船厂等单位的职工培训实现制度化，将企业百余个工种的操作规范标准编成教材，建立题库，定期进行考试、考核，对不胜任者实行低分下岗、转岗，调动起职工参加学习、爱岗敬业的积极性。

【农村成人教育取得新进展】 2000年，大连市基本完成镇、村典型成人学校建设目标。有6所乡镇职校被命名为辽宁省示范学校。有16所乡镇职校进入大连市重点乡镇职校行例，有31所村校被确定为大连市窗口学校。

镇、村成人学校示范基地建设有新进展。在继续完善原有10个示范基地的同时，又有10所学校的示范基地在项目引进、管理水平、示范推广、产教结合以及经济效益、社会效益等方面，达到市示范基地建设标准。

开展实用技术培训和新品种引进工作。全市县、乡、村三级共举办培训班1.3万期，培训农村从业人员96.1万人次，推广新技术、新项目465项次，引进新品种30余个。

燎原计划和“绿色证书”工程进一步实施。至年末，全市57个燎原计划示范乡镇累计建燎原小区307个、燎原计划示范户9882个，推广新技术、新项目达465项次。全市接受“绿色证书”培训的应届初中回乡毕业生8781人，有近万名农民通过乡镇职校培训获得“绿色证书”。

【社会力量办学出现新局面】 2000年，大连市继续认真贯彻中央提出的“积极鼓励，大力支持，正确引导，加强管理”的16字方针，社会力量办学出现规范发展的好势头，初步形成布局合理、门类齐全，教育资源不断丰富，教育环境不断优化的良好局面。

当年，市及各区市县教委新批教育机构123所。经年检评估，全市合格的教育机构有652所，二类整改学校21所，自动停办44所，依法撤销16所。截至年末，社会力量兴办的非学历教育机构由“九五”初期的467个稳步增至734个（含民办高校、中外合作办学）。其中：经辽宁省教育厅审批的民办高等院校由11所增至15所；中外合作的非学历教育机构由1所增至7所，形成具有大连特色的社会力量办学格局。

社会力量办学机构共培训学员41.6人次。其中：外语培训8.9万人次；计算机、电子、建筑等科技类培训12.1万人次；艺术、体育等培训10万人次；文化类培训5.9万人次。

当年社会力量办学发展的主要特点：

1. 办学结构多元化。据年末统计，经教育行政部门年检的650个办学机构中（不含民办高校、中外合作办学、民办中小学和民办职业高中），社会团体（含民主党派）办学29个、企业办学78个、事业单位（含普通高校）办学211个、公民个人办学322个，分别占4.5%、12%、32%和51%。

2. 教学内容、对象多样化。主要集中在文化、外语、专业技术和艺术体育等4大类几十个专业上，办学层次涉及到高、中、低各个档次，以中、低层次为主；教学对象包括成人、老年人、青少年和学前儿童，基本满足了各类社会成员的学习愿望。

3. 学校布局合理化。主要集中在经济发达、文化基础好、人口居住集中的地区，市直与市内四区合格的办学机构有422个，占总数的65%。

4. 教学条件优良化。办学机构教学设备总值由1994年的848万元增至1.16亿元，经费收入由1995年的6682.4万元增至2.49亿元。有教学场地44.6万平方米，其中自有35.2万平方米，自有率78.8%；租赁8.6万平方米。

5. 教工队伍稳定化。社会力量办学机构共有专兼职教职工1.2万人，其中专职教师3514人，占教师总数的37%；专职管理人员2422人，占管理人员总数的60%。社会力量办学机构基本形成一支懂教学、会管理、专兼职相结合、相对稳定的教工队伍。

【造船厂职工教育开创新局面】 2000年，大连造船厂面对企业改革的新问题，强化职工教育培训工作，取得显著成绩。培训管理人员328人、科技人员398人、焊工494人、外协工655人，进行工人岗位培训1227人，分别完成培训计划的109%、114%、165%、164%和123%。

【农业广播电视学校办学规模稳定发展】 2000年，大连市农业广播电视学校切实提高教育质量，促进办学规模稳定发展。

中专学历教育开设市场营销、计算机应用、农村电气化、农作物生产等8个专业，在籍学生共1173人，占全市农业人口总数的4.2%。中专后继续教育开设农业技术推广、农村经济管理、畜牧兽医等专业，各分校共招生550人，占全省招生总数的1/3，列全省招生总数第一位。年内被农业部授予全国农业广播电视教育先进集体称号。

【广播电视大学进行本科开放教育试点】 2000年，大连广播电视大学重点进行把开放本科教育试点，探索以学习者为中心，提供既符合个体特征又符合社会需求的教学服务和管理模式。

招生方面。取消年龄、学历限制和入学考试，采取春、秋两季滚动招生办学的办法，试行“低进高出”，使更多的人获得学习机会。当年开办计算机科学技术、金融学、法学、工商管理4个专业，注册学生855人。

教学管理方面。下发《大连电大开放教育选课单》，以方便学生选课。达到课程要求的学生，可直接进入本科学习；未达到要求的学生，参加预备知识补习班。

教学组织管理方面。以课程为单位组织教学，滚动开出面授辅导课，成立学习小组，鼓励学生自主学习。为学生提供辅导和练习材料，录制录像和录音带，印制作业批改和平时成绩登记卡，制作部分课件，设置答疑电话和电子信箱。语音实验室、多媒体实验室、图书资料室对学生开放。8个分校基本健全局域网，建立多媒体实验室和实行网络教育，初步形成远程教育格局。

（马文铎）

文　　化

责任编辑　周万久

文学艺术

·专业艺术团体·

【概况】　2000年，大连市有专业艺术团体和单位11个，其中表演团体4个、研究机构1个，舞台美术设计中心、演出公司、艺术学校、戏剧创作室、文化俱乐部和艺术咨询中心各1个。

当年，专业艺术团体创作、改编、排演《西门豹》、《阳光下的荒谬》等新剧目7部；创作排练《青春活力》、《节奏》、《顶碗》等舞蹈、声乐、器乐、杂技节目11个，丰富了舞台艺术内容，也为重大演出和比赛打下基础。完成国内外演出1200多场，其中送戏下乡慰问、旅游晚会、招商等公益演出20余次；京剧团麒麟舞台排练的《京剧欣赏晚会》为中小学生演出150余场。

市直专业艺术团体在参加国内重大赛事中获国家级奖17项，其中京剧《西门豹》荣获国家文化部第九届“文华奖”的新剧目奖和表演奖；《顶碗》等3个节目获全国杂技比赛“金狮奖”。

大连艺术学校新招学员68人，增设芭蕾舞专业；在参加辽宁省青少年舞蹈比赛中获一、三等奖各1项；在全国“桃李杯”舞蹈比赛中获优秀创作奖和表演奖。

市直专业艺术团体组团12批，赴法国、丹麦、美国、日本、韩国等地演出。接待来访或演出团组19批，邀请西班牙、埃及、巴西等国家艺术团组来连演出，增进了国际间艺术交往。（刘　杰）

大连京剧团排演的京剧《西门豹》获国家文化部第九届“文华奖”新剧目奖和表演奖。图为《西门豹》剧照。　加　君　摄

【京剧《西门豹》荣获“文华奖”】　2000年，大连京剧团排演的京剧《西门豹》在国家文化部第九届“文华奖”评奖中，荣获新剧目奖和表演奖；又作为文化部选定的参演剧目，于8月参加第六届中国艺术节演出并获优秀表演奖。这是本市专业艺术团体首次获国家级戏剧大奖和首次参加国家艺术节演出。

【21世纪中国曲艺论坛暨精品展演】　2000年5月10～14日在连举行，由中国曲艺家协会、辽宁曲艺家协会、大连市委宣传部、大连市文联主办，国内曲艺界知名表演艺术家、理论家及有关领导参加，研究中国曲艺的发展未来，展示当今中国曲艺艺术的最高成就。“曲艺论坛”共收到论文28篇，这些论文对中国曲艺的继承、改革、创新、发展，提出富有现实意义的理论设想。精品展演是一台大型曲艺晚会“笑聚滨城”，刘兰芳、李伯祥、李金斗、师胜杰等国内知名曲艺家以相声、评书、二人转、评弹等形式，向本市观众展示当前中国曲艺的艺术精品，对提高中国曲艺艺术水平，起到积极的推动作用。（王圣允）

【《大连我永远的爱》囊括全国城市歌曲大赛所有奖项】　2000年8月，由张玉珠作词、谷建芬作曲，范琳琳、崔京浩演唱的《大连我永远的爱》，参加首次全国城市歌曲大赛决赛一举夺魁，囊括了综合艺术大奖、金奖、最佳作词、最佳作曲、最佳演唱和最佳音乐录制6个奖项，为本市赢得了荣誉。城市歌曲系一些大中城市根据各自城市的特点创作的代表本城市风格的标志性歌曲。《大连我永远的爱》体现了大连的山、海、风光和市民情怀，也体现了大连作为一个开放性城市所具有的文化素质和品位。

【《顶碗》等节目获全国杂技比赛大奖】　2000年10月17～22日，由文化部和大连市政府主办、大连市文化局承办的

大连杂技团的《顶碗》获第五届全国杂技比赛“金狮奖”。　加　君　摄

“金狮奖”第五届全国杂技比赛在本市举行。经大区选拔赛后，全国有29个省、市、自治区的39个艺术团体、68个节目参赛。大连杂技团参赛的6个节目获“金狮奖”、“银狮奖”各3个，其中《顶碗》、《转动地圈》、《水流星》获“金狮奖”。这是该团建团50多年来第一次在国家级杂技大赛中获金奖。

【《大连之夜》旅游晚会推出】　《大连之夜》是由大连市直专业艺术团体排练的一台别具特色的旅游晚会，2000年4月推出，受到游客和观众的好评。晚会不定期地在广电中心剧场和金石滩旅游度假区演出，至年末已演出43场，其中商业演出24场；观众4万余人。党和国家领导人朱镕基、胡启立、彭佩云、陈锦华、王汉斌、布赫等观看了演出。

本台晚会集歌舞、声乐器乐、杂技为一体，热情奔放，节奏欢快，具有浓郁的地方特色。

【“月月有好戏”演出活动受到好评】　2000年，大连市文化局组织市直4个专业艺术团体精选和排练15台剧（节）目，以低价位推出“艺术之旅——月月有好戏”演出活动，使更多市民能观看专业剧团的演出，丰富了群众的文化生活。该项活动从4月份起，每月1个主题，在人民文化俱乐部演出京剧、话剧、歌舞、杂技共21场，观众达2万余人次。

（刘　杰　吕克岩）

【话剧《三月桃花水》参加国际戏剧节】　2000年10月，大连话剧团创作演出的话剧《三月桃花水》，经中国戏剧家协会推荐，作为我国惟一的代表剧目，参加在韩国举办的第七届中、日、韩戏剧节交流演出，受到各国戏剧专家和观众的高度评价。

【南斯拉夫贝尔格莱德爱乐乐团来连演出】　2000年5月12～14日，应我国文化部邀请，南斯拉夫政府文化代表团于访华期间来连进行访问演出。南斯拉夫贝尔格莱德爱乐乐团进行了1场演出。该乐团阵容宠大，来连演出人员达70人，艺术水准高，在世界有一定的知名度。

（张丽君）

【大型广场艺术晚会《新世纪，你好》】　由大连市政府主办，大连市文化局、大连钢铁集团、大连金牛有限责任公司承办，于2000年9月16日在第十二届大连国际服装节开幕式上举行。

晚会由序幕《新世纪之光》、第一场《永久的和谐——人与自然同处》、第二场《永恒的生命——人与健美同在》、第三场《永远的向往——人与未来同行》及尾声《激情新世纪》组成，艺术地再现了人类迈进21世纪面临的和平与发展的主题，充分展现出大连这座现代化国际性城市的文化风格和艺术魅力。晚会由中央电视台节目主持人朱军、文青，著名演员濮存昕，大连电视台节目主持人亚宁、张洪联袂主持；有5000名群众演员、300名模特、400名专业舞蹈演员及中外明星参加演出，其中包括西班牙、埃及、巴西等国家舞蹈团以及10余所国内专业艺术院校的舞蹈团。共有10余万观众现场观看演出（含加演的一场）。

（刘　杰）

全国人大副委员长彭珮云观看《大连之夜》旅游晚会并接见演员。

加　君　摄

第十二届大连国际服装节开幕式大型广场艺术晚会《新世纪，你好》。
加 君 摄

·文学创作·

【概况】 2000年，大连文坛比较活跃，文学活动频繁且有较大社会影响。中国当代诗歌研讨会、“中国作家看大连”活动、辽宁文艺现状研讨会和麦城、黄瑞的作品研讨会，以及在经济技术开发区举办的数次诗歌朗诵座谈会和诗歌行为艺术活动，显示出本市作家特别是诗人的实力。

这一年，大连的诗歌在国内外产生一定影响。许多诗歌作品刊登于国内外重要诗歌刊物并受到广泛关注，主要的诗歌活动得到国内外诗歌界广泛认同。麦城作为中国6位诗人之一，参加日本《地球》杂志社举办的“东京世界诗人节”。诗人鸿翼在《文艺报》开辟《天风海韵》专栏，以诗歌的方式礼赞大连的今天与未来。邓刚的生活随笔、孙惠芬的中短篇小说、素素的散文、麦城的诗歌、王晓峰的文学评论，都在文坛和读者中间产生较好影响。于颖新的中篇小说《心海别澜》、于立极的短篇小说《生命之痛》荣获第八届冰心新作奖；刘东的小说《孤旅》被中国作协等单位授予新世纪儿童文学中、短篇作品奖。大连作家协会在大连出版社的支持下，组织编辑由十几位作者的200多万字作品组成的《大连作家文库》。以中年作家为主体的大连作家队伍出版发行近30部文学作品集。

【2000年中国当代诗歌研讨会】 2000年12月25～27日在连举行，由大连金生实业有限公司发起，国内8家文学杂志社及相关单位参与。来自海内外70多位诗人和文艺批评家深入细致地讨论了对中国当代诗歌的历史评价、诗歌语言和汉语诗性、创作主体、诗歌与读者等重要问题。与会者认为，中国诗歌仍处在危机和困境之中，诗人的生存、作品的传播、创作与批评的互动都存在一定困难。但中国历史丰富的精神资源为诗歌的发展奠定了独特的基石，汉语的丰富表现力为诗歌发展提供了广阔的艺术空间。会议发表《2000诗歌意见》等文件。

【“中国作家看大连”活动】 2000年10月14～19日在连举行，由《新商报》、《中国企业家》杂志社、大连市作家协会主办，中国人寿保险大连分公司协办，著名作家陈忠实、曾镇南、高建群、许淇等10人参加活动。期间，作家们参观大连的市容市貌、居民小区、经济技术开发区和金石滩国家旅游渡假区，访问一些工厂、学校和居民家庭，对大连的发展变化给予高度评价，并对市民心态进行直观的归纳——“有福最是大连人”。

【辽宁文艺现状研讨会】 2000年2月23～25日在旅顺举行，大连市作家协会、大连市文联文研室与辽宁省文艺理论研究室、《艺术广角》杂志社联合召开，与

2000年出版的大连作家主要文学作品

	作品类别	作品名称
邓刚	散文集	《作家热线——邓刚答读者人生百问》
麦城	诗集	《麦城诗集》
车培晶	长篇儿童文学	《你好，棕熊》、《装在橡皮箱里的镇子》
李长山	长篇小说	《老张家事》
刘景奇	作品集	《情的写真》
深静枝	长篇小说	《烽火青春》
王金杰	长篇小说	《天色人生》
吕景全	长篇小说	《三副担架》
孙传基	作品集	《乡情》
徐明	散文集	《城市灵感》、《城市霓裳》
修成国	散文集	《荞麦花开》
侯文学	杂文集	《临窗絮语》
王寒枫	作品集	《寒枫集》
刘成德	寓言集	《蜘蛛的本事》
陈玉杰	作品集	《炮队在行动》
郭兆文	随笔集	《品悟人生》
程东	长篇小说	《烟花三月宴》
林锡胜	长篇报告文学	《痴情》
王有田	长篇报告文学	《永远的音符》

会者均为近年来辽宁省比较活跃的中青年文艺理论工作者。会议充分肯定20年来辽宁文艺坚持现实主义传统所取得的成就，同时指出辽宁文艺在国内文艺发展的大格局里常常占据不了主要地位，不能引领时代之先，缺乏应有的影响力等问题，并对此进行深刻分析。

【麦城诗歌作品研讨会】 2000年10月27～29日在连举行，由作家出版社等共同举办，来自海内外的近30名诗人、评论家出席会议。大连诗人麦城自20世纪80年代开始诗歌创作，其作品以他特有的鲜活诗情诗意和别有特色的意象而引起诗坛的注意；后因某种原因停笔多年。近年来，他的诗作出现在国内重要的文学刊物上，引起海内外诗歌界的广泛关注。与会者认为，麦城以其特有的个性和艺术才能，杰出的想象力、语言技巧和文化智性，使他的诗歌不断给人以惊奇，也使他的诗歌在当今诗坛上占有重要位置。

【大连第六届文艺创作“金苹果”奖颁奖】 2000年5月23日，大连市纪念毛泽东《在延安文艺座谈会上的讲话》发表58周年暨文艺创作表奖大会。大会表奖大连市第六届文艺创作“金苹果”奖、优秀创作奖和特别奖获得者，剧作家高满堂、京剧演员李萍获“金苹果”奖；本市文艺家的30件文艺作品获优秀创作奖；谷建芬、金桐荣获特别奖。

·美术摄影书法创作·

【概况】 2000年，大连市美术、书法和摄影艺术创作成绩斐然，优秀作品不断涌现，并开始深层次探索艺术作品的市场化。通过展览、研讨、采风、交流等多种方式，展示大连美术、书法、摄影的实绩，提升大连艺术作品的档次。在第九届全国美术展览中，本市美术家的国画、宣传画、油画、水彩画、年画、漫画共27幅作品入选展出，数量之多、画种之全，均是本市历史最好成绩。其中，周士纲的国画《阳光. 大海》获铜牌奖，晁德仁的宣传画《我想有个家》获优秀作品奖。书法界举办了中日友好书法联展并出版《中日友好书法联展作品》集；摄影界举办了中国摄影家姜振庆摄影艺术研讨会；美术界举办了声势浩大的2000大连国际艺术博览会。

【中国摄影家姜振庆摄影艺术研讨会】 2000年6月7日在连举行，由大连市摄影家协会主持召开，本市摄影、文学、美术界的50余人出席会议。姜振庆是大连的国内知名摄影家，其作品获得国内外摄影艺术大奖20多项。1999年，他的“北方的海”系列作品荣获中国摄影艺术的最高奖——第四届“金像奖”的提名，摄影作品集《海苍茫》由人民美术出版社出版。与会者认为，姜振庆的作品特别是他的《海苍茫》，直面人类生存的现实与未来，体现出明确的人文关怀，具有强烈的社会责任感和历史使命感。

（王圣允）

【当代俄罗斯美术作品展】 由中国绿野美术之家、亿达集团、大连日报社和旅顺博物馆共同主办，2000年10月16～21日在旅顺博物馆举办。共展出魏德宫斯基、库库什金和达尼洛夫等画家作品60幅，包括版画、水彩画和水墨画，作品题材广泛、技巧高超，洋溢着俄罗斯绘画的特色和韵味。有8位俄罗斯著名画家应邀来连。这次画展是近年来本市举办外国美术作品展邀请画家最多、规模最大的一次。俄罗斯画家还向旅顺博物馆赠送作品。 （广 堂）

【中日友好书法联展】 由大连市书道艺术中心、日本北九州书道联盟举办，2000年11月10～12日在大连市图书馆展出。本市书法界名人和日本书法友人共100幅作品参展，3000名观众参观。期间，两国学者和艺术家还召开了中日艺术恳谈会，探讨中日书法艺术发展趋势等问题。 （陈渊斐）

【2000大连国际艺术博览会】 （见第203页）

·社会文化·

【概况】 2000年，大连市有市属艺术馆2个、区市县文化馆10个、乡镇文化站103个、街道文化站80个。

以广场文化活动为龙头，开展丰富多彩的群众文化活动。以“新世纪的旋律”为主题的广场系列文化活动自4月下旬开始以来，全市各主要广场不间断的组织开展各类群众文化活动，吸引了广大市民的参与。大连市全民健身舞蹈大赛、全国著名老艺术家大连采风活动、第八届朝鲜族民俗节及艺术展览等活动，丰富了市民的文化生活。

在参加全国和省调演比赛及创建文化先进县区活动等方面取得可喜成绩。本市选送的4个节目入围参加第十届全国舞蹈“群星奖”决赛，获1金、2银、1铜奖，为历届参赛最好成绩。普兰店市、瓦房店市被省文化厅命名为辽宁省文化先进县（市区）。全市已有9个区市县被国家文化部和辽宁省文化厅命名为文化先进县（区）。 （刘 杰）

【第八届大连朝鲜族民俗节】 由大连市文化局、大连市民族宗教事务委员会共同主办，市朝鲜族文化艺术馆承办，2000年5月27日在星海广场与大连市第十二届赏槐会同时举行。有文艺演出、巡游表演、体育活动、传统饮食展示、少儿绘画、插花艺术讲座等，万余人参与活动。民俗节丰富了朝鲜族群众的业余文化生活，加强了民族团结。

（韩 森）

【“沈阳民族艺校杯”全民健身舞蹈大赛】 由大连市文化局、沈阳民族艺校主办，大连市群众艺术馆、西岗区文体局承办，2000年7月28日在大连奥林匹克广场举行。来自本市7个区市县的11支群众健身舞队伍共1000余人参加比赛。这是本市首次举办的示范性健身舞比赛，也是对群众文化、广场文化活动成果的一次集中展示。11支队伍表演了扇子舞、筷子舞、手绢舞、红绸舞、竹板舞等，有4支队伍获大赛金奖。

【辽宁省第四届“阿尔滨金山杯”戏剧、曲艺调演】 由辽宁省文化厅、省文联、辽宁有线电视台、大连市文化局、金州区政府主办，省群众艺术馆、省曲艺家协会、大连电视台、大连市群众艺术馆、金州区文化局、大连金州区阿尔滨建筑总公司承办，2000年10月26～27日在金州区阿尔滨金山宾馆举行。全省共有19个节目参加此次调演，且均为新作品。本市参赛的小品《寒夜》、二人转《追鸡》等6个节目全部获奖，其中一等奖3个、二等奖2个、三等奖1个，参演节目数量、质量与获奖档次列全省之首。

【群舞《捻船汉子》喜获“群星奖”金奖】　2000年11月28～30日，由国家文化部主办、浙江省台州市政府承办的第十届全国舞蹈“群星奖”决赛在台州市举行。全国有35个单位的212个参赛作品参加角逐。大连市参赛的4个作品全部获奖。其中，中山区文化局和文化馆组织创作的群舞《捻船汉子》获辽宁省参赛作品中惟一的金奖；市群众艺术馆的群舞《高粱红了的时候》、独舞《梨园秋娘》获银奖；旅顺口区文化局和文化馆的独舞《渔家嫂子》获铜奖。总成绩列全国同等城市之首。　（吴月莉）

【全国著名老艺术家“大连天兴之旅”大型广场演唱会】　由国家文化部、大连市委宣传部、市文化局、西岗区委、大连电视台、大连宏大房地产有限公司共同主办，大连市群众艺术馆承办，2000年7月15日在大连奥林匹克广场举行。郭兰英、才旦卓玛、吴雁泽、于淑珍、马玉涛等10余位老艺术家及部分中青年艺术家参加演出，演唱了《南泥湾》、《翻身农奴把歌唱》、《马儿你慢些跑》等久盛不衰、百听不厌的中外名曲。艺术家们的精彩演出，受到数万市民的热烈欢迎。

组织众多的资深老艺术家与广大市民直接面对面交流和在大型广场上现场演唱，这在全国尚属首次。

全国著名老艺术家“大连天兴之旅”演唱会。　李紫娟　摄

【整顿音像制品市场】　2000年，大连市大力打击盗版音像制品违法经营活动。市文化局会同公安、新闻出版、工商等部门，联合检查市内7家较大规模的音像制品集中经营场所。举办以“打击走私盗版，保护知识创新”为主题的大连市第二届音像市场法制宣传周活动。整顿压缩音像制品经营场所，市、区两级文化部门取缔违法经营业户26家，与公安、海关等部门堵截收缴盗版音像制品1.8万盘。同时，推行音像制品专供制度，与各区市县共同组建专供网络，提高了正版音像制品市场占有率。

【专项治理娱乐服务场所】　2000年，大连市各级文化部门认真贯彻落实国务院关于开展加强娱乐服务场所管理，严厉打击社会丑恶现象专项行动的部署，配合公安部门检查各类娱乐场所3361家次，限期整改214家，停业整顿143家，吊销经营许可证42家，取缔无证经营67家，遏制了娱乐服务业中的违法经营活动。

2000年大连市文化娱乐场所情况

	单位	数量	比上年增长(%)
歌舞厅	个	187	-0.6
卡拉OK厅	个	2272	45.0
综合娱乐场所	个	11	—
电子游戏厅	个	350	0.8
台球室	个	674	—
保龄球馆	个	9	-25.0
录像放映厅	个	207	-40.0
音像制品零售出租点	个	1083	-0.8
书刊零售出租点	个	761	-14.0
美术品经营单位	个	22	—

群舞《捻船汉子》获第十届全国舞蹈“群星奖”金奖。　李紫娟　摄

【集中整顿电子游戏场所】　2000年，大

连市对电子游戏经营场所进行3次大规模整顿。市文化局分别与市委综合治理办、市公安局、工商局和教委联合下发有关加强电游厅管理方面的通知和治理方案，逐个重新审验全市电游厅，坚决取缔违法经营场所。全市各级文化部门共出动检查人员1052人次、车辆300多台次，检查电游厅485家次，查处56家，收缴赌博电游机712台、电路板7134块，全部公开销毁。（张文志）

【电影发行放映】　2000年，大连市城乡有电影放映单位619个、发行放映机构133个，其中市级公司1个、县级公司7个、乡镇电影管理站125个；发行新片96部，放映3万场，观众167万人次。市电影公司5家直属专业影院放映总收入1266万元，继续名列全省首位。

搞活电影市场。抓住新千年、节假日等契机，举办"新千年之夜"电影通宵晚会、"千年第一春，电影大盛会"、《新商报》"佳片有约"电影赏析、"金秋电影秀，千禧合家欢"系列影片展映、"看电影，能旅游"等丰富多彩的活动，促进了电影的发行放映。市电影公司在保持以往"首场特惠电影联票"、"周二电影特惠日"等惠民举措的基础上，推出本市首家"公益性电影院"——友谊电影院，"看电影到友谊，天天只花一半钱"，进一步拉近电影与观众的距离；年底推出大型"半价电影"酬宾活动，赢得市民广泛好评。

搞好农村电影工作。市电影公司和各区市县广泛开展"科技之冬"电影展映和"送电影下乡"活动，免费放映一些科技影片和农村题材影片，受到广大农民欢迎。

【影片《生死抉择》掀起观映热潮】　2000年，大连市电影公司精心组织策划，全力以赴抓好反腐倡廉影片《生死抉择》放映工作。在市纪委、市委宣传部的大力支持和新闻媒体的广泛配合下，该片还未上映就已引起社会广泛关注，上映后反响更加强烈，干部群众踊跃观看。全市城乡共放映500场，票房收入110万元，是当年国产片票房收入最高的影片。（王　敏）

2000年大连市各公共图书馆基本情况

	从业人员（人）	总藏书量（万册）	新购图书（万册）	持证读者（万人）	总流通人次（万）	馆舍面积（万平方米）
大连图书馆	145	220.9	5.4	5.7	126.9	4.2
大连市少儿图书馆	42	38	2.1	2.8	48.2	0.7
中山区图书馆	22	11.2	1.5	0.1	5	0.08
西岗区图书馆	14	12.5	0.4	0.4	8.8	0.3
沙河口区图书馆	18	15.8	0.3	0.3	4.0	0.3
甘井子区图书馆	25	20.2	1.1	0.6	20.3	0.3
旅顺口区图书馆	16	10.3	0.9	0.5	18.2	0.1
金州区图书馆	15	11.4	0.2	0.2	9.2	0.1
普兰店市图书馆	19	14.0	1.8	0.7	17.8	0.4
瓦房店市图书馆	25	16.5	0.3	1.1	29.0	0.4
庄河市图书馆	31	8.7	0.1	0.4	15.7	0.2
长海县图书馆	9	4.9	0.07	0.2	2.5	0.05
合　计	381	384.4	14.2	13.0	306.6	7.1

（邱　菊）

【图书发行】　2000年，大连市新华书店在市内的4个区有网点15处，图书销售收入9830万元，比上年增长0.3%；6个区市县新华书店共有网点14处，图书销售收入7915万元，下降9.4%。

当年，市新华书店抓住"假日经济"带来的商机，大搞图书促销，举办译林出版社暑期8.5折优惠售书、全国11家师范大学出版社教辅图书联展、假日书市、2000金秋图书发布展等一系列展销活动。开辟经营新途径，与市教委联合推出采用浅黄色书写纸的"新华"牌笔记本，以取代传统笔记本，预防青少年近视。首批推出中小学生用笔记本19个品种，深受学生和家长欢迎。

2000年大连市图书市场畅销书情况

排序	书　名	出版社
1	《新华字典》	商务印书馆
2	《中华人民共和国合同法》	法制出版社
3	《中日高级标准日本语》	人民教育出版社
4	《新英汉词典》(增补本)	上海译文出版社
5	《第一次的亲密接触》	知识出版社
6	《哈佛女孩刘亦婷》	作家出版社
7	《三重门》	作家出版社
8	《妈妈的心有多高》	十月文艺出版社
9	《痛并快乐着》	华艺出版社
10	《富爸爸穷爸爸》	世界图书出版公司

【教育书店开业】　2000年2月26日，位于沙河口区春柳的原市新华书店教材科经装修改造重新开业，并更名为大连市新华书店教育书店，成为本市首家专业性教育书店。一楼为销售门市，专售大中小学教材、教学参考材料、学习辅导材料和"新华"牌笔记本。二楼为特价书店，部分图书五折销售。（李学红）

【公共图书馆】　2000年，大连市有市级公共图书馆2所、县级公共图书馆10所；总藏书384万册，比上年增长11.3%；总经费1634万元，其中购书经费426万元，分别增长18.5%和3.4%；馆舍总面积7.1万平方米，共有阅览席位3454个，分别增长9.2%和6.6%。

各公共图书馆共接待读者258万人次，比上年增长10.7%；发展读者5.4万余人，下降28%；流通图书255万册次，增长8.4%；举办各类大型活动171次，参加人数20多万人次，发布信息近7万条次；送书下乡4.4万册，建立图书流通站11个。

全市116个乡镇、41个街道均已建立图书馆，总藏书95万册。有40所乡镇图书馆被认定为辽宁省标准图书馆，4所街道图书馆被认定为大连市标准街道图书馆。家庭图书馆遍及全市城乡。

在国家文化部于年内组织的评选"读者喜爱的图书馆"活动中，市图书馆和市少儿图书馆被评为"读者喜爱的图书馆"。

【大连图书馆改扩建完工】　2000年6月30日，大连图书馆改扩建工程竣工，新增建筑面积7000平方米，使总面积达到

4万平方米；改造装修3.3万平方米；引进国际最新信息网络技术，完善数据库、局域网、书目检索系统等主要设施。全年接待读者126万人次，突破120万大关；书刊外借80多万册次，解答咨询4.1万条次，代检索课题97项。

年末，该馆藏书220.9万册，比上年增加2.3%，其中古旧书籍55万册。特有的明清小说和极具学术研究价值的满铁文献，使其成为国内明清小说研究资料中心和国际满铁文献研究中心。已正式出版发行《大连图书馆藏孤稀本明清小说丛书》50种；以该馆为核心实施的国家"九五"重大科研项目《国内满铁资料联合目录》，也已全部完成。

（陈渊斐）

改扩建后的大连图书馆。　　陈渊斐　摄

【少儿图书馆工作指导委员会成立】 2000年1月7日，由市文化局、市教委、共青团市委、市关心下一代工作委员会组成的大连地区少年儿童图书馆工作指导委员会正式成立。该委员会的成立，有利于进一步贯彻落实江泽民总书记关于"大兴勤奋学习之风"的指示精神，充分发挥少儿图书馆在学校、社会和家庭教育中的桥梁和纽带作用，更好地实现全地区少儿图书馆"面向世界、面向未来、面向现代化"的工作目标，培养和提高少年儿童的阅读习惯和阅读能力。

【市少儿图书馆下乡6载，送书5万】 1995年以来，大连市少年儿童图书馆以农村标准图书馆室、家庭图书室为重点，先后在庄河市南尖镇、大营镇和金州区得胜镇、大魏家镇等地建立14个少儿图书流通站，每年派专车到各站送书，以满足农村乡镇特别是边远贫困地区少年儿童读书求知的渴望。到2000年末，共送书5万册。该馆还联合瓦房店市图书馆、庄河市图书馆编辑《育儿指南》、《家教指南》专题小报近3万份无偿送给农民，帮助农民家长了解掌握家庭教育知识。

（邓少滨）

文物·博物

【概况】 大连市有各级文物保护单位241个。其中：国家级3个，均为近代文物；省级17个，其中汉代2个、清代3个、近代5个、现代2个以及新石器、青铜器、春秋、高句丽、金代各1个；市级77个。

全市有旅顺历史博物馆、大连自然博物馆、大连艺术博物馆等博物馆。其中，旅顺历史博物馆是全国十大历史博物馆之一，也是东北地区最大的历史博物馆；大连自然博物馆是全国四大自然博物馆之一，也是辽宁省惟一的自然史博物馆。新建大连现代博物馆主体工程年内竣工。

【《大嘴子——青铜时代遗址1987年发掘报告》出版】 2000年2月，由大连市文物考古研究所编著的大型考古报告《大嘴子——青铜时代遗址1987年发掘报告》，由大连出版社出版发行。该书将遗址发掘部分的有关材料全部公诸于世，是本市解放后出版的第一部考古报告。

大嘴子青铜时代遗址属双砣子第一、二、三期文化，距今4000～3100年前后，相当于中原地区的夏、商和西周早期。1987年被大连市文物管理委员会办公室发现，共揭露第三期文化房址39座、石墙3道，出土各类器物1400余件。炭化稻米是这次发现的重要收获，引起国内外历史学家和考古工作者的关注。

【金州副都统衙署考古勘探】 2000年10～11月，大连市文物考古研究所对金州副都统衙署进行了考古勘探。清理出金元时期灰坑1处，出土一批文物，主要有磁州窑、定窑、钧窑、建窑等窑口的瓷器，以罐、壶、碗、盘等器形居多。这是金州古城历年来发现内涵最单纯的遗迹，证明衙署是建在金元时期遗址之上。

金州副都统衙署位于金州古城东街，始建于明朝。由5进院落组成，共有建筑17栋53间，占地面积5940平方米，被国家文物局专家组鉴定为东北地区罕见的明清衙署。清道光23年（1843年），清政府为加强海防，将熊岳副都统移驻金州，使之成为辽南军政中心。因年久失修，衙署现面临倒塌的危险，经市文物管理部门批准，即将落架重修。此次勘探为重修工程提供了重要依据。

（刘俊勇）

【中国箸文化展在台北展出】 2000年7～9月，中国箸文化展在台北展出。展览由大连市文物管理委员会办公室与大连森兴集团联合组织，并得到台北中国饮食文化基金会和台北鸿禧美术馆的资助。展品以中国历代筷子为主，由大连中国箸文化博物馆、北京故宫博物院、南京博物院等提供。该展览传播了中国饮食文化的传统历史，受到台湾专家学者及各界人士的关注。

大连市各级保护文物分布一览

	国家级	省级	市级	合计
旅顺口区	2	7	13	22
金州区	—	2	21	23
甘井子区	—	4	3	7
市内各区	1	1	5	7
普兰店市	—	2	11	13
庄河市	—	—	8	8
瓦房店市	—	1	12	13
长海县	—	—	4	4
合计	3	17	77	97

【大连海关向文物部门移交查没的走私文物】　根据国家文物局、公安部、工商行政管理局、海关总署、财政部《关于依法没收、追缴文物的移交办法》，2000年6月5日，大连海关正式向大连市文物管理部门移交历年查没的走私文物，包括陶瓷、书画、铜器、钱币、邮票等文物和文物监管物品共2952件（套），其中有些文物具有相当的历史、艺术和科学价值。

此次移交的文物大部分来自本市有关出境关口。近年来，市文物部门与海关等部门紧密配合，不断加大打击走私文物的力度，每年查没的非法走私文物都在百件以上。

【旅顺苏军胜利塔维修工程竣工】　2000年12月13日，旅顺苏军胜利塔维修工程竣工，恢复了初建时的原貌。

旅顺苏军胜利塔建于1955年，是为纪念苏军出兵我国东北战胜日本关东军而修建的。塔高45米，建筑面积1.5万平方米。1979年被列为市级文物保护单位。该塔自建成后未进行过大的维修，由于风雨剥蚀，残破较严重。为抢救保护好这处文物建筑，市政府拨出专款，由大连市古建筑园林工程公司承担并完成此次维修任务。　（苏盛清）

【制止拍卖原天安门城楼金丝楠木构件】　2000年7月，原天安门城楼金丝楠木立柱运抵大连，准备参加大连星海会展中心举办的现代家具展销拍卖会。此次拍卖未向有关部门申请，也未经文物部门鉴定，属违法行为。国家文物局紧急通知大连市文物管理委员会办公室，责成其立即将拍卖品撤拍、扣留并妥善保护。市文管办接到通知后，会同公安部

大连市文物保护单位一览

序号	级别	名称	年代	地　址	公布时间
1	国家	中苏友谊塔	1957.2	旅顺口区列宁街	1961.3
2	国家	旅顺监狱旧址	近代	旅顺口区元宝房	1988.2
3	国家	大连俄国建筑 (1)原大连市政厅、达里尼市政府大楼	1900年	大连市烟台街1号	1997.3
		(2)民政署旧址	1908年	大连中山广场2号	
4	省	大连中华工学会办公址	现代	沙河口区黄河路658号	1963.6
5	省	营城子壁画墓	汉	甘井子区营城子镇前牧村	1963.6
6	省	卑沙城	高句丽	金州区大黑山	1963.6
7	省	关向应故居	现代	金州区向应乡	1988.12
8	省	清泉寺	清	普兰店市星台镇	1988.12
9	省	和尚帽摩崖石刻造像	金	普兰店市双塔乡马屯村	1988.12
10	省	牧羊城址	汉	旅顺口区铁山镇	1988.12
11	省	旅顺苏军烈士陵园	近代	旅顺口区水师营镇	1988.12
12	省	万忠墓	清末	旅顺口区九三路	1963.6
13	省	东鸡冠山北堡垒	近代	旅顺东鸡冠山北坡	1988.12
14	省	望山炮台	近代	旅顺东鸡冠山北坡	1988.12
15	省	二〇三高地	近代	旅顺光荣街道友谊村	1988.12
16	省	电岩炮台	近代	旅顺黄金山东南	1988.12
17	省	岗上楼上墓地	春秋	甘井子区营城子镇	1997.1
18	省	大嘴子遗址	青铜	甘井子区大连湾镇	1997.1
19	省	四平山积石墓地	新石器	甘井子区营城子镇	1997.1
20	省	横山书院	清	瓦房店市复州镇	1997.1
21	市	苏军烈士纪念塔	1955.7	旅顺口区水师营镇	1979.6
22	市	露西亚町	近代	中山区胜利桥北团结街	1985.7
23	市	满铁旧址	近代	中山区鲁迅路9号	1993.3
24	市	关东厅地方法院旧址	近代	西岗区人民广场2号	1993.3
25	市	东清轮船会社旧址	近代	西岗区胜利街35号	1993.3
26	市	东本愿寺旧址	近代	中山区麒麟西巷1号	1993.3
27	市	挂符桥	明	金州区三十里堡镇	1979.6
28	市	三十里堡烽火台	明	金州区三十里堡北台山	1979.6
29	市	梦真窟	辽	金州城北屏山上	1979.6
30	市	金州小石棚	新石器	金州区向应乡	1979.6
31	市	石门子战场遗址	近代	金州三十里堡钟家村	1985.7
32	市	响水观(响水寺)	清	金州大黑山西北麓	1985.7
33	市	观音阁(胜水寺)	明	金州大黑山东腹	1985.7
34	市	天后宫前大殿(山东会馆)	清	金州城内西南街	1985.7
35	市	阎福升故居	清	金州城内三八小学	1985.7
36	市	金州副都统衙门	明	金州城内东街路北	1985.7
37	市	东太山积石墓地	青铜	金州区大李家乡	1993.3
38	市	王山头积石墓地	青铜	金州区大魏家镇	1993.3
39	市	朝阳寺	明	金州大黑山西麓	1993.3
40	市	石鼓寺(唐王殿)	明	金州大黑山主峰西侧	1993.3
41	市	王永江墓	近代	金州肖金山南麓	1993.3
42	市	南山俄军墓地	近代	金州城南南山	1993.3
43	市	韩云阶旧居	近代	金州区友好街46号	1993.3
44	市	俄清学校旧址	近代	金州区胜利路727号	1993.3
45	市	曲氏井	近代	金州区复兴街22号	1993.3
46	市	龙王庙万人坑	近代	金州区龙王庙	1993.3
47	市	南山日俄战争遗址	近代	金州区南山	1993.3
48	市	哈斯罕关址	辽	甘井子区大连湾土城村	1979.6

门在拍卖现场依法扣押37块金丝楠木材料。

天安门城楼曾在50年代修缮过，维修时换下的部分金丝楠木为珍贵树种，至清代就几近绝迹，极具文物价值。

（王成宇）

【旅顺历史博物馆总体改造后重新开馆】 旅顺历史博物馆总体改造工程自1999年11月动工，2000年5月1日竣工并重新对外开放。改造后的博物馆陈列仍以历史文物专题为主，在原有青铜、陶瓷、书画、漆器、玉器、货币等9个专题的基础上，新增铜镜、印玺和鼻烟壶3个专题；采用新型密封玻璃棺，对6具新疆木乃伊进行科学保护；部分陈列室采用人工照明，陈列展台使用新型材料；增设电梯，安装防盗、防火报警和语音广播设施等；旅顺动物园和植物园被划归其管理，使占地面积由原2.5万平方米扩展到9万平方米，成为全国最大的花园式博物馆之一。

【亿年古“树”落户旅顺历史博物馆】 2000年11月，旅顺历史博物馆从辽宁省北票市征集的24根硅化木运抵馆内。硅化木是木化石的一种，形成于古、中生代地层。原始森林因火山爆发而被埋没，地壳运动又使其沉积到地层深处，火山灰中大量二氧化硅在地下高温、高压及水的影响下，对树木产生作用，形成硅化木。硅化木形成过程中，树干的形状保持完好，但重量却增加十几倍。该馆征集到的硅化木距今约1.6亿~1.8亿年，包括原始雪松型木、原始金松型木等树种，最粗的直径可达1.5米，最高的有6米，其中还有珍贵的水晶和玛瑙化石。

（唐 红）

【大连自然博物馆获全国十大陈列展览精品奖】 大连自然博物馆新馆陈列在国家文物局、中国博物馆学会和中国文物报社联合举办的2000年度全国十大陈列展览精品奖评选活动中，摘取全国十大陈列展览精品奖，同时荣获最佳新技术、新材料运用单项奖，是同时荣获精品奖和单项奖的3所博物馆之一。

全国十大陈列展览精品奖是国家文物系统最高级别的综合奖项，始于1997年，每年评选一次。本次评选设置精品

序号	级别	名称	年代	地址	公布时间
49	市	炮台	清	甘井子区大连湾和尚岛	1979.6
50	市	双砣子遗址	新石器	甘井子区营城子镇	1979.6
51	市	苏军胜利塔	1955.9	旅顺口区斯大林路	1979.6
52	市	鸿胪井	唐	旅顺黄金山北麓海滨	1979.6
53	市	郭家村遗址	新石器	旅顺口区铁山镇	1979.6
54	市	东海砣子遗址	青铜	旅顺口区北海乡北海村	1985.7
55	市	长春庵	清	旅顺口区三涧堡镇	1985.7
56	市	南子药库	清	旅顺王莫珠礁南岸	1985.7
57	市	旅顺关东州厅	近代	旅顺口区友谊路	1985.7
58	市	白玉山塔	1909	旅顺白玉山上	1985.7
59	市	旅顺火车站	近代	旅顺口区井岗街	1985.7
60	市	老铁山—将军山积石墓地	新石器	旅顺口区铁山镇	1993.3
61	市	罗振玉旧居	近代	旅顺口区洞庭街一巷3号	1993.3
62	市	旅顺满蒙物产馆旧址	近代	旅顺口区列宁街42号	1993.3
63	市	上马石贝丘遗址	新石器	长海县大长山乡	1979.6
64	市	朱家村遗址及贝丘遗址	汉·新石器	长海县广鹿乡	1979.6
65	市	小珠山遗址	新石器	长海县广鹿乡吴家村	1985.7
66	市	吴家山遗址	新石器	长海县广鹿乡	1993.3
67	市	城山古城	高句丽	庄河市城山镇	1979.6
68	市	白店子石棚	新石器	庄河市英烈士乡	1979.6
69	市	大荒地石棚	新石器	庄河市塔岭乡	1979.6
70	市	北吴屯遗址	新石器	庄河市黑岛乡西阳宫北吴屯北岭	1985.7
71	市	菜园子土城址	辽	庄河市城山乡菜园子村	1985.7
72	市	仙人洞庙	明、清	庄河市仙人洞镇转湘湖村	1985.7
73	市	青堆子天后宫	清	庄河市青堆子镇	1993.3
74	市	长隆德庄园	近代	庄河市蓉花山镇五道沟	1993.3
75	市	永安台	明	普兰店市赞子河乡	1979.6
76	市	一塔	金	普兰店市双塔镇	1979.6
77	市	二塔	金	普兰店市磨盘乡	1979.6
78	市	石棚沟石棚	新石器	普兰店市俭汤乡	1979.6
79	市	张店汉城	汉	普兰店市花儿山镇	1979.6
80	市	巍霸山城（吴姑城）	高句丽	普兰店市星台镇	1979.6
81	市	黄家亮子土城址	战国至汉	普兰店市杨树房乡战家村	1985.7
82	市	关帝庙	清	普兰店市南山公园	1993.3
83	市	报恩寺	清	普兰店市安波镇二龙山	1993.3
84	市	连承基墓	近代	普兰店市四平镇	1993.3
85	市	顾人宜墓	近代	普兰店市星台镇	1993.3
86	市	永丰塔	辽	瓦房店市复州镇	1979.6
87	市	得利寺山城	高句丽	瓦房店市得利寺镇	1979.6
88	市	复州城	明	瓦房店市复州镇	1979.6
89	市	台子屯石棚	新石器	瓦房店市松树镇	1979.6
90	市	蛤皮地遗址	新石器	瓦房店市交流岛乡马路村	1985.7
91	市	羊官堡石城	明	瓦房店市胜利乡	1985.7
92	市	张氏节孝牌坊	清	瓦房店市许屯乡	1985.7
93	市	排石烽火台	明	瓦房店市驼山乡	1985.7
94	市	陈屯城址	汉	瓦房店市太阳升乡	1993.3
95	市	永宁监城址	明	瓦房店市永宁乡	1993.3
96	市	复州知州衙署	清	瓦房店市复州镇	1993.3
97	市	东山文庙	民国	瓦房店市东山花园	1993.3

（苏盛清）

奖、单项奖各10名，全国有2000多个博物馆参评。大连自然博物馆是该项评选举办以来辽宁省唯一获此殊荣的博物馆，其陈列被认为是在展示艺术和表现手法上寻求新探索和突破，注重高新技术和材料的合理应用，实现了教育、展览、艺术、观赏、科学、趣味等的结合。

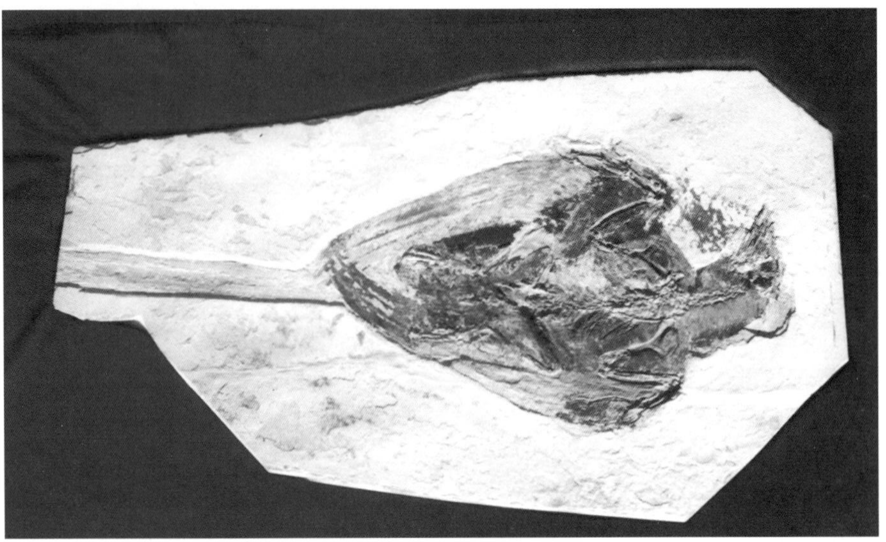

大连自然博物馆征集的“热河生物群”化石标本圣贤孔子鸟。

自然博物馆　供稿

【大连自然博物馆征集“热河生物群”化石标本429件】　2000年，大连自然博物馆在辽西地区，征集到“热河生物群”化石标本429件，包括圣贤孔子鸟、杜氏孔子鸟、凌源潜龙、鹦鹉嘴龙、满州龟、刘氏原白鲟、古蛙、蝾螈、蜻蜓、古蝉、辽宁古果等各门类生物，具有极高的科研、科普和观赏价值。大连自然博物馆是辽宁省唯一的自然史博物馆，征集到辽宁地区的珍稀化石标本填补了该馆的空白，大大提高馆藏质量。

【大连自然博物馆推出辽西化石展】　2000年9月20日，大连自然博物馆成功推出辽西化石展。辽西化石是指产于中国辽宁西部的中生代化石，以数量多、门类全，在自然科学史上具有极高的学术价值而闻名于世。该展览共展出辽西地区1.4亿年前“热河生物群”有代表性的珍贵化石标本219件，其中古脊椎动物55件、古无脊椎动物109件、古植物55件，是目前国内、也是世界上最完整、最系统的“热河生物群”化石展，受中外专家学者的关注。

【大连海洋馆展览在长春开幕】　2000年，大连自然博物馆充分利用馆藏资源，发挥海洋生物标本优势，在吉林省长春市举办大连海洋馆展览，12月24日开展。展览共分“海中巨兽”、“海景奇观”、“海洋生物博览”、“探索乐园”4大部分，陈列体重66.7吨、体长17.1米的黑露脊鲸的骨架和复原模型；通过“海底世界”、“极地世界”等景观，展示美妙和谐的海洋生态环境；用丰富的海洋鱼类、海洋无脊椎动物、海洋兽类、海藻等，展现多姿多彩的海洋生物世界等，使身居内地的长春观众了解到大量有关海洋的科学知识。　（王志彦）

大连自然博物馆在长春举办大连海洋馆展览的海兽展厅。　自然博物馆　供稿

档　案

【概况】　2000年，大连市有档案馆13个，馆藏档案资料总计81.5万卷（册），比上年增加4.8万卷（册）。有国家一级档案馆1个（大连市档案馆）；省一级档案馆12个（10个区市县、开发区和大连市城建档案馆），比上年增加2个。

年内，瓦房店市、中山区档案局晋升辽宁省一级局，至此，全市各区市县综合档案馆全部达到省一级标准，晋级数量和质量均居全省之首。机关、事业单位又有350家达标升级，超过省档案局下达指标的9倍，其中晋升省特级7家、一级49家、二级115家、三级179家。市直机关升级率达到100%，并有35个档案室达到省级标准。企业、科技事业单位分别有18家和13家达标升级，超过省局下达指标的2倍和1.2倍，其中国家一级3家、二级7家，省级18家、市级3家。全市机关事业单位1997年底前达标升级的档案馆、室经省、市两级复查和抽查，合格率均达100%。

全市档案系统努力开发档案信息资源，共向省档案局上报信息开发成果26项，超过下达指标2.3倍。有24项成果分获省档案局科技进步一、二、三等奖，其中一等奖数量名列全省第一；48 项成果获市级奖。档案信息开发为社会创造直接或间接经济效益 2500 多万元。

年内，中国老教授协会档案与文秘研究所第六届学术年会和第七期全国档案局（馆）长研修班在连召开。国际档案理事会秘书长阿尔巴达和夫人来连参观访问。

《大连市档案事业发展“十五”计划》正式纳入《2001 年大连市国民经济和社会发展计划（草案）》和《大连市国民经济和社会发展第十个五年计划纲要（草案）》，并首次纳入《大连市国民经济计划白皮书》。

【深化档案法制建设】　2000 年，大连市档案局全面完成档案“三五”普法教育工程。与市工商局、房产局联合制定颁布《大连市私营企业档案管理办法》、《大连市物业档案管理办法（暂行）》2 个规范性文件，至此，全市累计颁布档案规章和规范性文件 36 个。

落实档案行政执法责任制。在区市县开展档案行政执法责任制试点。举办 40 余人参加的执法员培训班，全市持有国家、省、市级执法证件的档案行政执法人员已达 90 人。开展档案执法检查，以国有、合资、私营、乡镇、区街企业为重点，检查大连造船厂、民政企业集团、可口可乐饮料有限公司、致诚企业集团及 10 个区市县所属 9 个企业档案法律、法规和规章的贯彻情况，收到显著效果。会同有关部门依法查处 8 起档案违法案件。

【拓展档案工作新领域】　2000 年，大连市档案局加强新经济领域档案工作。颁布《大连市私营企业档案管理办法》、《大连市物业档案管理办法（暂行）》，明确了私营企业、物业小区档案的管理标准。大连锦联集团档案工作实现规范化管理；大连宏孚实业有限公司档案工作目标管理被认定为国家二级，是本市私营企业第一家。深圳平安物业投资管理有限公司大连分公司把档案工作纳入物业管理考核范围。

加强农业和农村档案工作。工作的重点由乡镇机关自身档案建设，转移到乡镇所属单位和村的档案工作规范化、制度化建设上来。全市各涉农区市县继续开展村民建档工作，建立并初步形成农业科技档案信息网络，开展农业科研单位和乡镇企业档案目标管理认定工作。至年末，有 451 个行政村建立 21.3 万户村民档案，使全市村民建档率达到 49%；8 个涉农区市县建立县、乡、村三级农业科技档案信息网站 115 个；4 个农业科研单位、农业推广中心档案工作达到省级标准；9 个乡镇企业通过省级以上认定，其中国家二级 3 个、省级 6 个。

【加强重点建设项目和国有企业的档案管理】　2000 年，大连市档案局继续落实工程项目档案目标管理的项目法人责任制，跟踪指导 45 个续建和国家重点项目的档案管理，登记市级以上重点建设项目 40 个。参加大连西太平洋石化公司 500 万吨炼油工程等重点建设项目及市自来水公司等单位的技术改造项目的验收和预验收，验收合格率达 95%。

加强国有企业档案工作，在全省率先召开以国有企业为主体的全市企业档案工作会议。加强对资产与产权变动企业档案工作监督指导，指导中国华录等 17 个市政府重点扶持企业共 256 次，发现并纠正电子文件、电子档案管理不规范等问题；跟踪指导大连冶金粉末厂等 2 个破产企业及尚未完成破产程序的企业，2 个破产企业的 5300 余卷档案全部移交市档案馆。

【加强档案信息化管理】　2000 年，大连市档案局继续在全市机关、企事业单位推广使用机关文档一体化档案管理信息系统和企事业单位档案管理信息系统 2 个软件，并做好版本升级和系统优化工作。其中，机关通用软件经辽宁省档案局鉴定，通过了市信息产业局的验收。

市档案局（馆）完成局（馆）局域网一期工程及局域网的网页设计和修改，并完成照片档案管理系统的设计调试，建立照片档案数据库，录入照片 4000 张。根据市政府上网工程的要求，在大连市城域网建立档案局主页。（张永德）

地方史志

【概况】　2000 年，大连市史志办公室各项业务工作稳步发展。共撰写、审定书稿 478 万字，其中出版 158 万字；发表各类文章 91 篇、435 万字。《中共大连党史大事记（1991 ~ 2000）》初稿基本完成；《党和国家领导人在大连》大型图片集通过市委主要领导初审。《大连市志·公用事业志》、《大连市志·供销合作社志》出版发行；首部《大连复转军人风采录》出版。《大连年鉴》（2000）及其袖珍本按期出版，并首次制作了光盘；年鉴发行量达到 4000 册，为历年之最。举办纪念抗战暨大连解放 55 周年座谈会。

各区市县史志工作也有新进展。各区市县史志部门共撰写党史专题文章 11 篇，出版党史书籍 1 部。《中山区志》编纂工作进展顺利；《沙河口区志》编纂办公室组建，编写工作已经开始；续修《长海县志》已形成志稿 30 余万字。镇志编纂工作在甘井子区营城子镇进行试点，已基本完成《营城子镇志》初稿。各区市县年鉴如期出版，其中《旅顺口年鉴》为首部。至此，全市已有 7 个区市县编纂出版年鉴。（史　志）

【党史工作】　2000 年，大连市史志办公室编纂的《中共大连党史大事记（1991 ~2000）》初稿基本完成。编辑的《党和国家领导人在大连》大型图片集通过市委主要领导初审。为辽宁省委党史研究室主编的《辽宁人民英雄大典》提供大连地区 80 位英烈小传 17 万字。为《辽宁党史人物》一书撰写长篇人物传记 4 篇 5 万余字。为纪念中国人民志愿军入朝作战 50 周年，撰写整理《在炸不烂、打不垮的钢铁运输线上》等有关大连地区抗美援朝回忆文章和理论文章共 8 篇，分别发表在《大连日报》和大连出版社出版的《巍峨丰碑》一书中。撰写“文革”专题文章 23 篇 15 万字。在《中国党史信息报》、《东北之窗》、《大连党校学报》、《学习与研究》等报刊杂志上发表文章 12 篇。为纪念中共大连地方组织成立 75 周年，撰写 45 万字的《大连党组织的光辉历程》小册子，印发全市各基层单位。开始撰写《老红军傅忠海》一书。

各区市县史志部门撰写党史专题文章 11 篇，出版党史书籍 1 部。（刘　影）

【地方志工作】　2000 年，大连市志的编纂进度加快，编纂质量也有较大提高。《大连市志·公用事业志》、《大连市志·供销合作社志》（共计90万字），先后于4月和5月出版。市史志办公室加大对《大连市志》各分志编纂指导的力度，形成志书出版梯次。《海监志》、《海关志》、《船检志》、《商检志》、《动植物检疫志》、《司法行政志》、《统计志》、《技术监督志》、《人事志》、《编制志》等部分志已进入出版程序；市史志办负责撰写的《中共地方组织志》、《大事记》、《行政建制志》3部综合志终审基本结束；《民族志》《宗教志》、《物价志》、《交通志》、《计划志》、《工商联志》等8部分志编纂工作有突破性进展，已进行了初审和复审；《农业志》、《公安志》、《教育志》、《妇联志》、《外经外贸志》等部分志形成初稿。经多方共同努力，《旅游志》、《水产志》等分志的编纂工作开始启动。

《大连市志》续修进入试行阶段。《军事志》、《科学技术志》的续修工作已经开始。市史志办对承编单位进行4次业务培训，使续志编修工作一开始就步入规范化、程序化和科学化轨道。

区市县志编纂工作有长足发展。《中山区志》已编纂出80万字的志稿；沙河口区组建《沙河口区志》编纂办公室，部分篇章已进入编写阶段。长海县组建续修《长海县志》的编写班子，已编写出志稿30余万字。镇志编纂开始在甘井子区营城子镇进行试点。该镇成立镇志办公室，《营城子镇志》的初稿编写至年末基本完成。

市史志办业务人员撰写并发表史志类文章47篇，还为大连现代博物馆推介近200名候选人物并撰写人物简介。全市有14篇论文参加东北地区第十三次城市志研讨会，其中5篇获一等奖。

（王万涛）

【年鉴工作】 2000年，大连市史志办公室出版发行《大连年鉴》（2000），总字数102万字，彩图480面；同时出版了年鉴的袖珍本。为适应信息时代读者的多层次需要，这部年鉴首次制作了光盘，实现了正本、袖珍本、光盘三位一体，为全国仅有。年鉴发行量达到4000册，为历年之最，在全国同类城市中也属罕见。

《大连年鉴》参展第五十二届法兰克福国际图书博览会。 文 韬 供稿

各区市县年鉴也如期出版。首卷《旅顺口年鉴》于9月出版。至此，全市已有中山、甘井子、旅顺、金州、瓦房店、普兰店、庄河等7个区市县编纂出版年鉴。

【《大连年鉴》获全国城市年鉴特等奖】 2000年1月6日，第二届全国地方年鉴评比颁奖大会在广州市举行。《大连年鉴》获城市年鉴特等奖，为全国非省会城市惟一获此奖项的年鉴。

《大连年鉴》是由市委、市政府主办，大连市史志办公室主持编纂，面向国内外公开发行的大型综合性资料年刊，每年出版1卷，记述上一年度全市政治、经济和社会发展等各方面的基本情况和最新成就，是国内外人士全面了解、认识大连的可靠工具书。自1990年创刊至2000年止，《大连年鉴》已连续出版14卷，累计字数1228万字，累计印数385万册。这14卷年鉴全面、系统、翔实、准确地记述了1986年以来大连市改革开放的历史轨迹和经济、文化、社会各领域发生的巨大变化，成为“大连市经济发展和社会繁荣的一面镜子”（原市委书记、现市人大常委会主任于学祥为1996卷作序语）。为了更好地向国内外宣传大连，《大连年鉴》还于1998年起连续出版了袖珍本，该书以内容浓缩、方便易携而受到读者好评。 （石黎明）

【《大连年鉴》参加世界最大书展】 2000年10月12～23日，由中共大连市委和大连市政府主办，大连市史志办公室承编的《大连年鉴》参加’2000中国年鉴法德巡回展，第一次登上在德国举办的世界最大书展——第五十二届法兰克福国际图书博览会的展台，还在欧洲历史最悠久的中文书店——法国巴黎凤凰书店展出。本次博览会云集了来自世界各个国家和地区5万家出版商和众多作者、读者。作为全面反映大连政治、经济、社会、文化等各项事业情势的最完备的信息资料库，《大连年鉴》能够走进世界最大的图书博览会，对于世界进一步了解大连、大连进一步走向世界，产生了积极影响。

【首部《大连复转军人风采录》出版】 2000年7月中国人民解放军建军73周年前夕，由大连市史志办公室编辑，记录大连解放55年间来自全国各地的复员转业军人光辉业绩的史书——《大连复转军人风采录》正式出版。共有名复转军人入录该书，其中既有老一辈无产阶级革命家，也有身经百战的指挥员；既有为军工建设做出重大贡献的科研人员，也有各军兵种的指战员。该书展示了这些复转军人在部队时为建立新中国、保卫社会主义建设立下的不朽功勋和复员转业后为大连的经济建设和社会发展做出的新贡献。该书的出版体现了大连市拥政爱民、拥军爱民的优良传统。

（文 俊）

新闻出版·广播电视

责任编辑　周万久

新闻出版

【概况】　2000年，大连市有市属公开发行的报纸10种，与上年同；公开发行的全国、省、市期刊44种，与上年同。有出版社6家，与上年同；国家和省新闻单位驻连机构66家，比上年增加2家。

2000年大连市市属报纸日均发行量

单位：万份

	日均发行量
《大连日报》	15
《大连晚报》	20
《新商报》	6
《足球周报》	6.5
《大连广播电视报》	20
《大连开发区报》	2
《现代女报》	18
《大连法制报》	6
《瓦房店报》	5
《普兰店报》	2

当年，在辽宁省第三届十佳记者、优秀新闻工作者、新闻工作先进集体评选中，大连日报社的冯越获十佳记者称号；大连日报社的韩庆丽、大连晚报社的马野新、大连电视台的谢忠波、大连人民广播电台的韩毅获优秀新闻工作者称号；大连日报社文教部、大连电视台生活频道获新闻工作先进集体称号。在辽宁省1999年优秀新闻论文评选中，本市报送的论文有4篇获一等奖、3篇获“辽宁新闻奖”，获奖等级、数量名列全省前茅。大连晚报社被评为全国地方报管理先进单位，大连广播电视报社印刷厂获辽宁省印刷质量评比第一名。

【围绕中心工作组织重点宣传】　2000年，大连市各报刊、中央和省驻连记者站充分发挥自身优势，把握中心，重点宣传，服务大局，为全市改革开放和现代化建设提供良好的舆论环境。

进行“三讲”教育和“三个代表”重要思想的宣传。分阶段、有重点的对“三讲”教育和江泽民总书记“三个代表”重要思想进行宣传，同时报道各级党组织学习、实践“三个代表”重要思想所采取的措施和取得的成果，推动了“三讲”教育和“三个代表”重要思想学习的深入开展。

加强对国有企业改革脱困的宣传。中央、省驻连记者站和本市新闻单位对新船重工、大显集团、大起集团、大重集团等一批改革创新、开拓市场的典型，集中进行了宣传报道，收到较好效果。

加大对发展高新技术产业的宣传力度。连续报道了大连高新技术产业园区、东方电脑、光明化工所等单位发展高新技术产业的新技术、新经验，及本市发展高新技术产业所具有的环境、人才和政治优势等。

做好加强和改进思想政治工作的宣传。宣传甘井子大连湾镇开展全民读书活动、庄河市徐岭镇加强党的建设增强凝聚力的做法、经验等，以及一批创建文明社区的先进典型。

加强对旅游作为支柱产业的重大战略决策的宣传。重点宣传节假日旅游、文化旅游、工业旅游等，并组织记者到云南、深圳等地采访，推出外地发展旅游经验的系列报道。

【新闻工作者喜度第一个记者节】　2000年11月8日被中华新闻工作者协会确定为新中国第一个记者节。全市各新闻单位和市记者协会组织3000多名新闻从业人员开展各种庆祝活动，并于11月8日召开大连市庆祝记者节暨大连市优秀新闻工作者表彰大会，市五大班子领导出

在大连市庆祝记者节暨优秀新闻工作者表彰大会上，全市有20名新闻工作者受到表彰。　陈大祥　摄

席了大会。会上，10个新闻工作先进集体和20名优秀新闻工作者受到表彰；全市新闻工作者向100名贫困学生捐款10万元，用“献爱心”的方式，度过了自己的第一个节日。

【大连市发行集团成立】 2000年6月10日，由大连市新华书店和各区市县新华书店组成的大连市发行集团（联合体）正式成立。该集团的成立，使本市图书发行国有主渠道在日益激烈的市场竞争中形成合力，充分发挥其作用，以适应出版物市场不断发展变化的新情况。

【举办图书、音像制品展销会】 2000年，由大连市新闻出版局和市出版报刊发行协会主办的大商春季和首届“大连之夏”图书、音像制品展销会，分别于2月和6月在大连商场和市新华书店举行，全国有300多家出版单位、新华书店及图书批发单位参加展销，展出出版物10多万种。其中，大商春季展销会展销总码洋达100余万元，100万人次参观；“大连之夏”展销会实现销售额1300多万元，20多万人次参观，获得经济效益和社会效益双丰收。

【大连日报社报业经营成效显著】 2000年，大连日报社在生产经营上加大投入力度，购置宽幅照排机、报纸堆集机、海德堡彩色平面印刷机、滨田无轴双面彩高速轮转机和运纸电梯；创办“城市金页”豪华广告版；成立大连新闻旅行社、地尔利地产咨询公司、上海广告代理办事处等，为报业发展奠定了坚实基础。全年营业收入比上年增长28%；纯利润在提留折旧和上缴税金大幅度增加的前提下还翻了1番；报纸总产量增长28%。

【《新商报》创刊】 2000年元旦，大连市的又一新媒体《新商报》在广大读者的关注下正式创办。《新商报》是大连日报社收并原大连市总工会所属《大连工人报》的出版号（CZ21－0085），并经省、市新闻出版局和国家新闻出版署批准的正式出版物，属《大连日报》的子报。主要版面有：动态新闻、商都新闻、时事新闻、文体视窗、产经新闻、证券投资、生活服务以及经济和社会新闻特

大连广播电视报社照排车间操作员在精心设计报纸版面。

广播电视报社 供稿

稿等。

【大连晚报社荣获全国地方报管理先进单位称号】 2000年，在全国2000多家地方报社评比中，大连晚报社被评为全国地方报管理先进单位，为东北地区晚报系统惟一一家。

该报社树立“读者就是市场”的办报观念，以质量拓展发行和广告市场，在竞争日益激烈的报刊市场上，争取到更广阔的生存与发展空间。宣传报道体现“抓住主题，突出特色”的风格，开设“小马时政快车”等栏目，产生良好的社会反响。注重报道的策划，推出诸如《家乡父老送你上大学》、《撞车逃逸，有人抢钱》、《救助病残儿童》等系列报道，解决了老百姓生活中的一些难题，并从形式上有效地体现了晚报的风格。当年，《大连晚报》日均发行量实现历史性突破，首次达到20万份，比上年增加10万份，成为全市发行量最大的2种报纸之一。

【大连广播电视报社印刷厂印刷质量列全省第一】 2000年，大连广播电视报社印刷厂获辽宁省印刷质量评比第一名，成为全省惟一连续3年名列第一的单位。

《大连广播电视报》以发行量大、版面多、广告创收多而居全国近300家城市广播电视报的前列。特别是其精美的印刷质量、全面介绍中央及全省30多套广播电视节目，以及开办的“百姓咨询热线”、“生活提示版”、“文娱”、“影视”等副刊，内容丰富、可读性强，深受读者欢迎。全年出刊52期，期发行量20万份，与上年同。

【《东北之窗》进行专刊化改革】 2000年，《东北之窗》杂志社出台《周刊专刊化改革方案》。设置“时世”、“文艺”、“体育”、“财富”、“时尚”、“家园”6个专刊，并将原来按栏目管理改为按专刊管理，使各专刊定性明确，分工到位，内容的集中性和连续性增强，尤其是热点稿件的质量有新的提高。“时世”专刊围绕大连市民生活的若干状态，采写《大连人怎样挣钱花钱》、《大连新移民四大门派》、《服务，到底服不服》等热点稿件，引起市民的关注。

该杂志全年共出周刊47期，发稿5000多篇，其中热点稿件350多篇，受到读者的欢迎。期平均发行量2万册。

【大连出版社推出具有较高学术价值的图书】 2000年，大连出版社进一步加强图书选题论证，各编辑室把选好题、编好书、出好书作为岗位目标。新推出《郭店楚墓竹简〈老子〉校读》、《枫窗

三录》等一批具有较高学术价值的图书，这些图书因其研究透彻、见解深刻，受到国内外学术界瞩目。

该社全年出版图书165种，比上年减少65种，其中具有较高学术价值的23种。（赵春敏）

广播电视

【概况】 2000年，大连市有广播电台7座、电视台7座、区域性有线电视台8座。大连人民广播电台设新闻综合、经济、文艺3个频道和中国国际广播电台大连地区特别节目共4套节目；有自办栏目148个；全天候播音时间近100个小时，比上年增加24个小时。大连电视台设新闻综合、生活、公众、影视4个频道，其中公众频道为当年新增；有自办栏目42个；全天播出时间86个小时（含重播时间）比上年增加5个小时。

2000年大连市电台、电视台情况

单位：座

	数量
广播电台	7
其中：县级台	6
电视台	7
其中：县级台	6
区域性有线电视台	8
其中：县级台	7
中波发射（转播）台	5
骨干广播电视发射台	10
乡、村电视差转台	53
小调频广播电台	31
区市县广播电视台	7

当年，全市广播电视宣传工作导向正确、效果突出。大连人民广播电台、大连电视台结合改革和发展实际，推出《喜看经济新突破》、《“九五”铸辉煌、“十五”新展望》、《新大连带给我们新未来》等一批专题报道和专题文章。城市建设宣传力度大、有深度，电视台与中央电视台联合策划和制作的《大连思路》专题片，第一次在全国推出“大连模式”的概念。思想政治工作宣传基调鲜明、内容充实，以“思想政治工作在基层”、“振奋城市精神，增强城市凝聚力”等为题开展系列报道。还严格按照党和政府的要求，在揭批“法轮功”等重大政治斗争中发挥了积极作用。电台和电视台共获国家级奖48项、省级奖180项。

2000年是大连电视台成立30周年。该台举办建台30周年庆祝大会和《荧屏跋涉30年》台庆文艺晚会，市五大班子领导、国内兄弟台领导以及日本、新加坡、香港等20多家电视机构的代表参加大会；组织热心观众评选活动，并举行《周末跟我来》特别节目——热心观众评选颁奖晚会；创作第一首台歌《DLTV，我心中的灿烂》；进行台际间友好合作洽谈，与香港亚视达成节目交流合作和人员培训意向书。

【广播电视对外宣传势头良好】 2000年，大连广播电视继续加强对外宣传，提高了城市在国际上的知名度。大连电视台在中央电视台共发新闻消息227篇，播放专题片69部、电视剧5部；《中国大连》栏目向海内外播出新闻252条次，招商片《我们大连》被制成12种语言版本。大连人民广播电台在中央人民广播电台播发稿件106篇，在中国国际广播电台播发稿件15篇；《走四方》栏目每周日与全国一个城市电台双向直播，全年共同50多个城市进行双向直播，并向澳洲广播电台传送节目10期。

继续巩固和发展与日本广播电视播出机构友好合作关系，同时积极发展同欧美国家的友好关系。大连市广播电视局与日本南海放送株式会社签订友好合作协议，两地电台开展了节目交流和互播。电台、电视台派记者前往欧美采访报道并与其联合制作节目等都有新突破。

【电视台公众频道开播】 2000年10月20日，大连电视台公众频道即第三套节目开播，每天播出时间16个小时左右，其中自办节目1小时，包括“每日新闻”、“我爱健康”、“再线3·15”、“车行天下”和“点击电视”。该频道拥有全新风格和独具特色的节目，全方位展现新闻、科技教育、文化娱乐、社区事业及百姓生活，是大连电视台节目改版后惟一实行独立经营的非商业性频道。

【广播电视事业建设稳步发展】 2000年，大连市广播电视事业建设向数字化、网络化方向发展，加强了广播电视设备数字化更新改造。大连人民广播电台的播出、主控、录制播出和光缆传输系统实现数字化、智能化、自动化，制作、播出的节目质量有明显提高。大连电视台新装备6套数字特技制作及声音录制系统，完成总长度达70公里的具有数字、模拟和卫星转播功能的全台机房布

大连电视台“公众频道”采编人员深入百姓家中现场采访。

市广播电视局　供稿

线设备施工，增设磁卡管理系统等。

大连地区微波传输网也进行了数字化改造，大连电视台4套电视节目采用数字压缩技术传送到各县（市、区），并送入县（市、区）有线电视网。天途网络公司网络中心装备了具有世界先进水平的设备并成功运行，大大提高了节目技术制作和传输水平。

【电视艺术创作精品迭出】 2000年，大连电视台实施精品战略，推出一大批优秀栏目和作品。《法治天地》获第六届中国广播电视学会电视法制节目栏目一等奖；《电视周刊》获中国广播电视学会第二届“荧屏导视奖”宣传类节目一等奖；《小螺号》获第五届全国“金童奖”优秀栏目奖；译制的希腊23集电视剧《高跟鞋》荣获第三届中国广播电视学会译制片一等奖。制作的电视剧《难舍真情》、《相依年年》和《小巷总理》分别在中央台一套、八套黄金时段播出。

【2000年大连世界名师时装展演会暨大连服装电视论坛】 2000年第十二届大连国际服装节期间，大连市成功举办2000年大连世界名师时装展演会。举办意大利莱·卡门、杰尼亚和埃格诺娜时装以及日本桂由美庭园式婚装展演共8场，在风格样式上比往届有重大突破和创新，现场观众1万多人次。全国有100多家新闻媒体进行了报道，其中电视台80多家。展演会的论坛活动更名为大连服装电视论坛，大连电视台与中央电视台合作，由中央电视台二套“经济半小时”节目向海内外播出4期论坛内容，引起强烈反响。

【2000年大连市十大新闻】 2000年，大连市广播电视局、大连人民广播电台、大连电视台、大连广播电视报社和辽东医药有限公司共同举办“李大夫医药杯”大连市十大新闻评选活动。评出的十大新闻是：

1. 引英入连工程正式开工。

2. 市十二届人大常委会第二十七次会议通过《关于接受薄熙来辞去大连市人民政府市长职务请求的决定》，并全票通过李永金为代理市长。

3. 朱镕基总理在省市领导陪同下，深入本市社区及居民委，与社区干部和

2000年大连世界名师时装展演会。 李 彤 摄

“小巷总理”座谈。

4. 大连石化公司、西太平洋石化公司实现年销售收入超60亿元。72.3%的国有大中型企业初步建立现代企业制度，国有企业3年改革脱困目标按期完成。

5. 大连实德足球队夺取2000年度全国甲A联赛冠军。

6. 在2000年第二十七届悉尼奥运会上，大连籍运动员丁美媛勇夺女子举重75公斤以上级金牌，姜翠华夺取奥运会自行车500米计时赛铜牌，实现了我国自行车运动在奥运会上奖牌“零”的突破。

7. 大连港跨入世界百万标箱集装箱大港的行列，蝉联亚洲“最佳集装箱码头”，是我国惟一获此殊荣的大陆港口。

8. 城镇职工基本养老保险参保人数首次突破100万人大关，覆盖率达到98%，离退休人员的养老金全部按时足额发放，社会化发放率为100%。

9. 大连软件园被国家科技部认定为国家级软件园，双D港建设正式启动。全市旅游总收入90亿元。

10. 沙河口火车站至黑石礁快速轨道工程建成通车，开发区至金石滩快速轨道工程全面启动。

【覆盖全市城乡的有线电视网形成】 2000年，大连市区市县有线电视网络购并工作完成，为全市城乡有线电视网实现一体化提供了体制保证。市至县有线电视光缆敷设工程进展迅速，有47个乡镇实现有线电视联网，提前超额完成市政府下达的目标。全市新增有线电视用户4万多户，完成网络双向改造覆盖1万多户。年末市内四区有线电视网络覆盖率达95%以上。

【开展“广播电视宣传无差错活动月”】 2000年6月19日~7月19日，大连市广播电视局首次开展“广播电视宣传无差错活动月”，面向社会公开征求意见，接受社会监督，以进一步提高广播电视宣传水平，最大限度地减少节目差错。此项活动在市民中反响强烈，共收到听众、观众和读者来信以及电话330多封（次），指出差错和提出意见近1000处（条），对提高广播电视节目质量起到积极的促进作用。

【广播电台的新栏目】 2000年，为活跃市民的文化生活，大连人民广播电台新增“上午10点”、“16点新闻”、“阳光旅程”、“流行新主张”、“盒子与杏子”5个栏目。

“上午10点”是新闻栏目，1月1日开播，时间为30分钟。以体育新闻为主，快速报道当日各大体育赛事最新进展；同时还对当天本市发生的重大新闻和重要活动作快速报道。

“16点新闻”是新闻栏目，1月1日开播，时间为30分钟。以文化新闻为

主，及时报道演艺界的最新动态和影视界新作、新人、新时尚，深度追踪报道文化热点、难点问题。

“阳光旅程”是电台经济频道一档交通服务类栏目，1 月 3 日开播，除周二外，每天 13：30 ~ 15：00 播出。除报道交通法规和车坛信息，并通过讲述开车人“在路上的故事”，达到与司机群体情感交流的目的。该栏目由于定位准确，加之动感快捷的信息传递方式，深受听众欢迎。

“流行新主张”是电台文艺频道新改版的一档以音乐为主导的娱乐栏目。7 月 20 日开播，每周一至周五上午 8：00 ~ 9：00 播出。设“最先品尝”、“情感留声机”、“故事里的歌”、“好歌伴你行”等 10 个小栏目，其中一些是针对占比例较多的司机听众开设的娱乐兼服务性栏目，使音乐类节目更加生活化、艺术化，更具有亲切感。

“盒子与杏子”是电台半岛之声频道的一档以角色化主持的侃谈类栏目。7 月 24 日开播，每天 6：00 ~ 7：00 播出，男、女各 1 位主持人共同主持。男主持人是睿智、成熟、厚道的代表，女主持人则被设计成天真、刻薄、伶俐的形象，二者合一造就一个产生矛盾、解决矛盾的节目。主持人把生活中的小事用风趣幽默的语言来演绎，一问一答中让听众明白其中道理。

【电视台的新栏目】 2000 年，大连电视台新增“大连早班车”、“中国大连”、“周末好时光”3 个栏目。

“大连早班车”是一档早新闻栏目，4 月 10 日开播，周一 ~ 周五早 7:00 ~ 7:30 首播，中午 12:00 ~ 12:30 重播，全长 30 分钟。节目定位于“全球的视野、全速的时效、全面的资讯、全新的播报”，全方位播报本市及国内外重大新闻事件，报道形式由播新闻变成说新闻。该节目的开播填补电视台早间新闻的空白。

“中国大连”是对外宣传栏目，5 月 4 日起在一套节目 21:05 首播，每期 20 分钟，每月两期，每期 1 个主题，分“大连历史”、“大连的热点问题”、“今日大连一景”3 个部分。每月还制作 1 期 30 分钟的英文版，除在本台播出外，还在中央电视台国际频道“中国各地”栏目播出，并分别在中国黄河电视台、美国斯科拉卫视网、纽约中文卫视、日本长崎电视台等境内外电视台播出。

“周末好时光”是周末版节目，4 月 29 日开播，一套节目每周六 9:00 ~ 11:00、14:00 ~ 16:20 播出，总长度为 5 个小时，设“假日百事通”、“现场直击”、“新说法”、“城市交响”、“周末跟我来”等 9 个栏目。内容包括服务类、舆论监督和法制类、文化娱乐类、人物类、公益类、时尚类等多个方面。

（张莲荣）

2000 年大连市广播电视主要栏目

大连人民广播电台

新闻早报
新闻一小时
警方热线
法制经纬
快乐恰恰恰
假日娱乐广场
上午 10 点
文化直通车
健康乐园
阳光节拍
每日午报
说说唱唱大舞台
爆棚歌声
女性家园
多多风景线
市场与消费
走四方
评书联播
非常流行网
16 点新闻
缤纷体坛
今晚播报
今日证券
司机平安
三间话屋
午夜书场

大连人民广播电台经济频道

EBC 新闻网
快乐相伴
体坛风云
文清逛街
市民心声
经济生活
阳光旅程
夕阳无限好
房产俱乐部
求医问药
评书连播
股市 30 分
电脑世界
时尚百分百
今晚我和你
乡镇企业风采录
高科技论坛
走进商都
甲 A 直播赛场

大连人民广播电台文艺频道

清晨旋律
调频新闻网
滨城时空
驾驶员的家
笑的好
大和弦
空中音乐秀
警世之声
综艺磁场
健康热线
广播剧与小说连播
音乐之恋
大雪冰点新闻
流行新主张
好戏连台
五洲来风
快乐老家
兄弟体育直播室
广播书场
星空夜话

大连人民广播电台国际频道

天天早报
欢乐正前方
老歌老唱
好运拍卖场
历史
健康咨询网
车来车往
体会地球
健康港湾
半岛书场
大连的一天
奥林匹克广场
生活直通车
心动歌谣流行榜
军警大本营
希乐安成人夜话

大连电视台

大连早班车
新闻全景
大连新闻
生活现在时
红梅逛街
天天财经
娱乐大搜索
红帆
中国大连
奥林匹克广场
久久合家欢
周末跟我来
现场直击
法庭聚焦
假日百事通
演艺星空
小螺号
法制天地
警方传真
商桥
21 点直播室
娱乐百分百
霜叶集
你我之间
挑战星期五
财经纵横

卫　　生

责任编辑　周万久

概　述

【卫生事业概况】　2000年，大连市卫生事业有较大发展。

当年，市政府投入卫生基础设施建设资金5431万元，比上年增长18.1%。市中心医院改造和市第五人民医院门诊综合楼新建工程竣工并投用，市友谊医院新建住院楼工程竣工。更新11个医疗卫生单位的19部电梯，改造7所医院的污水处理系统。农村乡镇卫生院、县防疫站、县妇幼保健院“三项建设”投资825万元，完成10个乡镇卫生院共1.2万平方米房屋的改造。

【医药卫生体制改革】　2000年，大连市医药卫生体制改革取得新进展。

市卫生局初步完成《大连市区域卫生规划》和《大连市卫生事业第十个五

2000年大连市卫生事业发展基本情况

	单位	数量	比上年增加
医疗卫生机构	个	1579	—
其中：医院	所	244	-2
医院中：乡镇卫生院	所	115	—
医院床位	张	25574	-264
卫生技术人员	人	32302	-133
每千人拥有医院床位	张	4.64	-0.1
每千人拥有医生	人	2.51	-0.03
医院门、急诊诊疗	万人次	1385.2	60.9
医院入院	万人次	39.4	2.1
门诊急救成功率	%	96.9	1.1(百分点)
病房抢救成功率	%	89.6	1.3(百分点)
传染病发病率	/10万	336.36	-15.6(%)
孕产妇死亡率	/10万	22.84	13.6(%)
婴儿死亡率	‰	11.4	-0.1(千分点)
人均期望寿命	岁	75.58	-0.35
其中：男性	岁	73.63	-0.04
女性	岁	78.25	-0.45

注：人均期望寿命是指大连市内四区和旅顺口区。

新建成的大连市友谊医院住院部大厅。　　市卫生局　供稿

年计划及2015年规划纲要》拟定，着手进行城市卫生资源的调整和优化配置，继续推进城市社区卫生服务工作。截至年末，全市有25个街道开展社区卫生服务试点，覆盖人口达45万人，城市医疗服务二级格局的总体框架已具雏形。

医疗机构分类管理工作启动。非营利性与营利性医疗机构分开的申报、登记和注册已完成。

卫生监督和疾病预防控制体制改革的准备工作基本就绪。制定《大连市卫生监督体制改革实施意见》，开始筹建大连市卫生监督所和大连市疾病预防控制中心。

继续在局属医疗机构中实行药品和医疗器械联合招标采购制。成立大连市卫生局药品和医疗器械联合采购管理办公室、专家委员会和评标委员会，出台《大连市卫生局单位药品联合采购实施方案》，进一步理顺药品联合采购管理体制。药品联合招标采购品种由100个扩大到142个，其中42个企业自主定价品种的采购成本比上年下降20.4%并全部让利于民；大型医疗设备集中招标采购额1960万元，节省资金380万元。

医疗机构收费管理进一步规范。有15所医院建立医疗收费微机查询系统；市儿童医院和市友谊医院实现医疗收费和药品价格的微机明码标价。

病人选医生试点工作全面铺开。有28所医院在门诊或病房试行病人选医生工作，促进了医疗机构内部管理和运行机制改革。

人事制度改革力度进一步加大。在完善"双聘制"基础上实施考试、考核、考评工作，分流并安置10%的人员。

积极探索医疗机构后勤服务社会化。出台《大连市卫生局属单位后勤服务社会化模拟运转方案》，并以市妇幼保健院、市第三人民医院和市儿童医院为主办单位，建立3个跨医院的洗涤中心。一部分医院的食堂、保洁等后勤工作实行承包与独立核算。　（韩　兵）

大连市卫生局的卫生执法人员对化妆品市场进行执法监督。　市卫生局　供稿

【卫生行政执法】　2000年，大连市卫生局继续加强医政管理，清理整顿医疗市场。登记注册和监督检查区市县的院级医疗机构及市内四区企事业、集个体门诊部（诊所）共360余所，注销17家没达到标准的集个体及企事业医疗机构；行政处罚78家违反《医疗机构管理条例》、《医疗广告管理办法》的单位和个人，共罚款14.2万元，其中处罚违法广告11.9万元，没收药品、器械价值万余元。贯彻落实国家《执业医师法》和《护士管理办法》。全市有875名医务人员参加医师资格实践技能考试，其中及格812人、不及格55人。有1183人参加全国医师资格理论考试。完成护士首次注册681人、再次注册9971人，并建立护士注册信息库。

加强药政执法，加大对药品生产经营企业和医疗单位的监督管理，严厉打击制售假劣药品的违法行为。会同市医药管理局换发《药品生产企业许可证》和《药品经营企业许可证》，完成25家药品生产企业和30家药品经营企业的换证初验。对全市制药厂的720个生产品种进行注册，修改184个批次医院制剂品种的质量标准。评价市场销售红霉素片等15种药品的质量，涉及国内133家药品生产企业，抽验药品268批次，不合格率为14.2%。立案查处假劣药品案件215件，结案208件，罚没款38万余元。

加强传染病执法监督。对医疗卫生单位的消毒隔离、生物制品供应渠道、疫情报告、结核病归口管理、性病防治等进行执法监督大检查，共检查单位506个次，取缔未经卫生行政部门批准而擅自从事性病诊疗的单位8家，罚款2.9万元。

加强食品卫生执法监督。组织进行食品卫生大检查，共检查单位132个，对21个单位实施行政处罚。重点加强餐饮行业餐具热消毒的监督执法并取得显著效果，年终考核结果显示，餐具热消毒率城市达93%、农村达87.5%。

加强旅店、美容院、浴池、娱乐、游泳等重点场所卫生执法监督，按照国务院要求，停办歌舞厅、录像厅、电游厅和桑拿按摩4类场所的卫生许可证。

开展学生常见病终期考评，抽查7个区市县的21所中小学校，90%以上的学校达到国家要求。全市中小学生沙眼、龋齿患病率分别控制在0.8%和0.26%以下，蛔虫感染率控制在1.1%以下，龋齿充填率达50.47%。

（刘　云　孙兆明　李成芝）

【医学科技教育】　2000年，大连市卫生局受理科研项目139项，通过专家评审120项，其中列入市卫生局科研计划78项，列入市科委计划8项；鉴定科技成果24项，其中达到国际先进水平1项、国内先进水平16项。大连医科大学附属第四医院的"带血管蒂大转子骨瓣及髋骨（膑）瓣转移治疗股骨头缺血性坏死的实验、解剖学和临床系列研究"等16个项目获辽宁省科技进步奖；大连中医骨伤科研究所的"正痹合剂治疗不愈合、骨无菌性坏死、慢性骨髓炎临床与实验研究"等26个项目获大连市科技进步奖，卫生系统获奖数连续6年居全市各行业之首。

全市申请新技术项目278项，通过专家评审146项。其中，大连医科大学附属一院开展的“应用腓骨肌瓣1800折叠即刻种植牙植入修复下颌骨缺损”为国内首创；大连市友谊医院开展的“肾移植技术”达到国内先进水平；大连市中心医院“头皮合并颅骨、硬脑膜缺损一次性修复术”缩短了本市显微血管外科技术与国内先进水平的距离，“单鼻孔经蝶垂体瘤切除术”技术水平处东北三省领先地位。有41项科研成果被纳入由中国医药科技出版社出版的《医药科技要览》，向全国推广。全市共举办学术报告356场、专题讲座25场、全国性大型学术会议3次。

继续医学教育步入系统化、规范化轨道。经现场答辩和论证，有33个继续教育项目被列为二类继续教育项目，22项上报国家级项目。有800人参加继续教育考试，及格率达70%。有6303名专业技术人员参加验证，其中卫生技术人员5898名，合格率分别为97%和97.3%。

中青年业务技术骨干和学科带头人的培养得到加强。落实《大连市医药卫生优秀学科带头人培养实施办法》，市卫生局资助4名学科带头人课题费每人10万元。 （王景香）

【公费医疗管理】 2000年，大连市医疗保险覆盖面逐步扩大，享受公费医疗范围随之缩小。年末，全市有89851人享受公费医疗，比上年减少98483人。

（孙 艳）

预防保健

【传染病控制】 2000年，大连市法定传染病的发病率为336.36/10万，比上年降低16个百分点。

急性传染病得到有效控制。市政府于6月23日下发《大连市预防与控制艾滋病中长期规划（2000～2010年）》，将艾滋病、性病的防治纳入政府规划之中。根据国家卫生部艾滋病检测规范要求，市及区市县卫生防疫站在全省率先通过艾滋病病毒抗体检测初筛实验室达标验收，促进了检测水平提高。开展第四次全国结核病流行病学调查，共调查1.1万人，患病率为157.15/10万，比1990年下降44.2%，年递降5.7%；涂阳患病率增长21%，年递增2.4%；发现活动性肺结核病人17人、痰涂片阳性7人，全部落实了治疗。

【计划免疫】 2000年，大连市转发《辽宁省消灭脊髓灰质炎扫荡及查漏补种式免疫活动实施方案》，并在海港、码头和火车站等共设立85处宣传点和接种站，挨门逐户查漏补种。符合查漏补种脊灰糖丸适龄儿童共有25143人，其中3岁以下的20332人（外地儿童占47%），服苗率达99%。全市儿童基础免疫率达95%以上，新生儿乙肝疫苗接种率达到98%。

【地方病防治】 2000年6月30日，国家卫生部消除碘缺乏病评估验收组到大连市验收，认为本市已基本实现消除碘缺乏病阶段目标。全市平均合格碘盐普及率为91.8%，但北三市碘盐普及率未达到90%的标准。

市卫生局开展氟病区8～15岁儿童氟斑牙和饮水氟含量普查，在瓦房店和庄河市的5个乡、16个病区调查学生665人，采水样160份，结果显示，大部分病区病情稳定在国家标准之内。

【慢性非传染性疾病防治】 2000年，大连市卫生局制发《大连市慢性非传染性疾病防治工作计划》，对慢性非传染性疾病防治作出科学安排。

全国糖尿病社区综合防治试点工作于5月16日在旅顺口区启动。国家卫生部拨给试点启动经费4万元，赠送能量监测仪器100台。对35岁以上人群8629人进行筛查，发现糖尿病病人734人、高血压病人2114人，患病率分别为8.6%和24.5%。

在全省率先开展慢性非传染性病和流行病调查。经初步统计分析，高血压标化患病率20.9%；糖尿病标化患病率5%，高于全国3.21%的平均水平。20～74岁年龄组人群糖尿病、IGT（糖耐量递减病人）和高血压患病率分别为6.89%、6.22%和26.99%。全部人群恶性肿瘤发病率为222.11/10万。 （李成芝）

【农村初级卫生保健】 2000年，大连市农村初级卫生保健成果得到巩固。积极开展了农村社区卫生服务。8月23日，大连市农村社区卫生服务现场会在旅顺口区召开，旅顺开发区、铁山、双岛、三涧堡镇的农村社区卫生服务取得较好效果。大连市经济技术开发区董家沟镇将农村社区卫生服务和乡村卫生组织“一体化”管理有机地结合起来，把村卫生所作为社区卫生服务分站，连同乡村医生全部纳入“一体化”管理，取得良好成效。花园式卫生院建设得到巩固，进行第三批花园式卫生院的验收，全市已有68所卫生院达到花园式卫生院标准。继续做好城市医疗机构对口帮扶乡镇卫生院活动，56个城市医疗队分期分批到乡镇卫生院进行对口帮扶，诊治农民患者24188人次，捐赠仪器设备和药品折合人民币43万余元，教学查房2297学时，免费接收乡镇医务人员到城市医疗机构进修学习，帮助开展新技术、新项目。在1999年完成的乡村医生系统化中等专业技术培训的基础上，进一步加强了乡村医生的管理。全市有8个区市县544个行政村的62.3万人参加了各种形式的合作医疗。 （朱 航）

【妇幼卫生】 2000年，大连市孕产妇死亡率控制在22.84/10万，比上年提高27.3个万分点；婴儿死亡率控制在11.45‰，提高0.1个千分点；5岁以下儿童死亡率控制在13.93‰。婚前医学检查率连续3年维持在97%以上；产妇住院分娩率达到94.7%，提高3个百分点。农村妇幼保健保偿覆盖率以乡为单位达100%；孕产妇入保率达86.4%，提高2个百分点；儿童入保率达85.7%，提高2.5个百分点。大多数县区孕产妇和儿童保健保偿入保率两项指标达到80%以上。

依法对母婴保健专项技术服务个人和单位进行考核、验收、发证。全市有911名助产专业技术人员取得《中华人民共和国母婴保健专项技术考核合格证书》。依法查验全市从事婚前医学检查、终止妊娠、结扎手术的25个医疗保健机构，并颁发执业许可证。经辽宁省卫生厅批准，大连市妇幼保健院和大连医科大学附属一院成为本市首批高级遗传病诊断及产前诊断技术服务单位。全面加强产科建设，提高产科质量。有32所乡镇卫生院申报助产技术执业资格。至年末，全市117所乡镇卫生院中有86所开展了助产技术服务，其中获得执业许可的67所。

巩固爱婴医院成果。全市35所二级以上助产技术服务机构全部通过省级爱婴医院复查评估，31所乡镇卫生院通过市级评估。全市母乳喂养率已由1996年的78.8%提高到87.6%。大连市妇产医院和庄河市妇幼保健院获辽宁省十佳爱婴医院称号。　（丁玉华）

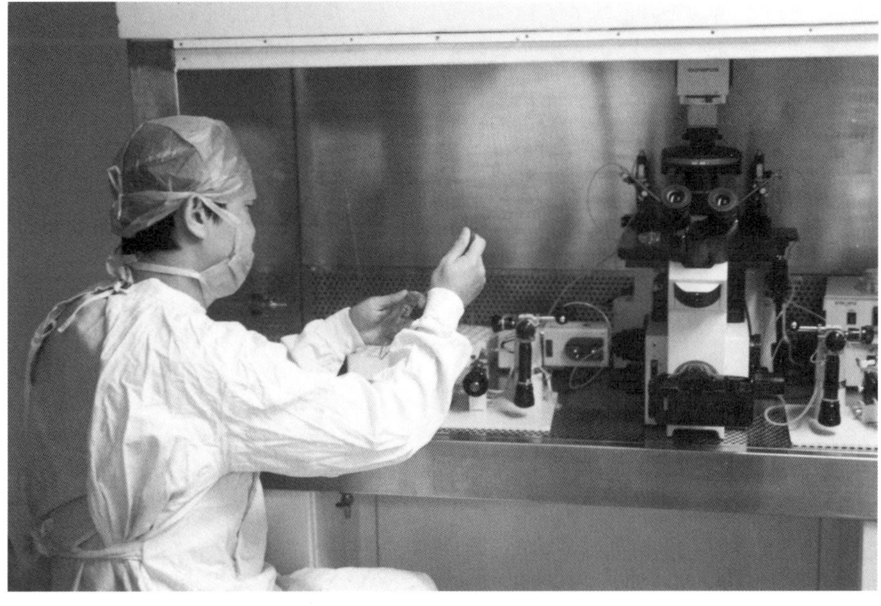

大连市生殖保健中心科研人员在进行试管婴儿技术研究。　市卫生局　供稿

医　疗

【概况】　2000年，大连市有医院244所，其中卫生部门57所、工业及其他部门43所、其他医院29所、乡卫生院115所；医院床位25574张。

全市总诊疗人数1652.5万人次，出院人数39.6万人次，健康检查人数45.8万人次。建立家庭病床2.8万张。病床利用率57.1%，病床周转次数17.1次，平均住院日12.1日，术前平均住院日3日。

当年，市卫生局印发《大连市体检工作管理暂行办法》、《大连市关于进一步加强医院营养工作的通知》、《关于我市集个体门诊部（诊所）使用统一医疗文书的通知》，组织制定《大连市综合医院住院病人疾病诊断标准、疗效评定标准》，加强对医疗机构的管理。（刘　云）

【市中心医院全面改造工程竣工】　2000年10月31日，由市政府、市卫生局和市中心医院共同投资4000万元的大连市中心医院全面改造工程竣工。

该院是市属最大的综合性医院，拥有700张床位、1168名职工和40个临床、医技科室，神经外科、心血管内科、手外科等学科的多项医疗技术、科研成果达到国内乃至国际先进水平，曾“辽宁省二十佳医院”等荣誉称号。经全面改造，医院具备最好的急门诊条件、最好的住院病房条件等10个全市“之最”。

医务人员运用大型高科技医疗设备伽玛刀对患者施行手术。　市卫生局　供稿

与此同时，6个全市诊疗中心在该院挂牌，其中大连市心脏疾病治疗中心、大连市伽玛刀治疗中心等的建立，填补了本市空白。

【市伽玛刀治疗中心成立】　2000年9月26日，大连市伽玛刀治疗中心在市中心医院成立。伽玛刀是一种治疗全身肿瘤的现代大型高科技医疗设备，可在病人清醒和无痛的情况下，施行无创伤、不出血、时间短、不需要麻醉的手术。该中心除治疗大量体部肿瘤外，还在国内外首先开展了治疗前列腺增生的先例。至年末，共施行伽玛刀手术99例，受到国内外众多病人的欢迎。　（周殿运）

【本市第一例试管婴儿成功受孕】　2000年3月，大连市首例试管婴儿在市生殖保健中心成功受孕，并将于2001年1月诞生，填补了本市生殖保健科研领域空白。

市生殖保健中心成立于1999年12月30日，设在大连市妇幼保健院。该中心进行生殖辅助技术研究，在配子输卵管内移植术、试管婴儿技术方面有所突破。

（周殿运）

【本市首例气管内肿瘤切除术获成功】

2000年3月3日，大连市第五人民医院胸外科成功地为一名女患者切除了长在气管里、直径1.5厘米的肿瘤。这是本市第一例气管内肿瘤切除手术。

【医学重点学科】　2000年，大连市进行第二周期医学重点学科的评审。共评审认定45个医学重点学科，其中一级26个、二级12个、三级7个。重点学科中，颅脑外科、泌尿外科、心血管、肿瘤防治、眼科、烧伤影像和介入等专业技术，达到国内先进水平。医学重点学科的建立，突出了医院特色，同时也促进了全市医疗水平的提高。

为加强重点学科建设，市卫生局对直属单位一、二级和区市县二、三级重点学科的重点科研课题，共资助180万元医学发展资金。

2000年大连市一级医学重点学科

序号	单　位	学　科
1	大连医科大学附属一院	呼吸内科
2	大连医科大学附属二院	呼吸内科
3	大连医科大学附属一院	心血管内科
4	大连市中心医院	心血管内科
5	大连市友谊医院	消化内科
6	大连医科大学附属二院	泌尿内科
7	解放军210医院	中医血液内科
8	大连医科大学附属二院	血液内科
9	大连医科大学附属一院	普通外科
10	大连市友谊医院	肝胆外科
11	大连大学医学院附属医院	肛肠外科
12	大连市中心医院	神经外科
13	大连医科大学附属一院	骨科
14	大连市中心医院	手外科
15	大连市第三人民医院	中西结合骨科
16	大连铁路医院	骨显微外科
17	大连市友谊医院	泌尿外科
18	大连市第五人民医院	胸外科
19	大连市第四人民医院	烧伤整形科
20	大连市化学工业公司医院	工业烧伤科
21	大连市儿童医院	新生儿内科
22	大连市第三人民医院	眼科
23	大连医科大学附属二院	耳鼻喉科
24	大连医科大学附属一院	影像诊断
25	大连市卫生防疫站	病毒研究室
26	大连市口腔医院	口矫修复科

（王景香）

【中医药】　2000年，大连市有中医医院7个、中西医结合医院1个。共有中医床位1340张，比上年减少5%；有中医、中药、中西医结合人员2526人，减少4.8%。每千人口拥有中医床位0.25张、中医师0.26人。

开展中医人员现代医学基础知识培训，有470人参加培训。加强市中医院和市中西医结合医院的省级重点中医专科建设，投入大量资金和设备，形成人才梯队，其中市中医医院脑病专科正在申报国家中医药管理局的重点专科。根据国家中医药管理局要求，在全市推行新的中医病案规范书写标准。庄河市中医工作先进县经辽宁省卫生厅组织专家两次检查验收，达到国家标准。本市有2个项目入选国家中医药管理局组织的“中医适宜技术”全国招标项目。6名中医名医继承人通过了市卫生局组织的实践技能考核，经国家中医药管理局批准后顺利结业。市中医院和市中西医结合医院参加在北京举办的2000年国际传统医药大会医药成就展，其参展内容受到组织者和参观者的好评。（李春梅）

【城市社区卫生服务】　2000年，大连市重新规划和调整市内四区医疗机构设置，进一步完善城市社区卫生服务。全市已有25个街道开展社区卫生服务，覆盖人口45万人，共建立个人健康档案5.2万份、家庭健康档案2.7万份。年内，全市各社区卫生服务机构签订医疗保险合同4821人，建立家庭病床1723张，体检4.8万人次，预防接种10万人次，急诊急救6532人次，接受上级医院转诊3814人次。（刘　云）

爱国卫生·红十字会

【爱国卫生运动】　2000年，大连市的爱国卫生工作重点加强城市卫生管理。在全国第十二个“爱国卫生清洁月”活动中，出动300余台次车辆、20余万人，清理积存的越冬垃圾、白色污染和杂物。继续开展自1998年起、为期3年的新一轮爱国卫生“十佳街道”竞赛活动，各区和参赛街道加强辖区内行业单位卫生监督管理、路街环境的日常保洁、居民区楼院的卫生管理、以灭鼠为重点的除害工作和社区健康教育等。市爱卫会1998～2000年间组织的检查评比和日常工作考核结果显示，参赛的49个街道全部达标。

加强农村卫生管理。农村各级政府加大卫生基础设施建设的投入，使农村环境卫生得到改善。全市农村自来水普及率达到74.8%；建成卫生厕所60余万座、无害化厕所6600余座，卫生厕所普及率和粪便无害化处理率均达到70%以上。瓦房店市炮台镇获国家卫生乡镇称号；旅顺口区龙塘镇、甘井子区红旗镇获辽宁省卫生乡镇称号；旅顺口区双岛湾镇、甘井子区凌水镇、金州区三十里堡镇、长海县大长山镇通过大连市卫生乡镇验收。至此，全市已有国家卫生乡镇3个、省卫生乡镇7个、市卫生乡镇22个，占乡镇总数的22%。

开展以灭鼠为重点的除害工作。春秋两季，全市开展灭鼠除害活动，将鼠密度控制在国家规定的标准之内。

抓紧中小学健康教育。市爱卫会对获“健康促进学校”银牌的9所和铜牌的26所学校进行验收，结果全部合格。开展“世界无烟日”宣传活动，与市教委联合在胜利广场举办大型文艺汇演，宣传禁烟知识，在市民中特别是在中小学生中形成戒烟和控烟的社会氛围。

（赵　恺）

【红十字会】　2000年，大连市新建基层红十字会21个，发展会员1.6万人。

开展“5.8”世界红十字日宣传纪念和无偿献血宣传周活动。市红十字会和中山区红十字会于5月8日在繁华市区组织主题为“人道的力量——迎接新世纪”广场宣传活动，两台采血车当天接待无偿献血者52人。

全年全市有6.4万人无偿献血，比上年增加1.4万人，无偿献血率达到100%；采血1319万毫升。为了安全用血，采血两次化验率达100%，为临床提供安全用血1312.2万毫升。

【全省第一个高速公路急救站业绩不凡】
2000年，辽宁省第一个高速公路急救站——大连市红十字会瓦房店市那屯急救站积极进行沈大高速公路交通事故伤员的抢救工作，全年参与事故抢救170余起，抢救受伤者100余名，被人们誉为“生命的守护神”。（曹　澎）

体　　育

责任编辑　周万久

参加第二十七届奥运会大连籍运动员、教练员

	姓　名	成　　绩
1. 运动员		
举重	丁美媛(女)	获女子举重75公斤以上级金牌并破3项世界纪录
自行车	姜翠华(女)	获女子场地500米计时赛铜牌
	王　艳(女)	获女子场地500米计时赛第四名
田径	于　鑫(女)	
	关英楠(女)	
	李　季(女)	获女子1万米跑第七名
足球	韩文霞(女)	
垒球	周　妍(女)	获女子垒球第四名
游泳	陈　妍(女)	
	卢东华(女)	
	孙　丹(女)	
赛艇	韩　晶(女)	
	梁洪明	
篮球	李　楠	
2. 教练员		
羽毛球	李永波(总教练)	全队获4金1银
射击	孙盛伟(总教练)	全队获3金1银3铜
女子足球	马元安(总教练)	
女子自行车	李红新(教练)	队员获1铜和1个第四名
女子排球	赖亚文(助教)	

概　述

【体育事业概况】　2000年，大连市体育事业以改革促发展，以发展带动改革，在竞技体育、群众体育、体育产业及体育设施建设等方面都取得可喜成果。

体育队伍继续壮大。全市有专业运动员114名；有专职教练员130名，其中国家级2名、省市级36名；一级60名，二、三级32名。等级裁判员3690人名，其中国际级3名、国家级84名、一级1203名、二级2400名。有市属中等专业体育学校1所（市足球学校），学员180名，其中大专班学员60名；业余体校5所（市业余体校、航海运动学校、射击运动学校、陆上运动学校和游泳馆业余体校），共有学员560名。

体育设施建设以市民健身中心建设为重点再上新台阶。大连市民健身中心竣工并开放，吸纳众多市民参加健身活动；金州区市民健身中心建成投用；庄河市民健身中心年末竣工；普兰店市民健身中心将于2001年4月完工。大连市国际网球馆、市足球学校校舍建设工程全面竣工并投入使用，投资2300多万元，铺设体育中心七通一平基础设施，年末完工。西岗区政府投资24万余元，建成近1000平方米的门球场。

【体育产业快速发展】　2000年7月26日，大连市体育产业发展协会成立，这是全国首家体育产业协会。该协会的成立在政府和企业、政府和社会之间架起一道沟通合作的桥梁，标志着本市体育产业步入全新的发展轨道。首批会员单位有冰山、大钢、大化、亿达等32家企业。其工作目标是：经过4～5年的时间，在本市逐步建成门类齐全、结构合理、规范发展的体育产业发展体系。当年，市体委所属单位全年经营创收突破2000万元，为体育事业的发展提供了有力的经济保障，推动了竞技体育、群众体育发展。

【19名大连籍运动员、教练员参加悉尼奥运会】　参加2000年9月15日～10月1日在澳大利亚悉尼举行的第二十七届奥运会的中国代表团中，有大连籍运动员14名、教练员5名。运动员中，有1人获金牌并破3项世界纪录，1人获铜牌，2人获第四名，1人列第七名。

【张健成功横渡渤海海峡】　2000年8月8日7时50分，北京体育大学教师张健从大连市旅顺口区铁山镇南岬角下海，经过50小时22分的海上搏击，于8月10日10时22分在山东省蓬莱八仙渡海滩登陆，成功横渡渤海海峡，以总距离123.58公里而成为世界上超长距离横渡海峡的第一人。张健被旅顺口区政府授予“旅顺荣誉公民”称号。

【“中国电脑体育彩票”在连发行】　经国家财政部、国家体育总局和辽宁省政府批准，大连市于2000年7月24日开始正式发行“中国电脑体育彩票”。该彩票中奖面宽、大奖滚动、现金兑付，一周开奖2次（周二、周五）。全市设投注站320多个，群众可随时就近购票。至年末，即开式彩票发行1303万元，电脑彩票发行694.1万元，上交市体委受益金409.6万元。

【奥林匹克广场全彩色大屏幕落成】　2000年9月12日，由大连市足球特区房屋开发总公司和大连利得广告有限公司共同投资1500万元兴建的全彩色多媒体LED大屏幕，于奥林匹克广场落成投用。大屏幕面积为130平方米，是东北地区最大的户外显示屏。它的建成投用对本市企业文化和广场文化建设起到积极的推动作用。

【国际奥委会向大连赠送雕像】　2000年10月29日，国际奥林匹克委员会赠给大连市的一座运动员造型的紫铜雕像在奥林匹克广场落户。该雕像高2.3米，后面刻着国际奥委会主席萨马兰奇的亲笔签名。雕像以不分男女、不分国别、健与美、刚与柔的运动员胜利者的姿态，来象征"更高、更快、更强"的奥林匹克精神。

【中国大连国际游泳培训中心挂牌】　2000年7月18日，由国家体育总局游泳运动管理中心、中国游泳协会共同命名的中国大连国际游泳培训中心在大连市游泳馆挂牌。这标志着市游泳馆已具备接待国外运动员来连培训的条件，成为我国首家对外开放的游泳馆。

【全国第一批"国家青少年体育俱乐部"在连挂牌】　2000年10月23日，辽宁省体育局代表国家体育总局，授予大连市业余体校暨市民健身中心、大连市航海运动学校和金州体育场"国家青少年体育俱乐部"牌匾，这3个单位成为全国第一批国家青少年体育俱乐部。

【《大连体育50年》编纂出版】　2000年，大连市体育运动委员会编纂的《大连体育50年》由大连出版社正式出版。全书约40万字，有图片近700幅，分为"情系体育"、"辉煌历程"、"沃土耕耘"、"为了明天"4个篇章，概括记载了1949年新中国成立以来大连体育事业的发展历史，以及大连市在全国体育事业发展中取得的卓越成就和做出的杰出贡献。国家体育总局局长伍绍祖为该书题写书名，中共大连市委书记、市长薄熙来为该书作序。

国际奥委会赠送给大连市的雕像。　　赵宪明　摄

【"良运花园杯"2000年大连市十大体育新闻】　2000年，由大连市体育记者协会及20家新闻单位联合主办、良运房屋开发公司承办的"良运花园杯"2000年大连市十大体育新闻评选揭晓。评选结果是：

1. 大连姑娘丁美媛在悉尼奥运会上夺得女子举重75公斤以上级金牌，并破3项世界纪录；自行车运动员姜翠华在悉尼奥运会上夺得女子场地自行车500米计时赛铜牌，实现中国自行车运动奥运奖牌零的突破；残疾人运动员李强在悉尼残奥会上夺得T12级男子400米跑金牌、100米跑金牌和200米跑银牌。

2. 大连万达足球队于1月9日易帜为大连实德足球队。大连实德足球队夺得全国甲A联赛冠军；大连实德四队获得全国U－17足球赛冠军。大连足球学校足球队、"17"明星俱乐部队分别获得全国U－15、U－18年龄组足球赛冠军。大连元老足球队（辽宁物产大连公司）获得第九届全国足球元老精英赛冠军。大连足球特区俱乐部成立大连队，参加全国足球乙级联赛。

3. 在全国群众体育工作会议上本市代表做经验介绍；旅顺口区、庄河市被评为全国群众体育先进县。至此，除长海县外，本市7个农村区市县已有6个被评为全国体育先进县。金州体育场、大连市业余体校暨市民健身中心和大连市航海运动学校被授予全国第一批"国家青少年俱乐部"牌匾。全市体育人口达到283万人。

4. 本市代表队在2000年辽宁省少年儿童游泳比赛和田径比赛中分别夺得金牌第一、团体总分第一的好成绩。大连籍运动员沙明建在第十六届亚洲保龄球锦标赛中获得金、银、铜牌各1枚，实现我国保龄球在国际比赛中奖牌零的突破。

5. 2000年FTVB世界女子沙滩排球巡回赛于8月13日在金石滩国家旅游度假区结束，中国运动员迟蓉、熊姿获得季军，这是中国运动员在该项目中取得的最好成绩。"大连杯"2000年邹振先三级跳远纪录挑战赛于8月25日在本市举行。全国卡丁车比赛在旅顺举行。

6. 大连体育产业发展已见成效。全国首家体育产业协会于7月26日成立。"中国电脑体育彩票"于7月25日在大连正式发行。

7. 体育设施建设又上新台阶，大连市业余体校暨全民健身中心投入使用，市国际网球中心竣工。

8. 成功举办第十四届"全日空杯"大连国际马拉松比赛，大连运动员夺得5项冠军。

9. 北京体育大学教师张健于8月8日7时50分从旅顺下水，横渡渤海海峡并获成功。

10. 体育总会工作蓬勃发展。市老年门球队获得亚洲老年门球赛第二名。大连队夺得辽宁省第三届老年运动会团体总分第一名，荣获体育道德风尚奖。每月一次的武术散手精英擂台赛吸引了国内高手参加。　（赵玉玲）

群众体育

【概况】 2000年，大连市群众体育蓬勃发展。继续贯彻实施《全民健身计划纲要》，开展“迎接新世纪、科学健身年”和“新世纪、新生活、我运动、我健康”的全民健身运动。各体育协会组织开展了“太极之夏”系列活动、老年乒乓球大赛、万人国际风筝邀请赛、职工扑克牌大赛、冬泳大会等群众体育活动。各区市县健身中心开展的群众体育活动受到国家体育总局好评。庄河市、旅顺口区荣获全国群体先进县称号，累计有9个区市被评为全国群体先进县。全市有体育人口283万人，比上年增加25.2万人，其中职工体育人口达50万人。

增加群众体育设施。大连市民健身中心对外开放，金州区、庄河市的市民健身中心建成投用或竣工。全市开始实施创建“新世纪健身路径”的全民健身工程活动，首批健身路径器材落户中山区杏花小区、旅顺口区龙河家园和沙河口区香炉礁街道。

强化100所重点校、网点校建设，狠抓后备人才培养。市体委从体育彩票收益金中拿出100万元，奖励基层重点项目学校，用于培养高、精、尖运动员。组织200多名重点校、网点校优秀后备人才选拔赛，近60名优秀人才入选。

【庄河市、旅顺口区荣获全国群体先进县称号】 2000年，庄河市、旅顺口区通过国家体育总局组织的国家群众体育活动先进县评选检查验收，获得全国群众体育活动先进县称号；甘井子区革镇堡镇、金州区石河子镇被评为全国群体先进乡镇。至此，大连市除长海县外，有9个区市被评为全国群体先进县，为全国少有。年内，本市全国群体先进县3次接受国家和省的检查评比，均达到标准，受到好评。

【职工体育人口达50万】 2000年，大连市职工体育运动蓬勃发展，全市147个职工体协会员单位有90%以上建立实施全民健身计划的领导机构，形成纵向畅通、横向到位、工作协调的组织网络。举办职工体质测定、广播体操、健美等各类培训班20余期，培训职工体育骨干5万人次。80%以上的体协共组织20万名职工坚持做第八套广播体操；有33个会员单位近4万名职工参加体质测定；有30万人次的职工群众参加了内容丰富、小型多样、喜闻乐见的融体育、休闲、娱乐为一体的传统体育项目竞赛活动。全市职工体育人口继续保持在50万人。

【大连市民健身中心对外开放】 2000年，本市最大的综合健身场所——大连市业余体校暨大连市民健身中心正式向社会开放，在培养青少年运动员的同时开展全民健身活动。

该中心位于星海湾，占地2935平方米，建筑面积7000平方米，设有篮排球馆、乒乓球馆、游泳馆、武术馆、柔道馆、棋牌室等以及全市最大的跳操厅、全市第一座室内攀岩，可同时容纳400人进行训练或健身。还配有身体素质检验室、科学营养建议运动处方师及职业教练，对市民进行科学健身指导。中心实行会员制，设立金卡、A（B）卡、如意卡、月卡等供市民选择。常年举办篮排球、网球、乒乓球羽毛球、武术、击剑、柔道、游泳等学习班。

【第十二届大连赏槐会万人国际风筝邀请赛】 2000年5月27～28日在星海湾广场举行，来自18个国家上万名风筝爱好者参赛；国内21个城市风筝界的专家和风筝爱好者参加风筝放飞与表演，其中烟台市的“二龙戏珠”、鞍山市的“雄鹰展翅”、石家庄市的“直冲云霄”等作品曾获过全国金奖。大连市万余名中小学生也参加了风筝放飞活动。市内四区在中小学中进行风筝扎、糊、绘、放的比赛，评选出一等奖40名、二等奖150名、三等奖400名，并评选出优秀指导老师40名。国际风筝联合会主席季明焘参加活动并给予高度评价。本届赏槐会风筝邀请赛为中外宾朋友好切磋与交流，为健身与发展风筝文化起到了促进作用。

【大连市重阳节老年乒乓球大赛】 2000年10月4～5日在市工人文化宫举行，由大连市工人文化宫和西岗区老年体协主办，市业余乒协承办，甘井子区老年体协独家赞助。来自机关、院校、企事业单位的120名银发选手参赛。大钢集团公司董顺新、沈阳军区空军干休所宋秀芬分获男女单打第一名；中国煤矿疗养院彭强、大连五二三厂李锡文获男女混合双打第一名。82岁的罗启太获最高寿星参赛纪念奖。

【沙河口区中老年科学健身表演大会】 2000年11月4日在机车广场举行，由沙

大连市最大的综合健身场所——大连市业余体校暨大连市民健身中心。

赵宪明 摄

河口区文体局举办。来自该区10余个社会体育指导站的近400余人，参加24式太极拳、32式太极剑、木兰拳、太极扇、太极刀等表演，推广科学的健身方法，带动更多的市民投入全民健身运动。

【大连科学健身年“太极之夏”系列活动】 由大连市体委、市体总、市武协举办，于2000年6月18日~9月12日进行，历时近3个月。此项活动始于1997年，其目的是贯彻落实《体育法》和《全民健身计划纲要》。6月18日在星海广场举行的开幕式上，有6000人做太极拳表演，成为科学健身年的亮点，体现出全民健身活动的特点。此项活动创造了参加人数最多、持续时间最长、开幕式大会操人数最多、太极活动得到企业赞助最多等多项全国第一。

“太极之夏”系列活动之一的“大连建工集团杯”太极拳锦标赛开幕式。

赵宪明 摄

【烟花爆竹迎春会趣味体育活动】 2000年2月6~10日在星海会展中心举行，由大连市体委8个直属单位组织。高仕棋俱乐部的足球射门与足球棋的对弈活动精彩新颖，其中足球射门设千元大奖，吸引众多青少年一试脚运。“闪电飞龙”车模比赛、“欢天喜地过大年”趣味体育、“一箭双雕”射箭比赛、“步步推进”幸运中奖等具有欢乐、趣味、健康的特点；“福满堂”、“团团圆圆合家欢”、“健康就是幸福”等活动也展示了体育健身给市民带来的欢乐。共有2.5万名市民参加活动，6万余人观摩。

【大连市职工扑克牌大赛】 2000年11月19~22日在奥林匹克洗浴中心娱乐厅举行，由大连市总工会主办，市职工体协承办，联通寻呼有限公司大连分公司协办。来自全市70个单位、160个代表队的400余名运动员参赛。经过19轮242场比赛，大连热电集团公司队的李炳辉和徐军、旅顺4309工厂队的闫家双和曲延洋、大连电力工业学校队的李霖和周玉彬，分获总决赛的前三名。

【“澳港海鲜府杯”大连市第十七届冬泳大会】 2000年12月23日在付家庄海滨浴场举行，由大连市职工体协主办。来自全市各冬泳分会以及12个基层单位的冬泳代表队共1760余名运动员参赛，其中年龄最大的82岁、最小的10岁，还有3名残疾人。为满足不同年龄结构和体质状况的冬泳爱好者需要，本届大会新增设5×100米男女混合接力赛（4男1女）。虎滩冬泳分会一队、付家庄冬泳分会一队、大起集团代表队分获5×100米混合接力比赛前三名；大连港务局、大起集团、大化集团责任有限公司表演方队、大连铁道有限责任公司表演方队等19个单位获大会优秀组织奖。

【残疾人运动成绩显赫】 2000年，大连市残疾人运动员在一系列大赛中取得佳绩。在澳大利亚悉尼举行的第十一届残疾人奥运会上，本市盲人田径运动员李强夺得T12级男子径赛100米、400米金牌和200米银牌，并打破200米世界纪录。在2000年北京国际马拉松赛中，本市残疾人运动员刘伟、张海源分获轮椅全程马拉松的男、女银牌，李德刚、王军分获轮椅半径马拉松的男、女铜牌。在第五届全国残运会上，本市共有45名运动员代表辽宁省参赛，占省团运动员总数的一半以上，参加了盲人门球、坐式排球、轮椅篮球、田径、游泳、乒乓球、举重7个大项65个小项的角逐，共得分386分；获奖牌38枚，其中金牌16枚；有2人超3项世界纪录，7人破13项全国纪录；有3支运动队、14名运动员和3名教练员获“体育道德风尚奖”，为辽宁省代表团荣获体育道德风尚奖、团体总分第一、奖牌总数第一、金牌总数第三的好成绩立了头功。

【首批健身路径器材落户居民小区】 2000年，大连市开始实施创建“新世纪健身路径”的全民健身工程活动，在各社区和有条件的厂矿企事业单位、新建小区、街心花园和公共场所安装健身路径器材，以改善户外健身场所数量不足的状况。11月，首批健身路径器材在中山区杏花住宅小区、旅顺口区龙河家园、沙河口区香炉礁街道安家落户，为市民提供了科学方便的健身设施。每套健身路径器材共有13项，占地面积200~300平方米，需资金6万元左右，由国家、省体育彩票收益金投资。（赵玉玲）

竞技体育

【概况】 2000年，大连市竞技体育成绩显著。大连籍运动员在参加国际国内各项大赛中，共获金牌66枚，银牌22枚。其中：丁美媛在第二十七届奥运会上夺得女子75公斤以上级举重金牌并打破世界纪录，姜翠华夺得女子自行车场地500米计时赛第三名，实现中国自行车运动奥运会奖牌零的突破；市体育代表团参加省九运会田径比赛夺得金牌20枚，获总分第一名；大连实德足球队夺得2000

年全国足球甲A联赛冠军。

【全国田径赛上夺得三金】　在2000年10月于河北漯河举行的全国田径锦标赛上，大连籍运动员李季、董艳梅分获女子1万米和5000米跑冠军，吴清东摘取男子1500米跑桂冠。

【瑞典世界田径大奖赛上获铜牌】　在2000年8月于瑞典举行的世界田径大奖赛上，大连籍选手关英楠以6米76的成绩夺得女子跳远铜牌。

【李家街小学队获全国少年棒球赛冠军】　在2000年8月于桂林市举行的全国第四届"华龙奋发杯"少年棒球邀请赛上，大连市沙河口区李家街小学队以8战7胜1平的战绩荣获第一名。

【少年田径选手夺金摘银】　在2000年8月于新疆乌鲁木齐市举行的全国运动学校田径锦标赛暨"田径之乡"少年赛上，大连市田径培训中心的邹娟、沙莎分别夺得女子400米跑的冠、亚军。

【省少年公路自行车锦标赛上战绩骄人】　在2000年9月于朝阳市举行的辽宁省少年公路自行车锦标赛上，大连市运动员一举摘得16个项目中的12枚金牌、6枚银牌和6枚铜牌。其中获2枚以上金牌的运动员有杨景伟（3枚）、王谦、于成广、王颖和周士栋。

【亚洲游泳锦标赛上夺金摘银】　2000年3月31日，大连籍女运动员陈研在第六届亚洲游泳锦标赛400米个人混合泳比赛中，以4分46秒09的成绩夺得金牌；在200米自由泳比赛中，以2分2秒52的成绩获得银牌。

【全国艺术体操锦标赛上囊括金牌】　在2000年8月20日于本市举行的"伟天杯"全国青少年艺术体操锦标赛上，由大连市舍宾艺术体操培训中心运动员组成的辽宁队和大连队，以高超的技艺夺取青年组、少年组全部13块金牌。

【全国摩托车赛上勇夺冠军】　在2000年6月于西安举行的全国首届公路摩托车、踏板摩托车锦标赛上，大连迈可圣摩托车队参加了踏板125毫升车型的角逐。李炳楠以绝对优势夺得个人冠军，并和队友郑立军获得团体冠军；车队获得精神文明运动队称号。

【国际田径大奖赛上夺金】　在2000年6月于希腊雅典举行的国际田径大奖赛上，辽宁中长跑队的大连籍运动员董艳梅在女子3000米比赛中，跑出8分23秒07的当年世界最好成绩并夺得冠军。

【省少儿游泳赛上双夺冠】　2000年7月18～20日，"中财杯"辽宁省少年儿童游泳比赛在大连市游泳馆举行，大连、沈阳、鞍山、抚顺等10个城市代表队共310名运动员参赛。由于本次比赛成绩计入省运会比赛成绩，因此各市均派出强大阵容，比赛异常激烈。本市运动员员技压群雄，男女队分别以20块金牌474分、24块金牌497分的成绩，高居男女队榜首，尤其是一批小队员脱颖而出，令人振奋。　（赵玉玲）

足球特区

【概况】　2000年，大连市有足球俱乐部21个，注册足球队员1309名；足球队100支，其中专业队3支。

继续深化足球体制改革。大连市体育运动委员会制定并完善《大连市足球管理办法》、《业余足球俱乐部审批管理暂行办法》、《大连市足球教练员聘任工作补充规定》等规章制度；清理整顿全市各足球俱乐部，其中8个俱乐部被注销；规范了青少年梯队年龄组的划分；制定3U～13梯队布局方案和足球教练培训10年规划；举办亚足联、中国足协C级教练员岗位培训班、裁判员培训班及少年运动员家长培训班。为全市足球运动的发展打下坚实基础。市政府向大连男（乙级队）女足球队赠送100万元经费，支持其训练和比赛。

年内，大连万达足球队正式易帜为大连实德足球队，在甲A联赛中夺得冠军并获"超霸杯"，还获得亚优杯第四名并获7月份亚洲最佳球队称号。主教练科萨诺维奇被评为9月份亚洲最佳教练员。队员张恩华被评为中国"足球先生"。国家足球队教练迟尚斌、八一振邦足球队教练贾秀全（均为大连籍）被《中国体育报》评选为"世纪球星"。

【大连实德足球俱乐部成立，万达队易帜为实德队】　2000年1月9日，大连实德足球俱乐部成立，大连万达足球队正式易帜为大连实德足球队。

实德足球俱乐部是中国化学建材行业中的龙头企业——大连实德集团以1.2亿元全资收购大连万达足球俱乐部后组建的。该俱乐部成立后，确立了"永不言败"的球队精神、"建一流足球俱乐

2000年大连实德足球队"全家福"。　赵宪明　摄

部，打造中国王牌之师”的指导方针以及“把足球运动作为一项事业来开拓、一项产业来培养、一个企业来开拓、一种文化来发展”的发展理念；聘请南斯拉夫著名教练科萨诺维奇执教球队；建立设施完善的足球训练基地；建立规范的二、三、四、五线后备梯队，加强后备力量培养。

大连实德足球队有队员29名，平均年龄23.83岁，平均身高1.82米，平均体重75.66公斤。21名国内球员先后入选过国家队、国奥队或国少队。

2000年大连实德足球队主要成员名单

职务	姓　名	
教练员	科萨诺维奇	米塔　托马斯
队　员	韩文海(1号)	张恩华(2号)
	安迪尔森(3号)	刘玉健(4号)
	徐　弘(5号)	李　明(6号)
	斯科拉(7号)	王　鹏(8号)
	郝海东(9号)	潘　塔(10号)
	阎　嵩(11号)	王　圣(12号)
	胡兆军(14号)	吴　俊(15号)
	季铭义(16号)	邹　捷(17号)
	王　锋(18号)	邹　鹏(19号)
	陈　东(22号)	安　琦(23号)
	张亚林(24号)	孙继海(27号)
	魏意民(28号)	孙　治(29号)

注：此名单是万达队更名实德队时的人员情况。

大连足球队5次夺取全国足球甲A联赛冠军情况

年份	成　绩	积分	提前轮次	备　注
1994	14胜5平3负	47分		
1996	22胜	46分	提前1轮	王涛获“银鞋奖”；李明获中场优秀球员奖。
1997	15胜6平1负	51分	提前5轮	
1998	21胜3平2负	62分	提前4轮	郝海东获“金鞋奖”和“金球奖”；王涛获5年甲A联赛进球最多奖；孙继海被评为亚洲最佳球员。
2000	17胜5平4负	56分	提前1轮	张恩华当选中国足球先生。

【实德队获全国足球甲A联赛冠军及“超霸杯”】 （见第31页）

【“足协杯”赛实德队第二轮即被淘汰】 2000年6月11日，大连实德足球队在中国“足协杯”赛第二轮与厦门厦新队的交锋中，以1比2告负即被淘汰。此前，大连万达足球队“足协杯”赛最好成绩是1999年获亚军。

【大连捷恒森国际足球培训中心成立】 2000年10月19日，由大连市体委、阿根廷投资发展公司、阿根廷弗兰德里亚社会体育运动俱乐部共同创建的大连捷恒森国际足球培训中心正式成立。该中心建在甘井子区夏家河子村，占地6万平方米，有标准的训练场地、运动员宿舍及相关的附属设施，按照国际足校学校规程进行教学、训练和比赛。为确保培养出高素质的足球人才，除足球技术训练外还设置文化课程。首任教练是阿根廷的阿贝拉尔多。2001年将送一批运动员赴阿根廷进行为期2年的训练。

【足球特区俱乐部成立大连队】 2000年2月1日，大连足球特区俱乐部成立大连足球队。组建大连足球队是为了锻炼队伍，积蓄大连足球发展的后备力量。该队的奋斗目标是：1年打基础，2年上台阶，力争3年内冲入甲B，使本市足球运动在3～5年内实现同时拥有甲A、甲B和乙级队的目标。

该队参加了2000年全国乙级联赛并闯入决赛，最终取得第六名的好成绩。

【金州足球俱乐部成立】 2000年6月3日，大连市金州区足球俱乐部成立。该俱乐部位于金州区二十里堡三台子村，招收队员50余名，分为1985～1986年、1987～1988年、1989～1990年3个组别，旨在为大连培养更多、更好的足球后备人才。

【足球学校队夺得全国U－15总决赛冠军】 2000年8月25日，全国足球U－15总决赛在山东省潍坊市落幕。代表本市参赛的大连足球学校队以不败战绩捧走冠军杯，队员邓黎获总决赛“最佳射手”称号。

在总决赛分组赛中，足校队先后以1：1平重庆队，2：0胜云南队，3：1胜北京队；半决赛中以4：1胜河南队；决赛中以3：0胜重庆队。

【第九届全国足球元老精英赛在连举行】 2000年10月15～20日，由中国足协主办，大连市体委承办的“京鼎杯”全国足球元老精英赛在大连市举行。来自广西、福建、上海、延边、天津、云南、广东、四川、陕西、青岛、湖北、大连的12支由足球界老前辈组成的队伍汇集大连，以球会友，交流技艺，并进行激烈角逐。经过24场的争夺，辽宁物产大连公司元老足球队获得冠军，青岛澳柯玛元老队、广西金嗓子元老队分获二、三名。

【大连市第二届“黑狮啤酒杯”广场足球赛】 2000年4月下旬～7月30日举行，历时3个多月，共进行284场比赛，有272支球队1332名运动员参赛，吸引20余万人次观看比赛，充分体现出大连足球的群众基础。大连蓝色旋风队、大连48中队、大连恒生队分获小学组、中学组和成年组优胜队称号。

广场足球赛是采用4人制、无守门员、在广场上进行的足球赛，比赛中换人不限，具有很强的群众性。

【市少年足球队赴韩参加国际友谊赛】 2000年11月21～24日，应韩国仁川广域市邀请，大连市少年足球队一行22人前往该市，参加中、日、韩三国少年足球友谊赛。比赛中，分别以2：1、7：2的成绩战胜日本横滨队和韩国仁川A队，以0：1负于仁川B队。市少年足球队曾获2000年全国U－17总决赛冠军。此次赴韩参赛，该队以娴熟的技战术和良好的体育道德，受到对手和当地新闻媒体的好评。

【大连女足赴韩参加国际邀请赛】 2000年5月11～20日，大连凯飞女足代表团一行27人赴韩国参加“道路公司杯”国际女足邀请赛。在小组比赛中一平二负未能出线。

【英足球教练布伦特来连讲学】 2000年，大连市足球协会邀请中国青年队前主教练、英国的吉斯·布伦特来连，对本市70多名基层教练进行为时5天的讲学，以进一步提高本市青少年足球教练员的素质。授课内容丰富、实战性强，使参加培训的青少年足球教练员学到先进的足球理念和训练方法，有利于教学水平的提高。（赵玉玲）

英国教练布伦特在给本市基层足球教练授课。 赵宪明 摄

重要赛事

【2000年FIVB世界女子沙滩排球公开赛——中国大连站比赛】 2000年8月11~13日在金石滩沙滩排球运动中心举行，由国家排球联合会主办，大连市体委和金石滩国家旅游度假区管委会承办。大连站的比赛是奥运会前最后一站，因此各国选手格外重视，共有12个国家的31对运动员参加，中国选手占据10席。经过38场预赛，有16对选手闯入决赛，其中中国选手4对。美国选手玛萨卡娜和杨格丝获得本站比赛冠军；中国国家队的迟蓉和熊姿获得季军，这是中国在该项目中取得的最好成绩，张静坤和田佳获得第七名，这两对选手获得悉尼奥运会的入场券；葛瑞和王菲、兰红和付玲进入前13名。中国队有4对选手进入前13名，为巡回赛历史上首次。

【“腾飞杯”ITF国际网球巡回赛大连站比赛】 2000年4月17~23日在位于大连西郊度假村内的大连腾飞网球运动中心举行。来自日本、韩国及我国各省市的64名选手参加了比赛。经过紧张激烈地争夺，中国选手李娜获得女子单打冠军，李娜和丁丁获得双打冠军。

【“大连杯”2000年邹振先三级跳远纪录挑战赛】 2000年8月25日在大连市人民体育场举行，由中国田径协会主办，辽宁省体育局田径管理中心、大连市体育运动委员会承办，中央电视台体育部、中国体育报、辽宁电视台、大连电视台、大连市人民体育场协办。全国田径大奖赛获三级跳远前八名的运动员有6人和大连的1名选手共7人参加比赛。挑战赛以19年前邹振先在世界杯田径赛中创造并保持至今的17.34米亚洲纪录为主要目标，参赛选手虽全力拼搏，但仍未打破这一纪录。年仅16岁的四川小将顾俊杰以16.89米的成绩，刷新由我国选手曾立志保持8年的16.64米的亚洲青年三级跳远纪录，获得本次挑战赛冠军。本届挑战赛是第四届，前三届分别在北京、广州（举办二届）举行。

【全国卡丁车锦标赛】 2000年7月23日在旅顺海滨卡丁车赛场举行，由中国汽车运动联合会主办，旅顺口区政府、市体委、旅顺海滨卡丁车运动俱乐部有限公司联合承办，旅顺正泰房屋开发中心协办。来自全国12个车队的50余名车手参加3个组别的比赛。哈乐斯车队、香密湖好胜者车队、劳伦车队分获国际（标准，下同）组、国家组、国际少年组团体冠军；宏图嘉实多先进车队陈国正、哈乐斯车队石瑛、南骅车队马青骅分获国际组、国家组和国际少年组个人冠军。

【“阿兹威尔杯”全国保龄球优秀选手公开赛】 2000年8月18~27日在友谊外商俱乐部YES保龄球中心举行，由大连市体委、市体育总会、市保龄球协会主办，市友谊外商俱乐部承办。来自全国各地的优秀选手（包括国家队队员）近30人参赛，奖金总额高达6.6万元，参赛选手水平、比赛规模为本市空前。台湾选手徐正杰夺得冠军；苏州选手蒋明、上海选手张凤丽（女）分获第二、三名；大连选手沙明建获第四名。

【“国际奥委会主席杯”全国百城市自行车赛大连分区赛】 于2000年7月22日在星海湾广场举行，由中国奥委会主办、大连市体委承办，以配合宣传中国申办2008年奥运会，推动全民健身运动和自行车运动的发展。本市50多名自行车爱好者参加6个项目的角逐，其中年龄最大的68岁，最小的5岁。少儿组冠军被沙河口区第十六幼儿园年仅5岁的郑植夺走；沙河口区中心小学杨宇晨和大连海事大学附小金超分获小学甲、乙组冠军；大连第十三中学邹军获青少年组冠军；竞争最为激烈的成年组冠军被天津新宝车业有限公司的刘宁宁夺走；张家明获老年组冠军。本次比赛还选出优秀选手参加了10月份在葫芦岛举行的全国总决赛。

【辽宁省航空模型锦标赛】 2000年8月20日在连举行，由辽宁省体委、省教育厅主办，来自全省11个代表队的160名运动员参赛。大连枫叶国际学校代表队获小学组团体第一名；大连枫叶国际学校马俊龙、赵宇分获3个单项第一名；大连市第三十三中获初中组团体冠军。

【辽宁省少年田径比赛】 2000年7月22~25日在大连大学运动场举行，来自全省14个城市的代表队共480多名选手参赛。大连代表队表现突出，分获金牌总数、团体总分2项第一，还被授予体育道德风尚奖。（赵玉玲）

社会生活

责任编辑　郑　彬

城乡人民生活

【概况】　2000年，大连市城乡人民生活稳步提高。

据抽样调查，大连市城市居民年人均可支配收入为6860.57元，比上年增长9.3%。城市居民年人均可支配收入在全国35个大中城市中列第19位，属中游水平；在东北三省沈阳、长春、哈尔滨和大连4个大中城市中列第一位，属领先水平。

城市居民收入增长的主要原因：（1）受上年国家调整机关事业单位工资翘尾因素的影响；（2）当年部分经济效益较好的国有企业给职工调整了工资，使国有经济单位职工人均收入比上年增长21%；（3）从事个体经营、个体被雇和其他就业者人数大幅增加，比上年增长96.3%；（4）由于养老保险实现社会化发放，保证了离退休人员的养老金按时足额发放，离退休人员人均养老金收入比上年增长14%；（5）上年国家提高社会保障“三条线”的最低标准，使低收入家庭经济条件得到改善。

据抽样调查，全市农民年人均纯收入3740.25元，比上年增长1.6%。从构成看，工资性、家庭经营、财产性和转移性纯收入分别为1755元、1658.16元、131.02元和196.07元，分别占46.9%、44.4%、3.5%和5.2%。在全省14个市中排名首位，分别比第二名的鞍山市和第三名的盘锦市高143元和240元，其中甘井子区、旅顺口区和长海县名列全省各区市县的前三名。

农民人均纯收入增长的主要原因是第二、三产业人均收入增加，为1978.5元，占纯收入的52.9%，比上年提高2.3个百分点；而第一产业人均纯收入有所下降，为1761.75元，占47.1%，下降2.3个百分点。　（魏雨桃　肖　利）

2000年大连市每百户城市居民家庭耐用品拥有情况

	单位	数量	比上年增加（台）		单位	数量	比上年增加（台）
彩色电视机	台	125.2	－0.6	电冰箱	台	93.6	－0.6
影碟机	台	32.8	5.0	冰柜	台	12.4	－1.4
录放相机	台	37	－2.2	电风扇	台	82.8	1.6
家用电脑	台	10.2	2.2	洗衣机	台	82.8	1.4
组合音响	套	25	2.0	淋浴热水器	台	61.2	3.6
摄像机	台	1.6	－0.6	抽排油烟机	台	73.4	－2.4
钢琴	架	1.4	－0.8	吸尘器	台	23.2	2.0
其他中高档乐器	件	4.8	0.4	健身器材	件	7.4	2.6
微波炉	台	23.4	9.8	移动电话	部	24.2	16.0
空调器	台	8.4	1.8	家用汽车	辆	0.2	－

2000年大连市及各县（市、区）农民人均纯收入情况

单位：元

	纯收入	比上年增长（%）
大连市	3740.25	1.6
甘井子区	5966.49	11.2
旅顺口区	5740.64	9.6
金州区	4600.42	6.7
瓦房店市	2950.08	－2.7
普兰店市	3066.04	－7.3
庄河市	3126.37	－1.5
长海县	5525.92	6.6

2000年大连市每百户农村居民家庭耐用品拥有情况

	单位	拥有量	比上年增长（%）
摩托车	辆	25	38.9
洗衣机	台	53	8.2
电风扇	台	69	21.1
电冰箱	台	38	18.8
彩色电视机	台	82	18.8
录放像机	台	9	80.0
抽油烟机	台	12	20.0
照相机	架	8	14.3

【城市居民收入的多元化格局形成】2000年，大连市城市居民收入结构发生显著变化。其主要特点：（1）工资性收入比重下降。年人均工资性收入3275.62元，比上年增长3.7%；占年人均实际收入的47.6%，比上年降低2.6个百分点。工资性收入在实际收入中所占比重已由主导地位跌落，并有持续下滑的趋势。（2）非工资性收入比重上升。年人均非工资性收入3608.24元，比上年增长14.9%；占年人均实际收入的52.4%，比上年提高2.6个百分点。非工资性收入已占据实际收入的主导地位，还将保持进一步增长的走势。

构成城市居民实际收入的两大要素——工资性收入与非工资性收入的消长变化，反映出本市城市居民收入的多元化格局已经形成。

【城市居民消费形成新热点】　2000年，随着大连市城市居民家庭收入的增加和社会购买力的提高，其家庭消费水平达到新的高度。据抽样调查，全市城市居民年人均实际支出7455.6元，比上年增长10.9%。消费投向也发生新变化。年人均消费性支出6073.01元，比上年增长9.8%，占年人均实际支出的81.5%，比重降低0.7个百分点；而年人均非消费性支出1382.59元，占18.5%，比重提高0.7个百分点。

2000年大连市城市居民年人均八大类消费情况

单位：元

	金　额	比上年增长(%)
总计	6073.01	9.8
食品	2741.74	9.0
衣着	563.50	-11.5
设备用品及服务	439.69	-0.1
医疗保健	461.86	28.9
交通与通讯	399.91	30.8
娱乐文教及服务	675.91	17.3
居住	436.56	8.5
杂项商品及服务	353.84	33.2

消费投向的变化说明，基本解决温饱问题的城市居民家庭开始将货币投向转移到非消费性领域，并形成具有一定消费规模和发展潜力的新的消费热点：

1. 交通和通讯支出大幅增长。城市居民年人均交通和通讯支出399.91元，比上年增长30.8%。其原因：(1) 城市居民出门乘坐出租车现象比较普遍；(2) 电话拥有量增加，据抽样调查，年末平均每百户拥有电话85部、移动电话24.2部，分别比上年增加7.4部和16部。

2. 教育支出明显增加。城市居民年人均教育支出432.63元，比上年增长33%。其原因：(1) 出国留学势头不减；(2) 成人坚持业余学习热情不衰，人均支出为45.88元，比上年增长1.9倍。

3. 旅游支出迅猛增长。城市居民年人均旅游支出69.49元，比上年增长51.2%。节日旅游做为“假日经济”的重要组成部分真正“热”起来。据抽样调查，春节和“五一”假期，城市居民人均旅游支出分别为8.44元和10.30元，分别比上年增长79.8%和1倍多。

4. 证券投资成倍增加。由于家庭投资观念发生转变，不少城市居民开始购买股票和国债。据抽样调查，城市居民人均购买有价证券支出49.14元，比上年增长1.2倍。　（魏雨桃）

居民休闲的好去处——阿尔滨水上乐园。　薛家玺　摄

【20%的城市居民消费水平较高】　2000年7月，大连市城市社会经济调查队采用随机等距抽样方法，对市内四区22个街道近30个商品房住宅开发小区的450户购买商品房、户年收入在3万元以上的高收入户，进行入户问卷调查。调查结果显示，户年收入在3万元以上的居民户（以下简称高收入户）已占城市居民总户数的20%，一个具有较高消费水平的阶层正在形成。

1. 高收入户的基本特点。(1) 年轻化。户主年龄在25~50岁之间，平均年龄39岁。(2) 高学历化。具有大专以上学历的占63.4%，其中研究生及以上占4.4%；初中及初中以下仅占9.9%。(3)“白领”化。职业管理人员占37.1%，各类专业技术人员占20.6%，职业股民、个体经营者和其他自由职业者占18.7%。

2. 高收入户的基本情况。(1) 住宅是第一大家庭实物资产。私房拥有率达100%，户均建筑面积107.54平方米、购房款39.12万元、住房装修费7.41万元，其中购房款靠自己解决的占64.1%。(2) 家用私车尚不普及。私车拥有率仅为18.4%，户均购车金额24.65万元。私车中62.4%是国产品牌车；38.6%是进口车。(3) 近半数人自己当老板。从事产业经营活动的占49.6%。

3. 高收入户的投资情况。(1) 有67.7%在制造业、加工业、商业和服务业、房地产业、交通运输业、国库券、股票、企业债券、收藏品等方面投资；30.7%还准备节余部分资金用于上述投资。(2) 教育投资不遗余力。子女就学户年均支付4218.89元、住校生活费用7534.11元、择校费用及赞助费1481.25元。对于子女择校，有12%选择到国外就学，1.3%选择到民办或私立学校就学。按均数计算，高收入家庭培养1个孩子从幼儿园到大学毕业共约10万元（不包括在校生活消费、择校费、赞助费）。(3) 保险投资达相当规模。有43.1%的家庭自费购买保险，平均每户交纳寿险5240元，交财险5223元。投人身保险的比例高于投家庭财产保险的比例。投保比例最高的是本科以上文化程度的人；人均月收入在5000元以上的投保比例超过50%，3000元以下的不足20%。

4. 高收入户的消费情况。(1) 衣食住行已非一般。上半年，户均日常消费支出21791.98元，其中在外就餐2881.37元、通讯2423.37元、购买大件耐用消费品16529.85元、购买劳务3109.23元。其人均消费支出是本市城市居民人均消费支出的2.64倍，其中在外就餐为11倍、通讯为4.5倍。(2) 旅游消费空前膨胀。过去一年外出旅游的占33.3%，其中到国外旅游的31人，占旅游人数的20.7%；人均花费45593.6元。未来一年想出去旅游的181人，占40.2%，其中想去国外的占34.8%。(3) 新“三大件”成为新的消费热点。未来一年中准备进行大额消费的项目，汽车、贵重家电和通讯设备（包括电脑）新“三大件”的比例分别为25%、21.5%和

19.9%。（艾文华）

【农民消费出现新趋势】 2000年，大连市农村年人均生活消费支出2418.24元，比上年下降6.1%。从代表居民生活的八大类消费指标来看，农民消费出现新的趋势：

1. 用于医疗保健的费用明显增加。随着农村社会保障制度的不断完善和合作医疗机构的日趋健全，农民的保健意识越来越浓，年人均医疗保健消费支出达到206.51元，比上年增长61.6%，是八大类消费中增幅最大的。

2. 用于交通通讯的消费明显增加。年人均支出为140.76元，比上年增长15.1%。

2000年大连市农民年人均八大类消费情况

单位：元

	金额	比上年增长(%)
总计	2418.24	-6.4
食品消费支出	1172.81	-6.6
衣着消费	169.60	-9.7
居住消费	307.95	-34.7
家庭设备、用品及服务	110.79	-19.3
医疗保健	206.51	61.6
交通通讯消费	140.78	15.1
文教娱乐用品及服务	220.36	3.9
其他商品和服务消费	89.44	28.1

【北三市和南三区农民家庭纯收入差距较大】 2000年，大连市北三市（普兰店市、瓦房店市、庄河市）农民年人均纯收入为3042.79元，比上年下降4%。南三区（甘井子区、旅顺口区、金州区）农民人均纯收入为5150.89元，比上年增长3.6%。由于收入的不平衡，导致农民生活水平的差异。年末全市有贫困户（人均纯收入1000元以下）8.4万户，占总户数的9.1%，其中北三市6.9万户、南三区1.3万户，分别占各自地区农村总户数的10.7%和5.7%。在全市人均纯收入1000～4000元的农户中，北三市和南三区分别占65.5%和47.4%；在人均纯收入4000～1万元的农户中，分别占21.6%和36.9%；在人均纯收入1万元以上的高收入户中，分别占2.16%和10%。（肖利）

2000年大连市农村不同地区年人均纯收入对比

单位：元

	北三市		南三区	
	金额	所占比重(%)	金额	所占比重(%)
总计	3043.13	—	5150.89	—
1. 按构成分：				
工资性纯收入	1057.89	34.8	2947.12	57.2
家庭经营纯收入	1835.91	60.3	1407.04	27.3
财产性纯收入	48.61	1.6	370.70	7.2
转移性纯收入	100.38	3.3	426.03	8.3
2. 按产业分：				
第一产业纯收入	1662.91	54.7	1713.04	33.3
第二、三产业纯收入	1379.88	45.3	3437.85	66.7

（肖利）

劳动工资

【概况】 2000年末，大连市城镇单位期末从业人员为92.9万人，比上年减少5.5万人，下降5.6%，其中在岗职工88.8万人，减少5万人，下降5.3%。同期离岗职工11万人，比上年减少0.8万人，下降6.8%。

截止2000年末，全市累计有84.6万名职工签订劳动合同，有1916个企业签订集体合同。累计有2134名外国及港澳台人员在本市就业。

全市职工工资稳步增长。职工年平均工资为10952元，比上年增长16%；月均工资913元，增长16%。在岗职工年平均工资11901元，比上年增长14.5%，其中市内四区（含大连市高新技术产业园区）11958元。

市劳动局积极解决企业拖欠工资问题，使全年拖欠总额比上年减少1.02亿元。对拖欠基本养老保险金的企业实行按最低工资标准发放工资。

【下岗职工再就业】 2000年，大连市新产生国有企业下岗职工2.9万人，其中市属企业1.7万人、区市县属企业1.2万人。下岗职工全部进入企业再就业服务中心，基本生活得到保障。

全市共筹集再就业资金2.2亿元，其中财政1亿元、失业保险0.7亿元、企业0.5亿元。全市城镇有8.5万人就业和再就业，其中下岗职工4.6万人、失业人员3.9万人。年末尚有城镇登记失业人员6.35万人，比上年减少0.65万人；城镇登记失业率为3.9%，与上年持平。

对就业困难的自谋职业人员实行援助。继续推行积极的基本生活保障和再就业政策，有近万名特困下岗自谋职业人员在就业服务、培训、养老保险等多方面得到援助。

开展向下岗职工献爱心活动。有19个委、办、局同市政府签订责任状，当年共提供就业岗位5万个。全市共组织专场招聘洽谈会35次，达成用工意向2.3万人，有1.4万人上岗就业。

进一步完善劳动力市场整体功能。劳动力市场增强职业介绍、职业指导、职业测评等综合服务功能，日信息保有量3600个。年内有3.8万名下岗、失业人员通过劳动力市场就业，占全市总数的44.7%。

拓宽就业渠道。推行以劳务形式上岗、社区家政服务等弹性就业形式。新建劳动就业互助组织59个，有2000多人上岗就业；1万余名下岗失业人员走上光彩就业之路。

戚秀玉职业介绍所又有新发展。在全市新设戚秀玉职业介绍信息发布厅60个，增设家政家教服务介绍项目，开办培训学校。全年共推荐介绍1.6万人上岗就业。

【企业最低工资标准调整】 2000年6月1日，大连市对企业最低工资标准进行调整。庄河市、瓦房店市、普兰店市每人每月由原来的220元调整为260元；中山区、西岗区、沙河口区、甘井子区、旅顺口区、金州区、长海县每人每月由原来的270元调整为310元；大连经济技术开发区、大连保税区、大连金石滩国家旅游度假区每人每月由原来的320元调整为360元。

【劳动就业IC卡制度实施】 自2000年1月1日起，大连市对外来务工人员和用人单位实行劳动就业IC卡制度，以加强对外来务工人员的规范管理，有效控制就业岗位，促进下岗、失业职工再就业。

该卡是用人单位用工和劳动者就业的许可依据和有效证件。分为两种：一种是发给劳动者本人的《大连市劳动就业卡》，记载着持卡人的自然状况，包括学历、工种、工资、就业变动情况、社会保险费和管理费缴纳情况等资料；另一种是发给用人单位的《大连市用工单位用工卡》，记载着用人单位的基本情况，包括工商登记、法人代表、用工权限等资料。

至年末，全市有7万名外来劳务人员被纳入管理。

【2000年企业工资指导线发布】 2000年6月5日，大连市劳动局根据大连市2000年经济发展计划目标和宏观经济形势预测，以及国家对工资宏观调控的总体要求，经专家论证和测算，发布《大连市2000年企业工资指导线》，以调控企业工资增长和发放。

《指导线》规定，企业工资增长的基准线、上线（予警线）、下线分别为企业职工平均工资增长幅度的6%、11%和零增长或负增长。生产经营正常，经济效益增长的企业，可参照基准线，合理安排职工的工资增长水平；上年效益增长较快，并预计本年仍能保持较高增长的企业，要按照上线（予警线），适度合理地安排职工工资的增长；上年经济效益下降，并预计本年也不能有好转的企业，可按照下线，不增加或相应适当降低工资，但不得低于市政府规定的2000年企业最低工资标准；工资水平过高，工资增长过快（含垄断性行业）的企业，其年度工资水平增长要控制在基准线以下。

2000年大连市在岗职工人数与年人均劳动报酬

	年末人数(人)		年人均劳动报酬(元)	
	数量	比上年增长(%)	数量	比上年增长(%)
全市总计	887643	-2.6	11901	14.5
一、按企事业、机关分				
1. 企业	675448	-1.6	12149	14.0
2. 事业	166744	-7.0	10993	16.3
3. 机关	45451	-0.1	11485	18.1
二、按行业分				
1. 农、林、牧、渔业	20597	-13.8	11898	25.9
2. 采掘业	9499	-10.1	7217	4.3
3. 制造业	346384	-4.7	11678	13.7
4. 电力、煤气及水的生产和供应业	21301	-2.2	14513	12.0
5. 建筑业	38190	-9.8	10943	17.4
6. 地质勘察、水利管理业	3861	6.4	7876	11.1
7. 交通运输、仓储及邮电通信业	92962	32.2	15574	13.5
8. 批发和零售贸易、餐饮业	70093	-15.8	10606	19.2
9. 金融、保险业	28221	-3.1	14575	7.4
10. 房地产业	17767	21.2	11947	12.4
11. 社会服务业	61767	-6.0	10465	7.0
12. 卫生、体育和社会福利业	33625	-1.2	11164	26.0
13. 教育、文化和广播电视业	78940	-5.7	10782	13.4
14. 科学研究和综合技术服务业	11947	-6.3	13675	19.3
15. 国家机关、政党机关、社会团体	48275	-1.5	11493	17.2
16. 其他行业	4214	48.7	12150	24.6

2000年大连市职工年人均劳动报酬排序

单位：元

行业	年人均劳动报酬	当年位次	上年位次
农、林、牧、渔业	11898	7	11
采掘业	7217	16	16
制造业	11678	8	6
电力、煤气及水的生产和供应业	14513	3	3
建筑业	10943	11	12
地质勘察、水利管理业	7876	15	15
交通运输、仓储及邮电通信业	15574	1	1
批发和零售贸易、餐饮业	10606	13	13
金融、保险业	14575	2	2
房地产业	11947	6	5
社会服务业	10465	14	8
卫生、体育和社会福利业	11164	10	14
教育、文化和广播电视业	10782	12	10
科学研究和综合技术服务业	13675	4	4
国家机关、政党机关、社会团体	11493	9	7
其他行业	12150	5	9

（袁成亮）

【劳动力市场工资指导价位发布】 2000年7月21日，大连市劳动局发布154个职位（工种）的工资指导价位，以构建新型的企业工资宏观指导监督体系。这次发布的工资指导价位实施时间为2000年7月～2001年6月，可作为各企业招工和劳动者求职时，确定工资标准的信息；也可作为企业进行集体协商，确定工资水平的参考依据。试行劳动力市场工资指导价位对于完善市场就业机制，提高劳动者素质，促进企业内部分配，拓宽信息渠道起到积极作用。

【劳动争议处理和劳动监察进一步加强】 2000年，大连市劳动争议仲裁委员会共受理劳动争议案件663件，比上年增长9%；处理劳动争议案件687件，按期结案率100%；接待来信来访4.2万人（件）次，下降17.5%。

加强对用人单位的监察。常规巡视监察企业1.3万个，年检企业2.3万个，举报专查结案率99.2%，追缴社会保险费4401万元；责令用人单位同5.1万名劳动者补签劳动合同，为4.5万名劳动者追发被克扣、拖欠的工资共计2756万元。

【安全生产形势较为严峻】 2000年，大连市工矿企业共发生职工因工死亡事故83起，死亡93人，分别比上年下降5.7%和7%。发生3起一次死亡3人以上的重大伤亡事故，共死亡9人，重伤2人，事故起数和死亡人数分别比上年上升50%和12.5%。（黄卫民）

社会保障

【概况】 2000年末，大连市的养老、失业、工伤、生育保险的覆盖率均达到98%，其中养老保险在国有、集体企业覆盖率达到100%；医疗保险市内统筹区覆盖率70%。一个适应社会主义市场经济要求，以养老、失业、医疗保险为基本内容，独立于企事业单位之外的社会保障体系初步形成。

【养老保险】 截至2000年末，大连市参加基本养老保险的参保人数首次突破100万人，达109.1万人，比上年末增长21.8%，其中企业参保101万人。当年新增参保人数6.5万人。全年收缴基本养老保险费22亿元，比上年增长9.2%；收缴率97%。

年末全市有离退休人数35.94万人，比上年增长9.6%，其中企业离退休人员33.5万人。市内20万名离退休人员养老金实现社会化发放，被纳入社区管理。全市退休人员平均养老金为502元，替代率为64%。

【医疗保险】 截至2000年末，大连市有3017个单位参加医疗保险，比上年增长43.9%，新增参保单位935个。市本级参保人数64万人，比上年增长93.9%，其中在职职工43万人、退休职工21万人。新增参保人数23.4万人。参保面70%。全年医疗保险基金收缴率99%，收支基本平衡。

【失业保险】 截至2000年末，大连市有12657个单位参加失业保险统筹，参保人员105.5万人，分别比上年增长37.4%和18.2%。全年失业保险基金收入2.75亿元。有7.6万名失业人员按规定领取失业保险金。

失业保险金的标准分别是：市内四区、金州区、旅顺口区、长海县255元（含10元医疗补助，下同）；北三市（庄河市、普兰店市、瓦房店市）205元；对外开放先导区305元。

年内，失业保险实行市级统筹、分级管理和市县两级政府负责制，将征缴与使用相挂钩，从而调动了县区收缴的积极性，当年新增参保人数2万人，收缴率97%。

【工伤保险】 截至2000年末，大连市有1.2万个企业参加工伤保险，参保职工73万人；全年收缴工伤保险费5271万元，支付4558万元，分别比上年增长46.4%和8.5%。

【生育保险】 截至2000年末，大连市有1.2万个企业参加生育保险，参保职工71万人。全年收缴生育保险基金3019万元，比上年增长4.1%；支付2482万元，下降0.7%。（黄卫民）

计划生育

【概况】 2000年，大连市出生人口41778人，比上年多出生3491人；出生率7.22‰，提高0.15个千分点；自然增长率1.08‰，提高0.03个千分点；计划生育率99.44%，降低0.35个百分点；综合节育率92.1%；出生婴儿性别比为100：106.9（以女性为100）；一孩夫妇82.6万对，其中61.1万对夫妇领取《独生子女父母光荣证》，占总数的74.01%；累计已有2.8万对育龄夫妇主动献出二胎生育指标，其中农村独女户2.4万户。

全市计划生育的各项主要指标继续保持全国先进水平，计划生育工作成绩显著。金州区被评为全国县级计划生育“三为主”先进单位。在第八届中国人口文化奖评选中，甘井子区参演的小品《两枚戒指》和瓦房店市参演的快板《一妙七》分获二等奖。各级计划生育技术服务机构为31万余名育龄群众提供初级生殖保健服务。7个区市县计划生育技术服务站（所）获辽宁省计划生育技术服务甲级单位称号，其中3个服务站被评

2000年大连市各区市县计划生育情况

	人口总数（人）	出生人数（人）	出生率（‰）	自然增长率（‰）	计划生育率（%）	节育率（%）	累计献二胎指标数（人）
中山区	366388	2065	5.63	-0.85	99.51	91.09	99
西岗区	328625	2012	6.13	-0.68	99.15	92.52	55
沙河口区	586571	3295	5.70	0.04	99.39	91.91	75
甘井子区	531719	3740	7.13	1.63	99.65	90.92	7229
旅顺口区	209007	1706	8.15	0.90	99.94	91.22	2286
金州区	516454	3791	7.32	0.62	99.38	92.89	5518
普兰店市	825100	7002	8.51	2.43	99.53	92.08	4243
瓦房店市	1025354	8070	7.88	2.11	99.49	91.73	3427
庄河市	897640	7525	8.47	2.46	99.53	93.77	1827
长海县	88841	842	9.50	3.23	100	93.07	2742
开发区	125290	1589	13.12	9.11	99.49	88.28	693
度假区	13706	141	10.31	4.02	100	90.83	219

注：此表数据为计划生育部门提供。

为“十强站”。所有乡镇、街道配备计划生育专用微机，实现计划生育统计数据传输的点对点通讯。

【《关于进一步加强人口与计划生育工作的决定》出台】 2000年11月9日，大连市委、市政府做出《关于进一步加强人口与计划生育工作的决定》。该《决定》以《中共中央国务院关于加强人口与计划生育工作稳定低生育水平的决定》为依据，结合本市实际，提出今后10年大连市人口与计划生育工作的目标和原则。要建立与社会主义市场经济体制相适应的人口与计划生育工作管理体制，实施计划生育优质服务工程、综合治理工程、村民自治工程、社区服务工程，加强计划生育法制建设。各级党委、政府加强计划生育干部队伍建设，在机构改革、合乡并镇和社区建设中，相对稳定各级计划生育工作机构和干部队伍。区市县计生委要有一名懂医学专业知识的领导，并配备流动人口计划生育管理人员3~4人、正规院校毕业的专职微机管理操作人员1人；街道计生办配备专职计生干部2人以上，乡镇计生办配备专职计生干部3人以上，并有1名具有中等医学专业以上或助理执业医师资格的人员从事技术服务。到2005年末，各级财政投入计划生育事业费年人均超过10元，并按时间进度从流动人口管理费中划拨10%给计划生育部门。

【计划生育委员会兼职委员制度实行】 2000年5月9日，大连市政府决定大连市计划生育委员会实行兼职委员制度。

兼职委员单位由市计委、市科委、市农委、市公安局、市劳动局、市民政局、市财政局、市卫生局、市广电局、市统计局、市工商局和市妇联组成。其主要职责是：根据市政府确定的职责分工，结合本部门工作特点，协调、督促本系统与各级计划生育部门共同抓好计划生育工作；参与全市人口与计划生育工作重大问题的研究，参与研究制定相关的政策、重要文件以及中长期人口发展计划与计划生育事业发展计划；及时了解人口与计划生育工作情况，对做好人口与计划生育工作提出意见和建议。

市计生委兼职委员实行定期研究汇报制度，由市政府分管计划生育工作的领导每年召集两次会议，听取兼职委员单位计划生育工作情况汇报，协调解决人口与计划生育工作中的重大问题。

【金州区被评为全国县级计划生育“三为主”先进单位】 2000年9月20日，国家计划生育委员会做出决定，授予大连市金州区等100个县级单位全国县级计划生育“三为主”先进单位称号。辽宁省仅有4个县区获此殊荣。

多年来，金州区始终坚持宣传教育为主、避孕节育为主、经常性工作为主的计划生育工作“三为主”方针，坚持以人为本，强化服务意识，努力满足广大育龄群众对计划生育的需求，使人口与计划生育工作取得较好成绩。全区人口出生率和自然增长率分别由1982年的17.76‰和12.8‰降至2000年的7.32‰和0.62‰，计划生育率由97.72%提高到99.38%，累计有5518对符合生育二胎条件的育龄夫妇主动献出二胎生育指标。

（李先祺）

民 政

【多元化最低生活保障体系确立】 2000年，大连市确立由定期差额救济、定期定额救济、临时性救济和突发性救济4项基本制度为主，一户一策帮困、经常化捐助、行业援助和社会互助4项活动为辅的多元化最低生活保障体系。全年投入保障资金1.1亿元，保障面达到2.28%，其中城市达到3.4%。城市有6.2万名困难群众享受差额和定额救济；农村全面实行最低生活保障和特困户救济制度，为3.8万户、8.6万人发放保障金1254万元。

加大临时性救济力度。全年投入临时救济金6393万元，救济20.92万户次、53.77万人次，拓展了保障线外延。

大力加强救灾工作。全市217科目资金达到1068万元，救灾预备金达到1030万元，下拨救灾款1000万元，确保农村社会稳定。新结扶贫认亲对子2200对，帮扶款物合计110万元。

调整完善城市居民最低生活保障制度，解决国有企业集体职工和未参保的集体企业职工生活保障问题。全市未参保的集体企业困难职工及家属2.63万人，全部纳入城市（镇）居民最低生活保障。保障金社会化发放启动。

【双拥共建成果巩固发展】 2000年，大连市实现双拥工作经常化、制度化。全市投入支持部队建设资金1.67亿元；投入拥军优属保障金1100万元，比上年增加100万元。为沈阳军区铁甲01、省军区城市防空等3次重大军事演习做好后勤保障工作，送去慰问品价值100余万

软硬件建设达省、市一流水平的西岗区石道街社区卫生服务中心。

西岗区政府办　供稿

元。组织百名志愿军老战士、百名军休干部、百名光荣院老战士和百名军事院校教官看大连等拥军优属活动。启动军嫂无待业工程，安置军嫂就业1507人。

继续探索退役士兵有偿转移安置、非国有单位安置等新途径。全市自筹有偿转移资金478.8万元，市场分配率达到70%。接收退役士兵4153人，安置率达到97%，并普遍进行岗前职业技能培训，军地两用人才开发使用率达90%以上。全面完成第四批1178名军休干部接收安置任务。在全国率先进行军休干部医疗改革，出台《大连市军队离退休干部医疗改革方案》，进一步提高军休干部医疗质量，解决了多年来医疗费支出过大的问题。

【社区建设取得突破性进展】 2000年，大连市召开社区建设工作会议，出台《关于加强街道及社区居委会建设的意见》等规范性文件，制定推动社区发展的优惠政策，实行目标责任制，将社区建设纳入党委、政府一把手工程。

进一步调整社区规模，社区居委会总数由上年879个调整为614个。

探索转变政府职能、实现管理重心下移等社区管理和运行机制，全市有20万名退休职工交由社区管理。

社区组织机构和基础设施更加完善。全市普遍建立社区党组织、居民会或居民代表会、居民委员会等社区组织。市本级财政投入1500万元，各区市县匹配7000余万元，使50%社区居委会的办公和社区服务站的用房达到100平方米，社区居委会干部补贴基本达到每月350元，办公经费由月均不足50元提高到400元。

社区服务业发展步伐加快，形成全方位、多层次、多样化的社区服务网络。有44%的街道建立社区服务中心，100%的社区居委会建立社区服务站。全市有各类社区服务网点2800个，志愿者组织470个、志愿者30万人。便民早餐、便民配送等社区服务项目和文明社区建设等工程在社区展开。

积极推进社区信息化建设，“大连市社区建设网”已纳入全市信息化建设整体规划。

【社会福利社会化进程加快】 2000年，大连市民政局出台《大连市社会福利机构管理办法》等9个规范性文件，初步实现扶持保护有政策、审批管理有办法、软硬件建设有标准、监督检查有依据。启动心理援助工程，实行养护对象分级护理。在全省率先实行城乡福利机构等级管理，制定大连市城市福利机构和农村敬老院等级评定标准及实施细则。

继续推进社会福利企业改革，全市福利企业改制面达到30%，福利企业实现销售收入18.2亿元，利税2.2亿元。民政企业集团与大连外国语学院签订15年的合作协议，兴建大学生公寓，年内完成投资6000万元，入住大学生800人。

【社会行政事务管理】 2000年，大连市积极稳妥地开展合乡并镇工作，以适应经济发展的需要。全市乡镇总数由上年的115个调整为98个。全面完成县（市、区）级行政区域界限勘定。完成泉水住宅区和大连双D港的地名规划。全市新命名地名60条，安装门牌2630块。

依法推进农村基层组织建设。全市1454个村民委员会全部开展以财务公开为重点的政务公开。

基本完成社团清理整顿。重新登记、换发证书518个，撤销、取缔143个，注销市、县两级气功社团17个，取缔非法社团6个。新批准成立社团34个。

【社会事务管理】 2000年，大连市共办理国内结婚登记36704对，其中初婚人数64160人，再婚人数9248人；离婚登记5615对；涉外及华侨、港澳台同胞结婚登记394对。登记合格率99.9%。有3个婚姻登记机关被省授予一级婚姻登记机关。全年共办理收养登记164件。

全市收容流浪乞讨人员12769人次，遣送4278人次；收容救治精神病人及其他危重病人52人次。

大力推进殡葬改革，全市平坟还田26.7公顷。全市当年死亡36975人，火化率达到100%。

【“爱心献功臣行动”继续深化】 2000年，大连市本级投入100万元，重建或维修全市196户重点优抚对象的住房；社会各界捐助生活用品40余种、3万余件，价值330万元，基本解决了重点优抚对象的住房和生活困难。全面建立优待抚恤标准自然增长机制，使优抚对象生活水平得到较大提高。采取合作医疗、医疗费减免、医疗周转金、医疗保障等办法，初步解决优抚对象医疗难问题。

【社会办福利机构成为趋势】 2000年，大连市以国家、集体兴办的福利机构为示范，充分调动社会力量发展福利事业，新批社会办福利机构6家，投入建设资金8710万元，设置床位1900张，收养700余人。新建、改扩建农村敬老院36所，总投资3188万元。

年末，全市有福利机构142家，其中社会办福利机构17家；福利机构平均床位利用率达70%。市政府投资2000万元改扩建的大连市社会福利院工程完工。

【“辽宁风采”电脑福利彩票在连发行】 2000年，大连市启动发行“辽宁风采”电脑福利彩票。全市共设彩票销售点598个，销售福利彩票6061万元，筹集福利金1818万元。 （高文和）

残疾人事业

【概况】 2000年，大连市有残疾人20.79万人，其中视力残疾3.1万人，肢体残疾7.26万人，听力语言残疾5.5万人，精神残疾1.13万人，智力残疾3.6万人，多重残疾及其他残疾0.2万人。

当年，残疾人事业继续健康发展，残疾人物质文化生活进一步改善，平等参与社会生活能力显著提高。

【残疾人就业稳定】 2000年，大连市共安置1557名残疾人就业，其中集中安置665人、分散安置486人、个体就业406人；城乡残疾人就业率稳定在85%以上。举办首次外资企业录用残疾人专场洽淡会，安置56名残疾人就业。开展职业技能培训，共举办各类培训班132期，培训残疾人4145名。成立大连市盲人按摩职业技术鉴定委员会和大连市盲人医疗按摩专业技术资格评审委员会。开展盲人按摩培训，共培训59人，安置就业39人，开办按摩诊所9个。

【残疾人康复成效明显】 2000年，大连市继续开展“视觉第一中国行动”并取得显著成效，有2800名白内障患者通过手术重见光明。以社区和家庭为重点的社会化康复服务体系形成。全市共实施肢体残疾矫治手术65例，装配假肢和矫形器93例；为低视力残疾者配用助视器58例；进行聋儿听力语言训练56名；智力残疾儿童系统训练93名；肢体残疾者系统训练347名。长海县残疾人用品用具供应站建立。全市共为残疾人提供辅助用具服务130种、1.6万件。

【开展扶贫帮困献爱心活动】 2000年，大连市投入残疾人扶贫资金694.4万元，扶持贫困残疾人7851名，使其生活得到明显改善。开展向贫困残疾人送温暖活动，共走访慰问贫困残疾人家庭4237户，送去慰问金及慰问品价值275万元。

【无障碍环境建设形成规模】 2000年，大连市将无障碍环境建设纳入城市建设规划，在大连港候客厅改建等工程中同步实施无障碍改造，新建、改建无障碍公共设施60余处、无障碍坡道和标示300处。至年末，全市累计建设、改建无障碍城市主要道路20余条，修筑缘石坡道3500多处，建盲道21公里；市内森林动物园、劳动公园、星海公园等八大公园，星海广场、奥林匹克广场、海军广场、中山广场、人民广场等主要广场，酒店、商场、机场、图书馆、博物馆、体育馆等大型公共建筑，以及市级以上医院均实现无障碍要求；市内主要道口安装了盲人人行横道音响感应器，主要汽车站有声控站。

【残疾人文化体育活动获多个奖项】 2000年，在辽宁省残疾人艺术汇演中，大连市残疾人联合会选送的《远归》、《打虎上山》、《希望》等节目获3个一等奖、5个二等奖。残疾人画家刘超的《猛虎图》获2000年世界华人艺术展银奖；残疾人歌手孟勇获第三届“剑南春”全国残疾人歌手大奖赛金奖。

残疾人运动员李强出赛在澳大利亚悉尼举行的第十一届残疾人奥运会，夺得2枚金牌和1枚银牌，成为我国获得残奥会金牌第一人。残疾人运动员栾振宇在第六届亚太聋人运动会上获得金、银牌各1枚。在第五届全国残疾人运动会上，本市残疾人运动员获奖牌38枚（其中金牌16枚），得分386分，为辽宁省体育代表团荣获总分和奖牌第一、金牌第二立下头功，大连市残联等单位为此被省政府授予残疾人体育工作先进集体称号。本市残疾人运动员还获第十四届大连国际马拉松赛跑轮椅项目比赛金牌1枚、银牌3枚、铜牌2枚，北京国际马拉松轮椅项目比赛银牌2枚、铜牌2枚。在首届“中残体协杯”全国坐式排球锦标赛上，本市男女坐式排球队双获亚军。

【“爱心2000年——捐资助残”活动全面开展】 2000年，辽宁省“爱心2000年——捐资助残”活动在大连市全面开展并取得显著成效。共募集资金535万元，其中个人捐款265万元、集体捐款270万元，超额完成省政府下达的300万元指标。大连市被省政府授予捐资助残模范市称号，长海县、瓦房店市、甘井子区分别被授予捐资助残先进县（市、区）称号，大连海关等18个单位获贡献奖，大连市委办公厅等151个单位获优秀组织奖，瓦房店市农委等70个单位获组织奖，李国庆等25人获贡献奖。

【普兰店市精神病防治康复工作试点通过省级验收】 2000年，“九五”期间被国家列入精神病防治康复工作试点市之一的普兰店市，通过了辽宁省精神病防治康复工作检查组的检查验收。受检的近百项指标均达到国家标准，并以96分的总成绩名列辽宁省6个试点市榜首。据统计，普兰店市有8类精神病患者4887人，占总人口的6‰；被监护患者4884人，监护率达到99.9%；显好人数3333人，显好率68.2%；参与社会人数3596人，参与率73.6%；解锁率100%；肇事人次为零。

【长海县残疾人康复教育活动中心正式启用】 2000年7月，总造价150多万元的长海县残疾人康复教育活动中心正式投入使用。该中心占地面积1400平方米、建筑面积800平方米，是集康复训练、教育培训、文化活动等多功能为一体的综合性残疾人服务设施。它的启用，为长年生活在海岛的广大残疾人带来了便利。 （李远征）

老年人生活

【概况】 2000年末，大连市有60岁以上老年户籍人口74万人，占总人口的13.4%，其中离退休人员36万人。有百岁以上老人172人，比上年增加17人，其中男性43人、女性129人。家住沙河口区侯家沟街道西南路、生于1888年的王永欣（女）年龄112岁，是全市最长寿者。

全市有老年人活动场所858处。新改扩建农村敬老院36所，总投资3188万元。

2000年大连市老年人学校和养老机构情况

	单位	数量
各类老年学校	所	125
在校学员总计	人	10279
其中:1.老干部大学（老年大学）	所	14
在校学员	人	2589
2.老年学校	所	111
在校学员	人	7690
各类养老机构	所	142
床位总计	张	10675
其中:1.国家办社会福利机构	所	10
床位	张	1780
2.社会办老机构	所	17
床位	张	2451
3.农村乡镇办敬老院	所	114
床位	张	6234
4.光荣院	所	1
床位	张	210

【在全省率先实行城乡福利机构等级管理】 2000年，为适应养老事业的快速发展，大连市在辽宁省率先制定《大连市城市福利机构等级评定标准》及其实施细则和《大连市农村敬老院等级评定标准》及其实施细则。前者将城市社会福利机构的等级分为市一级、二级、三级，并在规模、功能、管理、服务和效益5个方面作了具体规定；后者将农村敬老院的等级分为一级、二级、三级，并在规模、管理、服务和效益4个方面作了具体规定。

年内，经市民政局审核评定，被评

为市一级城市社会福利机构的7所、市二级的1所、市三级的1所、无级别的1所；被评为一级农村敬老院的21所、二级的40所、三级的33所、无级别的20所。

【近20万企业退休人员纳入社区管理】 2000年，大连市开发利用社区资源，建立系列化社区服务网络。全市有44%的街道建立社区服务中心（含为老服务），各类社区服务网点达2800余个，提供家政、医疗保健、文化生活、法律咨询等项服务，受到老年人欢迎。

在此基础上，加快企业离退休人员纳入社区管理的步伐。至年末，社区管理退休人员19.8万人，占应管理人数的91%，其中当年纳入14万多人，基本形成市、区、街道、居委会四级社区管理体系。

各级管理组织明确职责，重点开展养老待遇细化管理，将社区退休人员的住址、年龄、健康状况、供养直系亲属、住房供热条件等40多条信息录入微机，跟踪服务，实现工作到人、管理到人的目标；审核认定退休人员的丧葬费、供养直系亲属及退养、精简人员的生活补助费和冬煤补贴资格，实行面对面发放，大大减轻企业负担。至年末，社区对供养直系亲属享受生活救济费资格认定480人次，为2902名遗属、退养、精简人员发放生活补助费446.9万人。

【6400位老人过上集体生活】 至2000年末，大连市已有6400位老人走进福利院、敬老院、老年公寓等养老机构颐养天年，约占全市老年人总数的0.8%。在这些人当中，完全享受福利待遇的五保户最多，全市城乡共有五保户6000多人，其中60%农村五保户进入养老机构；其次是享受半福利性待遇的无子女的企业离退休职工；再次是自费性的有子女的老人，随着社会经济的发展，这一群体将成为养老机构养员的主流。

【旅顺口区5000名村民领取养老金】 2000年，旅顺口区长城镇赵家村为120名年龄分别在60岁和55岁以上的男、女村民发放了养老金。至此，该区已有5000多名老人按月领取村里发放的养老金，总金额为180多万元，年人均360元。

辽宁省第三届老年人运动会“熊胆酒怀”健身球比赛团体第一名。

市老龄委　供稿

【老年人体育上新台阶】 2000年，大连市已有96.7%的城镇街道、92%的乡镇建立老年人体育协会。有晨（晚）练点与指导站1437个、指导员2355人；有各类裁判员306人、教练员1038人。经常参加体育锻炼的城市老年人近20万人，农村老年人10多万人。

全市共举办老年运动会、大型文体表演及各类竞赛活动近千次，参加人数10余万人。大连锦华老年艺术团在“泰迪杯”全国中老年人无极健身球保健操比赛中夺得“优胜杯”（一等奖）。由80人（年龄最大的运动员78岁）组成的大连市代表团，在辽宁省第三届老年人运动会上荣获团体总分第一名和道德风尚奖。

【百名老人入住市福利院新楼】 2000年5月，大连市福利院新大楼落成，居住在该院的近百名老人喜迁新居。新大楼建筑面积4754平方米，设床位168张，总投资2000万元。楼内新增康复室、活动室等辅助设施，楼外建有广场、绿地和叠水瀑布，使老人们的居住条件和生活环境都得到很大改善。

【31位老人被评为跨世纪健康老人】 2000年，在中国老年人体协、辽宁省老年人体协和大连市老年人体协等部门组织的跨世纪健康老人评选活动中，大连市有31位老人被评为跨世纪健康老人。其中：全国跨世纪健康老人5位，辽宁省跨世纪健康老人2位，大连市跨世纪健康老人24位；女性4位，男性27位；年龄最小的82岁，最大的108岁。

（陈晓春）

【关工委发起救助低收入家庭危重病少儿活动】 2000年6月1日，大连市关心下一代工作委员会开始对全市低收入家庭危重病少儿情况进行调查。至6月末，共查得患脑瘫、心脏病等危重病少儿41人。根据薄熙来市长“应切实帮助这些儿童”的批示，市关工委和大连晚报社、市儿童医院、大医附属二院联合发出倡议，开展援助低收入家庭危重病少儿活动。25家企业及市民共捐款45.83万元，使24名危重病儿童得到救助，产生良好的社会影响。《光明日报》、中央人民广播电台、《辽宁日报》和本市各新闻媒体都作了报道。

【关工委会员助学献爱心】 2000年，辽宁省发生严重旱灾，辽西部分灾区的中小学生面临辍学危险。辽宁省关心下一代工作委员会号召全省关工委会员每人捐献1元钱，帮助灾区的孩子。大连市关工委全体会员积极响应，共捐款46840元，捐款数居全省第二位。 （陈德照）

区 市 县

责任编辑　郑　彬

中山区

【概况】　中山区是大连市的中心区之一，位于市区东南部，东、南、北临海，西与西岗区接壤。地域范围为北纬38°51′～38°56′、东经121°37′～121°43′。土地面积43.85平方公里。

2000年，全区有街道办事处13个，共设社区居民委员会70个。总人口366388人，比上年下降0.2%；人口密度每平方公里8355人。

当年，全区各项经济指标全面超额完成计划，主要经济指标比上年有较大增长。完成重点项目投资15.2亿元，比上年增长1.9倍，海景园、当代航空俱乐部等22个项目竣工。旅游业加快发展，接待国内游客427万人次，比上年增长30%。高新技术产业发展迅速，新办高新技术企业90家，引进开发高新技术产品44项。个体私营经济快速增长，实现增加值12亿元，占全区国内生产总值的65.8%。

2000年中山区国民经济和社会事业主要指标完成情况

	单位	实际完成	比上年增长(%)
国内生产总值	亿元	18.3	11.3
工业总产值（当年价）	亿元	7.76	8.7
销售收入	亿元	54.85	8.0
利润	亿元	8.7	9.0
个体工商户	户	20275	16.0
个体经济销售额	亿元	70.74	0.3
私营企业	个	3999	16.0
私营企业销售额	亿元	4.02	-52.1
新增外商投资企业	个	77	18.5
新增合同外资额	亿美元	1.13	2.7
新增实际使用外资额	万美元	5306	3.0
地方预算内财政收入	亿元	3.2	8.8
地方预算内财政支出	亿元	3.1	-3.4
固定资产投资	亿元	8.4	27.3
社会消费品零售额	亿元	30.04	4.0
年末全部职工人数	人	16218	-0.1
职工年人均工资	元	9229	12.3
绿化覆盖率	%	41.8	2.5（百分点）
教育经费总额	万元	8172	8.2
普通中学	所	12	0
小学	所	29	0
科技三项经费	万元	391	60.9
卫生事业费	万元	708	8.3
人口出生率	‰	5.56	0.3（千分点）
计划生育率	%	99.66	-0.08（百分点）

【财政收入首次突破3亿元】　2000年，中山区积极推进商贸业结构调整，大力发展非公有制经济，重点扶持一批税收大户，使税收大幅增长，完成3.83亿元，比上年增长18.1%，带动区地方财政预算内收入首次突破3亿元，为3.2亿元，增长8.8%。有3个企业税收超2000万元、10个超1000万元。大连海昌房屋开发有限公司和大连万佳房地产开发有限公司进入大连市前50名纳税大户行列。

【个体私营经济在经济中的主导地位更加突出】　2000年，中山区加大政策引导、服务扶持和载体建设，为个体私营经济的发展创造良好宽松的环境。个体私营经济增加值达到12亿元，占全区国内生产总值的65.8%；实现税收1.23亿元，占税收总额的32.1%，成为区本级财政收入的重要来源。个体私营企业参与重点项目建设也创出历史新高，全区52个重点项目中，私营企业和个体大户承建46个，占83.6%；到位资金13.7亿元，占76%，成为重点项目建设的中坚力量。

【招商引资水平有新提高】　2000年，中山区新办外商投资企业77家，总投资1.37亿美元。其中：合同外资1.13亿美元，比上年增长2.7%；实际使用外资5306万美元，增长3%。至年末，累计兴办外商投资企业689家，总投资15.71亿美元，其中合同外资10.57亿美元，实际使用外资5.06亿美元。当年外商投资企业出口创汇3420万美元，实现税收4350万元，分别比上年增长44.6%和27.4%。进一步加强与国际大公司合作，与台湾太平洋百货公司、韩国ACE集团等世界知名企业合作百年城等重点项目；泰国亚泰集团投资3072万美元的大连优玛购物中心项目也已签约。

积极开拓国内招商领域，派出14个团组赴成都、长沙等地招商，合同成交额11.6亿元，引进有规模项目45个、外埠企业31家，到位内资5.9亿元。

【商贸业结构调整步伐加快】　2000年，中山区明确提出把以商贸业为重点的现代服务业作为区域经济支柱产业的指导思想，深化商贸业结构调整。完成中山大厦、裕景商城、三八商城等经营业态和经营品种的调整，在华昌市场、昆明商场等推行特色经营、特许经营、错位经营等先进经营管理方式。同时，大力推进天环国际商贸城、长城国际妇女儿童购物中心、向阳商贸中心等一批新建商业项目建设，进一步提高了全区商业的档次和水平，使商贸业呈现繁荣景象。新盛广场、荣盛广场、裕景商城等6个市场年成交额超亿元，第三产业增加值占全区国内生产总值的79.6%，比上年提高0.6个百分点。

【高新技术产业发展成果显著】 2000年,中山区加大对高新技术产业的扶持力度,确立电子信息、节能环保和智能仪器仪表三大主攻方向,出台《中山区科技贷款贴息资金管理办法》、《中山区高新技术企业认定办法》等3项扶持政策,成立11个专题咨询团,聘请27名科技顾问,进一步提高高新技术产业的宏观指导和服务水平。新办道源软件、万佳科技等高新技术企业90家,相当于上年此类企业总和的2.2倍;培育产值超500万元的科技企业24家。引进和开发高新技术产品44项。其中:便携式二氧化硫监测仪被国家科技部列入高技术国产化项目,获国家专项资金400万元;卫生防疫软件被科技部列为国家级火炬计划项目;卫星定位系统列入国家863计划;相列天线达到国际先进水平。科技进步对全区经济发展的贡献率达到43%。

【海军广场建成】 2000年9月2日,由大连市政府、中山区政府、大连市城建局共同投资4000余万元建设的大连海军广场落成。这是继英国、美国之后,世界上第三个以海军命名的广场,是大连军政军民团结的象征。广场位于市区东部,市委大楼南侧,海军舰艇学院政治分院北侧,占地6.9万平方米,其中硬铺装2.5万平方米、草坪4.4万平方米。建有500米长的音乐喷泉,高2.5米、长70米的海军战斗生活浮雕墙,3组超写实海军战士塑像以及金锚和银舵,共安装高杆灯、草坪灯、槐花灯139基,配有8只远程音箱组成的音响系统。广场设升旗台,中心圆是由花岗岩铺就的世界地图,象征着滨城大连与世界同步发展的美好前景。

【社区建设快速发展】 2000年,中山区重新划定社区范围,将原有131个居民委员会调整为70个社区居委会。制定《中山区社区成员代表大会章程》和《中山区社区(居民)委员会管理办法》,70个社区全部成立社区党组织、社区成员代表大会和社区居委会3个组织。统一社区标识,完善办公设施,各社区居委会的办公设施全部达到"六个一"(电风扇、音响、照相机、档案柜、书柜各1台组和每人1套办公桌椅)标准。一些大学毕业生开始充实到居委会中,给社区建设注入新的活力。社区服务工作有序开展,新建成的中山区社区服务中心为全区社区服务发展起到示范作用;桂林街道办事处开展的"十大系列百项服务"深受辖区居民欢迎;明泽街道办事处成立全市首家社区救助中心。

4月24日,国务院总理朱镕基视察中山区桂林街道就业管理服务站、社会保障受理处和湖畔居委会,对该街道的社会保障及再就业工作给予高度评价,并题词:"向桂林街道湖畔居委会同志们致敬。"

【全省首家区级政府法律顾问团成立】 2000年9月21日,中山区为适应社会主义市场经济发展和依法治区的需要,成立了全省首家区级政府法律顾问团。该团由有丰富执业经验和业务专长的律师及法学研究人员组成,负责对区政府准备实施的行政管理决定进行法律可行性论证,提供法律依据;对区直属企业改革方案、重大经营决策以及重要的财产及债务关系变动提供法律咨询;参与依法办理信访工作,承办区信访办委托的疑难案件的法律咨询等。法律顾问团成立以来先后就社区依法治理、招商引资工作中的"法律政策包装"方面等薄弱环节,积极提供法律咨询和意见,对区街经济行为及时法律介入,防患于未然;对已发案件认真把脉会诊,提出意见书,为区街单位走出困境创造条件。顾问团已与区街经济、社会发展以及涉及社会稳定的重大事项结合起来。至年末,法律顾问团提出法律意见8份。

【城区文化建设精品不断涌现】 2000年,中山区在巩固全国精神文明创建活动示范点成果的基础上,广泛开展创建文明社区工作,连续两届获得省委省政府授予的"文明城市建设标兵区"称号。在开展城区文化建设中,文艺精品不断涌现。由中山区文化馆创作并演出的舞蹈《捻船的汉子》在文化部主办的"群星奖"舞蹈大赛中获金奖,这是我国群众性文化活动的最高奖项,也是历年来辽宁省在这一奖项中取得的惟一金奖。 (赵晓光)

2000年9月2日,投资4000万元兴建的海军广场举行竣工典礼。

中山区政府办 供稿

西岗区

【概况】 西岗区是大连市的中心区之一,位于市区中部,东与中山区接壤,西与沙河口区毗邻,南北邻海。地域范围为北纬38°51′~38°57′、东经121°34′~121°37′。土地面积26.1平方公里。

2000年,全区有街道办事处13个,共设社区居民委员会69个。总人口328625人,比上年增长0.21%;人口密度每平方公里12591人。

当年,全区全面实施"兴三(第三产业)优二(第二产业)、外引内联、项目推进、科技兴区"四大发展战略,经济持续稳定健康发展,综合经济实力不断增强,被国家评为全国科技先进城区、全国"爱心献功臣"先进区,连续两届被评为辽宁省精神文明建设标兵城区。

2000 年西岗区国民经济和社会事业主要指标完成情况

	单位	实际完成	比上年增长(%)
国内生产总值	亿元	17.5	11.1
第二产业增加值	亿元	6.07	15.8
第三产业增加值	亿元	11.43	9.2
工业总产值(当年价)	亿元	17.93	38.4
地方预算内财政收入	亿元	3.09	10.7
地方预算内财政支出	亿元	3.41	13.3
固定资产投资	亿元	21.83	122.4
社会消费品零售额	亿元	36.57	8.8
新增外商投资企业	个	31	10.7
新增合同外资额	万美元	6720	-33.9
新增实际使用外资额	万美元	4650	11.6
个体私营企业	个	18345	5.0
个体私营企业销售额	亿元	89.13	17.1
年末全部职工人数	人	16547	-4.6
全部职工年人均工资	元	8764	15.2
绿化覆盖率	%	40.7	0.7(百分点)
普通中学	所	21	31.3
小学	所	28	-3.5
教育经费总额	万元	7697	13.8
科技三项经费	万元	375	11.3
卫生事业费	万元	909	34.1
人口出生率	‰	6	1.0(千分点)
计划生育率	%	99.15	0.85(百分点)

【综合经济实力进一步增强】 2000 年，西岗区实现国内生产总值 17.5 亿元，实现财政收入 3.09 亿元，上缴税金 3.71 亿元，分别比上年增长 11.1%、10.7% 和 11.5%。财政收入占国内生产总值的比重达 17.7%。经营性国有资产增值 1735 万元。

固定资产投资持续高速增长。完成全社会固定资产投资 21.83 亿元，比上年增长 1.2 倍。工程项目实施力度加大，完成重点项目 31 项。

街道经济发展势头强劲。13 个街道财政收入总额达到 1.55 亿元，占全区财政收入的 50.2%，街道经济真正成为全区经济的半壁江山。有 10 个街道财政收入超过 1000 万元，其中民乐、北京、八一路、白云 4 个街道超过 1500 万元。

重点企业发挥骨干作用。年纳税 50 万元以上的重点企业超过 50 家。其中：万达集团成为全市纳税大户，纳税额达 4507 万元；实德集团发展成我国乃至亚洲最大的塑料异型材及塑钢门窗生产基地，所产化学建材国内市场占有率达 60%，并享有亚太地区独家经营权。

企业改制不断深化。完成工业总公司、商管局等企业改制 40 家，规范验收股份制企业 109 家。

个体私营经济快速增长。新增私营企业 464 家、个体工商户 4424 户；全区个体私营经济实现区级税收 1.2 亿元，占总额的 32.3%。

【产业结构调整步伐加快】 2000 年，西岗区全面推进“兴三（第三产业）优二（第二产业）”战略，完成清华园、五一路小区、中山南苑、鹏程家园等一批房地产项目，易货交易中心、怡丰家居等专业市场项目，以及仙源大酒店、日月明酒店等餐饮、娱乐项目，增强了城区的综合竞争力。第二产业结构进一步优化，实现增加值 6.07 亿元，比上年增长 15.8%。第三产业得到长足发展，实现增加值 11.43 亿元，比上年增长 9.2%；档次进一步提升，完成投资 300 万元以上的项目 27 个，培育了一批名街、名店和名品。通过产业结构调整，二、三产业在全区国内生产总值中的比例为 34.7：65.3，第三产业已成为全区经济发展的主导产业。

【高新技术产业迅猛发展】 2000 年，西岗区全力发展高新技术产业，重点扶持一批市场前景广阔、技术先进成熟的项目，大力发展一批技术密集、附加值高、应用广泛的产业项目，嫁接改造一批传统产业项目。全区高新技术产业投资 4360 万元，新增高新技术企业 13 个、产品 16 项；高新技术产品实现产值 8.6 亿元、利润 2100 万元、税金 3036 万元，已成为全区新的经济增长点；建筑面积 4000 平方米的大连西岗高科技发展中心开始招商。区被国家评为全国科技先进城区。

在新开发并投产的高新技术产品中，10KV 复合绝缘变压器套和 DPT5001 原油油气三相计量系统 2 项产品填补国内空白；PVC 异型材料等 2 项产品被列为大连市高新技术产品，GBF 高强复合壁管被列入市成果推广计划；列入国家火炬计划的 JPB 片式屏蔽电泵和帝枇建筑模网已批量生产；CJB 型车载加油泵、帝枇建筑模网、JJ－1 型降压健心器被列为国家级新产品；贝诺尔康胶囊打入国内外市场。

信息产业成为发展高新技术产业的龙头。大连电脑城、珠江国际信息网络大厦等项目完成。重点高新技术企业——大连信诺威科技开发中心与新加坡一指通网络科技有限公司签署协议，合作开发 100 个一指通网络信息便利店，已在香炉礁社区进行样板店建设。在北京街道社区服务中心成功建成拥有 1 个政务公开大屏幕、1 个社区便民服务网、1 个电脑人才培训室、1 个社区资源数据库等的“十个一”智能化社区服务新模式。建成石道街社区卫生服务中心远程医疗系统，创造性地实施医疗系统化、健康档案化、管理跟踪化。投资 8 万元，与中央党校合作开发西岗区委党校远程教学卫星地面站系统。承办的“中国城区信息港”正在按照“全国最大的政务信息交流平台、最大的网上经贸合作平台、最大的全国性网盟”的目标建设。区政府被评为 1999～2000 年度大连市电子信息技术推广应用先进集体，区政府网站在市政府上网工程评比中被评为优秀网站。

【外引内联再创佳绩】 2000 年，西岗区发展外向型经济实行多元化招商策略，积极引进新型商业业态、国际知名跨国公司。美国沃尔玛大型量贩超市在区内建成。区政府组织赴日本、美国、香港等 4 次境外招商活动。新办大连赛德隆电子电气有限公司、大连实德包装有限公司等外商投资项目 31 个，其中 1000 万美元以上项目 2 个；合同外资总额 6720 万美元；实际使用外资 4650 万美元，比上年增长 11.6%。全区出口创汇 3680 万美元，比上年增长 28.7%。

组织规模较大的国内经贸活动 11 次，赴哈尔滨、佳木斯、深圳等 7 省 18 个地市开展经贸洽谈，与成都市青羊区、郑州市中原区等 8 个区（市）结为经济技术合作友好区（市）。全区到位内资总额 6.17 亿元，比上年增长 1.4 倍。到位 50 万元以上的外埠企业有 98 个，其中 1 亿元以上的 6 个、3000 万～1 亿元的 7 个。

【软环境建设进一步加强】 2000年，西岗区强化“人人关心软环境，人人营造软环境，人人都是软环境”的意识，以软环境创优树立形象。区政府成立加强投资软环境建设领导小组，出台《西岗区关于加强投资软环境建设的实施意见》，同26个行政执法部门签订《西岗区投资软环境建设承诺书》。成立西岗区投资咨询服务中心、企业经营发展服务中心和行政效能投诉中心；实施岗位责任、服务承诺、首问责任、限时办结、效能考评等制度。实行对重点企业的重点保护政策；继续推行企业“龙虎奖”评定制度。加强“清费、治乱、减负”工作，落实《行政事业单位预算内外资金实行收支统管的暂行办法》、《街道财政预决算管理制度》、《行政事业单位国有资产管理实施细则》、《关于加强审计监督严肃财经法纪的通知》、《西岗区统计工作暂行规定》等一系列制度和规定，进一步改善了投资经营软环境。

【社区建设成效显著】 2000年，西岗区将原138个居民委员会调整为69个社区居委会，全面推进社区建设。各社区硬件均达到拥有1处不少于50平方米的办公用房、1处50~100平方米的社区活动室、1套音响设备、1台电脑、1架照相机等“十个一”标准；50%社区的软件实现有社区服务站、社区居民求助站、社区医疗站、志愿者服务队伍、卫生保洁队伍、群防群治队伍、社区教育学校等“十个有”。社区干部接受培训，持“三证”（高中以上毕业证、区党校培训结业证、微机操作合格证）上岗。有5名“小巷总理”到香港、新加坡考察社区建设。

新建改造8个街道社区服务中心，为居民提供失业上岗、困难救助、计划生育、政策咨询等一条龙服务，受到百姓欢迎。其中，投资80万元改造的石道街社区卫生服务中心集预防、保健、康复、健康教育、计划生育指导和医疗于一身，实行24小时（无假日）服务，下设4个社区卫生服务网点，其软硬件建设达到省、市一流水平。新建13个街道社会保障服务中心，组建14支家政服务队伍，其中西岗区百兴家政服务中心是全市第一家区级家政服务中心。社区建设初步形成“队伍职业化、服务社会化、管理智能化、建设标准化、工作一体化”的“西岗模式”。

【城建工作再跃新台阶】 2000年，西岗区围绕建设“经济发达、文化繁荣、环境优美的中心城区”这个重点，大力推进城区建设。全区城建投资1940万元，园林绿化及绿地养护管理继续保持全市领先水平。新建莲花、文苑2个大型广场，被列为大连市精品项目，其中1.3万平方米的莲花广场设在居民小区内，全面体现为民宗旨。新建梭鱼湾、水仙小学等绿地14块，总面积18.5万平方米。改造10条街巷步道，治理改造7条主要路街。在主要路街安装泛光灯2115盏。新建6座公厕。栽大树2.7万株。绿地养护管理、白蛾防治和山林防火工作获市检查评比第一名。

【再就业工作扎实有效】 2000年，西岗区实施“四心（党心、暖心、民心、连心）工程”，充分调动各方面的积极性，拓宽就业渠道，全面超额完成市下达的再就业目标任务。召开大型用工洽谈会，深入2000多个用工单位发掘岗位6831个，超额22.8%完成市政府下达指标；安置国有企业下岗职工8172人，占下岗职工总数的95.1%；安置失业职工和失业人员近1.3万人，超过市政府下达指标1.1倍，其中失业职工再就业率82%，比指标高出32个百分点。 （姜 辉）

被列为大连市精品工程的文苑广场。 西岗区政府办 供稿

沙河口区

【概况】 沙河口区是大连市的中心区之一，位于市区西部，东与西岗区接壤，西、北与甘井子区毗邻，南临黄海，地域范围为北纬38°54′~38°59′、东经121°35′~121°40′。土地面积44.17平方公里。

2000年，全区有街道办事处17个，共设社区居民委员会128个。总人口586571人，比上年增长2.9%；人口密度每平方公里13280人。

当年，全区综合实力明显增强，区街经济呈现持续、快速发展的好势头，国内生产总值和地方财政收入都有较大幅度增长。精神文明建设扎实有效，城区建设与管理、双拥共建、基础政权建设、下岗职工再就业以及科教文卫体各项事业都有长足进步。

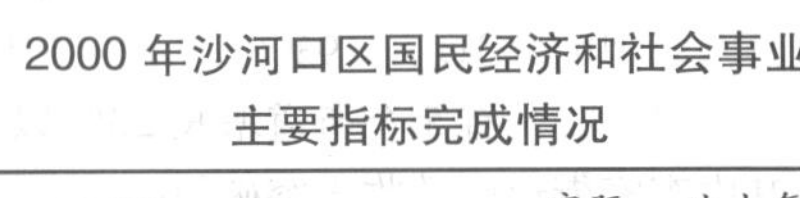

2000年沙河口区国民经济和社会事业主要指标完成情况

	单位	实际完成	比上年增长(%)
国内生产总值	亿元	13.60	13.3
工业总产值（当年价）	亿元	29.60	20.3
销售收入	亿元	48.13	9.4
个体工商户	个	18718	15.8

	单位	实际完成	比上年增长(%)
私营企业	个	2028	15.6
个体私营企业销售额	亿元	21.38	15.6
新增外商投资企业	个	28	55.5
新增合同外资额	万美元	6012	-25.8
新增实际使用外资额	万美元	3645	6.3
地方预算内财政收入	亿元	2.57	21.7
地方预算内财政支出	亿元	3.16	21.3
固定资产投资	亿元	5.70	293.0
社会消费品零售额	亿元	32.31	4.2
年末全部职工人数	人	13755	-22.4
全部职工年人均工资	元	9397	24.6
绿化覆盖率	%	41	1.6（百分点）
教育经费总额	亿元	1.14	42.9
普通中学	所	13	-35
小学	所	32	3.2
科技三项经费	万元	220	0
卫生事业费	万元	204	-67.9
人口出生率	‰	5.68	0.72（千分点）
计划生育率	%	99.19	-0.77（百分点）

【区域经济快速发展】 2000年，沙河口区以发展第三产业为主，各项主要经济指标均达到历史最好水平。全区实现国内生产总值13.6亿元，比上年增长13.3%；完成财政收入2.57亿元，增长21.7%，其中税收2.35亿元，增长36.6%。区域经济纳税总额1.7亿元。新建市场7处，各类市场已达73处，年成交额32.5亿元。新发展个体工商户2555户、私营企业273户，分别比上年增长15.8%和15.6%；个体私营企业销售额21.38亿元，增长15.6%。房地产竣工面积13.2万平方米；销售商品房3.7万平方米，销售额达1.1亿元。区属商业实现销售收入3.09亿元，比上年增长29%；完成利润1049.8万元，位居全市各区市县同行业之首。街道经济稳步发展，实现财政总收入9306万元，比上年增长19.6%，有5个街道增长20%以上，其中李家街道财政收入突破2000万元。

【外向型经济实现新突破】 2000年，沙河口区实施大项目牵动战略发展外向型经济。新办外商投资项目28个，比上年增长55.5%；总投资7167.6万美元，增长35.4%；合同外资6011.8万美元，下降25.8%，但超过计划9.3%；实际使用外资3644.6万美元，增长6.3%；出口创汇6100万美元，增长12.3%。招商引资效果明显，全年签订合同30个，合同金额7168万美元，有13个街道新办外资项目19个。

【城区建设成绩显著】 2000年，沙河口区城区绿化总投资3650万元。新建广场2处、绿地14处，改造公园、游园5处，建公厕15处，新增硬覆盖27.8万平方米。栽植常青、落叶乔木3.5万株，灌木40.6万株，花卉150万株，垂直绿化8.4万株，新增绿地面积66.4万平方米。全区绿化覆盖率达到41%，比上年提高1.6个百分点；人均公共绿地面积7.08平方米，增加0.46平方米。

路街改造投资50万元，改造后的成仁商业步行街被市政府评为商业精品一条街；全面整治黄河路、胜利路等9条、共23延长公里的路街。

加大小区治理力度，清理脏乱差现象1万余处，清除野广告近2万条，安装各种灯具2000余盏。创建国家级达标小区1个、市级达标小区3个，累计分别为18个和22个；创建智能小区3个、精品小区5个。

【社区建设和社会保障取得新进展】 2000年，沙河口区加大居民委员会建设力度，提高工作质量，进一步规范管理，加强软硬件建设，恢复和重建社区服务中心和社区居委会服务站。至年末，有50%的社区居委会达到市政府规定标准。

认真落实定额救济、差额救济、临时救济、突发救济“四位一体”的保障办法，广泛开展扶贫帮困、社会救济活动，发放各类社会救济金2144万元。全区累计发放爱心卡2600张，为6700多位老人发放优待证。

【全面实施素质教育】 2000年，沙河口区教育改革全面铺开，“减负”力度不断加大。在全市率先改革小学考试制度，取消三好学生评比制度，实行以等级制为核心的新的考核评定制度，全面评价学生的发展水平和学校的教学质量；开展“争星创牌，激励发展”活动，使每个学生在德、智、体、美、劳等方面都能得到和谐发展。“争星创牌”活动设置团结协作、热爱劳动、课外阅读、科技活动、孝敬父母、综合等多个“星”，学校根据学生得星的多少，颁发金、银、铜牌，充分体现“以人为本”的育人宗旨和办学思想。此项制度的实施，极大激发学生勇当先进的积极性，增强了学生的自信心和荣誉感。

为了规范学校的办学行为和教育行为，在全区创造性地开展校容校貌、课程计划、学生在校活动总量、收费、师德管理等“八项管理”活动，疏堵结合，标本兼治，使学校的办学行为和教育行

由大连天河房地产开发集团有限公司开发建设的高档住宅春柳苑。

沙河口区史志办　供稿

为逐步走上规范化管理轨道。此举得到市教委的高度重视，并向全市推广。

【卫生监督执法力度加大】 2000年，沙河口区认真贯彻《传染病防治法》、《食品卫生法》和《公共场所卫生管理条例》等法律法规，突出整顿重点行业，加大卫生监督行政处罚力度。共处罚违法案件477起，罚款28.8万元；销毁不合格产品700余公斤。

传染病执法以建筑工地及口腔诊所为重点，监督覆盖率达到100%；医疗保健机构消毒监测合格率为88.9%。食品卫生执法重点抓好中型以上饭店的热消毒工作，消毒率达90%；食品卫生监督率100%；检测食品样品18类、861份，合格率为87.9%。对700余户公共场所进行卫生质量大检查，覆盖率100%，公用物品消毒监测合格率为97.4%。对二次供水单位监督覆盖率100%；监测二次加压水48份、自备水4份、末梢水153份，合格率均为100%。完成辖区68所学校的日常卫生监督，合格率87.8%；学生常见病综合防治通过市级终期评估。加强非公有制企业的劳动卫生管理，监督覆盖率100%，合格率89.3%。牙病防治工作通过国家卫生部审评，以98分的好成绩被评为全国牙病防治工作先进区。

【再就业工作成效明显】 2000年，沙河口区政府制定《沙河口区2000年再就业工作方案》，提出当年全区国有企业下岗职工实现再就业率要达到95%，城镇失业人员实现就业要达到6000人，从劳动用工管理费中列支30%用于再就业培训、劳动力市场建设，创办新型劳服企业，以及社区服务就业工作等目标。为完成上述目标，全区举办5次“向下岗职工献爱心”招聘洽谈会，发动社会力量，广开就业渠道，促进下岗职工再就业。至年末，全区共安置城镇失业人员就业1万余人，超过市下达指标12.2%；为下岗职工提供就业岗位1.4万个，超出指标1.8倍；为1.1万名失业职工发放救济金2174.5万元。 （何恩田）

甘井子区

【概况】 甘井子区位于大连市城乡结合部，东与金州区、大连经济技术开发区接壤，南与沙河口区为邻，西南与旅顺口区毗连，东南临黄海，北濒渤海。地域范围为北纬38°47′~39°07′、东经121°16′~121°45′。土地面积502平方公里。

2000年，全区有6个镇、13个街道办事处，共设村民委员会50个、社区居民委员会97个。总人口531719人，比上年增长2.6%，其中非农业人口393874人，占74.1%；人口密度每平方公里1059.2人。

2000年甘井子区国民经济和社会事业主要指标完成情况

	单位	实际完成	比上年增长(%)
国内生产总值	亿元	101.26	12.0
工业总产值（1990年不变价）	亿元	122.6	2.7
农业总产值（1990年不变价）	亿元	8.6	6.2
耕地面积	公顷	3648	8.1
粮食总产量	吨	3327	187.3
蔬菜生产量	万吨	10.9	-4.6
水产品总产量	万吨	22.6	1.8
水果总产量	万吨	1.86	20.0
农民年人均纯收入	元	5966	11.2
全社会固定资产投资	亿元	25.0	19.4
出口商品总额	亿元	49.2	8.9
社会消费品零售总额	亿元	37.51	12.6
乡镇企业（不含个体、私营）	个	1078	-6.5
乡镇企业总产值	亿元	326.0	1.7
新增外商投资企业	个	70	66.7
新增合同外资额	亿美元	1.4	14.3
新增实际使用外资额	万美元	8060	-1.5
地方预算内财政收入	亿元	3.8	23.2
地方预算内财政支出	亿元	4.1	23.4
年末全部职工人数	人	15897	-12.6
职工年人均工资	元	8412	11.7
绿化覆盖率	%	37	4.0（百分点）
教育经费总额	万元	6329	21.3
科技三项经费	万元	503	11.8
卫生事业费	万元	1227	10.3
普通中学	所	19	0
小学	所	74	-1.3
人口出生率	‰	6.70	-0.26（千分点）
计划生育率	%	98.58	-1.39（百分点）

当年，全区城乡经济持续快速增长，经济运行质量大幅提升。财税收入持续以超过20%的速度增长；城乡企业收入利润率是近年来最高水平，其中城市街道高于农村乡镇，第三产业高于第一、第二产业；固定资产不断扩大，资产负债率不断降低，亏损额不断减少。城乡人民生活水平、生活质量不断提高，消费需求不断增大。

【农业产业结构调整取得显著成效】 2000年，甘井子区大力调整种植业结构。粮食生产调减玉米播种面积，由上年的1067公顷减至400公顷，薯类和其他经济作物播种面积由395公顷增至867公顷。水果生产完成残次园改造283公顷，新植名特优新果树30万株，占果树种植面积的65%以上。蔬菜生产大力发展反季节、无公害蔬菜和特色菜，提高复种指数，栽培反季节蔬菜800公顷、无公害蔬菜400公顷、特菜200公顷，发展中棚以上保护地33.3公顷，使中棚保护地面积达到327公顷。

调整农产品品种结构。由生产一般农产品转变为生产名优种子、苗子和仔畜（禽），提高农业经济效益。辛寨子镇建成百亩育苗基地、甘芸系列云豆品种繁育基地13.3公顷、育种基地1公顷，年内签订种子购销意向合同1.5万公斤。畜牧生产进一步提高品种优良率，已孵化和购买雏鸡7万只，外采和自购仔猪1万头，饲养山鸡、肉狗6000只。

调整林业生产结构。新栽植经济林100公顷、风景林66.7公顷。

至年末，农业产业结构调整取得显著成效，全区农业收入达10亿元，比上年增长8.7%。

【设立人才发展资金】 2000年，甘井子区健全人才竞争激励机制，在全市率先设立人才发展资金，以优化创业环境。人才发展资金由区政府每年从财政预算中列支300万元，主要用于资助优秀人才国内外培训、学术交流和专项业务考察；资助优秀人才的专利项目、新产品、新技术的成果转化；奖励在经济建设和社会事业中做出突出贡献的优秀人才；发放有突出贡献人才的特殊津贴；资助人才市场基本建设。当年，该项资金用于优秀人才奖励10万元，资助人才培训

11 万元，资助科技成果转化 50 万元，资助人才市场基本建设 5 万元。

【实现区域教育现代化十年规划出台】 2000 年，甘井子出台《全面推进素质教育，实现区域教育现代化十年教育规划》。规划的具体目标是：

至 2002 年，全区基本完成教育信息化工程的启动、推广和普及，构建起区域教育现代化信息网络。

至 2005 年，建立 0～6 周岁儿童托幼一体化的学前教育新体制；九年义务教育在办学条件、教师队伍和管理水平方面实现“区域均衡化”，小班化教学率达 70%；高中阶段教育普及率达 99%；创办 1 所示范性成人职业教育中心，区、镇（街）、村均有高标准的社区学校，凡未升学的初高中毕业生必须接受 1～3 年的职业培训，各类从业人员持证上岗率达 100%；全区人均受教育程度达 12 年，适龄人口高等教育入学率达 30%，中高级专业技术人员的继续教育达到或超过国家标准。

至 2010 年，全区人均受教育程度达 14 年，适龄人口高等教育入学率达 45%；创建 10 所全国、省、市知名的中小学校和 2～3 所区域性示范乡镇职校。

【56 个村全部建成园林式村庄】 2000 年，甘井子区在村镇建设中，重点加强农村园林式村庄建设。全区 56 个村从宜林地绿化、广场建设、道路绿化和庭院绿化入手，以建设具有特色的广场、路街、游园、大花坛、小公园为重点，扩大农村绿地面积，改善农村环境面貌。共完成“四旁”植树 142 万株、石质山造林 7.2 万株，铺草坪 13 万平方米，栽花 28 万株；完成旅顺北路、南路等 6 条路的升级绿化，主要道路绿化率达 100%，一般村道绿化率达 95% 以上；各村境内的宜林地全部绿化，消灭了黄土裸露。至年末，全区 56 个村全部建成园林式村庄。

【小品《两枚戒指》获国家人口文化奖】 2000 年 11 月 22 日，由国家计生委、文化部、广电总局、全国妇联、中国作家协会、中国文联、中国人口文化促进会共同主办的第八届中国人口文化奖（广厦杯）颁奖大会在北京人民大会堂举行。由甘井子区计划生育委员会和区文化局选送、甘井子区红旗镇辽南房地产开发公司艺术团表演的小品《两枚戒指》获得国家人口文化奖（广厦杯）二等奖。

【全市规模最大的社区服务中心落成】 2000 年，甘井子区华中街道投资 1100 万元，于金泡路建成大连市规模最大、档次最高的华中社区服务中心。该中心建筑面积 6000 平方米，设医疗保健、老年病防治、软伤治疗、再就业培训、美容美发培训、烹饪培训中心等以及放心豆腐房等 20 个便民服务项目。

大连市规模最大的华中社区服务中心。　　甘井子区史志办　供稿

【红旗镇财政收入在全省率先超亿元】 2000 年，甘井子区红旗镇实现销售收入 57 亿元、利润 4 亿元、税金 1.61 亿元，分别比上年增长 10%、15% 和 41.2%。经济的快速发展促进财政收入比上年增长 35.6%，为 1.15 亿元，在全省乡镇中率先超过 1 亿元。年内，该镇调整优化经济结构，改制企业由 120 家增至 166 家；个体工商户由 603 户增至 734 户，其中新增 300 万元以上大户 3 户；在建工程施工面积达 100 万平方米，创省优工程 5 项、市优工程 56 项；完成工业技术改造项目 13 个，开发新产品 6 个，引进高科技企业 30 多家。大力发展外向型经济，实现出口供货值 13 亿元。（赵阿琴）

旅顺口区

【概况】 旅顺口区位于辽东半岛最南端，南和东南濒临黄海，与山东半岛隔海相望；西和西北依傍渤海，与天津新港一衣带水；东和东北以陆路与不足百里之遥的大连市内相连。地域范围为北纬 38°40′～39°10′、东经 120°57′～121°28′。土地面积 506.8 平方公里，海岸线长 169.7 公里。

2000 年，全区有 7 个镇、6 个街道办事处，共设村民委员会 71 个、居民委员会 24 个。总人口 209007 人，比上年下降 3%，其中农业人口 108247 人，占 51.8%。人口密度每平方公里 412.4 人。

当年，全区实施“科教兴区、港海强区、旅游主导、城市化发展”四大战略，经济发展势头良好。工业整体运行质量有一定提高，农业结构调整力度加大，社区服务体系进一步完善，招商引资工作有新的突破，旅游业有较大发展。

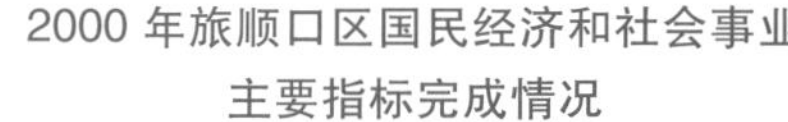

2000 年旅顺口区国民经济和社会事业主要指标完成情况

	单位	实际完成	比上年增长(%)
国内生产总值	亿元	43.74	10.5
工业总产值（1990 年不变价）	亿元	54.11	9.8
农业总产值（1990 年不变价）	亿元	10.1	4.8

	单位	实际完成	比上年增长(%)
耕地面积	公顷	6830	-4.4
粮食总产量	万吨	1.2	74.0
蔬菜总产量	万吨	15.1	3.9
水果总产量	万吨	1.6	19.3
农民人均纯收入	元	5471	4.5
水产品总产量	万吨	25	13.1
货运总量	万吨	3327	2.7
客运总量	万人次	1750	0.2
全社会固定资产投资	亿元	9.7	76.6
社会消费品零售总额	亿元	13.5	3.5
出口商品供货值	亿元	9.06	13.2
乡镇企业	个	10352	6.3
乡镇企业总产值	亿元	141.07	—
个体私营企业	个	17733	-14.4
个体私营企业总产值	亿元	48	20.0
新增外商投资企业	个	39	18.2
新增合同外资额	万美元	6599	-14.1
新增实际使用外资额	万美元	3243	3.2
地方预算内财政收入	亿元	2.21	8.2
地方预算内财政支出	亿元	2.88	10.1
年末全部职工人数	人	24474	-4.0
全部职工年人均工资	元	8123	17.2
绿化覆盖率	%	50.8	0.3 (百分点)
教育经费总额	万元	3839	4.6
普通中学	所	17	13.3
小学	所	41	-2.4
科技三项费	万元	319	21.8
卫生事业费	万元	1710	22.9
人口出生率	‰	7.99	0.24 (千分点)
计划生育率	%	99.52	-0.48 (百分点)

【旅顺口区成为全国生态示范区建设试点地区】 2000年6月,国家环境保护总局正式批准旅顺口区为第五批全国生态示范区建设试点地区。该区生态示范区建设主要内容包括:(1)发展生态农业,建立有机绿色无公害食品基地;(2)建设生态工业,建立节能降耗、节水、节地的资源型经济;(3)建设海上旅顺,实现开发“海上牧场”的新突破;(4)加强城市生态建设;(5)利用自然资源,发展生态旅游。

【王家村被评为辽宁省文明村】 2000年3月,旅顺口区铁山镇王家村被评为辽宁省文明村。该村总面积7.8平方公里,有居民620户,人口1756人。2000年,全村实现国内生产总值1.87亿元,比上年增长13.7%;实现利税3293万元,增长11%;村民人均收入7673元,增长8%;集体净资产达3000多万元,村级可支配财力440多万元,增长15.8%,经济综合实力连续多年名列全区前茅。

长期以来,该村以建设全国一流的小康村为目标,实施“以村当镇”发展战略,走出一条以创建文明村为载体的独具特色的小康之路。累计投资380多万元用于基础设施建设,成为闻名的“村庄里的都市”。开展政治觉悟、科技致富、遵纪守法、计划生育、团结和睦等“十星级文明户”评选活动,提高了村民的文明程度。加强文化设施建设,建起文化综合楼、有线电视站和调频广播站,组建农民艺术团、百人秧歌队、合唱队、健美操队等,丰富了村民的文化生活。加强科技教育培训,成立科普协会,聘请大专院校教授讲授农业新技术,将部分村民送到外地学习,提高了村民的致富本领。全面改善村民生活质量,为每户补贴500元安装太阳能热水器,80%的村民家中有洗澡间;为40岁以上的村民办理养老保险;为每个家庭办理财产保险和合作医疗保险;免费接送学龄儿童上下学;全部承担村民公益负担、土地耕种、电视收视、吃用自来水等11项费用;每年为80岁以上老人送1000斤上等煤等。

【微型货车退出客运市场】 2000年11月24日,旅顺口区政府出台《关于微型货车退出客运市场实施意见》,要求微型货车必须在2001年1月前全部退出客运市场,以彻底解决遗留多年的微型货车从事客运出租的问题,推动全区客运业健康有序地发展。同时出台对按期报废微型货车的业主竞买出租车号牌时降价10%~20%、政府以2万~3万元的价格统一收购微型货车等一系列优惠政策,鼓励微型货车提前报废。为解决微型货车业主再就业问题,区政府决定不向社会公开拍卖当年出租车号牌,以每个号牌4万~6万元的价格由出租车公司买断。微型货车的业主可自主选择出租车公司,一次性交纳14万元,即可获得新轿车投入营运。至年末,区政府共投入500余万元一次性收购各种微型货车608台。2001年1月20日,该区的大连天龙、大连双羽、旅顺交通运输服务中心和大连大运集团4家出租汽车公司同时挂牌成立,370台出租车正式投入运营。至此,微型货车全部退出客运市场。

【“咯咯哒”牌绿色营养食品蛋进入日本市场】 2000年末,韩伟企业集团得到世界500强企业第五位的日本三井株式会社的允许,每月向日本出口100吨“咯咯哒”牌绿色营养食品蛋,实现中国蛋品出口史上的重大突破。

该集团拥有存栏鸡200万只,年产鲜蛋3700万公斤,蛋鸡饲养规模为中国之最,产品在大连的覆盖率达70%,同时销往国内其他大中城市及日本、香港等国家

辽宁省文明村——铁山镇王家村。 旅顺口区史志办 供稿

和地区。

该集团开发生产出高碘蛋、高锌蛋、ω-3蛋、DHA蛋和绿色营养食品蛋等高科技产品。其中,"咯咯哒"牌绿色营养食品蛋被中国绿色食品发展中心认证为绿色食品,具有低胆固醇、蛋黄自然红、蛋白浓、自然香、无腥味等特点,且富含多种维生素、氨基酸及矿物质微量元素,是顶级的鲜蛋产品,除销往日本外,还销往上海、青岛、淄博、天津、沈阳、长春、哈尔滨等大中城市。

【旅顺锅炉厂获得国家方园认证】 2000年12月8日,旅顺锅炉厂通过中国方园认证中心的认证审核,成为大连市同行业中惟一获得国家方园认证证书和ISO9001质量体系认证证书的企业。

该厂设计年生产能力2500蒸吨,生产的"北斗"牌锅炉销往东北、华北以及中、西部地区。当年实现产值3050万元,比上年增长26%;利润322万元,增长2.4倍;税收331万元,增长19%。(张利娟)

金州区

【概况】 金州区位于辽东半岛南部,东临黄海,西濒渤海,南与甘井子区、大连经济技术开发区、金石滩国家旅游度假区毗邻,北与普兰店市相连。地域范围为北纬38°56′~39°21′,东经121°26′~122°17′。土地面积1164平方公里,其中滩涂面积56.9平方公里;海岸线长251.1公里。

2000年,全区有11个镇、1个乡、1个国营农场和7个街道办事处,共设村民委员会192个、居民委员会61个。总人口516454人,比上年下降0.4%,其中农业人口307232人,占59.5%;人口密度每平方公里445.7人(这组数字不含大连经济技术开发区和金石滩国家旅游度假区)。

当年,全区继续实施"科教兴区、外向牵动、海上金州、民营经济"四大战略,深化各项改革,加快结构调整,优化产业布局,提高经济运行质量,推动了国民经济和社会事业健康稳定发展。实现国内生产总值137.2亿元,比上年增长8.5%,其中第一、二、三产业增加值各为14.8亿元、87.7亿元和34.7亿元,分别比上年增长4.2%、7.9%和11.9%。

2000年金州区国民经济和社会事业主要指标完成情况

	单位	实际完成	比上年增长(%)
国内生产总值	亿元	137.2	8.5
工业总产值(1990年不变价)	亿元	278.8	3.6
农业总产值(1990年不变价)	亿元	22.1	1.4
耕地面积	万公顷	3.90	-10.7
粮食总产量	万吨	11.4	90.5
蔬菜总产量	万吨	50.7	6.9
水果总产量	万吨	4.2	35.5
水产品总产量	万吨	30.9	4.4
农民年人均纯收入	元	4600	6.7
货运总量	万吨	2214.2	6.3
客运总量	万人次	946.2	10.8
全社会固定资产投资	亿元	25.9	15.1
社会消费品零售总额	亿元	28.7	6.2
出口商品供货值	亿元	53.8	-0.2
乡镇企业	个	28623	2.1
乡镇企业总产值	亿元	635.1	2.8
个体工商户	个	28540	15.0
私营企业	个	2042	15.0
个体私营企业总产值	亿元	191.9	15.7
新增外商投资企业	个	81	28.6
新增合同外资额	亿美元	1.51	-1.3
新增实际使用外资额	万美元	7175	-6.5
地方预算内财政收入	亿元	4.26	9.8
地方预算内财政支出	亿元	5.37	16.9
年末全部职工人数	人	41123	-24.2
全部职工年人均工资	元	7100	15.4
绿化覆盖率	%	36.4	1.4(百分点)
教育经费总额	万元	8643	15.9
普通中学	所	26	-3.7
小学	所	127	-20.6
科技三项经费	万元	530	24.4
人口出生率	‰	7.01	-0.09(千分点)
计划生育率	%	99.27	-0.68(百分点)

【大力发展"订单农业"】 2000年,金州区农村开始普及"订单农业"。农民与日本、韩国、台湾等国家和地区的20多家企业签订合同,明确农产品产量和收购时的保护价,以及双方各自承担的责任,如种子、化肥、技术等由对方负责,田间管理由农民负责。至年末,全区发展"订单农业"1467公顷。实行"订单农业",将农民种田风险降至为零,还引导田间劳作方式由原始向自动化、机械化转变,使农民逐步演变为产业工人和供应商,农业种植效益也成倍增长。向应镇城西村农民与外地客户签订20公顷甜玉米和20公顷韩国草莓的种植合同,每公顷收入1.5万~2.5万元。

【农业科技示范基地建设取得成效】 2000年,金州区农业科技示范基地经过调整、建设,具有相当的规模和实力,示范能力和辐射能力得到提高,有力促进了科技成果转化。全区共建设果树、蔬菜、畜牧、水产、林木、花卉、生态农业、特色农业、农业现代化建设共18个区级科技示范基地。投资380万元的大连市科委金州果树新品种繁育基地投入使用,占地面积7.3公顷,以繁育优质梨、桃、葡萄、大樱桃为主。果树管理服务中心种苗基地建成,占地面积13.3公顷,引进国外名优水果新品种7大类、121个品种,同时引进国外先进果树栽培、果品保鲜、病虫害防治等技术18项,繁育各种果树新品种苗木85万株,果树"V"型设施栽培技术填补国内空白。金州区国营农场日本伊万梨栽培基地被国家外国专家局批准为国家级农业引智成果推广示范基地,全面掌握由日本伊万里市引进的新水、丰水、幸水等8个优质梨品种的嫁接、栽培、保鲜等一系列技术,建成母本园1处、栽培示范园2处、苗木基地1处,栽培面积33.3公顷,并向全国22个省、市、区推广面积6.7万公顷,栽培量达4000万株。

【城乡面貌发生显著变化】 2000年,金州区城乡基础设施建设共投入资金7.5亿元,其中道路基础设施投入1.8亿元。

19项城乡重点工程建设进展顺利。其中:海皮公路石河段一级公路建设完成;黄海大道金州段30.5公里路面进行了二次摊铺;斯大林路拓宽改造工程高水准实施;全长10.7公里的绕城公路全线贯通;民主街东段等城区11条路街改建工程完成;城区主要路口新安装高标准信号灯和交通监控系统;东山路、和平路2座公铁立交桥工程竣工;商业步行街二期工程开始实施;站前棚户区一期改造工程进展顺利,高标准的盛滨花园完成建筑面积18万平方米;城市音乐喷泉广场建设基本竣工。开通5条城区公交线路，结束金州城区没有公交环路车的历史。城区明亮工程和垃圾袋装化工程取得阶段性成果。投资7862万元，完成农村电网改造任务。

城乡绿化美化取得新进展。城区新植各种树木38万株，新增绿地32万平方米，其中公共绿地23.5万平方米；人均公共绿地达到7.5平方米，绿化覆盖率36.4%。农村新植树木274万株，新建园林村30个、花园式单位95个。

加快小城镇建设步伐。完成基础设施建设项目70余个，总投资1.8亿元。区被评为大连市城市管理先进单位，被国家建设部确定为全国乡村城市化试点区。

现代化农业企业——中以合资大连长青农业有限公司。 薛家玺 摄

【旅游业快速发展】 2000年，金州区增强旅游产业意识，充分发挥旅游业对全区经济发展的关联带动作用。重点开发建设大黑山森林公园、城山头地质地貌保护区、黄渤海两岸海滨与岛屿旅游休闲区、沈大高速公路和黄海大道沿线生态农业观光区以及金州古城人文景观区，初步形成“两山、两海、两线、多点”的产业布局。利用周边旅游资源，开发与金石滩国家旅游度假区相互依托的“双金游”旅游项目。完善旅游设施，金山宾馆、金华大酒店2座涉外旅游饭店正式对外营业，具有地方特色的西海海鲜餐饮街发育良好，集游览、购物为一体的商业步行街投入使用。市重点旅游建设项目大黑山旅游风景区开发建设进展顺利，栽植树木20万株，新建3条进山路，其中五凤路竣工通车。利用节假日、大连赏槐会、大连国际服装节等时机，组织民间艺术节、巡回表演等活动，吸引游客前来观光；召开旅游资源说明会、参加中国旅游博览会、组织旅游宣传日以及利用新闻媒体宣传促销旅游资源，扩大该区在海内外的知名度。

至年末，全区共投入旅游资源开发建设资金6000多万元，接待中外游客105.1万人，比上年增长45.4%，其中国外游客2.6万人。

【阿尔滨水上乐园投入使用】 2000年6月6日，辽南地区最大的康乐场所——阿尔滨水上乐园开业。水上乐园由金州区阿尔滨建筑工程公司投资1亿元兴办，地处沈大高速公路金州出口处，营业面积8000平方米，内设造浪池、环城流河、嬉水池、儿童池和14条功能各异的水上滑道，人们在此嬉水，便会有一种回归自然的感受。与之相配套、可供400人吃住的阿尔滨金山宾馆，设有洗浴室、保龄球馆、健身房、旱冰场、室内高尔夫球等休闲健身项目。

【脱膻技术带动奶业发展】 金州区饲养奶山羊有50多年历史。山羊奶营养价值极高，含有200多种营养物质和生物活性物质，但其膻味往往使消费者无法接受，影响了奶山羊养殖业的发展与山羊奶的销售。

2000年，大连东方乳业有限公司投资500多万元开发出脱膻鲜羊奶、脱膻双歧因子羊奶，并形成日加工20吨羊奶的生产能力。脱膻后的羊奶比牛奶口感更鲜香，一上市便出现供不应求的局面，进而带动全区奶山羊养殖业的快速发展。同时，金州区畜牧管理总站又从外地引进萨能、崂山、关中等良种奶山羊，建立起奶山羊良种繁育中心，使奶山羊逐步达到良种化，同时还逐步改放牧为舍饲。至年末，全区奶山羊饲养规模达1.5万只。

【九源律师事务所为残疾人服务】 九源律师事务所成立于1994年9月，是金州区第一家自律性律师服务机构。该事务所始终把社会效益放在首位，积极为残疾人提供法律援助。相继与金州区精神病院、聋哑学校、残疾人联合会及下属企业签订常年义务法律顾问合同，并责成2名律师专门负责残疾人法律援助工作，定期走访各残疾人单位，建立法律跟踪档案，为残疾人提供具体的法律帮助。2000年，免费为各类残疾当事人解答法律咨询或代书600多次，办理民事、经济诉讼案件34件，非诉讼案件28件，指定刑事辩护案件24件，减免收取律师代理费9万多元；为残联企业挽回经济损失85万元，避免经济损失120多万元。

【金州区急救中心成立】 2000年4月13日，金州区急救中心在金州区第一人民医院成立，结束了该区没有专门的急救中心的历史。区一院利用日本无偿小额贷款和自筹资金100多万元，为急救中心装备进口呼吸机、监护仪和心电图机等现代化抢救设备，配备专用急救车，集中具有丰富经验并掌握急救知识的医护人员，使抢救和接诊危重患者的能力大大提高。 （季士君）

瓦房店市

【概况】 瓦房店市是大连市的北三市之一，位于辽东半岛中西部，东与普兰店市毗邻，西濒渤海湾，南与金州区隔海相望，北与盖州市接壤。地域范围为北纬39°20′～40°07′、东经120°13′～122°

16′。土地面积3793.53平方公里。

2000年，全市有15个镇、10个乡、7个街道办事处，共设村民委员会392个、居民委员会54个。总人口1025354人，比上年增长0.2%，其中农业人口711969人，占69.5%；人口密度每平方公里270人。

2000年瓦房店市国民经济和社会事业主要指标完成情况

	单位	实际完成	比上年增长(%)
国内生产总值	亿元	115.5	5.5
工业总产值(1990年不变价)	亿元	244.52	5.2
农业总产值(1990年不变价)	亿元	21.50	-1.1
耕地面积	万公顷	7.22	-3.1
粮食总产量	万吨	20.4	-6.8
蔬菜总产量	万吨	37.9	10.2
水果总产量	万吨	19	-13.6
水产品总产量	万吨	25.3	3.3
农民年人均纯收入	元	2950	-2.7
公路货运总量	万吨	646	0.6
公路客运总量	万人次	722	18.0
全社会固定资产投资	亿元	11.78	15.3
社会消费品零售总额	亿元	41.57	2.1
出口商品供货额	亿元	18.92	1.7
乡镇企业	个	30072	10.7
乡镇企业总产值	亿元	450.52	11.7
个体私营工业企业	户	7944	3.6
新增外商投资企业	个	34	-15.0
新增合同外资总额	亿美元	1.24	2.0
新增实际使用外资额	万美元	5492	7.4
地方预算内财政收入	亿元	2.75	11.5
地方预算内财政支出	亿元	4.59	9.4
年末全部职工人数	人	36615	-5.6
全部职工平均工资	元	6842	13.4
教育经费总额	亿元	1.64	3.6
普通中学	所	51	0
小学	所	366	1.1
科技三项费	万元	290	5.2
卫生事业费	万元	450.3	-5.3
人口出生率	‰	8.56	1.4(千分点)
计划生育	%	98.5	-1.2(百分点)

当年，全市农业结构调整力度加大，龙头企业发展较快，社会化服务体系进一步完善；市属工业整体运行质量有所提高，乡镇工业二次创业初见成效；招商引资工作创历史最好成绩；城乡建设取得新的进展；旅游资源、旅游产品开发和基础设施建设迈出新步伐。

【招商引资创历史最好成绩】 2000年，瓦房店市出台一系列招商引资奖励政策和加强软环境建设措施，使全市招商引资创出历史最好水平，外向型经济得到较快发展。新批外商投资项目34个，合同外资1.24亿美元，比上年增长2%；实际使用外资5492万美元，增长7.4%。总投资6000万美元的长兴大地塑胶管道（大连）有限公司在长兴岛镇落户，这是迄今该市引进的最大的外商独资企业。年内已投产的外商投资企业实现销售收入19亿元，比上年增长25%；实现利税近1亿元，增长1.1倍。全市外贸出口供货额达18.92亿元，比上年增长1.7%；出口创汇1.2亿美元，增长19.4%。

国内招商也取得丰硕成果。实际到位内资12.5亿元，比上年增长3%，其中有7个项目到位资金在2000万元以上。

【旅游业平稳发展】 2000年，瓦房店市接待中外游客216万人次，旅游收入达4.86亿元，分别比上年增长2.9%和1.3%。旅游资源、旅游产品开发和基础设施建设迈出新步伐，虹桥温泉宾馆投入使用，大连深港（国际）狩猎俱乐部、龙门山庄、青龙山庄建设进展顺利。创建辽宁省旅游强市（县）工作通过省级验收。

【城乡建设步伐加快】 2000年，瓦房店市加快城乡建设步伐。进一步改造站前广场、世纪广场周边环境，完善大宽街商业一条街，美化工联桥周边环境。新建科峰路排洪工程，完善污水处理厂配套工程。五一路公铁立交桥和水源三期工程进展顺利。市区和瓦房店至肖炉一级公路栽植苗木22.5万株，新增绿地7万平方米。新铺油路104公里，完成路基改造74公里，新建公路桥28座、754.5米。复州城、炮台等小城镇基础设施逐步完善，形成一批功能较齐全的小城镇群体。实施“蓝天碧海工程”，工业污染源防治工作取得阶段性成果。

【农业结构调整初见成效】 2000年，为增加农民收入，瓦房店市大力调整农业结构。全市压缩低效粮豆作物面积1.6万公顷；新发展保护地蔬菜6000公顷；发展名特优水果树965万株、约6000公顷，其中改造老残果园3700公顷；退耕还林5000公顷，栽培创汇经济作物2000公顷。共引进、试验新品种246个，示范、推广122个。在水果新品种中，桃、葡萄、梨、李子、大樱桃占92%，而传统品种苹果仅占8%。

瓦房店市对大河水库大坝进行加高培厚。　　瓦房店市史志办　供稿

注重调整产业布局，重点培育10大商品生产基地。其中：李官镇、土城乡的葡萄基地，李店镇、老虎屯满族镇的保护地蔬菜基地，以及驼山乡、东岗镇的富士苹果基地均发展到2000公顷；得利寺镇、祝华街道的大樱桃基地和复州城镇、西杨乡的桃基地均发展到1000公顷；阎店乡、永宁镇的地瓜基地发展到1万公顷；炮台镇、泡崖乡的肉鸡养殖基地发展到5100户；铁路沿线草食性动物养殖基地发展到3200户；交流岛乡、复州湾镇的贝类养殖基地和长兴岛、东岗镇的海参增养殖基地均发展到3000公顷。至年末，全市已有4个乡镇、30个村初步具备专业乡、村规模，农业产业结构调整初见成效。

【乡镇企业二次创业初具规模】 2000年，瓦房店市乡镇企业全面推进二次创业，深化改革，扩大开放。全市乡镇企业实缴税金2.68亿元，比上年增长11.2%；实现利润28.38亿元，增长51%。合同外资1.19亿美元，比上年增长33.7%；实际使用外资5372万美元。全市新发展个体私营经济7324户、从业人员1.6万人，个体私营经济实缴税金2.41亿元，占乡镇企业的89.8%，占全市工商税收的68%。

全市乡镇企业新办外商投资企业33家，总投资1.41亿美元，比上年增长20%。有10个新办项目合同外资超100万美元，其中佳云造船、长兴岛大地塑胶管道、鸿发汽车配件等项目属高科技项目。

全市乡镇企业开发新产品51项，其中居国际领先水平的1项、填补国内空白的9项、替代进口的7项。依托科研院所建立生物工程、环保节能设备、光机电一体化等高新技术企业6个。

【瓦房店市人民法院被评为全国人民满意好法院】 2000年，瓦房店市人民法院以维护司法公正为目的，以人民是否满意为标准，建一流班子，带一流队伍，干一流业绩，创一流法院，全院干警大局意识、公正意识、责任意识和服务意识明显增强，审判效率和审判质量明显提高，审判作风明显好转，院风院貌明显改善。全院总结案、执行结案数均占辽宁省基层法院第一位，当年先后获辽宁省、大连市政法系统和法院系统人民满意政法单位和人民满意好法院称号，立集体二等功，并被评为全市惟一的全国人民满意好法院称号。

【瓦房店市被评为辽宁省捐资助残先进市】 2000年12月，瓦房店市在辽宁省“爱心2000年——捐资助残”活动中，共捐资100.6万元，其中乡镇街道捐资31.6万元、市直部门捐资44万元、驻本市企事业单位捐资25万元，捐资总额居大连市各区市县第一名，被评为辽宁省捐资助残先进市。

【瓦房店日报社进入全国地方报社“百佳”行列】 2000年，国家新闻出版署组织评选地方报社管理先进单位，这是国家首次在报界设立的最具权威的政府奖项。全国有2000多家地方报社参评。瓦房店日报社以其实现采编电脑化、出版激光照排化、图片扫描化、印刷卷筒化、出版印刷现代化脱颖而出，获全国地方报社管理先进单位称号，进入“百佳”行列，成为东北地区县市级报社中惟一获此荣誉的单位。

《瓦房店日报》创刊于1993年11月1日，2000年1月1日由周报增刊为日报。

【长兴岛经济开发区被确定为全国乡镇企业示范区】 瓦房店市长兴岛经济开发区是大连市13个经济开发小区之一，创办于1998年。

2000年，该经济开发区拥有各类企业328家，其中造船、铸造、机械加工、建材和酿酒食品工业企业108家，当年实现工业产值8亿元、销售收入7.5亿元、利税7680万元，是支撑全区经济的支柱。大连长兴造船厂生产驳轮25条，实现产值1.5亿元、销售收入1.3亿元、利税2440万元；大连长兴水泥有限公司生产水泥30万吨、熟料10万吨，实现利税2000万元。全区新引进合同外资4100万美元，引进内资1.5亿元。由新加坡英顺投资有限公司投资1100万美元建立的大连长兴远东造船厂已开工建设。全区完成出口供货额2000万美元，比上年增长66.6%；实现工商税收4006万元；完成财政收入5952万元；农民年人均收入达3860元。

9月26日，该经济开发区被国家农业部确定为第三批全国乡镇企业示范区。

（李　毅）

普兰店市

【概况】 普兰店市是大连市的北三市之一，位于辽东半岛中南部，南与金州区搭界，西与瓦房店市为邻，北与盖州市接壤，东北与庄河市毗连，东南与长海县隔海相望。地域范围为北纬39°18′~39°59′、东经120°50′~122°36′。土地面积2896平方公里。

2000年，全市有18个镇、5个乡、3个街道办事处，共设村民委员会289个、居民委员会18个。总人口825100人，比上年增长5%，其中农业人口650690人，占78.9%；人口密度每平方公里284.91人。

当年，普兰店以建设现代化中等城市为目标，集中精力抓好经济建设，国民经济和社会事业得到全面发展，为实现普兰店市经济在新世纪的腾飞奠定了基础。但仍然存在由于遭受严重旱灾，粮食减产、水果减收、农民收入增长减缓；工业企业负债过重，成本过高，效益低水平运行；资源优势向产业优势转化不快，名牌产品优势没有形成，科技和经济管理人才匮乏等问题。

2000年普兰店市国民经济和社会事业主要指标完成情况

	单位	实际完成	比上年增长(%)
国内生产总值	亿元	104.7	6.8
工业总产值（1990年不变价）	亿元	240.6	5.3
农业总产值（1990年不变价）	亿元	18.8	-5.4
耕地面积	万公顷	6.27	-0.4
粮食总产量	万吨	28.1	-15.0
蔬菜总产量	万吨	67.3	20.0
水果总产量	万吨	25.1	-16.9
水产品总产量	万吨	12.9	1.6
农民年人均纯收入	元	2680	1.4
公路货运总量	万吨	522	-15.5
公路客运总量	万人次	1147	-27.5
全社会固定资产投资	亿元	12.8	-5.2
社会消费品零售总额	亿元	30.2	0

	单位	实际完成	比上年增长(%)
出口商品供货值	亿元	24.5	4.7
乡镇企业	个	24070	-11.5
乡镇企业总产值	亿元	476.6	11.9
私营企业	个	1785	15.1
私营企业总产值	亿元	30.5	-69.5
新增外商投资企业	个	24	-11.2
新增合同外资额	亿美元	1.10	14.7
新增实际使用外资额	万美元	6203	21.0
地方预算内财政收入	亿元	3.20	31.2
地方预算内财政支出	亿元	4.35	30.3
年末全部职工人数	人	28071	-8.2
全部职工年人均工资	元	6989	6.9
城区绿化覆盖率	%	36	-1.0（百分点）
教育经费总额	万元	7877	14.6
普通中学	所	39	0
小学	所	280	-10.0
科技三项经费	万元	181	34.1
卫生事业费	万元	1514	16.1
人口出生率	‰	8.49	0.35（千分点）
计划生育率	%	99.5	-0.05（百分点）

【财政收入3年翻一番】 2000年，普兰店市财政收入突破3亿元，达到3.24亿元，比上年增长31.2%，与1997年的1.55亿元相比，3年翻了一番多。

财政收入连年大幅度增长的主要原因：（1）大上项目、大办企业、大建市场。全市年销售收入超过1000万元的有大杨、大雪、大连冶金轴承、雁鸣、日星等企业集团和中粮麦芽公司、大连第一互感器厂、大连连王油脂公司等共30个企业。排序在前100名的纳税大户共缴税2.06亿元，占总缴税量的64.4%，其中前5个纳税大户缴税总额6452万元，占15.8%。（2）构筑优势产业、培育新兴产业、改造传统产业。全市培育形成服装、酒水、粮油食品、机电、纺织印染、医药保健、木制品、石材加工等8个工业优势产业和蔬菜、水果、畜牧、水产4个农业优势产业。其中：服装业、酒水业、粮油食品业、机电业分别完成税收1.5亿元、0.43亿元、0.15亿元和0.36亿元，共占税收总额的59.5%。蔬菜、水果、畜牧、水产四大产业产值占农业总产值74.1%。

【农村能源综合建设项目通过农业部验收】 2000年12月9日，普兰店市"九五"农村能源综合建设项目通过国家农业部组织的专家验收，其沼气综合利用的模式特别是"四位一体"生态能源模式获得验收组高度评价。

1996～2000年，全市共完成北方农村能源生态模式1.4万个。建太阳能房13.4万平方米，安装太阳能热水器1.05万平方米；建设阳光塑料大棚1000公顷、日光温室2000公顷；小流域治理3.5万公顷，荒山造林1733公顷，低产林改造2.12万公顷；治理污染源109处；完成大雪啤酒厂、普兰店热电厂等节能改造项目；农村电网改造、农用柴油机节能改造、工业锅炉改造等项目也都超额完成农业部规定指标，取得较好的经济、社会和生态效益。在村能源综合建设项目的完成，对农村经济可持续发展、生态环境改善和农民生活水平提高产生深远影响。

名词解释：

"四位一体" 将蔬菜温室大棚、沼气池、猪圈、便所联在的田园式生态模式。该模式可使蔬菜单位面积产量增加30%左右、产值增加20%左右，无公害、无污染、省能源。

【黄海大道普兰店段经济带精品工程建设有成效】 1998年以来，黄海大道普兰店段沿线各乡镇按照普兰店市委、市政府提出的把黄海大道经济带建成农村经济产业带、农业精品展示带、城乡商贸流通带和旅游农业观光带的要求，大力调整产业结构，建设精品工程。

至2000年末，经济带建设第一产业累计投资1.98亿元，建成农业精品工程项目48个，其中投资在1000万元以上的项目有名优大樱桃园、丰泰植物园、种猪场、万亩桃园等，另有海底播海参1333公顷、杂色蛤基地1333公顷和667公顷银杏园、667公顷特种稻基地等。第二产业累计投资3.35亿元，其中吸引外资2881万美元，建成农业产业化和工业企业项目69个，其中雁鸣蔬菜加工和雁鸣食品加工2个项目投资额超过2000万元。第三产业投资9650万元，建成平岛旅游度假区、摩托车市场、水产品市场等。还有55个项目在建或计划建设。

【调整农业结构，培育五大产业】 2000年，普兰店市围绕农业增效和农民增收，在农业生产结构调整中，重点培育水果、蔬菜、林业、畜牧、水产五大主导产业。水果生产以栽植优质桃、梨、苹果和草莓为重点，新栽红宝石、布雷顶峰、北京晚蜜等名优桃树以及优质梨、优质苹果共2200公顷、222.6万株。蔬菜生产重点发展西红柿、大葱和大萝卜，新种植3320公顷。全市蔬菜总产量67.3万吨，比上年增长20%。林业以落叶松为重点，新植3353公顷，营造经济林2300多公顷，建苗木花卉基地200公顷。全市森林覆盖率41.2%。畜牧业以发展新金猪为重点，大力引进新品种，共推广良种猪2万多头。水产业以开发近海养殖和滩涂为重点，新开发滩涂330公顷，养殖象拔蚌、河豚、缢怪等海珍品。同时，以雁鸣集团为龙头建立远洋捕捞基地，开辟西非跨国渔场。全市水产品总产量12.9万吨，比上年增长1.6%。

当年，全市共调减粮田7533公顷，分别占农作物、粮食播种面积的9.9%和12.6%。

【县乡两级公路管、养、建综合水平跃居大连市首位】 1997～2000年，普兰店市用于公路交通基础设施建设资金累计7.5亿元。其中：投资5亿元，建成黄海大道普兰店45公里路段，有5项指标获大连市第一名；投资9000万元，建成8.12公里的海皮路一期工程，工程质量创大连市公路建设史上最好水平；投入5000万元，改造市区4个出口路沥青路面；投资5200万元，完成途经10个乡镇、64.3公里的乡乡通油路工程。

2000年末，全市有等级公路77条、1072公里，其中黑色路面由1996年的286公里增至406.9公里；公路密度由36公里增至39公里，比大连市平均水平高4.6公里。普兰店市基本形成公铁接轨、路港对接、干支联网的大交通格局。经大连市交通局评定，普兰店市县乡两级公路管、养、建综合水平，从1996年的大连市中下游跃至首位。

【"三特"农业使农民增收】 2000年，普兰店市大力发展特种水稻、特种玉米、特种蔬菜的"三特"农业，推广日本培育品种"越富"水稻2667公顷、中国农科院培育的“中糯1号”鲜食玉米2000公顷以及水生茭白、莲藕66.7公顷。发展“三特”农业使农产品增值，为农民增加收入800多万元。

【东北地区最大的县级信息网站建成】 2000年，由东方电脑公司和大连网络天使工作室共同制作的“普兰店信息网”（网址：http：//afx1.363.net）正式在国际互联网上注册并开通。这是东北地区县级市中最大的网络信息发布点。主要栏目有网上莲城、企事业单位和服务社区功能、网络新闻、莲城旅游等，日访问量高达7000余人次。该网络的开通，对推动普兰店市经济发展、扩大城市知名度起到积极作用。

【5000余名农民获得专业技术职称】 2000年，普兰店市农村有专业技术职称的农民已达5309人，其中高级农艺师5人、农艺师338人、助理农艺师1370人、技术员3596人。获取专业技术职称的农民已成为农村科普的主要力量。农艺师刘裕凯的土豆覆膜技术获国家企业技术进步奖；高级农艺师刘丰佳被授予大连市优秀人才称号。

【农村营销队伍形成规模】 2000年，普兰店市农村社会分工进一步深化，形成一支农村营销队伍，加快了农村步入市场经济的步伐，也带动农业产业结构优化。全市有年销售量100吨以上的营销大户500～600户，1000吨以上的40多户；年销售总额达10亿元；农产品外销占总量的60%～70%。农产品主要销往东北、山东、浙江、海南等地以及日本、俄罗斯等国家；品种主要有水果、蔬菜、畜产品和水产品。铁西办事处花儿山村的林龙洪，年销售西红柿1000多吨，其中90%销往俄罗斯，带动当地种植西红柿534公顷，年产量5万多吨，花儿山村由此成为西红柿生产基地。

【瓦窝镇境内发现大型溶洞】 2000年，普兰店市瓦窝镇境内发现一处南北长2公里、东西宽0.4公里，分布面积0.8平方公里的大型石灰岩溶洞，这是在辽南地区发现的规模最大的天然洞穴。经辽宁省地勘局第六地质大队初步勘测，主溶洞5个，其中最大溶洞面积200平方米；支溶洞10个，总长度600余米；形成时限约为7000～1.3亿年。洞内石笋、钟乳石成群分布，空气流通，常年流水，终年恒温12℃，极具旅游开发价值。

极具旅游开发价值的辽南第一溶洞一角。　　普兰店市史志办　供稿

【多元生物有机长效复合肥被评为“农民放心肥”】 2000年，普兰店市生物有机肥料厂生产的多元生物有机长效复合肥被辽宁省土壤肥料总站、辽宁植物营养学会和辽宁日报社联合评定为“农民放心肥”，并被国务院经济发展中心确定为特别推荐优秀产品，其中长效玉米专用肥的产品配方被授予国家发明专利。该复合肥填补了国内生物有机肥的空白，达到国际先进水平，是辽宁省科委重点推广项目，曾获辽宁省科学技术进步奖、大连市名牌产品等，并被列为绿色食品专用肥料。

【大刘家镇“四个一”活动成效显著】 从1998年开始，大刘家镇依靠黄海大道区位、交通、资源优势，开展“找一个靠山、拉一批客户、上一个项目、兴一个产业”的“四个一”活动，3年引进项目30多个，固定资产投资3亿多元，形成了服装、铸造、工艺、酿酒、特色农业和农产品深加工的6大主导产业，带动了乡镇经济发展。

服装产业龙头企业大连鑫港企业集团有限公司，年产值1亿元。工艺产业的龙头企业大连华杰实业总公司年产值2000万元，生产的30个系列200余种玻璃工艺品和蜡烛工艺品销往英、德、法、美等国家。酿酒产业的龙头企业大连三维果业有限公司投资3000万元，发展美国红提葡萄67公顷，优质葡萄种苗6.7公顷，年储藏和加工葡萄、果菜2000吨。农产品深加工产业的龙头企业大连新助渍物有限公司发展紫苏种植67公顷，年加工紫苏、辣椒、黄瓜等500吨，全部出口日本。特色农业产业的龙头企业大农高效示范园区有限公司投资6800万元建成150多座高档温室大棚，栽植日本大樱桃，是大连地区规模最大、档次最高、技术含量最高的大樱桃基地。这些龙头企业带动了运输、餐饮、养殖、种植服务业等的发展，涌现出村级小企业和个体、私营企业800多个。全镇从事二、三产业人口4000多人，占全镇农业人员的1/4，户均增加收入5000元，人均增加收入1300元。

【“莲花山”牌特种鲜食玉米获准使用绿色食品标志】 继1999年“莲花山”牌莲花山优质大米被中国绿色食品发展中心批准使用绿色食品商标标志后，“莲花山”牌特种鲜食玉米又于2000年2月被该中心批准使用这一标志，使普兰店市在大连市各区市县中惟一拥有2个粮食作物绿色食品。

特种鲜食玉米主要品种有“中糯1号”、“高优黑甜糯玉米”和“绿色超人”。其中：“中糯1号”具有适应性广、产量高、经济效益高等特点，是最佳的鲜食玉米类型；“高优黑甜糯玉米”是黑色糯质营养型特种玉米，含18种氨基酸和丰富的果糖，鲜食具有香甜粘弹、松软可口的特点；“绿色超人”为甜脆型超甜玉米新品种，食用消化率比普通玉米高30%以上。（孙程祥　于茂植）

庄河市

【概况】　庄河市是大连市的北三市之一，位于辽东半岛东侧中部，东与东港市接壤，西与普兰店市为邻，北与盖州市、岫岩满族自治县相连，南濒黄海。地域范围为北纬39°28′～40°12′、东经122°29′～123°31′。土地面积4039平方公里，滩涂面积260平方公里，海岸线长215公里。

2000年，全市有14个镇、7个乡、3个街道办事处，共设村民委员会363个、居民委员会35个。总人口897640人，比上年增长2.1%，其中农业人口733996人，占81.8%。人口密度为每平方公里222.2人。

当年，庄河市加快经济结构调整，培育新的经济增长点，努力实现经济总量和财政收入“两个增长”目标，经济建设和社会事业取得新的发展和进步，特别是保护地建设、招商引资、粮食销售、城乡建设和财政收入等项工作取得重大进展，综合经济实力跃上新台阶。

2000年庄河市国民经济和社会事业主要指标完成情况

项　　目	单位	实际完成	比上年增长(%)
国内生产总值	亿元	78.1	11.1
工业总产值（1990年不变价）	亿元	135.84	14.3
农业总产值（1990年不变价）	亿元	21.6	7.5
耕地面积	万公顷	8.75	-0.6
粮食总产量	万吨	43.1	-11.1
蔬菜总产量	万吨	37.4	5.4
水果总产量	万吨	20.5	2.5
水产品总产量	万吨	22.3	5.7
农民年人均纯收入	元	3500	10.3
货运总量	万吨	747	1.6
客运总量	万人次	682	1.6
全社会固定资产投资	亿元	15	118.3
社会消费品零售总额	亿元	22.6	11.1
出口商品总额	亿元	21.47	4.8
乡镇企业总产值	亿元	218	14.1
个体私营企业	个	29253	15.1
个体私营经济总产值	亿元	31.9	16.0
新增外商投资企业	个	38	11.8
新增合同外资额	亿美元	1.16	25.1
新增实际使用外资额	万美元	5277	30.4
地方预算内财政收入	亿元	2.42	20.4
地方预算内财政支出	亿元	4.07	11.8
年末全部职工人数	人	34278	-4.8
全部职工年人均工资	元	6749	17.9
绿化覆盖率	%	34.9	1.6（百分点）
教育经费总额	万元	8043	-10.1
普通中学	所	31	-20.5
小学	所	339	-0.8
科技三项经费	万元	278	25.2
卫生事业费	万元	693	-9.7
人口出生率	‰	8.24	0.49（千分点）
计划生育率	%	99.96	-0.03（百分点）

【农业结构调整取得成效】　2000年，庄河市加速调整农业产业和产品结构。全市调减粮田8000公顷，比上年增长1.4倍，粮食播种面积调减到7.3万公顷，粮食和经济作物比例为77.2：22.8。调减下来的粮田主要用于发展蔬菜保护地、家种菜、果树和林业生产。其中：新增蔬菜保护地1333公顷，比上年增长33.3%，总面积达到4667公顷，其中连片3.3公顷以上的达667公顷，呈规模经营和区域化发展趋势；发展家种菜1467公顷、食用菌300万帘；新发展优质新品种果树150万株，比上年增长25%；退耕还林2067公顷；春季造林6533公顷。

水产业港圈养殖河豚鱼、牙鲆鱼、梭子蟹、海参等海珍品取得新突破，由上年的400公顷发展到1000公顷；浅海筏养由9700台增至1.2万台；海底底播由133公顷增至667公顷；海上网箱养殖实现零的突破，达到300箱；稻田渔业由147公顷发展到413公顷。

畜牧业以发展庄河大骨鸡、皮埃蒙特牛和瘦肉型猪为重点。其中：庄河大骨鸡饲养量达511万只，比上年增长70%，占家禽饲养总量的42.9%；瘦肉型猪50万头，增长44%，占生猪饲养总量的57.9%；皮埃蒙特牛1.35万头，增长3.2倍，占黄牛饲养总量的9.6%。

【农业形成十大名牌产品】　2000年，庄河市以占领国内外市场制高点为目标，大力实施名牌战略，有十大名牌产品生产初具规模。这十大名牌产品为：“金晓”牌大骨鸡、“红果”牌和“黄海明珠”牌大米、“兰花”牌蔬菜、“步云山”牌苹果、“绿水”牌河豚鱼、“海日”牌杂色蛤、“善岛”牌系列水产品、“福乐家”牌饲料、“歇马山”牌杏等。除杂色蛤1项外，其余9项都已注册，“红果”牌大米被中国绿色食品发展中心评为A级绿色食品。“金晓”牌大骨鸡、“绿水”牌河豚鱼和杂色蛤在国内外市场享有盛誉。

【工业经济保持良好发展态势】　2000年，庄河市完成工业总产值135.84亿元（1990年不变价），比上年增长14.3%；实现销售收入117.22亿元，增长24.3%；上缴税金3.72亿元，增长10.9%。

加大固定资产投入，全面启动重点工程项目。全市工业固定资产投入6.58亿元，比上年增长36.9%。市属工业7个投资超1000万元大的建设项目，有4个年内完成。乡镇企业完成技术改造项目127个，开发新产品、新项目64个。

扶强做大成果显著，拉动工业经济全面增长。以华丰、大宇、宏大为代表的重点工业企业在全市工业中的拉动作用明显增强。华丰公司的实木家具连续3年在全国同行业实现质量第一、销量第一、出口第一；大宇公司的二极管产量排名世界第三；宏大公司化纤厂的仿真丝产品年产量达2万吨，是我国长江以北最大的涤纶仿真丝生产厂。这三大市属骨干企业和40户重点骨干乡镇企业的工业总产值、销售收入、工业增加值、出口供货额、工业利润等主要经济指标，分别占市属工业和乡镇工业的80%以上，形成全市工业的产业支柱。

【外向型经济发展呈上升趋势】 2000年，庄河市政府出台《对信得过外商投资企业审批实行备案制》，简化外商投资企业审批程序，同时强化为外商投资企业服务意识，实现以外引外。外方不断追加投资，增资额达1951.5万美元，比上年增长68%。

全市新批直接利用外资项目38个，合同外资1.16亿美元，实际使用外资5277万美元，分别比上年增长11.8%、25.1%和30.4%。实际到位100万美元以上项目9个、1000万美元以上大项目2个。全市外贸出口供货额达21.47亿元，比上年增长4.8%；外商投资企业直接创汇1.18亿美元，增长9%。上述各项指标均创历史最好水平。

【庄河市进入辽宁省旅游强市强县行列】 2000年，庄河市通过了大连市和辽宁省旅游局的验收，以总分第一名的成绩，首批跨入辽宁省旅游强市强县行列。冰峪旅游度假区也通过了辽宁省十大文明旅游示范区和国家旅游局AAAA级评审。

全面实施“旅游兴市”战略。年内，将仙人洞自然保护区、冰峪旅游度假区和仙人洞镇合并为仙人洞国家级自然保护区，理顺了管理体制；设立旅游发展基金，旅游开发投入资金2620万元，新建和改造项目130个；创建旅游培训基地，培训管理和服务人员1150名；开展“游冰峪山水、品庄河大骨鸡、尝庄河海鲜”观光招商等系列旅游促销活动，与海内外客商签订开发旅游资源协议7项，协议金额1200万美元、人民币1.6亿元；与36家旅行社签订接团合同；与大连市旅游局共同开辟“庄河文化特色之旅”的新旅游线路。

当年，全市共接待游客81.1万人次，旅游收入8950万元，分别比上年增长30.8%和50.1%。旅游业初步形成“一带三线九区（黄海大道观光带；北线山岳型自然风光带，包括冰峪、步云山、天门山、桂云峰等景区；中线人文山城、湖泊观光带，包括城山古城、龙山湖等景区；南线海滨风光观光带，包括黑岛、蛤蜊岛、海洋街等景区）”的发展格局，成为新的经济增长点。

【城乡建设取得新进展】 2000年，庄河市筹集城乡基础设施建设资金6亿多元，其中政府专项和债券共8810万元，为历年最多。公路网化、路街改造、房地产开发等工程和小城镇建设取得新成绩。

在市区修建新华路南段，长642米；拓宽和改造永兴街、昌盛街、延安路、向阳路、新华路中段及新华广场周边环境；开工建设净水场工程，竣工后将彻底改善全市饮用水质量；新建步行商业街8.9万平方米；新上新型路灯、装饰灯358杆；黄海大桥竣工，庄河高中操场塑胶跑道、市消防站交付使用；体育馆、青少年宫、黄海大市场开工建设。实施城市绿化工程，新栽植和补植行道树800株，完成部分路段绿篱改造和新增绿化隔离带，实施城区行道树树穴防护板敷设2000株。房地产开发面积38.9万平方米，其中住宅面积29.8万平方米，均比上年增长1.6倍。

在农村新修油路28.7公里，实现乡乡通油路目标；新建桥梁26座，完成路基改造78.1公里。11个乡镇开展小城镇建设“四个一”活动，共投入资金1.2亿元，建设总面积超过10万平方米。

【庄河市成为亚洲最大的河豚鱼养殖基地】 2000年，庄河市经过5年的努力，成为亚洲最大工厂化的河豚鱼养殖基地。

1996年，庄河市观驾山水产养殖公司从河北引进河豚鱼优良品种——东方红鳍豚，于1998年试养成功。为提高国际市场的占有率，2000年5月，该公司与大连国际合作（集团）公司合作成立大连富谷水产有限公司，共投资1亿多元，兴建3.6万立方米水体的现代化养殖工厂，投放河豚苗60万尾，成为亚洲最大的工厂化河豚鱼养殖场。至年末，全市养殖河豚鱼单位增至12家，养殖规模由原18.7公顷、11万尾猛增至567公顷、234.1万尾，呈整体开发态势。全年收获出口成品河豚鱼180吨，创汇260万美元，实现利润1080万元。

【庄河大骨鸡被列为国家重点资源保护品种】 （见第109页）

【华丰公司获“中国企业最佳形象AAA级”荣誉】 2000年，大连华丰家具有限公司在全国家具行业创造了国内销售额、利润额第一和日本市场出口量第一的佳绩；在中国质量学会和中国产品学会联合举办的中国市场产品质量调查活动中，“华丰”牌家具被列为同行业第一品牌，并获得中国名牌产品、中国消费者协会推荐产品、“中国企业最佳形象AAA级”等荣誉。

该公司是中日合作企业，注册资本2000万美元，拥有10条世界先进的家具生产线，生产技术和工艺水平达到国际一流水平。产品集实用、观赏、保值于

亚洲最大的工厂化河豚鱼养殖场——大连富谷水产有限公司的河豚鱼养殖车间。 李 凯 摄

一体，有近万个品种。年产“华丰”牌家具100万套（件），销往国内除台湾、西藏外的各省、市、自治区以及日本、美国、东南亚、欧洲等国家和地区。2000年出口创汇3000万美元。

【大宇公司二极管生产能力居世界第二】 2000年，大连宇宙电子有限公司塑封二极管年生产能力达到60亿支，在世界同行业排名由原第57位跃居第二位；年产量达到31亿支，名列第三；实现销售收入1.01亿元、利税503万元。

该公司是国有大连晶体管三厂与台湾道全公司合资的国有控股企业，生产中、小功率整流器件25大类、194个品种，1999年通过ISOP9002质量体系认证。“DC”牌商标在英国、台湾地区和国内分别注册，产品全部销往欧美、日本和东南亚地区，在国际电子商业界拥有很高声誉。

【广播电视事业获可喜成果】 2000年，庄河市广播电视事业建设稳步发展。新建步云山转播台，增加广播信号光缆传输设施。广播电视台投资近百万元，更新和添置摄录编设备，完成鸡冠山电视转播台1千瓦电视发射机的全固态化改造。乡（镇）有线光缆线路安装工程完成，已有20个乡镇通上有线电视，用户达4.2万户。全市广播、电视覆盖率达到97%。

广播电视宣传工作成效显著。庄河电视台在大连电视台发稿342篇，在辽宁电视台发稿601篇，发稿数量继续名列全市、全省同级台第一名，再度蝉联辽宁电视台最佳记者站称号。在大连县（市、区）广播电视好新闻评比中，共有10件广播作品和12件电视作品获奖，位居各县（市、区）第一名。

【步行商业街建成】 庄河市步行商业街建设东起红岩路、西至向阳路，全长943.5米，规划用地面积4.6万平方米、建筑面积8.9万平方米，共10栋3～4层商业综合楼，总投资1.89亿元。步行商业街全部建成后，将成为庄河市中心最繁华的商业区，可容纳商业户2629户。2000年，已有部分门市、摊位开始营业。在新建步行商业街的同时，对原前进街东西两段以及商贸大世界北侧进行改造，使之与相邻大型商场联通，并高标准配置照明、通讯、绿化等设施。（郝　科）

长海县

【概况】 长海县是东北地区惟一的海岛县和全国惟一的海岛边境县，位于辽东半岛东侧的黄海北部海域，东与朝鲜半岛相望，西南与山东庙岛群岛相对，西部和北部隔海毗临大连市区、普兰店市和庄河市。地域范围为北纬38°55′～39°34′、东经122°17′～123°13′。土地面积152.34平方公里，跨海域面积8446.2平方公里，海岸线长428.5公里。

2000年，全县有3个镇、4个乡，共设村民委员会45个、居民委员会5个。总人口88841人，比上年增长0.5%，其中农业人口63722人，占71.7%。人口密度每平方公里583人。

当年，全县经济和社会发展呈现勃勃生机，主要经济指标均创历史最好水平，社会事业全面发展，地区功能不断完善，人民生活水平质量稳步提高。

2000年长海县国民经济和社会事业主要指标完成情况

项　目	单位	实际完成	比上年增长(%)
国内生产总值	亿元	10.49	20.1
工业总产值（1990年不变价）	亿元	1.36	6.1
农业总产值（1990年不变价）	亿元	11.21	8.3
耕地面积	公顷	1937	-9.1
粮食总产量	吨	8029	11.8
蔬菜总产量	吨	5455	23.4
水果总产量	吨	404	18.8
水产品总产量	万吨	32.03	6.7
农民年人均纯收入	元	5526	6.6
货运总量	万吨	156	-7.7
客运总量	万人次	246	13.4
全社会固定资产投资	亿元	2.2	48.6
社会消费品零售总额	亿元	2.72	3.8
出口商品供货总值	亿元	1.89	34.5
乡镇企业（含私营个体）	个	6641	22.6
乡镇企业总产值	亿元	16.17	61.5
新增外商投资企业	个	1	0
新增合同外资额	万美元	131	948
新增实际使用外资额	万美元	131	948
地方预算内财政收入	万元	9580	20.2
地方预算内财政支出	亿元	1.35	14.8
年末全部职工人数	人	5504	-6.7
全部职工年人均工资	元	9326	17.6
森林覆盖率	%	48.0	—
教育经费总额	万元	2138	35.0
普通中学	所	9	0
小学	所	38	0
科技三项经费	万元	130	30.0
卫生事业费	万元	760	24.0
人口出生率	‰	11.64	2.88（千分点）
计划生育率	%	100	0

【渔业经济在调整中稳步健康发展】 至2000年末，长海县渔业结构调整取得明显成效。全县已建立起养殖新品种引进繁育区、鲍鱼虾夷扇贝底播区、刺参增殖示范区、鱼类海上网箱养殖开发区、栉孔海湾扇贝浮筏养殖区、滩涂贝类资源开发区等6个海洋生物和增养殖示范区。

海水增养殖业加速品种优化，合理压缩浮筏规模，大力发展底播增殖。浮筏养殖规模稳定在9万台，新增底播面积1.75万公顷。引进10余个新品种进行培育和推广，健康品种养殖规模发展到近5万台。鱼类养殖迅速兴起，网箱养鱼1615箱，放养鱼苗550万尾；陆地工厂化养鱼15万尾；实现产值7000万元。全县增养殖完成产量19万吨，实现产值6.3亿元，分别比上年增长11.8%和43.2%。

捕捞业坚持扩大远洋捕捞生产规模，经济效益实现历史最好水平。全县在境外作业渔船达39艘，居全市各区市县之首。近海捕捞加快船只更新改造，调整作业渔场，革新渔具渔法，综合经济效益明显提高。沿岸捕捞产量、产值大幅增长，仅黄条鰤1项就实现产值2000万元。全县在捕捞产量未增长的情况下，实现产值5.7亿元，比上年增长1.8%。

【在全市率先实行财务体制改革】 2000年7月，长海县在全市率先对县直机关事业单位财会核算体制进行重大改革，加大从源头上防范和治理腐败的力度。

建立会计结算中心，变多口管理为集中管理，也结束了人工记账的历史，实现现代化办公；同时剥离了财会人员与单位的人事关系，有利于财会人员依法履行职责，提高了会计核算质量。至年末，进入中心的核算单位有69家、77个独立法人，共撤销帐户84个，节省专职财会人员79名。

【獐子岛海水淡化一期工程竣工】 獐子岛地处黄海北部海面，岛上淡水资源贫乏。近年来，随着经济发展和人口增长，淡水的供需矛盾日趋紧张，镇政府曾先后投资2000多万元，建池塘、修水库、挖“旱井”，但一遇大旱还是要派船从岛外运水供居民饮用。为从根本上解决岛上居民生活及工业用水需求，2000年又投资800万元，引进德国先进海水淡化设备进行海水淡化，5月一期工程竣工。水质经卫生部门检查验收合格后，正式向居民供水。年末，又引进500吨海水淡化设备，进行二期工程，预计2001年末竣工。届时，全岛居民祖祖辈辈缺水吃的历史将结束。

【创建全国科普示范县目标实现】 长海县从1997年起便在全国率先开展创建科普县活动，经过3年的努力，到2000年创建目标基本实现，被国家科协授予全国科普示范县称号。

3年来，县乡两级共制播科技讲座等广播电视专题节目60余期，放映科技影片40余场，举办科技科普展览20余次，举办各类实用技术培训班730余期，培训4万多人次。全县有765人领取“绿色证书”，科技人员已达1100多人，有5000多人成为海水养殖、捕捞、加工及农业种植等生产领域的技术能手。全县以16个科技示范基地为轴心，大规模引进、推广、普及新技术，从日本、朝鲜、墨西哥、美国等国家及国内引进虾夷盘鲍、栉孔扇贝、红罗罗菲鱼等10多个新品种，多数已繁育成功。普遍推广了虾夷扇贝底播增殖技术、浮筏养殖贝类病害综合防治技术、牙鲆鱼室内流水养殖技术、大目拖网技术等20余项新技术，并取得较好效果。

【四块石港被确定为国家二类对外开放口岸】 四块石港地处长海县镇大长山岛，海域面积100万平方米，陆域面积23万平方米，有混凝土码头和浮码头各1座，500～2000吨级泊位6个。1990年5月经大连市政府批准，作为二类口岸对外开放。1998年末，国家海关总署按照国务院要求，开始清理整顿二类口岸，四块石港经海关总署检查、审核后，辽宁省政府于2000年8月7日公布，该港作为国家二类口岸予以保留。

2000年，四块石港从事国际近洋冷运业的企业有17家、39艘船，共运水产品10.9万吨，实现销售收入5.9亿元、利润1.2亿元，创汇4402万美元。县修造船厂从1998年起承修国际航行船舶，截至2000年4月末，共承修外籍船（含挂方便旗）41艘，实现产值910.2万元、利润282.7万元。该港二类口岸资格的保留和港口贸易的发展，为全县经济的发展注入了新的活力。

【第四届大连长海国际钓鱼节】 2000年9月8日～10月25日举行。本届钓鱼节继续贯彻“钓鱼和文化搭台，经贸和旅游唱戏”的宗旨，气氛热烈，形式多样，特色突出，参与广泛。尼泊尔、瑞士、老挝、埃塞俄比亚、加纳等10个代表队参加了钓鱼比赛，上岛宾朋400余人。签订合同项目16个，吸引域外资金8340万元；签订意向项目12个，吸引资金1.39亿元。

【社区股份合作制首次在海水养殖业试行】 2000年3月，长海县海洋乡为了调动渔民开发海底资源的积极性，加速海洋资源的开发、利用，首次在海水养殖业试行社区股份合作制。全年共量化海域面积333.3公顷，入股资金300万元，其中集体占65%，渔民占35%；共吸纳渔民300户。至年末，实现净利润80万元，分红资金60万元，红利达26%。（纪义开）

注：（1）各区市县土地面积为当地政府认可数字。

（2）各区市县统计数字由各自统计部门及有关部门提供。

国家二类对外开放口岸——长海县四块石港。 长海县史志办 供稿

人　　物

责任编辑　石黎明

先进模范人物

【全国劳动模范】　2000年4月，大连市有22人被国务院授予全国劳动模范称号。

崔殿镇　大连造船厂电装车间调试组组长。1949年生。他长年从事人称"大船神经系统"的卫星导航、卫星通讯、雷达系统、无人驾驶机舱等进口设备的调试工作。他边工作边自学，取得大专学历，并取得基础英语、中级英语口语、军船设备调试等证书，以及日本无线电气、古野电气、东京机器三大株式会社的现代通讯、雷达及导航系统等调试和维修技术代理许可证书，成为我国调试船舶电气设备的排头兵。据不完全统计，进厂以来他调试交验船舶上百艘，其中主要设备上千套，攻克技术难关230多项，直接节省外汇40万美元，其中仅1999年就达15万美元，间接经济效益更是难以计数。担任调试组长以后，他针对工厂工时量成倍增加而本组劳力相对不足的问题，培养出一批复合型人才。他带领班组开展QC活动（群众性全面质量管理），班组近2年产品交验合格率达100%，还发布QC成果4项、科技论文3篇，连续多年被评为厂先进股室。他曾获全国"五一"劳动奖章、辽宁省特等劳动模范、大连市特等劳动模范等荣誉。

刁培松　大连机车车辆厂电工。1956年生。他原来只有8年文化程度，但凭着坚韧不拔的毅力自学成才，取得大专文凭。他负责工厂的进口设备、数控机床、微机控制的50余台高技术设备的安装、调试、维修和保养，接连攻克一些外国专家解决不了的难题，被群众誉为"洋机神医"，并成为工厂第一位高级电工技师。1995年以来，他安装调试了美国的等离子电焊机、俄罗斯的加工中心、德国的激光淬火机床、美国辛辛那提加工中心等进口设备，仅俄罗斯800系统加工中心的安装调试一项就节约资金60余万元。他还安装调试改造大型NC数控机床10余台，维修40余台，节约资金上百万元。他不把技术当成个人专利，将多年来的学习心得、工作经验整理成笔记，毫无保留地给工友们传阅，还在工厂"名师带高徒"活动中先后带了4个徒弟。他曾获辽宁省劳动模范、大连市劳动模范等称号。

张　义　中国石油天然气股份有限公司大连石化公司经理。1942年生。1993年任公司经理以来，他和班子成员勤奋工作，带领广大职工经受住市场经济的挑战，使企业取得长足发展，成为全国同行业的排头兵。经济效益连年增加，1999年在原油价格大幅上扬的情况下，仍实现销售收入80亿元、企业内部利润6.8亿元，固定资产原值也比上年增加25.6亿元，为84.1亿元。"七星"牌石化产品荣获国家产品质量金银牌15枚，有64种产品获国家、省、市优质产品奖，"七星"系列产品被评为大连市名牌产品，"七星"牌石蜡被评为辽宁省名牌产品，公司于1996、1999年连续通过ISO9002质量体系认证。已有62种产品销往43个国家和地区，1999年在国际市场环境不良的情况下，仍出口创汇1亿多美元。职工生活水平不断改善，职工工资收入近年增幅达到10%，1999年平均工资达到18690元。他曾获全国"五一"劳动奖章、辽宁省特等劳动模范、大连市特等劳动模范等荣誉。

孙盛桐　瓦房店轴承集团有限责任公司工人。1959年生。入厂20年来，他始终坚持刻苦自学，精心钻研技术业务，掌握多种技术理论和电气专业绝技，成为公司的"电气大拿"和高级工人技师。他先后进行设备改造和技术革新40余项、小改小革130多项，为企业创造价值400多万元。其中，应用日本富士PLC控制系统改造的3M2015、3MZ208磨床，降低设备故障率63%，年节约价值29.6万元；应用德国6ES5－105PC微机系统改造3MZ2110沟道磨床，提高工效42%，年创价值13万元；把M7475磨床加工工件需两次磨削改造为一次磨削，提高工效50%，年创价值70多万元；重新设计编制3MZ2210－1/3自动数控磨床的操作程序，提高工效50%，年创价值25万元。有20多项技术成果获得国家科委电子技术推广二等奖、辽宁省群众性技术活动优秀成果三等奖等奖项。他具有高度的主人翁责任感和事业心，每年

为企业无偿献工1300多小时，1995年以来修旧利废节约价值200多万元。他曾获全国劳动模范、全国职工读书自学成才十大标兵、辽宁省劳动模范、大连市劳动模范等称号。

杨维弟　大连港务局西部港务公司装卸队队长。1953年生。他热爱装卸工作，在装卸岗位上干了26年。只要生产需要他就加班加点，仅1995～1999年就义务献工1800多小时，相当于每年工作14个月。担任队长后，他将自己的装卸技术传授给工人，使装卸质量不断提高。在装卸队首次装卸本溪钢铁公司出口欧洲单重为20吨的超重卷板时，他亲自下船组织作业，使500多吨卷板无一受损，为企业赢得信誉，本钢因此而将每年20万吨的出口卷板货种移至大港公司。在接卸进口石油套管作业中，他和工友们克服作业难度大、质量要求高的困难，一个班次卸货1000多吨，创下该船卸货的最高纪录。在出口玉米割口作业中，他和工友们创下1个昼夜卸下1.87万吨的全港同类货种作业最高纪录。他患有严重的胆结石和腰肌劳损，但从未因此而休息，公司多次安排他到外地治疗也被他拒绝。他曾获全国“五一”劳动奖章、交通部劳动模范、辽宁省“五一”奖章、大连市特等劳动模范等荣誉。

董淑艳　大连市房地产管理局中山房地产管理处解放物业管理公司水暖班班长。1958年生。她从事下水管疏通工作16年，带领全班疏通下水管线30多万米，掏挖化粪池700多个、马葫芦近万个，被辖区住户亲切地称为大连的“女徐虎”、身边的“活雷锋”。她把“脏累我一人，洁净千万家”当做座右铭，视住户的困难为自己的责任，满腔热情地为住户服务。无论酷暑严寒，只要有住户报修，她都及时赶到现场，投入抢修。遇到管道狭窄工具用不上时，她就用手掏，千方百计为老百姓排忧解难。她不仅具有高尚的职业道德，还积累了丰富的经验，练就了过硬的技术，从而保证了维修工作准确无误，被群众誉为“下水疏通战线上的能人”。她曾获全国“五一”劳动奖章、辽宁省特等劳动模范、辽宁省“五一”奖章、大连市特等劳动模范等荣誉。

隋悦家　大连公共汽车联营公司总经理。1952年生。1988年，他提出利用社会闲置车辆和闲散资金发展城市公交的新思路，得到市政府的支持。到1998年，公汽联营公司开辟线路13条，形成国有企业、社会单位、个体车主、乡镇农民共同投资的新的公交投资体制，为政府节省投资1.6亿元，安排就业2000余人，解决了市民乘车难的问题。为提高公交车档次，公司筹集社会资金1.3亿元，更新公交车526台，带动了全市公交车上档次、上水平；投资150余万元，在200余台车体上绘制公益广告，为精神文明建设增添流动载体。他新辟旅游交通市场，于1998年投资1200万元，购置15台空调旅游客车，在全国率先开通1条旅游观光巴士线路；1999年又投资4200万元，购置21辆豪华大巴，组建奔驰客运服务中心，开辟3条旅游专线。在他的带领下，公汽联营公司在城市公交行业创造出自筹资金更新车辆数额和台数、公交车体免费做公益广告、高档旅游客车和旅游专线条数3个全国第一。他曾获全国“五一”劳动奖章、辽宁省特等劳动模范、辽宁省“五一”奖章、大连市特等劳动模范等荣誉。

王双进　大连盛道集团有限公司大富塑料彩印厂车间主任。1957年生。他从事印刷行业近20年，先后攻克90多项印刷技术难题，独立研制10个系列100余种印刷配方，其中80多项填补国内空白，50多项达到国际同类产品水平，技术成果价值500多万元，为我国软包装印刷积累了丰富的技术资源。他有效地

解决了全球500强企业之一的美国爱芬食品公司食品包装材料印刷的技术难题，使盛道集团成为该公司在中国第一家和最大一家供应商。他带领职工试验并掌握醇性油墨的印刷工艺，将这一绿色环保型油墨成功应用于我国包装行业。他改进质量管理，使产品合格率由80%提高到96%，增加经济效益200多万元。在他的领导下，印刷车间连年实现产值2亿元以上。他曾获辽宁省劳动模范、大连市劳动模范等称号。

牛　钢　大商集团董事会主席。1960年生。1995年以来，他率领集团全体员工不断开拓进取，使企业持续高速发展，销售额、利税、利润3项指标连续6年在辽宁、东北的商业企业中排名第一，在全国排名第三。他提出创建国家级综合商社的目标，集团成功购并抚顺、锦州、营口三市的百货大楼；成立大商集团山东公司，将潍坊华联商厦和威海百货大楼纳入集团，形成以大连为轴心，东北、山东两翼齐飞的战略格局。他推动集团加快与国际商业接轨的步伐，兴办百盛购物中心、先施秋林公司、迈凯乐大连商场、大连瑞士酒店4家合资企业，总投资20亿元，形成国内少有的大百货店群。他富于创新精神，组织实施集团总部改造工程，新建1座建筑面积17.5万平方米的特大型购物、旅游、文化、体育、休闲中心——新玛特休闲购物广场。他制定“跳出大商、跳出大连，大配送、大发展”的战略，改组成立家电百货、服装鞋帽、食品副食品、进出口商品四大配送总公司。他曾获全国“五一”劳动奖章、辽宁省劳动模范、大连市特等劳动模范等荣誉。

杨丽珠　辽宁师范大学博士生导师。1944年生。她勇作教学改革的“领头

羊”，从1984年起进行“儿童心理学”教学改革，其成果1992年获辽宁省教学优秀成果特等奖。她提出“课堂教学与社会实践活动是保证高水平教学的根本要素（双元）”的最新理论，创立以《儿童心理学课堂教学纲要》为主干的7部系列教材和形象教材；创编实现教学监控和评价的教学文件和题库软件；建立现代化实验室和覆盖辽宁省及全国6个省区的实验基地；成果教材被北师大等8所院校采用。该项改革获辽宁省优秀教学成果特等奖、全国普通高校教学优秀成果二等奖。她承担教育部面向21世纪高师教育改革项目，在中期检查时被专家组鉴定为“特别好的项目”。她在教学改革第一线埋头苦干，近5年来纯授课时数2400多学时，1年完成3年的工作量。现带博士生2名、硕士生8名。1995年以来，先后主持国家级科研项目3项、国际合作项目3项、省级科研项目3项，共获得项目经费92.7万元。完成科研项目6项，撰写、编著著作和教材9部，发表学术论文32篇，获全国首届高校人文社科奖二等奖1项、辽宁省人文社科奖二等奖3项。她曾获全国先进工作者、辽宁省劳动模范、大连市特等劳动模范等称号。

梁鑫森　中科院大连化学物理研究所副所长。1965年生。他首次在国际上建立完整的液相色谱专家系统，先后负责完成国家级、院级项目多项。完成的智能色谱工作站项目以具有高水平、高质量被美国Waters公司采用，每年可创外汇4～5万美元。以该工作站为核心的P100型液相色谱系统荣获1993年第五届北京分析测试学术报告会暨展览会金奖。他与导师卢佩章院士、辅助导师张玉奎研究员共同编写的国际上第一本关于色谱专家系统的论著《高效液相色谱法及其专家系统》，荣获1993年第七届中国图书奖。在赴德国进行合作研究回国后，主要从事复方中药、环境毒物等复杂体系的分离分析、环境毒物迁移行为评价新方法、药物和新型高效农药及其中间体的开发和创制等方面的研究，在国内外重要学术刊物上发表论文30余篇，培养硕士25名，协助培养博士8名。他作为工程总指挥，1994年以来承担多个农药中间体的产业化工程，均一次投产成功，创造了高科技成果产业化的奇迹。他领导下的凯飞高技术发展中心正在进行新型高效农药及其中间体产业化示范工程建设，项目总投资2.5亿元，全部投产后年可实现产值5亿元以上，其中部分项目被列为国家火炬计划项目和国家高新技术产业化示范工程项目。他曾获全国先进工作者、辽宁省劳动模范、大连市特等劳动模范等称号。

方广吉　大连市公安局沙河口区分局南沙派出所警长。1957年生。从警14年来，他始终牢记并努力实践全心全意为人民服务的宗旨，忠实履行人民警察的神圣职责，爱岗敬业，忠于职守，无私奉献，在平凡的岗位上作出不平凡的业绩。他刻苦钻研业务，掌握了过硬的打击犯罪和查处治安案件的本领，14年来共破获各类刑事案件500余起，打击处理各类违法犯罪嫌疑人400多名，为确保辖区发案少、秩序好、人民群众安居乐业作出了突出的贡献。他立足本职工作，情系百姓，满腔热情地帮助群众排忧解难，先后为群众办好事、实事2000多件，参与救助危难人员40多人次，受到辖区群众的普遍赞誉。他廉洁自律，一心为公，自觉抵制社会不良风气的影响，从不利用工作之便谋私利，用实际行动树立了新时期人民警察的良好形象。他曾获全国先进工作者、全国“五一”劳动奖章、辽宁省特等劳动模范、大连市特等劳动模范等荣誉。

戚秀玉　大连市劳动局职业介绍中心高级职业指导师。1955年生。她把自

己看做是党和政府联结下岗职工的纽带，满怀爱心、千方百计地为下岗职工特别是为特困职工介绍工作，力争帮助他们重新上岗。1995～1999年，她帮助1.6万名求职者找到工作。担任戚秀玉职业介绍所所长以后，又帮助3000多人找到工作，为全市再就业工作做出突出贡献。1998年市劳动局开展“即时服务”后，为保证48小时兑现承诺，她每天工作10多个小时，还利用双休日走访下岗职工。她严格要求自己，为下岗职工服务从来不图报答。她注意研究再就业政策、现行劳动法规和职业指导业务知识，创造了“职业指导工作法”，撰写的《浅析求职者心态》一文在全国多家报刊上发表。她曾获全国先进工作者、辽宁省特等劳动模范、大连市劳动模范等称号。

宋兰春　中山区桃源小学校长。1953年生。她从事教育工作29年，一直工作在教学第一线。1994年，她作为中山区最年轻的校长开始主持桃源小学工作，使该校逐步发展成为享誉全国的名校，先后荣获全国“双有”先进单位、电化教学标准校，辽宁省国防教育先进单位、普教先进单位等称号，连续6年被评为辽宁省文明学校，1995年被命名为辽宁省模范学校。国家、省、市的教育部门多次在学校召开现场会，国内外教育界到校参观访问者达3万多人次。辽宁省名师名校长教育思想研究课题组曾对她的教育思想的形成与发展进行专题研究，其研究结果载入辽宁人民出版社出版的《名师名校长教育思想研究》一书。由她主编并正式出版的《桃源笔耕录》收载她撰写的近40篇理论文章，在省内外教育界产生很大影响；撰写的《全球意识，国际了解的素质与培养》一文被中美教育国际学术研讨会评为一等

学术论文。她曾获全国先进工作者、全国“五一”劳动奖章、辽宁省劳动模范、大连市特等劳动模范等荣誉。

孙静华　甘井子区周水子小学校长。1945年生。她从事教育工作34年。1990年任校长后，带领教职员工艰苦创业，使学校逐步发展成为“教学设备一流、师资队伍一流、管理水平一流、教师质量一流”的省、市窗口学校，接待国内外参观者3万多人次，国务院副总理李岚清、国家体委主任伍绍祖、国家教委总督学柳斌及省、市主要领导都曾到校视察。多年来，她进行了一系列教育改革和创新：在全市率先开展师徒帮学活动，培养青年教师；改革课程体系，开设培养学生创新能力和实践动手能力的课程；成立40个课外活动小组，足球、舞蹈、书法、篆刻、速滑、陶艺等活动成果优异；优化作业设计的质和量，进行计时作业调控，减轻学生负担，开发学生智力；改革课堂教学方法，体现以学生为主体，发展学生创造性思维；改革考试内容和方式，其经验被全国考试改革现场会推广；坚持全面素质评价和改革家长会；推行学生营养午餐和“快乐体育”；在全市第一个兼并薄弱学校，取得显著效果。她曾获全国先进工作者、全国“五一”劳动奖章、辽宁省劳动模范、大连市劳动模范等荣誉。

姜云胜　瓦房店市炮台镇党委书记。1946年生。1984年担任炮台镇党委书记以来，他带领全镇党员干部和群众艰苦奋斗，改革创新，巩固、发展和壮大了镇村两级集体经济。特别是1995年以来，通过调整农业结构和招商引资，该镇形成以外商投资企业为龙头，推动农业产业化，带动千家万户共同致富的农业发展模式。5年来，镇办集体企业增值4220万元；兴办外商投资企业52家，引进外资1.26亿美元；引进内资3亿元；发展私营企业44家。1999年，全镇实现社会总产值40亿元、利税3.5亿元、财政收入3500万元，农民人均收入4580元。5年间，镇政府投资4000万元，修筑镇、村柏油路164公里，栽植树木500多万株，将炮台镇建成水、电、路、通讯和现代化设施齐全的文明小城镇。全镇深入开展精神文明建设，连续5年实现无重大社会治安案件、无封建迷信活动、无计划外生育、无不赡养老人、无中小学生辍学、无滥砍滥伐树木。他曾获全国先进工作者、辽宁省特等劳动模范、大连市特等劳动模范等称号。

李广富　大连华农集团公司董事长兼总经理，1952年生。他带领华农集团全体职工奋斗10年，将原来只有几十人的石河油脂加工厂，发展成为拥有固定资产1.7亿元、职工2500人的集团公司。1999年，集团公司实现销售收入8.8亿元，出口创汇4.3亿元，实现利税总额6600万元，年加工大豆40万吨。他精心管理企业，创造了可控成本管理方法并取得显著效果，每吨大豆的可控成本为64元，低于美国同行业的65元和韩国同行业的80元。他创办企业的宗旨是回报社会。1997～1999年，集团公司连续3年为所在镇上缴利润3800万元，为镇医院、敬老院、学校、文体事业等捐资130万元，还出资8万元为97名家境贫困的学生解决学费，每年出资5万元资助57家特困户。他曾获辽宁省劳动模范、大连市特等劳动模范等称号。

王珍玖　旅顺口区龙塘镇龙王塘村村委会主任，1942年生。他担任村委会主任18年，将一个固定资产不足200万元，农民年人均收入300元的穷村，发展成为拥有固定资产1亿元、农民年人均收入7000元的富裕村。1996、1998年，该村先后兼并了小龙王塘村、官房子村和旅顺口区最贫穷的大石洞村。四村合并后，他为村民办了6件实事：每年出资65万元，为60岁以上的老人每月发放养老金170元；投资165万元，为全村安上有线电视；投资6000万元，建起集旅游、货运、客运为一体的港口；投资21.5万元，为新兼并的农户每户补贴300元安装电话，使全村90%的农户安上了电话；投资18万元购买大客车，接送大石洞村的孩子上学；投资60万元，为大石洞村铺设了柏油马路。他以苦干、廉洁、奉献的精神受到村民好评。龙王塘村连续5年被评为辽宁省、大连市文明村，他本人也获得辽宁省劳动模范、大连市特等劳动模范等称号。

丛仁堂　普兰店市安波镇七道房村农民，1955年生。他所在的七道房村大苇沟屯是一个“出门就爬坡，步步踩石头”的穷山村。80年代末，他响应镇党委“要想富，就得栽果树”的号召，经过10多年锲而不舍的努力，硬是把昔日的荒山秃岭变成了花果山，累计挖石30多万担，填客土50多万担，开发荒山500多亩。他植果造林，通过高接换头发展红富士、乔纳金、王林等水果新品种，又发展优质树种2万株，走出一条山区农民致富的路子，被群众誉为“当代愚公”。他用自己的实际行动为绿化荒山、发展生态农业做出表率，带动了周边农民开发荒山资源。他曾获辽宁省劳动模范、大连市劳动模范等称号。

杨桂春　庄河市徐岭镇宫洼村前洼屯村民组组长，1943年生。他从1975年起担任前洼队小队长，1983年农村开始实行承包经营时，前洼队没有分包到

户，仍坚持集体经营。经过20多年的艰苦奋斗，前洼村由原来人均收入不足200元、生产队固定资产不足5万元的穷屯，发展成为人均收入8000元、拥有固定资产5200万元的经济强屯，1995～1999年累计向国家上缴税收2000余万元。他带领村民实现了农业水利化和半机械化；建起了塑料制造厂和养鸡场；建成花园式村庄，全屯主干道实现柏油化，道路两侧铺草坪、栽花卉，村民人均居住面积达60平方米；实行按需分配与按劳分配相结合，村民享受着退休养老保险金、公费供给口粮、公费合作医疗、小学生公费上学等福利待遇。他曾获辽宁省劳动模范、大连市劳动模范等称号。

刘金铃　大连市西岗区人民检察院-纪检组组长。1946年生。1984年入院工作后，她忠实履行人民检察官的神圣职责，在身患多种疾病，家庭负担很重的情况下，任劳任怨，埋头苦干，出色完成各项任务，被人们称为“拼命三娘”。她公正执法，不徇私情，认真执行办案制度，敢于抵制各种说情风，经办的450余件案件无一错案。她清正廉洁，

从不以手中权力谋取私利。据不完全统计，在任审查起诉科科长期间，她拒礼拒贿20余次。她关心、爱护同志，对年轻干警满腔热情地进行传帮带，仅1997年就组织全科干警撰写刑法理论研究文章9篇，观摩示范庭18个。她钻研业务，锐意改革，积极研究探索新形势下检察工作的新途径、新方法，撰写多篇理论文章，并运用研究成果指导工作。她曾获全国先进工作者、辽宁省劳动模范、大连市劳动模范、大连市模范共产党员等称号。

俞长东　大连铁道有限责任公司大连机务段司机长。1972年生。1992年参加工作以后，他刻苦钻研行车技术，苦练基本功，总结出的学习方法在全段得到推广，创造的“就地开车法”被定为路局标准开车法。他热爱本职工作，坚

持高标准养护机车。为确保机车的良好运行状态，他坚持用对手有严重腐蚀的工业洗涤剂擦拭机车，使机车的状态良好出库率达到100%，先后被评为沈阳铁路局安全生产标杆车组以及大连市、辽宁省青年文明号机车。他注重技术攻关，定期组织召开故障预想分析会，坚持标准化行车。8年中，他驾驶的机车节油1412.56吨，节约修车成本和油耗68.52万元，安全走行291.2万公里。他曾获辽宁省劳动模范、大连市劳动模范等称号。

（市总工会　市检察院
市农委　大连铁道公司）

【大连市特等劳动模范和劳动模范】 2000年4月30日，中共大连市委、大连市政府表彰了1998～1999年度大连市特等劳动模范42名、劳动模范752名。

大连市1998～1999年度特等劳动模范

刘秉强
大连大显集团有限公司
总经理

卞志茂
大连机床集团有限公司
设计师

江海丰
大化集团有限公司
班　长

郭程新
大连造船新厂
副总工程师

孙宝林
大连重工集团有限公司
科　长

刘国臣
辽宁无线电二厂（集团）
厂　长

顾庆太
大连通达汽车出租公司
司　机

秦秀英
大连公共电车公司
乘务员

门洪升
大连航运集团有限公司
总经理、党委书记

贾焕新
大连港务局香炉礁港务公司
辅助生产公司　经理

乔松年
大连建筑设计研究院
总建筑师

刘丽春
大连盛道集团
董事长、党委书记

李 贵
大连天百集团有限公司
董事长

张成海
大连医药集团有限公司
总经理、党委书记

赵洪恩
大连市水产研究所
所 长

张 毅
辽宁省大连海洋渔业集团
公司 董事长、党委书记

李 灿
中科院大连化学物理
研究所 研究员

孙生有
大连新型企业集团有限公司
董事长、党委书记

邢爱萍
大连市公安局甘井子分局
民 警

戴淑芝
大连市公证处
公证员

周文麟
大连宏光集团宏大建筑装饰
工程有限公司 董事长

韩 伟
大连韩伟企业集团有限
公司 董事长

朱桂莲
大连市中山区环境卫生
管理处 工人

王健林
大连万达集团股份有限
公司 董事长

万杰芳
普兰店市第二中学
教 师

周永祝
瓦房店市公路管理段
段 长

邓长敏
庄河市国家税务局
专管员

盛德伟
大连开建集团有限公司
董事长、党委书记

肖志国
大连路明科技集团有限
公司 总工程师

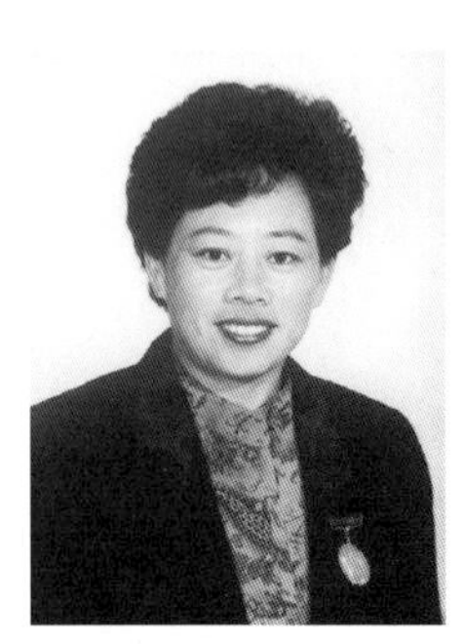
赵 君
庄河市东方农庄
粮 农

徐学章
瓦房店市长兴岛镇
党委书记

郝忠福
瓦房店市交流岛乡骆驼村
支部书记

李桂莲
大杨企业集团
董事长

王明瑞
大连大雪企业集团
董事长

陈玉圭
金州区大魏家镇后石村
党委书记

于美艳
大连友兰服装有限公司
总经理

范广臣
金州区第一建筑工程
公司　总经理

于　敏
甘井子区红旗镇
镇　长

李传鸿
甘井子区凌水镇栾金村
村委会主任

刘吉财
大连旅桑铸铁有限公司
总经理

方世纯
大连市旅顺开发区建筑
安装公司　总经理

吴厚元
长海县獐子岛镇大耗村
支部书记

大连市1998～1999年度劳动模范

市机械工业管理局

何永奎 潘　春 金　军（女） 马　文 仲双宏 林太军 刘士林 童松年 谢新福 王　亮 初传良 吕万俊 曲照权 李新国 孙　逊 王丽萍（女） 韩　俊 宋玉海 邵魁孝 郭　伟 钱　勇 石云波 王吉志 张永久 王奋飞 李斌华 邝连杰 林春忠 于洪生

市电子工业管理局

乔善新 胡　岷 李新杰 郭知初 杨洪滨 伊文忠 李志勇

市医药管理局

杨向武 董文宏

市轻工业总公司

刘安宽 黎素荣（女） 宁保国 于　光 包翠娟（女） 王志强 张世宽 陈谋平 郝传卿（女） 王治财 王维家 王永多 于荣福 董世谦 毕建丰 赵淑茗（女） 石连盛

大连建材控股集团公司

王丽娜（女） 吴绍东 董瑞荣

市经委冶金行业管理办公室

李红军 袁洪龙 任　旺 赵雪琴（女） 单军通

市经委化工行业管理办公室

刘福来 盛云秋（女） 王先林 刘月海 孙逢武 赵宜发

市经委纺织行业管理办公室

杨　波（女） 田　波（女） 戚智民 刘　冰（女） 吴世杰 贺传强 陈学敏 杨恩良

市经委服装行业管理办公室

汤明杰 张春堂

船舶地区公司

白明琪 盛玉明 陶敦明 卞春山 宋修法 葛志云 林　立 徐德禄 战怀奎 黄兆春 任福忱 李少丹

大连钢铁集团有限责任公司

张忠慧 王毅功 王锡军 赵奎成 孙恩崇 赵明远

大连电业局

杨淑芳（女） 孙丽彦（女） 柳景利 曲有宪 赵自力 张志强

大连发电总厂

麻世俊 朱本源

大连电力工业学校

杨永文

东北电业管理局第二工程公司

段广平

中国第一汽车集团大连柴油机厂

张仁华 李维成

大连机车车辆厂

王守举 马朝君 张晓宝 郭相智 黄永红 栾　勇 贾凌梅（女）

大连石油化工公司

郝维义 严国华 石建国 吴琐利 邹学理 叶志伟

大化集团有限公司

李世营 陈希敏 孔新华 刘路路（女） 张述斌 董兴海

大连冰山集团有限公司

王　君 池俊月（女） 穆传江 王德昆 张积广 鲁　敬（女） 侯志杰 曲胜英

中国人民解放军第四三〇九工厂

赵杰智

中国人民解放军第四八一〇工厂

相锡钢 刘远明

民政

陈孝海

大连港务局

张培喜 张锦华（女） 江　波 姚丰斌 袁福秀 刘永胜 王志君 白海力

大连远洋运输公司

丁本锡 吕占雄

大连海运（集团）公司

王淑慧（女） 曹孟江

大连周水子国际机场

王洪运 胡志安

中国北方航空公司大连公司

朱国兴

大连铁道有限责任公司

关长文 郭秀娟（女） 孙怀利

铁道部第十三工程局第一工程处

张文军

市交通局

毕建陆 颜　俊 刘仁昌 李敬才 魏国强

市邮政局

孟令华 管祖为

市电信局

何文斌 高　峻

辽宁海事局

吕明堂

中国大连外轮代理公司

刁淑芳（女）

辽宁地质矿产局第六地质大队

王世杰

市城市建设管理局

杜显刚 马　兰（女） 刘成麟 韩兴元 于连发 王国民

市房地产管理局

由守春 柯世科 陶俊滨 丛日财 彭智彬 常淑琴（女）

市城乡规划土地局

初嘉腾

市建筑工程总公司

张玉华 宋顺昌 钟振利 王万春 刘世华 张培行 刘凤珍（女）

市住宅办公室

林岩峰 王　历

市热电集团有限公司

门文安

市公用事业管理局

桑连胜 于　力 刘金祥 王禄银 姜雄城

市出租汽车客运管理处

孙成立

市商业委员会

郭英华 朱永泉 田梅君（女） 张彦忠 王韶景（女） 李　林 崔井文 李梦生 赵麟远 卢　林 张景晨 孙贵成 戚其范 张成猛 谭　勇 丁明亮 周万娣（女） 魏义成

市粮食局

李　琳 生美华（女） 杨廷英（女） 邓永海 刘淑英（女） 丁　敏（女） 王永彬 王赞军 任有成

市供销合作社

宋文宽 郭恒声

中国石油天然气公司大连销售分公司

崔德宽

大连国际合作（集团）股份有限公司

杨允恭

市接待办公室

戚全生 刘志海

市物资局

闫惠娟（女） 陈宗祥 彭进成

市对外经济贸易委员会

宋建阳 孙晓辉（女）

市农业局

周玉科

市水利局

黄奎良

市水产局

滕玉臣 段福滨 韩仲苇 白慧芝（女）

辽宁省大连海洋渔业集团公司

纪广宇 王贵安 孙立君 王盛臣 许兆滨 张志勤

中国水产大连渔轮公司

孔庆文 汪　江

大连三环集团有限公司

苏盛斌 徐万能 林治俊 杜　昆（女）

大中专院校、委直学校

孙效里（女） 顾元宪 杨凤林 丁信伟 吴兆麟 范凤祥 张向达 寇铁军 王运吉 王永良 贾睿琦（女） 于广武 傅维利 杨忠志 李学慧（女） 朱　玫（女） 许世发 宋振兰（女） 黄　敏 林治湖 张松柏 郑金玉（女） 毕建松（女） 朱　嵬 刘作敏

科研系统

迟兴国 杨春光 周　阳

市文化局

杨友臣 杨　赤 丛　天

金融系统

王玉娟（女） 韩振启 夏素芬（女） 孙秀华（女） 王小彦（女） 逄振江 姜学东（女） 金丽铭（女） 张世斌（女）

医务系统

谢　平（女） 邹雪梅（女） 梁怀祝 李名武 邹春毅 朱玉梅（女） 邵　彦 刘玉红（女）

政法系统

于世富 韦　全 赵振全 韩方裕 赵玉坤 栾少林 王　忠 刘喜文 王作全 衣文典 张洪斌 刁成勇 尹笑天

市直属机关

戚秀玉（女） 王永海 刘　舫（女） 杨声亮 王守业 王东坤（女） 孙恒柱 陈征天（女） 毕向东（女） 陈寒柏 周　丽（女） 李红心 韩庆丽（女） 高满堂 谢忠波

外商投资企业

任国强 郭日升 滕毓溪 于爱华（女） 郭锡阳 陆秋芬（女） 王秀诚 郝义国

李恭福 赵维红（女） 蔺爱国 焦永达

个体劳动者协会

卢明珠（女） 穆冬荣（女） 王庆贵 刘秀杰（女） 林春花（女） 孙德厚

私营企业协会

郑锡伟 秦双林 文立胜 黄淑卿（女）

市残疾人联合会

任国强 夏月风（女）

离退休职工

柏 力（女） 杨书逵 田丽红（女） 刘道径 张玉鹏 王树茂 梁成学 王逢寿 刘文娟（女）

中山区

周树贵 张卫滨 孙 伟 王健明 张世斌 王淑芝（女） 王润祥 崔道君 李春娥（女）

西岗区

徐 明 王青洲 郑连友 戴金亭 戴洪贵 王 璎（女） 权 彬（女） 刘明清 周素荣（女） 邸国华（女） 林 洁（女） 吕莲枝（女）

沙河口区

栾金光 周昱今 董学林 周春分（女） 张志军 乔凤英（女） 徐 静（女） 于世国 于翠琴（女） 乔志英（女） 乔文路 董大方（女） 王 芳（女）

甘井子区

江淑敏（女） 刘 斌 戚士新 王如刚 谷相成 高月凤（女） 岳 红（女） 陈秀枝（女） 王贵斌 衣宝泰 谷德芳 张传贵 张树良 宋文福 王宝柱 孙荫环 曲建春 刘金鹏 金国财 李玉盛 王世珠 张春香（女） 郑国安 王永豹 周绪林 李晏清 张忠林 靳德胜 卢声彬 苏君民 徐维潮 赵仁顺 曲忠实 郭汝辰 刘茂信 王有田 栾福义（女）

旅顺口区

梁青梅 贾成强 吕忠平 李明波 李焕奇 刘敏臣 孙承信 刘 晓（女） 张守玉 李庆朝 杨大伟 吴 昊 宋荣昌 王学政 董文强 黄兆惠 王忠群 王太丰 陈吉宏 周志宝 刘庆峰 袁洪峰 袁玉龙 张广有 王珍珉 张秀玉（女） 王维业 王怀增 蒋基永 张 杰 刘永成 王政军 翟兆有 马贵云

金州区

谷源明 张照辰 孔宪增 夏德良 文安一 房慧英（女） 于桂珍（女） 栾作禄 王世忠 王善广 奚宽义 孙晓明（女） 马超廉 李吉斌 王传荣（女） 刘雨生 张志远 刘文臻 潘淑花（女） 纪德芳 刘永健 于全波 辛筠中（女） 文治高 赵文玉 王贤凭 王承兴 丛树春 朱作洪 葛广连 殷忠杰 徐冬青 王云忠 张世栋 赵 敏 梁洪政 安茂福 李焕厚 徐明达 黄永江 于才奇 迟福声 沈良论 白连禄 孙盛昱 刘福田 柳德民 苏成武 纪正芳 姜德民 王云贵 吕相义 王连天 吕常增 王长敬 李国强 刘金凯 徐善修 徐世有 李绍满

瓦房店市

孙乃祥 朱德利 张中贵 盛玉超 张万鹏 冷连清 闫大成 张守芹（女） 高成名 慕德新 张文云 丁继铎 杨丽娜（女） 奚家林 高淑兰（女） 王延延（女） 邱谋礼 李 荣 王汝作 嵇胜春 宋希山 宋英武 许凤玲（女） 罗 利（女） 刘明智 伊长君 刘成远 王刁林 李万新 关忠平 张治连 任志友 高吉安 张胤昌 温兴全 刘喜善 张宝轩 高贵金 张文义 王长林 姜连双 王德胜 李天永 范士余 王立斌 孙立义 朱乃文 李元本 王秀生 李富华（女） 李述宏 姜连福 李盛强 王德洋 傅明德 韩明琪 王长玲（女） 张德绪 邵建贵 刘明馥（女） 曹静建 张宜广 张福荣（女）

普兰店市

于 颖（女） 王梅晶（女） 杨日平 邓甫贤 陈德年 王继元 曹有君 张学青 王建成 孙新胜 李生宝 单连祯 宋连智 耿文臣 王 瑛（女） 顾言福 刘德山 刘德君 王兴亚 范安梁 李 彦 李道君 刘丰佳 于宝福 吴永玉 吴桂花（女） 刘恩风 张宝刚 王喜国 陈福伟 高启彬 杨洪福 丛仁堂 聂开武 管殿富 李德宝 赵业本 沙德科 王传宝 李涛昌 王明堂 刘 军 徐宝仁 孙忠林 王儒祥 于庆顺 宋振民 张本年 隋世臣 吕志强 邵 强 姜铭福 谢 辉 王爱仕

庄河市

王永福 郝 伟 姜显峤 于志仁 徐孝仁 魏全胜 刘传海 任敦庆 潘希福 白水源 林昌奉 肖 波（女） 杜 敏（女） 孙桂树 何云峰 于富毅 刘富建 宋德庆 邢玉恕 于万发 鞠长德 于元义 于恭敏 宫运河 孙文谦 宋书汉 刘德权 鞠宝田 孙廷峨 衣秉万 杨贵思 王长征 于泽文 杨开连 张绍山 林荣书 韩世寅 张奎武 王成仁 盛广华 王玉福 唐希龙 丁学平 隋义斌 祁忠连 阎德圣 徐盛家 隋 诤 张汉邦 郭贤升 张维萍（女） 田智军 曹玉祯 刘才义 景方堂 刘庆连 孙洪忱 陶国森 王仁财

长海县

刘仁训 李春茂 张厚东 孙延发 吴厚刚 邵会敏 王义勤 刘增福 宋昌喜 唐义华 梁同军 张德之 王忠亮 王 珩

经济技术开发区

张士威 赵世峰 李雅君（女） 周 庆 闫为宁（女） 董 强 宋胜利 吴耀明 孙克运 石俊旗 田 强 由胜琴（女） 杜阳有 李 琰（女） 张振江 肖永勤 孔兆恩 陈立家 徐德禄 滕玉秀 赵兴富

高新技术产业园区

孙 革 冯伯智

保税区

华国志

金石滩国家旅游度假区

赵晓华 许有林 毕成富

【大连市第七届十大杰出女性】 2000 年 3 月 7 日，大连市妇联命名表彰大连市第七届十大杰出女性。她们是：

戚秀玉 戚秀玉职业介绍所所长
赵 君 庄河市东方农庄总经理
祝 捷 大连市西岗区黄河路街道振华居委会书记
刘金玲 大连市西岗区人民检察院纪检组组长
蒋 萍 东北财经大学统计系主任、教授、经济学博士
南玉玲 瓦房店市玉米原种场党支部书记
刘凤珍 大连第五建筑工程公司总经理
马筱凤 中国人民解放军第 215 医院精神病二科主治医生
杨丽珠 辽宁师范大学教育系教授
王智荣 大连天百集团副总经理

【大连市首届十大杰出农村青年】 为树立新时代农村青年的先进形象，共青团大连市委和市农委于 2000 年，首次联合命名表彰大连十大杰出农村青年。他们是：

于广业 旅顺口区铁山镇鸦户嘴村菜农
刘明洲 旅顺口区北海镇北港开发有限公司经理
张 弼 甘井子区大连湾海珍品养殖场场长
嵇永权 瓦房店市老虎建筑有限公司董事长兼总经理

张奎斌　庄河市黑岛镇兴业海产公司董事长兼总经理
魏振禄　长海县海洋乡海珍品苗种场场长
孙利永　金州区石河镇石河村党委书记、村委会主任
韦庆伟　大连善岛食品有限公司党支部副书记、副总经理
李景维　瓦房店市阎店乡果农
张　艳　普兰店市皮口镇沿海村菜农

（团市委）

科教精英

【第八届“陈嘉庚技术科学奖”获得者赵国藩】　大连理工大学土建学院教授，上海交通大学等校兼职教授，中国工程院院士。1925年生。

50多年来，他一直从事结构可靠性及钢筋混凝土结构理论和工程应用研究，完成我国“七五”、“八五”期间国家重大项目的关键性课题和自然科学基金课题以及省部委项目共20多项，其中14项具有国内先进水平或部分国际领先水平，1项具有国际领先水平；获国家科技进步奖7项、省部委科技进步奖20项。

他在混凝土静力学和动力学、钢纤维增强混凝土、高强混凝土抗震设计等研究方面，有着突出的学术建树。早在50年代就在国内系统介绍极限状态设计理论；60年代又在国内首次提出用一次二阶矩法计算安全系数的理论。他在专著《工程结构可靠度》中提出可靠度实用计算法及荷载、抗力统计模式，在学术界颇具影响。90年代，他领导的课题组提出考虑变量相关性的广义随机空间内的可靠度分析法，精度较高的二次二阶矩法、四阶矩法，体系可靠分析法，以及用模糊数学分析正常使用极限状态可靠度等研究成果。

他带领的专题组先后承担国家“七五”重点科技攻关专题“水电工程筑坝技术——高拱坝体型优化及结构设计的研究”、“水电工程筑坝技术——高混凝土裂缝及期限防治”中的2项子题，“八五”重点科技攻关专题“高拱坝建设关键技术——高强度大体积混凝土材料特性研究”中的3项子题，这些都是国家重点工程项目二滩水电站及东风拱坝建设中的重大科技攻关课题。

他还培养出大批优秀科技人才。其中2人获霍英东教育基金会奖，1人被评为有突出贡献的博士学位获得者，5人被评为博士生导师，2人获德国洪堡奖学金，1人获挪威皇家科学奖学金。他于1999年荣获辽宁省功勋教师称号；2000年获得素有“中国诺贝尔奖”之称的第八届“陈嘉庚技术科学奖”。

【“长江学者奖励计划”特聘教授徐世烺、钱旭红、顾立宪】

徐世烺　大连理工大学教授、博士生导师，现任德国斯图加特大学结构材料所客座教授。1953年生。自20世纪80年代初期起，他一直从事混凝土断裂力学及其工程应用方面的研究，取得了显著成绩。通过试验和测试，获得混凝土断裂韧度随试件尺寸的变化规律，以及可消除尺寸影响的起裂断裂韧度、失稳断裂韧度及裂缝亚临界扩展量和断裂过程区等，据此提出混凝土裂缝扩展的双k断裂准则及断裂韧度尺寸效应的计算公式。此项成果具有重要的理论意义和工程实用价值，获国家教委科技进步二等奖及国家科技进步三等奖。他1990年获第二届霍英东教育基金会高校青年教师奖，被国家教委定为优秀青年教师重点跟踪支持对象。1993年起得到德国洪堡基金及德国科学基金会的资助，在斯图加特大学进行II型断裂方面的研究，取得的有关纯II型断裂实验方法、混凝土的II型断裂韧度与断裂能、混凝土的双k参数的解析解等研究成果，在国外获得好评。1996年获国家杰出青年基金，其作为主要负责人的项目“混凝土静态和动态断裂特性研究”获1999年国家科技进步三等奖。近5年来，共在国内发表学术论文20余篇，其中10余篇被全球最权威的科学引文数据库SCI和EI检索。2000年被国家教育部评为“长江学者奖励计划”特聘教授。

钱旭红　大连理工大学教授、博士生导师。1962年生。他在精细有机化工领域的荧光性染料研究方面，设计合成对微环境敏感的光诱导电子转移型荧光可调的推—拉电子系统萘酰亚胺类染料；提出并验证萘基衍生的共轭范围大，电子流动性强的稠环荧光分子具有独特的光电响应敏化性能；设计合成低毒、高效萘系稠杂环DNA嵌入剂与光敏切断剂，建立并解释染料结构与其生物性能之间的关系。在仿生农药研究方面，提出定量预测农药构效关系及其生物活性等排的合成子生物活性贡献值法；揭示著名芳酰肼类昆虫生长调节剂与天然蜕皮素三维结构上的类似性，建立了性能与分子形状单参数间的定量构效关系；确定了著名昆虫生长调节剂苯甲酰脲的单晶结构及构效关系；设计合成出含氟不对称恶二唑及芳酰基氨基脲类昆虫生长调节剂。他的研究项目获1994年国家教委科技进步一等奖、1998年国家教育部科技进步一等奖。累计发表学术论文70多篇，其中近40篇在国外发表；申请中国专利5项。曾被评为全国优秀教师，获得中国青年科技奖。2000年获国家杰出青年基金，入选跨世纪优秀人才计划和国家百千万人才工程，并被国家教育部评为“长江学者奖励计划”特聘教授。

顾元宪　大连理工大学教授、博士生导师，工程力学系主任和工业装备结构分析国家重点实验室主任。1954年生。他忠诚于祖国的科学事业和教育事业，先后10多次出国访问讲学和进行合作研究，但仍坚持在国内的科研和教学领域。他组织一支年轻的学术队伍，在计算力

学与CAD/CAE理论与数值方法及其软件系统的研究中，建立起有特色的研究方向和稳定的研究基地，取得重要成果。在科研工作中，他主持了4个国家自然科学基金项目、2个国家“八五”重点科技攻关项目、1个国防科工委“八五”预研项目、1个国际合作项目和10余项工业部门委托科研课题；获得部级科技进步一等奖、二等奖和三等奖各1项，国家“八五”科技攻关重大科技成果奖2项，机电部“七五”攻关重大成果1项，并且是1个国家自然科学二等奖项目的课题组组长之一。他领导课题组研究开发的有限元软件系统，在由国家科委组织的全国自主版权CAD支撑软件评测中获一等奖1项、二等奖3项。他在国内外发表论文102篇，出版专著3部。在教学中，共培养出博士2名、硕士17名，正在指导博士研究生8名、硕士研究生10名；获国家教学成果二等奖和辽宁省优秀教学成果一等奖各1项。曾获得国家杰出青年科学基金，首批入选国家“百千万人才工程”，被评为国家有突出贡献的中青年专家，并获得国家优秀留学回国人员、辽宁省青年专业技术拔尖人才、大连市优秀专家和优秀青年科技工作者等称号。（张旭泉）

【享受政府特殊津贴的专家、学者和工程技术人员】 2000年8月17日经国务院批准，大连市又有10名专家、学者和工程技术人员，享受政府特殊津贴。他们是：

方鸣钲 大连冰山橡塑股份有限公司高级工程师
曲道平 瓦房店市高压开关厂高级工程师
魏晓鹏 大连大学教授
谭文翔 大连市友谊医院主任医师
曾新光 大连钢铁集团有限责任公司高级工程师
曲致政 大连市文化艺术人才服务中心研究馆员
曲永业 大连市第五人民医院主任医师
王希魁 中共大连市委党校教授
冯启章 瓦房店师农业技术推广中心推广研究员
于景宁 大连市第八中学高级教师

至此，市直单位累计有312人、全市有1000多人享受政府特殊津贴。

【国家有突出贡献的中青年专家】 截至2000年末，大连市市直单位有12名国家有突出贡献的中青年专家。他们是：

王逢寿 大连市农业科学研究院研究员
张世臣 原大连市科委主任
郇德康 原大连大显集团公司高级工程师
刘业俭 原大连市中心医院主任医师
李永金 大连市市长
毕序隆 金州重型机器厂总工程师、高级工程师
赵洪恩 大连市水产研究所高级工程师
郭大生 大连市合成纤维研究所高级工程师
沈泽楠 大连大起集团公司高级工程师
刘梦华 大连冰山橡塑股份有限公司高级工程师
齐生祥 大连钢铁集团高级工程师
张繁友 大连市第三人民医院主任医师

【大连市优秀人才】 2000年1月20日，大连市委、市政府做出《关于表彰我市优秀人才的决定》，授予包信和等76人大连市优秀人才称号，以在全社会进一步形成“尊重知识、尊重人才、崇尚科学”的良好风气，努力造就一支数量充足、结构合理、门类齐全、效绩显著的人才队伍，为大连市经济、社会发展提供智力支持和人才保证。受表彰的优秀人才有：

包信和 中科院大连化学物理研究所副所长、研究员
梁鑫淼 中科院大连化学物理研究所副所长、研究员
李 灿 中科院大连化学物理研究所研究员
郭大生 大连合成纤维研究所党委书记、所长、研究员
赵洪恩 大连水产研究所所长、研究员级高级工程师
李春茂 长海县海水养殖研究所所长、研究员级高级工程师
安利佳 大连理工大学教授
李晓杰 大连理工大学研究员
吴兆麟 大连海事大学校长、教授
潘 峰 辽宁师范大学教授
袁爱进 大连铁道学院教授
张国范 大连水产学院教授
魏小鹏 大连大学副校长、教授
孙 开 东北财经大学教授
胡 祥 大连医科大学附属第一医院教授、主任医师
李晓声 大连市第二人民医院副主任医师
肖志国 大连路明科技集团有限公司董事长、高级工程师
杨泽民 大连东福彩色液晶显示器有限公司总经理、高级工程师
李 瑛 大连钢铁集团有限责任公司高级工程师
姜廷顺 大连市公安局交警支队高级工程师
刘丰佳 普兰店市城子坦镇农业推广站站长、高级农艺师
丛 天 大连杂技团副团长、国家一级演员
李红心 大连市体委国家级教练员
黄万书 普兰店市第二中学校长、中学高级教师
孙静华 甘井子区周水子小学校长、中学高级教师
曹希立 大连市计算机职业中等专业技术学校中学高级教师
张 和 大连冰山集团有限公司党委书记、董事长
刘秉强 大连大显集团有限公司董事长
王路顺 瓦房店轴承集团有限责任公司董事长
沙均刚 大连造船新厂厂长
陈志君 中国华录电子有限公司总经理
张 义 中国石油天燃气股份有限公司大连石化分公司党委书记、经理
袁吉昌 大连机车车辆厂厂长
袁福秀 大连港务局局长
蔺爱国 大连西太平洋石油化工有限公司总经理
刘丽春 大连盛道集团有限公司党委书记、董事长
刘永盛 大连重工集团有限公司董事长
赵明远 大连钢铁集团有限责任公司董事长
刘国臣 辽宁无线电二厂（集团）总经理

张成海　大连医药集团有限公司党委书记、董事长
徐　明　大连实德集团总裁
李广富　大连华农集团有限责任公司总经理
孙荫环　大连亿达集团董事长
孔兆恩　大连金港企业集团董事长
李桂莲　大杨企业集团公司董事局主席
何云峰　大连华丰家具有限公司总经理
孙生有　大连新型企业集团公司董事长
盛德伟　大连开建集团有限公司董事长
任运良　大连华丰企业集团有限公司董事长
范广臣　大连市金州区第一建筑工程公司总经理
王青洲　大连三宝实业集团有限公司董事长
张　毅　辽宁省大连海洋渔业集团公司党委书记、董事长
肖永勤　大连三洋制冷有限公司总经理
王健林　大连万达集团股份有限公司董事长
隋悦家　大连市公共汽车联营公司总经理
林　浩　大连市建设控股有限公司董事长
牛　钢　大连商场集团公司董事局主席
李　贵　大连天百集团有限公司董事长
田益群　大连富丽华大酒店总经理
戚全生　大连棒棰岛宾馆副总经理
杨英夫　大连城域网络中心副总工程师
戴　杰　大连英联科技开发有限公司董事长
戚秀玉　大连市劳动就业服务中心戚秀玉职业介绍所所长
李国华　中山区桂林街道党委书记
陈征夫　中山区地方税务局副局长
戴洪贵　西岗区北京街道办事处主任
计　禹　沙河口区李家街道党委书记
张树良　甘井子区凌水镇党委书记
王士杰　旅顺口区北海镇党委书记
王永海　金州区石河满族镇党委书记
葛　立　金州区农村工作委员会党委书记、主任
宫晓昌　普兰店市丰荣办事处党委书记
姜云胜　瓦房店市炮台镇党委书记
徐学章　瓦房店市长兴岛镇党委书记
韩世寅　庄河市徐岭镇党委书记
吴厚刚　长海县獐子岛镇党委书记

【大连市十大青年科技标兵】　2000年，共青团大连市委、市委组织部、《大连日报》等单位联合评选第三届大连市十大青年科技标兵，来自本市企业、科研院所、大专院校的十位青年科技工作者当选。他们是：

刘万全　大连大显股份有限公司金属部件厂副厂长、工程师
邢光明　大连医科大学附属第二医院普外科副主任、教授
肖　石　大连造船厂船舶设计研究所所长、高级工程师
杨　红　大连冰山橡塑股份有限公司技术设计一室高级工程师
栾　旭　大连诚高电子有限公司总经理、高级工程师
栾天明　普兰店市农业技术推广中心主任、高级农艺师
徐淑萍　瓦房店轴承集团技术中心产品研究所高级工程师
黄红深　大连第三人民医院眼科副主任、主任医师
韩克利　中科院大连化学物理研究所分子束课题组组长、研究员
彭孝军　大连理工大学精细化工国家重点实验室主任、教授

文体明星

【"金苹果奖"获得者高满堂、李萍】

高满堂　大连电视台一级编剧，中国电视艺术委员会、中央电视台特约作家。1955年生。自1983年调入大连电视台以来，他先后创作电视剧《午夜有轨电车》、《咱那些日子》、《抉择》、《飞来飞去》等200部集，有6部作品获国家文化部电视剧"飞天奖"，3部获全国精神文明建设"五个一工程奖"，1部获大众电视"金鹰奖"。他多次被评为辽宁省、大连市优秀新闻工作者，还被授予辽宁省中青年德艺双馨艺术家称号，并被列为大连市"111工程"跨世纪优秀科技人才。中国电视艺术家协会、辽宁省广播电视厅曾为他举办作品研讨会。2000年获得第二届全国电视百佳称号和大连市政府文艺最高奖"金苹果奖"。

李　萍　大连京剧团国家一级演员，中国戏剧家协会会员，辽宁省第九届人大代表。1959年生。1977年毕业于大连艺术学校，1984年进入大连京剧团。20多年来，她学习演出《百花公主》、《白蛇传》、《铁弓缘》等30余出剧目，始终坚持文武兼备、唱念做打均衡发展的道路。曾获得辽宁省首届戏剧"玫瑰奖"、世界风筝都中国京剧邀请赛最佳演员奖、第十二届中国戏剧最高奖"梅花奖"等国家、省、市级多个奖项，1998年被评为大连市十大杰出女性。主演的京剧《白蛇传》、《百花公主》在国内外有广泛影响，曾随团到法国、日本、巴西、意大利、瑞士等18个国家和地区演出，受到观众赞誉。特别是1999年到日本、荷兰演出《霸王别姬》、《杨门女将》及歌剧《希尔》，获得空前成功。2000年获大连市杰出人才奖和大连市政府文艺最高奖"金苹果奖"。　（张连荣　齐玉华）

【悉尼奥运会奖牌获得者丁美媛、姜翠华】

丁美媛　举重运动员，运动健将。

1979年生。1991年入选大连市举重队，1993年入选辽宁省举重队。1995年获第一届亚洲女子举重锦标赛83公斤以上级挺举和总成绩2项冠军。1996年获全国女子举重冠军赛83公斤级抓举第一名并打破全国纪录。1997年独揽第三届世界青年女子举重锦标赛83公斤以上级抓举、挺举、总成绩3枚金牌，还以109公斤的成绩刷新108.5公斤的抓举世界纪录。1998年获第十三届亚运会女子举重75公斤以上级抓举、挺举、总成绩3枚金牌，并打破抓举和总成绩世界纪录。1999年获在希腊雅典举行的第十三届女子举重锦标赛75公斤以上级比赛冠军，一举夺得抓举、挺举、总成绩3枚金牌，并刷新挺举和总成绩2项世界纪录。2000年，在澳大利亚举行的第二十七届奥林匹克运动会女子举重75公斤以上级比赛中，以总成绩300公斤的重量夺得金牌，并打破抓举、挺举和总成绩3项世界纪录。

姜翠华 自行车运动员，国际级运动健将。1975年生。1988年入选大连市自行车队，1990年11月入选辽宁省自行车二队。1990～1992年先后获全国青年自行车赛500米第二名、全国青年自行车锦标赛1万米冠军、亚洲青年自行车锦标赛争先赛第二名和第三名。1992～1998年，先后6次获全国冠军，3次打破全国纪录，1次获亚洲冠军，2次破亚洲纪录，2次获世界青年自行车锦标赛冠军，2次破世界青年纪录。1997年获世界杯澳大利亚站女子500米场地计时赛冠军。1999年在德国柏林举行的世界场地自行车锦标赛上夺得女子500米个人

计时赛银牌，这是中国自行车选手在世界锦标赛上取得的最好成绩。2000年，在澳大利亚举行的第二十七届奥林匹克运动会女子自行车场地500米计时赛中，以34秒768的成绩夺得铜牌，实现中国自行车运动奥运会奖牌零的突破。

【悉尼残奥会金牌获得者李强】 大连化工助剂厂工人。盲人，残疾人运动员。1975年生。

1996年参加在大连举行的第四届全国残疾人运动会，夺得B3级男子400米跑金牌和200米、800米跑银牌。2000年在上海举行的第五届全国残运会上，夺得T12级男子100米、200米和400米跑及4×400米接力共4枚金牌。同年，在澳大利亚悉尼举行的第十一届残疾人奥运会上，夺得T12级男子100米、400米跑2枚金牌和200米跑银牌，并打破200米跑世界纪录，实现我国残疾人运动员在残奥会径赛项目上金牌零的突破。

【中国“足球先生”张恩华】 著名足球运动员，运动健将。1973年生。

他1983～1988年就读于大连足球学校。1988年入选大连市青年足球队。1994年加入大连万达足球队，与队友共同拼搏，荣获首届全国足球甲A联赛冠军。1996～1998年，为万达队连续3年获得甲A冠军立下汗马功劳。2000年，在大连实德足球队夺得甲A冠军和“超霸杯”的过程中表现极为突出，当选当年的中国“足球先生”。

他曾多次入选国奥队和国家队，还曾担任两队队长。现为国家队主力队员。

【“世纪球星”迟尚斌、贾秀全】

迟尚斌 国家足球队教练员，著名足球运动员，运动健将。1949年生，大连人。1971～1982年，作为国家队队员，参加了第七、八、九届亚运会，第六、七届亚洲杯，第二十二届奥运会外围赛，第十二届世界杯外围赛等重大比赛，并担任国家队队长5年。期间，国家队曾获得第六届亚洲杯、第八届亚运会和第一届“尼赫鲁金杯”足球赛的第三名。1982年他获国家体育运动荣誉奖章。退役后，入北京体育学院攻读运动生理专业，毕业后赴日本继续深造，并执教日

本松下青年足球队。1995年回国，任大连万达足球队主教练。1996、1997年，率领万达队蝉联全国甲A联赛冠军，并创下甲A联赛55场不败的纪录，两次荣获全国最佳教练员奖，并当选大连市特等劳动模范。

2000年，他被《中国体育报》评选为“世纪球星”。

贾秀全　上海申花足球队兼中方主教练，曾是我国著名足球运动员，运动健将。1963年生，大连人。1983～1987年入选国家队。1984年参加第十一届亚洲杯足球赛一人攻入3球，荣获最佳运动员奖和最佳射手奖。1985年参加亚洲杯赛获得亚军，被评为“亚洲足球先生”，并入选亚洲明星队。1985年后任国家队场上队长。1984～1986年曾被评为最佳运动员，获“金鞋奖”。1987年作为中国足协首批公派出国队员，赴南斯拉夫游击队队踢球，在与世界高水平球队的比赛中开阔了视野、提高了球技。1996年任陕西国力队主教练，将该队带入甲B。1999年任中国青年足球队主教练。

2000年，他与外方主教练一起，带领上海申花队获全国足球甲A联赛冠军，并被《中国体育报》评为“世纪球星”。

（赵玉玲）

逝世人物

【杨希萍】　政协大连市委员会原副主席，中共大连市委党校副校长、党委副书记。山东乳山县人。2000年12月24日病逝，终年86岁。

他1938年2月参加革命工作，1939年3月加入中国共产党。先后担任胶东

军政学校三大队政委、区党委组织干事，东海地委社会部组织科长，荣成县委组织部长，乳山县委书记，胶东区公安局教育科长、行政公署干部科长等职。1945年到旅大地区工作，历任中共旅顺市委宣传部长、组织部长，大连县委副书记，旅大市委直属委员会书记，中山区委书记，旅顺市委书记兼市长。从50年代开始，先后担任中共旅大市委监察委员会副书记、书记和市委常委，中共辽宁省委监察委员会副书记，大连组合机床研究所革委会副主任、党总支副书记等职。1978年5月起担任旅大市委党校副校长、党委副书记。1980年8月被增补为政协旅大市第五届委员会副主席。

60多年来，他忠诚于党和革命事业，为抗日救国斗争贡献了力量，为旅大地区解放初期的革命和建设辛勤工作。任市委党校校长后，他带领全校教职工想方设法提高办学能力，扩大办学规模，培训了一大批党政领导干部和党的理论宣传骨干，为党校的恢复重建和不断发展做出积极贡献。1982年离休后仍关心党的事业。病重时他嘱咐家人，一定要后事从简，表现了一个共产党员的坚强党性和宝贵品格。

【姜志远】　大连市中级人民法院原院长。大连市金州区人。2000年3月16日病逝，终年52岁。

他1977年1月加入中国共产党。历任金县人民法院书记员、审判员、副庭长、副院长、院长，大连市中级人民法院刑事审判第一庭庭长、副院长，中共大连市委政法委副书记，大连市中级人民法院院长、党组书记，2000年1月因病辞去院长职务。

他长期在政法战线工作，忠于党的事业，忠于宪法和法律，坚持原则，勇于负责，兢兢业业，勤奋工作，出色完成各项工作任务。特别是担任市中级人民法院院长以来，他坚持审判工作的正确方向，积极推进审判方式改革，努力加强队伍建设，严厉打击各种犯罪，加强民事、经济审判和执行工作，依法调节社会经济关系，为大连市的改革、发展、稳定和民主法制建设提供了有力的司法保障。

（市委组织部）

领导人员名单

中国共产党大连市委员会

书　记　（暂空）
副书记　李永金　王有为　怀忠民　董文杰
常　委　王会全　高　姿　李信忠　刘长德　董长海　王树森　夏德仁　冯　韧　李敏也
秘书长　冯　韧
副秘书长　刘善芳　张万金　刘宗胜　王川志　刘国良

办公厅
主　任　冯　韧
副主任　刘士敏　王　斌　王宏达　宋绍强

机要局＊
局　长　侯康润

档案局（档案馆）
局　长（馆长）　王新民
副局长（副馆长）　张宏林　肖思合

国家保密局＊
局　长　田广蜜

组织部
部　长　李敏也
副部长　张　中（兼）孙世超　王乃波

老干部局
局　长　周元仿
副局长　马振明　李永斌

宣传部
部　长　董长海
副部长　王仪奎　李勤明　刘　杰

精神文明建设活动办公室
副主任　朱凤祥
讲师团
副团长　李福传
统一战线工作部
部　长　宋有成
副部长　楚国丰 李守全 程学忠
政法委员会
副书记　刘长德（兼）成　城 姜世和
政策研究室
主　任　张凤林
副主任　李才生 周大新
台湾工作办公室
主　任　王洪俊
副主任　丛雪华
市直属机关工作委员会
书　记　孙铭洁
副书记　王咸俊 李增禄

大连市人民代表大会常务委员会

主　任　于学祥
副主任　李振荣 李玉臻 祝明仁 赵亚平
于桂荣 傅明德 白玉祥 鞠文华
秘书长　唐广庆
副秘书长　张子道 巩其庄
专职常委　刘润波
办公厅
主　任　巩其庄
副主任　田群生 马建华
法制工作委员会
主　任　张本金
副主任　宋鹏举
人事代表工作委员会
主　任　张　彤
内务司法委员会
主任委员　苑世男
财政经济委员会
主任委员　周礼乐
农村经济委员会
主任委员　陈朝谟
科教文卫委员会
主任委员　程子圣
副主任委员　王生林
规划建设环境保护委员会
主任委员　陈学群
副主任委员　沈海生
民族侨务外事委员会
主任委员　唐广庆（兼）
副主任委员　于　正

大连市人民政府

代市长　李永金
副市长　刘长德 贾崇斌 夏德仁 王承敏
贺　旻 刘俊文 南昌明
市长助理　洪源栋 孙广田 孙世菊
戴玉林
秘书长　陈立新
副秘书长　张国安 王心明 韩世福
李立新 曾祥仪 王玉金
王艺波 马洪模 王永奎
姜丽华 冷明述
办公厅
主　任　张国安
副主任　王之峰 王沛丰
法制办公室*
主　任　李秀岩
计划委员会
主　任　邢良忠
副主任　柏长年 吕　强 李　才 田　涛
物价局
局　长　王太培
副局长　王淑英 孙俊兴
统计局
党组书记　刘丕基
局　长　吕功政
副局长　邹　冰 张克志
科学技术委员会
主　任
党委书记　曲晓飞
党委副书记　易　军
副主任　张启敏 田树军 刘晓英
海洋局*
局　长　张启敏
经济体制改革委员会
主　任　姜正彦
副主任　赛自威 栾福军
地震局
副局长　赵尔元
总工程师　李　铁
劳动局
局　长
党委书记　于仁国
副局长　李延安 何来生 于德泉 王维安
王伶法
人事局
局　长　张　中
副局长　徐国臣 王永和 仇黎明 邓龙春
机构编制委员会办公室*
副主任　邓龙春

民族宗教事务委员会
主　任　张天普
副主任　肖海波 杜连和
外事办公室
主　任　李泊洲
副主任　徐大可 张建威
旅游局
局　长　柳振万
副局长　于建军 高永伟 王馨德
侨务办公室
主　任　杨爱民
副主任　张光兴 原柏令
人民防空办公室
主　任　石善海
副主任　吕树华 刘洪胜 武林哥
朱自发（兼）
信访工作办公室
主　任　王道平
副主任　杲　树 初振全
口岸管理委员会（工委）
党工委书记　李永金（兼）
主　任
党工委副书记　汪集刚
副　主　任
党工委副书记　张仙峻
副主任　吴文康
纪工委书记　牟桂云
民政局
局　长
党委书记　王　萍
副局长　郑永积 惠安成
公安局
局　长　孙广田
副局长　林树良 吕东辉 陈锡斌 董兴宾
王德兴
政治部主任　王旦轲
国家安全局
党委书记　车克民
局　长　万国涛
副局长　谢兆华 金怀坤
政治部主任　金怀坤
纪委书记　王绍福
司法局
局　长
党委书记　王本芳
副局长　王金亭 孙志雁 郝宝昆 张治亮
党委副书记
纪 委 书 记　王金亭
政治部主任　刘国良

农村工作委员会
主　任　宁振波
农业局
局　　长
党委书记　颜景夫
党委副书记　姜德全
副局长　张黎明
林业局
局　长　张荣杰
副局长　于洪东 王　伟
水利局
党委书记　刘玉学
局　　长
党委副书记　宋光禄
副局长　张福来 程爱民 刘兆坤
水产局
局　　长
党委书记　徐志宽
党委副书记　吴玉芝
副局长　王喜福 王恩顺
经济委员会（工业党委）
党委书记　韩世福
主　　任
党委副书记　张继先
党委副书记　徐毅东
副主任　张健胜 毕世广 高　连 张乙明
李本海
纪委书记　徐　科
集体经济办公室＊
主　任　由相金
副主任　陈传亮
机械工业管理局
党委书记　于　杰
副局长　于　杰 孙武督 姜心哲
党委副书记
纪 委 书 记　孙武督
电子工业管理局
局　　长
党委书记　方世伟
副局长　王铁柱
乡镇企业管理局
局　长　王辉生
副局长　王连英 谢玉坤 毕长泉 袁　辉
技术监督局
局　长　麦德仲
副局长　林广成 鹿正军
交通局
党委书记　刘积深
局　长　孙吉春
副局长　刘福荣 梁旭山

城乡建设委员会
主　任　宋增彬
副主任　张宏安 李长吉 郝方林 张传吉
王忠国
城市建设管理局
局　　长
党委书记　谭积斌
副局长　孙福伟 周波平 黄子茂 顾　强
党委副书记
纪 委 书 记　孙福伟
城乡规划土地局
党委书记　牛连盛
局　长　王正刚
副局长　王　君
总规划师　董　伟
环境保护局
局　长　王忠彦
副局长　施中岩 马成恩 梁宏君
总工程师　马成恩
公用事业局
党委书记　化启庄
局　长　于长敏
副局长　蔡胜奎 谭树茂 刘伟春
房地产管理局
局　　长
党委书记　张永林
副局长　周　达 曹宁波 王晋良
党委副书记
纪 委 书 记　张德勋
商业委员会
党委书记　张承恩
主　　任
党委副书记　于文亭
副主任　宋国实 王　春 刘朝洪 张少华
党委副书记　宋国实
纪委书记　靳春珍
财政局
局　长　阎承琦
副局长　苏　辉 林　华 王连山
纪检组长　苏　辉（兼）
国有资产管理局＊
局　长　李忠永
地方税务局
党组书记　刘宪茹
局　长　程凤珍
副局长　周小渝 李圣君 王安栋
纪检组长　刘长作
审计局
局　长　于精珠
副局长　白日玲 徐挺鹏 郝硕博

总会计师　于保和
粮食局
局　　长
党委书记　林春财
副局长　张廷玉 刘文英 李　光
对外经济贸易委员会
副 主 任
党委副书记　钟善恩
党委副书记　崔　铁
副主任　金日辰 王延辉 刘德春 于　涛
段志强
工商行政管理局
局　长　李德和
副局长　王学圣 于喜寿 江　武
纪检组长　孙红路
高等教育工作委员会
书　记　怀忠民（兼）
副书记　贾聚林 刘文健
教育委员会
主　任　贾聚林
副主任　刘文健 王允庆 邹元圣
纪检组长　刘文健（兼）
文化局
局　　长
党委书记　洪文成
副局长　唐功春 张玉珠 张　君
卫生局
副 局 长
党委副书记　徐立新
副局长　刘明溱
党委副书记　李翠兰
计划生育委员会
主　任　王德永
副主任　于　滋
体育运动委员会
主　任　辛德智
副主任　刘建华 孙新生
广播电视局
局　长　李　耀
副局长　叶枝盛 王忠玲
新闻出版局（版权局）
局　长　林久平
副局长　张鹏远
经济技术开发区管理委员会
主　　任
党工委书记　周海斐
副主任　刘国忱 刘庆茂 方海洋
纪委书记　李　英
保税区管理委员会

主任、党工委书记 杨希学
副主任 张 克 黄 明 宋海青

高新技术产业园区管理委员会

党工委书记 张世臣
主任、党工委副书记 张世坤
副主任 谷源德 李 莉 李伟民

金石滩国家旅游度假区管理委员会

主任、党工委书记 姚先林
副主任、党工委副书记 朱长福
副主任 陈国贵 于建军（兼）

房地产开发管理办公室

主 任 （暂空）
副主任 金建利 孔 昊 刘 军

信息产业局

局 长 马祖铨
副局长 杨白新 王玲杰

城市管理综合执法局＊

局 长 沈丽荣

中国人民政治协商会议辽宁省大连市委员会

主 席 林庆民
副主席 王希智 方 军 宋有成 郝 斌 田树军 谭忠印 黄 畋 梁增镖 丁德文
秘书长 刘树源
副秘书长 马丽芬 王存昆 邹君仁

办公厅

主 任 邹君仁
副主任 鹿英代

研究室＊

主 任 刘长富

提案委员会

主 任 谭忠印（兼）
副主任 贺少成

经济委员会

主 任 丁德文（兼）
副主任 徐向东 周德福

科教文卫体委员会

主 任 田树军（兼）
副主任 徐景森

社会法制和民族宗教委员会

主 任 郝 斌（兼）
副主任 刘文学

文史和学习委员会

主 任 张敬山
副主任 王胜利

联络委员会

主 任 崔德民

中国共产党大连市纪律检查委员会 大连市监察局

书 记 王会全
副书记 王业滨 王星航
局 长 王业滨
副局长 宋德福 涂象钧

大连市人民检察院

代检察长 娄玉华
副检察长 陶长波 张绍山 王宝刚 葛延珉
政治部主任 王新忠

反贪污贿赂局＊

局 长 （暂空）

大连市中级人民法院

院 长 郑全慈
副院长 洪绍兴 都本有 王 琦 高尔坦 刘 京
纪检组长 吕 毅
政治部主任 孙德润

民主党派

中国国民党革命委员会大连市委员会

主任委员 何大川
副主任委员 周作堃 张广恩 范圣弟 金一丞
秘书长 周作堃（兼）

中国民主同盟大连市委员会

主任委员 田树军
副主任委员 凌茂英 唐 俊 孙仁安 徐承本 辛 勤 朱恩新
秘书长 徐承本（兼）

中国民主建国会大连市委员会

主任委员 朱朝岱
副主任委员 蒋铭辉 王承志 李 才 武献华
秘书长 蒋铭辉（兼）

中国民主促进会大连市委员会

主任委员 谭忠印
副主任委员 魏 群 王 彤 张传吉 贺 旻 于景宁 郑 冰
秘书长 魏 群（兼）

中国农工民主党大连市委员会

主任委员 黄 畋
副主任委员 洪祖培 王传雅 赵德鹏 唐建武 关亚风

中国致公党大连市委员会

主任委员 梁增镖
副主任委员 余泽美 宋伯声 吴晓巍 谢 琳
秘书长 余泽美（兼）

九三学社大连市委员会

主任委员 祝明仁
副主任委员 张伯伦 吴忠伟 张连博 方惟一 董 闯
秘书长 吴忠伟（兼）

台湾民主自治同盟大连市委员会

主任委员 简国树
副主任委员 苏振瑛 叶寿丹 林绍斌 林永中
秘书长 苏振瑛（兼）

人民团体

总工会

主 席 高 姿
副主席 刘德成 战师龙 张家荪 吕家福

共青团市委

书 记 熊博力
副书记 郝 明 方健伟

妇女联合会

主 席 崔庆群
副主席 刘桂华 朱 莉 刘秋菊 陈凤荣 王玲杰（兼）戴大双（兼）

科学技术协会

主 席 丁德文
党组书记、副主席 蔡维藩
副主席 王德豹 李献诚 张广云

归国华侨联合会

主 席 梁增镖（兼）
副主席 孙常强

工商业联合会

党组书记、副会长 李守全
副会长 马世侠 魏玉田

文学艺术界联合会

主 席 李勤明
副主席 季福林

哲学社会科学联合会

主 席 董长海
副主席 孙激扬 李 伟

残疾人联合会

理事长 宁运福
副理事长 李 扬 冷一彬

市直事（企）业单位

史志办公室
主　任　单文俊
副主任　王佩平 李尚华
大连日报社
社　长　崔亚萍
总编辑　高连仲
副总编辑　孙友深 丁学忱 韩宗凯 马　丽
大连晚报社＊
总编辑　李明明
大连出版社
社　长　孙福泰
副社长　王久胜 卢相泰
《东北之窗》杂志社
主　编　袁世超
副主编　吴荣柞 高燕飞 皇甫晓涛
经济研究中心
主　任　刁成宝
副主任　唐永强 于怀江
市委党校
第一校长　怀忠民（兼）
校　长　周万增
副校长　杨　斌 王顶恩 田志军
大连职业技术学院
党委书记　姜斯奇
院　长　戴克敏
副院长　栾永斌
大连大学
党委书记　赵亚平
校　长　魏小鹏
党委副书记、纪委书记　刘正宁
副校长　由业诚 王文波 苑　迅
教育学院
党委书记　陈利民
院　长　王永和
副院长　孙宏安 张　涛
广播电视大学
党委书记　林守宁
副校长　林春宇 靳雁涛 张庆儒 高　博
接待办公室（大连东方酒店集团）
党委书记、主任（董事长）　王心明
副主任　邹明达 何兵伟
经济技术协作办公室
主　任　曲星光
副主任　于文元 丁仁恕
总会计师　苗东芳
星海湾开发建设管理中心
主　任　林　浩
副主任　郝维传 赵元洪
证券交易中心
总经理　丁文奇
副总经理　林培军
轻工业总公司
经　理、党委书记　张健胜
党委副书记、纪委书记　鲁世伦
物资总公司
经　理、党委书记　张怀礼
副经理　孙明久 李逢春
党委副书记、纪委书记　吕立辰
建设工程集团有限公司
董事长、党委书记　于传龙
党委副书记、纪委书记　孙世才
医药总公司（医药管理局）
经　理（局长）　毕世广
党委书记、纪委书记　刘启信
副经理（副局长）　张仁生 陈　幸
仓储联合总公司（仓储事业管理局）
副经理（副局长）　胡洪年 李树根
供销合作社联合社
理事会主任、党委书记　许贵昌
党委副书记、纪委书记　王永福
理事会副主任　赵公法 袁成魁
国际信托投资公司
总经理　王福贵
副总经理　闫盛辰 左振平 刘　忠
信托投资公司
总经理　王洪兰
副总经理　许丽烨 张　伟 于传桐
商业银行
董事长　孙福信
行　长　王劲平
党委书记　孙文敏
副行长　孙文敏 滕征覆 李卓然 吕国胜
纪委书记　滕征覆（兼）
仲裁委员会办公室
主　任　洪绍兴
副主任　王家显
国际贸易促进委员会大连市分会
会　长　洪源栋
副会长　慕国生　王喜龙
金融管理委员会办公室＊
主　任　葛乐夫

市直各部门属单位

市政府驻北京办事处
主　任　李立新
建设投资公司＊
总经理　柏长年（兼）
工业发展投资公司＊
总经理　王国成
公安局刑事警察支队＊
政　委　靳德茂
支队长　祁广般
公安局交通警察支队＊
政　委　张长久
大连人民广播电台＊
台　长　王永振
大连电视台＊
台　长　王忠玲（兼）

区 市 县

中共中山区委员会
书　记　冷相发
副书记　金　程 汤永胜 张卫东
中山区人大常委会
主　任　刘兴良
副主任　赵承轩 高丰轩 于开光 张俊岩
中山区政府
代区长　金　程
副区长　丛志斌 薛京利 陈克勤 王　瑞 赵　阳 季振峰
政协中山区委员会
主　席　高春武
副主席　李国安 于敬效 范忠富 万秉忠 罗永林
中共中山区纪律检查委员会
书　记　（暂空）

中共西岗区委员会
书　记　徐丛琪
副书记　李向东 田　毅 王有台
西岗区人大常委会
主　任　阚新世
副主任　姜淑琴 姜庆杰 赵恒纯 程绍益

西岗区政府
代区长 李向东
副区长 袁克力 穆道德 丛 林 张 莉 李 巍 顾 桦
政协西岗区委员会
主 席 侯克伟
副主席 初世炽 孙 毅 窄永强 虞星炬 冷传金
中共西岗区纪律检查委员会
书 记 王海燕

中共沙河口区委员会
书 记 张杰威
副书记 卢 林 孔丽红 赵相友
沙河口区人大常委会
主 任 孙克武
副主任 刘文斌 于宪法 隋云华 朱祯喜
沙河口区政府
代区长 卢 林
副区长 焦正家 王先基 骆东升 张跃良 王大鸣
政协沙河口区委员会
副主席 那永增 刘翠莲 王艺飞
中共沙河口区纪律检查委员会
书 记 林 强

中共甘井子区委员会
书 记 姜成十
副书记 钱忠杰 赵元敏 孙宝昌 李庆贵
甘井子区人大常委会
主 任 刘茂盛
副主任 乔太宏 薛来福 谭周应 王宗安 石云旭
甘井子区政府
代区长 钱忠杰
副区长 毛岩亮 刘兴伟 李 群 杨增海 闫 敏 肖怀柱 赵 光
政协甘井子区委员会
主 席 马述勋
副主席 张玉起 刘绪全 刘丕夫 孙静华 王德和
中共甘井子区纪律检查委员会
书 记 （暂空）

中共旅顺口区委员会
书 记 姚家凯
副书记 李洪军 董志慧 李 鹏
旅顺口区人大常委会
主 任 刘大学
副主任 冷延军 杨佳年 王永宽 董永渠
旅顺口区政府
区 长 李洪军
副区长 韩玉明 宋晓波 王世海 刘永斌 徐金祥 赵长君 曹志强 陈洪军
政协旅顺口区委员会
主 席 李华臣
副主席 王佐义 王全成 于丽华 韩 伟
中共旅顺口区纪律检查委员会
书 记 葛林有

中共金州区委员会
书 记 肖盛峰
副书记 郎连和 张学文 李本政
金州区人大常委会
主 任 孙殿斌
副主任 刘应中 谷春深 朱思敏 高美玉 王景春
金州区政府
代区长 郎连和
副区长 傅治政 张连生 李 杰 滕人贵 姜 周 孙德成 韩俊宇
政协金州区委员会
主 席 曲国滨
副主席 刘黎娟 王 勇 姜绍德
中共金州区纪律检查委员会
书 记 张运东

中共普兰店市委员会
书 记 于丕鸿
副书记 张亚东 李洪庆 于临奎
普兰店市人大常委会
主 任 王德长
副主任 栾焕新 刘德坤 尹传镇 谭攸芳
普兰店市政府
代市长 张亚东
副市长 王家贵 林树彬 庞维德 孙 明 孙克东
政协普兰店市委员会
主 席 王秀兰
副主席 白吉武 张殿梧 孙学彬 刘喜民
中共普兰店市纪律检查委员会
书 记 赵德贵

中共瓦房店市委员会
书 记 孙学斌
副书记 杨吉奎 刘英华 张秀廷
瓦房店市人大常委会
主 任 阎世忠
副主任 盖长青 丁长香 徐勤江 高景春 杜耀先
瓦房店市政府
代市长 杨吉奎
副市长 董呈发 成世济 王德龙 孙 华 马瑞春 杨立群 汤方栋
政协瓦房店市委员会
主 席 谷大良
副主席 王文涛 孙德英 孙严厉 刘贤有 邢艳璞 张世凯
中共瓦房店市纪律检查委员会
书 记 （暂空）

中共庄河市委员会
书 记 张 军
副书记 徐长元 张凤全 杨成林 王圣敏 管殿河
庄河市人大常委会
主 任 孙永文
副主任 王文铎 鞠学良 赵 军 宫传令
庄河市政府
代市长 徐长元
副市长 于春阳 吴继华 吴 华 曹顶文 何明洲
政协庄河市委员会
主 席 张凤全（兼）
副主席 梁亚恩 马喜安 孙长敏 王振忠
中共庄河市纪律检查委员会
书 记 吴胜达

中共长海县委员会
第一书记 任家民
书 记 尹景顺
副书记 刘锡财 冯贤广
长海县人大常委会
主 任 尹景顺（兼）
副主任 李春东 冯一叶
长海县政府
代县长 刘锡财
副县长 于精生 王振敏 逄海鹏 李文语
政协长海县委员会
主 席 李长群
副主席 王锡纯 丛绍云 赵振胜
中共长海县纪律检查委员会
书 记 刘福章

注：（1）此名单以2000年12月31日领导干部任职情况为准。
（2）单位名称后加“＊”的为副局级单位。
（3）民主党派领导人名单由统战部提供。

（市委组织部干部综合处）

大事记(2000)

责任编辑　石黎明

1月

1日

△本市计算机系统实现“零点跨越”，安全进入新千年。

3日

△市旅游局组织的“大篷车”旅游宣传促销团赴上海，开拓华东六市旅游市场。

△市公安局与市邮政局联手，在全国率先开设邮资免付的“110”举报犯罪信箱。

4日

△南山旅游风情街建设工程启动。10月1日竣工，成为本市一个新的旅游景点。

5日

△本市第一个社区团组织——桂林街道共青团工作委员会正式组建。

6日

△本市环保“双达标”及国家环保模范城市通过国家核查，提前1年完成国务院确定的“双达标”任务。

△《大连年鉴》在全国第二届地方年鉴评奖中荣获特等奖。颁奖会在广州市举行。

9日

△大连实德足球俱乐部成立。大连万达足球队易帜大连实德足球队。

10日

△庄河市开通“科技110”服务专线，有200多位农业专家和科技人员为这一专线提供服务。

△国家“九五”重点科技攻关项目——大连理工大学低铬奥氏体焊接材料的开发与应用项目通过部级鉴定。项目应用后年可节约资金上亿元。

12日

△本市再获全国双拥模范城称号。长海县同时获辽宁省惟一的全国双拥模范县称号。

17日

△亚洲进口商品展销会在日本北九州市开幕，本市26家企业100余种商品参展。

17～20日

△本市首次参加香港时装节，“碧海”、“亚瑟王”等20个服装品牌参展，签订加工制作410万件（套）出口服装协议，协议总金额1979万美元。

19日

△民办大连南洋学校成立。该校由南洋发展集团投资1.5亿元在甘井子区营城子镇建立，占地面积21公顷，建筑面积4.5万平方米，在本市中小学校中属规模最大。

20日

△市人才工作会议召开。会议表彰包信和等76名“大连市优秀人才”，讨论《中共大连市委、市政府关于加强人才工作的意见》，提出“建设北方人才高地”的目标。

22～26日

△市政协九届三次会议召开。审议市政协常委会工作报告和提案委员会工作报告；协商讨论市政府工作报告和其他各项报告；补选市政协第九届委员会秘书长和常委；审议并通过会议决议。

23～27日

△市人大十二届三次会议召开。审议政府工作报告、市人大常委会工作报告和其他各项报告，通过各项决议。

28日

△本市首家中外合资大型超市——法国家乐福大连商场开业。

31日

△由《中国体育报》评选的“世纪球员”颁奖仪式在北京举行。大连籍球星迟尚斌、贾秀全榜上有名。

△大连棒棰岛食品厂竣工投产，成为本市首家放心食品生产基地，主要生产“棒棰岛”牌豆制品、面食、调味品等。

2月

2日

△本市首家科技风险投资公司——大连科技风险投资有限公司成立。

6～10日

△2000中国大连烟花爆竹迎春会隆重举办。16个国家驻华使节及领事馆官员40余人、上百万市民和海内外游客参加迎春会活动。

13日

△市政府发布《大连市引进留学人员来连工作的若干规定》和《大连市引进优秀人才若干规定》。

16日

△大连市政府及下属6个农村区市政府在辽宁省农田基本建设“大禹杯”竞赛活动中均获“大禹杯”，实现全市“满堂红”。

19日

△为期1个月的大连市首届电脑节在大连电脑交易中心开幕。举办知名品牌电脑及相关产品的大型展示活动，开展电脑培训、购买、维修等一条龙服务。

△本市青年徐巍巍举办纪实照片展览，展出他历时102天，孤身骑车9000公里，拍摄和采写的关于环保和海洋方面的大量照片。

20日

△由马家军组成的大连开发区女队获北京国际公路接力赛女子友好组冠军。

22日

△大连港客运售票电子商务系统通

过市级鉴定。该系统为国内率先开发，已向全国水运系统推广。

22~23日

△全国首届林木种苗花卉购销洽谈会在连举办。11个省、市、区近百家单位的上万种林业产品参展，签订合同金额为3028.9万元，购销苗木、花卉2800多万株。

23日

△具有国际领先水平的50吨单悬臂岸桥安装完成。岸桥由大起集团总承包、德国考科斯公司配套建造，同时可吊双集装箱。

25日

△本市召开实施“畅通工程”、创建“平安大道”动员大会，参加全国36个城市的竞赛活动。

△大连航运总公司通过SMS（营运船舶国际安全管理体系）外审。至此，大连航运集团所属海运企业全部通过该项审核，取得国际海事组织颁发的符合证书（DOC）和船舶安全管理证书（SMC）。

25日~3月1日

△大连（成都）商品展销暨经济合作洽谈会在成都举办。总成交额达50.31亿元，创出本市国内招商成果新高。

26日

△本市向扶贫对口帮单位西藏索县捐赠援助款350万元。

△中国长城资产管理公司大连办事处开业。这是我国金融资产管理公司在连设立的首家办事处。

△大连广播电视中等专业学校与英国格拉斯哥国际英语商务学校结为友好学校，成为本市中专与外国学校结好的第一家。

29日

△大连票据贴现市场成立。这是东北地区第二家区域性票据贴现市场。

是月

△甘井子区人民医院医生、大连市模范共产党员陈庶佳被国家卫生部追授“人民健康好卫士”称号，成为本市获此殊荣的第一人。

3月

1日

△市内四区（中山、西岗、沙河口、甘井子）出售公有住房成本价自即日起上调10%。

△大连金牛股份有限公司的A种股票在深圳证券交易所挂牌上市。至此，“大连板块”已有17家上市公司、18种股票，数量在全国计划单列市中（除深圳）名列前茅。

△大连明辰振邦氟涂料股份有限公司成立。这是我国惟一一家高级氟涂料生产企业和本市首家国家重点高科技企业。

3日

△各区市县和第二批市直单位“三讲”教育开始。5月23日结束。

△本市第一例气管内肿瘤切除术在市第五人民医院成功实施。

4日

△大商新玛特购物广场在青泥洼桥奠基。这是本市历史上规模最大的国有独资商业项目。

6日

△大连机车车辆厂用100多万元现金和5套住房，重奖62位有特殊贡献的科技功臣。

7日

△戚秀玉等10人当选大连市十大杰出女性。

9日

△旨在介绍大连企业、宣传大连名牌的网站——“大连商标网站”开通。

12日

△本市进一步放宽个人住房政策性贷款的额度与年限。贷款额度由原最高10万元调整为15万元；年限由原最长15年调整为20年；连续缴存公积金满2年即可办理公积金贷款改为满1年。

13日

△大连周水子国际机场以总分第一名的成绩，被国家民航总局授予全国文明机场称号。

14日

△由西岗区公安分局民警自行设计的“户籍警务公开网站”开通。市民可通过该网站了解户口方面的政策。

15日

△旅顺南路黄泥川新隧道主体竣工。原黄泥川隧道由机动车双向通过改为单向通过，保证了行车安全，使旅顺南路更加畅通。

18日

△大连中铁快运有限公司中山营业部在青泥洼桥街道挂牌营业。这是本市铁路部门依托社区开设的第一个营业网点。

△平安保险大连分公司在全国保险业界首家推出即时出单、即时理赔的“一柜通”服务。

△大连电视台制作的《献血、献爱心》公益广告获全国第十三届电视文艺星光奖电视广告节目三等奖。

20日

△大连现代高技术发展有限公司研究开发的动态多叶光栅适形调强放射治疗系统入选国家“863”计划。

△本市长期按计划经济价格模式运作的猪肉、冷饮食品等商品价格彻底放开，由生产企业按市场供需自主定价。

△本市“大证利民”、“工信可转”、“大信受益”、“建信基金”4家老基金宣布摘牌，终止交易，合并组成“金元证券投资基金”。新基金于7月11日在上海证券交易所挂牌上市。

△由中央新闻单位及部分地方新闻单位组成的新闻采访团抵连，专题采访本市国有工业企业的改革与发展情况。

△朝鲜外务相白南舜一行来连进行友好访问。

△大连市自来水集团、大连市自来水集团有限公司组建，这标志着本市供水管理体制改革有了重大突破。该集团以我国最早的城市供水企业——大连自来水公司及其供水主业单位为核心企业。

21日

△市人大常委会第三十一次主任会议审议通过《关于对提任法律职务的审判和检察人员试行任前公示的意见》，决定对提请常委会提职任命的审判和检察人员试行任前向社会公示制度。

22日

△刚果总统德尼·萨苏一行抵连进行友好访问，并于23日召开刚果共和国投资说明会。

23日

△本市召开“双D港”开发建设新闻发布会，宣布将在大连经济技术开发区5号路一带20平方公里的土地上，正式启动建设“双D港”。

△东北地区首家旅游集团公司——大连旅顺旅游集团公司成立。

△由市政府投资的大连市国际远程医疗系统正式开通。这在全国是第一家。

23～25日

△2000年大连春季房交会举办。有100余家房地产商参展，共推出商品住宅1.5万套，销售房屋706套，面积7.2万平方米，销售额2.6亿元。

23～26日

△大连国际建材展览会举办。20多个国家和地区的400多家企业参展，签订意向合同总金额15亿元。

24日

△本市召开企业住房货币改革工作会议，全面铺开企业职工住房货币分配改革。

△鞍钢集团转让大连轧钢厂土地并收购原中国五矿第二轧钢厂。

25～26日

△大连科技与经济对接洽谈（交易）会举办。有5000余人参观洽谈，成交额2.7亿元。

26日

△26头斑海豹在瓦房店市长兴岛被放生。这是我国首次大规模放生斑海豹。此前，大连地区已先后放生斑海豹20多头。

28日

△由大连市商业银行经营的活体指纹开启保管系统在该行华昌支行投入使用。该系统有保管箱2万个，为国内此类系统中规模最大。

29日

△市政府作出新规定，配偶方已经下岗（失业）的、离异或丧偶抚养未成年子女者、市级以上劳动模范、烈士遗属等10种人原则上不下岗。

30日

△大连汽车综合性能检测中心通过部级评审验收，成为东北地区惟一的国家级汽车综合性能检测中心。

31日

△全球著名的跨国商业连锁公司——德国麦德龙集团在连设立麦德龙大连西岗商场项目签约。这是该集团在中国设立的第七家现付自运制商场。

4月

1日

△市建委决定，从即日起，对新建住宅实行供热分户计量施工，并对原有住宅采暖系统实行分户控制和按表计量的改造，以打破供热“大锅饭”。

△本市首批建设的3条地下电扶梯人行通道试运行，其设计和建造水平达到国内一流。

△大连新型企业集团物业管理有限公司获得ISO9002国际质量体系认证证书，成为东北地区首家通过该项认证的物业公司。

△市文化局开始举办“艺术之旅——月月有好戏”演出活动。至年末，大连京剧局、话剧团、歌舞团、杂技团等专业艺术团体为市民演出15台剧（节）目共21场，观众达2万余人次。

1～15日

△大连经贸代表团在美举行大型招商及经贸洽谈活动。共签订合作项目63项，合同外资11.3亿美元。

3～7日

△为配合市政府的招商活动，市委宣传部在美国旧金山举办“中国大连电视周”。

4日

△市政府决定，每年4月上旬的第一个周六为全民义务植树日。

6日

△友谊商城、大连商场等首批10家“旅游定点购物店”挂匾。

△本市出现较严重的沙尘暴天气，大气中总悬浮颗粒物浓度为20年来最高。

7日

△《光明日报》一版头题刊发《为企业脱困创造良好的外部环境》的调查报告并加编者按。之后，各中央级新闻媒体对大连的国有企业改革相继作了报道。

△至即日，大连海运（集团）公司“长松”号客轮19年间累计安全航行100万海里，相当于绕地球46圈，创造了我国航海史的新纪录。

△台湾民主自治同盟大连市委员会成立50周年。

△美国休斯敦市市长李·布朗向大连市市长薄熙来颁发“终身成就奖”，感谢他为两市间友好合作做出的不懈努力。这是该市历史上颁发的第一个终身成就奖。

8日

△全国第一家由残疾人主办的大型公益性网站——中国（大连）爱心网站开通。

11～13日

△全国人大常委会副委员长、全国妇联主席彭珮云在连调研新形势下妇女工作问题。

12日

△市委、市政府作出《关于深化教育改革，全面推进素质教育的决定》。

12～14日

△太平洋经济合作理事会（简称PECC）2000年第一次常委会在连召开，24个国家和地区的百余名代表与会。大连市被中国PECC推荐为“PECC城市软环境建设示范点”。

12～22日

△丹麦著名作家安徒生和凯伦·布里克森作品及生平展在市新华书店举行。丹麦驻华大使白幕申出席开展仪式。

16日

△大连华农汇宝制油有限公司建成投产。至此，华农集团以年总加工能力100万吨以上、营业收入20亿元的实力，成为本市乡镇企业第一艘“航空母舰”。

16～23日

△“腾飞杯”国际女子网球巡回赛大连站比赛举行，日本、韩国、中国共64名选手参赛。中国选手李娜夺得单打冠军，李娜和丁丁夺得双打冠军。

17日

△星海湾旅游港落成。

20日

△2000中国旅游风景区度假区博览会在连举办。共签订合同1237份，合同金额8339万元。

21日

△大连友谊集团友谊商城“星级服务体系”获第六届国家级企业管理现代化新成果奖，成为全国商品零售企业惟一获奖者。

22日

△大连——曼谷旅游包机航线开通。这是东北地区至东南亚的首条国际航线。

23～27日

△中共中央政治局常委、国务院总理朱镕基来连调研社会保障工作和国有企业改革问题，考察大连城市建设和环境工作。

24日

△《2000年大连市初中毕业、升学考试改革工作意见》出台。该意见做出市内4区考生报考普通高中不受区界限制等新规定。

△大连软件园学子园开园。由30多名大学生组成的5个项目首批入园。

25日

△世界劳务资源网在连开通。这是国内第一家专门提供国际劳务信息的电子商务网站。

27日

△大连西太平洋石油化工有限公司500万吨/年炼油工程通过国家竣工验收。这是我国第一个大型中外合资石化公司。

△沃尔玛购物广场大连奥林匹克店开业。这是全球第一大零售商业企业——美国沃尔玛公司在连的首家、在中国的第七家购物广场。

28日

△市城市建设重点工程项目虎滩污水深海排放工程竣工通水。

29日

△团市委表彰第三届大连市十大青年科技标兵，刘万全、邢光明等人当选。

△新型现代轻轨电车在大连电车工厂诞生。这是国内技术性能最先进的城市轨道交通车辆。

△大连市1998~1999年度先进集体、劳动模范表彰大会召开，表彰42名市特等劳动模范、752名市劳动模范、105个市先进单位和170个市先进集体。

是月

△由香港《亚洲货运》杂志主办的第十四届货运业大奖揭晓。大连集装箱码头有限公司再获最佳集装箱码头奖，成为中国内地惟一获奖者。

△大连高新技术产业园区被国家科技部、外经贸部批准为国家高新技术产品出口基地。

5月

1日

△即日起，城镇职工医疗保险制度改革在全市推行。

1~7日

△“五一”黄金周期间，本市海陆空共运送旅客近50万人次，创下历史同期最高纪录。

8日

△市区西部最大污染源——大连制药厂被爆破拆除。

△第十七次亚洲国家海员工会首脑会议在连举行，10个国家和地区的12家海员工会组织领导人与会。这是该项会议首次在中国举行。

10日

△辽宁省农村改厕与环境卫生工作会在连召开。本市农村卫生厕所普及率和农村粪便无害化处理率居全省第一。

△中国大连外轮代理有限公司成立，对东北地区的5家子公司实施区域管理，改变了过去各地外代公司直属中国外代总公司的管理体制。

△本市参加第五届全国残疾人运动会的45名运动员共获奖牌38枚（其中金牌16枚），超世界纪录3项，破全国纪录13项，为辽宁省代表团夺得团体总分和奖牌总数第一名立下头功。

13日

△南斯拉夫贝尔格莱德爱乐乐团在连举办“大连之春”音乐会。

15日

△大连理工大学环境科学与工程学院挂牌。这标志着本市环境学科领域的研究进入更高层次。

16日

△大连“体育之旅”旅游新线路在实德足球训练中心启动。

17日

△大连市“张裕杯”首届十佳环保景点公众评选活动揭晓，大连森林动物园、圣亚海洋世界、大连自然博物馆等景点当选。

△第十届中国新闻奖摄影作品评选在成都揭晓。《大连日报》摄影记者杨国胜拍摄的反映天百购物节的照片获银奖，成为辽宁省惟一的获奖作品。

△第三十二届世界电信日之际，市电信局与市教委联手推出中小学上网工程。首批试点中小学校60所。

18日

△大连市在全国城市建设管理工作会议上荣获全国城市环境综合整治优秀城市称号；副市长刘长德获城市管理优秀市长称号。

△大连市建设工程集团有限公司挂牌。该公司是以国内外工程总承包和房地产开发为主业，多元化经营的大型综合集团。

23日

△大连市第六届文艺“金苹果”奖评选揭晓。大连京剧团演员李萍和大连电视台电视剧作家高满堂获奖。

△大连籍女运动员姜翠华在世界杯自行车分站赛莫斯科站比赛中，首次战胜世界纪录保持者、法国名将弗雷西亚，获得冠军。

23~28日

△2000中国大连进出口商品交易会（第十四届）召开。64个国家和地区近3000名客商到会洽谈。出口成交7.27亿美元，比上届增长42.8%。

24~25日

△市纪委对1999年以来新任局级领导干部进行集体廉政谈话。

27日~6月3日

△第十二届大连赏槐会举办。共接待来自几十个国家和地区的海外游客近万人，比上届增长40%。

28日

△大连瑞士酒店被国家旅游局评定为五星级酒店。至此，本市已有3家五星级酒店。

△大连冰山自行车队在2000年全国场地自行车冠军系列赛总决赛上，一举夺得争先赛、计时赛、竞速赛和团体总分4项第一名。

28日~6月2日

△第二届大连国际广播音乐周举行。中央民族乐团、辽宁乐团以及美国、俄罗斯、乌克兰、德国、韩国的艺术家进行了表演。

30日

△由航务三公司承担主体工程施工的大连港大窑湾港区一期前4个泊位工程，荣获首届中国土木工程詹天佑大奖，成为获奖的2项港口工程之一。

31日

△长海县发现国家一级野生保护动物、濒危鱼类中华鲟。

31日~6月1日

△印度总统科切里尔·拉曼·纳拉亚南一行来连访问。

是月

△本市住房货币化分配改革取得实质性进展。第一批机关、定额补贴事业单位及部分企业单位货币分房试点工作

结束，第二批100多个机关、定额补贴事业单位及所有企业单位开始启动。

△大连理工大学钱昆明教授及其开发小组研制的多媒体光盘《宇宙之谜》获得巴黎第八届莫比斯多媒体光盘国际大赛一等奖。

△大连理工大学教授李廷举、林焰入选1999年教育部跨世纪优秀人才培养计划，各获资助30万元。全国有70名年轻学者入选。

△大连市人才信息网（WWW. DL－RC. COM）开通。

6月

1日

△本市全面提高企业最低工资标准，每人每月增加40元。北三市调至260元，市区及长海县调至310元，开发区、保税区、金石滩调至360元。

△即日起，作为全国法院系统试点单位的本市两级法院审判人员换着2000式审判服。

2日

△2000年中美（大连）高级网络技术研讨会在连举行，美国Internet主席道格拉斯·豪维林等10位美国著名网络专家与会。

3日

△《大连远程教育网总体技术方案》通过部级专家审核。本市被国家教育部和广电总局分别确定为中小学信息技术教育实验区和远程教育实验区。

△本市区市县设立的首家足球俱乐部——金州区足球俱乐部挂牌。

5日

△市政府召开紧急会议，动员全市城乡迅速掀起节水保水、城乡护绿、护林防害高潮，以缓解和扭转城市用水紧张、绿地缺水干旱等问题。

△本市有224人首批获高级经营者任职资格证书，这标志着本市选拔任用企业经营者的新机制初步形成。

6日

△2000年大连“明珠杯”金石高尔夫球邀请赛举行。来自13个国家的101名选手参赛。韩国的卞在元获总杆奖第一名，孙镇锡获净杆奖第一名。

△大连造船新厂为中国海运（集团）总公司建造4条5618TEU集装箱船的合同在北京签字，合同金额2.4亿美元。该船型是国际上最先进的第六代集装箱船。

△大连冰山自行车队在2000年全国自行车锦标赛上获冠亚军各6项，并打破1项全国青年纪录。

8日

△大连（郑州）商品展销暨经济合作洽谈会举行。参展企业316家，商品价值1700万元，商品房24万平方米。签订合同总金额36.4亿元。

△大连大杨创世股份有限公司股票“大杨创世”在上海证券交易所挂牌上市。

9日

△中国工程院院士、大连理工大学教授赵国藩获得素有“中国诺贝尔奖”之称的第八届陈嘉庚技术科学奖，成为本市获此奖项的第二人。

△大连钢铁集团与中国东方资产管理公司、中国华融资产管理公司签署债转股协议，使资产负债率由70.3%降至55.5%。

14日

△大连国际水产品及配套设备展览会举办，共签订项目合同140项，合同金额3.4亿元。

16日

△迄今本市最大的一桩个人赔付案由太平洋保险公司大连分公司给付，保户获赔44.5万元。

△大连东方信息技术研修学院在大连软件园成立。这是国内首家由企业投资建立，专门培养信息业人才的基地。

17日

△大连市与丹东市行政区划界线勘定仪式在连举行。至此，本市与营口、鞍山、丹东3个城市的行政区划界线勘定工作全面完成。

19日

△由沈阳东大阿尔派公司和芬兰诺基亚公司合资兴建，总投资2500万美元的大连东大高新技术产业园通信有限公司落户大连软件园。

△本市与刚果第二大城市黑角市结为友好城市。

20日

△大连海辉科技开发有限公司通过SGS雅斯利国际认证公司ISO9001质量体系的认证评审，成为本市首家获得该机构认证的软件企业。

23日

△市城市建设重点工程项目凌水河污水深海排放工程竣工并通水运行。

26日

△大连史前生命博物馆建成并向市民开放。该馆是国内外最系统的生命博物馆。

27日

△市委授予西岗区人民检察院检察官刘金铃“大连市模范共产党员”称号，并号召开展学习刘金铃的活动。12月，辽宁省委授予她“模范检察官”称号，并作出在全省开展向刘金铃学习活动的决定。

28日

△大连星海会展中心投资近千万元创办的首家中国展览网站开通。

△全长15.2公里的海皮公路一期工程竣工通车，设计时速每小时100公里。

△大连机车车辆厂制造的我国首台交直交铁路干线内燃机车试车成功。

△马家军队员董艳梅在雅典2000年国际田径大赛上夺得女子3000米跑金牌。

29日

△本市召开纪念中国共产党成立79周年暨深入学习“三个代表”重要思想座谈会。

29日~7月2日

△2000年中国海外学子辽宁（大连）创业活动周暨科技论坛举办，300多位海外留学人员以及国内1000多名企业、科研院所和高校代表参加活动。共签订合同118项，合同金额18.3亿元。

30日

△港湾广场改造工程竣工。广场中央的“郑和宝船”长近30米、宽11米、高7米，系用黄铜板精制而成。

是月

△大连港湾液体储罐码头有限公司被全球性期刊《危险货物通报》授予1999年度世界化学品最大增长量码头称号，成为我国惟一获此殊荣的码头。

△珍稀贝种美国象拔蚌首次在长海县繁育成功。

△辽宁省第一座地下水库——旅顺龙河地下水库建成，库容量87万立方米。

7月

2日

△轨道交通工程试车成功，新型轻轨电车同时投入运营。

△胜利路改造工程全面竣工，使该路成为本市又一条商贸、旅游和观光的主干道。

5日

△2000年大连国际信息技术论坛在连举行，主题为“21世纪城市信息化和电子商务”。

△从联合国人居中心北京信息办公室获悉，本市城市环境建设项目荣获2000年迪拜国际改善居住环境最佳范例奖。该奖项全球共评选出115个。

△国家信息产业部负责人在大连市电子商务新闻发布会上宣布，大连为全国惟一的国家电子商务示范城市。

7日

△大连市城市管理综合执法局挂牌。

10日

△在北京举行的全国城市住宅建设试点小区颁奖会上，大连市委书记、市长薄熙来和副市长刘长德分获建设部城市住宅小区建设试点奖，大连锦绣园等7个住宅试点小区获金杯奖，锦绣园同时获规划设计、建筑设计、工程质量、科技进步4个金牌奖及优秀开发管理奖。

14日

△即日起，本市23个市属科研机构管理体制改革正式启动。

15日

△全国著名老艺术家“大连天兴之旅”大型广场演唱会在奥林匹克广场举办，郭兰英、才旦卓玛、吴雁泽、于淑珍、马玉涛等10余位老艺术家参加演出。

18日

△深圳发展银行大连分行开业。这是深发行在东北地区设立的第一家区域性分行。

26日

△大连市体育产业发展协会成立。这是全国首家体育产业发展协会成立。

27日

△海军大连舰艇学院先进事迹报告会在北京人民大会堂举行。驻京陆海空三军、武警部队官兵和首都高校师生及各界群众2500多人参加报告会。

28日

△准高速双层动车组“神州号”在大连机车车辆厂交付使用。该机车被称为国产“子弹头列车”，时速达到180公里。

△2000年全国U15少儿足球赛在郑州结束。市足球学校代表本市参赛并夺得冠军。

是月

△在昆明召开的全国房地产高级论坛会议上，本市被评为全国十佳人居城市，并居十佳之首。

8月

1日

△本市食品“放心工程”全面启动，“群英楼”水饺、“三叶”馒头、“春和”蒜味肠等20种食品成为首批放心食品。

4日

△在北京举行的“创新风暴”全国住宅设计暨精品智能社区夺标赛上，大连万达集团开发的“星海人家”和“长春新城”双获全国住宅设计夺标综合金奖和精品智能社区夺标综合金奖；大连房地产发展集团公司开发的“民兴花园”获住宅设计夺标综合金奖。

6日

△主桥桥长572米、双向双排道的解放广场立交桥竣工通车。

7日

△大连市企业联合会成立。全国政协副主席、中国企业联合会会长陈锦华到会并为企业家作重要报告。

8日

△北京体育大学教师张健在旅顺口区铁山镇南岬角下水，用时50小时32分成功横渡123.5公里宽的渤海海峡成为“横渡渤海海峡的世界第一人”。

△本市第一家与欧美公司合资经营的综合性B－B商务平台——MARBID.COM的网站，在加拿大温哥华市正式开通。

9～13日

△本市首次举办国际性艺术博览会——2000大连国际艺术博览会。俄罗斯、日本、法国、冰岛、朝鲜、乌克兰、南非等国家和地区及国内25个省市自治区的近千名艺术家的近万幅作品展出，总成交额600万元。

△纪念市人大常委会成立20周年座谈会召开。市人大常委会主任于学祥、市委副书记王有为分别发表题为《努力开创我市人大工作新局面，坚持和完善人民代表大会制度》、《坚持和加强党的领导，推进依法治市的进程》的讲话。

10日

△按照国际五星级标准建设的大连希尔顿饭店正式开业。

11日

△全国政协副主席胡启立来连视察本市信息产业发展情况。

12日

△“大连讲坛”开讲“21世纪的信息技术”。3位美籍华人信息业专家谢锦康、徐德清、骆宁分别以“21世纪的信息技术”、“电子商务与电子经济给予中国的机遇和挑战”、“信息贸易：WTO的挑战与机遇”为题，为本市领导干部作报告。

△美国七星集团总裁李金松来连，与大连高新技术产业园区签订总体开发合作协议及数码科技合作项目。

13日

△大连高新技术产业园区召开欧美同学会“大连高新技术产业发展战略”专题座谈会及项目洽谈会，共签订意向合同22项、正式协议8项。

15日

△市委八届十一次全体（扩大）会议召开。市委书记薄熙来作《坚持“三个代表”重要思想，努力开创我市经济发展和社会进步新局面》的工作报告。会议讨论通过《中共大连市委关于加强同人民群众联系的十项规定》，还邀请全国政协副主席胡启立、陈锦华分别作《信息化漫谈》和《关于“十五”规划应重点研究的几个问题》的报告。

17日

△经国务院批准，本市又有方鸣钲等10名专家、学者和技术人员享受1999年度政府特殊津贴。至此，全市已有311人享受政府特殊津贴。

18日

△大连造船新厂建厂10周年并更名成立大连新船重工有限责任公司。江泽民总书记办公室委托市委书记薄熙来向

该厂表示祝贺。

19日

△市经贸代表团在贵阳举行大连(贵州)经济技术合作项目发布会，与西部地区签订经济技术合作项目34项，总成交额6.3亿元。

21日

△市十二届人大常委会举行第二十七次会议，通过《关于接受薄熙来辞去大连市人民政府市长职务请示的决定》，决定李永金任代理市长。

△市政府召开十二届六次全会，新老市长进行政务交接。

23日

△全国养老金社会化发放工作会议在连召开。本市介绍了在全国较早实现离退休人员养老金100%社会化发放，率先对企业离退休人员实行社会化管理服务的经验。

△大连海昌欣城在全国首次以公开竞价的方式拍卖未竣工期房。其建筑面积达1539.47平方米的“观天下阁”最终以每平方米1.51万元的价格售出。

24日

△市政府召开压水节水紧急动员大会，要求全市人民立即行动起来，掀起压水节水的新高潮；决定提前1年启动“引英入连”工程，以保证2001年5月竣工输水；同时出台居民超量用水按水价10倍收费等节水措施。

24～28日

△第五届大连国际汽车暨零部件展览会举办。来自10余个国家以及我国台湾、香港及内地的著名品牌和厂商参展。展出车辆349辆，销售整车1414台，销售及订购合同金额6.82亿元，分别比上届增长6.1%和10.2%。还首次推出汽车消费贷款。

28日

△大连金石滩国家旅游度假区招商说明会——“大连金石滩欢迎您”在北京人民大会堂举行。全国人大常委会、全国政协、大连市及国家有关部委办局的有关领导，加拿大等国驻华大使，500多位国内外客商和旅行社的代表，以及国内外70余家新闻机构的记者出席说明会。

29日～9月3日

△市政府经贸代表团首次赴韩国招商。共签订合同16项，其中8项属高新技术项目；合同外资6833万美元。

31日

△新世纪全国“城市之歌”大赛在北京颁奖。《大连，我永远的爱》获得大赛最高奖——艺术大奖，同时还获得最佳作词、最佳作曲、最佳演唱、最佳录音4个单项奖。

9月

2日

△象征着军政军民团结、共创美好未来的大连海军广场落成，成为继英国、美国后，世界第三个以海军命名的广场。

5～10日

△大连(哈尔滨)经济技术合作洽谈会举行。参展企业269家，参展商品总价值1964万元。共签订经济技术贸易合同332项，合同总金额86.46亿元，为1999年以来本市国内7次招商活动之最高。

6～9日

△2000年中国国际环境保护博览会在连举行。全国23个省市自治区环保部门、环保企业、大专院校和科研院所的代表，英国、加拿大、美国、德国、法国、日本、奥地利、新加坡等国家驻华使馆官员和环保企业代表，以及香港、台湾学者参加博览会。展会共签订合同700余项，合同金额19亿元。

7日

△中国经济发展论坛在连举行，来自北美、欧洲、新加坡、日本等国家和地区的海外机构投资者、中国在海外上市或即将上市公司的负责人以及中国有关机构的研究人员近200人出席。论坛主题是中国的投资机会。

△达到国际五星级标准的现代化综合会议中心大连金石国际会议中心竣工并试营业。

12日

△大连森林动物园二期工程野生放养区试开园。放养区规划面积200万平方米，建成面积100万平方米，有动物58个品种2000余头(只)。

16日

△在澳大利亚悉尼举办的第二十七届奥运会女子自行车项目比赛中，大连籍运动员姜翠华以34秒768的成绩获得铜牌，实现中国自行车运动在奥运会上的历史性突破；王艳列第四名。

16～19日

△第十二届大连国际服装博览会(一期展)暨中国服装出口洽谈会举办。总成交额52.9亿元，其中服装46.8亿元，比上届增长12.5%。

16～25日

△第十二届大连国际服装节举行。几内亚总理西迪梅、意大利前总统斯卡尔法罗、日本前首相村山富士，全国人大常委会副委员长许嘉璐、全国政协副主席张思卿参加开幕式并观看大型艺术晚会《新世纪，你好》。服装节期间举办了第十二届大连国际服装博览会暨中国服装出口洽谈会、世界名师时装展演会、世界名师名牌论坛、2000“大连杯”中国青年时装设计大赛、大连服装知名品牌展演、大连留法服装设计师联合展演等活动。

17日

△历时2个多月的中国首届大连亿达金牌形象大使电视大赛落幕。全国19个省41个城市近200名选手参赛，孙树明等50名人获金牌形象大使称号，其中孙树明、李月等10人获十大金奖形象大使称号。

△由大连盐业公司改制而成的国有独资公司——大连市盐业有限公司挂牌。原各区市县盐业公司全部改制为其全资子公司，由此理顺了本市盐业管理体制。

21日

△本市电子商务重点示范工程之一的大连口岸物流网有限公司在大连软件园成立，标志着大连口岸电子商务应用正式启动。

22日

△在澳大利亚悉尼举办的第二十七届奥运会上，大连籍运动员丁美媛以300公斤的总成绩，夺得女子举重75公斤以上级冠军，并打破该级别抓举、挺举、总成绩3项世界纪录。

△奥地利维也纳施特劳斯节日乐团在连演出“维也纳之声”音乐会。

25日

△大连理工大学教授贾仲孝的2篇数学论文，大连理工大学董闯教授与大连海事大学教授黑祖昆合著的1篇应用物理及材料科学论文，获得美国ISI机构首次向中国也是第一次向亚洲地区颁发

的“科学引文索引（SCI）”的“经典引文奖”。“科学引文索引”是全球最权威的科学引文数据库。

26 日

△第六届全国职工职业道德“双十佳”表彰会在北京举行。大商集团获全国职工职业道德十佳单位称号并荣登榜首。

△大连商品交易所被授予全国青年文明号称号，成为全国金融系统惟一一家以单位整体入选的单位。

△5 时 10 分，在鹤大公路庄河市明阳山段发生因农用车司机违章行车造成的特大交通事故，9 名村民死亡。

28 日

△大连数码科技股份有限公司成立并将落户“双 D 港”。该公司注册资本 1 亿元，将建成国内一流、国际知名的高科技企业。

28 日~10 月 2 日

△应市委、市政府邀请，我国西部地区百名全国劳模参观考察团来连，参加“劳模看大连、牵手新世纪”活动。

29 日

△被称为“大连的第二生命线”的引英入连城市供水应急工程开工。

是月

△本市“乡乡通油路”工程通过省有关部门验收。全市 128 个乡镇（1999 年数）全部通上油路。

10 月

1 日

△大连实德足球队荣获第七届全国足球甲 A 联赛冠军。这是全国甲 A 联赛举办 7 年来，大连队获得的第五个甲 A 联赛冠军。

△本市城市旅游重点项目——大连俄罗斯风情街竣工。

1~7 日

△“十一”黄金周期间，本市共接待海内外旅游者 56.7 万人次，旅游综合收入 3.41 亿元，比“五一”期间分别增长 13.4% 和 12%。

2 日

△辽宁省普通高校招生录取工作结束。本市文、理考生的各科成绩均列全省第一。

8 日

△国际草坪大会暨第八次全国草坪学术研讨会在连召开。美国、加拿大及我国港、台地区和内地的 200 多位专家、学者与会，探讨我国城市草坪绿化中存在的主要问题及解决办法。

△“绿波杯”少儿国际象棋冠军赛在连结束，诞生首批“儿童棋星”。这是建国以来本市举行的最大规模的国际象棋比赛。

9 日

△五四广场邮政营业大厅重建后正式启用。这是本市举行的最大的电子化邮政营业大厅。

10 日

△法国勒阿弗尔市—诺曼底驻中国（大连）经贸办事处成立。这是与本市结好的欧洲城市在连设立的第一个经贸办事机构。

11 日

△大连经济技术开发区召开新机构成立暨局处级领导干部聘任大会。改革后的开发区党政部门由 14 个减为 9 个，人员编制由 447 名减为 247 名，干部平均年龄由 42.2 岁降至 37.6 岁。

11~14 日

△第四届“西岗杯”全国相声新人新作征文大赛在连举行，有 9 篇作品获奖。西岗区连续举办 4 届全国规模的相声大赛，被相声界称为“西岗现象”。

12 日

△第二届中国船员劳务配员和培训国际会议在连举行，BIMCO、ISF 等国际著名组织以及国际航运和劳务外派公司的代表，及来自美国、瑞典、希腊、日本等十几个国家和地区的代表共 160 多人与会。本市有 10 个企业具有外派海员资格。

12~23 日

△由市委、市政府主办，大连市史志办公室主编的《大连年鉴》参加第五十二届法兰克福国际图书博览会。

13 日

△大连京剧团排演的京剧《西门豹》在南京举办的第六届中国艺术节上获银奖。

14 日

△世界上最先进的大型滚装船——LOLO1.23 万吨首制船在大连造船厂下水。

△大连商贸网正式开通。这是本市电子商务示范工程，也是东北地区功能最全的大型综合电子商务平台。

14~17 日

△2000 秋季全国化妆洗涤商品大连交易会举办。国内 460 家企业参展，成交金额 27.5 亿元，比上届增长 10%。

15 日

△“中国作家看大连”活动启幕，陈忠实、曾镇南、高健群、许淇、任芙康、朱铁志、刘元举、殷慧芬等 8 位知名作家参加活动。

△大连宏信消防技术开发公司研制的宏信 L119 无毒环保型水成膜泡沫灭火剂投产，标志着我国进入淘汰破坏臭氧层产品领先国家行列。

16 日

△本市第一个国家康居示范小区——泡崖新区竣工。小区内的万众广场同时落成。

△本市首家专业性美术展馆——辽宁师范大学艺术学院美术馆开馆。

△西岗区 5 位“小巷总理”出国考察，学习新加坡的社区建设和管理经验。

16~21 日

△当代俄罗斯美术作品展在旅顺博物馆举办，展出作品 150 幅。这是本市迄今举办的最大规模的国外美术作品展览。

17 日

△市城市建设重点工程项目大连棋牌苑落成开放。

△市工商局在甘井子区红旗镇张家村查处本市最大一起假造名酒案，收缴假冒“名酒”700 多瓶，总案值 10 多万元。

△刚果（布）和几内亚国家歌舞团来连演出。

17~20 日

△2000 大连市农业名特优新品种展示品尝会举办。有 600 余个农业新品种参展，1.6 万人次农民参观，400 余种苗木、种子被订购。

17~22 日

△“金狮奖”全国第五届杂技比赛在连举行，共有 69 个节目参加决赛，为我国历届杂技比赛中规模最大。台湾首次派团参赛。大连杂技团《托起明珠——顶碗》等 3 个节目获“金狮奖”，《飞雪迎春·飞板》等 3 个节目获“银狮

奖”。

△大连话剧团排演的话剧《三月桃花水》参加在韩国汉城举行的第七届BESETO戏剧节演出并获成功。

20日

△由大连阳光商品物流有限公司承担经营的“放心早餐”工程启动。

21日

△本市举办纪念抗美援朝50周年《谁是最可爱的人》专场文艺晚会。

△大连——上海T131次特快旅客列车开行，全程2255公里仅需24小时。

22日

△市党政代表团赴贵州考察，共商对口帮扶大计。

△辽宁省电子商务培训中心在东北财经大学挂牌。

23～28日

△本市残疾人运动员李强在澳大利亚悉尼举行的第十一届残疾人奥运会上，夺得T12级男子100米、400米跑2枚金牌和200米跑银牌，实现我国在残奥会竞赛项目上金牌零的突破。

24日

△团市委、市学联在英雄纪念公园举行纪念抗美援朝50周年18岁成人宣誓仪式，1000名青年参加仪式。

△历时44天的第四届大连长海国际钓鱼节落幕。签订经贸合同项目16个，合同金额8340万元。

25～29日

△大连——香港招商活动在香港举行。市党政代表团和近200人组成的经贸招商团参加活动。共签订合同92项，合同外资8.3亿美元。

26日

△2000年“雅哥弟杯”第十五届全国速度轮滑锦杯赛在连开赛。香港及内地的21支代表队的150余名运动员参赛。

△天百、大商、百盛、沃尔玛、家乐福、玉华等13家商场的100个食品柜台被确定为“放心柜台”。

29日

△第十四届大连国际马拉松“全日空杯”比赛举行，有25个国家和地区及国内共4990名运动员参赛。代表大连经济技术开发区的马家军弟子仲伟福、孙静夺得男女全程跑冠军，马家军还获得男女全程接力赛的桂冠。

31日

△市区第三季度月降尘量比以往平均数减少50%，是本市历史上降尘最少的季度。

△市中心医院全面改造工程竣工，形成急诊、门诊、住院病房条件等10个全市“之最”。

是月

△大连理工大学5项本科教改项目被国家教育部批准为“新世纪高等教育教学改革工程”项目，获准数居辽宁省各高校首位。

11月

1日

△0时，第五次全国人口普查开始。全市近3万名普查员开始入户调查登记。经快速汇总数据显示，本市总人口为589.4万人。

2日

△市公汽联营公司购置的100台环保公交车，投入本市最长的公交线路710路的运营，明显降低了人民路、中山路的公交车尾气污染。

△大连海事局挂牌，对大连地区沿海水域和港口水域内的水上安全、防止船舶污染等实行统一管理。

2～7日

△迄今为止本市最大规模的大型国内经贸活动——大连（长沙）商品展销暨经济技术合作洽谈会在长沙举办。签订经贸合同255项，合同金额44.2亿元。

3日

△本市与上海、苏州、太原一起，被确定为中意环保合作计划实施城市。

3～6日

△2000年大连秋季房屋交易大会举办。共设展位200余个，参展企业100余家。交易总额7.1亿元，意向金额9.3亿元，均创历届房交会之最。

8日

△全市新闻工作者集会，庆祝首届记者节。

△市工商局决定，从即日起在全市开展一次规模空前的打假斗争。

11日

△大连大汽企业集团新购进的100台环保型桑塔纳车投入营运。

15日

△万达物业接管长春市荣获国家金奖楼盘称号的“长春明珠”小区，成为本市第一个走出去的物业公司。

△大连——西纽约在线医疗会议举行。这是我国首次利用数字通信方法召开国际间卫生洽谈会。

16日

△大连美罗药业股份有限公司的A种股票“美罗药业”在上海证券交易所挂牌上市。首日各项指标创出本市上市股票最高纪录。

20日

△中国华录集团所属大连贤科机器人技术有限公司承担的国家“863计划”项目——装配机器人系列化模块化产品的开发与应用，被863智能机器人主题专家组确认为是国内最精密的装配机器人。该公司因此成为国内惟一的装配机器人产业化基地。

21日

△辽宁省创建文明社区工作座谈会在连召开。会议提出，大连和沈阳力争用5年时间，将70%～80%的社区基本建成文明社区。

22日

△中国华录·松下电子信息有限公司开发出具有当代国际先进水平的液晶投影机并投放市场，成为国内最大的液晶投影机生产基地。

24日

△市委、市政府召开实施“军嫂无待业工程”动员大会，提出军官家属安置率要达到95%以上的目标。

△大连高新技术园区普兰店分园挂牌。

28日

△市第十二届人大常委会第三十次会议决定，娄玉华为大连市人民检察院代理检察长。

△本市“双D港”开工建设创业服务楼、恒达科技城等4个大项目。至此，“双D港”入驻项目已达5个。

29日

△李官镇曲家沟村私营业主孙家君非法在自家住宅生产烟花爆竹时引起爆炸，炸死4人，炸伤3人，炸毁平房15间。

是月

△全国物业管理示范小区（大厦）评审揭晓，本市锦绣园小区、泡崖七小

区等4个被评为国家级优秀示范小区（大厦）。至此，本市国家级优秀示范小区（大厦）达到81个，居全国前列。

△在辽宁省旅游强市强县大检查中，普兰店市名列首批参评县市前茅，成为旅游强市。

△国家环保总局批准大连市作为国家环境保护产业发展及设施运营产业化示范试点城市。

△沙河口区玉华小学在全市率先取消评选“三好学生”制度，开展“争星创牌”激励发展活动。这是对本市教育评价制度的重大改革和创新。

12月

2日

△中山区文化局和文化馆组织创作的群舞作品《捻船汉子》获得第十届全国舞蹈“群星奖”比赛金奖；另有3个作品分获两银一铜。这是本市在历届该项比赛中获奖数量与档次最高的一次。

4日

△截至即日，位于甘井子区飞机航线下的19个煤场被彻底清除，清除整治面积约20万平方米，基本消除低空飞行视觉污染。

5日

△本市召开发展环境经济研讨会，市委、市政府主要领导，有关委办局领导及理论界人士参加会议，研讨“保护环境，发展经济，建设城市”问题。

6日

△从解放广场搬迁到七贤岭的大连美罗大药厂竣工投产，成为本市工业结构调整、搬迁改造的成功典范。

△英国政府在华最大的技术援助计划——中英（大连）国有企业改革项目在连启动，大连油泵油嘴厂和大连电瓷厂成为首批试点企业。该项目在辽宁、四川的6个城市实施。

△复旦大学毕业生王爱霞当选中山区桂林街道湖畔社区党总支副书记并任居委会主任，成为本市具有名牌大学本科学历的首位“小巷总理”。

8日

△大连双兴商品城挂牌“农业部定点批发市场”。

10日

△第五届全国电视节目“金童奖”颁奖暨研讨会在连召开。大连电视台的栏目“小螺号”、专题《服装节上的小模特》分获优秀栏目奖和专题类三等奖。

11日

△金州区被国家环保总局命名为国家级生态示范区。

△市政府召开“打黑除恶”专项斗争再动员部署电话会议，动员全市迅速掀起“打黑除恶”高潮。

12日

△大连机车厂设计制造成功我国首台电力机车，成为国内首家能生产内燃、电力两种机车的厂家。

△大连础明公司通过由英、美等国食品专家和世界粮农组织成员组成的摩迪国际集团认证小组认证，成为全国肉食行业中首家具备HACCP（食品安全体系）国际认证资格企业，拿到食品出口的“通行证”。

△大连市建筑科学研究设计院检测中心通过国家实验室认证委员会按国际标准进行的认证，在东北地区建筑行业首家取得进入国际市场的通行证。

13日

△市第十二届人大常委会举行第三十一次会议，审议并批准《大连市城市总体规划（1999—2020）（草案）》。

18日

△经国家药品监督管理局考评，大连美罗大药厂通过GMP（《药品生产质量管理规范》）认证，成为全省惟一一家产品全面通过GMP认证的药品生产企业。

19日

△国家统计局评定出中国1000家大型工业企业，大连大显集团、大连造船新厂、大连造船厂、大连冰山集团等22家本市工业企业榜上有名。

20日

△大化集团公司召开“债转股”后的首次股东大会，选举产生新一届董事会、监事会，实现由国有独资公司向有限责任公司的转制。

△本市解放后发售的最早的个人寿险保单（1957年10月发售）在金州区被发现。

△大连市图书馆、大连市少儿图书馆双双被评为全国“读者喜爱的图书馆”。

△大连市友谊医院实施活体肾移植手术获得成功，填补本市活体器官移植的空白。

21日

△我国自行研制的第二颗“北斗导航试验卫星”成功发射。中科院大连化物所研制的姿态控制肼分解催化剂和热防护涂料2项成果被应用于该卫星发射。

22日

△亚洲规模最大、仓容世界第二的大连北良港散粮专用码头建成投用。总投资27.78亿元，是我国粮食进出口和国内粮食中转的重要枢纽港和集散地。

△大连鹏程家园大型室内冰雕冰灯展开展。占地1000平方米，耗用500吨冰，是国内规模最大的室内冰雕展。

23日

△大连机车车辆厂、大显集团公司、大连国际技术合作公司等5家企业成立本市首批企业博士后科研工作站。

25日

△快速轨道建设工程的重点部位、全长1123米的椒金山隧道提前贯通。

26日

△本市占地面积最小、自动化程度最高的热电厂——大连香海热电厂投产，实现城市中心区的集中供热。

27日

△“2000年我喜爱的地方商标”调查揭晓，“赛德隆”、“三叶”、“圣亚”等36个品牌当选为市民最喜爱的地方商标。

28日

△截至即日，大连港年集装箱吞吐量达100万标箱，跨入百万标箱集装箱大港行列。

△本市举行现代京剧新年交响音乐会。

29日

△大连华能化工厂1.4亿元债权转股权协议签字。至此，本市14户“债转股”企业全部签订协议，转股金额达59亿元。

30日

△大连实德足球队以4：1大胜重庆力帆足球队，勇夺2000年“超霸杯”。

是月

△本市成立联合清理整顿领导小组，全面清理整顿出入境中介机构，以保障公民出入境合法权益。（年　建）

20 世纪大连要事录

责任编辑　石黎明

大连港开港。1902 年，大连港第一期建港工程基本完成，正式开港。当年到港轮船 717 艘次，旅客流量 5.4 万人次，货物吞吐量 8 万吨。

大连市区雏形初现。1903 年，大连市街建设第一期工程完成，初步建起欧罗巴市街（今二七广场至友好广场）、行政市街（今胜利桥北）、中国人街（今北京街一带），面积 4.25 平方公里，市区人口 4.1 万人。

日俄战争爆发，旅大全地区成为主要战区。1904 年 2 月 10 日，日俄战争爆发。2 月 12 日，清政府宣布在日俄交战中处“局外中立”，并划辽河以东为交战区，以西为中立区。旅（顺）大（连）金（州）地区成为主要战区。

旅大地区沦为日本的殖民地。1905 年 1 月 2 日，沙俄在水师营签署投降书，日俄战争结束。日本取代沙俄，占领旅大。2 月 11 日，达里尼市改为大连市。9 月 5 日，日俄双方代表在美国签订《朴茨茅斯和约》，沙俄背着清政府将旅大租借权转让给日本。12 月 22 日，清政府与日本在北京签订《中日会议东三省事宜正约》和《附属协定》，承认《朴茨茅斯和约》，旅大地区沦为日本的殖民地。

现代足球传入大连。1905 年，现代足球通过外轮船员传入大连。1920 年，大连中华青年会组织起大连第一支正规足球队——中华青年会足球队。1923 年，大连历史上第一次足球比赛——全满足球大比赛举行。1929 年，大连隆华足球队以 7: 0 的比分，大胜日本冠军队拓殖大学足球队。

《泰东日报》创刊。1908 年 10 月 8 日，大连第一份中文报纸《泰东日报》创刊。爱国人士傅立鱼任编辑长。

有轨电车线路建成通车。1909 年 8 月 9 日，全长 2.45 公里的大栈桥（今大连港码头）至电气公园（原动物园）有轨电车线路工程竣工，9 月 25 日营运。这是大连第一条有轨电车线路。

打响辛亥革命在东北的第一枪。1911 年 11 月 20 日，复州联庄会首领顾人宜率庄复革命军攻击清军李家卧龙（今普兰店市城子坦镇老古村）巡防队，打响辛亥革命在东北的第一枪。11 月 27 日，庄复革命军宣布“中华民国军政分府”成立，并发布《铲除暴官污吏，谋同胞》的征清宣言。

博爱医院开办。1917 年 6 月，医学博士孟天成开办博爱医院（市第二人民医院前身），这是中国人创办的首家医院。后几经扩建，成为日本殖民统治时期大连地区最大的私营综合医院。1947 年，孟天成将医院捐献给大连市政府，改名为大连公安总局医院。

俄国十月革命被介绍进大连。1919 年 10 月 6 日，傅立鱼在《泰东日报》上刊登《匈国劳农政府经过实况》，把俄国十月革命介绍到大连。11 月 28 日，又刊登《六个月间的李宁》（李宁即列宁），颂扬列宁的历史功绩。

大连中华青年会成立。1920 年 7 月 1 日，大连中华青年会成立。爱国人士、《泰东日报》编辑长傅立鱼任会长。该会以传播新文化、新思想为己任，开办昼夜学校、识字班，举办“星期讲坛”，出版会刊《新文化》，组织集会游行，举办运动会、足球比赛等，在 20 年代大连的各项革命活动中做出特有贡献，吸引一大批青年走上爱国之路。

大连中华工学会成立。1923 年 12 月 2 日，满铁大连沙河口工场华人工学会成立，傅景阳当选会长。这是大连地区最早的工会组织。1924 年 12 月 2 日举行第一届会员代表大会，更名为大连中华工学会，成为第一个全市性工会组织。这也是当时东北地区最大的工会组织。

社会主义青年团大连地方组织成立。1925 年 1 月 12 日，社会主义青年团大连地方委员会成立。同年，青年团第三次全国代表大会后，改为共产主义青年团大连特别支部。

声援五卅运动。1925 年 5 月 30 日，上海爆发反帝爱国的五卅运动。6 月 15 日，大连中华工学会等爱国团体联合成立“沪案后援会”，组织工人和学生罢工、罢课，并于 6 月 21 日召开全市五卅殉难诸烈士追悼大会，声讨帝国主义屠杀中国人民的罪行。会后，数千名群众进行示威游行和募捐活动。至 10 月，共募款 11468 元汇往上海。

大连放送局成立。1925 年 7 月，大连放送局（广播电台）成立，8 月 9 日试播音。这是东北地区第一座广播电台。1945 年大连光复后，于 12 月 19 日被大连市政府接收，筹建大连广播电台。1946 年 1 月 16 日正式播音。

中共大连地方组织建立并遭到四次严重破坏。1926 年 1 月 15 日，中国共产党大连特别支部建立，杨志云任特支书记。后改为中共大连地方委员会。1927 年中共五大后改为中共大连市委员会。1927 年 7 月 24 日，因叛徒告密，大连地方党组织遭到第一次严重破坏，市委书记邓鹤皋等 49 人先后被日本殖民当局逮捕。1928 年 4 月 29 日，因叛徒告密，47 名党团员先后被捕，大连地方党组织遭到第二次严重破坏。1933 年 10 月 20 日，因叛徒告密，大连地方党组织遭到第三次严重破坏，市委书记张洛书等 80 余名党团员和群众先后被捕。1937 年 4 月 17 日，大连地方党组织遭到第四次严重破坏，市委书记王清志等 111 人先后被捕。

“四二七”大罢工举行。1926 年 4 月 27 日，大连福纺株式会社（今大连纺织厂）1000 余名工人举行大罢工。中共大连地委成立罢工指挥部，领导罢工由工人自发的经济斗争转向反虐待、争人权

的政治斗争。中华全国总工会为支援这场罢工，警告日本政府“如不答复，即告全国抵制日货”。罢工坚持了 101 天，最终取得胜利。这次罢工在全国产生巨大影响，促进了第一次国内革命战争时期人民革命高潮的持续发展。

日本关东军与溥仪在旅顺策划建立“满洲国”。1931 年 11 月 10 日，日本关东军挟持清废帝溥仪离开天津，于 18 日抵旅顺。12 月，日本关东军与溥仪、郑孝胥在旅顺策划建立“满洲国”。1932 年 3 月 6 日，溥仪一行离开旅顺前往长春，9 日举行“执政”就职典礼。

刘长春代表中国参加第十届奥运会。1932 年 7 月 30 日，大连青年刘长春在张学良将军赞助下，只身代表中国参加在美国洛杉机举行的第十届奥运会。这是中国运动员第一次参加奥运会。他还在 1933 年举办的中华民国第五届运动会上创造男子 100 米跑 10 秒 7 的全国纪录，这一纪录一直保持了 25 年。

庄河大刀会奋起抗日。1932 年 7 月，庄河大刀会建立，为东北抗日义勇军的组成部分。12 月 16 日，庄河大刀会在土城子与日军展开激战，杀死日军少将森秀树等 5 人，缴获一批武器、战马。此役后，庄河大刀会名声大震。

大连抗日放火团焚烧日军物资。1934 年 5 月，受苏联红军参谋部领导的地下抗日组织——国际情报组（俗称抗日放火团）开始在大连地区发展组织。至 1940 年的 6 年间，共在大连地区放火 57 次，焚烧日军物资价值 2000 多万日元。1940 年 6 月，大连抗日放火团被日本殖民当局破获，100 余人先后被捕，姬守先、秋世显等 9 名主要成员于 1942 年 12 月在旅顺监狱被杀害。

大连火车站竣工。1937 年 5 月 20 日，大连火车站竣工，总建筑面积 1.2 万平方米。6 月 1 日正式启用。

中国劳工尸骨积成“万人坑”。1942 年 10 月，日本关东军在金州龙王庙修建陆军医院，实为以中国人为试验品的细菌工厂。日军先后在东北、河北、江苏、山东一带以及金州、普兰店、复县等地，骗抓劳工 3 万余人。施工中，中国劳工被摧残致死 8100 余人，全部被抛尸于周家沟一带，这一带被称为“万人坑”。

抗日秘密电台连遭破坏。1943 年 10 月 2 日，受苏联情报部门领导，设在黑石礁的沈得龙秘密电台被日本宪兵队侦破。沈得龙等 4 人被押解到哈尔滨 731 细菌部队做活体试验致死。1944 年 12 月 3 日，由延安来大连建立秘密电台、向苏联提供情报的刘逢川、何汉清被日本警察逮捕，1945 年 8 月 16 日被杀害于旅顺监狱。

苏联红军进驻旅大。1945 年 8 月 22 日，苏联红军根据中国政府与苏联政府签订的《中苏友好同盟条约》及相关协定，开始进驻旅大地区，接受日军投降并解除其武装，彻底结束了日本帝国主义对旅大 40 年的殖民统治，大连光复。苏军进驻后，对旅大地区实行军事管制，支持中共旅大党组织建立党政警群机构，逐步使旅大地区变成实际上是中共领导的特殊解放区。1955 年，根据《中苏友好同盟互助条约》与相关协定以及 1954 年 10 月中苏会谈公报规定，苏军开始陆续撤出旅大，至 5 月 26 日全部撤离。同年 4 月 16 日 0 时起，旅大地区一切防务由中国人民解放军负责。

工、青、妇三大人民团体成立。1945 年 9 月 2 日，大连总工会筹备会成立；1946 年 12 月旅大职工总会正式建立。1946 年 3 月 8 日，大连市各界妇女建国联合会成立并首次庆祝三八国际劳动妇女节；1947 年 5 月 20 日正式建立关东妇女联合总会；1950 年 12 月更名为旅大市民主妇女联合会。1946 年 5 月 4 日，大连市民主青年联合会成立；1947 年 5 月 7 日更名为关东青年联合会总会；1949 年 7 月 1 日成立中国新民主主义青年团旅大区委员会。

中共大连市委组建。1945 年 10 月，韩光受中共中央东北局派遣，来大连组建中共大连市委。11 月，正式组成旅大解放后第一届中国共产党大连市委员会，韩光任书记。1946 年 7 月改为中共旅大地委。1949 年 2 月改为中共旅大区党委，10 月改为中共旅大市委。1956 年 6 月 7 ~16 日，中共旅大市第一次代表大会召开，选举郭述申为市委第一书记。截至 2000 年末，市委历任书记是：韩光、欧阳钦、郭述申、胡明、刘德才、李荒、胡亦民、毕锡桢、曹伯纯、于学祥、薄熙来。

《人民呼声》报创刊。大连光复后，中共大连市委创办《人民呼声》报，1945 年 11 月 1 日正式出版，1946 年 6 月 1 日改称《大连日报》。这是中国共产党在大城市中最早创办的报纸之一。

大连市政府成立。1945 年 11 月 8 日，大连市政府正式成立，市长迟子祥等宣誓就职。这是大连地区第一个民主政府。同日，市政府颁发《施政纲领》，宣布解散大连地方治安维持会；9 日发布财字第 1 号布告，废除治安维持会规定的一切税则。9 ~ 12 月，庄河县、新金县、复县、旅顺市、金县、大连县政府相继成立。1946 年 9 月 27 日，大连市、旅顺市、大连县及金县四地政府召开联席会议，成立旅大行政联合办事处。1947 年 4 月撤办事处，设关东公署。1949 年 4 月改为旅大行政公署。1950 年 12 月 1 日，撤旅大行政公署，成立旅大市人民政府。截至 2000 年末，市政府历任市长（或相应职务）是：迟子祥、韩光、欧阳钦、宋黎、胡明、许西、邓岳、刘振华、刘德才、李荒、崔荣汉、魏富海、薄熙来、李永金。

支援解放战争。自 1946 年起，大连人民在党组织和人民政府的领导下，全力支援解放战争。共制作军服 30 万套、军鞋 236 万双，参军 3.27 万人，医治大批伤病员。1947 年组建的中国共产党领导下的第一个大型兵工企业——大连建新公司，共生产炮弹 54 万发、引信 81 万发、雷管 24 万只、迫击炮 1400 多门、火药 450 余吨等，支援辽沈战役和淮海战役。中国人民解放军华东野战军副司令粟裕曾指出：“华东地区的解放，特别是淮海战役的胜利，离不开山东的小推车和大连的大炮弹。”

开展反奸清算运动。1946 年 1 月 4 日，中共旅大市委召开会议，发动群众全面开展反奸清算运动，以清洗敌伪残余势力。市、区建立清算斗争委员会，组织反奸清算运动工作队，深入群众开展“算旧帐，挖穷根，报冤仇”的斗争。截至 5 月末，全市清算出土地 1 万余亩、房屋 1300 余间、粮食 292 万斤、现金（银元）2 亿余元，沉重打击了日伪反动势力及其社会基础，巩固了新生的人民政权。

歼灭国民党暴力团。1946 年 2 月 1 日，大连公安总局进行全市性大搜捕，将国民党东北行辕辽宁先遣军第四独立团（俗称暴力团）成员 200 余人一网打尽，粉碎了国民党反动势力颠覆民主政权的企图。

开展“搬家运动”。1946 年 7 月 7 日，中共旅大地委作出《关于开展大连住宅调整运动的决定》，将没收的日本官吏和汉奸的房产，调整给需要住宅的工人和贫民。8 月 10 日开始第一次住宅调整运动（又称“搬家运动”）。至 1947 年 6 月基本结束时，全市共有 1.7 万户居民调整了住房，总面积 49.7 万平方米。

大众书店编辑出版《毛泽东选集》。1946 年 8 月，大连大众书店编辑出版《毛泽东选集》精装合订本，并呈送毛泽东主席。11 月 23 日，毛主席复信大众书店表示感谢。

遣送日侨回国。1946 年 10 月 26 日，大连市政府决定遣送居住在大连市内的日本人回国。同年 12 月至 1949 年 9 月，共遣送日侨 4 批 20.9 万人。期间，市政府有关部门在日侨候船集合点和码头设立卫生站，进行防疫注射和治疗，并供应食品和茶水。

开展大生产运动。1946 年 11 月 19 ~ 26 日，国民党军队占领大连石河驿苏军控制区以北地区（包括庄河县、复县和新金县），切断了旅大地区粮食、燃料和工业原料的来源。为粉碎国民党的全面封锁，解决人民穿衣吃饭问题，中共旅大地委于 1947 年 2 月做出《关于开展大生产运动的决定》，号召群众恢复和发展农业生产，把一切可开垦的土地都种上粮食。大生产运动使全地区的粮食产量从 1946 年的 12.5 万吨增至 1948 年的 20.8 万吨，再加上苏联红军的帮助，解决了市民粮食需要量的 80%；民需工业品的种类达到 154 种，基本满足人民生活需要。到 1948 年底，旅大人民彻底战胜国民党的经济封锁，渡过了难关。

改革币制，稳定市场。1947 年 5 月 19 日，关东公署发出通知，要求对 10 元、100 元面额的苏军通用币和伪满币加贴印花，未加贴印花的一律停止流通，以防止国民党统治区货币流入大连，扰乱市场。1948 年 11 月 14 日，关东公署决定实行第二次币制改革，将苏军军用币和一切旧币由关东银行收回，以该银行发行的关东币取而代之，以巩固币值，稳定物价。1950 年 6 月 15 日，旅大行政公署决定废止关东币，统一使用东北币。

举行首届关东运动大会。1948 年 9 月 17 日，首届关东运动大会（后被定为大连市第一届运动会）于大连运动场（今大连市人民体育场）举行。这是大连光复后举办的第一个群众性体育大会。

大连大学建校。1948 年 10 月 29 日，中共旅大市委决定创建大连大学。1949 年 4 月 15 日，大连大学举行创校典礼。1950 年 7 月 6 日撤销建制，分为大连工学院（今大连理工大学前身）、大连医学院（今大连医科大学前身）和大连俄语专科学校。

重修旅顺万忠墓。1948 年 12 月 10 日，建于 1896 年的中日甲午战争中旅顺殉难同胞墓地万忠墓经重修后举行落成典礼。这是历史上第二次重修（首次为 1922 年）。1994 年甲午百年祭时，旅顺口区再次重修万忠墓并新建纪念馆，陵园总面积扩至 9200 平方米。李鹏、刘华清、李岚清等党和国家领导人为重修万忠墓题词。同年 9 月，万忠墓被列为大连市首批爱国主义教育基地之一。

地方党组织由秘密转向公开。1949 年 4 月 1 日，中共旅大区党委召开旅大区党的活动分子大会，向旅大人民公开党的组织。会上，区党委书记欧阳钦作《在目前形势下旅大党的任务》的报告，总结旅大解放 3 年来党的工作取得的成绩，阐明党的性质和任务。会后，全地区基层党组织全部予以公开。党公开后，许多工人群众纷纷要求加入中国共产党，使旅大党组织迅速发展壮大起来。

进行反动党团组织及其人员登记。1949 年 5 月 14 日，中共旅大区党委发出通知，决定开展对旅大地区的国民党员、三青团员及特务分子的登记工作，以彻底摧毁敌特组织，巩固民主政权。6 月 5 日，旅大行政公署颁布《关于登记反人民反民主组织及其人员的布告》。全市共登记反动党团员、特务分子及其外围组织成员 6300 多名，其中在党政重要部门工作的有 1468 名；还缴获了一批枪支弹药、发报机、档案等。

我国第一套工业轴承诞生。1949 年 9 月，瓦房店滚珠轴承厂（我国最大的轴承工业基地——瓦房店轴承集团公司前身）生产出我国第一套工业轴承——610 型轴承，结束了中国不能制造工业轴承的历史。

开展土地调剂运动。1949 年 12 月 19 日，中共旅大区党委做出《关于农村土地调剂问题的决定》。1950 年 1 月 17 日，旅大行政公署发布《旅大地区实施土地调剂布告》。全地区土地调剂运动历时 1 个半月，于 2 月末结束。共没收、征收地主和富农的土地 51.7 万亩、房屋 5.5 万间、耕畜 5000 头、大车 2800 辆、农具 31.3 万件、粮食 84.7 万斤，有 14.1 万户劳苦群众分享了胜利果实。

支援抗美援朝战争。1950 年 11 月 10 日，中共大连市委发出《关于全力动员抗美援朝保家卫国的工作指示》，号召全市人民保证完成一切国防建设工程、军工工程与战争动员工作。全市人民以高度的爱国主义、国际主义精神全力投入抗美援朝、保家卫国运动。各阶层人民捐款买武器，至 1952 年 5 月共捐款 410 亿元，折合战斗机 27 架，超额完成捐献“旅大机队”的计划；战勤医院共收治抗美援朝战争的伤病员 2.24 万人；城乡青年 8 万余人参加中国人民志愿军；提供大量军服、军鞋、食品等军需物资，研制成功反坦克炮弹和火箭弹；组织汽车大队，征调渔船参战，胜利完成各项支前任务。

收回苏联接管的大连船渠工厂和大连港。1951 年 1 月 1 日，根据中苏两国政府于 1950 年 2 月 14 日签订的《关于中国长春铁路、旅顺口及大连的协定》，中国政府收回苏联接管的大连船渠工厂（大连造船厂前身）和大连港的主权，其中工厂实行中苏合营。2 月 1 日，大连港举行交接仪式。

周恩来总理 7 次视察大连。1951 年 5 月 13 日，国务院总理周恩来偕夫人邓颖超来连，视察海港、旅顺海军基地等。1953 年 2 月 22 日，率领中央人民政府慰问团来连慰问驻旅顺的苏军部队。1955 年 11 月 4 日，与刘少奇、邓小平、彭德怀等党和国家、军队领导人，观看在庄河举行的解放军第一次大规模抗登陆战役示范演习。1966 年 7 月 14 日，来连视察工作，听取市党政军负责人的汇报，并就“文化大革命”有关问题作了指示。还于 1962 年 6 月 4 日、1972 年 7 月 2 日、1973 年 7 月 31 日，分别陪同柬埔寨王国政府第一大臣宾努亲王、斯里兰卡贵宾、刚果总统马里安·恩古瓦比少校和夫人，来连参观访问。

开展“三反”、“五反”运动。1951 年 9 月 8 日，中共旅大市委召开会议，部署开展“三反”（反贪污、反浪费、反官僚主义）运动。至1952年末，“三反”运动基本结束，共查出贪污分子1369人，其中大贪污犯34人。1952年2月11日，市政府召开旅大市工商界代表会议，动员开展“五反”（反行贿、反偷税漏税、反偷工减料、反盗窃国家资财、反盗窃国家经济情报）运动。至6月中旬，“五反”运动基本结束，全市1万余户私营工商者中，严重违法户占3%，完全违法户占0.3%；有19人受到刑事处分。

为国家重点项目输送管理干部和技术工人。自1952年3月起，旅大市开始为国家重点项目输送管理干部和技术工人，“一五”期间共输送1.9万人。1959年抽调3182名技术工人支援首都“十大工程”和国家重点工程建设。

进行人口普查。1953年7月1日，全国第一次进行人口普查。普查结果显示，旅大市城乡总人口为282.7万人。此后，1964、1982、1990和2000年又先后进行4次全国人口普查。其中，2000年11月1日进行的第五次全国人口普查初步汇总数据显示，大连市常住人口为589.4万人。

市第一届人民代表大会召开。1954年8月7～9日，旅大市第一届人民代表大会第一次会议召开。至此，旅大市各界人民代表会议协商委员会不再代行市人民代表大会职权，人民代表大会制度正式确立。至2000年末，市人代会共历经12届。历任市人大常委会主任是：宋黎、曾宇、卞国胜、于学祥。

市政协第一届委员会成立。1955年6月28日，旅大市各界人民代表会议协商委员会召开扩大会议，决定撤销该委员会，成立政协旅大市委员会。7月12～15日，政协旅大市第一届委员会第一次会议召开，选举产生市政协领导班子。至2000年末，市政协委员会共历经9届。历任市政协主席是：欧阳钦、郭述申、胡明、白清江、任国栋、康光祥、于学祥、林庆民。

毛泽东主席观看大连造船公司足球队与苏联泽尼特足球队的比赛。1955年10月30日，大连造船公司足球队在北京迎战苏联泽尼特足球队，毛泽东主席亲临观看比赛并与全体队员合影留念。50年代初，大连造船公司足球队代表国家一机部迎战苏联、匈牙利等强队，均取得好成绩。

解放军大规模抗登陆战役示范演习在庄河举行。1955年11月4日，中国人民解放军第一次大规模抗登陆战役示范演习在庄河地区举行，刘少奇、周恩来、邓小平、彭德怀、贺龙、陈毅、聂荣臻等党和国家及军队领导人亲临观看。

邓小平4次视察大连。1955年11月初，国务院副总理邓小平随同刘少奇、周恩来、彭德怀等党和国家领导人，来旅大观看中国人民解放军第一次大规模抗登陆战役示范演习，并视察大连港、大连造船厂、大连机车车辆厂和驻旅顺口部队。1964年6月29日，中共中央总书记邓小平和国务院副总理李富春、薄一波来旅大视察，并对大连的工业、农业、教育及党的建设等作了重要指示。1983年8月14～21日，中央顾问委员会主任、中共中央军委主席邓小平来连休息，接见市四大班子领导。1983年9月22日，中央顾问委员会主任、中央军委主席邓小平随同中共中央总书记胡耀邦等来连，会见朝鲜劳动党中央委员会总书记金日成并进行视察。

完成农业社会主义改造。1956年1月17日，中共旅大市委常委会决定，全市农渔业在春节前实现完全社会主义合作化。至2月初，全市建立高级生产合作社179个，入社农渔户占全市总农渔户的94%。至此，全市农业实现由农民个体所有制向集体所有制的转变。

完成私营工商业和个体手工业的社会主义改造。1956年1月18日，中共旅大市委发出《关于加速对私营工商业改造工作的指示》。19～21日，市人委先后批准大连市内私营公路运输业和车工实行公私合营和合作化、全市私营工业41个行业和私营商业56个行业实行公私合营、全市126个行业的个体手工业实现合作化。至此，全市私营工商业和个体手工业全部实现公私合营和合作化。

大连机车车辆制造厂成为我国“机车摇篮”。1956年9月18日，大连机车车辆制造厂（现称大连机车车辆厂）研制出我国第一台和平型货运蒸汽机车。60～90年代，先后研制出我国第一台客运内燃机车——东风3型机车、第一台时速达到120公里能牵引20节列车的东风4D型客运内燃机车（全国铁路客运提速的主型机车）、第一台高档客运机车——东风10F型客运机车等，成为我国最大的内燃机车生产基地，被誉为“机车摇篮”。

大连造船厂成为我国最大的船舶生产基地之一。1958年11月27日，大连造船厂建造的我国第一艘万吨远洋货轮“跃进”号下水。70～90年代，先后建造交工我国第一座海上石油钻井平台“渤海1号”、第一艘出口船——2.7万吨散装货轮“长城”号，自行设计并批量建造我国在国际船舶市场上的第一个品牌产品——被誉为“中国大连型”的4.4万吨成品油轮等，发展成为我国最大的船舶生产基地和机电产品出口基地之一。至2000年末，该厂累计开发50种国内新船型和20项船舶配套新产品。

朱德委员长、董必武副主席视察旅大。1959年6月7日，全国人大常委会委员长朱德、国家副主席董必武等来旅大视察。视察了大连港、大连造船厂、大连机车车辆厂、旅顺海军基地等。

大连港正式对外开放。1960年6月1日，经国务院批准，大连港正式对外开放，成为中国直接对外贸易五大口岸之一。

贯彻“八字方针”，进行国民经济调整。1961年1月，中共大连市委根据党中央对国民经济实行“调整、巩固、充实、提高”方针的决定，开始进行国民经济调整，以扭转因经济冒进和连续3年自然灾害而造成的严峻经济形势。调整农业政策，纠正“一平二调”，发展农业生产；贯彻“工业七十条”，控制重工业特别是钢铁工业的发展速度，坚决压缩基本建设规模；节减财政支出，制止通货膨胀；贯彻“商业四十条”，加强物价管理，整顿市场。至1965年末，全市工业与农业、重工业与轻工业、积累与消费之间的比例关系趋于正常，国民经济得到全面恢复和发展，重新走上健康有序的发展轨道。1965年全市工农业总产值达26.8亿元，比1957年增加8.58亿元；地方财政收入比1962年增加2.9亿元。

大连湾渔港建成投产。1966年10月，大连湾渔港建成投产。港区水域面积60万平方米，陆域面积70万平方米，是我国最大的渔港。1969年后经2次大的扩建，水域面积增至110万平方米，陆域面积增至240万平方米，一次可容纳441千瓦渔轮200多艘，成为亚洲第一

大渔港。

“文化大革命”开始。1966 年 5 月 11 日，中共旅大市委召开全市党员干部紧急会议，传达辽宁省委关于“文化大革命”的电话通知精神和市委常委会讨论的意见。13 日，市委成立“文化革命”领导小组。20 日，市委召开党员负责干部会议，传达东北局“文化大革命”工作会议精神，根据中央制定的“五一六”通知精神，部署全市开展“文化大革命”。6 月 9 日，市委出现第一张打倒市级领导干部的大字报。

群众组织夺权。1967 年 1 月 10 日，上海“一月革命风暴”波及大连。市委机关报《旅大日报》被 10 个群众组织夺权，出刊《旅大红色造反报》。1 月 13 日，旅大人民广播电台也被群众组织夺权。2 月 1 日，全市 42 个单位的群众组织开会，宣布联合夺旅大市委、市人委的权。市级党政领导机关瘫痪，全市陷入无政府状态。

实行军事管制。1967 年 3 月 28 日，中国人民解放军旅大警备区根据中央指示，对旅大地区实行军事管制。1968 年 8 月 6 日，旅大市革命委员会成立，警备区司令员、军事管制委员会主任邓岳任革委会主任。“四人帮”被粉碎后，市委于 1977 年 2 月 12 日召开欢送军代表回部队大会，军队介入旅大市“文化大革命”宣告结束。

发生严重武斗事件。1967 年 8 月 24 日，在大连卫生学校发生严重武斗事件（又称“8.24 事件”），两派群众组织动用枪炮等武器，造成 11 人死亡，数十人受伤。10 月 10 日，在大连港为解决外轮压船严重问题组织生产会战期间，两派群众组织因闹派性而发生武斗（又称“海港大会战”事件）。1968 年 4 月 3 日，大连饭店发生武斗事件（又称“4.3”事件），饭店第七层楼被烧毁，死 1 人、伤 3 人，直接经济损失 13 万元。据不完全统计，从 1966 年末至 1968 年上半年，全市发生武斗事件 76 起，死亡 189 人，重伤 625 人；全市工业企业因武斗停产造成的经济损失达 10 亿元。

知识青年上山下乡。1968 年 10 月 20 日，旅大市 1966 ~ 1968 年 3 届初、高中毕业生共 6.2 万人下乡插队落户，“接受贫下中农再教育”。截至 1980 年末，全市知识青年上山下乡累计 26.8 万人。1978 年底全国知青工作会议后，下乡知识青年陆续返城。

四县重归旅大。1968 年 12 月 26 日，经国务院批准，金县、新金县、复县、庄河县重新划归旅大市。自此，旅大市所辖县区达到 10 个，区域土地面积达到 12573.85 平方公里。

兴建碧流河水库。1975 年 9 月 8 日，位于普兰店市和庄河市交界处的碧流河水库建设工程全面开工，1986 年 11 月 28 日竣工投用。水库最大库容量 9.34 亿立方米，年可调节水量 5 亿立方米，是大连市最大的城市供水水源地。

大连新港、和尚岛码头和大窑湾集装箱码头建成。1976 年 4 月 30 日，位于大窑湾的大连新港竣工，7 月 1 日正式开港，这是我国内地第一座 10 万吨级深水油港。1988 年 10 月 26 日，国家“七五”重点工程大连港和尚岛码头工程全部竣工，1989 年 1 月 1 日正式投产。1993 年 1 月 18 日，国际深水中转港——大窑湾港前 4 个泊位建成并通过国家验收，7 月 2 日正式开港。2000 年末，大连港生产用泊位达到 73 个，其中万吨级以上 39 个；全年货物吞吐量突破 9000 万吨大关。

庆祝粉碎“四人帮”。1976 年 10 月 22 日，中共旅大市委召开大会，庆祝粉碎“四人帮”反党集团的伟大胜利。全市城乡 200 万军民举行集会和游行，载歌载舞欢庆胜利。

平反冤、假、错案。1978 年 5 月 23 日，中共旅大市委召开错案、假案、冤案平反处理大会，对原中共旅大市委书记宋黎等 5 个影响较大的错、假、冤案进行彻底平反。截至 1978 年 8 月中旬，全市平反集团性冤、假、错案 159 件，占应平反数（175 件）的 90.9%；平反个人冤、假、错案 2043 件，占应平反数（3437 件）的 60%。1979 年以后，又先后为赵希愚、陈少景、郭述申、傅忠海、张国权、王剑鸣等党员领导干部及其他党内外人士的冤、假、错案进行平反。截至 1980 年 4 月 30 日，全市因刘少奇冤案而受株连或为其鸣不平而遭迫害的案件已平反改正 382 件，占此类案件总数的 98.4%。

建立一批国家级自然保护区和森林公园。1980 年 8 月 6 日，国务院决定将旅顺蛇岛、老铁山候鸟停歇站列为国家重点自然保护区。1992 和 1997 年，辽宁仙人洞自然保护区、大连斑海豹自然保护区先后被国务院批准为国家级自然保护区。1990、1992 和 1993 年，国家林业部先后批准建立旅顺口国家森林公园、大连国家森林公园和长山群岛国家海岛森林公园。2000 年末，大连市共有国家级自然保护区 3 个、国家级森林公园 8 个。

旅大市改称大连市，4 个县改为区或市。1981 年 2 月 9 日，国务院批准旅大市改称大连市。1985 年 1 月 ~ 1992 年 9 月，国务院先后批准复县改为瓦房店市（县级），金县改为金州区，新金县改为普兰店市（县级），庄河县撤县改市（县级）。至此，大连市辖 6 个区、3 个市、1 个县的行政建制格局形成。

徐永久连创女子竞走世界纪录。1983 年 9 月 24 日，大连籍运动员徐永久在挪威卑尔根市举行的第六届世界杯竞走比赛中创出女子 10 公里竞走世界最好成绩并获冠军，成为我国第一位在世界大赛中取得径赛项目冠军的运动员。1984 年 5 月在挪威卑尔根市举行的国际竞走邀请赛上打破 5 公里竞走世界纪录。1987 年在第六届全运会上打破 10 公里场地竞走世界纪录。其运动生涯中共 3 次获得世界冠军，8 次打破世界纪录或创造世界最好成绩。

实施引碧入连工程。1981 年 12 月，大连市开始实施引碧入连工程，将碧流河水库的水引入大连，以解决城市用水问题。至 1997 年 10 月的 17 年间，先后实施并完成一、二、三期工程，基本满足城市现阶段经济发展和人民生活的用水需求。该工程总投资 33.98 亿元，是大连有史以来投资额最大的城市基础设施建设项目。

大连实行进一步对外开放和计划单列，并升为副省级市。1984 年 4 月 6 日，中共中央和国务院决定对大连等 14 个沿海港口城市实行进一步对外开放政策。4 月 10 日，国家计委批准大连实行计划单列，从制定 1985 年计划起，视同省一级计划单位。7 月 13 日，国务院批准大连为经济体制综合改革试点市，并赋予省级经济管理权限。9 月 17 日，国务院批准在大连进行科技体制改革试点。1994 年 5 月，经国务院批准，大连市由地级市升为副省级市。

彭真委员长视察大连。1984 年 7 月 16 日，全国人大常委会委员长彭真来连了解实行厂长（经理）负责制情况，视察大连港、大连造船厂、大连机车车辆厂等。

建立大连经济技术开发区。1984 年 9 月 25 日，国务院批准大连市在金县大孤山乡马桥子建立经济技术开发区。这是我国第一个国家级经济技术开发区。10 月 15 日，大连经济技术开发区动工建设。到 2000 年末，开发面积 30 平方公里，总人口 22 万人，累计批准外商投资项目 1384 个，合同外资 71.95 亿美元，成为我国开发面积最大、综合配套能力和整体经济实力最强的国家级经济技术开发区之一。

制定城市总体规划。1985 年 5 月 4 日《大连市城市总体规划》获国务院批复。这是大连历史上第一个城市总体规划。1990、1998 年先后两次进行调整、充实和修编。《规划》合理确定了大连的城市规模、性质、发展目标、空间结构模式和功能布局，提出要逐步把大连建设成环渤海中心城市之一，国际重要的交通枢纽、技术先进的加工制造业基地以及东北业地区的商贸、金融、旅游、信息中心之一。

基本建立养老保险、医疗保险等社会保障制度。1985、1996 年，大连市先后开始实行城镇职工基本养老保险制度和基本医疗保险制度。至 2000 年末，全市城镇职工基本养老保险参保人数突破 100 万人大关，覆盖率达 97%；城镇职工基本医疗保险参保职工达到 66.5 万人，市内参保覆盖率达 70%。

9 号台风袭击大连。1985 年 8 月 19 日，9 号台风袭击大连，风力 9～10 级阵风 12 级，伴以暴雨和特大暴雨，殃及 7 个县市区。全市农田受灾 31.3 万公顷，城市部分地区一度停电，死亡 75 人，重伤 796 人，直接经济损失 11.47 亿元。这是大连 1945 年解放以来最大的一次自然灾害。

周水子机场对外开放。1985 年 12 月 5 日，扩建后的大连周水子机场被国务院、中央军委正式批准为对外开放机场，成为东北地区第一个国际航空港。1994 年 1 月更名为周水子国际机场。至 2000 年末，开通国际航线 9 条，国内航线 72 条，与国内外 57 个城市通航。

承办第二届全国大学生运动会和第四届全国残疾人运动会。1986 年 8 月 3～9 日，第二届全国大学生运动会在大连举行。这是大连市承办的第一个国家级大型体育竞赛活动，29 个省（市）区的 2228 名运动员参加比赛。1996 年 5 月 10～15 日，第四届全国残疾人运动会在大连举行，各省（市）区、港澳地区及大连市共 33 个代表团 1673 名运动员参加比赛。

电话号码由 5 位升至 7 位。1986 年 8 月 9 日，大连市邮电局引进的瑞典 2.17 万门程控交换机一次割切成功。9 月 7 日，全市电话号码由 5 位升为 6 位。1993 年 1 月 1 日，大连地区电话号码由 6 位升为 7 位。2000 年末，城乡电话交换机总容量 192 万门，全市固定电话用户 125 万户，电话普及率 29.3 部/百人，其中城市电话普及率 47.5 部/百人，居辽宁省首位。

城庄地方铁路建成通车。1986 年 10 月 20 日，全长 48.45 公里的城（城子坦）庄（庄河县城）铁路通车。这是大连市首条由地方筹资兴建的铁路。

举办国际马拉松赛跑。1987 年 5 月 17 日，首届大连国际马拉松赛跑举行。此后每年举办 1 届，是大连市五大重要涉外活动之一。自 1997 年第十一届起得到国际田联的认可。设有男女马拉松个人、马拉松接力、20 公里、10 公里、5 公里的比赛，第九届起增加轮椅马拉松项目。至 2000 年共举办 14 届。

举办区域性进出口商品交易会。1987 年 7 月 24 日～8 月 2 日，国家级综合性大型展会——第一届中国东北地区暨内蒙古出口商品交易会在连举行。这是全国最早举办的区域性出口商品交易会，也是大连市五大重要涉外活动之一。1996、1999 年先后更名为中国大连出口商品交易会、中国大连进出口商品交易会。1998 年起开始向专业化过渡，突出机电、五矿化工等专业特点。至 2000 年共举办 14 届。

《大连晚报》出版发行。1988 年 7 月 1 日，由大连日报社主办的《大连晚报》出版发行。1996 年改为中共大连市委主办。

李先念主席视察大连。1988 年 7 月下旬，全国政协主席李先念来大连视察。

金石滩等被列为国家重点风景名胜区。1988 年 8 月 1 日，金石滩、大连南部海滨、旅顺口被国务院列为国家重点风景名胜区。

李鹏视察大连。1988 年 8 月 20 日，国务院总理李鹏来连视察，并为华能大连电厂一期工程竣工剪彩。1994 年 10 月 13 日，与中央军委副主席刘华清等来连，视察经济技术开发区、大窑湾港、部分外商投资企业等。1998 年 11 月，全国人大常委会委员长李鹏来连考察城市环境治理和农村基层政权建设。

举办大连国际服装节。1988 年 8 月 20～28 日，首届大连服装节举行。1991 年更名为大连国际服装节，是大连市五大重要涉外活动和市民最重要的节日之一，被誉为大连“最靓丽的名片”。至 2000 年共举办 12 届，累计服装交易额 200.6 亿元，接待中外来宾 6 万余人。

建成香炉礁立交桥。1988 年 9 月，大连市第一座城市高架立交桥——香炉礁立交桥竣工通车。这是当时国内最大的城市立交桥。

《东北之窗》创刊。1989 年 1 月 17 日，综合性月刊《东北之窗》正式创刊。中央军委主席邓小平题写刊名。

举办大连赏槐会。1989 年 5 月 27～30 日，首届大连赏槐会举行。至 2000 年共举办 12 届，累计接待海外游客近 5 万人，是大连市五大重要涉外活动之一和大连旅游业的拳头产品。

北大车行向社会公开发行股票。1989 年 8 月，大连北大车行股份有限公司公开发行股票 500 万股，成为大连市第一家向社会公开发行股票的股份制企业。1993 年 11 月 22 日，大连商场股份有限公司的 A 种股票在上海证券交易所上市，成为大连市第一家上市公司。2000 年末，全市有上市公司 20 家，股票 21 只，股本总额 43.94 亿股。

江泽民总书记来连视察。1989 年 10 月 25 日，中共中央总书记江泽民等来连视察；1990 年 10 月 25 日，来连视察大连造船厂、大连经济技术开发区等。1993 年 8 月 25 日，中共中央总书记、国家主席江泽民在连主持召开华北、东北 8 省（区、市）经济工作座谈会；1999 年 8 月 11～12 日，在连主持召开华北、东北部分大中型企业领导人座谈会。

提出把大连建设成为社会主义现代化国际性城市的奋斗目标。1990 年 5 月

16 日，中共大连市第七次代表大会明确提出“把大连建设成为社会主义现代化国际性城市”的宏伟奋斗目标。1992 年 10 月，市委提出经过 20 年的努力，使大连基本实现现代化，建设成社会主义“北方香港”。1997 年底，市委、市政府提出把大连建成“经济发达、功能完善、环境优美、社会稳定、文化繁荣、市风良好、人民安居乐业的现代化国际城市”。2000 年 4 月国务院总理朱镕基视察大连后，市委、市政府根据朱总理指示精神，提出将大连建成“国际名城”。

大连造船新厂成立。1990 年 8 月，大连造船新厂成立。1996 年 9 月建成被誉为“神州第一坞”的 20 万吨级船坞，成为我国惟一能够建造 15 万～30 万吨级船舶的现代化船舶总装厂。至 2000 年末，累计自行设计、建造具有世界先进水平的各种船舶和海洋工程产品 54 艘，总吨位 380.7 万吨。10 年来年均造船吨位约占全国年均总量的 1/4，列全国同行业之首。

开通移动电话网。1990 年 8 月，大连市开通第一个模拟移动通信交换机（A 网），容量 1 万门，首批用户 200 余个。1994 年 7 月开通容量 2 万门的 B 网。1995 年引进国际先进的 GSM 数字移动通信技术，相继开通 5 个数字移动通信交换机（GSM 网）。1996～2000 年 5 年间，移动电话用户以年均 100% 的速度增长。

沈大高速公路建成通车。1990 年 9 月 1 日，全长 375 公里的沈阳——大连高速公路全线建成通车。这是我国兴建较早的高速公路之一。该公路大连境内长 137 公里，其中普兰店海湾大桥长 1206 米，是我国最长的海湾大桥。

建立大连高新技术产业园区。1991 年 3 月 6 日，大连高新技术产业园区经国务院批准建立，成为首批国家级高新技术产业园区，也是大连市对外开放先导区之一和科技兴市示范区。至 2000 年末，园区已建成七贤岭产业化基地、由家村产业化基地、软件园、黄河路科技城等，初步形成电子信息、机电一体化、生物工程、新材料、高效节能与环保、精细化工等产业，当年技工贸总收入达 151 亿元。

实施安居工程。90 年代初期，大连市政府决定实施安居工程，目的是在全市建立以经济适用房为主的多层次住房供应体系，以解决市内中低收入家庭的住房困难。泡崖新区和本市第一个国家安居工程项目锦绣居住区分别于 1992 年 4 月和 1994 年 3 月开工建设；1995 年以后，台四小区、虎滩新区等市级安居工程项目也陆续开始实施。截至 2000 年末，该项工程累计完成建筑面积 336.5 万平方米，提供房源 3.9 万余套。城区人均居住面积由 1992 年的 6.7 平方米提高到 10.17 平方米。

被命名为全国双拥模范城。1992 年 1 月 16 日，大连市被国家民政部、解放军总政治部命名为全国双拥模范城。1997、2000 年先后再获此称号。

建设经济开发小区。1992 年 2 月，中共大连市委、市政府决定在所辖郊区和市建设 15 个经济开发小区，把这些小区建成经济繁荣、环境优美、各项事业发达的卫星城镇，并带动周边地区经济发展，最终实现城乡一体化。至 2000 年末，全市已建设经济开发小区 16 个。

杨尚昆主席视察大连。1992 年 4 月 30 日，国家主席杨尚昆来大连视察。

成立足球特区。1992 年 5 月 8 日，国家体委批准成立大连足球特区。大连是著名的“足球城”，1951～2000 年末，累计为国家队输送队员近百名，其中 13 人担任过队长。1964 年被国家体委确定为全国发展足球运动的 10 个重点地区之一。2000 年末，全市有足球俱乐部 21 个，注册足球队员 1309 名。

建立大连保税区。1992 年 5 月 13 日，国务院批准建立大连保税区。这是东北地区惟一的保税区。规划面积 2 平方公里。至 2000 年末，起步区和出口加工区基本建成，世界 500 强公司已有 8 家在区内落户。

大连西太平洋石油化工有限公司建成。1992 年 5 月 16 日，我国最大的中外合资石化企业——大连西太平洋石化公司 500 万吨炼油厂工程在大连经济技术开发区破土兴建，总投资 10.13 亿元。1997 年 8 月 31 日全面投产，2000 年通过国家验收。2000 年销售收入、实现利润、出口创汇 3 项指标跃居全市工业第一位。

万里委员长视察大连。1992 年 5 月 25 日，全国人大常委会委员长万里来大连视察。

中国华录电子有限公司建成。1992 年 6 月 17 日，中国华录电子有限公司在大连高新技术产业园区建成，总投资 14.52 亿元，是国家“八五”计划录像机专项工程项目，1993 年 12 月投产。1999 年 4 月国务院批准组建中国华录集团公司，成为全国 120 家国家级试点企业集团之一。

金石滩被批准为国家旅游度假区。1992 年 10 月 4 日，金石滩被国务院批准为首批国家旅游度假区。至 2000 年末，已建成高尔夫球场、海滨浴场、狩猎俱乐部、花卉生产基地、赏石馆等具有国际水平的旅游设施。2000 年成为全国首批国家 AAAA 级旅游景区（点）之一，是进入此行列惟一的国家旅游度假区。

提出“不求最大，但求最好”的城市建设和发展思路。1993 年，中共大连市委、市政府提出“不求最大，但求最好”的城市建设和发展思路，力争经过几十年的努力，把大连建设成为地盘不太大、人口不太多，但功能齐全、环境优美、企业效益好、居民生活质量高的国际性城市。为此，制定了控制城市人口规模，提高人口素质；控制基建规模，提高建筑水平；调整产业结构，提高企业效益；继承历史建筑文脉，提高城市文化品位等重要措施。这一思路指导大连城市建设取得世人瞩目的成就。

制定《大连市社会主义精神文明建设规划》。1993 年 3 月 25 日，中共大连市委、市政府颁发《大连市社会主义精神文明建设规划》（1993～1995 年）。1996 年 1 月 18 日，市委八届二次全会讨论通过《大连市 1996～2000 年社会主义精神文明建设规划》。1999 年，大连市被授予全国创建文明城市工作先进城市称号。

大连商品交易所成立。1993 年 3 月 28 日，大连商品交易所成立。2000 年，该所期货交易额达到 7817 亿元，跃居全国第一，占全国市场份额的 48.6%。其大豆期货交易价格在全国具有较高的权威性和指导性。

建成国家卫生城市。1993 年 9 月 28 日，大连市在全国百万人口以上大城市中第一个成为国家卫生城市。

大搞城市绿化。1993 年，中共大连市委、市政府发出“大干苦干三年，基本绿化大连”的号召，提出把大连建设成生态环境良好，绿地成片的花园城市目标。之后，大连市绿化改造市内五大公园、大型游园、各大广场、住宅小区和部分主干道；搬迁企业腾出土地，新建绿地 10 万平方米；大规模绿化和建设南部海滨风景区。1997 年被国家建设部命名为园林城市。2000 年末，全市建成区绿化覆盖率达到 40.5%，人均公共绿地 8.5 平方米。

命名一批爱国主义教育基地。1994 年 9 月 19 日，中共大连市委、市政府首批命名大连中华工学会旧址等 40 个革命历史纪念地、烈士陵园、博物馆、历史遗址，为大连市爱国主义教育基地。1997 年 5 月 21 日又命名爱国志士闫世开墓、碧流河水库等 20 个革命烈士陵园、民族先烈纪念地、爱国主义教育展览馆（室）以及现代化建设成就设施、单位，为大连市爱国主义教育基地。

万达（实德）足球队五获全国足球甲 A 联赛冠军。1994 年 11 月 13 日，大连万达足球队荣获首届全国足球甲 A 联赛冠军。之后，又于 1996、1997、1998、2000 年（更名大连实德足球队）四获甲 A 联赛冠军。1998 年获得“亚俱杯”赛亚军，1996、2000 年先后夺得全国“超霸杯”赛冠军。

大商集团跻身全国十大零售企业行列。1994 年 12 月 18 日，大连商场集团公司正式挂牌，成为全国十大零售企业之一。1998 年 7 月跨地区购并抚顺、锦州、营口的 3 个百货大楼；2000 年又购并齐齐哈尔、牡丹江、本溪的 4 个百货大楼。同年末，集团市值总资产达到 80 亿元，商品零售额在全国零售企业中名列第三。

实施“盖被子”、“拆围墙”、“扒小房”工程。1994 年，大连市实施并完成建国以来最大的城市道路维修工程——“盖被子”工程，维修路面 364 万平方米。1995 年开始实施“拆围墙”工程，拆除各公园和繁华路段两侧单位的围墙，代之以通透性围栏，“还绿于民”。1996 年开始实施“扒小房”工程，拆除住宅小区内的违章建筑，改善了居民住宅小区的环境状况。

李瑞环主席视察大连。1995 年 4 月 14 日，政协全国委员会主席李瑞环来连考察搞好国有大中型企业问题。1999 年 10 月 26 日，来连视察城市建设工作。

兴建教师大厦和科学家公寓。1995 年 4 月，由市、区两级政府筹集 2 亿元资金建设的 5 幢教师大厦竣工，总建筑面积 11 万平方米，为市区中小学教师提供住房 1000 套。同年 8 月，总投资 2.2 亿元、建筑面积 9.1 万平方米的科学家公寓落成，入住两院院士以及著名专家、学者和社会名流 137 户。

大连动物园迁建。1995 年 10 月 15 日，大连动物园由市中心繁华区搬迁到白云山景区新园区，更名为森林动物园。1997 年 5 月 24 日正式开园。2000 年 9 月，二期工程野生动物放养园竣工并向游人开放。至此，园区面积达 180 万平方米，展养动物 200 余种、3500 多头（只）。同年进入国家首批 AAAA 级旅游景区（点）行列。

确定外向牵动、口岸经济、科教兴市、区域共同发展四大战略。1995 年 6 月 20 ~ 24 日，中共大连市委第八次代表大会召开，确定了迈向 21 世纪所实施的外向牵动、口岸经济、科教兴市、区域共同发展四大战略。

治理改造马栏河和自由河。1995 年 11 月，大连市区两大臭水河马栏河、自由河治理改造工程开工，总投资 1.75 亿元，1997 年末竣工。同时，对两岸环境进行大规模绿化美化，建绿地 11.8 万平方米，其中带状公园 5.6 万平方米。

企业搬迁改造。1995 年，大连市根据城市总体规划，开始有计划地实施企业搬迁改造，以深化企业改革，改善城市环境。截至 2000 年末，全市累计搬迁改造企业 105 个，腾出土地 300 多万平方米，企业通过土地转让获得资金 10 亿元。

实施大公司、大集团战略。1996 年 4 月 4 日，大连市开始实施工业经济大公司、大集团战略，先后组建瓦轴、金舟、大纺、盛道、大化、大显、冰山、大机床等 10 大企业集团，推动了全市工业结构调整。

星海会展中心落成。1996 年 6 月 28 日，大连星海会展中心落成，占地 8.6 万平方米，建筑面积 9.4 万平方米，是大连 1919 年建市以来兴建的最大的城市公用设施。

大连集装箱码头有限公司成为亚洲最佳集装箱码头。1996 年 7 月 1 日，大连港与新加坡合资组建大连集装箱码头有限公司。2000 年该公司集装箱吞吐量首次超过 100 万标准箱，达到 101.1 万标准箱。1999、2000 年连获香港《亚洲货运》杂志主办的货运业大奖“最佳集装箱码头奖”，是我国内地惟一获奖者。

王军霞、丁美媛获奥运会冠军。1996 年 7 月 28 日，大连籍运动员王军霞在美国亚特兰大举行的第二十六届奥运会女子 5000 米跑决赛中，以 14 分 59 秒 88 的成绩夺得冠军，为我国夺得首枚奥运会田径金牌。2000 年 9 月 22 日，大连籍运动员丁美媛在澳大利亚悉尼举行的第二十七届奥运会女子 75 公斤以上级举重比赛中，打破该级别抓举、挺举和总成绩 3 项世界纪录并夺得冠军。

建成疏港路、东北路和振兴路。1996 年 11 月，全长 23.6 公里的疏港路建成通车。这是本市城市道路建设史上规模最大、投资最多、一次建成最长的道路，也是国内首条将海港与高速公路连接起来的快速公路。1996 年 11 月 28 日，全长 22 公里东北路、振兴路全线通车，将老市区与经济技术开发区连为一体，使行车时间缩短一半。这是本市第一条全封闭城市快速路。

全面实施光明工程。1996 年，大连市全面启动光明工程，实施路灯换型改造、广场灯光灯饰建设、楼体泛光照明建设等项目，使大连的夜晚变亮了。2000 年末，市内四区有路灯 7.3 万盏，居东北各市之首，主次干道平均照度达到中等发达国家水平。

举办中国大连烟花爆竹迎春会。1997 年 2 月 8 ~ 12 日，首届中国大连烟花爆竹迎春会在大连星海会展中心举行。至 2000 年共举办 4 届，是大连市重大涉外活动之一。

实施下岗分流和再就业工程。1997 年起，大连市开始全面实施下岗分流和再就业工程，为国有企业改革脱困创造条件。截至 2000 年末，全市累计下岗分流职工 14 万人，其中约 90% 的职工实现再就业。

建成星海广场、奥林匹克广场和海之韵广场。1997 年 6 月 30 日香港回归祖国之际，总面积 4.5 万平方米的星海广场落成，这是大连市最大的城市公用广场。1999 年 9 月，为纪念大连建市 100 周年而建的奥林匹克广场落成，国际奥委会主席萨马兰奇曾为该广场奠基。1999 年 7 月 12 日，将新颖的造园手法和现代广场艺术相结合而建造的海之韵广

场落成，当年即被评为大连市十大景区（点）之一。至2000年末，大连市区有广场51个，成为城市的一大特色。

荣获国家环境保护模范城市称号。1997年9月5日，大连市荣获国家环境保护模范城市称号。1980～1997年，大连先后实施以治理大气污染为主的“五二四”工程、碧水工程以及污染物总量削减、市区北部郊区烟尘粉尘污染限期治理、甘井子工业区环境综合治理等重大环境治理工程项目，取得显著成效。1989年以来，连续7年在全国重点城市环境综合整治定量考核中名列前五名，连续2年进入全国城市环境综合整治十佳城市行列。1998年被列为中日环境合作示范首选城市。

城市6桥建成。1998年6月30日，大连市城市建设重点工程——城市6桥工程（春柳隧道、五惠桥、桃源桥、先进桥、东北桥、长春桥）全部竣工通车，使市区一些重要路段形成立体交通格局，缓解了交通堵塞状况。6桥总长4.7公里，总面积4.6万平方米。

黄海大道建成。1998年9月2日，全长123.5公里的黄海大道（大连至庄河高速公路一期工程）全线竣工通车。这是大连有史以来投资最大、里程最长、建设周期相对最短的公路建设项目。1999年3月，黄海大道经济带建设全面展开。

进入全国“科教兴市”先进城市行列。截至1998年10月底，大连市的10个区市县全部被国家科技部批准为全国科技工作先进县（市）和先进城区。因此，大连市在全国直辖市、省会市和计划单列市中，率先进入全国科教兴市先进城市行列。

朱镕基总理视察大连。1998年11月20～27日，国务院总理朱镕基视察大连钢厂、中国华录电子公司、星海会展中心和商品交易所等单位，并接见钱令希、谭彦、高玉宝、张毅、王永海等各界名人、英模和万达足球队、马家军代表。2000年4月23～27日再次视察大连，调查研究国有企业改革和社会保障体系建设问题。

跨入首批中国优秀旅游城市行列。1998年，大连市跨入首批中国优秀旅游城市行列。2000年，全市旅游业总收入90亿元，占国内生产总值的8.1%，接待海外游客人数和旅游创汇在东北地区排名第一，在全国各大城市中排名第十五和第九。有5个景区（点）被评为国家AAAA级景区（点），列副省级市第一名。

纪念大连建市百年。1999年4月8日，大连市第十二届人大常委会举行第十次会议，确定1899年9月19日为大连市建市时间，1999年9月19日为大连建市100周年纪念日。3月18日，中共中央总书记、国家主席江泽民为大连建市百年题词：“大连百年”；“百年风雨洗礼，北方明珠生辉”。9月19日，大连举行百年纪念城雕落成、世纪仓封仓、《大连百年图片展》等一系列纪念活动。

李致新登上世界七大洲最高峰。1999年6月23日，大连籍运动员李致新登上大洋洲最高峰查亚峰，成为世界上第一批登上过世界七大洲最高峰的运动员。

国有企业三年改革脱困目标如期实现。至2000年末，大连市如期实现国有企业三年脱困目标。14个国有大中型企业基本实现“债转股”；全市国有企业资产负债率由上年的68%降至55%；国有大中型企业亏损面降至15%，比国家要求低15个百分点；国有及国有控股企业盈亏相抵，实现利润15亿元，比上年增长35.7%。

“双D港”建设全面启动。2000年3月23日，中共大连市委、市政府决定，在大连经济技术开发区5号路一带20平方公里区域内，建设高新技术产业园区的新区“双D港”（双D代表数字技术和生命技术），为全市高新技术产业发展增加一个新的载体，并将其确定为新世纪大连经济社会发展战略的重要组成部分。年内，已有珍奥生命园等5个项目进区开工，总投资近10亿元。

引英入连工程开工。2000年9月29日，21世纪大连市的“生命工程”——引英入连工程提前1年开工建设，以解决市区供水严重紧张问题。一期供水应急工程计划投资10.9亿元，预计2001年5月完工，全部工程将于2003年竣工，届时将为大连国民经济可持续发展提供水源保证。

快轨工程启动。2000年9月3日，大连市具有经济战略意义的交通工程——快速轨道建设工程开工兴建。快轨全长46.7公里，设计时速每小时100公里，建成后可将市区和经济技术开发区连成一体。

（史　实）

海上看大连　　迟维斌　摄

社会经济统计资料

责任编辑　孙　颖

土地面积、户数、人口及行政区划

	土地面积（平方公里）	户　数（户）	人口数（人）	人口密度（人/平方公里）	街道办事处（个）	居民委员会（个）	乡镇人民政府 镇(个)	乡(个)	村民委员会（个）
全市总计	12573.85	1842746	5514721	439	85	567	74	30	1434
区小计	2414.96	934538	2677760	1109	72	455	26	2	345
中山区	40.10	130951	366388	9137	13	70	—	—	—
西岗区	23.94	118710	328625	13727	13	69	—	—	—
沙河口区	34.71	194506	586571	16899	17	128	—	—	—
甘井子区	451.52	179496	531719	1178	13	97	6	—	50
旅顺口区	512.15	77393	209007	408	6	24	7	—	71
金州区	1352.54	233482	655450	485	10	67	13	2	224
县(市)小计	10158.89	908208	2836961	279	13	112	48	28	1089
瓦房店市	3576.40	341483	1025354	287	7	54	15	10	392
普兰店市	2769.90	268548	825100	298	3	18	17	6	289
庄河市	3655.70	269507	897640	246	3	35	13	8	363
长海县	156.89	28670	88867	566	—	5	3	4	45

国内生产总值及构成项目

单位：万元

	增加值	劳动者报酬	固定资产折旧	生产税净额	营业盈余
国内生产总值	11107700	4377600	1958600	1707000	3064500
第一产业	1053800	640300	72500	43700	297300
第二产业	5171500	1732500	1100300	1250700	1088000
工业	4731200	1506500	1068000	1201700	955000
建筑业	440300	226000	32300	49000	133000
第三产业	4882400	2004800	785800	412600	1679200
农、林、牧、渔服务业	66300	40700	1800	7000	16800
地质勘探业、水利管理业	20600	5300	12200	800	2300
交通运输、仓储、邮电通信业	821400	520200	188100	48300	64800
批发和零售贸易、餐饮业	1474500	584200	54100	75300	760900
金融保险业	627500	95500	60800	129900	341300
房地产业	628100	74700	265900	95200	192300
社会服务业	580300	227000	112300	35400	205600
卫生、体育、社会福利事业	126400	92800	11700	1500	20400
教育、文艺、广播电影电视事业	202700	131500	32300	5800	33100
科学研究和综合技术服务业	97200	53400	20800	12200	10800
国家机关、政党机关、社会团体	216200	172500	17200	—	26500
其他	21200	7000	8600	1200	4400

注：按当年价格计算。

工业企业主要产品产量

	单位	产量		单位	产量
钢	万吨	45.2	起重设备	吨	22046
铝材	吨	5985	冶炼设备	吨	10869
成品钢材	万吨	50.4	内燃机	万千瓦	1011
煤气	万立方米	22154	工业锅炉	蒸发量吨	1863
发电量	亿千瓦时	96.5	化工设备	吨	21243
原油加工量	万吨	1213	纱	吨	25189
汽油	万吨	259.7	布	万米	8248
柴油	万吨	334.9	化学纤维	万吨	2.2
燃料油	万吨	98.9	皮鞋	万双	1029
油漆	万吨	0.6	原盐	万吨	162.9
硫酸(折100%)	万吨	19.9	罐头	万吨	1.7
焦炭	万吨	19.4	彩色电视机	万部	107.6
烧碱(氢氧化钠,折100%)	万吨	1.8	手表	万只	63.4
化学原料药	吨	326.7	塑料制品	万吨	16.3
化学农药(折100%)	吨	18761	各种服装	万件	5788
化学肥料(折100%)	万吨	19.3	程控交换机	线	170334
轮胎外胎	万条	162.3	木质家具	万件	59.9
平板玻璃	万重量箱	534.6	软体家具	万件	9.5
砖	亿块	18.2	肥皂	吨	9066
水泥	万吨	478.7	食用植物油	万吨	31.3
人造板	万立方米	4.7	合成洗涤剂	吨	2595
金属切削机床	台	7156	录像机	万部	20.7
白酒	万吨	0.7	日用玻璃制品	吨	48396
啤酒	万吨	32.9	阀门	吨	20363
轴承	万套	9807	纸制品	万吨	8.6

全部国有和年产品销售收入500万元及以上非国有工业企业总产值和增加值

单位:万元

	工业总产值(1990年不变价)	工业增加值(当年价)		工业总产值(1990年不变价)	工业增加值(当年价)
全市总计	9053945	2663196	四、按主要行业分		
一、按经济类型分			非金属矿采选业	14817	7642
国有企业	1708562	500349	食品加工业	510159	173932
中央企业	798876	262619	食品制造业	77402	23063
地方企业	909686	237730	饮料制造业	76536	41848
集体企业	349861	118349	皮革、毛皮、羽绒及其制造业	101124	25953
私营企业	281205	114832	石油加工及炼焦业	730927	379488
联营企业	20158	6271	化学原料及化学制品制造业	458664	119791
股份合作企业	150808	65254	医药制造业	99265	30071
股份有限公司	659060	215824	塑料制品业	304202	95165
有限责任公司	2021504	398826	金属制品业	364439	72301
外商投资企业	3494466	1124243	非金属矿物制品业	197859	74693
港、澳、台投资企业	368323	119248	普通机械制造业	1144737	348819
二、按轻重工业分			交通运输设备制造业	731780	230357
轻工业	2411998	746532	电气机械及器材制造业	570997	147522
重工业	6641947	1916664	电子及通信设备制造业	2190689	276638
三、按企业规模分			仪器仪表及文化、办公用机械制造业	81127	20625
大型企业	6711149	1862822			
中型企业	728114	269520	专用设备制造业	180468	57403
小型企业	1614682	530854	其他制造业	62273	23891
			电力、蒸汽、热水生产和供应业	110220	203186

全部国有和年产品销售收入500万元及以上非国有工业企业主要财务指标

单位:万元

	合计	内资企业	港、澳、台商投资企业	外商投资企业
企业单位数(个)	1143	652	103	388
其中:亏损企业	288	150	30	108
工业总产值(当年价)	10991552	6184098	410280	4397175
工业总产值(1990年不变价)	9053945	5191156	368323	3494466
工业销售产值(当年价)	10797477	6066348	388098	4343031
工业增加值(当年价)	2663196	1419704	119248	1124243
固定资产原价	9658414	5868834	380873	3408707
流动资产合计	6541836	4524215	312518	1705103
产品销售收入	10835165	6102378	407623	4325163
利润总额	436356	130572	26495	279289
亏损企业亏损总额	124476	81646	9286	33544
利税总额	941477	448483	44715	448279
全部从业人员年平均人数(人)	438579	308181	17145	113253

农作物播种面积及产量

	播种面积(公顷)	总产量(吨)		播种面积(公顷)	总产量(吨)
农作物总计	326577	—	2. 薯类	44266	150305
一、粮食(包括大豆)	273115	1063207	其中:马铃薯	20424	64561
1. 谷物	192080	846014	3. 豆类	36769	66888
稻谷	27649	157868	其中:大豆	34811	64304
小麦	3486	12275	二、棉花	24	11
其中:春小麦	121	293	三、油料	8231	21270
玉米	149960	654290	四、麻类	—	—
高粱	2397	5854	五、蔬菜、瓜类	41442	2261125
谷子	3368	5941	六、药材	106	—
其他谷物	5220	9786	七、其他作物	3659	—

水果生产

	果园面积(公顷)	果树株数(万株)	水果产量(吨)	
			合计	苹果
全市总计	85164	4513	727949	613197
区小计	19102	1055	81629	53122
甘井子区	4128	181	18697	8959
旅顺口区	2505	113	15778	13395
金州区	11004	701	41514	27903
三环集团	654	21	1933	1163
开发区	726	35	3433	1561
满家滩	85	4	274	141
县(市)小计	66062	3458	646320	560075
瓦房店市	27614	1336	189676	165415
普兰店市	22848	1452	250960	218347
庄河市	15498	666	205280	176100
长海县	102	4	404	213

畜牧业、水产品生产

	合计		合计
大牲畜存栏数(头)	311685	肉类总产量(吨)	262349
马	18118	其中:猪肉	166590
骡	39267	牛肉	11003
驴	30465	羊肉	1369
牛	223835	兔肉	35
年末生猪存栏头数	1708548	禽肉	82287
年末羊存栏只数	214585	马肉	288
年末兔存栏只数(万只)	1.2	奶类产量(吨)	66420
年末家禽存栏只数(万只)	1926	其中:牛奶	50569
		禽蛋产量(吨)	149792
		水产品产量(万吨)	213.9

农、林、牧、渔业总产值与增加值

单位：万元

	合 计	农 业	林 业	牧 业	渔 业
一、总产值					
1. 按1990年不变价计算	1281294	277651	4169	255573	743901
2. 按当年价计算	1928985	640488	13587	383631	891279
二、增加值(当年价)	1053803	392536	7372	118977	534918

全社会固定资产投资

单位：万元

	全社会投资总额	基建、更改及其他				房地产	农村集体	农村个人
		合 计	基 建	更 改	其 他			
合计	2685224	1242495	828407	345241	68847	1068654	202251	166038
一、按隶属关系分								
中央	350647	314998	205741	109257	—	35649	—	—
地方	2334577	927497	622666	235984	68847	1033005	202251	166038
其中：市属及市属以下项目	2195457	789940	597786	123307	68847	1031442	202251	166038
二、按三次产业分								
第一产业	55629	9068	2578	5430	1060	—	33776	12785
第二产业	711290	497532	344556	123376	29600	—	116294	97464
其中：工业	667710	486770	333977	123193	29600	—	91175	89765
第三产业	1912519	735895	481273	216435	38187	1068654	52181	55789
其中：交通运输、仓储及邮电通信业	361193	351177	135626	197545	18006	—	5865	4151
批发、零售贸易及餐饮业	96501	74358	59588	964	13806	—	4045	18098
金融保险业	6605	6605	4566	2039	—	—	—	—
房地产业	1077392	1660	1660	—	—	1068654	7078	—
社会服务业	200198	179142	159176	14826	5140	—	9101	11955
卫生、体育和社会福利业	23144	17345	17145	200	—	—	3641	2158
教育、文化艺术和广播电影电视业	80022	73954	73759	—	195	—	6068	—
科学研究和综合技术服务业	10557	10557	9059	798	700	—	—	—
国家机关及其他行业	56907	21097	20694	63	340	—	16383	19427
三、房屋施工面积(平方米)	16680877	3462236	2848515	326362	287359	10673302	1059460	1426443
其中：住宅	9461507	602107	527057	28520	46530	7879610	77341	853013
房屋竣工面积(平方米)	8193084	1134581	899847	124025	110709	5023678	741516	1233873
其中：住宅	5407042	336969	275519	28520	32930	4134116	65995	820526
四、本年新增固定资产	1996834	901807	545270	307129	49408	747452	175756	166038
五、住宅投资完成额	838081	46650	37232	8300	1118	740349	6674	41028

注："按三次产业分"不包括城镇工矿区私人建房和50万元以下项目投资(计5786万元)。

建筑业企业基本情况

	单位	合计	其中				单位	合计	其中		
			内资	港澳台商投资	外商投资				内资	港澳台商投资	外商投资
企业个数	个	692	664	12	16	年末从业人数	人	211370	207248	1646	2476
其中:亏损企业	个	108	97	7	4	计算劳动生产率的平均人数	人	245942	241818	1122	3002
总产值	万元	1484049	1454341	8734	20974	固定资产合计	万元	387073	374215	6881	5977
增加值	万元	440255	428371	5253	6631	流动资产合计	万元	1308021	1276499	6622	24900
房屋建筑施工面积	万平方米	1763	1757	—	6	利润总额	万元	43123	41854	539	730
房屋建筑竣工面积	万平方米	943	937	—	6						

房地产销售与出租

单位:平方米

	实际销售	预售	空置	出租	实际销售额(万元)
商品房面积合计	2810103	614204	2277286	94819	732464
其中:外销(租)	2332	7569	—	—	1224
个人	2101147	359160	—	—	505484
1. 住宅	2393481	526320	1706979	10155	567082
其中:别墅、高档公寓	31878	1600	55344	9455	12807
安居工程	511359	47708	75559	—	88450
其中:个人	1947045	425357	—	—	450724
2. 办公楼	98153	36276	59046	35444	54275
3. 商业营业用房	278095	51102	391061	31400	99448
4. 其他	40374	506	120200	17820	11659

城市房屋面积及住房

单位:万平方米

	合计	市内4区		合计	市内4区
实有房屋建筑面积	9836	5985	居住人口(万人)	276.59	169.31
其中:直管房	837	697	缺房户数(户)	34207	27380
私房	3440	1874	其中:人均居住面积在4平方米以下	3078	3050
实有住宅建筑面积	5409	3341	解决缺房户数(户)	9840	5208
其中:直管房	480	422	本年房屋竣工建筑面积	721	390
私房	3205	1760	其中:住宅	507	293
实有住宅使用面积	3828	2338	本年房屋减少建筑面积	86	41
实有住宅居住面积	2731	1670	其中:住宅	46	11

城市自来水、煤气和石油液化气生产和供应(全社会)

	单位	合计		单位	合计
自来水水厂年底生产能力	万立方米/日	121	其中:家庭用户	户	430000
年供水总量	万立方米	32249	用气人口	万人	130
其中:生产用水	万立方米	9302	供气管道长度	公里	1857
生活用水	万立方米	15499	液化石油气供气总量	吨	90023
用水人口	万人	267.69	其中:家庭用量	吨	50922
供水管道长度	公里	3581	用气户数	户	245500
煤气供气总量	万立方米	20296	其中:家庭户数	户	242607
其中:家庭用量	万立方米	13489	用气人口	万人	74.5
用气户数	户	433333	供气管道长度	公里	74

城市公共交通(系统内)

	单位	公共汽车		电车	出租汽车
		合计	小公汽		
运营车辆	辆	2871	382	156	233
行驶里程	万车公里	14533	—	760	12247
客运总量	万人次	101584	2161	15394	—
行车责任事故	次	34	—	18	59
行车责任事故死亡	人	6	—	—	—
年末职工数	人	8831	—	3726	—

市政设施及园林绿化(全社会)

	单位	合计		单位	合计
道路长度	公里	1156	绿化覆盖面积	公顷	10498
道路面积	万平方米	1292	园林绿地面积	公顷	10315
人行道面积	万平方米	467	公共绿地面积	公顷	1765
桥梁	座	194	建成区绿化覆盖面积	公顷	9477
其中:立交桥	座	31	公园	个	34
路灯	盏	84152	游人量	万人次	1459
污水处理厂	座	6	公厕	个	192

城市环境污染及治理

	单位	合计
一、废水排放量	万吨	46667
其中:工业废水排放量	万吨	32897
工业废水处理量	万吨	24206
二、工业废气排放量	万标立米	10816466
其中:生产工艺中排放量	万标立米	4075941
其中:净化处理量	万标立米	3864718
三、工业粉尘排放量	万吨	2.2
工业粉尘去除量	万吨	36.2
四、工业固体废物产生量	万吨	233.0
工业固体废物综合利用量	万吨	146.4
五、工业锅炉数	台/蒸吨	947/15144
其中:烟尘排放达标	台/蒸吨	925/15067
六、工业炉窑数	座	559
其中:烟尘排放达标	座	497

用电户数及用电量

	用电户数(户)	用电量(万千瓦时)
全市总计	992897	1094231
一、各行业用电	86168	931231
1. 农、林、牧、渔、水利业	3975	10923
其中:排灌	977	4096
2. 工业	15818	751430
其中:乡村工业	2678	76931
(1)轻工业	6621	131271
(2)重工业	9197	620159
3. 地质普查和勘探业	8	56
4. 建筑业	3620	13711
5. 交通、运输、邮电通信业	1694	21990
6. 商业、饮食、物资供销和仓储业	36484	59409
7. 其他行业	24569	73712
二、城乡居民生活用电	906729	163000
1. 乡村	66695	63281
2. 城市	840034	99719

交通运输业主要指标

	单位	本年实际		单位	本年实际
铁路旅客发送量	万人次	1850	货物发运量(邮件)	万吨	2
货物发送量	万吨	2310	货物周转量	万吨公里	2474
货物周转量	万吨公里	1272123	港口货物吞吐量	万吨	9699
公路客运量	万人次	8766	其中:大连港	万吨	9084
货运量	万吨	15368	出港	万吨	5699
货物周转量	万吨公里	344811	外贸	万吨	261
水路客运量	万人次	598	内贸	万吨	5438
货运量	万吨	2934	进港	万吨	3415
货物周转量	万吨公里	5634808	外贸	万吨	354
民航旅客发运量	万人次	90	内贸	万吨	3061

注:1. 公路、水运各指标均包括非交通部门企业。
2. 铁路各指标含地方城庄铁路发送量。
3. 港口货物吞吐量包括大连港及各地方港口吞吐量。

邮政电信业务量

	单位	地区		单位	地区
国内特快专递	万件	93.1	订销杂志累计数	万份	879
国际特快专递	万件	15.2	国内长途电话	万次	15462
邮电业务总量	亿元	54.1	城市住宅电话用户	万户	75.3
函件	万件	3623	农村住宅电话用户	万户	27.3
包裹	万件	70	无线寻呼用户	万户	34.5
订销报纸累计数	万份	8960	住宅电话普及率	%	55.7

社会消费品零售额

单位:万元

	金　额		金　额
社会消费品零售额	4887069	6. 股份制经济	323100
一、按销售地区分:		7. 外商投资经济	193795
1. 市的零售额	4507991	8. 港、澳、台投资经济	76840
2. 县的零售额	12948	9. 其他经济	571521
3. 县以下的零售额	366130	三、按行业分:	
二、按经济类型分:		1. 批发零售贸易业	3586057
1. 国有经济	373367	2. 餐饮业	639786
2. 集体经济	197471	3. 制造业	31623
3. 私营经济	781734	4. 其他	629603
4. 个体经济	2368460	其中:农民对城镇居民零售额	571521
5. 联营经济	781		

全地区提供外贸出口商品总值

单位:万元

	提供外贸出口商品总值		提供外贸出口商品总值
合计	4609378	医药类	79355
粮油食品类	561214	化工类	163821
土畜产品类	245195	机械设备类	1574788
轻工类	663802	五矿冶金类	688185
工艺品类	37854	丝绸类	16874
纺织品类	92519	其他类	7108
服装类	478663		

利用外资

	项目数(个)	合同金额(万美元)	合同外资金额(万美元)	实际使用外资金额(万美元)		项目数(个)	合同金额(万美元)	合同外资金额(万美元)	实际使用外资金额(万美元)
利用外资	706	307003	242980	133144	1. 合资企业	334	182976	121634	67821
一、对外借款	3	2185	2185	230	2. 合作企业	60	21236	15316	9524
二、外商直接投资	697	302501	238478	130597	3. 独资企业	303	98289	101528	53252
					三、外商其他投资	6	2317	2317	2317

新批外商投资企业行业分布

单位：万美元

行业	项目个数	合同外资额	实际使用外资额
合计	697	238478	130597
农、林、牧、渔业	21	9842	2399
制造业	451	127227	78672
其中：食品加工业	101	9736	5420
食品制造业	6	5742	4834
饮料制造业	8	5384	2266
纺织业	10	2904	930
服装制造业	90	2730	1716
家具制造业	15	3852	4275
化学原料及制品制造业	27	6061	1282
医药制造业	2	2976	2209
塑料制品业	16	7311	5593
非金属矿物制品业	22	3751	9606
普通机械制造业	11	3190	3351
交通运输设备制造业	9	13914	1410
电器及器材制造业	10	8760	3889
电子及通信设备制造业	15	25838	14012
电力、煤气及水的生产和供应业	—	—	686
建筑业	12	3974	326
交通运输、仓储及邮电通信业	7	4091	806
批发和零售贸易、餐饮业	101	24086	9710
房地产业	24	35413	22053
社会服务业	76	28270	14735
卫生、体育和社会福利业	1	2795	1073
科学研究和综合技术服务业	2	2236	—
金融、保险业	2	544	—
其他行业	—	—	137

在岗职工人数和劳动报酬

	年末人数(人)				年平均人数(人)				劳动报酬和生活费(万元)			
	合计	国有经济	城镇集体	其他经济	合计	国有经济	城镇集体	其他经济	合计	国有经济	城镇集体	其他经济
全市总计	887643	478112	89951	319580	902481	491006	94612	316863	1074069	595278	77519	401273
一、按企事业、机关分												
1. 企业	675448	270406	85462	—	689531	282598	90070	—	837739	362661	73806	—
2. 事业	166744	162255	4489	—	167619	163077	4542	—	184269	180556	3713	—
3. 机关	45451	45451	—	—	45331	45331	—	—	52061	52061	—	—
二、按行业分												
1. 农、林、牧、渔业	20597	16868	853	2876	20971	17228	830	2913	24953	19834	681	4438
2. 采掘业	9499	9211	249	39	10622	10310	276	36	7665	7569	73	23
3. 制造业	346384	93973	33367	219044	347875	96247	34759	216869	406245	122300	26567	257378
4. 电力、煤气及水的生产和供应业	21301	18854	462	1985	21551	19155	398	1998	31277	25025	414	5838
5. 建筑业	38190	17380	16240	4570	43333	20820	18017	4496	47421	24626	17193	5603
6. 地质勘查、水利管理业	3861	3621	240	—	3875	3627	248	—	3052	2850	202	—
7. 交通运输、仓储及邮电通信业	92962	50449	5762	36751	94695	52634	6006	36055	147479	82611	5742	59126
8. 批发和零售贸易、餐饮业	70093	28361	14096	27636	73686	30204	15053	28429	78149	33186	9825	35138
9. 金融、保险业	28221	19755	4847	3619	28525	20076	4882	3567	41574	30685	4599	6290
10. 房地产业	17767	10604	558	6605	17159	10662	561	5936	20500	11915	461	8124
11. 社会服务业	61767	37551	8641	15575	62735	38114	8906	15715	65654	40162	7319	18173
12. 卫生、体育和社会福利业	33625	32061	1482	82	33583	32022	1494	67	37493	36418	1013	62
13. 教育、文化和广播电视业	78940	77934	811	195	79377	78361	821	195	85583	84553	744	286
14. 科学研究和综合技术服务业	11947	11057	287	603	11998	11137	274	587	16407	15353	260	794
15. 国家机关、政党机关、社会团体	48275	48275	—	—	48173	48173	—	—	55365	55365	—	—
16. 其他行业	4214	2158	2056	—	4323	2236	2087	—	5252	2826	2426	—

商品零售价格指数

	指数(%)
商品零售价格指数	97.8
1. 食品类	99.7
其中:粮食	94.0
鲜菜	108.1
肉蛋禽	95.0
水产品	113.8
2. 饮料烟酒类	94.4
3. 服装鞋帽类	95.5
4. 纺织品类	99.2
5. 中、西药品类	99.1
6. 化妆品类	95.3
7. 书报杂志类	112.2
8. 文化、体育用品类	98.8
9. 日用品类	94.4
10. 家用电器类	92.3
11. 首饰类	91.9
12. 燃料类	120.9
13. 建筑装潢材料类	94.9
14. 机电产品类	98.9

居民消费价格指数

	指数(%)
居民消费价格指数	99.6
1. 食品类	98.9
其中:粮食	90.7
菜类	107.7
水产品	112.8
蛋类	85.9
肉禽及其制品	97.1
2. 衣着类	97.2
其中:服装	95.9
3. 家庭设备及用品类	93.3
其中:耐用消费品	94.1
4. 医疗保健类	98.9
5. 交通和通讯工具类	98.0
6. 娱乐教育文化用品类	99.2
7. 居住类	112.5
8. 服务项目类	101.0

城市住户基本情况

	单位	数量
调查户数	户	500
人口情况		
一、家庭人口数	人	1566.61
(一)有收入者人数	人	1151.71
1. 就业人口数	人	705.30
(1)国有经济单位职工人数	人	394.54
(2)城镇集体经济单位职工人数	人	107.59
(3)其他各种经济类型单位职工人数	人	51.08
(4)个体经营者人数	人	19.42
(5)个体被雇者人数	人	43.52
(6)离退休再就业者人数	人	50.33
(7)其他就业者人数	人	38.82
2. 离退休者人数	人	440.41
3. 其他有收入者人数	人	6.00
(二)无收入者人数	人	414.90
二、期末家庭人口数	人	1571.00
附:非家庭人口用饭人数	人	83.40
期末主要消费品拥有量(每百户)		
1. 毛皮大衣	件	59
2. 呢大衣	件	218
3. 毛毯	条	143
4. 地毯	方	134
5. 组合家具	套	30
6. 沙发床	个	69
7. 沙发	个	108
8. 大衣柜	个	75
9. 写字台	张	71
10. 摩托车	辆	2
11. 自行车	辆	42
12. 家用电脑	台	10
13. 缝纫机	台	53
14. 洗衣机	台	83
15. 电风扇	台	83
16. 电冰箱	台	94
17. 冰柜	台	12
18. 彩色电视机	台	125
19. 影碟机	台	33
20. 录放像机	台	37
21. 录音机	台	58
22. 组合音响	套	25
23. 摄像机	台	2
24. 微波炉	台	23
25. 照相机	架	54
26. 钢琴	架	1
27. 其他中高档乐器	件	5
28. 健身器材	件	7
29. 空调器	台	8
30. 电炊具	台	60
31. 淋浴热水器	台	61
32. 脱排油烟机	台	73
33. 吸尘器	台	23

对外承包工程及劳务合作

	单位	合计	对外承包工程	对外劳务合作
合同数	个	877	109	768
合同额	万美元	22512	10166	12346
营业额	万美元	17102	7842	9260
年内派出人员	人次	18196	357	17839
年末在境外人数	人	15434	424	15010

国际旅游

	人次	人天数
合计	338286	1238095
外国人	278400	1037545
香港同胞	24544	79177
澳门同胞	1314	4618
台湾同胞	34028	116755

地区财政预算内收入

单位：万元

	合计	中央	省	市
收入合计	2285545	1505699	3791	776055
其中：增值税	792712	654453	—	138259
营业税	265918	26028	—	239890
企业所得税	139888	20301	3791	115796
企业所得税退税	-246	—	—	-246
个人所得税	97593	20646	—	76947
资源税	2162	—	—	2162
固定资产投资方向调节税	3549	—	—	3549
城市维护建设税	34297	—	—	34297
房产税	43793	—	—	43793
印花税	10415	—	—	10415
城镇土地使用税	7738	—	—	7738
土地增值税	855	—	—	855
车船使用和牌照税	3251	—	—	3251
屠宰税	535	—	—	535
农业税	4329	—	—	4329
农业特产税	12700	—	—	12700
耕地占用税	602	—	—	602
契税	28095	—	—	28095
国有资产经营收益	31050	26449	—	4601
国有企业计划亏损补贴	-21741	—	—	-21741
债务收入	388000	388000	—	—
行政性收费收入	15813	—	—	15813
罚没收入	23403	1360	—	22043
土地和海域有偿使用收入	637	—	—	637
专项收入	27072	86	—	26986
其他收入	18249	13500	—	4749
消费税	82302	82302	—	—
关税	331698	331698	—	—
一般调拨收入	-59124	-59124	—	—

地区财政预算内支出

单位：万元

	合计	中央	省	市
支出合计	1156908	180253	26124	950531
其中：基本建设	297751	29263	—	268488
企业挖潜改造	57065	6903	—	50162
科技三项费	38464	2989	205	35270
地质勘探费	272	72	—	200
支援农村生产	24683	—	—	24683
农业综合开发	10078	—	—	10078
农林水利气象部门事业费	7335	—	—	7335
工业交通部门事业费	3273	—	—	3273
流通部门事业费	469	—	—	469
文体广播事业费	12875	—	—	12875
教育事业费	140211	36243	19821	84147
科学事业费	17855	11880	2700	3275
卫生经费	29760	458	1764	27538
税务等部门事业费	31091	—	—	31091
抚恤和社会福利救济费	29650	—	—	29650
行政事业单位离退休费	50507	—	—	50507
社会保障补助	45638	—	—	45638
国防支出	677	—	—	677
行政管理费	57326	16716	1634	38976
外交外事支出	2336	—	—	2336
武装警察部门支出	275	—	—	275
公检法支出	40796	—	—	40796
城市维护费	58397	—	—	58397
政策性补贴	13372	—	—	13372
债务支出	75729	75729	—	—
支援不发达地区	248	—	—	248
土地和海域开发建设	191	—	—	191
专项支出	22968	—	—	22968
其他支出	87616	—	—	87616

文化事业基本情况

	机构数（个）	从业人员（人）	总收入（万元）		机构数（个）	从业人员（人）	总收入（万元）
一、艺术表演团体	8	556	1358	四、教育事业	1	45	302
二、公共图书馆	12	393	1821	五、其他	5	78	305
三、群众艺术馆、文化馆	12	282	946				

金融机构信贷收支

单位：万元

	年末余额		年末余额
资金来源项：		(4)农业贷款	360605
一、各项存款	13746799	(5)乡镇企业贷款	722131
1. 企业存款	5010193	(6)外商投资企业贷款	746787
2. 财政存款	87339	(7)私营及个体企业贷款	107143
3. 机关团体存款	95121	(8)其他短期贷款	1864242
4. 储蓄存款	7776033	2. 中长期贷款	1693466
5. 农业存款	144590	(1)基本建设贷款	802184
6. 信托存款	67945	(2)技术改造贷款	454414
7. 委托存款	170627	(3)其他中长期贷款	436868
8. 其他存款	394951	3. 信托贷款	68354
二、金融债券	566	4. 融资租赁	8063
三、证券业务款项	36435	5. 委托贷款	160645
四、所有者权益	-75548	6. 逾期类贷款	927583
五、其他	-1273703	7. 中期流动资金贷款	324733
资金来源总计	12434549	二、国家投资债券贷款	—
		三、有价证券及投资	459503
资金运用项：		四、证券业务占款	142926
一、各项贷款	11624734	五、委托投资	143660
1. 短期贷款	8441890	六、金银占款	1604
(1)工业贷款	2210493	七、外汇占款	-29822
(2)商业贷款	2158180	八、库存现金	91944
(3)建筑业贷款	272309	资金运用总计	12434549

金融机构现金收支

单位：万元

收入项目	年末累计	支出项目	年末累计
1. 商品销售收入	2891422	1. 工资性支出	1918928
2. 服务事业收入	1391343	2. 农副、工矿产品采购支出	658250
3. 税款收入	123420	3. 行政企事业管理费支出	1485030
4. 城乡个体经营收入	1054837	4. 城乡个体经营支出	1625817
5. 储蓄存款收入	15089806	5. 储蓄机构支出	15241807
6. 其他金融机构收入	900518	6. 其他金融机构支出	756253
7. 居民归还贷款收入	277990	7. 居民提取贷款支出	300639
8. 汇兑收入	554843	8. 汇兑支出	456949
9. 有价证券收入	458918	9. 有价证券支出	340346
10. 其他收入	2939899	10. 其他支出	3223674
收入合计	25682996	支出合计	26007693
投放(+)	324698	回笼(-)	—

结婚和离婚情况

	单位	国内婚姻	涉外及华侨、港澳台同胞婚姻
准予登记结婚	对	36704	394
初婚人数	人	64160	—
再婚人数	人	9248	—
准予登记离婚	对	5615	—

收养性机构基本情况

	单位	合计	其中		
			光荣院	农村老年福利机构	城镇老年福利机构
单位数	个	125	1	113	5
职工人数	人	1435	52	903	55
其中：医护人员	人	597	19	331	35
年末床位数	张	7621	260	5916	238
年末在院人数	人	5604	260	4079	180
其中：老人	人	4654	260	3566	164

各类学校基本情况

单位:人

	学校数(所)	在校学生数	招生数	毕业生数	教职工数	其中:专任教师
一、普通高等学校(不包括研究生)	15	79541	28428	13327	16300	6832
二、普通中等专业学校	22	22988	5774	4865	2871	1352
三、中等技工学校	65	10331	4574	4809	2344	1365
四、普通中学	276	298996	122750	75987	23100	18753
五、职业中学	59	34008	9714	11751	2860	1999
六、小学	1383	455569	68030	97864	26344	22338
七、特殊教育学校	9	1394	200	183	391	284
八、工读学校	1	118	47	46	53	28
九、成人高等学校	6	10407	4774	3864	1524	787
十、成人中等专业学校	35	11649	3570	4273	1750	1076
十一、成人中学	8	169	109	149	62	31
十二、成人技术培训学校	921	337708	726269	702309	2401	1648
十三、幼儿园	1874	126911	50324	—	7935	5155

卫生机构、床位及人员

	机构(个)	床位(张)	卫生工作人员(人)			机构(个)	床位(张)	卫生工作人员(人)	
			合计	技术人员				合计	技术人员
全市总计	1579	29090	42233	32302	口腔医院	2	70	393	328
一、医院合计	244	25574	32178	24982	2. 其他医院	29	1651	1279	1005
1. 县及县以上医院	100	20430	26973	20775	3. 卫生院	115	3493	3926	3202
综合医院	66	11363	15768	12180	二、疗养院	10	2528	1125	454
中医医院	6	1300	1965	1536	三、门诊部	75	—	1166	971
医学院校附属医院	5	2746	3801	2888	四、专科防治所、站	9	508	427	290
传染病医院	2	670	600	416	五、卫生防疫机构	13	—	1220	962
精神病医院	6	1210	879	662	六、妇幼保健机构	9	—	294	247
结核病医院	1	350	250	165	七、药品检验机构	7	—	142	99
妇幼保健院	3	250	478	389	八、医学科研机构	6	—	239	137
妇产医院	4	1150	1463	1167	九、高等医学教育机构	1	—	901	421
儿童医院	1	400	589	431	十、中等医药教育机构	7	—	396	130
康复医院	3	801	719	560	十一、其他卫生事业机构	28	480	1170	634
职业病院	1	120	68	53	十二、诊所、卫生保健所、医务室	1170	—	2975	2975

城镇社区服务和农村服务网络

	单位	合计
一、城镇社区服务设施	个	126
二、从业人员	人	928
其中:安置下岗人员	人	640
三、城镇便民、利民服务网点	个	5044
四、社区服务志愿者组织	个	1137
社区服务志愿者人数	人	99968
五、农村社会保障网络	个	87

社会福利院基本情况

	单位数(个)	职工人数(人)		年末在院人数(人)	年末床位数(张)
		合计	医护人员		
合计	6	425	212	1085	1207
大连市社会福利院	1	269	135	487	487
甘井子区社会福利院	1	40	32	120	120
金州区社会福利院	1	15	5	180	180
普兰店市社会福利院	1	14	6	51	60
瓦房店市社会福利院	1	39	21	112	100
旅顺社会福利院	1	48	13	135	260

(大连市统计局提供　袁成亮　李雪芬制表)

市委、市政府文件

责任编辑　孙　颖

2000年中共大连市委文件（目录）

文件号	发文日期	标　　题
1	4.6	中共大连市委、大连市人民政府关于加强人才工作的意见
2	4.19	中共大连市委、大连市人民政府关于深化教育改革全面推进素质教育的决定
3	1.25	中共大连市委、大连市人民政府关于表彰我市优秀人才的决定
4	4.7	中共大连市委关于深化“三讲”教育“回头看”活动进一步搞好整改工作的实施意见
5	4.19	中共大连市委、大连市人民政府、大连军分区批转市委组织部等部门《关于基层人民武装部机构设置干部配备原则等问题的意见》的通知
6	6.30	中共大连市委关于授予刘金铃同志“模范共产党员”称号和开展学习刘金铃同志活动的决定
7	9.11	中共大连市委关于印发薄熙来同志在市委八届十一次全会上的报告的通知
8	10.16	中共大连市委关于加强同人民群众联系的十项规定
9	11.16	中共大连市委转发《中共辽宁省委关于进一步加强和改善对经济工作领导的意见》的通知
10	11.16	中共大连市委、大连市人民政府关于进一步加强人口与计划生育工作的决定

2000年大连市人民政府文件（目录）

文件号	发文日期	标　　题
1	2.27	关于印发薄熙来市长在十二届人大三次会议上所作《政府工作报告》的通知
2	1.6	关于聘任第二届大连仲裁委员会组成人员的通知
3	1.7	关于印发《大连市公共信息网络管理暂行规定》的通知
4	1.12	大连市人民政府关于限期拆除户外烟草广告的通知
5	1.17	大连市人民政府关于表彰1999年度农村造林绿化先进集体先进个人的决定
6	1.25	大连市人民政府关于表彰1999年度大连市旅游工作先进集体和先进个人的决定
7	1.18	关于印发《大连市人才市场管理规定》的通知
8	1.20	印发《关于扩大对内开放吸引市外内资企业的暂行办法》的通知
9	1.21	印发《大连市人民政府关于2000年春节期间销售燃放烟花爆竹的通告》的通知
10	1.24	关于下达2000年全市对外经贸计划的通知
11	1.31	关于加强行政监察工作的通知
12	1.31	关于印发《大连市招商代理暂行规定》的通知
13	1.18	关于提请李德和等同志职务任免的议案
14	2.13	关于印发《大连市引进优秀人才若干规定》、《大连市引进留学人员来连工作若干规定》、《大连市人才发展资金管理暂行办法》的通知
15	2.17	关于印发2000年大连市政府工作重点、大连市经济建设和人民生活19件实事的通知
16	2.22	关于重新规划和调整市内四区医疗机构设置的通知
17	1.10	印发《大连市人民政府关于进一步扶持高新技术产业发展的若干规定》的通知
18	3.2	关于印发大连市住宅小区达标工作方案的通知
19	3.3	关于印发《大连市道路交通事故车辆、物品损失价格评估规定》的通知
20	3.5	关于印发《大连市城市房地产开发管理办法》的通知
21	3.5	关于印发《大连市进一步鼓励外商投资的若干规定》的通知
22	3.3	大连市人民政府关于表彰“双达标”和巩固国家环保模范城市成果先进单位、先进个人的决定

文件号	发文日期	标　　题
23	3.8	批转市政府法制办关于1999年度全市推行行政执法责任制情况和2000年工作意见报告的通知
24	3.9	关于印发大连市2000年经济体制改革实施意见的通知
25	3.24	关于下达大连市市本级2000年地方税收计划的通知
26	3.24	关于下达大连市市本级2000年地方税收计划的通知
27	3.24	大连市人民政府关于表彰1999年节能样板企业、先进集体、先进个人的决定
28	3.28	关于印发《大连市利用外资目标管理考核奖励办法》的通知
29	3.29	印发《大连市进一步促进再就业工作和保障国企下岗职工基本生活的有关规定》、《大连市建立劳动就业互助组织的有关规定》的通知
30	3.22	关于印发《大连市粉煤炭综合利用管理规定》的通知
31	3.22	关于印发《大连市城市节能建筑管理办法》的通知
32	3.29	关于表彰1999年办理人大代表建议、政协提案先进单位、先进个人的决定
33	3.30	关于印发《大连市保护城市绿地管理规定》的通知
34	4.6	关于印发《大连市城镇职工基本医疗保险实施办法》的通知
35	4.11	大连市人民政府关于表彰1999年度农业新品种引进选育工作先进单位、先进个人和'99大连市农业新品种展示(交易)会贡献单位的决定
37	4.14	印发《大连市人民政府关于加强殡葬用品管理的通告》的通知
38	4.13	关于提请孙广田等同志职务任免的议案
39	4.22	印发《大连市人民政府关于控制城市社会生活噪声污染的通告》的通知
40	4.21	关于调整市内四区土地级别及土地出让权标准的通知
41	4.25	关于印发《大连市职工基本医疗保险监督检查办法》的通知
42	4.25	关于印发《大连市行政事业单位银行帐户管理暂行规定》的通知
43	4.27	关于调整企业职工工伤保险行业差别费率有关问题的通知
44	4.28	关于印发《大连市国有工业企业物资采购监督管理规定》、《大连市国有工业企业销售监督管理规定》的通知
45	4.28	关于做好1999年冬季退役士兵和2000年春季转业士官接收安置工作的通知
46	4.29	关于加强依法治税的通知
47	4.28	关于理顺全市盐业专营管理体制的通知
48	4.28	关于贯彻国务院5号文件解决我市供销社突出问题的通知
49	4.28	关于印发《大连市机动车辆抵押登记管理办法》的通知
50	5.13	关于调整企业最低工资标准的通知
51	5.24	转发省政府关于再取消一批行政事业性收费项目决定的通知
52	5.29	关于印发《大连市市属科研机构管理体制改革实施意见》的通知
53	5.30	大连市人民政府关于承诺如期归还中国人民银行向我市发放专项贷款有关问题的函
54	6.2	关于停止征收车辆增容费及增容基金的通知
55	6.7	印发《大连市人民政府关于进一步放开搞活房地产市场的若干规定》的通知
56	6.12	关于实施大连市"蓝天碧海工程"的通知
58	6.15	关于提请审议终止施行《大连市城镇职工养老保险条例》的议案
59	6.20	关于转发国务院《关于贯彻实施〈中华人民共和国立法法〉的通知》的通知
60	6.25	关于印发大连市预防与控制艾滋病中长期规划(2000—2010年)的通知
61	6.23	关于印发《大连市名牌农产品认真管理办法》的通知
62	6.6	关于印发《大连市外贸出口目标责任制考核奖励办法》的通知
63	6.23	关于印发《大连市房地产综合开发项目及国有土地使用权招标的拍卖管理办法〉的补充规定》的通知
64	6.30	关于印发《大连市财政监督暂行办法》的通知
65	6.30	关于印发《大连市行政事业性收费、政府性基金实行票款分离和罚没收入实行罚缴分离暂行办法》的通知
66	6.30	关于印发《大连市城市管理综合执法规定》的通知
67	7.4	关于印发《口岸系统保持廉洁的若干规定》的通知
68	7.10	关于成立大连市快速轨道交通工程建设领导小组和总指挥部的通知
69	7.10	关于撤销大连市信息化工作领导小组和大连市城域网建设领导小组、成立大连市信息化建设领导小组的通知
70	7.12	关于动员全社会力量关心支持教育进一步加强和改进教育工作的通知
71	7.12	关于提请吕功政等同志职务任免的议案
72	6.30	关于印发《大连市浅海滩涂增养殖管理规定》的通知
73	6.30	关于印发《大连市合同文本管理办法》的通知
74	6.30	印发《大连市人民政府关于修改〈大连市经济合同监督管理办法〉的决定》的通知
75	6.30	关于印发《大连市黄条鰤资源保护管理暂行办法》的通知
76	6.30	关于印发《大连市生牛奶管理办法》的通知
77	7.24	关于做好农村小学布局调整工作的通知
79	7.25	转发市政府关于开展全省行政执法大检查通知的通知
80	7.25	关于设立大连出口加工区的通知
81	7.26	转发省政府关于统一全省占河费等河道行政事业性收费标准有关问题的通知
82	6.30	关于印发《大连市事业单位人员分流安置暂行规定》的通知
83	7.13	关于在全市开展事业单位登记管理工作的通知
84	8.13	关于举办第十二届大连国际服装节的通知
85	8.17	印发《大连市人民政府关于进一步控制大气污染的通告》的通知
86	8.28	关于确保按时发放农村公办教师工资的紧急通知
87	9.5	关于加强对流落街头需要救助的外来人员进行救助工

文件号	发文日期	标　　题
		作的通知
88	9.12	关于调整2000年全市外贸出口计划的通知
89	9.21	转发省政府关于取消娱乐场所收费调整娱乐业营业税税率的通知
90	9.21	关于提请万国涛等同志职务任免的议案
91	9.22	印发《关于深化事业单位分配制度改革建立和完善人才激励机制的意见》的通知
92	9.20	关于提请审议《大连市市政公用基础设施管理条例修正案(草案)》的议案
93	10.8	印发《关于援助就业困难的国有企业下岗自谋职业人员的意见》的通知
94	10.10	大连市人民政府关于设立"寒窗基金"的通知
95	10.21	大连市人民政府关于表彰全市农田基本建设第十二届"大禹杯"竞赛优胜单位、先进单位的决定
96	11.2	关于开展打假联合行动的通知
97	11.20	关于做好2000年度粮食购销工作的通知
98	11.11	关于编制2001年财政收支预算的通知
99	11.15	关于表彰大连市城市压水节水工作先进单位、先进集体和先进个人的决定
100	11.21	关于废止部分政府规章和规范性文件的通知
101	11.30	关于提请审议《大连市城市总体规划(草案)》的议案
102	12.7	关于印发《大连市城镇企业职工高额补充医疗保险试行办法》的通知
103	12.12	关于同意大连华信信托投资股份有限公司进行重新登记的批复
104	12.13	关于同意大连市市级储备粮油数量和品种的批复
105	11.17	关于提请予振波等同志职务任免的议案
106	12.21	印发《市政府关于加强大连火车站的站前地区管理的通告》的通知

文件选编

中共大连市委 大连市人民政府
关于加强人才工作的意见

为认真贯彻落实市委八届十次全会精神,加快实施科教兴市战略和人才工程,构造人才智力优势,推进经济和社会各项事业快速健康发展,现就加强我市今后3年人才工作提出如下意见:

一、指导思想、工作重点和发展目标

1. 指导思想:以邓小平理论和党的基本路线为指导,紧密围绕四大经济发展战略和建设现代化国际城市的宏伟目标,强化创新意识和人才意识,建立和完善人才培养、引进和使用的激励机制,创造有利于优秀人才充分发挥聪明才智和脱颖而出的社会环境,努力造就一支数量充足、结构合理、门类齐全、效绩显著的人才队伍,使我市成为中国北方的人才高地,为全面开创政治建设新局面、实现经济发展新突破提供智力支持和人才保证。

2. 工作重点:以引进国内外高层次人才为突破口,以高层次人才培养和开发为主要内容,以发挥人才最佳效绩为目的,通过人才政策的逐步完善和实施,建设一支高素质的党政干部队伍、高绩效的企业经营管理人才队伍、高层次的专业技术人才队伍,带动和促进人才队伍的全面建设。

3. 发展目标:

——高素质党政干部队伍。到2002年,市直单位、区市县党政领导班子要形成以45岁左右干部为主体梯次构成的年龄结构。市直单位领导班子成员中,大学本科以上文化程度的要达到80%,研究生以上文化程度的达到15%以上。各区市县党政领导班子成员中,大学本科以上文化程度的力争达到70%。全市高层次党政干部的后备人选要保持在400名左右的常量,并在领导素质、专业布局、年龄结构方面与我市经济和社会发展的需要基本适应。

——高绩效经营管理人才队伍。重点培养、引进能担任大中型企业和集团正职的人才100名,擅长市场营销、经贸洽谈和财务管理的高级经营管理人才300名。到2002年,全市高绩效经营管理人才要达到900人左右的常量,逐步形成以中、青年为主体,老中青优势互补,充满生机与活力的高级经营管理者队伍。

——高层次专业技术人才队伍。要培养、引进自然科学和社会科学领域的知名学者、有突出贡献的中青年科技人才20—30名,其中能够承担重大科技攻关任务或对本市产业发展有重要贡献,体现大连未来综合实力和竞争能力的高级专家10名;引进硕士学位以上的留学回国人员150名;新增省、市级优秀专家和优秀青年科技人才150名;新增享受国务院特贴人员50名;新增博士、博士后200名。到2002年,具有高级职称的专业技术人才总量达到2.3万人,其中博士生导师增加到300名,两院院士也要有所增加。

二、依托城市综合优势,完善人才引进政策,广泛吸纳国内外优秀人才

4. 人才引进的重点对象。高新技术产业、支柱产业、新兴产业、重点工程等领域所急需的高级专业技术人才和高级经营管理人才;重点学科或技术领域内的带头人;能领办或创办经济、科技实体的人才;通晓国际惯例的高层次旅游、商贸人才;熟悉国际金融、经济、法律的专业人才和懂技术、会经营、善管理的复合型人才;有投资意愿和项目转化需要的国外留学人员;在国内外取得硕士以上学位全日制毕业的研究生和具有特殊专长、能够对我市经济发展做出重要贡献的各类实用人才。

5. 实施积极的人才引进政策。对全日制大学毕业并取得学士以上学位(含学士学位,下同),年龄在35岁以下,符合我市产业结构和人才结构调整方向,用人单位需要的人才,实行放开的人才引进政策。

引进硕士以上学位全日制毕业的研究生和具有高级专业技术职称的优秀人才，可以不受单位性质、编制数额（不含党政机关）和职称结构比例的限制。其配偶、未成年子女随调、随迁，不受人口控制指标限制，免收城市增容费。

企事业单位引进全日制大学毕业并取得学士以上学位、年龄在35岁以下的软件开发和骨干经营管理人才，其配偶和未成年子女在我市落户，随报随批，免收城市增容费。暂时未落实工作单位的，其人事档案关系和户口可由人才服务中心实行人事代理。高新技术企业引进的全日制大学毕业并取得学士以上学位的专业技术人才和经营管理人才，工作满两年的，其本人和配偶、未成年子女在办理落户手续时，免收城市增容费。

优秀人才来我市工作，其配偶的工作单位，可由接收单位根据本人条件协助解决；其子女入中、小学，可由户口所在地的教育行政部门就近安排到教学质量较好的学校就读。

优秀人才来我市工作期间的住房，由用人单位按照我市住房制度改革有关政策规定，优先考虑解决，并给予适当补贴。短期来我市工作的人员或个别单位暂时难以解决住房的，可申请租用市政府拨专款建的周转住房。高层次优秀人才来我市工作，可连续3年享受政府安家补贴：两院院士每年补贴10万元，知名专家、学术带头人和博士生导师每年补贴5万元，博士后每年补贴2万元，博士每年补贴1万元。

6. 加快高层次人才创业基地建设。按照高起点规划、高标准建设、高效率管理的要求，办好我市各类高新技术创业基地，为海外留学人员及其他科研人员创办高科技企业、转化科技成果提供“孵化器”。凡在创业基地开办的企业，所在地要按市政府扶持高新技术产业发展的有关规定，在税收、场租、资金等方面给予优惠政策。

要进一步扩大科研院所博士后流动站和企业博士后科研工作站规模，促进产学研结合，力争每年新增企业博士后工作站2—3个。

7. 积极引进国内外智力。市有关部门要根据我市经济和社会发展需要，围绕高新技术产业、高附加值产品、高效农业项目，多方面争取支持，邀请更多的国外专家来我市讲学，开展合作研究、项目指导、技术攻关等。

建立特聘专家制度。鼓励相关部门面向国内外聘请我市经济发展急需的电子信息、生物制药、节能环保、金融、外贸、旅游等方面的专家为特聘专家，发挥他们的智力优势和特殊作用。对特聘专家，市委、市政府从人才发展资金中给予相应的津贴资助。

三、更新观念，拓宽渠道，努力造就高素质的人才队伍

8. 发挥高校优势，提升人才学历层次。鼓励和支持已经具有大学文化的中青年优秀人才在职攻读硕士、博士学位。依托国内外知名高校的教育优势，每年培训各类人才300名左右。对参加学历教育的人员，其所在单位要给予支持。

9. 利用国内外教育资源，拓宽人才培养渠道。要充分利用国外友好城市、驻外机构及国家外专局等多种渠道，每年有针对性地选送一批综合素质好、有培养前途的中青年拔尖人才赴国（境）外进行培训或研修。同时，积极聘请国外科技界、教育界、产业界的高级专家、学者和国内知名企业家、领导干部来我市讲学，把送出去培养与引进国外智力培训有机结合起来，逐步形成受训对象广、主讲人员精、培训成本低、教育效果好的人才培养新路子。

10. 建立终身教育制度，搞好知识更新和岗位培训。按照中央下发的《全国干部教育培训规划》要求，强化对各类高层次人才的教育培训工作。每年选调150名市管党政领导干部到市委党校进行为期1个月的岗位培训，领导干部任期内脱产培训不少于3个月。同时，发挥党校自身优势，通过举办高层次专业技术人才读书班、优秀青年科技人才培训班等多种方式，不断提高科技人才的政治素质。继续坚持对企业经营管理者进行工商管理岗位培训，重点强化对企业高级财会、营销、经贸等紧缺专业人才的培训，逐步推行企业经营管理者任职资格证书制度和持证上岗制度。力争2003年后，凡推荐或应聘担任国有大中型企业正副董事长、正副总经理的，必须取得由授权机构认定和颁发的任职资格证书。全面推行以提高业务素质和创新能力为主要目的的专业技术人员继续教育制度。根据人才结构调整的需要，进一步突出新理论、新技能、新信息、新知识的再教育，并保证专业技术人才每年参加业务进修时间不少于80学时。

11. 遵循人才成长规律，注意在实践中培养人才。要大胆把中青年专业技术人才放在重要学术、技术岗位上，让他们担任科研机构、重点实验室、重大课题组的负责人；承担重点工程或关键技术岗位的领导工作；参加各类学术委员会、学术团体等机构的学术交流活动，使中青年专业技术人员在实践中提高技能，增长才干。

对政治素质好、有发展潜力、适合培养为一把手的党政后备干部人选，本着“缺什么、补什么”的原则，通过担任常务副职、党政部门换岗交流、到艰苦岗位挂职、到困难企业锻炼等方式，提高其驾驭全局的能力和领导水平。

加大人才使用步伐，对一些有培养前途，经过实践证明是特别优秀的各类人才，可不受资历、任职时间限制，大胆破格提拔，使其尽快、尽早成长起来，发挥更大作用。

12. 加速启动乡土人才工程，大力开发农村人才资源。乡土人才是农村先进生产力的代表，是能留得住、用得上的农村“专家”。要尽快摸清现状，完善配套措施，落实相关待遇，大力开发农村人才资源，建设一支懂技术、会管理、能够带头普及推广实用科学技术、引导农民致富奔小康的宏大的乡土人才队伍。

四、深化制度改革，突出业绩取向，建立优秀人才脱颖而出和发挥聪明才智的竞争激励机制

13. 建立人才公平竞争机制。深化干部人事制度改革，破除论资排辈的旧观念，继续推行公开招聘和竞争上岗制度，坚持领导干部任期制和聘任制，完善目标责任制考核，积极推进干部交流，建立能上能下、能进能出的用人机制。推进国有企业人事制度改革，不断完善企业经营管理者业绩考核、职工评议等约束激励机制，打破职务终身制，按岗选人、竞聘上岗、奖优罚劣，加快企业经营管理者市场化、职业化进程。

14. 建立按劳分配和按生产要素分配相结合的多元化分配体制。鼓励企业对特殊人才采取特殊的分配办法。对国有和集体企业的主要经营管理者，实行工资收入与年度工作目标和业绩挂钩，股份制企业可试行期权制。对在关键岗位的技术骨干、承担重点工程和科研项目的带头人，可实行技术入股和协议工资制度。鼓励企事业单位把资本、技术、管理等生产要素纳入分配方案之中，在核定的工资总额内，由单位自行设计分配方案，鼓励合理拉大优秀人才和普通职工的工资收入差距，允许档案工资与实际收入分离。

15. 鼓励专业技术人才从事科技成果转化工作。高等院校、科研院所等事业单位要支持科技人员在不侵害本单位经济技术权益的前提下，离职或兼职创办、领办科技型企业，兼职兼薪。科技人员以高新技术成果作价出资的，经市科技主管部门认定，其作价出资的金额占注册资本的比例可扩大到35%。如合作方另有约定，从其约定。以技术转让方式将科技成果提供给他人实施的，应从转让净收入中提取不低于30%的部分奖励给成果完成人；自行转化或合作实施转化的，应当在项目完成投产后3-5年内，从该科技成果的年净收入中提取不低于20%的比例（或扩股、赠股）奖励给成果完成人和成果转化人员。其中，主要贡献人员所得奖励份额应不低于奖励总额的50%。

16. 改革和完善专业技术职务评聘制度。在职称评聘中，突出创新意识，坚持重业绩、重能力的原则，对确有突出贡献的专业人才，特别是中青年拔尖人才，可以破格晋升相应职称。允许企业和自收自支事业单位自主设岗、自主聘任。同时，强化聘后管理，加强任期考核，把考核结果作为晋升、奖惩的主要依据。

17. 实施人才奖励政策。对在我市经济建设和社会发展中做出重大贡献的优秀人才给予奖励。此项奖励每两年评选一次，奖励额度根据其贡献为5-10万元。同时，鼓励企事业单位对技术创新和科技成果转化做出突出贡献的科技人员给予重奖。

18. 放宽部分高级专家和企业经营管理者退休政策。对具有较深专业造诣的老科技工作者和业绩突出的高级企业经营管理者，如工作需要，身体健康，本人自愿，经批准可在法定年龄的基础上适当延长退休时间。同时，注意抓好以离退休老科技工作者为重点的二次开发工作，通过多种方式继续发挥老专家在科学研究、技术咨询和培养青年科技人才方面的特殊作用。

五、采取有效措施，提高人才服务质量，进一步优化人才外部环境

19、完善人才市场功能，优化人才资源配置。进一步加快人才市场建设步伐，在完成各区市县及各行业人才市场信息联网的基础上，加快与周边省、市乃至国际人才交流机构的联网，建立国内外高层次人才信息库。认真做好人才交流、考试测评、人事代理、考核认定等方面的服务工作，不断提高服务质量。切实发挥人才市场在人才资源优化配置中的基础性作用，并通过宏观调控和政策引导，盘活现有人才资源，保持人才合理流向和流量，使人才结构调整适应经济结构变化的需要。

20. 加快政策和法规体系建设，推进人才工作规范化。逐步建立起包括人才引进、培养、使用、激励、资金投入、社会保障、人才流动争议仲裁等方面的政策和法规体系，加大执法力度，规范市场秩序，切实维护用人单位和人才的合法权益。

21. 鼓励企事业单位增加投入，促进科技创新，营造良好的企事业人才环境。企事业单位要积极引进国内外先进技术并加速消化吸收与创新。要大幅度提高技术开发经费的投入，大中型企业每年用于技术开发的经费要达到其销售收入的2%以上，高新技术企业不得少于5%。要努力创造条件，吸引人才、留住人才、培养人才，充分发挥人才的作用。

22. 大力弘扬“尊重知识、尊重人才、崇尚科学”的社会风尚。在新闻媒体中开设专题、专栏，大力宣传我市在人才引进、培养及使用方面的政策，宣传各部门引才、育才、用才的先进经验，及时刊载、播出优秀人才的业绩。充分发挥科技馆、图书馆、博物馆等场所的作用，努力营造崇尚的社会氛围。

充分利用国际互联网等现代媒体和全市性节庆活动、各类展览、招商等有利时机，向国内外宣传我市在人才、智力引进方面的优惠政策和经济、社会发展情况，依托优惠政策、城市综合实力、城市知名度以及优越的地缘环境优势吸引国内外优秀人才来我市发展。

六、加强领导，明确责任，努力把人才队伍建设的各项任务落到实处

23. 加强对人才工作的领导。人才工作是一项涉及面广、政策性强、难度较大的社会系统工程，各级党委、政府必须高度重视，切实加强领导。市委、市政府成立大连市人才工作领导小组，负责全市人才工作的宏观指导、综合协调和监督检查。市委组织部、市委宣传部、市计委、市经委、市科委、市教委、市人事局、市财政局等部门为领导小组成员单位。领导小组办公室设在市人事局。

24. 建立人才工作目标责任制。不断强化“科学技术是第一生产力”，“人才是重要的战略资源”的认识，坚持把抓好科技进步、技术创新和人才资源开发纳入各级政府的经济与社会发展计划，并作为党政领导班子和各级领导干部特别是一把手工作的任期目标和考核内容，与创建“一流领导班子”及干部奖惩、使用直接挂钩。各级党政部门要进一步转变职能，增强服务意识，简化办事程序，提高工作效率，为用人单位和各类人才提供高效优质的服务。

25. 健全领导干部联系专家制度。每位市级党政领导带头联系3名专家，其他各级党政干部也要和专家保持经常性的联系，听取他们的意见和建议，帮助解决工作和生活方面的实际困难。

26. 加大对人才资源开发工作的投入。从2000年起，市财政每年划拨专款1000万元，作为人才发展资金，用于培养和引进优秀人才、紧缺人才和奖励有突出贡献的优秀人才。资金统一管理，集中使用，保证重点，以增强财政投入的有效性。

积极推动人才投入主体多元化和市场化进程，逐步建立以政府投入为引导，企事业投入为主体，银行贷款、社会募集与利用外资为补充的多元化投入体系。到2002年，对人才资源开发的总投入占GDP的比重提高到1%以上。

中共大连市委　大连市人民政府

关于深化教育改革
全面推进素质教育的决定

为认真贯彻落实《中共中央、国务院关于深化教育改革全面推进素质教育的决定》（以下简称《决定》）及《中共辽宁省委、辽宁省人民政府贯彻落实〈中共中央、国务院关于深化教育改革全面推进素质教育的决定〉的实施意见》（辽委发［2000］2号）精神，进一步实施科教兴市战略，努力提高教育为现代化建设服务的水平，为我市社会主义现代化建设奠定坚实的人才基础和知识基础，现就深化教育改革，全面推进素质教育，作出如下决定。

一、深入贯彻全国教育工作会议精神，增强实施素质教育的自觉性

去年6月，党中央、国务院召开了全国教育工作会议。这次会议以全面实施素质教育为标志，为我们绘制了21世纪初叶教育改革和发展的宏伟蓝图，我国的教育改革和发展将进入一个崭新的阶段。会议通过的《决定》，是全面推进素质教育，构建充满生机和活力的社会主义教育体系的指导思想和行动纲领。各级党委、政府要充分认识新形势下教育的先导性、全局性和基础性地位及其对增强我国经济实力、国防实力和民族凝聚力的重要作用，引导和动员广大干部、群众进一步解放思想，把发展教育事业化为全市人民的共识和全社会的实际行动，深化教育改革，全面实施素质教育，为建设教育强市而共同努力。

要深刻理解素质教育的内涵，增强深化教育改革，全面推进素质教育的自觉性和责任感。要认识到，实施素质教育，就是要全面贯彻党的教育方针，以提高国民素质为根本宗旨，以培养学生的创新精神和实践能力为重点，造就"有理想、有道德、有文化、有纪律"的德智体美等方面全面发展的社会主义事业的建设者和接班人。全面推进素质教育，就是要面向现代化、面向世界、面向未来，使受教育者坚持学习科学文化与加强思想修养的统一，坚持学习书本知识与投身社会实践的统一，坚持实现自身价值与服务人民的统一，坚持树立远大理想与进行艰苦奋斗的统一。全面实施素质教育，就是要贯穿于幼儿教育、中小学教育、职业教育、成人教育、高等教育等各级各类教育，贯穿于学校教育、家庭教育和社会教育等各个方面。

全面实施素质教育不仅是各级教育部门的事，也是各级党委和政府的重要职责。各级政府要致力于办好每一所学校，各级各类学校要致力于教好每一个学生，使受教育者都能生动活泼、积极主动地发展。

二、明确教育改革与发展的基本目标，促进各级各类教育协调发展

"十五"期间至2010年，我市教育发展的总目标是：基本形成各类教育结构和布局合理的、相互衔接和沟通的、开放性的终身教育体系，不断提高各级各类教育的质量和水平；基本形成有利于学生德智体美全面发展的、以培养学生创新精神和实践能力为重点的素质教育模式，不断提高受教育者思想道德、科学文化、身体心理和劳动技能素质；基本形成符合社会主义市场经济体制，包括多元化办学体制和投资体制以及用人制度在内的教育发展机制，不断提高教育发展及各级各类学校办学的活力；构建与经济、科技和社会发展相适应的、与现代化国际城市相匹配的、接近中等发达国家水平的一流教育。

到2005年，建立0—6岁儿童托幼一体化的学前教育新体制。

到2000年，实现小学6周岁儿童入学的目标。

到2005年，使50%的人口覆盖地区的九年义务教育基本实现包括办学条件、教师队伍和管理水平在内的"区域均衡化"。

提高高中阶段教育的普及率。到2005年，力争使高中阶段教育普及率达到70%，到2010年达到90%以上。

到2005年，全市19—23周岁适龄人口高等教育的毛入学率达到30%，2010年达到40%。

到2010年，全市90%的年满18周岁的公民初步掌握一门外语并具有运用现代信息技术获取信息的能力。

到2010年，全市新增劳动力平均受教育年限达到14年左右，全民受教育水平明显提高，努力把我市建成全国同类城市中教育水平较高的城市之一。

三、推进基础教育"区域均衡化"工程，进一步提高九年义务教育实施水平

继续把"普九"工作作为教育事业发展的重中之重，巩固"普九"成果，完善"普九"条件，提高"普九"水平。各级政府要抓紧对薄弱学校进行改造，逐步实现中小学办学条件标准化、干部和教师队伍建设制度化、学校管理规范化，为学生享受平等教育权利创造良好的条件。

采取有效措施，切实解决今后几年初中在校生高峰期出现的问题和矛盾。进一步拓宽农村初中的办学功能，采取有效形式，搞好初中生分流，控制初中生辍学，确保农村适龄儿童少年接受九年义务教育。

全面提高九年义务教育实施水平。结合城乡小学和初中布局调整，在城市，用2—3年时间，完成学校"马路操场"改造任务；在农村，到2002年完成现有50万平方米危旧校舍改造任务，所需资金由区市县和乡镇、村统筹解决，市财政予以适当补贴。

认真搞好城乡小学布局调整。在保证学生都能方便就学的前提下，积极稳妥地、有步骤地抓好农村小学"合校并班"工作，进一步提高农村小学的办学效益和教育质量。

重视婴幼儿的身体发育和智力开发，大力提高幼儿教育的质量。积极发展特殊教育，保障残疾儿童少年的学习权利。

四、适应社会发展需要，积极发展职业教育和成人教育

积极发展中等职业教育是我市普及高中阶段教育的一项重要任务。对此，各级党委和政府要高度重视。要认真贯彻实施劳动预备制度和职业资格证书制度。劳动行政等部门要加大监察力度，落实"先培训，后就业"政策，逐步做到新增劳动力持"双证"上岗。

教育、劳动行政部门要按照《职业教育法》的规定，加大统筹协调力度，优化教育资源配置，打破条块分割、各自为政的局面，加快中等职业学校布局结构调整步伐，重点建设好30所左右与我市产业结构人才需求相适应的骨干示范性职业学校。企业、事业单位必须重视职工培训，按国家规定用足教育培训经费，做到专款专用。要加强失业人员职业技术培训，劳动部门要重点建设好15所再就业训练中心。

大力发展农村职业教育和成人教育，不断提高农民的文化素质。发挥区市县职教中心的"龙头"和辐射作用，区市县政府要拨出专项资金，建设好乡镇职业学校。

五、扩大地方高等教育的规模，促进高等教育更好地为地方经济建设和社会发展服务

通过办学体制改革和教育资源重组等措施，将大连大学、大连职业技术学院分别扩建为万人规模的高等院校。大连大学和大连职业技术学院要根据地方经济建设和社会发展的需要，深化教育教学改革，创办新专业，探索建立新的办学机制，培养适用型人才。按照国务院的要求和省政府的统一部署,积极推进在我市高等院校依照“共建、调整、合作、合并”的方式进行布局调整和体制改革工作。通过部、省、市共建,把大连理工大学建设成为世界知名的高水平大学,支持大连海事大学、东北财经大学等部、省属高校加快发展,提高办学水平。促进高等教育与地方经济和社会发展的紧密结合,发挥高校在科教兴市战略中的生力军作用。加大高校后勤工作改革力度,逐步剥离高校后勤系统,推动后勤工作社会化。继续发展多种形式的成人高等教育。

六、大力推进办学体制改革,发展民办教育

在非义务教育阶段,鼓励多种形式办学,积极发展民办教育。在义务教育阶段,要在保证适龄儿童少年均能就近进入公办小学和初中的前提下,办好少数民办、公办民助小学和初中,在这个范围内提供择校机会,但不搞一校两制。重视挖掘现有公办学校潜力,充分发挥名牌学校的效益,在公办学校中引入民办机制,以进一步增强办学活力。认真做好厂矿企业中小学分离工作,鼓励非义务教育阶段的厂矿子弟学校和幼儿园进行转制实验。地方大学可以探索举办民办或中外合作办学形式的分院。积极发展以社区为依托的公办、民办幼儿教育。制定并认真落实对民办教育的优惠政策。进一步加强对社会力量办学的管理。

鼓励和支持中外合作办学,加大教育对外开放的力度,积极吸引国外教育投资和外来教育人才资源。

七、深化教育教学改革,全面提高教育质量

切实改进和加强学校德育工作。各级各类学校都要坚持以马克思列宁主义、毛泽东思想和邓小平理论为指导,按照德育总体目标和学生成长规律,扎扎实实抓好学生的心理素质培养、道德素质培养和思想政治教育。要切实加强高校思想政治工作,并进一步做好邓小平理论“进教材、进课堂、进学生头脑”工作。

继续深化教学改革。注重激发学生独立思考和创新意识,努力提高教学质量。进一步加强学校的体育卫生工作。从改善师生关系入手,积极改进课堂教学,切实加强美育,将美育融于学校教育全过程。要坚持教育与生产劳动相结合,加强并改进对学生的生产劳动和社会实践教育。拓宽农村初中办学功能,在农村初中增加以实用技术培训为主要内容的选修课程,采取各种形式,对学生进行有效的职业技术培训。重视抓好外语教学和计算机等现代教育技术手段的教育。城区和县镇所在地,3年内要集中建好一所学生劳动技术和创新教育基地。普通高中在足额配备计算机的同时,加快校园网建设。

改革招生考试制度。要继续坚持小学毕业生免试就近升学的办法,条件具备的地方要逐步实施九年一贯制教育。要继续保留已被肯定的一些行之有效的招生考试办法。扩大高等职业院校对口招收中等职业学校毕业生的比例。

八、加强教师队伍建设,切实提高教师整体素质

调整师范学校的层次和布局结构,逐步提高中小学教师的学历层次。撤销中等师范学校,小学新师资的培养任务由地方高等院校承担。拓宽教师来源渠道,控制师范招生数量,吸引非师范类院校优秀毕业生到中小学任教。实行教师资格制度,面向社会招聘优秀人才到中小学任教。从2001年开始,小学新增师资的学历层次达到专科以上;从2002年开始,初中新增师资学历层次达到本科以上;到2010年,高中阶段教育各类学校的专任教师和校长中获硕士学位或同等学力者达到20%以上。

建立教师流动机制,推进教师“双聘”工作制度化。要依法加强教师队伍管理,实行教师竞争上岗,调整不能履行岗位职责的教师,辞退一批不合格教师,精简学校富余人员,优化教师队伍结构。从2000年起,每3年调整10%左右的中小学教师。要把住教师入口关,保证教师队伍的基本素质要求。城镇中小学教师原则上要有一年以上在薄弱学校或农村学校任教经历,才可聘为高级教师职务。

建立健全教师继续教育制度。要不断完善和改进教师培训方法,坚持以提高教师实施素质教育的能力和水平为重点,实行定时有偿培训,每5年对所有教师轮训一次。抓好学科带头人和骨干教师的培训,市、区市县政府要多渠道筹集经费,设立学科带头人和骨干教师队伍建设专项资金,鼓励优秀教师脱颖而出。要特别重视抓好青年教师的培养和培训,切实提高其的政治业务素质。切实加强师德建设,进一步提高教师职业道德水平。加强教师进修院校建设,充分发挥他们在教师培训方面的作用。

逐步完善中小学校长选拔、任用和岗位培训、持证上岗制度,进一步提高学校干部素质。实行中小学校长定期交流和竞聘上岗。加强学校后备干部队伍建设,储备干部资源,搞好干部队伍的新老交替。

九、采取有效措施,妥善解决民办教师和拖欠教师工资问题

贯彻落实党中央、国务院关于在本世纪末基本解决民办教师问题的总体要求,采取“转、退”等配套措施,到2000年底基本解决我市民办教师问题。

认真贯彻《国务院办公厅转发〈财政部关于进一步做好教育科技经费预算安排和确保教师工资按时发放的通知〉的通知》(国办发[1998]23号文件)精神,实行公办教师基本工资由县级财政统筹支付,其他津贴、补贴由乡(镇)财政支付。要把解决教师工资拖欠问题作为考核县、乡两级干部政绩的重要依据,保证农村教师工资按时足额发放。

十、采取有效措施,切实加大教育投入

依法保证教育财政拨款,逐步加大教育投入。市委、市政府决定,自2000年到2002年的3年中,提高市本级财政支出中教育经费所占比例,每年提高一个百分点,由市财政统筹安排,主要用于发展地方普通高等教育、高等职业教育,解决城区中小学马路操场和建设寄宿制普通高中等方面的支出。各区市县政府也要根据本地实际,增加教育经费的支出。认真落实国家和省市出台的有关教育发展的优惠政策,进一步拓宽筹措教育经费的渠道。加大城乡教育费附加的征收力度。城市教育费附加和地方教育费是专门用于教育事业的财政性资金,要依率征收,用于我市教育事业发展,专款专用,不得挪作它用。农村教育费附加要按现行政策足额征收,做到乡征、县管、乡用,切实保证用于农村教育事业。

教育部门要进一步解放思想,牢固树立起依靠改革加快发展的观念。要加大教育收费改革力度,在非义务教育阶段,要适当增加学费在培养成本中的分担比例,逐步建立教育成本分担机制。继续鼓励社会、个人和企业投资办学和捐资助学。学杂费是学校公用经费的重要来源,全部用于补充学校公用经费,各级政府不得截留挪做它用，更不能抵顶正常教育事业费。对下岗职工、贫困家庭子女的学杂费要采取政策减免，并逐步建立奖学金、助学金制度。

落实对各级各类学校校办产业的优惠政策，鼓励和扶持学校开展勤工俭学和社会服务。

根据《教育法》的有关规定，各级人民政府的教育支出，应按照事权和财权相统一的原则，在财政预算中单独列项。财政部门要进一步加强对教育经费的监管，并加大审计力度，切实提高教育经费的使用效益。

十一、推进校舍建设，加强教育资源的统筹管理

统一规划城乡校舍建设。市内四区的校舍建设由市规划行政部门和市教育行政部门统筹规划；其它区市县的校舍建设规划权集中在区市县规划行政部门和教育行政部门。规划行政部门在小区规划时要留出足够的中学建设用地，开发单位要落实好小区建设规划中的小学和幼儿园的配套建设。对在小区建设中不能落实配套中小学和幼儿园建设的开发单位，要按《大连市保障适龄儿童少年接受义务教育若干规定》的有关条款给予行政处罚，并及时、足额征收配套建设资金和有关税费。

在城区，采取换建形式，由财政给予适当补贴，到2001年建成4所寄宿制普通高中。各区市县在初中在校生高峰期间，要在充分挖掘现有办学潜力的同时，加大新建、扩建初中校舍的力度。

教育部门要在确保国有教育资源不流失的情况下，经同级国有资产管理部门、财政部门同意后，可以通过置换等有效措施，优化学校布局结构，合理配置教育资源，提高资源的使用效益。要加强校园内部和周边环境整治，维护学校正常秩序。

十二、坚持依法治教，加强教育督导

要坚持依法治教，切实把各级各类教育纳入法制化的轨道。各级党政领导和广大教育工作者要认真学习和宣传教育法律法规，不断增强教育法律意识。各级政府和各有关部门要切实做到依法行政，严格履行相应的法律责任，保证教育事业的健康发展和教育方针的全面贯彻。

要逐步完善地方性教育法规体系，加大教育执法力度，加强教育法制机构和队伍建设，强化教育执法检查，落实政府以及有关部门的法律责任，规范学校的办学行为和教育行为。

进一步健全教育督导机构，完善教育督导制度，建立对本级人民政府的有关职能部门贯彻教育法律法规的督导机制，充分发挥教育督导机构和督导人员在“两基”和实施素质教育中的作用。

要建立符合素质教育要求的评价学校、教师和学生的机制。地方各级人民政府不得下达升学指标，不得以升学率作为评价学校工作的唯一标准。鼓励社会各界、家长和学生以适当方式参与对学校工作的评价。

十三、切实加强对教育工作的领导，为全面推进素质教育的实施创造有利条件

全面推进素质教育，必须切实加强领导。有远见的、成熟的、合格的领导，必然是重视教育的领导。各级党委和政府要牢记邓小平同志关于“我们要千方百计，在别的方面忍耐一点，甚至于牺牲一点速度，把教育问题解决好”的要求，切实把教育作为先导性、全局性、基础性的知识产业和关键的基础设施，摆在优先发展的战略地位。各级党政领导要转变观念，充分认识实施素质教育的重要性和紧迫性，把思想统一到《决定》上来，并且要全力抓好落实。要进一步加强学校党的工作，充分发挥党员在实施素质教育中的模范带头作用。

各级党政领导都要把抓好教育工作纳入重要议事日程，坚持在制定经济和社会发展规划时保证教育优先发展和适度超前发展，切实采取措施帮助教育部门和学校解决工作中的困难和问题。要建立和健全目标管理责任制，层层明确目标和责任，逐级考核各级党委和政府及其主要领导抓素质教育工作的情况，把抓教育工作的实绩特别是抓素质教育的实绩作为各级党政干部政绩考核和上级对下级考绩以及选拔干部的重要内容。各级党委和政府要对实施素质教育成绩突出的单位和个人给予表彰和奖励。

推进素质教育的全面实施，既是一场深刻的教育变革，也是一项事关全局、影响深远、涉及社会各方面的系统工程。各有关部门、社会各方面都要关心和支持教育事业，为素质教育的全面实施创造良好条件。要积极帮助学校改善办学条件，努力为学校组织学生开展各种社会实践活动提供方便；要通力协作，强化对青少年学生的思想政治教育，坚决抵制各种封建迷信、腐朽思想对青少年的毒害；要结合加强社会治安综合治理，切实保证学生能有一个安静、和谐、健康的生活和学习环境；要发挥各自优势为教育、为教师办实事，进一步弘扬尊师重教的社会风尚。

全面推进素质教育，是党中央和国务院为加快实施科教兴国战略作出的重大决策。各级党委和政府要按照中央的要求，坚持以邓小平理论为指导，结合本地实际，把素质教育认真落到实处，促使教育更好地为社会主义现代化建设服务。

大连市人民政府

关于扩大对内开放
吸引市外内资企业的暂行办法

第一条 为实施区域经济共同发展战略，进一步扩大对内开放，吸引中央、省属和外省、市内资企业来连投资，促进我市经济的发展，制定本办法。

第二条 本办法适用于在大连市行政区域内投资、经商、办企业的中央、省属和外省、市各类企业（以下简称市外企业）。

第三条 大连市经济协作委员会负责对实施本办法过程中的组织协调、政策咨询和投诉受理等工作。

计划、经济、财政、税务、工商行政、公用、电业、公安、金融、物价、房地产、规划土地、开发办等部门，依照各自职责做好吸引市外内资企业工作。

第四条 市外来连新建企业或已在连投资的市外企业新增投资500万元以上、纳税额或新增纳税额50万元以上的，经同级财政部门批准后，自投产之日起三年内缴纳所得税地方所得部分全部返还给企业；投资或新增投资额500万元以下、纳税额50万元以下的，经同级财政部门批准后，其缴纳所得税地方所得部分，两年内全部返还给企业。

市外企业与本市企业实行联合，并且外方控股组成一个新的企业,也享受前款优惠政策。

第五条 市外企业来连收购企业的,可享受大连市关于企业兼并破产的财政、用地等有关优惠政策;来连收购重点亏损、破产企业的,银行将按本市企业给予贷款支持。

第六条 市外来连新办高新技术企业,享受《大连市关于扶持高新技术产业发展的若干规定》(大政发[1999]69 号)的优惠政策。原企业或母企业已经在当地被认定为高新技术企业、来连后仍生产原企业的高新技术产品的,凭当地科技主管部门对企业项目、产品的评审文书材料到科技主管部门登记备案后,可直接转为高新技术企业,不再重新评审。

第七条 市外来连企业在产品认定、资质评审、经营权限审批、项目招投标和承揽工程项目等方面,与本市企业同等待遇。

第八条 市外企业来连投资 300 万元以上、年纳税额 30 万元以上的,其主要出资人(董事长)或经营者(总经理)及其配偶和未成年子女,一户 3 人,可办理本市常住户口,免征城市增容费;投资超过 1000 万元以上、年纳税额超过 100 万元以上的,允许其一定数量的符合大连市引进人才标准的高级管理人员办理本市常住户口,名额由市控制城市人口机械增长领导小组审批。

第九条 市外个人来连投资办企业,购买商品房,达到规定标准的,可按《大连市关于私人投资、捐赠和购买商品房户口迁移的暂行规定》(大政发[1996]58 号)和《关于进一步放开外省市公民来我市购房落户政策的通知》(大政发[1999]52 号)办理落户。

第十条 市外来连企业按照本市有关规定,参加各种社会保险、缴纳住房公积金、参加先进单位(个人)和劳动模范评选活动,以及办理车辆转籍、房屋产权交易、工商和税务登记等手续时,各有关部门要视同本市企业,并予以优先办理。

第十一条 本办法由大连市经济协作委员会负责解释。

第十二条 本办法自发布之日起施行。

大连市人民政府

大连市引进优秀人才若干规定

第一条 为积极引进优秀人才,保障我市社会和经济快速发展,根据国家有关规定,制定本规定。

第二条 本规定所称优秀人才包括:

(一)中国科学院院士、中国工程院院士和社会科学领域内的知名学者;国外知名专家、学者;国家有突出贡献的中青年专家及国内外某一学科、技术领域的带头人;博士生导师。

(二)拥有专利、发明专项技术并属国内外领先水平的人才。

(三)具有高级资格的经营管理人才。

(四)具有硕士以上学位的毕业研究生和 45 岁以下具有高级职称的优秀人才。

(五)本市需要的其他特殊专门人才等。

第三条 在大连市行政区域内具有用人自主权和独立法人资格的企事业单位,中省直和外埠驻连单位、办事机构等各类用人单位,均可按本规定引进优秀人才。

第四条 用人单位申请引进优秀人才,经组织、人事部门同意后,即可办理调入手续。

政府各有关部门应严格按照本规定,在为单位引进优秀人才办理手续过程中,简化程序,提高办事效率,为引进优秀人才作好服务。

第五条 经批准引进的优秀人才,其配偶、未成年子女可随调、随迁,不受人口控制指标限制,免收城市增容费。属农业户口的,可办理"农转非"。其未成年子女入中、小学可由户口所在地的教育行政部门就近安排到教学质量较好的学校就读。随父母从国外回来的子女报考市属大中专院校,在同等条件下可适当照顾。

高层次人才来连工作,可以迁入户口长期定居,也可以不迁户口,通过办理"特聘工作证"、"长期有效暂住证",从事兼职工作。在特聘期间,其本人、配偶及子女享受居住地常住户口人员的同等待遇,免收城市增容费。未落实工作单位的人才,其人事档案关系和户口可由人才服务中心实行人事代理。

第六条 用人单位引进的优秀人才,不受编制数额限制,受聘专业技术职务不受专业技术岗位数额限制。

引进的优秀人才工资待遇可以放开,实行协议工资或期权制等分配形式,本着从优确定报酬的原则,由用人单位与本人协商。对从事高新技术成果转化的海外留学回国人员,其工薪收入可视同境外收入,在计算个人所得税额时,除减除规定费用外,并可适用附加减除费用的规定。

第七条 优秀人才来连工作期间的住房,由用人单位按照我市住房制度改革有关政策规定,优先考虑解决,并给予适当补贴。短期来连工作人员和个别单位暂时难以解决住房的,可申请租用周转住房。来连工作的高层次优秀人才,可连续三年享受安家补贴,两院院士每年补贴 10 万元,知名学者、学术带头人和博士导师每年补贴 5 万元,博士后每年补贴 2 万元,博士每年补贴 1 万元。

第八条 引进的优秀人才的科研课题,可向市有关部门申请立项,并优先安排科研经费。对从事高新技术成果转化、用高新技术改造传统产业,以及创办、领办高新技术领域合资合作或独资项目的,经有关部门认定后,通过科技三项费、技改费等渠道给予必要的经费资助。

第九条 鼓励优秀人才从事科技成果转化工作。高新技术成果在采用股份形式的企业实施转化的,将以不低于该科技成果作价入股金额的 30% 的股份,分配给主要参加人;以技术方式将科技成果提供给他人实施的,应从转让净收入中提取不低于 30% 的部分奖励给成果完成人;自行转化或合作实施转化的,应当在项目完成投产后 3—5 年内,从该科技成果的年净收入中提取不低于 20% 的比例奖励给成果完成人和成果转化人员。其中,主要贡献者所得的奖励要占奖励总额的 50% 以上。

第十条 加快企业博士后工作站建设,吸引更多的国内外博士生进站工作。各单位要创造条件,制定优惠政策,吸引博士后留连或来连工作。

第十一条 设立大连市优秀人才奖。对为本市经济建设和社会发展做出重大贡献的优秀人才,市政府给予 5 至 10 万元的一次性奖励,并授予荣誉称号。

第十二条 本规定由大连市人民政府负责解释。

第十三条 本规定自发布之日起施行。

大连市人民政府

大连市引进留学人员来连工作若干规定

第一条 为引进留学人员特别是取得博士学位的高层次留学人员来连工作,促进大连经济和社会发展,根据国家有关规定,制定本规定。

第二条 本规定适用于我国公民自费或公派出国学习,并在国外获得硕士以上学位和出国前具有大学本科以上学历或具有中级以上职称,在国外学习二年以上并取得一定成果的人员。

第三条 大连市人事局是综合管理留学人员来连工作的主管部门,具体负责留学人员来连工作的联系、接待、咨询、资格认定、审核办理手续和信息交流等工作。

第四条 留学人员来连工作,遵循来去自由、出入方便、人尽其才的原则。来连工作可选择以下主要方式:

(一)到国家机关、企事业单位和其它组织任职或兼职。

(二)创办、承包、租赁各类经济实体和研究开发机构。

(三)以自己的专利、专有技术、资金等形式向各类企业入股。

(四)应聘担任国家机关、企事业单位的顾问或咨询专家。

(五)来连开展科研合作、技术开发等活动。

第五条 留学人员来连工作,均可自行联系或由市人事部门推荐工作,其工作调动手续由人事部门负责办理。

第六条 留学人员来连,可迁入户口长期定居,也可以不迁入户口短期工作,并确保其来去自由。引进的硕士以上学位的留学人员及其随迁家属不受人口控制指标限制,免征城市增容费。

第七条 来连定居的留学人员及其随迁家属,可凭市人事部门开具的落户证明,到公安部门办理户籍手续。留学人员到乡镇企业及县(市)、区工作的,户口可落在市内。

留学人员的配偶、未婚子女和必须由本人赡养的父母系农业户口的,优先办理“农转非”、“乡进城”手续,其子女入托、上中小学的,可自选园所及学校。

第八条 来连工作的留学人员在国外获硕士、博士学位,或出国前属停薪留职的,其在国外留学年限按连续工龄计算;其他人员出国前与回国后工龄合并计算。

第九条 接收留学人员的单位,不受编制、用人指标、工资总额限制。

留学人员受聘担任专业技术职务的,不受岗位职数的限制;在国外获硕士、博士学位的,可确定相应的专业资格;留学人员到机关单位确定非领导职务的,不受职数限制。

第十条 留学人员来连定居工作的,其回国时携带的研究资料、书籍文献和科研仪器设备等物品,凭市人事部门出具的有关证明,海关应予免税放行,并允许免税购买自用国产小汽车一辆,免征增容费和车辆购置附加费。

第十一条 留学人员来连工作期间的住房,由用人单位按照我市住房制度改革有关政策规定,优先考虑解决,并给予适当补贴。对博士毕业的留学人员,短期来连工作的和用人单位暂时无法解决住房的,可申请租用市政府拨专款建的周转住房。在国外获博士学位的留学人员,来我市工作后,三年内由市政府每年发给安家补贴1万元,来连工作的博士后人员,每年发给安家补贴2万元。

第十二条 来连工作的留学人员申请出境学习、进修、参加国外学术会议或其他短期学术活动,有关部门应优先予以办理手续。

第十三条 每年从市人才发展资金拨出100万元,用于引进国外高层次留学人员。

第十四条 鼓励留学人员从事高新技术成果转化和产业化活动,市政府每年从科技三项经费中安排一定经费予以支持。凡取得博士学位来我市市属单位工作的留学人员,市科委根据科研立项情况,可适当给予科研启动费。

凡国家部委划拨给我市留学回国人员的科研资助经费,按国家有关规定,由市财政按1:2的比例予以匹配经费。

第十五条 留学人员带技术和专利来大连工作的,用人单位应视技术、专利的实用价值给予报酬,并为其提供必要的实验场所、设备和经费。留学人员的高新技术成果转化和产业化项目,优先获得市科技风险投资资金的支持。

留学人员在大连市留学人员创业园兴办企业的,可享受税收减免、减收土地使用权出让金、低租金租用公用房、优先获孵化基金支持以及延长居留证有效期等优惠政策。

第十六条 留学人员以持有的高新技术成果投资入股的,可经具有资质的评估机构评估;也可经投资各方协商认可并出具书面协议,由工商行政管理部门办理登记注册。经认定为高新技术成果的,其作价金额可达到注册资本的35%,投资各方另有约定的,可按其约定不受比例限制。

第十七条 留学人员在大连工作期间做出突出贡献的,由市政府和用人单位给予表彰奖励。

第十八条 本规定由大连市人民政府负责解释。

第十九条 本规定自发布之日起施行。市政府1993年8月23日印发的《大连市鼓励留学回国人员来连工作若干规定》同时废止。

大连市人民政府

大连市人才发展资金管理暂行办法

第一条 为加快实施科教兴市战略,优化人才聚集环境,培养、引进和奖励优秀人才,根据国家有关规定,制定本办法。

第二条 自2000年起,由市财政每年拨专项经费1000万元,设立大连市人才发展资金,在市财政局设专户存储。

第三条 大连市人才发展资金,由市委组织部、市人事局、财政局等部门组成人才发展资金管理办公室,负责具体管理工作。

第四条 大连市人才发展资金使用范围:

(一)资助市统一安排的优秀人才境内外学术交流和业务培训,以及优秀科技人才科研项目开发、成果转化;

（二）用于引进国外优秀留学人员、高层次人才的安家补贴；

（三）用于购建引进人才周转住房；

（四）奖励为大连市经济和社会发展做出突出贡献的优秀人才；

（五）用于引进、培养和奖励优秀人才的其他支出。

第五条 人才发展资金应专款专用，不得挪作它用。人才发展资金当年如有剩余，结转下一年度继续使用。

第六条 使用人才发展资金的单位或个人，应向人才发展资金管理办公室提出申请，经人才发展资金管理办公室审核汇总后，报市主管领导审批。

第七条 市人才发展资金管理办公室，应定期对人才发展资金使用单位或接受资助的个人使用资金的情况进行审查。人才发展资金使用单位或接受资助的个人，应按规定定期报送人才发展资金使用情况的书面材料，市财政局负责对专项资金使用情况进行监督。

第八条 各县（市）、区可参照本办法，结合本地实际制定相应办法，设立优秀人才培养、引进和奖励资金。

第九条 本办法由市人才发展资金管理办公室负责解释。

第十条 本办法自发布之日起施行。

大连市人民政府

大连市进一步鼓励外商投资的若干规定

第一条 为了吸收外资，引进先进技术、设备，提高利用外资工作水平，推进产业结构调整和科技创新，带动我市经济持续快速发展，根据《国务院办公厅转发外经贸部等部门关于当前进一步鼓励外商投资意见的通知》（国办发[1999]73 号）以及国家有关法律、法规规定，制定本规定。

第二条 在大连市行政区域内设立外商投资企业，适用于本规定。

第三条 市外经贸委、科委、计委、经委、财政局、地税局、工商行政管理局、开发办、公安局、房地产局、规划土地局等相关部门，应按照各自职责，互相配合，提高办事效率，认真做好外商来我市投资的各项工作。

第四条 本市大力发展高效农业，电子信息、生物工程、环境保护、海洋工程等高新技术产业，鼓励基础工业、老工业企业技术改造和技术密集型项目的对外合资合作，逐步放开旅游资源开发、商业贸易、医疗卫生、教育、航运交通、金融、保险和通讯等领域的对外合资合作。

外商投资项目，属国家《外商投资产业指导目录》中要求中方控股和不允许外商独资等限制项目，根据外商投资项目的实际情况和要求，经批准，可以另行处理。

第五条 简化外商投资项目和企业设立的审批手续。对总投资额不超过 1000 万美元的项目（不含需市政府综合平衡、限制类和特业管理的项目），由各县（市）、区政府及市政府委、办、局（总公司）自行审批；凡属鼓励类且不需要国家综合平衡的、总投资额超过 3000 万美元的外商投资项目，按我市现行规定进行审批，报国家计委、经贸委、外经贸部备案。

第六条 外商与高等院校、科研所合资合作设立研究开发机构从事高新技术研究和技术开发，以及与国有大中型企业设立合资、合作生产性项目的，经有关部门审定，可以享受高新技术产业的优惠政策。

第七条 外商投资农业企业开发“四荒”地（荒山、荒坡、荒滩、荒沟），以出让方式获得土地使用权的，可减半征收土地出让金；经批准，从有收入之日起免征农业税 3—7 年和农业特产税 1—3 年；经认定为高新技术项目的，可延长 3 年减半征收企业所得税。

第八条 外商在我市投资办企业，以出让方式取得土地使用权的，不再缴纳场地使用费（金）。

第九条 经认定的高新技术产业项目、资金密集型产业项目，以及对我市经济或相关产业发展具有龙头、导向作用并确有发展前景的项目用地，经有关主管部门批准，可以减半缴纳土地出让金。

第十条 外商投资企业进行房屋租赁时缴纳的房屋交易费，经政府批准可以减收或免收。

第十一条 属于大连市鼓励发展的外商投资项目，经有关部门审定，其地方所得税在获利年度起免征 7 年的基础上，可以再延长 3 年。

第十二条 外埠个人、企业为我市招商引资，实际到位资金 100 万美元的，可以为一户（3 人）办理大连市常住户口；符合大连市引进人才条件的，可免收城市增容费。具体办法按大连市人民政府有关规定执行。

第十三条 本规定由大连市人民政府负责解释。

第十四条 本规定自发布之日起施行。

大连市人民政府

大连市城镇职工基本医疗保险实施办法

第一章 总 则

第一条 为了保障城镇职工的基本医疗需求，建立城镇职工基本医疗保障制度，根据《国务院关于建立城镇职工基本医疗保险制度的决定》和《大连市城镇职工基本医疗保险制度改革实施方案》，经辽宁省人民政府批准，制定本办法。

第二条 城镇职工基本医疗保险实行社会统筹和个人帐户相结合。

基本医疗保险水平应与当地经济发展水平相适应。

第三条 本办法适用于大连市行政区域内的城镇所有企业（国有企业、城镇集体企业、股份制企业、外商投资企业、城镇私营企业），机关、事业单位、社会团体、民办非企业单位（以下统称单位）及其在职职工（不含外商投资企业的外方职工），以及退休人员。

第四条 城镇职工基本医疗保险实行两级统筹，属地管理。地处中山区、西岗区、沙河口区、甘井子区和大连高新技术产业园区内的单位，参加市级统筹。地处大连经济技术开发区（包括保税区、大连金石滩国家旅游度假区,下同)、金州区、旅顺口区、瓦房店市、普兰店市、庄河市和长海县内的单位参加本辖区统筹。

第五条 大连市劳动保障行政部门在大连市人民政府领导下,负责全市城镇职工基本医疗保险管理与监督检查工作。其所属的大连市城镇职工基本医疗保险经办机构具体经办参加市级统筹的城镇职工基本医疗保险业务工作。

旅顺口区、金州区和县(市)、大连经济技术开发区的劳动保障行政部门在同级人民政府、管委会领导下,负责本辖区内的城镇职工基本医疗保险管理和监督检查工作。其所属的城镇职工基本医疗保险经办机构,具体经办本辖区的城镇职工基本医疗保险业务工作。

财政、卫生、药品监督管理等部门,应按各自职责范围配合劳动保障行政部门共同做好城镇职工基本医疗保险工作。

第二章 基本医疗保险费征缴

第六条 基本医疗保险费按照以收定支、收支平衡的原则征集,由单位和职工个人共同负担。经市政府批准,单位和职工缴费率随着经济发展可作适当调整。

第七条 单位和职工个人按下列规定缴纳基本医疗保险费:

在中山区、西岗区、沙河口区、甘井子区、大连高新技术产业园区内的单位,按本单位上月职工工资总额的8%缴纳。单位职工月人均缴费工资低于当地上年度月社会平均工资60%的,按60%缴纳。无法认定工资总额的单位,以当地上年度月社会平均工资乘以职工人数为基数缴纳。

职工按本人上月工资总额的2%缴纳。职工月工资总额低于当地上年度月社会平均工资60%的,按60%缴纳;超过当地上年度月社会平均工资300%的部分,不作为缴纳基数。职工个人缴纳的基本医疗保险费由单位代扣代缴。

旅顺口区、金州区和县(市)、大连经济技术开发区内单位和职工缴纳基本医疗保险费的比例,由当地人民政府、管委会制定,报市人民政府批准后执行。

退休人员不缴纳基本医疗保险费。

第八条 单位必须按规定向医疗保险经办机构如实申报应缴纳的基本医疗保险费数额,经医疗保险经办机构核定后,在规定的期限内足额缴纳基本医疗保险费。逾期不缴纳的,除补缴欠缴数额外,从欠缴之日起,按日加收2‰的滞纳金。滞纳金并入基本医疗保险基金。

基本医疗保险费不得减免。

第九条 单位合并、分立、转让、终止时必须在批准之日起10日内,向医疗保险经办机构办理变更手续,清偿欠缴的基本医疗保险费。企业依法破产时,按法定程序清偿职工工资、福利费用时,应优先清偿欠缴的职工基本医疗保险费。

第十条 单位缴费的列支渠道:

(一)行政机关列“经常性支出”的“社会保险费”支出。

(二)事业单位列“事业支出”的“社会保险费”支出。

(三)企业列“应付福利费”支出。

第三章 基本医疗保险基金的建立

第十一条 基本医疗保险基金的来源:

(一)单位和职工缴纳的基本医疗保险费;

(二)基金的利息收入和增值收入;

(三)按规定收取的滞纳金;

(四)财政补贴;

(五)法律、法规规定的其他收入。

医疗保险基金不计征税、费。

第十二条 基本医疗保险基金由个人帐户和社会统筹基金构成。

(一)个人帐户。以个人缴费工资为基数,按年龄段记入。45周岁以下(含45周岁)职工,记入2.8%(含个人缴费部分);45周岁以上职工,记入3.3%(含个人缴费部分)。

退休人员按本人退休金的6.5%记入。本人退休金低于当地上年度月平均退休金的,按当地上年度月平均退休金的6.5%记入。

单位欠缴医疗保险费时,个人帐户停止记入。单位补交后,按规定补记。个人帐户体现形式为IC卡。

(二)社会统筹基金。单位缴纳的基本医疗保险费,按规定记入个人帐户后的余额部分,全部作为基本医疗保险统筹基金。

第四章 基本医疗保险基金的管理

第十三条 基本医疗保险基金纳入财政专户管理,专款专用,不得挤占挪用,不得用于平衡财政预算。

第十四条 医疗保险经办机构要建立健全基本医疗保险基金预、决算制度、财务会计制度和内部审计制度,做好基本医疗保险基金筹集、管理和支付工作。事业经费列入财政预算。

第十五条 建立基本医疗保险基金监督机制,基本医疗保险基金的筹集、管理和支出,应接受财政、审计部门的监督。

设立由政府有关部门、工会、单位、医疗机构、专家和职工等代表参加的医疗保险基金监督组织,定期听取医疗保险基金收支、营运及管理情况汇报,并向社会公布。

第十六条 个人帐户的当年结余资金,按城乡居民同期活期存款利率计息,其本金和利息为个人所有,可以结转使用和依法继承。个人帐户结余额可随同职工调动转移,调往外地(含出境定居)的,可一次性付给现金。

第五章 基本医疗保险基金的支付和结算

第十七条 个人帐户中的资金主要用于门诊和定点药店发生的医疗、购药费用,也可用于住院医疗费用的个人现金自负部分。

第十八条 统筹基金主要用于住院医疗费用。职工在定点医疗机构发生的符合规定的住院医疗费,实行起付标准和最高限额控制。起付标准以内的费用,由职工个人承担。最高限额年度合计为3.8万元(超过最高限额部分,可通过补充医疗保险,公务员医疗补助等途径解决)。起付标准以上、最高支付限额以下的医疗费用,职工个人承担一定比例。

第十九条 起付标准(不含精神病患者和转诊异地住院):三级医院(含所属专科医院)850元,二级医院(含专科医院)500元,一级医院(含治疗型家庭病床)300元。医疗机构等级以市以上卫生行政部门认定为准。

个人负担的比例:三级医院(含所属专科医院)为15%,二级医院(含专科医院)为12%,一级医院(含治疗型家庭病床)为10%;退休人员减半。

第二十条 特殊情况按下列办法处理:

(一)精神病患者住院不设起付标准,住院医疗费个人负担10%;退休人员减半。

(二)重症尿毒症患者门诊透析治疗,个人负担12%;退休人员减半;住院期间做透析治疗,按住院治疗的规定承担费用。

(三)转诊异地住院治疗,起付标准为1500元。起付标准以上医疗费个人负担30%;退休人员减半。

(四)出差或探亲,因急诊住院发生的医疗费按转诊异地住院治疗标准支付,凭有关诊疗凭证报销。

第二十一条 驻外地工作一年以上的职工(不含成建制外设机构),门诊和住院医疗费实行年度定额包干管理,超定额不补,结余归己。

退休人员异地居住的,门诊医疗费按记入个人帐户标准包干使用;住院医疗费,定居的按本人参加医疗保险统筹地同类人员住院治疗规定,持有关凭证报销,临时居住的,按转诊异地住院治疗的有关规定执行。

第二十二条 职工和退休人员住院费用的结算,实行总量控制、项目结算、定额管理、年终平衡的原则。定点医疗机构对职工和退休人员自住院之日起的一切费用,均应填写费用分类清单,由患者本人或亲属签名后,全部按项目结算。未经患者本人或亲属签名的医疗费用,统筹基金不予支付,患者也有权拒负个人负担部分。

第二十三条 医疗保险经办机构对住院医疗费用经审核符合规定的,按期向医疗机构拨付;发生异议的,可暂缓拨付,但最长不得超过20天。

第二十四条 职工和退休人员在定点门诊、药店发生的医药费用以IC卡结算。经办机构按个人帐户实际发生的医疗费用,每月与医疗机构、药店结算。

第二十五条 医疗保险经办机构应向定点医疗机构和定点药店拨付周转金,具体办法和数额由双方商定。

第六章 医疗服务管理

第二十六条 基本医疗保险实行定点医疗机构和定点药店管理,并实行年度审核制度。审核合格者,给予保留定点资格;审核不合格者,取消其定点资格。

医疗保险经办机构应与取得定点资格的医疗机构和零售药店签订定点协议,并严格履行。

第二十七条 医疗保险经办机构应建立并完善计算机信息系统管理和医疗档案,加强跟踪服务管理,并做好统计上报工作。

第二十八条 定点医疗机构必须成立医疗保险管理科或办公室,定点药店必须配备具有中级职称以上药学技术人员负责管理,并制定本单位具体管理制度。

第二十九条 定点医疗机构应坚持因病施治、合理检查、合理治疗、合理用药的原则,严禁滥开药、开大处方,滥用大型医疗设备检查,不得放宽出入院标准、分解住院人次。

定点药店应严格执行药品零售价格,提供安全有效的优质药品,执行处方药品与非处方药品管理规定。

第三十条 职工和退休人员可自主选择定点医疗机构和定点药店,就诊、购药时须持《医疗保险证》和IC卡。

第三十一条 职工和退休人员因病确须转往外地住院治疗的,须由当地最高等级医疗机构提出转院申请,经当地医疗保险经办机构审核同意,卫生行政部门批准。未经医疗保险经办机构审核同意,医疗保险基金不予支付。

统筹区域内转诊住院治疗,要严格遵守转诊制度。低等级转往高等级医院收取起付标准差额;高等级转往专科医院,按重新住院处理(传染病除外)。

第三十二条 职工和退休人员办理治疗型家庭病床,由经治医生提出建床申请,定点医疗机构医保科(办)审批后,报医疗保险经办机构备案。治疗型家庭病床每次建床时间为2个月,特殊情况不得超过3个月。癌症晚期、糖尿病并发症、心脑血管疾病及并发症、慢性肺心病可建立治疗型家庭病床。

第七章 罚 则

第三十三条 违反本办法由劳动保障行政部门或其委托的医疗保险经办机构按下列规定予以处罚:

(一)职工和退休人员将本人《医疗保险证》、IC卡转借给他人住院,或私自涂改医药费收据、处方的,给予批评教育;造成基金损失的,除追回损失外,处100元以上500元以下罚款。

(二)定点医疗机构、药店不执行基本医疗保险有关规定,经办机构除拒付发生的医疗费用外,处1000元以上5000元以下的罚款;造成基金损失的,除追回损失、取消其定点资格外,处5000元以上1万元以下的罚款;对直接负责的主管人员和直接责任人由有关部门追究行政责任。

(三)医务人员违反医疗保险用药规定,开假处方、大处方以及从患者名下开取药品或检查治疗的,给予批评教育,追回损失,并告之卫生行政部门按《医师法》规定予以处理。

(四)单位不如实申报和不足额缴纳基本医疗保险费的,按照国务院《社会保险费征缴暂行条例》和国家有关规定予以处罚。

第三十四条 实施行政处罚,应按照《中华人民共和国行政处罚法》的规定执行。罚款应使用财政部门统一制发的票据,并全部上交财政。

当事人对行政处罚不服的,可依法申请行政复议或提起诉讼。逾期不申请复议或不起诉又不执行处罚决定的,由做出处罚的机关申请人民法院强制执行。

第三十五条 医疗保险经办机构工作人员滥用职权、徇私舞弊的,由上级主管部门给予批评教育和行政处分;构成犯罪的由司法机关依法追究刑事责任。

第八章 附 则

第三十六条 乡镇企业及其职工、城镇个体经济组织业主及其从业人员参加基本医疗保险的办法,另行制定。

第三十七条 离休人员、老红军的医疗待遇不变,医疗费用按原资金渠道解决。医疗费支付确有困难的,由同级人民政府帮助解决。

二等乙级以上革命伤残军人的医疗待遇不变,医疗费用按原资金渠道解决,支付不足部分,由同级人民政府帮助解决。

企业1994年4月底、机关事业单位1998年底以前职工因工负伤旧伤复发及职业病所发生的医疗费用,从工伤保险基金中列支;女职工因计划生育所发生的医疗费用,从生育保险基金中列支。

大专院校在校学生或企业职工供养的享受半费医疗的直系亲属,医疗费用仍按原有关规定执行。

国有企业下岗职工的基本医疗保险费(包括单位和个人缴费),由企业再就业服务中心按照当地上年度社会平均工资的60%为基数缴纳。

第三十八条 旅顺口区、金州区和县(市)、大连经济技术开发区人民政府、管委会,应根据本地区实际,参照本办法制定实施办法,并报市劳动保障行政部门备案。

第三十九条 本办法由市劳动保障行政部门负责解释。

第四十条 本办法自2000年5月1日起施行。本办法施行前发布的有关规定,与本办法不一致的,以本办法为准。

大连市人民政府

大连市城镇职工基本医疗保险监督检查办法

第一条 为了加强对城镇职工基本医疗保险的监督检查,保证基本医疗保险制度的实施,根据国家有关规定和《大连市城镇职工基本医疗保险实施办法》,制定本办法。

第二条 本办法适用于大连市市级统筹范围内的基本医疗保险经办机构、定点医疗机构和定点零售药店、参保用人单位及参保职工、退休人员(以下简称参保人)。

第三条 大连市劳动保障行政部门是实施城镇职工基本医疗保险监督检查的主管部门,负责对医疗保险经办机构的基金收缴、支付及运营情况和对定点医疗机构、定点零售药店的医药服务情况进行监督检查。

第四条 设立大连市城镇职工基本医疗保险监督委员会(以下简称监委会),负责对基本医疗保险基金的社会监督。市监委会由政府有关部门、工会、参保单位、定点医疗机构、专家和参保职工等代表组成。市监委会定期听取基本医疗保险基金收支、营运及管理情况的汇报,并向社会公布。

第五条 任何单位和个人均有权向市劳动保障行政部门、市监委会举报或投诉违反基本医疗保险政策的行为和医疗服务中的违规行为。

第六条 监督检查人员实施监督检查时,行使下列职权:

(一)进入与检查内容相关的场所;

(二)查阅、调阅或者复制有关资料;

(三)对被检查者、证人及有关单位和个人进行调查;

(四)在必要时,可向被检查者下达《基本医疗保险检查通知书》,并要求被检查者在收到通知书之日起十日内作出书面答复。

第七条 监督检查人员实施基本医疗保险监督检查,必须有两人以上,出示有效执法证件。

第八条 医疗保险经办机构、定点医疗机构和定点零售药店应自觉接受劳动保障行政部门的监督检查,如实提供有关情况和资料。

第九条 参保人就医购药时,应严格遵守医疗保险的有关规定,正确使用IC卡,自觉接受定点医疗机构和定点零售药店的查验。对伪造、冒用和涂改的证件,定点医疗机构和定点零售药店有权予以扣留,并报市劳动保障行政部门。

第十条 有下列行为之一,《大连市城镇职工基本医疗保险实施办法》有处罚规定的,按规定进行处罚;没有规定的,由有关部门按照法律、法规、规章的规定予以处罚和处理:

(一)定点医疗机构

1、医疗服务过程中不查验医疗保险有关证件,或对持他人医疗保险证件就医不予制止的;

2、不执行《大连市城镇职工基本医疗保险诊疗项目管理办法》、《大连市城镇职工基本医疗保险医疗服务设施范围及支付标准》和《大连市城镇职工基本医疗保险就医管理试行办法》的;

3. 不合理用药、检查、治疗、收费的;

4. 向医疗保险经办机构虚报、重报、多报医疗费用的;

5. 不符合出入院标准收留住院或出院的。

(二)定点零售药店

1. 未按有关规定向参保患者提供符合质量标准药品的;

2. 未按医疗保险外配处方的有关管理规定售药的。

(三)医疗保险经办机构

1. 占用、挪用医疗保险基金的;

2. 不按规定向定点医疗机构拨付医疗费用,造成定点医疗机构经济损失或影响医疗保险业务正常进行的;

3. 以权谋私或工作失职造成医疗保险基金损失的。

(四)参保单位

未按规定为职工办理医疗保险手续,瞒报工资总额或拖欠、拒不缴纳医疗保险费的。

(五)参保人

1. 转借《医疗保险证》和IC卡就医的;

2. 私自涂改处方、费用单据多报冒领统筹基金的。

(六)定点医疗机构、定点零售药店、医疗保险经办机构、参保单位和参保人违反医疗保险管理规定的其他行为。

第十一条 大连经济技术开发区(含大连保税区、大连金石滩国家旅游度假区)、旅顺口区、金州区和县(市)可参照本办法制定本地区城镇职工基本医疗保险监督检查办法。

第十二条 本办法由大连市劳动局负责解释。

第十三条 本办法自2000年5月1日起施行。大连市人民政府大政发[1997]104号文件发布的《大连市职工医疗保险监督检查暂行办法》同时废止。

大连市人民政府

大连市行政事业单位银行帐户管理暂行规定

第一条 为加强行政事业单位预算内、预算外资金以及其他资金的管理,规范银行帐户的开设和使用,根据国家有关规定，制定本暂行规定。

第二条 大连市所属有资金收支活动的国家行政机关、审判机关、检察机关、事业单位、社会团体及具有行政管理职能的行业主管部门(以下简称行政事业单位)，应遵守本规定。

第三条 行政事业单位可以开设的银行帐户有：财政缴款专户、经费帐户、住房基金专用帐户、基本建设帐户、国债专项资金专户。其中：经费帐户、住房基金专用帐户、基本建设帐户、国债专项资金专户，由单位财务部门统一在国有或国家控股银行开设和管理；财政缴款专户由财政部门、人民银行指定在一个银行开设。每种帐户只准开设一个。

行政事业单位根据国家规定需开设以上银行帐户之外帐户的，必须到同级财政部门履行审批手续。

第四条 银行帐户的用途：

(一)财政缴款专户，用于核算行政事业单位执收执罚的应缴财政专户和应缴财政预算的行政事业性收费；各种基金；罚没收入；经审核批准征收的保证金、抵押金、风险金等资金。该帐户内的资金只能按规定上缴同级财政专户或财政预算。

(二)经费帐户(基本帐户)，用于核算财政部门及上级主管部门拨入的各项经费收入；发生的各项经费支出；拨出经费；经财政部门批准不纳入财政缴款专户的往来款项；经批准不纳入财政专户管理的事业收入、其他收入、经营收入及相应支出。

(三)住房基金专用帐户，用于核算行政事业单位按规定建立的住房制度改革和住房建设的专用基金。

(四)基本建设帐户，用于核算有基本建设项目预算的行政事业单位，在项目建设过程中所发生的与该项目有关的基本建设收支款项。

(五)国债专项资金专户，用于核算利用国债专项资金在项目建设过程中所发生的收支款项。

本条第(四)、(五)项规定的基本建设帐户和国债专项资金专户属于临时性帐户。临时性基本建设项目竣工交付使用、工程决算审查及财务结算业务完成，国债专项资金全部支付完毕后，由财政部门审核予以撤销。

第五条 行政事业单位开设银行帐户，按下列规定办理手续：

(一)向同级财政部门提出申请，填报《行政事业单位银行帐户开(销)户审批表》(见附件一)，经同级财政部门审批后，加盖“×××财政局银行帐户审批专用章”；

(二)持《行政事业单位银行帐户开(销)户审批表》和有关批文、条码证、《开户申请书》，市内四区和旅顺口区的，到人民银行大连市中心支行申办《开户许可证》，其他地区的，到当地人民银行申办；

(三)持《行政事业单位银行帐户开(销)户审批表》和《开户许可证》到开户银行办理相关手续。帐户确立后，开户银行应在《行政事业单位银行帐户开(销)户审批表》上注明“新开帐户开户银行及帐号”和“正式开户日期”。

第六条 行政事业单位撤销银行帐户的，按下列规定办理手续：

(一)向同级财政部门提出申请，填报《行政事业单位银行帐户开(销)户审批表》，经同级财政部门审批后，加盖“×××财政局银行帐户审批专用章”；

(二)持《行政事业单位银行帐户开(销)户审批表》到开户银行办理销户相关手续。开户银行应在《行政事业单位银行帐户开(销)户审批表》上注明“正式销户日期”；

(三)持《行政事业单位银行帐户开(销)户审批表》和开户许可证正、副本到当地人民银行办理注销手续，并由人民银行收回《开户许可证》。

第七条 行政事业单位变更银行帐户时，应先办理原帐户的销户手续，再按规定程序办理开户手续。

第八条 银行帐户按规定程序经审核开设(撤销)后，各行政事业单位应在正式开(销)户日期7日内，将《行政事业单位银行帐户开(销)户审批表》第一联“备查联”、第二联“财政预算部门留存联”、第三联“财政业务部门留存联”返给同级财政部门，第四联“人民银行留存联”返给当地人民银行，作为确定其单位银行帐户开设(撤销)的依据。同时开(销)户单位应将银行帐户的开设(撤销)情况及时上报其主管部门备案。

第九条 在本规定发布前已开设银行帐户的行政事业单位，须填写《行政事业单位银行帐户登记表》(见附件二)，在本规定发布之日起二个月内到同级财政部门申请对原有银行帐户进行审核登记。经同级财政部门审核同意保留的银行帐户，单位须持盖有财政部门审核印章的《行政事业单位银行帐户登记表》到当地人民银行换发新的《开户许可证》，再持《行政事业单位银行帐户登记表》、《开户许可证》到开户银行办理帐户保留登记手续；审核后认为应予以撤销的银行帐户，由财政部门和人民银行联合下发《帐户撤销通知书》(见附件三)。被撤销银行帐户的单位，必须在7日内到开户银行和当地人民银行办理帐户撤销手续，并持开户银行出具的销(转)户通知书到同级财政部门办理销户登记。

第十条 各级财政部门、人民银行、监察部门负责对行政事业单位银行帐户的开设、使用情况进行监督、检查。被查单位必须如实提供有关情况，需要开户银行协助检查时，在符合法律、行政法规规定的条件下，开户银行应如实提供有关情况，不得隐瞒。

第十一条 违反本规定未经批准开设、使用银行帐户以及不按规定撤销银行帐户的行政事业单位和开户银行，由财政部门、人民银行、监察部门按下列规定处理：

(一)予以通报批评和经济处罚；

(二)暂时停止对该单位的各种拨款；

(三)按有关规定(或决定)撤销有关单位的非法帐户，并将帐户中的资金按规定划转到同级财政专户。

第十二条 对违反本规定的直接责任人和单位负责人，由其所在单位或上级主管部门给予行政处分；构成犯罪的，由司法机关依法追究刑事责任。

第十三条 本规定由大连市财政局、中国人民银行大连市中心支行按照各自职责组织实施和对执行中的问题进行解释。

第十四条 本规定自发布之日起施行。

附件：一、《行政事业单位银行帐户开(销)户审批表》

二、《行政事业单位银行帐户登记表》

三、《帐户撤销通知书》

附　　录

责任编辑　郑　彬

市级领导机关

名　称	地　址	电　话	邮政编码
中共大连市委	大连市中山区育才街39号	2716666	116001
大连市人大常委会	大连市西岗区人民广场4号	3611955	116012
大连市政府	大连市西岗区人民广场1号	3631831	116012
政协大连市委员会	大连市中山区南山路125号	2639126	116001
中共大连市纪律检查委员会	大连市中山区育才街39号	2716666	116001

外国友好城市

名　称	国别	位　置	人口（万人）	面　积（平方公里）	结好时间	备　注（结好区市）
北九州市	日本	九州地区	103	480.61	1979. 5.12	
奥克兰市	美国	西海岸加州	34	138	1982. 3.30	
舞鹤市	日本	中部日本海一侧	9.9	342	1982. 5. 8	
不来梅州	德国	北部地区	75	404	1985. 4.17	
勒阿弗尔市	法国	西北部地区	20	362	1985.11.23	
格拉斯哥市	英国	苏格兰中部	75	207.2	1987.11.27	
罗斯托克市	德国	北部地区	25	180	1988. 5.16	
符拉迪沃斯托克市	俄罗斯	远东地区	64	561.8	1992. 9.10	
七尾市	日本	中部日本海沿岸	5.1	144.4	1986. 4.13	金州区
玉名市	日本	熊本县北部	4.7	91.29	1994.10. 6	瓦房店市
牙山市	韩国	忠清南道	17	543	1997. 5.20	普兰店市
黑角市	刚果(布)	—	—	—	2000.6.19	

市政府驻外办事机构

名　称	地　址	电　话
中国·大连驻日本经济贸易事务所	日本东京都品川区东五反田1－13－12	03－3280－3191
大连国际发展(集团)有限公司	香港渣华道191号嘉华国际中心2101－3室	(00852)28115818
大连市政府驻北京办事处	北京市西直门内大街172号	(010)66180674
大连市政府驻长春办事处	长春市西安大路59号	(0431)2712864
大连市政府驻哈尔滨办事处	哈尔滨市道里区康安路118号	(0451)4338691

各区市县政府

名　称	地　址	电　话	邮政编码
中山区政府	大连市中山区一德街83号	2806961	116001
西岗区政府	大连市西岗区北京街77号	3633029	116012
沙河口区政府	大连市沙河口区同泰街120号	4305287	116021
甘井子区政府	大连市甘井子区大连门广场1号	6651205	116031
旅顺口区政府	大连市旅顺口区黄河路24号	6613543	116041
金州区政府	大连市金州区斯大林路687号	7692400	116100
普兰店市政府	普兰店市府前街12号	3112672	116200
瓦房店市政府	瓦房店市世纪广场1号	5615864	116300
庄河市政府	庄河市红岩街461号	8612336	116400
长海县政府	长海县大长山岛镇	8683223	116500

新闻机构

名　称	地　址	电　话
大连日报社	大连市中山区世纪街76号	2634285
大连晚报社	大连市沙河口区中山路397号	4319409
新商报社	大连市中山区安阳街11号	2652732
足球周报社	大连市中山区世纪76号	2650256
大连广播电视报社	大连市沙河口区民权街162号	4641704
大连人民广播电台	大连市沙河口区民权街162号	4644025
大连电视台	大连市西岗区沈阳路62号	3634464
大连有线电视公司	大连市西岗区九三街60号	3609047
东北之窗杂志社	大连市中山区昆明街35号	2633336

中央、省主要新闻单位驻连机构

名　称	地　址	电　话
人民日报社大连记者站	大连市中山区世纪街76号3楼	2650260
新华社大连支社	大连市西岗区东北路146号	2496444
中央人民广播电台大连记者站	大连市西岗区迎春路30号	2495340
经济日报大连记者站	大连市中山区人民路5号	2644573
光明日报大连记者站	大连市沙河口区联合路107号	4649404
辽宁日报大连分社	大连市西岗区新林巷29号	2480347
辽宁人民广播电台大连记者站	大连市育才街39号921房间	2709812
辽宁经济日报社大连记者站	大连市西岗区长白街3号	4324092
辽宁电视台大连记者站	大连市中山区金城街45－1号	2640007

人才市场、劳动力市场、职业介绍机构

名　称	地　址	电　话
大连市人才市场	大连市西岗区白云街6号	3640644
大连市中心劳动力市场	大连市中山区中山广场海富大厦	2825858
劳动力超级市场	大连市中山区中山广场海富大厦3楼	2825858－1003
专业技术人才市场	大连市中山区中山广场海富大厦1楼	2823107
戚秀玉职业介绍所	大连市中山区中山广场海富大厦3楼	2823110
劳动力交流市场	大连市中山区中山广场海富大厦4楼	2823091

名　　称	地　　址	电　话
外来劳动力市场	大连市沙河口区成仁街185号	4302928
社区家庭服务劳动力市场	大连市中山区新安街10号	2824813
境外就业所	大连市中山区中山广场海富大厦4楼	2658446
下岗职工即时服务一所	大连市中山区中山广场海富大厦3楼	16011060
下岗职工即时服务二所	大连市沙河口区成仁街185号	4342759
下岗职工即时服务三所	大连市中山区新安街10号	2637287
下岗职工即时服务四所	大连市西岗区长江路722号	3632547
下岗职工即时服务五所	大连市甘井子区椒房街	6791043
中山区职业介绍所	大连市中山区民生街42号	2819276
西岗区职业介绍所	大连市西岗区北京街50号	3621201
沙河口区职业介绍所	大连市沙河口区星海街100号	4308457
甘井子区职业介绍所	大连市甘井子区大连门1号	6653298
旅顺口区职业介绍所	大连市旅顺口区劳动服务公司内	6612446
金州区职业介绍所	大连市金州区劳动服务公司内	7681244
普兰店市职业介绍所	普兰店市劳动服务公司内	9612987
瓦房店市职业介绍所	瓦房店市劳动服务公司内	5611563
庄河市职业介绍所	庄河市劳动服务公司内	8612629
长海县职业介绍所	长海县劳动服务公司内	8682427
大连经济技术开发区人才劳务市场	大连经济技术开发区长春路金桥宾馆	7615427
大连保税区劳动人事服务中心	大连保税区	7818200
大连金石滩国家旅游度假区劳动人事服务中心	大连金石滩国家旅游度假区	7350136
大连高新技术产业园区劳务服务中心	大连高新技术产业园区	4695036
大连市总工会职业介绍所	大连市中山区民生街42号	2819276
大连市妇联职业介绍所	大连市中山区洛川街54号	2819543
大连市青教办职业介绍所	大连市西岗区人民广场少年宫6号门	3608447
大连市残联职业介绍所	大连市沙河口区敦煌路48－4号	4413184

主要文化设施

名　　称	地　　址	电　话
大连市图书馆	大连市西岗区长白街7号	3632796
大连市少儿图书馆	大连市西岗区纪念街1－1号	3680470
大连市新华书店图书大厦	大连市中山区同兴街69号	2654448
大连市人民文化俱乐部	大连市中山区中山广场8号	3633797
艺术大厦	大连市西岗区东北路161号	2485204
大连市艺术学校	大连市西岗区林茂街35号	2496537
大连艺术展览馆	大连市西岗区胜利街35号	2647068
大连市朝鲜族文化艺术馆	大连市中山区友好广场12号	2630205
大连电影拍摄基地	大连市中山区滨海路129号	2401817
大连自然博物馆	大连市沙河口区黑石礁西村街40号	4661108
旅顺博物馆	大连市旅顺口区列宁街42号	6613006
旅顺日俄监狱旧址	大连市旅顺口区向阳街139号	6610676
旅顺苏军烈士陵园	大连市旅顺口区水师营镇三里桥	6611527
进步电影院	大连市中山区友好广场11号	2636308
红星电影院	大连市沙河口区成义街6号	4603542
影娱大世界	大连市中山区八一路1号	2681783
友好电影院	大连市中山区友好路4号	2807056
友谊电影院	大连市沙河口区香一街8号	4403692
麒麟大舞台	大连市中山区麒麟西巷1号	2305411

主要医疗机构

名　称	特色专科	地　址	电　话
大连医科大学附属一院	心内科 呼吸科 普外科 骨科 影像	大连市西岗区中山路222号	3635963
大连医科大学附属二院	呼吸科 血液科 耳鼻喉科 泌尿内科	大连市沙河口区中山路467号	4671291
大连医科大学附属三院	医学美容	大连经济技术开发区龙滨路5号	7610159
大连大学医学院附属医院	肛肠外科	大连市沙河口区万岁街156号	4311728
大连市中心医院	心内科 手外科 脑外科	大连市沙河口区学工街42号	4412001
大连市第二人民医院	骨科	大连西岗区宏济街29号	3631360
大连市第三人民医院	眼科 肿瘤科	大连市甘井子区千山路40号	6507500
大连市第四人民医院	烧伤科	大连市甘井子区椒房街椒北委	6674503
大连市第五人民医院	胸部肿瘤科	大连市沙河口区黄河路890号	4211244
大连市第六人民医院	传染病专科 血液净化	大连市中山区春海街1号	2718511
大连市第七人民医院	精神心理专科	大连市甘井子区凌水路179号	4670124
大连市友谊医院	肝胆、泌尿外科 消化内科	大连市中山区三八广场8号	2718822
沈阳铁路局大连医院	骨显微外科	大连市中山区解放街6号	2803147
中国人民解放军第二一〇医院	中医血液病科	大连市西岗区胜利路80号	3689106
大连市中医医院	中医脑病科	大连市中山区解放路321号	2681574
大连市口腔医院	口外科 口矫科	大连市沙河口区长江路935号	4625234
大连市儿童医院	新生儿内科	大连市西岗区中山路154号	3602266
大连市妇幼保健院(大连市妇产医院)	高危妊娠专科 优生遗传专科	大连市沙河口区敦煌路1号	4401818
大连市结核医院	结核病专科	普兰店市中心路1段	9612332
大连市结核病防治所	结核病专科	大连市西岗区沈阳路80号	3631065
大连市皮肤病防治所	皮肤病专科	大连市沙河口区长江路788号	4642537
大连市劳动卫生研究所	职业病专科	大连市中山区福泉路9号	3633815
红十字血液中心	采、供血	大连市中山区延安路90号	2635657
大连市急救中心	—	大连市沙河口区莲花山路66号	120
大连市体检中心	—	大连市西岗区南石道街丙寅巷30号	2497209

主要体育场馆

名　称	地　址	电　话
大连市人民体育场	大连市西岗区五四路66号	3686531
大连市体育馆	大连市沙河口区中山路570号	4800134
大连市民健身中心	大连市沙河口区体坛路5号	4800870
大连市射击运动学校	大连市甘井子区小平岛	4791866
大连市金石高尔夫球场	大连金石滩国家旅游度假区东部	7900596
大连市游泳馆	大连市沙河口区会展路15号	4802565
大连国际网球培训中心	大连市沙河口区会展路15号	4801234
辽宁省水上运动场	大连市旅顺口区三涧堡镇韩家村	6260214
辽宁省花样游泳馆	大连市沙河口区中山路570号	4802227
大连市西岗体育馆	大连市西岗区民运街30号	3696735
大连金州体育场	大连市金州区体育路1号	7695758
大连铁路体育场	大连市中山区解放路7号	2300051
大连海事大学游泳馆	大连市甘井子区凌海路1号	4671661－9653
友谊外商俱乐部保龄球馆	大连市中山区长春路8号	2825888－36

大专院校

名　称	性　质	地　址	电　话
大连理工大学	教育部属	大连市甘井子区凌工路2号	4671511
大连海事大学	交通部属	大连市甘井子区凌海路1号	4671611
大连铁道学院	铁道部属	大连市沙河口区黄河路794号	4604323
东北财经大学	财政部属	大连市沙河口区尖山街214号	4671101
大连水产学院	农业部属	大连市沙河口区黑石礁52号	4671025
大连民族学院	国家民委属	大连经济技术开发区辽河西路18号	7612616
大连轻工业学院	省教委属	大连市甘井子区轻工苑1号	6300891
辽宁师范大学	省教委属	大连市沙河口区黄河路850号	4211181
大连医科大学	省卫生厅属	大连市沙河口区中山路465号	4691409
大连外国语学院	省教委属	大连市中山区南山路110号	2603121
辽宁警官高等专科学校	省公安厅属	大连市沙河口区刘家桥卫士路2号	6651191
辽宁税务高等专科学校	省税务局属	大连市沙河口区由家路25号	4671823
大连大学	市政府属	大连经济技术开发区	7403431
大连职业技术学院	市政府属	大连市甘井子区革镇堡镇夏家河子村	6871281
民办万成经贸职业学院	省教委属	大连市旅顺口区方家村	6209323

辽宁省重点高中

名　称	地　址	电　话
大连市第一中学	大连市西岗区北京街71号	3632093
大连市第八中学	大连市沙河口区永明巷12号	4643343
大连市第二十高级中学	大连市甘井子区中华路500号	6566407
大连市第二十三中学	大连市甘井子区华东路校园街3号	6530195
大连市第二十四中学	大连市中山区解放路219号	2803090
大连市育明高级中学	大连市沙河口区杨树街70号	4690354
辽宁师范大学附属中学	大连市沙河口区尖山街241号	4671576
大连市旅顺中学	大连市旅顺口区博爱街61号	6613322
大连市金州高级中学	大连市金州区北山路1592号	7695609
大连市一〇二中学	大连市金州区三十里堡镇	7360233
大连市一〇三中学	大连市金州区登沙河镇同心街	7230025
普兰店市第二中学	普兰店市庙山村	9640623
瓦房店市第一高级中学	瓦房店市东长春路二段42号	5611857
庄河市高级中学	庄河市文化街126号	8614588
长海县高级中学	长海县大长山岛镇	8682780

民办普通高中

名　称	招生范围	地　址	电　话
大连私立东方实验学校	市内四区	大连市西岗区沈阳路5号	3701148
大连教育学院附属高中	市内四区	大连市西岗区五四路82号	4314059
大连华南中学	全市	大连市甘井子区山东路179号	6511163
大连华文高级中学	全市	大连高新技术园区礼贤街36号	4790176
大连枫叶国际学校	全国	大连金石滩国家旅游度假区	7900671

名　称	招生范围	地　址	电　话
大连新世纪高级中学	全市	瓦房店市东长春路2段	5651350
私立大连木兰女子高中	全市	大连市甘井子区红旗镇柳树村	4290006
瓦房店博源高级中学	全市	瓦房店市邓屯乡宫房村	5260016
大连女子职业技术学院附属高中	全市	大连市西岗区滨海西路60号	2403220
金州育才高级中学	全市	大连市金州区五一路响泉街12号	7701724
大连中山高级中学	市内四区	大连市中山区中南路241号	2685624
民办大连阳光学校(中学部)	全市	大连高新技术园区七贤岭	4790528

律师事务所

名　称	地　址	电　话
辽宁青松律师事务所	大连市西岗区黄河路263号	3635745
辽宁双护律师事务所	大连市西岗区民权街33－4号	3633707
辽宁海星律师事务所	大连市沙河口区黄河路421号	3635766
辽宁刘宝有律师事务所	大连市中山区向前街36号	2803150
辽宁华夏律师事务所	大连市中山区明泽街16号丽苑大厦5层	2809184
辽宁箴言律师事务所	大连市沙河口区迎春街4号	4340923
辽宁法大律师事务所	大连市中山区宏大路18号万达大厦12层A、B、C座	2642845
辽宁先河律师事务所	大连市中山区宏大路18号万达大厦2005、2006室	2653117
辽宁中和律师事务所	大连市沙河口区成仁街11号26－3室	4509060
辽宁竞业律师事务所	大连经济技术开发区黄海西路195－39号	7622937
辽宁海通律师事务所	大连市旅顺口区大华街3号	6610631
辽宁九源律师事务所	大连市金州区民主街26号	7812898
辽宁蓝城律师事务所	大连市西岗区长江路588号9楼A座	3625198
辽宁恒义律师事务所	大连市西岗区中山路147号森茂大厦1202D	3688432－801
辽宁众义律师事务所	大连市西岗区胜利路100号	4390418
辽宁天合律师事务所	大连市中山区一德街9号中粮广场1617室	2807053
辽宁东亚律师事务所	大连市中山区人民路7号东亚银行大厦17层1701、1705室	2655090
辽宁冠雄律师事务所	大连市中山区七七街23号金山大厦414、415室	2815316
辽宁双信律师事务所	大连市中山区宏大路18号	2691833
辽宁同人律师事务所	大连市西岗区高尔基路220－12－504	4357311
辽宁金环律师事务所	大连市西岗区北京街109号熙缘客舍502、503、504、515室	3680987
辽宁恒信律师事务所	大连市中山区人民路68号宏誉大厦1502室	2825959
辽宁文柳山律师事务所	大连市西岗区黄河路32号丽都花园6F－8	3645870
辽宁诚至律师事务所	大连市西岗区黄河路219号外经贸大厦2010室	3780088－2020
辽宁精远律师事务所	大连市中山区宏大路18号万达大厦1802室	2825555－1809
辽宁威特律师事务所	大连市中山区港湾街7号时代大厦2107室	2798062
辽宁衡平律师事务所	大连市沙河口区白山路109号建设大厦10楼	4356402
辽宁华屹律师事务所	大连市西岗区黄河路263号6楼	3621377
辽宁法新律师事务所	大连市西岗区北京街16号	3637866
辽宁法华律师事务所	大连市沙河口区太原街35号海银大酒店409、410室	4327690
辽宁盛和律师事务所	大连市沙河口区会展路18号大连商品交易所3楼东区307、386室	4806307
辽宁海文律师事务所	大连市西岗区北京街108号	3645648
辽宁亚太律师事务所	大连市西岗区人民广场2号	3672212
辽宁口岸律师事务所	大连市中山区人民路65号203、205室	2653303

名　　称	地　　址	电　话
辽宁金健民律师事务所	大连市中山区独立街19号远大大厦B座1801室	2646118
辽宁新世纪律师事务所	大连市西岗区北京街126号305室	3680986
天津张盈律师事务所大连分所	大连市中山区同兴街10号东亚银行大厦1402室	2812046
吉林常春律师事务所大连分所	大连市沙河口区高尔基路438号	4303059
辽宁海大律师事务所	大连市中山区港湾广场5号假日旅馆303、304、305、327室	2704806
辽宁大东律师事务所	大连市西岗区黄河路263号	3627749
北京陆通律师事务所大连分所	大连市中山区港湾街2号海员大厦503室	2703875－253
辽宁人民律师事务所大连分所	大连市西岗区民政街16号	3699063
辽宁新华律师事务所	大连市西岗区黄河路263号3楼	3630523
辽宁博远律师事务所	大连市西岗区长江路586号心族大酒店5楼	3685448
辽宁金菱律师事务所	大连市中山区人民路71号成大大厦7楼	2810943
辽宁新时空律师事务所	大连市西岗区新开路99号珠江国际大厦1509室	3688186
辽宁正合律师事务所	大连市西岗区黄河路32号丽都花园903室	3645916
辽宁阳光律师事务所	大连市西岗区黄河路219号外贸大厦2212室	3680236
辽宁银信律师事务所	大连市中山区友好路155号国信大厦2216室	2650193
辽宁黄海律师事务所	大连市沙河口区太原街70号大连星海宾馆3楼335室	4358816
辽宁丰源律师事务所	大连市西岗区胜利路100号24－4号	4390598
辽宁星海九鼎律师事务所	大连市沙河口区黄河路850号	4258934
上海虹桥律师事务所大连分所	大连市沙河口区西安路66号君安大厦820－822室	4608786
辽宁金石律师事务所	大连市西岗区新开路99号珠江国际大厦1207、1208室	3689752
北京市昂道律师事务所大连分所	大连市中山区解放路428号柏丽大厦611室	2819817
北京同达律师事务所	大连市中山区中山路10号三鑫大厦1716室	2510916
辽宁博信律师事务所	普兰店市中心路3段8号	3112982
辽宁长城律师事务所	大连市西岗区新开路99号珠江国际大厦1503室	3608888－1502
辽宁金宗律师事务所	大连经济技术开发区北方会计公司大楼312室	7623007
辽宁信德律师事务所	大连经济技术开发区龙滨路9号3楼	7614625
辽宁北港律师事务所	大连市西岗区长春路249号	2493652
辽宁政德律师事务所	大连市中山区洛阳街20号恒元公寓25－2	2644408
辽宁正然律师事务所	大连市中山区港湾街5号(南楼307室)	2704621
辽宁兴中律师事务所	大连市中山区鲁迅路72号1008室	2710052
辽宁事达律师事务所	大连市中山区人民路96号徐园饭店306、307室	2649889
辽宁华连律师事务所	大连市金州区古城丙区29号楼	7811894
辽宁宏都律师事务所	大连市沙河口区中山路570号星海花园7楼1－2	4800832
辽宁生生律师事务所	大连市金州区古城丙区29号楼	7807420
辽宁昌信律师事务所	瓦房店市西长春路1段434号	5613009
辽宁开元来律师事务所	大连经济技术开发区辽宁路51号	7617481
辽宁晟大律师事务所	大连经济技术开发区金马路214号	7638499
辽宁方樂律师事务所	大连市旅顺口区白云街17号	6613915
辽宁海达律师事务所	长海县大长山岛镇	8689800
辽宁中衡律师事务所	庄河市新路2段21号	8633117
辽宁昌汉律师事务所	庄河市红岩路463号	8621918
辽宁万正律师事务所	瓦房店市西长春路1段52号	5631943
辽宁简证律师事务所	大连市西岗区沈阳路94号	3677962
辽宁明峰律师事务所	普兰店市文化路83号	3112038
辽宁元明律师事务所	大连市中山区宏大路18号万达大厦1806、1807室	2825555－1111

公证处

名　　称	地　　址	邮　编	电　话
大连市公证处	大连市西岗区黄河路263号	116011	3635800
大连市公证处开发区办事处	大连经济技术开发区五彩城C区2栋10号	116600	7611330
大连市公证处保税区办事处	大连经济技术开发区泰华大厦416室	116600	7302198
大连市公证处金石滩办事处	大连金石滩国家旅游度假区满家滩镇满家滩村	116116	7900034
大连市中山区公证处	大连市中山区安乐街34－2号	116001	2802968
大连市西岗区公证处	大连市西岗区北京街77号	116011	3639251
大连市沙河口区公证处	大连市沙河口区成仁街9号	116021	4643389
大连市甘井子区公证处	大连市甘井子区东纬路14号	116033	6646793
大连市旅顺口区公证处	大连市旅顺口区白云街17号	116041	6613914
大连市金州区公证处	大连市金州区民主街18号	116100	7801084
普兰店市公证处	普兰店市中心路3段8号	116200	3112108
瓦房店市公证处	瓦房店市金栾路67号	116300	5613657
庄河市公证处	庄河市红岩路463号	116400	8612876
长海县公证处	长海县大长山岛镇东山街	116500	8683592

会计师事务所

事务所名称	地　　址	电　话
大连华连会计师事务所(正元)	大连市中山区邮电万科大厦24层	2650337
大连天健会计师事务所(北方)	大连经济技术开发区金马路288号	7612323
大连光华会计师事务所	大连市沙河口区连山街123号B座209室	4681728
大连同方会计师事务所	大连市西岗区北京街108号	3683841
大连正大会计师事务所	大连市金州区香水路4号	7687047
大连华夏会计师事务所	大连市西岗区花园街32－2号	3680287
大连光明会计师事务所	大连市沙河口区西安路66号	4620480
大连玉元会计师事务所	大连市甘井子区友谊街182号华中街道办事处	6587157
大连中兴会计师事务所	大连市沙河口区五一路142－18－202	4633611
大连兴和会计师事务所	大连市沙河口区高尔基路243号	4353066
大连源源会计师事务所	大连市金州区斯大林路378号	7692638
大连德信会计师事务所	大连市甘井子区华北路1号	6650791
大连公正会计师事务所	大连市中山区鲁迅路38－1－1101	2821155－7718
大连伟业会计师事务所	大连市西岗区民权街68号	3626991
大连明珠会计师事务所	大连市沙河口区西安路4号	4607212
大连旅顺兴华会计师事务所	大连市旅顺口区红光街10号	6626791
大连正安会计师事务所	大连市西岗区胜利路100号1504室	4390095
大连中盈会计师事务所	大连市西岗区五四路66－2号万益大厦6层	3695994
大连集兴会计师事务所	大连市沙河口区长江路795号	4608437
大连天信会计师事务所	大连市西岗区北京街86号	3620818
大连正合顺会计师事务所	瓦房店市北共济街3段7号	5611741
大连永通会计师事务所	瓦房店市大宽街2段129号	2803495
大连辽懿会计师事务所	普兰店市中心路1段船舶小区2－101号	3114201
大连正威会计师事务所	大连市沙河口区迎春街13号	4312321
大连港晟会计师事务所	大连市中山区长江路12号	3628723
大连利华会计师事务所	大连市沙河口区永胜巷14号	4644654
大连庄河正宏会计师事务所	庄河市庄打路377号	8614178
大连旅顺靖泽会计师事务所	大连市旅顺口区红光街7号	6613937
大连金誉会计师事务所	大连市中山区玉光街60号	2633824－2501

事务所名称	地　址	电　话
大连中原会计师事务所	大连市中山区解放路48号	2635933
辽宁东正会计师事务所	大连市中山区上海路45号10层	2819050
大连敬业会计师事务所	大连市西岗区高尔基路27号	4612244
大连立信会计师事务所	大连市西岗区黄河路80号	3780191
大连星海会计师事务所	大连市中山区职工街28号恒通大厦B座7层	2539492
大连兴达会计师事务所	大连经济技术开发区黄海路万和大厦518室	7641064
大连天兴会计师事务所	大连市沙河口区永平街68号	4645629
大连亿德会计师事务所	大连市中山区上海路45号	2647755
大连慎明会计师事务所	庄河市延安路1段451号	8612469
大连金城会计师事务所	大连市沙河口区五一路70－2号	4341774
大连连信会计师事务所	大连市沙河口区五四路150－5号	4322098
大连东方会计师事务所	大连市中山区祝贺街35号锦联大厦705室	2658264
大连连渤会计师事务所	大连市西岗区东北路167号	2499836
大连博源会计师事务所	大连市西岗区白山路109号	4609555
大连源达会计师事务所	大连市西岗区茂田巷25号	3638612
大连正成会计师事务所	大连市中山区世纪街3号	2804491
大连信诚会计师事务所	大连市西岗区新华街119号	3699927
大连万信会计师事务所	大连市西岗区长江路588号	3682663
大连达信会计师事务所	大连市沙河口区长江路817号4层	4636660
大连诚信会计师事务所	大连市西岗区沈阳路94号	3672396
大连鑫岗会计师事务所	大连市西岗区北京街50号	3621754
大连宏安会计师事务所	大连市中山区鲁迅路38号	2708032
大连卓群会计师事务所	大连市西岗区新开路99号珠江国际大厦2309、2310室	3787488
大连平安会计师事务所	大连市西岗区胜利路53号	4641108
大连新时代会计师事务所	大连市甘井子区山东路206号	6515768
大连德坤会计师事务所	大连市中山区七一街1号	2820428
大连恒平会计师事务所	大连经济技术开发区金马大厦706室	7610118
大连乐华会计师事务所	大连市中山区玉光街52号6层	2836031
大连鑫欣会计师事务所	大连市中山区同兴街67号邮电万科大厦25层	2648524
大连君和会计师事务所	大连市沙河口区民权街297号	4625170
大连永禄会计师事务所	大连经济技术开发区9号办公区发展公司9层	7626818
大连环宇会计师事务所	大连市中山区宏大路万达大厦2103单元	2642194
大连振兴会计师事务所	大连市西岗区香海花园7号楼0701室	4425511
大连天裕会计师事务所	普兰店市古城路8号	3177741
大连新华会计师事务所	大连市中山区港湾街5号	2712336
大连益民会计师事务所	大连市中山区人民路65号	3684893
大连正业会计师事务所	大连市中山区友好路173号	2648212
大连明信会计师事务所	大连经济技术开发区发展公司大厦3层	7611573
辽宁恒益会计师事务所	大连市西岗区红岩街2号	3636962
辽宁东辉会计师事务所	大连市中山区友好路173号长城宾馆504室	2724656
中天华正会计师事务所(大连分所)	大连市沙河口区西安路君安大厦904室	4621868

证券经营机构

名　称	地　址	电　话
一、证券公司及分公司		
大连证券股份有限责任公司	大连市中山区人民路26号中保人寿大厦25层	2639241
大通证券股份有限公司	大连市中山区人民路24号平安大厦24、25层	2539611
海通证券有限公司大连分公司	大连市中山区友好路52号	2807894
二、证券营业部		

名　　称	地　　址	电　话
大连证券有限责任公司大连解放街证券营业部	大连市中山区解放街5号	2657834
大连证券有限责任公司大连中山路证券营业部	大连市沙河口区中山路721号	4690056
大连证券有限责任公司瓦房店市西长春路证券营业部	瓦房店市西长春路1段58号	5629079
大通证券股份有限公司大连武汉街证券营业部	大连市中山区武汉街36号	2641348
大通证券股份有限公司大连天河路证券营业部	大连市甘井子区天河路81号	6518366
大通证券股份有限公司大连人民路证券营业部	大连市中山区人民路4号	2638389
大通证券股份有限公司大连友好路证券营业部	大连市中山区友好路155号	2805550
大通证券股份有限公司大连唐山街证券营业部	大连市西岗区唐山街28号	3626270
大通证券股份有限公司大连市场街证券营业部	大连市西岗区胜利东路333号	3629930
大通证券股份有限公司大连金州区民政街证券营业部	大连市金州区民政街57号	7817847
大通证券股份有限公司大连大公街证券营业部	大连市西岗区大公街34号	3634177
大通证券股份有限公司大连北京街证券营业部	大连市西岗区长江路620号	3625921
大通证券股份有限公司大连西南路证券营业部	大连市沙河口区西南路822号	4405169
中国银河证券股份有限公司大连黄河路证券营业部	大连市西岗区黄河路269号	3643941
中国银河证券股份有限公司大连延安路证券营业部	大连市中山区延安路17号	2823286
中国银河证券股份有限公司大连人民路证券营业部	大连市中山区职工街28号	2642486
中国银河证券股份有限公司大连万岁街证券营业部	大连市沙河口区万岁街146号	4318857
中国银河证券股份有限公司大连胜利路证券营业部	大连市西岗区胜利路102号	4390105
宏源证券股份有限公司大连延安路证券营业部	大连市中山区延安路31号	2645083
宏源证券股份有限公司大连开发区证券营业部	大连经济技术开发区金马路科工贸大厦2号	7623223
海通证券有限公司大连友好路证券营业部	大连市中山区友好路52号	2807894
申银万国证券股份有限公司大连武汉街证券营业部	大连市中山区武汉街36号	2802118－8006
南方证券有限公司大连上海路证券营业部	大连市中山区上海路45号宏孚大厦5、7楼	2656982
长城证券有限责任公司大连五四路证券营业部	大连市西岗区五四路26号	3690004
辽宁省证券公司大连中山路证券营业部	大连市西岗区中山路143号	3644161
中信证券有限责任公司大连中山广场证券营业部	大连市中山区中山广场3号	2809100
国信证券有限责任公司大连花园广场证券营业部	大连市西岗区花园广场2号	3697771
华夏证券有限公司大连同兴街证券营业部	大连市中山区同兴街10号	2806202
平安证券有限责任公司大连人民路证券营业部	大连市中山区人民路24号平安大厦2、3楼	2539099
国泰君安证券股份有限公司大连西安路证券营业部	大连市沙河口区西安路86号	4647894
广发证券有限责任公司大连成仁街证券营业部	大连市沙河口区成仁街185号	4328129
汕头证券股份有限公司大连明泽街证券营业部	大连市中山区明泽街65号	2645774
海南港澳国际信托投资有限公司大连证券营业部	大连市沙河口区黄河路722号	4646930－108
大鹏证券有限责任公司大连黄河路证券营业部	大连市西岗区黄河路663号	4509567
中国民族国际信托投资公司大连证券营业部	大连市西岗区五四路30号	3699941
中国科技国际信托投资公司大连证券营业部	大连市西岗区唐山街38号	3643706
大连连创证券营业部	大连市中山区五五路41－2号	2708136

期货经营机构

名　　称	地　　址	电　话
一、期货经纪公司		
大连万恒期货经纪有限公司	大连市沙河口区会展路18号会展中心东区329	4806632
辽宁中期期货经纪有限公司	大连市中山区同兴街10号东亚银行大厦15层	2807149
渤海期货经纪有限公司	大连市沙河口区会展路18号会展中心西区362	4807356
辽粮期货经纪有限公司	大连市沙河口区会展路18号会展中心西区321	4807321
大连北方期货经纪有限公司	大连市沙河口区新华街150号	4394815

名　称	地　址	电　话
二、期货经纪公司营业部		
中粮期货经纪有限公司大连营业部	大连市沙河口区会展路18号会展中心西区301	4807501
金鹏期货经纪有限公司大连营业部	大连市沙河口区会展路18号会展中心东区302	4806302
三隆期货经纪有限公司大连营业部	大连市沙河口区会展路18号会展中心东区303	4806303
经易期货经纪有限公司大连营业部	大连市沙河口区会展路18号会展中心东区367	4806667
沈阳中期期货经纪有限公司大连营业部	大连市沙河口区会展路18号会展中心西区310	4807410
沈阳建业期货经纪有限公司大连营业部	大连市沙河口区会展路18号会展中心东区374	4806374
北京冠通期货经纪有限公司大连营业部	大连市沙河口区会展路18号会展中心西区378	4807378
常州建证期货经纪有限公司大连营业部	大连市沙河口区会展路18号会展中心西区371	4807371

保险公司

名　称	地　址	电　话
大连市劳动保险公司	大连市沙河口区白山路90号	4343043
中国人民保险公司大连市分公司	大连市西岗区黄河路2号	3631901
中国人寿保险公司大连市分公司	大连市人民路26号	2651508
中国平安保险股份有限公司大连分公司	大连市西岗区黄河路180号	3629000
中国太平洋保险公司大连分公司	大连市西岗区唐山街55号	3609099

主要商场

名　称	地　址	电　话
大连秋林女店	大连市中山区中山路108号	3633888
大连商场	大连市中山区青三街1号	3633888
天百大楼	大连市中山区天津街160号	2808808
天伦商厦	大连市中山区天津街299号	2500088
大连第二百货大楼	大连市沙河口区长兴街175号	4646380
胜利百货公司	大连市中山区胜利广场	2502888
中兴—大连商业大厦	大连市中山区友好街42号	3680611
大连先施秋林大厦	大连市中山区解放路18号	2508088
国泰商业大厦	大连市中山区繁华街1号	2656518
大连天河百盛购物中心	大连市沙河口区西安路22－38号	4638899
友谊商店	大连市中山区人民路91号	2635617
新友谊商店	大连市中山区人民路62号	2803526
友谊商城	大连市中山区人民路6－8号	2659898
迈凯乐大连商场	大连市中山区青泥街57号	2300666
巴黎之春购物中心	大连市中山区上海路45号	2808151

主要专业市场

名　称	面积(平方米)	地　址	电　话
大连拍卖市场	115.2	大连市中山区上海路40号	3635753
大连汽车中心批发市场	12800	大连市甘井子区华东路北市商贸街142号	6600793
大连旧机动车交易市场	16000	大连市甘井子区后盐商贸街8号	6582359
大连机电产品批发市场	15000	大连市沙河口区华北路364号	6661387

名　　称	面积(平方米)	地　　址	电　话
大连市房地产交易市场	2810	大连市中山山新安街9-1号	3685566
大连经纪人市场	65000	大连市沙河口区黄河路663、667号	4753028
大连煤炭交易运输市场	300	大连市甘井子区工兴路666号	2626558
大连摩托车交易市场	—	大连市甘井子区后盐商贸街666号	7608840
大连电脑交易中心	5000	大连市中山区大公街22号	2640983
大连站前电子城	7000	大连市中山区长江路261号	3634283
大连通讯产品交易市场	2400	大连市中山区上海路52号	2389900
大连兴业建筑装饰材料市场	—	大连市西岗区兴业街	3629247
大连服装交易市场	6000	大连市中山区港湾街1号	2622184
大连畜禽交易市场	36000	大连市沙河口区五一路227号	4345754
大连肉类食品综合批发市场	20000	大连市沙河口区五一路122号	4342961
大连兴业蔬菜批发交易市场	48000	大连市西岗区兴业街47号	2653177
大连中国家饰城	32000	大连市沙河口区五一路97号	4603113
大连汽车广场	30000	大连市甘井子区大连湾后盐商贸区	7110385
大连北方粮食交易市场	3542	大连市中山区五五路6-1号	2815754
大连冷饮食品批发市场	1600	大连市沙河口区五一路122号	4342296
大连废旧金属交易市场	4000	大连市甘井子区中沟街388号	7111376
大连生产资料拍卖市场	800	大连市西岗区香周路25号	3643759
大连熟食品交易市场	26570	大连市沙河口区西南路568号	4308983
大连百姓室内装饰市场	4000	大连市沙河口区西南路658号	4632258
大连机电产品交易市场	5200	大连市沙河口区鞍山路	3621929
大连汽车配件交易市场	34820	大连市沙河口区工华街	4634617
大连钢材现货交易市场	11000	大连市沙河口区西山坊379号	4628685
大连汽车维修配件交易市场	14000	大连市甘井子区新生路57号	6661777
大连粮食批发市场	10200	大连市甘井子区金三角广场15号	6590098
大连国际水产品交易中心	23000	大连市甘井子区大连湾	7600318
大连友谊灯饰批发市场	2800	大连市甘井子区华北路194号	6561854
大连石材交易市场	—	大连市甘井子区西南路1号	6641658
开发区昌临批发大厦	5000	大连经济技术开发区本溪街3号	7619653
开发区中心农贸市场	10000	大连经济技术开发区长春路中段	7611369
开发区旅游文化市场	5300	大连经济技术开发区金马路235号	7632109
开发区光伸装饰材料市场	10000	大连经济技术开发区黄海路298号	7310922
金州大市场	5000	大连市金州区胜利路645号	7699690
金州燕乐大市场	6000	大连市金州区胜利路645号	7360281
金州北乐大市场	30000	大连市金州区北乐村	7360281
金州中益陶瓷批发市场	14000	大连市金州区西海开发区	7699245
普兰店皮口水产批发市场	6000	普兰店市皮口镇新海村	3400731
普兰店家具城	24000	普兰店市商业大街157号	3129809
普兰店农机配件市场	18000	普兰店市丰荣办事处和尚村	3113813
普兰店旧物市场	17000	普兰店市丰荣办事处和尚村	3113813
瓦房店金谷大厦	8000	瓦房店市长春路11号	5624145
瓦房店水果批发市场	6000	瓦房店市水果街795号	5616581
瓦房店华贸商城	7000	瓦房店市共济街	5632738
瓦房店复州水泵城	10000	瓦房店市复州城镇	5102345
庄河煤炭市场	9000	庄河市观架山乡	8610565
保税区工业品市场	7200	大连保税区B路	2802888
保税区国际车城	225000	大连保税区西门	7318118

国际旅行社

名称	地址	电话
大连市海外旅游公司	大连市西岗区畅通街1号5楼	3689859
大连市中国国际旅行社	大连市西岗区畅通街1号4楼	3696273
大连中国青年旅行社	大连市西岗区沈阳路94号	3601774
大连市中国旅行社	大连市中山区解放路410号	2386828
中国金桥旅游大连公司	大连市西岗区唐山街24号5楼	3644679
大连渤海国际旅游总公司	大连市中山区胜利广场8号	2825500
中国光大旅游总公司大连公司	大连市中山区长江路44号	2652810
大连市国际妇女旅行社	大连市中山区解放街55号	2647145
大连市旅顺口旅行社	大连市旅顺口区临河街21号	6614047
大连国际交通旅行社	大连市中山区港湾街1号	2623702
大连国际电力旅行社	大连市中山区中山路102号	2637331
大连七星国际旅行社	大连市甘井子区甘井子路60号	6798407
大连国际商务旅行社	大连市中山区明泽街16号	2641962
大连航空国际旅行社	大连市中山区中山路143号	3627070
大连万恒国际旅行社	大连市中山区中山广场2号	2647104

三星级以上宾馆(酒店)

名称	级别	地址	电话
富丽华大酒店	五星	大连市中山区人民路60号	2630888
香格里拉大饭店	五星	大连市中山区人民路66号	2525000
瑞士酒店	五星	大连市中山区五惠路21号	2303388
九州假日饭店	四星	大连市中山区胜利广场18号	2808888
丽景大酒店	四星	大连市中山区虎滩街12号	2892811
良运大酒店	四星	大连市中山区五五路12号	2589188
心悦大酒店	四星	大连市中山区人民路81号	2809000
东方大厦	四星	大连经济技术开发区龙江路	7612988
凯伦饭店	四星	大连经济技术开发区长春路	7621188
国际酒店	四星	大连市中山区人民路9号	2638238
民航大厦	三星	大连市西岗区中山路143号	3633111
博览大酒店	三星	大连市中山区解放街1号	2806161
银帆宾馆	三星	大连经济技术开发区长春路	7612888
南山宾馆	三星	大连市中山区枫林街56号	2715555
秀月酒店	三星	大连市西岗区滨海路108号	2402533
大连宾馆	三星	大连市中山区中山广场4号	2633111
华宁宾馆	三星	大连市西岗区八一路260号	2400295
金州宾馆	三星	大连市金州区斯大林路412号	7692172
天富大酒店	三星	大连市中山区天津街189号	2813188
不夜城大酒店	三星	大连经济技术开发区龙江路	7615888
西郊宾馆	三星	大连市甘井子区红旗镇柳树村	4290000
华日大酒店	三星	大连市西岗区八一路169号	2400998
雪苑酒店	三星	普兰店市中心路3－35号	3118288
华录宾馆	三星	大连市甘井子区七贤岭	4793888
北方大酒店	三星	大连市中山区人民路19号	2818388
渤海大酒店	三星	大连市中山区解放路5号	2808999

名称	级别	地址	电话
盛兴大酒店	三星	大连市沙河口区中长街2号	4620099
集贝港湾大酒店	三星	大连市西岗区八一路266号	2400989
大显酒店	三星	大连市西岗区胜利路98号	4314777
日月潭大酒店	三星	大连市中山区新安街1号	2810988
富顿大酒店	三星	大连市中山区中南路125号	2898080
凯莱大酒店	三星	大连市中山区一德街5号	2808855
心族大酒店	三星	大连市西岗区长江路586号	3635566
恒元大酒店	三星	大连市中山区解放路223号	2306666
机场宾馆	三星	大连市甘井子区迎宾路96号	6659888
天和玉大酒店	三星	大连市西岗区新开路56号	3636888
新纪元大酒店	三星	大连市旅顺口区洞庭街19号	6628188
大禹神酒店	三星	大连市中山区丹东路135号	2700288
大连金港大酒店	三星	大连经济技术开发区五彩城K区1号	7612125
大连花园酒店	三星	大连经济技术开发区辽河西路14号	7611800
北良大厦	三星	大连市中山区鲁迅路50号	2726699
海泉大酒店	三星	大连市沙河口区红旗东路7号	4211888
雅苑大酒店	三星	大连市西岗区五四路80号	3671888

主要旅游景区(点)、公园、海水浴场

名称	主要景点	位置
大连南部海滨风景区	棒棰岛、石槽村、燕窝岭、秀月峰、老虎滩、白云山、星海广场、黑石礁、金沙滩、银沙滩、西山揽胜、鸟语林、群虎雕塑、圣亚海洋世界	由黑石礁经滨海路至东海头
金石滩国家旅游度假区	高尔夫球场、狩猎场、龟裂石、蜡像馆、赏石馆、鲜花大世界	金州区
旅顺口风景区	万忠墓、日俄监狱旧址、中苏友谊塔、胜利塔、东鸡冠山北堡垒、望台炮台、二龙山炮台、电岩炮台、203高地、铁山灯塔、白玉山、黄金山、老铁山鸟栈、黄渤海自然分界线、海军兵器馆	旅顺口区
冰峪风景区	龙门潭、玉女峰、中流砥柱、孤帆石	庄河市
公园	森林动物园、虎滩乐园、星海公园、劳动公园、东海公园、中山公园、英雄烈士纪念公园	市内
	龙王塘水库公园	旅顺口区
海水浴场	星海湾浴场、金石滩浴场、付家庄浴场、夏家河子浴场、棒棰岛浴场、石槽浴场、东海公园浴场、星海公园浴场、金沙滩浴场	市内
	仙浴湾浴场	瓦房店市
	黄金山浴场、大黑石浴场、世界和平公园浴场	旅顺口区
	北海浴场	长海县
其他景点	吴姑城、清泉寺	普兰店市
	响水寺	金州区
	银窝礁林、海王九岛	长海县
	大黑石、碧海山庄	市内

市内常用电话

火警	匪警	急救中心	天气预报	机场问询处	民航大厦国内售票
119	110	120	121	6652071	3637480
铁路问事处	铁路票务中心	大连港客运站问事处	出租汽车投诉	消费者协会	城建管理监察
2823242	2832977	2636061	3638119	12315	4420474

大连国际机场每周航班表

日期 地名	每周(航班次)							日期 地名	每周(航班次)							日期 地名	每周(航班次)							日期 地名	每周(航班次)						
	1	2	3	4	5	6	7		1	2	3	4	5	6	7		1	2	3	4	5	6	7		1	2	3	4	5	6	7
北京	13	11	13	13	13	11	11	昆明	1		1	1	1	1	1	郑州	1		1	1	1			哈尔滨	3	2	3	5	4	4	5
上海	10	8	9	8	10	8	9	宁波	3	3	3	3	3	3	3	临沂			1				1	西宁						1	
广州	3	3	3	3	3	3	3	温州	1	1	1		1	1		秦皇岛	2	2	1	3	2	3	2								
深圳	6	4	5	4	5	4	5	武汉	2	4	1	2	2	3	1	杭州	2	2	3	2	3	3	3	东京	2	1		2			3
天津	1	3	1	2	1	4	2	福州	3	2	2	2	2	2	2	南昌		2			2			福冈		1	1			1	
太原	2	2	1	3	2	2	3	西安	1	1	2	2	1	1	1	南京	2	2	1	2	2	1	2	大阪	1		3	1		3	
合肥	2			2		1	1	张家界				1			1	长沙	1		2	1		2		富山	1		1			1	
济南	2	3	2	3	3	2	3	宜昌	1				1			成都	3	2	2	3	3	2	4	平壤	1				2		
乌鲁木齐	1			1				海口	3	2	1	2	3	1	2	贵阳				1			1	伊尔库茨克				1			1
三亚	1		1		1		1	洛阳	1			1			1	桂林	1	1		1	1			广岛	1			1			
珠海	2		1	1	1	1		汕头			1			1		重庆	1				1			仙台		1			1		
厦门	1	1	2	1	2	2	1	朝阳	1	2	1	1	1	2	1	青岛	5	8	6	5	6	6	5	汉城	2	2	1	2	2	1	1
兰州			1	1			2	南宁		1				1		沈阳	3	2	2	3	3	3	2	香港	1	2	1	1	1	2	1
常州			1			6		武夷山			1			1		长春	1	3	1	3	1	3	1								
石家庄	1				1			银川	1				1			延吉	4	4	3	4	4	3	3								

大连火车站始发列车时刻表

车次	到站	时间	
		始发	终到
4227/6	通辽	5:20	17:23
L955	铁岭	5:30	16:22
K661	本溪	6:15	12:20
6733	庄河	6:23	11:13
4289/92	沟帮子	7:00	13:01
6729	旅顺	7:22	9:04
T453	沈阳北	7:42	11:54
K653	长春	7:50	17:40
2083/1	海拉尔(隔)/伊图里河	8:21	11:00/14:06
K679	沈阳北	8:30	14:22
4223	图们	11:00	9:47
T131/4/1	上海	11:57	11:57
K645/8/9	赤峰	12:21	6:11
2051	牡丹江	12:41	8:22
2219	齐齐哈尔	13:29	9:59
T451	沈阳北	13:40	17:52
T461/0	锦州	14:10	19:29
2209	齐齐哈尔	14:53	8:35
2121	佳木斯	15:03	13:23
K673	通化	15:51	5:30
4233	吉林	16:25	7:00
K967/70	营口	16:50	20:28
6735	城子坦	17:08	20:38
6731	旅顺	17:25	19:07
T227/6	北京	17:45	5:30
2019	大庆	17:53	10:22
6727	熊岳城	18:02	21:32
K643	丹东	19:37	6:08
T83/2	北京	20:37	6:08
4217/22/19	叶柏寿	21:05	13:11
T261	哈尔滨	21:39	7:04

大连火车站到达列车时刻表

车次	到站	时间	
		始发	终到
4220/1/18	叶柏寿	14:00	5:01
K644	丹东	18:06	5:16
2052	牡丹江	10:43	6:00
T262	哈尔滨	20:47	6:12
4234	吉林	15:43	6:30
T225/8	北京	18:40	6:42
6732	旅顺	5:10	6:52
T81/4	北京	21:30	7:02
6736	城子坦	4:05	7:36
K674	通化	19:56	8:16
2020	大庆	16:51	8:30
6728	熊岳城	6:13	9:36
K969/8	营口	6:40	10:17
2122	佳木斯	13:15	10:47
2220	齐齐哈尔	17:06	11:12
2210	齐齐哈尔	16:26	11:26
T452	沈阳北	8:00	12:10
T459/62	锦州	7:57	13:08
K650/47/6	赤峰	21:05	14:50
4224	图们	17:06	15:13
T132/3/2	上海	16:01	15:56
L956	铁岭	5:04	16:27
6730	旅顺	15:07	16:53
K654	长春	7:05	17:15
6734	庄河	12:43	17:40
T454	沈阳北	13:50	18:05
4225/8	通辽	6:35	19:02
2082/4	海拉尔(隔)/伊图里河	16:00/12:57	19:19
K662	本溪	13:20	19:36
4291/0	沟帮子	13:50	19:55
K680	沈阳北	16:05	21:47

索　　引

说　明

1. 本索引采用主题分析索引方法，按索引词首字汉语拼音字母次序排列（同音字按声调），首字相同按第二字音序排列，依次类推。用拉丁字母、阿拉伯数字开头的索引词依次排在汉字索引主题的后面。

2. 类目、分目标题采用黑体字。“大事记”、“社会经济统计资料”、“市委、市政府文件”、“附录”及“特载”中的“报告”内容不作索引。

3. 索引词后的阿拉伯数字表示内容所在页码，数字后的字母 a、b、c 表示左、中、右栏。

4. 索引词之后第二个及以后的页码，表示参见内容所在位置。

5. 分目或条目下属内容为“附见”，缩后两格放在相关分目和条目下面。

6. 条目索引词一般采用中心词和简称。

D

E

F

G

H

J

K

L

M

N

T

W

Z